国家出版基金项目
NATIONAL PUBLICATION FOUNDATION

《三联经典文库》

第二辑

2012 年国家出版基金项目

三联经典文库

177

歌德自传

（上）

歌德 著　　思慕 译

生活·讀書·新知 三联书店

图书在版编目(CIP)数据

歌德自传（上下）/ 歌德著；思慕译. -- 北京：生活·读书·新知三联书店,2014.1

（三联经典文库第二辑）

ISBN 978-7-108-04763-2

Ⅰ. ①歌… Ⅱ. ①歌… ②思… Ⅲ. ①歌德，J.W.V.（1749～1832）－自传 Ⅳ. ①K835.165.6

中国版本图书馆CIP数据核字(2013)第261731号

《三联经典文库》出版缘起

适逢生活·读书·新知三联书店八十华诞，为弘扬传统，接续文脉，回报读者，服务社会，我们决定策划出版《三联经典文库》。

1932 年 7 月，生活书店在上海创办，此后，读书出版社和新知书店相继成立。本文库第一辑、第二辑所选图书，来自于这三家出版单位及其分支机构，以及 1948 年生活·读书·新知三联书店成立后的出版物，始于 1932 年，截至 1951 年，两辑各一百种。此为第二辑，涉及政治、经济、社会、军事、思想文化诸领域，涵盖专著、文集、散文、小说、诗歌、传记、报道等体裁，既有直面现实、追求真理、讴歌真善美、抨击假恶丑的原创作品，又有引介世界各国先进文化、传播新知、开启民智的迻译之作，真实记录了那一代知识分子的思考与探索、理想与愿景和对中华民族文化传承与创新所做出的努力与贡献。

本文库所辑入各书，多为名家名作，在版本方面，以初版一印本或经著译编者审定、修订、增订过的版本为首选，因此本文库又具有较为珍贵的版本价值和收藏价值。

本文库还将编选续辑，使之成为恢弘文化工程。诚挚希望读者给予批评和指正，帮助我们完善编选工作，再现三联经典作品之风采。殊为遗憾的是，由于年代久远，一些原著译编者及其后人未能取得联系并奉付稿酬，诚盼版权所有者与我们联系。祈愿三联前辈所创造的精神财富能薪火相传，为中华文化的伟大复兴增光添彩。

《三联经典文库》编辑委员会

2013年8月

凡　例

一、本文库为重排本，由繁体字竖排版改为简体字横排版。

一、以忠实于原作、整旧如旧为编辑原则，对当时使用的专有名词、外文译名，以及民国时期的语言和特色予以保留。

一、原书注释如旧，编者所出的注释，均以“编者注”标明，以示与原书注释的区别。

一、对原书残缺或字迹漫漶之处，以□示代。

一、对繁简文本转换时的“如右”、“见左”一类，对应改为“如上（前）”、“见下（后）”。

一、对原书中各种错讹脱衍之处，直接订正，不再以其他符号标示。

一、对数字、标点符号的用法，在不损害原文语义的情况下，做必要的规范。

一、本文库各书均前插原书书影、原书版权页和文库版“本书出版说明”。

一、本书出版说明的撰写，以客观中立为原则，扼要介绍本书的内容、版本流转、著译编者的情况。

本书出版说明

本书译自《诗与真》，是歌德的自传。全书共四部，分别成书于作者五十九岁至八十一岁期间，是这位伟大的老诗人根据自己的回忆写出来的，记述了他从幼年到青年时期的生活，既是一部作者本人追溯自己成长、成熟历程的回忆录，也是披沥自我心路历程的坦率之作。从这部回忆录中，我们可见欧洲当时历史情形下的宫廷文化传统、历史名胜古迹以及文化发展氛围，亦可见歌德本人的生长环境、学习过程中的奇特经历和丰富的经验。1922 年，《少年维特的烦恼》出版，歌德在中国轰动一时。而本书于 1936、1937 年翻译印行，及时地为读者提供了阅读资料，后由于“七七事变”而绝迹，不能不说是个遗憾。

本书分上下两册，分别由生活书店初版于 1936 年 12 月和 1937 年 4 月。人民文学出版社于 1983 年 7 月出版第一版。此后上海三联书店、华文出版社都出版过。

此次出版即以生活书店初版本为底本。

歌德（Johann Wolfgang von Goethe，1749-1832），德国诗人、剧作家、思想家。生于法兰克福，曾获斯特拉斯堡大学法学博士学位。深受卢梭、莱辛和斯宾诺莎的影响，与席勒交情深厚，青年时为狂飙运动的主要代表人物。1775年，应邀担任魏玛公国枢密顾问。主要作品有《葛兹·冯·伯利欣根》、《少年维特的烦恼》、《普罗米修斯》、《浮士德》、《威廉·迈斯特的学习年代和漫游年代》等。

刘思慕（1904-1985），原名燧元，笔名刘穆、刘君木等，广东新会（今江门市新会区）人。曾留学前苏联、德国和奥地利。1946年加入中国民主同盟。历任香港《文汇报》总编辑、上海《新闻日报》总编辑、上海国际问题研究所副所长、北京国际关系研究所副所长、世界知识出版社社长、中国社会科学院世界历史研究所所长等职。1957年加入中国共产党。曾当选全国人大代表、全国政协委员。著有《世界政治地理》、《战后世界政治地理》和《战后日本问题》等。

生活·读书·新知三联书店

2013年8月

生活书店 1936 年 12 月初版书影

歌德自傳

每冊實價國幣壹圓叁角
外埠酌加寄費

原著者 Goethe
譯者 思慕
發行者 生活書店 上海福州路第三八四號
印刷者 生活印刷所

中華民國二十五年十二月初版

原书版权页

目次（上）

译者序

现在离歌德逝世百年祭转眼又四年了，那时世界——特别是国社党将要抬头的德国和社会主义的苏联——纪念歌德的热烈，读者想还记得。译者不在那时凑热闹，而在歌德崇拜的狂热已渐冷去的时候，把《歌德自传》译出来，诚然有点明日黄花之感，不过，这个伟大的诗人的价值不是百年的，而是千万年的，不朽的，而且他的真价不断为人重新估价，重新认识。在歌德自己著作的译本和关于歌德的文献两方面均极贫乏的中国，把歌德的作品而同时又可供重新认识歌德之助的《诗与真实》介绍到中国来，也不是无意义的吧。

诚然，世界上研究歌德的书籍论文，真是“汗牛充栋”，自百年祭以来，又不知添了多少。可是像那些《歌德的牙齿》《歌德时代的眼镜》[1]一类的炫学的琐屑的研究，固不必说，无数的资产阶级的歌德研究和批判者中能够认识歌德的真价的真不多见。有些侧重女人对于歌德的影响，有些把歌德神秘化，奉之为超越时代的天才，不是故意歪曲，便是搔不着痒处，例如 L. Farnoux-Reinand 在 *L'Order* 杂志（一九三二年三月二十二日）曾说："如不考究妇人对于歌德的影响，歌德的研究便不可能。"又如一九三一年夏死去之神秘主义的精神现象学的文学理论家 F. Gundolf 教授，认歌德为"自我"思想的告知者，"不依系于何物，自己完成自己，与为时间所制限的存在没有关系，与目的也无关系的自律的人格"，更是极神秘之至。

国社党也利用歌德来做他们的宣传的工具，自不待说。例如在死后百年纪念时，国社党的机关报 *Völkische Beobachter* 宣称歌德为"我们德意志人"，所走的方向跟国家社会主义党的一样。他们的理论家 Rosenberg 更谓歌德为希特勒、蒂森之流的先驱者，在《浮士德》里高

[1] 前一文为柏林大学某讲师之作，后一文出自 A. v. Pflugk 之手，载于 *Deutscher Almanach* 1932.

喊着独占。

事实上，歌德确是伟大的天才，但决不是超越时代的天才。歌德的恋爱的生活诚然是丰富多趣的，但是给予他以决定的影响的决不是妇女。从某一方面来说，歌德是反动的，但他的反动性与德国今日的国社党不同，而且在某一方面是比后者前进得多。卡尔也称歌德为“最伟大的德意志人”，而又说：

> 歌德有时伟大，有时狭小，有时是反抗的，嘲笑的，轻蔑世间的天才，有时却是谨慎的，满足的，狭量之俗物。

歌德的这种二重性，正证明这个伟大的天才是为他当时的社会的政治的条件所制约，歌德生当十八世纪的后半期和十九世纪的初期，法国的启蒙思想已波及欧洲，但是后进的德国还未见革命的有力的布尔乔亚的存在。歌德的生地是旧商业城市的佛郎克福城，家世由商人而进为贵族，他自己后来且充当威玛的枢密顾问官。因为这种关系，他一方面，表现出与同时代的诗人（如席勒）不同，他具有积极性，注重实践生活以至带有泛神论，素朴的唯物论的倾向，而且对于当时的社会的因袭的虚伪的生活样式也取挑战的态度。可是，在他方面，胆小的市井商人，门阀子弟和支配阶级的根性也在歌德的作品中反映出来。例如他反对急进的法国革命，而主张进化；对于封建的绝对主义的秩序虽然从两三侧面反对，但对于伟大的历史运动却怀恐怖，后来在威玛时代且醉心于宫廷的极微小的快乐。

不过，文学批判者之抉出歌德的世界观的这种矛盾，不是对歌德个人有所苛求，而只是想从当时的社会关系中来认识真正的歌德，使后之承袭文学遗产者，抛弃这天才诗人的俗物的狭小的方面，而发扬光大他的伟大的前进的方面。而且，歌德虽是一个爱国主义者，而同时又是一个世界主义者，对于犹太民族也具同情，他虽与封建社会妥协，但对于中世的专制腐败，却加以攻击和嘲笑。所以大体上来说，歌德终不失为当时新兴的资产阶级的前卫的意识的代表，不特与反犹太主义、毁灭文化、复返于中世的野蛮的国社党不能同日而语，而且是他们的讽刺。

欲认识真正的歌德，只有从新的社会科学的观点，把歌德的时代的社会关系，以及他的一生和全部著作加以精密的研究才成。但是《歌德自传》之大足以为这种目的之助，是不容否认的。也许有人说，《歌德自传》是诗人在老年（五十九岁）回忆之作，而且只叙到威玛时代（二十七岁）以前的事，没有别人替他作的传那样的客观和完备。不知在时代和社会关系上来描写自己正是歌德自传可以自负的地方（见原序）。事实上在自传中，借着对于他的家庭、朋友、城市、宫廷，以及各种人物的详尽生动的描写，整个的歌德也像烘云托月那样活现出来。他所写的纵只及于他一生的早年期，但恰是他的世界观形成的时期，他的二重性已在那时具有。例如在自传中我们看见他一方面同情于职工，以至反抗市政府的叛徒，暴露当时封建贵族的种种腐败和虚伪，但他方面对于封建盛时的光荣犹有余恋；我们又看见一方面他的宗教是一种自然的崇拜，对于神的公平，甚至怀疑，但是他方面又称道重仪式的天主教而薄新教。凡此种种，都是他生当的过渡时代的特征。正如他自己在序文中所说的，时代给予时代的人的影响极大，早生十年，或迟生十年，便全然不同。假如歌德迟生二三十年，歌德的思想恐怕更前进和彻底一点吧。

以文学上的价值论，《诗与真实》也是值得称道的。歌德的写实主义的观察方法和描写的手腕在本书里也颇充分地表现出来，而且文笔变化多趣：有时议论风生，有时娓娓如儿女细语，有时插入戏剧性的场面，关于他的恋爱故事的记叙，又饶有牧歌的意味。所以，本书在风格上虽与卢骚《忏悔录》异趣，但同样可作为文学作品来欣赏。

最后，关于本书的翻译，还有几句话要说：歌德的作品本不易译，散文虽比诗好一点，但以他在自传中无所不谈的缘故，有好些典故史实、人物、书名便不容易考证出来。译者之从事本书的迻译，除根据德文原本之外，复参考英日译本及其他歌德传记，力求畅达，并尽可能将重要之书名、地名、人名等加注。但以浅学之故，错误之处自所不免，译者敬以万分的诚意等待着国内读者的指正。

一九三六年七月廿四日

自　序

不受惩戒者也就是不可教育者。

——希腊格言

本书或者比别的书更有序言的必要，这儿有一篇朋友的信可以当作序文，我这本老是欲写还休的著作，就是为这封信所促成的。

亲爱的朋友，我们现在已把您的诗集十二卷集起来，我们读过一遍时发觉其中有许多我们已知的事，许多不知的事，更有许多我们忘掉了的事，借着这个集子而重新忆起。我们不由得不将这十二册一样装订的书看作一个全体，并想从其中构成一幅作者与其才能的画图。可是，我们不能否认，比起作者开始著作家生活时的蓬勃之气和以后经过的悠长的岁月，区区十二册书确像是太少了。以各个作品论，它们之大抵为特殊的故事所促起，外来的特殊的事象以及作者自己在内部生活上所达到的教养阶段之显现其中，以至某一种的道德原则，审美原则和信念之以时支配各作品，也同样不容否认。不过，以全体论，这些作品总是缺乏联络；甚至我们常常差不多不相信它们是同出一个作家之手。

在其间，您的朋友们曾不断地研究，既较熟知您的生活和思想的状态，便力图猜解关于您的许多的谜和阐明许多的问题。以他们一向对您的爱慕和历年已久的友谊之助，他们甚至觉得所发见的难点是有一点异趣。可是如果有人在您的全集中各处加以阐明，那当然是我们所欢迎的事情，对于我们这种友情的旨趣，您当不会靳而不予以这种利便吧。

那么，我们请求您的第一桩事，就是：请

您把您的新版的，照着内部关系编排的诗集，按着年代的顺序表明，以及请您把构成它们的资料的生活状态，心意状态，影响您的前人的模范，以至您所奉的理论的原则，颇有系统地对我们说明白。倘若您不辞烦劳为您的所亲交的少数人作这样的说明，它也许会给予多数人以兴味和利益。本来，著作家到了高年，不应放弃与倾慕自己的人们也从远处谈话的权利；而且，不是任何作家都可以继续撰写风靡一时，出人意表的杰作；但是像您那样的年纪，恰是知识更加圆满，意识更加明澄的时候，如果将您的著作发表过的东西再度当作材料来处理，施以最终的加工，这便是一桩非常有趣和重使生气盎然的事，而从前受您这位艺术家直接间接陶冶的人便因这本书而再受您的教养上的感化了。

这种友情的愿望即引动我顺从它的兴趣。因为，在我们年轻的时候，我们热烈地各自走自己的路，为避免迷误起见，悍然拒绝他人的要求，可是，到了晚年期，如果有可以刺激任何同情的事，或为友情所促而做新的活动，那是求之不得的了。我因此马上从事准备的工作，把全集十二卷所包含的大小作品挑选出来和按着年月排列。我力图了然于我撰作它们的时日和境况。不过我不久就觉得这事的困难出乎预期之外，因为已发表的著作间有许多的罅隙，如要填补，便要详细的报告和说明。首先，在我的集子中，我最初习作的东西完全没有，许多开头写而不完成的东西也不存；甚至有许多完成的作品初时所具的外形也完全消失了，这因为后来全然改作，以另一模型铸出来之故。此外，我怎样致力于科学和文学以外的艺术，我怎样在这些像是陌生的专门学术中，独自或与友人合作，一部分暗地里研究，一部分公开地将研究的结果发表，我也要回想一下。

为满足对我好意的人们起见，我决心将这一切逐渐插入书里去；可是这种努力和观察，次第把我引到更广更远的方面去。因为，当我为应读者的很有正当理由的要求，想将内心的激动，外来的影响以及自己置身的理论的和实际的阶段，顺序加以叙述时，我便从自己的狭小的私生活投入广大的世界中；直接间接感化我的千百非凡的人物便呈现出来，甚至那对我以及一切同时代的人有巨大影响的一般政治情势的重大的推移，也不得不加以特殊的注意。这就是说，把人与其时代的关系说明，指出他的环境阻挠他到什么程度，掖助他又到什么地步，他怎样从其中形成他自己的世界观和人间观，以及在现身为艺术家、诗人或著作家的场合，怎样再把它们向外反映出来，似乎就是传记的主要的任命。可是这种要求差不多不能达到，为达到它，个人就要认识自己和认识他的时代，知道他自己在一切情形之下，还是同一的个人，到什么程度，以及知道把愿意者和不愿意者一样挟而运行，决定其倾向和予以教养的时代是怎么样。事实上，时代给予当时的人的影响是非常大的，我们真可以说，一个人只要早生十年或迟生十年，从他自己的教养和外面的活动看来，便成为全然另一个人了。

这本自传实是依着这个方法，基于这样的观察和尝试，从这样的回忆和熟虑而写出来的。这书也只有从它的缘起的这样的见地才能最善地欣赏和利用以及最公正地批判，此外关于其他的地方，特别是关于一半诗的，一半故事的体裁要说的话，在一路叙述下去时，总有几次适当的机会说出来吧。

Am
Siebenten
November
Meinen feyerlich Bewegten
Mache Danck und Freude kund.
Das Gefühl das Sie erregten
Schließt dem Dichter selbst
den Mund.
1825.
Goethe

歌德像与其签名手迹

第一部

第一卷

一七四九年八月二十八日正午，时钟刚打十二下，我在梅茵河畔的佛郎克福城（Frankfurt am Main）诞生出来。我生时的星辰的位置是吉利的：太阳位在处女座内，正达到天顶；木星和金星和善地凝视着她（太阳），水星也不忌克，木星和火星取不相关的态度，只有那时刚团圆的月，因为正交他的星时，冲犯的力量格外显得厉害。他（月）因此妨阻我的诞生，到了这个时辰过了，我才能呱呱堕地。

这些好的朕兆——后来占星者们的推算认为很有造于我——也许就是我能长养的原因：因为收生姥姥的不熟练，我生出来就失了口，经过多方设法，我才获见光辉。这种情形虽然使我家人很费手脚，但结果却有利于我的同乡，因为我的外祖父——市长约翰·乌尔

夫更 · 忒斯陀尔（Johann Wolfgang Textor）由此就雇用一个产科师，灌输助产的知识或把它重新讲求起来：所以，后来出生的小孩会有许多得到好处。

当我们想回忆在幼年的遭遇的时候，我们往往会把我们从他人听得来的，跟我们确凿地由亲自体验所得的混在一起。我因不想把这个考究清楚，本来这种考究也得不到什么。我自己觉得我们是住在一所旧房子里头，这所房子本来是由两所破烂不堪的房子构成。一道高耸的梯子通上几间东一所西一所的屋子里，而这些屋子彼此高低不一却靠台阶联贯起来了。在我们孩子们——我的一个妹妹和我——看来，下层的宽落的前廊是最好的所在，那里的门旁边有一个宽大的木窗格子，从那儿我们可以直接与街和露天相通。这样一个的鸟笼似的东西，好些房子都备有的，人们唤做“格子窗”（Gerams）。女人们坐在那儿缝纫和编织；厨娘在那儿拣她的生菜，女邻舍们从那儿互相搭讪，在晴和的季节，还因此得到朝着南边的街道。人们与外间的世界相习的时候，便觉得自由无碍，借着这些格子窗，孩子们也可以跟邻舍们相通，而在我们对门住的奥克逊斯泰因（Ochsenstein）氏三兄弟——死去的市长留下来的儿子——也就跟我很要好，同我玩，拿我打趣，无所不至。

我家里的人很欢喜讲种种的滑稽淘气的故事，这些一向严肃孤寂的人们说起这些来很挑惹起我对它们的兴趣。我现在只举出我一桩顽皮的故事出来。有一回刚是卖陶器的市集期，家人们不独买备厨房要用的东西，而且还替小孩子们买了一些小的炊具食器来给他们玩。有一天晴明的下午，家人们都安静地坐在家里，我带着我的盘儿锅儿在格子窗间玩着，既然再玩不出什么结果来，我就把一个家伙抛到街里去，它粉碎得那样轻脆，我觉得很高兴。奥克逊斯泰因兄弟们看见了我怎样因为这个欢笑，甚至高兴到拍起小手掌来，便叫道："再来一下！"我毫不踌躇地把一个小锅马上摔在街石上，他们不断的嚷："再来一下！"我就不断地一个一个的把我的全副盘儿、锅儿、罐儿通摔下去。我的邻舍继续地喝彩，我极想得他们的欢心。可是，我的家伙已完全碎了，他们还是老叫着"再来一下！"我一直跑到厨房去，把那些瓦的盘子拿出来，它们摔起来当然更轻脆好玩；我这样子跑来跑去，只要我的手能伸到那一排一排摆着食器架上的，我便一个盘又一个盘的端出来，因为这样子还不够痛快，我便把我所能够弄来的陶器，全都摔个干净，到后来才有人出来阻止我。这个乱子发生了，拿那么些破碎的陶器至少换得一个滑稽的故事，特别是那个恶戏的发明者三个孩子一辈子还引为笑乐。

我们本来跟祖母住在一道，她住在后头外院一个大屋子里，直接跟前廊相通，我们玩到她的安乐椅旁边，她病的时候，还一直玩到她的床头。我记得她像一个精灵似的，一个漂亮，瘦瘠，老是穿着白色而齐整的衣裳的女人。温柔，和蔼，亲切，是在我的记忆里留下的印象。

我们听说我们住的街道唤做牡鹿窟（Hirschgraben），可是我们既看不见窟，也看不见鹿，所以我们就想知道这个名称的意思。于是有人告诉我们听，我们的房子所在的地方，本来是在城外，现在那条街道在那时是一个坑，养了一些鹿儿。人们所以在这里饲养鹿儿，因为依照这里的旧俗，市议会每年要烹鹿公宴，养在这个坑里就可以随时供这个节日之用，即使在外头的王公骑士妨阻了城市的狩猎的权利，甚或敌人们把城市封锁包围了也不要紧。这个故事使我们很高兴，我们希望这样一个的养兽窟在我们的时代还可以看见。

我们的房子的后边，特别是从楼上望下来，临着渺茫一片的邻家园圃，绵亘至城墙才止，风景很不俗。可惜从前落在这里的公共广场化作私家花园，我们的房子以及几所位在街角的别的房子，弄到很逼狭。马市街（Rossmarkt）一带房子拥有宽落的后院和大的花园，而我们却眼巴巴看着我们的院子与近在咫尺的乐园给一道颇高的墙隔断了。

在第二层楼上有一个屋子，我们唤它“花园室”，因为我们在那边窗前种了一些花木，想来弥补没有花园的缺憾。当我长大起来，那儿是我最喜欢的屋子，纵然不会引起我的伤感，也是使我憧憬的栖留之地。从那些花园过去，越过城墙和壁垒，一片美丽肥沃的原野就在望了。这个原野一直绵亘至赫斯特。夏时我常在这个屋里念我的功课，等待着风雨的来临，和总不厌地眺望着那刚映射着我的窗户的落日。可是，从那儿同时，我看见邻人在园里漫步，料理他们的花木，孩子们在那儿玩，因为有伴而玩得高兴。我又听见九柱戏所用的木球滚着，和柱儿倒下来的声音，这一切很早地就惹起我的一种孤寂之感，并一种从此而生的憧憬。这种憧憬与我的天赋的诚笃和敏感相应，不久就显出它的影响，而在日后更明确地显出来。

我们的房子的式样老旧，多角，而在好些地方还幽暗沉沉，更容易在幼稚的心灵中引起畏惧和恐怖。不幸家人们又以使儿童在幼时对于冥冥不测便不生畏惧心和习于恐怖之事物，为教育的金科玉律。因此，我们孩子们应该自己睡，当我们耐不住，轻轻地从床上溜走，要找男佣人和使女们作伴的时候，父亲披着一件宽阔的睡衣——在我们的眼中，这样的改装已够可怕了——挡在路中间，把我们吓回寝室去。从此引起的恶劣的影响，谁都可以想象出来。紧夹在两重的可怕的氛围中的我们怎样会从恐怖摆脱出来呢？我的母亲，常是快活高兴，喜欢从别方面达到同一的目的，发明一种较好的教法。她知道以奖励来达到她的目的。那时正是桃子的季节，她答应我们如果在晚上战胜恐怖，就每天早上赏给我们许多桃子吃。这样的方法成功了，两方面都满足了。

在房子里头，我的父亲用来装点着前厅的一列罗马的铜版风景画最惯常地触到我的眼帘，这些饰物的刺镂出自皮兰奈斯（Piranesi，意大利的制图师，铜版雕刻师，一七二〇——一七七八）的几个前辈之手，他们对于建筑和风景画法很讲究，他们的刀法是很准确和可贵的。在这儿我天天都看见波波罗大道（Piazza del Popolo）、戈里西奥（Colisio）和彼得广场（Petersplatz）、彼得教堂的内外、安格斯堡（Engelsbury）以及许多其他的景物。这些景物的形状予我深的印象，而本来很寡言笑的父亲时常很高兴地让我们听他描述这些景物。他对于意大利语言和一切与意国有关的东西的特别爱好，是很明显的。他从意大利带回来的大理石和自然物的小收藏，也时常拿出来给我们看，他把大部分时间花在他的用意文写的游记上头，游记的誊写和校订，他亲手用本子慢慢地细密地弄好。有一个唤做基阿温纳矢（Giovnazzi）的较活泼的意大利语言家在这方面帮他的忙。老人家唱得也不坏，我的母亲每天总高兴地弹钢琴来和着他和她自己的歌唱；因此我没有了解 *Solitario bosco ombroso*（《微暗孤寂的森林》）一曲以前很快就学会唱它和背它了。

我的父亲的天性总是好教导人的，他既然不问世事，他很愿意把自己所知所能的传给别人。所以，在他结婚的初年，他就督励我的母亲弹琴歌唱以至用功写作；如她觉得需要的话，他还鼓励她从意大利语言中获得多少知识和必须的熟练。

我们空闲的时候，差不多常在祖母的身边，在她的宽大的屋子里头，我们找到够宽阔的地方供我们的玩耍。她晓得使我们做种种的小把戏和用种种的零食来哄我们。有一回圣诞节的前夜，她的仁慈更是登峰造极，因为她叫人演一台傀儡戏给我们看，这样子在这个房子里便翻出新世界来了。这意想不到的演戏对于幼稚的心灵吸引甚力，它特别给男孩子们以强烈的印象，影响深长。

那个小戏台和它的哑角色，初时人们只试拿出来给我们看，后来却让我们试演，热闹地做起戏来，因为它们是我们的慈祥的祖母最后的遗赠，对于我们孩子们当然特别的可宝贵。祖母不久就因为病势日渐沉重，抛离开了我们的眼帘，给死神永远夺去了。她的逝世对于我们的家庭有特别大的影响，因为自从她死后，我们家庭的状况便完全变了。

祖母在世一天，我的父亲总小心翼翼地不敢把房子里头的事物稍微改变或更新一下；但是，我们都知道他正要准备大修，并且马上就要动工了。在佛郎克福城，像好些旧的城市那样，在建造木房子的场合，房主为多得一些地方，不但可在第一层，而且还可在其他的层上加建和探出来，因此街道——特别是小街窄巷真个弄到阴沉可怕。后来终于通过一条法律，规定凡是从地皮上建筑新房子者，只第一层得探出地基之上，其余各层必须垂直地建筑。我的父亲因为连在第二层的凸出的地方也不肯放弃，不大管到房子外表的建筑学的形象，只力求内部设备的美好舒适，像以前许多人做过那样，借口要支持房子的上层，从下头一样又一样的拆卸下来，把新的插入去，这样子，到最后，旧的差不多荡然无存的时候，这新的建筑仍随时可以修补。拆卸和重建既然是逐渐地举行，我的父亲决定不从房子搬出，以便能够监督和指导工程：因为他对于建筑技术很内行，而且他又不愿意离开他的家人不管。在孩子们的眼中这一个新的时期是很奇怪特别的。我们常局促地坐卧和惴惴然做些不大喜欢的功课在工作所在的屋子，我们游戏所在的走廊，我们从前那样留意洁净和护持的墙壁，——这一切现在我们看见都在瓦匠的锹和木匠的斧下倒下来，而且从下头拆起，上层用木架支撑起来，像是在空中巍巍颤动着，在那儿我们还要一样被督促做一定的功课和一定的工作，——这一切使幼稚的头脑迷惑纷乱起来，很不容易复原。不过，儿童倒不大觉得，因为他们这时得有比从前更多的地方玩，还有许多机会在木架上打秋千和跨在木板上一上一下的摇动。

初时，父亲执拗地把他的计划执行，可是到最后房顶也有一部分拆下来，不管我们把除下来的壁衣的油布全铺上去，雨还漏下来，甚至漏到我们的床上，他因此决定——虽然不愿意——在一期间内把小孩们寄在亲切的朋友（他们从前本曾以此自任过）那儿和送进公立学校念书。

这种变动有好些不舒服的地方：因为把一向在家里隔离地、纯洁地、高贵地、纵然严厉地教养的孩子突然插进粗野的幼年人的队里去，他们必须完全意料不到地忍受一切庸俗、恶劣，甚至卑污的事物，因为他们缺乏一点武器和能力来防护自己，免被它们伤害。

我首先认识我的故乡，正是在这个时候。我渐渐一天比一天自由和没拘束，有时独自一个，有时跟快活的游侣在一起，在城里到处蹓跶。为想把这个庄严可贵的环境给予我的印象稍为报告一下，我就要先从我的生地的描述着手，说明它的各部分怎样渐渐在我的面前展开。我最爱在梅茵河的大桥上漫步。它的长度、坚固和美观使它成为可纪念的建筑物；往代的有司之预为市民谋也差不多以这道桥做唯一的纪念物。那上下流的美丽的河映入我的眼帘；当桥柱上的金的风信机在日光中闪耀的时候，我总起一种愉快之感。然后我惯常漫步到撒克森豪逊（Sachsenhansen）一转，很舒服地花一个“克来兹”（约两角钱）来享受摆渡过河的乐趣。这时已在河的此岸了，从那儿溜到酒市（wine market）看见起重机卸货时的作用而觉得惊奇；趁市的船抵步的时候，我们看见种种色色而有时又那样奇异的人物上岸，更教人流连。然后转回城里，加尔大帝和他的嗣君的城堡的遗址中硕果仅存的萨尔故宫，每一回经过总致崇敬之意。继而陷身于老城商业区里头特别是在墟集的期间，我们喜欢在巴荅罗谋斯教堂（Bartholomäuskirche）周围的扰攘的商店街中攒动。在这儿，自古就是商贾小贩之群互相挤拥之地，因为这个地方给他们这种人占了，即在近代宽敞和清爽的建筑物也很难插足。那些称为“法尔埃逊”（Pfarreisen）的帐棚在我们孩子们看来特别有意思，我们带了好些小钱进去，来购买一些印着金兽的彩弓。可是我们挤进那狭隘、拥塞和肮脏的市场的时候只是很少。因此，我又记起，每经过那突出挡着路的狭窄而丑恶的肉台时，我总怀着恐怖飞跑。罗马堡广场是一个较舒适的散步的去处。经过新克林姆（Kräm）到新城去的路常是清爽悦目的；只可恨在圣母寺院（Liebfranenkirche）旁没有一条道通到柴尔街（Zeil），我们总要从兔巷（Hasengasse）或加大邻门（Katharinenpfont）绕一大弯。不过，最惹起孩子们注意的，还是市内的许多小市，堡垒中的好些堡垒，例如有城壁围住的寺院区，和从前好几世纪残留下来的多少保存有宫堡面目的地方——努伦堡宫（Nüruberger Hof），科姆斯特尔（Kompostell），布劳因斐尔士（Braunfels）以及为斯泰尔堡（Stallburg）及后代用为住宅和商店的有堡垒的旧邸——就是如此。壮丽的建筑物，那时候在佛郎克福城总看不到；一切都象征出久已逝去的城市和地方扰攘不安的时代。为老城的界线的标识的城门和瞭望塔，以及再过去包围着新城的又一重的城门望楼、城墙、桥、壁垒、堑壕——一切都显然告诉我们这些设备是在乱世保卫公众的必要而起；广场、街道，以至新建的宽大美好者，也全都是偶然任意筑成，而不是出自什么规划。一种怀古的幽情常铭刻在孩子们的心坎里，因为往古的史乘和木版［例如佛城被围时的格拉夫（Gravos）的版书］而更培养滋育起来；此外，更有一种只想理解那多种多样和在自然状态中的人间情况不求趣味或优美的爱好，也发生了。因此潜在城头蹀躞，是我们最喜欢的一种散步，我们每年总试作两三回。花园庭院和后屋迎面而来直到城壕才止，我们看见万千的人类在家居、渺小、隔离和隐伏的状态中。从富家的供玩赏的花园到平民的供实用的果园，从那儿到工厂、漂白场和这一类的建筑物，直至坟场——在城区里头这又是一个小世界——沿路所经，五光十色，光怪陆离，随着每一步武而变异的景物映入我们的眼底，可是我们儿童的好奇心对那些还是不会餍足的。的确，即使那有名的跛行魔（见于法国 Lesage 的小说中），在晚上替他的朋友把马德里城的屋顶掀开的时候，他的成绩也不会比我们这儿在光天化日之下所得到的好一点吧。我们在城头路上要去通过望楼，台阶和小城门的钥匙本来是在武器库长的手里，我们却多方设法从他的下属那里诱取得来。

对于我们更有意义的，而且从别一方面看来更有益的就是那称为罗马厅的市议事堂。我们真高兴在它的下层的穹隆似的大厅中消磨日子。我们设法跑进那宽敞而极简朴的会议厅里头。壁板虽镶得颇高，四壁以至圆顶却是白的，全部都没有图绘或一点造形美术的痕迹。只在正午中的墙上高处，我们看见一首短铭：

一人之言，（Eines manns Rede，）

非人之言，（Ist keines Manns Pede，）

其公平以听双方之言。（Man Soll sie billig hôren beede。）

照古代的习惯，为这个厅里的人员而设的长椅子环绕着壁板而放着，并且从地上垫高一级。从这儿，我们就容易明白，我们的议会里头的等级为什么会按照着长椅子的位置划分了。由大门左手边起到对面的犄角，在第一张长椅子上坐着陪审官，在犄角那儿坐着市长，只他的座前有一张小桌子；从他的右边到窗前，在第二列椅子坐的是贵族阶级，从窗过去放着第三列椅子，是职工阶级议员的座位，在厅的中间为书记设有一桌子。

我们如果一度跑进罗马厅内，我们也就杂在市长开庭时的群众中。但是更有吸引力的就是凯撒选举和加冕时的一切情景。我们晓得买得司阍者的欢心，让我们升登那本来用栅栏关着的新净鲜明绘着壁画的凯撒陛下。那个用紫色壁衣和涡卷形的艳异的金色镶捆装饰着的选举室，使我们油然生崇敬之心。门上的画额——在这儿上头有小童子或仙童们披着凯撒的法衣，负着帝国的国徽，表出十分美妙的姿态——我们看了加以深切的注意并且希望再来一次凯撒加冕礼，我们亲眼看见。我们一旦侥幸得溜进宏大的凯撒殿去，人们要经过一番麻烦才能把我们再送出来。当我们在那处高高画着的凯撒历代半身像下，谁把他们的事迹向我们讲述一点，我们就当他是最真实的朋友。

关于加尔大帝，我们听到许多神话似的逸事；对于我们历史上有兴趣的，始自哈普斯堡朝的鲁多尔夫（Rudolf，一二七三年当选为德意志凯撒，一二一八——一二九一）的故事，他因为勇敢的缘故而得到那样狼狈的结局，加尔四世（Karl der Vierte，一三一六——一三七八）也惹起我们的注意。我们本已听见说及他颁布的金律 Goldene Bulle（德意志帝国宪法）和刑法，也听见说他对于那些忠于那个与他对立的僭位的高贵的斯瓦尔滋堡朝的君德王（Gunther von Schwarzburg，斯瓦尔滋堡的领主，一三四九年选帝侯之一部分选为凯撒，以与加尔四世对立，复弃权）的佛城人也不加罪。我们听见马克西米兰帝（Maximilian，一四五九——一五一九）有人类和人民之友的称誉；而且，他曾预言他是德意志系中最后的一个凯撒；他的话竟不幸而言中了，因为在他死后，凯撒之选举只在西班牙王加尔五世（Karl Ⅴ）与法兰西王法兰兹一世（Franz Ⅰ）之间动摇不定了。此外人们还半信半疑地说过，这种预言或预感之所以又出现，因为在历代帝王的画像中只剩下够一个凯撒像的地位的事实怕已在目击中了；这种情形虽然似乎是偶然的，但已使那些抱有爱国心的人们惴惴不安了。

当我们一度作这样的巡礼时，我们少不得要跑到那圆顶的大寺院去，在那儿对那友敌均崇敬的勇敢的君德帝之墓瞻仰一番。曾一度遮盖它的有名的板石现在树立在寺院的高座上。紧靠它旁边通到秘室内的门许久还是饷我们以闭门羹，后来我们终于设法从上级的职员那儿得到许可，跑进这样一个有意思的地方去。可是，像以前那样借着我们的想象之力把它来描画，似乎还比亲见的好一点。因为我们看见这一个在德国史上那样有名，强大的王侯聚着来处理那样的要政的所在的地方，装饰得绝不堂皇，而上头还用木架、支柱和其他一类的人们愿意弃置的建筑间架支撑着，弄得很不好看。到后来不久，几个外国贵人参观市政府，出示金律，我们也得到允许参加时，我们的想象力又更刺激起来，我们的心灵更飘举起来。

其次，家人和长辈的亲戚朋友喜欢讲述的那么很短促地相继的帝位更迭的史乘，孩子也很兴高采烈地倾听。因为，上了年纪的佛城人没有一个不把这两桩史事（加尔四世和君德帝的故事）和它们所引起的事件当作是他的一生经历无上的光荣。加尔七世的加冕礼是那样的豪华，那时特别的是法国的公使开盛大的宴会满陈着珍馐美味，可是这个善良的凯撒的结局反更悲惨，连门沾（München）的都城也不能保，还差不多要向他直属的自由市哀求以客礼相待。

法兰兹一世的加冕虽然没有那样特别地豪华，但是因为女皇马利亚·特里西亚（Maria Theresia）之临场，而增光不少。她的美丽给予男人们的印象之深，似乎跟加尔七世的庄严高贵的容仪和他的蔚蓝眼睛对于女人们的印象一样。至少，讲故事的男人和女人都争着想使那倾听着的孩子对于那两个人生一种极良好的观念。这一切故事，都是在愉快安恬的心境中讲述出来的。因为亚亨（Aachen）和约使一切的仇衅都暂时终止了，那时的人像是说起盛大的庆典那样，津津乐道过去的战事。德亭根（Dettingen）之役和往年的种种的著名事变，一若一切重大危险的事，只供幸福无忧的人们的谈资而发生，和议成后的情形往往如是。

可是在这种爱国的氛围内度日还不到半年，大市集又再来临了，它在当时我的幼稚的心灵中引起极大的激动。在城内由那么些的商店临时营业场的建筑急促构成的新市街，货物的翻腾、运转、起卸和开拆，从我的意识的最初的刹那起，激动一种遏不住的积极的好奇心和儿童的无限制的占有欲。随着年龄的加长，儿童一时以这种方法，一时以那种方法，在他的小腰包许可的范围内力谋满足这种欲望。可是同时世界所生产的一切，所需要的，和世界各地的居民所互相交换的，他也渐渐了然于胸。

这个在春秋两季举行的大日子，是以稀有的盛大仪式宣告的，因为它使古代和它留遗给我们的旧俗栩栩地复活，更觉得可贵。在巡游那天（一队市民骑马迎接别地的商民入市之日），全城的人哄动若狂，涌到法尔街（Fahrgasse），梅茵河桥，一直走到撒克森豪逊以外，所有的窗户都满了人，不管一日中有没有奇特的事情发生，群众跑到那儿去，像是只为挤拥一下，而观众也像是只为你瞧我我瞧你而来。因为本来招致人们的热闹到夜深才举行，而且人们耳闻者多，目击者还少。

在那个扰攘不安的往代，一个人随他的高兴对他人做好或做坏，赶大会的商人会给贵族和非贵族出身的剪径贼任意磨折抢剥，所以王公和其他有力的阶级用军队护送他们的商贾一直到佛城去。可是到了这儿，自由市的居民就不肯让他们自己和所属地方面子上不好看，他们迎接那些赶会的进来；护送者可以送进多远，甚或他们能否进城，在那时也常发生争执。这种纠纷不独见于贸易和市集的事端中，当大人物在战时和平时——但是，特别是在选举凯撒的日子——到自由市去的时候也会发生，而且，一当城市居民所不肯容的扈从渴望跟他们的主人强行进去的时候，便常会引起武装的冲突，所以从来对于这个有许多调处，有许多协约——在这协约中虽然两方都有种种保留——为这个而订立，人们还不抛弃希望把这个历数百年的争执一旦解决，因为历久而严重的争论所由起的整个制度都可视为无用，至少也是多余的。

在大会的那几天，好几队从市民方面组成的马队骑马游行，长官为首领导，穿过各城门到城外去；在有几处地方还看到有扈从的权利的商人的三数马队或骠骑兵。他们随着他们的长官受到很好的款待供应。他们巡到日暮然后进城，等候着的群众已很难看到他们。因为在那时候好些市民马队已是人疲马倦不能再走了。最重要的行列是从桥门进来，因此那儿最是拥挤。最末末了，到了夜深，以同一式样护卫着的努伦堡的驿递马车才到达。相传依照旧俗，马车里头一定坐着一个老妇，因此车到的时候，街上的少年纵然不能再分辨出在车里的坐客是什么人也仍要高声叫绝。使人难以相信，而且使人眼花缭乱的，就是在这一瞬间如潮的群众从桥门进来，冲向邮车一事；最靠近桥门的房子最为瞧会的人所企求，也因为这个缘故。

另有一个希罕得多，在白天鼓舞观众的庆典，就是那“奏笛裁判”（Pfeifergericht），在往代，重要的商业城市纵不能得到豁免那随着工商业的发展而增加的关税，也力谋减轻，这个庆典使人忆起这个时代。凯撒既要这种城市的拥护，便赏赐这种自由给那归他支配的城市，但通常只以一年为期，此后还要每年重新颁下。这种恩典是借一种象征的贡物之献呈而取得的，在圣巴多罗米祭的来临之前就把这贡物送到凯撒任命的市长——许多时也兼关税监督——那儿，因为要举行仪式，他便偕同市参议员开庭。后来，市长不再由凯撒任命，而由城市自己选举，他仍然保有这种特权对别的城市豁免关税，以至这种仪式——窝姆斯（Worms）、努伦堡和旧巴姆堡（Alt Bamberg）的代表以这种仪式承认这很古的恩典——保留下来到我们的时代。圣母诞辰的前一天，宣告为公开的开庭的日子。在宽大的凯撒殿中，有栅栏围着的地方，高高的坐着陪审官，市长坐在他们的正中，座位更高一级；由当事人授以全权的法律事务代理人坐在下头右边。裁判书记开始把今天特为之而设的重要判决书朗诵出来；代理人恳请把它抄下来，提出吁求或做其他认为应做的事体。

突然，一曲奇异的音乐奏起，恍惚是报知前几世纪的重来，那儿有三个笛师，其中一个吹着古牧笛（Schalmei），第二个吹低音笛，第三个吹木笛（Pommer），他们穿着蓝色镶金边的袍子，袖里系着乐谱，覆着头。他们一交十点便随着窝姆斯市代表们和他们的随从由宾馆列队走出来，当地和外来人士都为之惊愕，然后步入凯撒殿。审判中止了，笛师和随从在栅栏外头止步，市代表则走进去，与市长对立。那依照旧例请求的象征的贡物通常是那受恩的城市最惯办的货物。一切货物差不多都用得着胡椒，因此，市代表也带一个盛着胡椒的琢磨过的大木杯到这儿来。在杯上放着一对割裂得很奇怪、用缎子缝缀和缀以丝穗的手套，作为特权的许可和接受的表示，这手套凯撒自己也在某些日子用过的。在它们的旁边还看见一根白色的小棒，那时凡是有关立法司法的事件的进行差不多都离不得它。此外还有两三个小银币放在那儿，窝姆斯城带来一顶旧呢帽，该城一次又一次的重复赎回，所以许多年都是以这顶旧帽子做这种仪式的见证。

市代表致祝辞，献呈赠物接受了由市长代表给予的永续的恩典的保证以后，代表从栅栏退出，像来时那样，笛师吹奏起来，随从列队退出去；审判继续进行，至第二个和第三个使节都请进来才止。他们之所以彼此隔若干时才进来，一部分是想使观众的热闹延长一点，一部分也是因为努伦堡城老是担任把那古代的妙艺——它为它自己和姊妹城保存着的妙艺——每年当场表演一下。

我们小孩们对于这个庆典特别有兴趣，因为我们看见外祖父那样的光荣，自己也扬扬得意，而且还因为我们在那一天通常一定去看他，等到祖母把胡椒倒入她的香料匣的时候，就乘机攫取大杯和小棒，那对手套，或一个古的“勒德尔·阿尔布斯”钱（约值一角钱）。我们如不回溯到过去的几世纪，根究我们的祖先的风俗、习惯和思想，——它们借着那些重临的笛师和代表，并借着那些眼看得见和可得而有之的贡物栩栩地复现于我们的眼前——我们就不能明白这种哄动古代的象征的仪式。

在晴和的季节，这种崇古的盛典之后还继之以城外的露天的祭典，我们孩子们从那儿得到许多笑乐。在梅茵河下流的右岸，从桥门走去约半个钟头，有一个硫黄泉喷出，很清净地围以井栏，四周环植着奇古的菩提树。离那儿不远有一间“善人馆”（Hofezu den guten Leuten），一间当时为硫黄泉而设的疗养院。在公共的牧场的周围，人们把附近的家畜聚起来，牧人和他们的女情人，举行农家的野祭，舞蹈歌唱，种种的笑乐和粗野的戏耍杂作着。在城的那一边，有一个相似而更宽大的公共广场，同样以井泉和更美丽的菩提树装点着。在圣灵复活节那一天，人们把羊群带到那儿去，同时，穷苦苍白的孤儿们也得到许可，离开他们的院墙到户外去。因为人们到后来才会想到，这些被遗弃的小孩既已一度需要社会的救济就应早使之与社会接触，让他们惯于服务吃苦，还比悒悒然娇养他们好，而且从幼小时起就坚强他们的心身也是很有理由的。保姆和使女们既老是喜欢陪孩子们出去散步，一定会从很小的时候起就带领我们到这一类的地方去，因此，这种田家野祭便属于我能够记忆的最初的印象之中。

房子这时已改建好了，而且花的时间颇短，因为一切都已细细的考虑过，准备好和用钱置就。我们全家这时又团聚在一处，感到舒适，因为一个考虑周详的计划，一旦在面前实现，使人们全忘记了为达到这个目的而用的手段是曾经怎样麻烦。这所房子如供私宅之用，是够宽落，十分光亮和清爽，楼梯宽阔，前廊舒畅，而且可从好几个窗户闲适地享受下面花园的风景。内部的装修和要完成修饰的工事也渐渐弄好，同时就够使我们忙碌和享受。

我们最先要收拾好的就是父亲的藏书。其中最好的，用犊革或半犊革装订的书籍应该装点着他的事务室兼书斋的四壁，他拥有拉丁作家著作的荷兰版，为求外表的一律，他力谋买得全部都是四开本的；其次有好些书是罗马古籍和上乘的法学书。最有名的意大利诗人的著作自少不了，对于塔索（Tasso）他特表爱好。最好的和最新的游记也在收藏之列，而且他自己以修正和补充开斯勒（Keyssler）和泥梅兹（Nemeiz）的游记自娱。他有时还以最需要的参考书如各种外国语的字典、百科全书之类围着自己，俾随时可供参考，此外有用和有趣味的书也常放在身边。

藏书的另一半是用修洁的羊皮订装而签题很美好的，陈列在一个特别的庋阁上。新书的追买以至它们的订装和排列，他都很精心和有秩序地经营。在这一方面，对于某种著作特加称许的学术界的介绍评论对于他有很大的影响。他的法学论文的收藏每年增加数册。

其次，一向在旧房子内东一幅西一幅散挂着的画，现在合拢起来齐整地挂在书斋旁边的一个舒适的房子的墙上，全是用镶着金条的黑框装起来。关于画，我的父亲有一个原则，他认为我们应该求诸当代的大家的作品，而少求诸过去的名作，因为对于后者的评价，已参有许多成见了。他常常说这个原则，甚至激昂地说出来。他有一种见解，以为画的情形与葡萄酒的情形完全相似，岁月纵然可使酒获得较优越的价值，不过在日后每年也能酿造的酒与以前的同样的优越。经过相当的时间，新酒也变成旧酒，一样的昂贵，甚或更醇美一点。论到这个见解，他最爱以这样的评语证明，即是：好些旧画对于爱好者似乎保有很大的价值，主要地因为它们已变成幽暗褐黄，而常将这些画的和谐的色调夸大起来。反之，他断言即使新画不用人工弄成黑色，他也绝不介意；新画之正因此而增声价，他却不肯利用。

许多年来他根据这个原则，搜求佛城的艺术家作品，例如画家赫特（Hirth），他以画动物槲林和山毛榉林以及田野风景擅长；画家脱劳特曼（Trautmann），他宗法林布兰（Rembrandt）而且利用室内的光线和反光，走到极端，甚至渲染出火焚似的动人的颜色。因此，有人曾请求他绘画林布兰画的副本；还有叔兹（Schrütz），他模仿沙克里本（Sachtleben），勤勉图写莱茵河的风景；此外还有荣克（Juncker），他以荷兰人为模范，很修洁地绘画花卉果物、静物和在静态中的人体。现在艺术的癖好却因画幅的重新收拾齐整，地方的雅适和特别因为一个谙练的艺人之结识而重新活跃起来。这个艺人就是丹姆斯达（Darmstadt）宫廷的供奉画师勃灵克曼（Brinckmann）的门徒西亥兹（Seekatz，一七一九——一七六八，荷兰派画家，善于画宗教和风俗画）。他的天才和性格日后会详细地讲出来。

这样，其他的屋子也应着它们的用场而渐渐收拾妥当。全部都洁净齐整；那些大玻璃窗特别有助于这房子的光亮璀璨。旧房子所以幽暗，固然有许多原因，但是首先也由于玻璃窗大部分是圆形之故。父亲因为一切都成绩很好，显出很快活。假使他的高兴不是有时因为工人们的勤勉和精细不能常依照他的需求而打断，我们便不能再想象有更幸福的生活了。特别是因为当时有好些可乐的事是从家内发生，有一部分是从外头传进来。

可是，因为一件非常的世界事变，儿童的恬静的心灵破题儿第一遭深深地被撼动了。一七五五年十一月一日里沙本（Lissabon）大地震发生，使已惯于和平宁静的世界都弥漫着巨大的恐怖。一个美丽的大都城同时又是商业的城市和海港，竟突然遭着可怕的灾劫了。地震撼着，海啸着，船只互相碰砸，房屋崩坏，寺院和塔倒坍下来，王宫也有一部分为海所吞没，破裂的大地像是吐着火焰，因为残墟处处都见浓烟烈火了。前一刹那还恬静舒适的六万人类同归于尽，其中最幸福的就是对于这惨劫不容再有一点知觉的人们。火焰继续的逞其强暴，一群本来藏伏着或因为这次灾劫而放出来的奸徒又乘机横行。那些不幸的残留着的人们束手无援地忍受抢劫、凶杀和一切的虐待。这样子，造物主真是从各方面肆行他的无限的暴虐了。

这个灾劫底威势波及很广的地面。比它的噩耗还来得快，有许多地方感到轻微的震动，好些喷泉——特别是温泉——突然干涸，这个噩耗初时只迅速地传播其大概，后来才报告那些可怕的详情，它对人心的影响因此特别的大。对于这次浩劫，虔敬者不由得不事冥想，哲学家不禁求慰安之道，僧侣少不免以惩诫说教。一时间世界的注意都集中在这一点，因为关于这次浩劫的广大的影响一天比一天多而详细的消息从各地传来，由给国外的灾变激动的心灵为忧虑自身和他的家人而更惴惴不安。的确，恐怖之魔恐怕从来没有像这次那样迅速地强烈地在世界上展布它的可怕的神威。

小孩子既一定会重复地听到这一切事情，所受打击也不少。为天地的创造者和保持者的上帝，最初的教条的解释对他说得那样的贤明慈悲，现在却不问善恶，把人一律抛入死亡之渊里，显出绝不像一个慈父了。幼稚的心灵纵欲摆脱这种印象也是徒然，因为贤哲之士和神学者对于观察这种事变之道，自己也不能一致，小孩子不作是想更是戛乎其难。

跟着第二年的夏天，我们得一个较近的机会来直接认识那《旧约》上传述的震怒的上帝。蓦地里迸下来一场雹雨，西边屋后的玻璃窗叶在雷电大作之下猛然砸碎，损破了新家具，把几本宝贵的书籍和别些有价值的物件弄坏了。孩子们特别的惊慌，因为当时吓到魂不附体的全数佣人挟着孩子们到一个黑暗的过道里，跪在那儿凄惨地嚎叫，以为这样就可以得到暴怒的神明的赦宥。只父亲自己一个人神色自若，把窗扉撬起和除下来，因此保全好些坏玻璃窗叶，但是雹后的倾盆大雨也因此更得没遮拦地打进来，所以到后来放晴的时候，我们在前廊和楼梯上就看见前后左右都是滔滔迸流的雨水了。

这些事变，虽然在全体上是很妨碍人的，但只稍微地打断我们的功课的进行。这些功课是父亲决定了亲自教授我们的。他曾在科堡高级中学（Koburger Gymnalsium）度过他的童年。在德国的学校中这个学校算是表表者之一。他在那儿把外国语和其他学术所必需的科目的基础打下，继在莱比锡城专攻法学，最后在基逊（Giessen）城得到学位。他的热烈地勤勉地写成的毕业论文 *Electa de aditione hereditatis* 至今仍为法学教授所传诵。

想目睹本身所不能成就者为其子所完成，是世上的一切父亲的一种诚挚的愿望，这种情形有点像一个再世的人愿意这时才好好的应用第一世的经验那样。父亲既自觉其知识，自知其具有真正的忍耐心，又不相信当时的教师，故决定亲自教他的孩子，只有两三个钟头似乎必须要请教真正的教师的才请他们教。一种教育学的业余的爱好这时已大概露出来。公立学校教师的炫学的习惯和忧郁的气概大抵就是引起这个的首要的原因。家人总谋得到较好的结果，而忘记了一切不由职业的教师教授的功课是有很多的缺点的。

我的父亲的生涯到这时还是颇适意的；我也当循同一的人生的路途走，而且更舒适远大一点。他因为自己缺乏天才，一切都从极度的勤勉、坚忍和练习得来，所以特别重视我的天资。无论在早年晚年，无论是以郑重或诙谐出之，他常常向我确说，假如是他，有我那样的天才，他会另外一番看待它，不像我那样轻慢地利用它的。

借着敏捷的领悟、理解和牢记，我不久就通晓父亲和其他教师所授的功课，绰绰有余，而对于任何科目仍没有打下基础。我不喜欢文法，因为我只把它看作任意的法则；文法的规则在我的心目中是滑稽可笑的东西，因为它们给那么些的例子拘束了，而这些例外我又须特别的学习。倘若初学的拉丁文不是韵文，我也不高兴它；不过它既是铿锵可诵的，我便欢喜把它唱出来。我们也有一本地理是用这种供记忆的诗歌体裁写成的，它的最乏味的脚韵却最能铭刻于我们的脑海而记忆不忘。这里有一个例子：

Ober-Yssel ; viel Morast
Macht das gute Land verhasst.
上乌塞尔多泥泞，
沃土亦为人所憎。

语言的形式和变化之法，我容易明白，事物的概念所指为何，我也很快就了然。纵然我在文法上时有错误，但在修辞学的功课上、课题作文和这一类的习作上，我绝不逊于别人。不过特别使我父亲高兴而以奖金——对于孩子们很有意义的奖金——赏我的，却正是这种课文。

我的父亲教妹妹念意大利文所在的屋子，也就是我学背舍拉里阿斯（Cellarius）拉丁语教科书的地方。当我一会儿就把功课做好而仍要枯坐着的时候，我便偷听她念书和很敏捷地就了解意语，我把它当作是拉丁语的有趣的变格而加以注意。

在记忆和推测能力方面，我也有早熟的特征，这是我与那些借此早获得职业的儿童共通之点。不过，在我未进大学以前，父亲却不以此期望我。不久他就申言我应进他特加称赏的莱比锡城大学同样的研究法律，然后再进另一所大学考博士。第二所大学是那一所，他就不管，让我自己选择；只对于格丁根大学有多少反感，其原因我不知道，这是使我有遗憾的，因为我正对于这个大学抱有很大的信仰和希望呢。

他更告诉我说，我应该到威兹拉（Wetzler）和累根斯堡（Regensburg）以至到维也纳去，然后从那儿到意大利。不过他又屡次的主张一个人应该先看看巴黎，因为一从意大利出来便是曾经沧海，再没有什么可以移情的了。

关于我的未来的青年生涯的这种梦话，我很喜欢人向我复述，特别是因为它归结到意大利的谈述和最后继之以那不勒斯的描摹。每一说及，未来生活的严重和干燥似乎都为之解消并且添了活气，因此在我们孩子的心中便发生一种热烈的企求，在这个乐园中占了一席地。

我从家庭教师所受的功课渐渐增加，我并且与邻家的孩子共读。这种共同的教授不曾使我进步，教师教的是旧套，我的同学们的淘气，有时甚至无赖，常在短促的上课时间内引起喧闹、不快和纷扰。希腊文选一门功课——它有课业因之愉快多趣——还没有教到我们。对于幼年人那样枯燥的尼波士（Cornelius Nepos，罗马史家）的浅易的著作和为预言和宗教的教训弄到陈旧的《新约》，舍拉里阿斯和巴梭尔（Pasor）的拉丁读本不使我们发生兴趣，反之，对于韵文和诗歌的狂热，倒因读了当代德国诗人的著作而加强起来。这种狂热袭我更早，我早已喜欢从课题的修辞学上的处理转到诗的习作。

我们同学们有一个星期日的集会，每一个人都要把自己做好的诗拿出来给众人看。在这个文会里我碰到一些奇怪的事情使我很久陷入不安的境界。无论我的诗怎么样，我老当作是较好的。可是，不久我就看到，成绩很蹩脚的文友也是有同一的错误，同样以此自负。似乎使我更疑惑的，就是有一个较好的小孩——纵然完全不长于诗，我对他还有好感——却请家庭教师替他做“枪手”作诗，他不独把它当作是最好的，而且视为己作，居之不疑；我跟他有亲密的友谊，而在这种友谊中他每回都对我这样子庄重地申言。现在，我既然看见这种错误和荒谬公然在我面前呈现，有一天我忽然想起，也许我自己也陷入同一的错误中吧！也许他们的诗真个比我的强吧！我恐怕这些儿童也有理由地觉得我的荒唐，正像他们之在我心目中一样吧！因为我无法寻求一个真理的标识，这些问题很久使我心里不宁，我甚至停止创作，到后来轻浮和自信的感觉才使我的心境平宁起来。最后，教师和家长们对于我们这种玩笑渐加注意，出题叫我们即席试验，我既得到良好的成绩和博得众人的好评，我才恢复我的创作的兴味。

在那个时候我们还没有为儿童而备的文库。我的父母自己仍有童心，并且乐于将他们自己所受的教养传给子女们。除了阿摩斯·夸美纽斯（Amos Comenius，奥国之神学者与教育学者，一五九二——一六七〇）的 *Orbis Pictus* 一书以外我们手上再得不到这一类的书；但是插有美利安（Merian）所绘的铜版画的大版《圣经》，我们常常的翻阅；插有同一人绘的铜版画的哥特夫里（Gottfried，中世纪的历史家）的《年代史》（*Chronik*）使我们知道世界史上的著名事件；*Acerra philologica*（关于古语言学的中世纪的读本）一书更添上了种种的寓言、神话和奇闻。而且，我不久就发见了奥威德（Ovid，罗马诗人）的《变形记》（*Verwandlungen*）一书，特别用功地研读它的第一册，因此我的幼稚的头脑里很快就满装着一堆形象、大事，有意义和奇怪的人物和事件；我老是忙着把从此所得的资料加工、复习和再创造出来，所以从不会感到无聊。

分隆（Fénelon，法国文学者，一六五一——一七一五）的《退林马克》（*Telemach*）比起那些粗野而有危险性的古书来，给我以较正经和伦理的效果。这本书我是只读过奈开尔斯（Nenkirch）的译本，纵然也是那样不完不备的译过来，但对于我的心灵却有一种很甜蜜而良善的影响。《鲁滨逊飘流记》在当时是在我的读物之内，那是自然之理，《斐尔逊堡岛》（*Insel Felesenburg*）一书之少不了，也是不言可喻。安逊卿（Lord Anson）的《世界环游记》把真的有价值者与童话的丰富的幻想联在一起，我们读时我们的思想萦绕着书中的航海家的身边，我们也神游遍全世界，并且还企图以手指在地球仪上跟着他走。我既然获有亲炙群书的机缘，以它们的现有的形式论虽不能称为优良，它们的内容却纯洁地使我们亲炙往代的许多名著，因此我应当有更丰富的收获在前头了。

那些后来以“国民丛书”或“国民文库”的标题著称甚至享得盛名的书籍的出版家或不如说制造家，就是在佛城本地开设，因为大批发售的缘故这些书是用铅版印刷在极劣的吸墨纸上，几不可读。因此，我们孩子得有幸福看到这些中古时代的可贵的遗留物，每天由书贩将书放在大门前的小桌子上，只花几个小钱就可以据为己有。《顽皮孩子的故事》、《四个海蒙的孩子》（*Vier Haimons kinder*）、《美丽的米路新》（*Melusine*）、《凯撒奥太微安》（*Kaiser Oktavian*）、《王女马哲伦》（*Magelone*）、《福条内塔斯》（*Fortunatus*）以至那《永生的犹太人》如此之类的全套书，随便供我们阅览，我们很快就看上了瘾，只想攫得这些书而不想购买什么零食了。买这些书最便宜的地方就是当我们读破了或损坏了它的时候，很快就可以再买回一本，重新埋头埋脑的读了。

在童年的最美好的季节蓦地里袭来一场病痛，正像是夏日偕家人出游，被煞风景的骤至的风雨所侵扰，一场高兴化作不快那样。我也恰恰碰着这样的事。当我正买得一本讲述带了金钱口袋和小魔法杖的《福条内塔斯》童话书的时候，我忽感到不舒服和发起热来，那是出痘子之象。那时我们对于种痘一事还老是很怀疑，纵然通俗的作家已很明白剀切地以此劝人，但是德国的医生仍踌躇不肯应用这种预防未然的手术。投机的英国人因此便跑到大陆，没有成见和有钱的人家便出重酬请他们替孩子们种痘。不过大多数人还是任从这种老毛病侵袭不加预防。这种病在家庭中虐肆，弄死和毁伤了好些儿童，而做父母的却很少敢采用一种医治的方法，这种方法的可能的助力已由它的成功多方面证明。这种灾祸突然降临我家，袭击我特别的厉害。我全身都布满了脓疱，脸上也满给痘疮盖着，我好几天眼睛瞎了，并且痛苦得很。家人们极力设法减除我的痛苦，答应我如我肯安静地睡着，不去摩擦和抓搔以致所患加重，就是天上的月亮也拿下来给我，我能够这样子制止着自己。可是依照着当时流行的成见，家里要极力弄到暖和，但结果只加重我的病。到后来经过一个悲惨地逝去的时间，痘疮像是一个面具那样褪下来，没有看得见的疤痕留在我的皮肤上；但是外形却显有变改。我自己只求能重见天日，和渐渐脱去了那有斑点的皮膏就心足了；可是别人偏那样忍心，常常的提起这一桩往事，使我再忆起来。有一个从前曾当我宝贝那样爱我、很活泼的姨母（姑母）特别是如此，即在后来她见了我，时常是这样喊道："嗨，讨厌鬼！老表，那劳什子多肮脏呵！"她于是详细地向我说，她从前怎样喜欢我，她带我随处跑时怎样耸动人的耳目。因此我很早就知道世人往往让我们为提供他们的笑乐而难堪地受罚。

麻疹和水痘——所谓儿童的魔蝎——我没有害过，人们每向我说，我现在恐怕会永远脱离这种灾祸，未尝不是幸运；不幸另一种灾祸又已暗地里向我威胁，并逼到我的身前。这一切事增强我的沉思之癖，而且为欲摆脱性急的痛苦，我已常勉力忍耐，因此斯多噶派以之著称的德性在我的心目中，似是最值得效法的，何况基督教的坚忍克己之说又有同样的劝诫呢。

说到这种家庭不幸时，我还想讲及一个兄弟，他比我小三岁，同样害了这种传染病，吃苦也不少。他的资质柔弱，性静默而固执。我们彼此总不曾试过像兄弟那样亲热，而且他差不多没有到成年就死了。几个同样早殇的妹子中，我只记起一个很美丽可人的女孩，可是她不久也谢世了，经过几年之后，只我们两兄妹还健在，因而更深切挚爱地联结起来。

这场病和其他的不快的纷扰在其结果上加倍的难受：因为我的父亲像是制定了一种教育和授课按时进度表，想直接补回我旷缺的课业，指定病好的我以加倍的功课。做通它，我是不觉得难的，不过这既足以阻滞我的已取一定方向的内心的发展，甚至有点逼它向后退回，因而我觉到难堪。

为躲避这种学业上的难关，我们时常逃到外祖父母那儿。他们的寓所是菲力堡街，那时候像是一堡垒。因为行近那儿，我们只看见一座带尖壁的大门，两边冲着两间邻家的房子，走进去经过一条窄小的过道然后到达一个颇宽大的院子里，四周大小不一的楼房环立着，它们现在合拢起来成为一家的住宅。我时常溜到园子里去。花园从屋后展开，面积不小，且收拾得很好。园径大部分用蔓生着葡萄的栏杆围着，一部分地方专种菜蔬，一部分专种花卉，从春天到秋天，百花轮番地在花坛花床中装点着。长长的、朝南的墙是用来种培养得很好的桃树的树墙，它们的禁人采摘的果实熟起来，整个夏天使我们对之馋涎欲滴。不过，在这儿我们既不得饱我们的馋吻，我们便宁愿回避了这一边不走，而跑到对面去，那儿一大丛约翰尼士莓和棘莓，一直到秋天还不断有收获，打动我们的贪肠。一棵较老、较高和较扶疏的桑树对于我们也一样的有意思，一半因为它的桑子，一半也因为我们曾听见人说，蚕虫是吃它的叶子。在这个安静之域内，我们看见外祖父每晚闲适而又勤勉地亲自整治他所栽培的果木花卉，而园丁则担任粗重的工作。保养一畦美好的石竹而使它繁殖起来所必须的种种烦劳，他自己绝不觉得厌倦。他亲自把桃树的枝叶小心的拴在树墙上，将它们弄作扇形，俾它的果实的生长得以繁密和舒适一点。郁金香、风信子和类似的植物的球茎的挑选，以及这些植物的培养之劳，他也不假手别人。我还欣然记得他怎样孜孜不倦地来忙着把各种各色的蔷薇接枝。为保护两手，免为玫瑰所伤起见，他当时还带着那双古代的皮手套，每年在“奏笛裁判”开庭的时候，递给他三双皮手套，因此，他总不至短了它们。他还常披着一件僧服似的睡袍，头上戴着有褶的黑天鹅绒帽，所以，他的状貌像是介乎阿尔金那斯（Alcinous，荷马史诗《奥得塞》中的人物）和拉厄脱斯（Laertes，荷马史诗《伊利亚得》中的人物）之间的一个人。

所有这些园艺工作，他像办公事那样的有恒和准确地处理。因为在他未下楼以前，他每天总把自己提议的记事册整理好，以备明天之用，和把法规公文读一下。他早晨上市政厅，回来才吃饭，然后坐在他的大椅子上打瞌睡，今天如是，明天亦如是。他很少说话，总不露出一点急躁的痕迹，我记不起我曾见过他生气。在他前后左右的一切都是古色古香。在他的镶壁板的屋子内，我从看不见有一点新的东西。他的藏书除了法律书外，只有第一流的游记、航海和探险的著作。像这样的引起人们一种难破的恬静和永恒的固定之感的情境，在我的记忆里总不曾有过。

可是使我们对于这个尊严的老人的崇敬之念，达到最高点的，是因为我们深信他具有预言的本领，关于他自己和他的命运的事物，他特别有先见之明。不过，他只向外祖母确定地和详细地诉说他心中所感；但是我们都知道他是得异梦的启迪而知道未来之事。例如当他仍是后进的市参议员之一的时候，他有一回对他的太太确说，下一回陪审官有缺他就会补上。果然不久一个陪审官被殴伤身死，他在选举投票那天，他吩咐家人全都静静的留在家里准备款待宾客和来贺的人们，后来他真个给那决定的金选举球选了他。他把那个报知给他的简单的梦，告诉他的太太如下：他梦见身在全体的市参事会例会中，一切都如常进行；忽然那个现已逝世的陪审官从他的座位站起又坐下来，向他恳切地致意道：他可坐他空开的位子，说完就从门口走出去。

当市长因身故去职的时候，也碰到相类的事。在这种场合，任市长的不会长久在位，因为他老是怕凯撒会随时再拿出他旧日任命市长的权力来。这回由法庭的庭丁在半夜通知明晨开非常会议。因庭丁的灯笼的火将要熄灭，他乞借一小段火枝，好继续走路。“给他一整根吧，”外祖父对他的太太说道，“他还是为我奔波的。”结果应验了他的话，他真个做了市长。更特别可异的就是当时选举的情形：在抽选举球时，他的代表是第三，也就是最后才抽，两个银球先走出来，而金球却沉在袋底留给他。

其他为我所知的梦也是十分平凡、简单，没有妄幻怪诞的痕迹。我还记得我小孩时候翻动他的书籍和记事日历，我发见在关于园艺的记录中还有这样的记载：“今天夜里某某到我这儿来并说……”姓名和启示的话用暗号写下。或用同样的方式写道：“今天夜里我看见……”其余的字又是暗号，直至联缀和其他字句都是如此，使别人无从推测。

关于这个还有值得说的，就是在他左右的人们在那一刹那也得到一种本领，由一耳目所能见某种的征兆预知到同时而在远处发生的病讯或死耗。可是这种本领却总没有遗传给他的儿孙；他们大多数倒是活泼、乐生，只立身于现实中的人。

说到这儿，我想起我在幼时从他们所得的许多好处并对他们表示谢意。例如当我们去探访嫁给原料品商麦尔贝（Melber）的二姨母的时候，我们多方忙碌谈笑风生。姑母的住家和铺子是在城里最热闹拥挤的地方，市场左右。在这儿我们愉快地从窗间瞧扰扰攘攘的市况和纷至沓来的群众，唯恐错过；初时在铺里种种色色的货物中，只甘草和由她制成的褐色捺印的小糖果最引起我们的注意，因此渐渐熟悉这种铺子买入卖出的种种货物。这一个姨母在姊妹中算是最活泼的。当我的母亲年轻的时候穿着齐整的衣裳在做着女红，或瞧着一本书，这个姨母就跑到我们家里附近来，在那儿把那些没有人管的小孩领去，照料他们，替他们梳头和带着他们随处跑，那时她也有很长时间这样子照管我。在公共庆典的日子——比方在加冕庆典举行的日子——她便不肯留在家里。还是很小的时候，她已经去抢拾在这种日子投撒下来的钱。我听见人说，她有一回聚了一小伙人，正谛视摆在手掌上的这些钱时，有一个人把她的手掌打了一下，于是她拾来不少的财物一下子就掉光了。她还做过这样一桩事体，也一样为人所称道：有一回当凯撒加尔七世的御驾走过的一瞬间，人民全都肃静，她在宅前的道边石上站着高声大呼“万岁”，凯撒因此脱帽与她为礼，并且很优渥地感谢她这种勇敢的致意。

在她的家里，一切也是热闹愉快地扰攘着，而我们孩子们因为她过好些快活的时光。

我还有一个姨母嫁给圣加大邻教堂的牧师斯达尔克（Starck），是在较宁而也适合于她的天性的情境中。按照姨夫的意趣和地位，他是度很孤寂的生活的，并拥有很好的藏书。在他那儿我开始知道荷马，不过所看到的是一种散文的译本，它是劳安（Loen）所新编的著名游记丛书的第七部分，标题《荷马著：托洛亚国征服记》，附有法国剧画风的铜版图。这些图画对于我的想象力有那样坏的影响，荷马诗中的英雄很久还只是以这样的姿态活现于我的脑海中。故事的本身我喜欢到说不出来，我对于这著作只有一点很不满意，那就是它对于托洛亚的征服不加叙述，而那样的呆笨地以海克多尔（Hektor，托洛亚的主将）之死为结局，我向姨夫说出这种非难，他叫我参照维琪尔（Virgil）的作品，因为他能够完全满足我这种要求的。

我们孩子们除了其他课业外，还继续受日渐高深的宗教教育，这是不消说的。不过我们所受的教堂的新教说法其实只是一种枯燥的伦理学，不能算是一种精神的讲演，其教义既不能激动人的灵魂，也不能满足人的心意。因此，有许多脱离那些合法的教会，分裂主义者（separatist）、敬虔主义者（pietist）、赫尔因胡特派教徒（Herrnhuter）和Stillen im Lande（也是一种敬虔主义者）和其他种种名称的分派由是发生，不过他们全都抱有同一的志愿，只求——特别是借着基督的力——能比公开的宗教的形式所能者更接近上帝。

我在幼时不断地听人说及这种意见和志趣，因为当时的僧侣和俗人都分作赞成和反对两派，那些跟教育会多少分离的宗派总是占少数，但是他们的倾向因其独创、诚恳、坚毅和独立的精神而现出效果来。关于这种精神上的优点和它的表现，有不少故事流传于人们的口中。有一个虔诚的马口铁匠的答语特别的为人所传诵。有一个同行向他提出一个问题，想让他出丑，他问道："究竟谁是你的忏悔师（Beichtvater）呢？"那马口铁匠很磊落的和很自以为是的答道："我有一个很高贵的忏悔师，他绝不比大卫王的小一点。"

这一种话和如此之类的话，对于幼时的我有很深的印象，促使我有同样的意向。总而言之，我发生一种思想，直接去接近伟大的自然之神，天地的创造者和保持者——从往昔对于人间的美丽和种种财富之肆虐，我们虽曾身受其害，但久已忘记了；不过达到这个目的的途径是很特别的。

一般而论，幼时的我是守着那最初听到的教条的。

与自然直接联系着的上帝——我承认自然为上帝的作品而爱之——在我看来也就是与人类以及其他万物一样的发生一定的关系的真正的上帝，他之为人类谋，也正像是星辰之运转，岁时的更造，动植飞潜尽力一样。《四福音书》有几处地方明显地说到这一点，幼时的我不把这个神看作是一个人物。我在他的事业中寻求他，而愿意像《旧约》所示那样为他立一个祭坛，我要将各种自然产物当作世界缩影，在它们之上燃着火焰，来表示人类对他的创造主的赞叹之意。现在从现有的和偶然增加的自然物标本的收藏中都可以挑选出来最好的自然物的阶段和样本，不过，怎样来排列和建立，倒是一个难题。父亲有一个很漂亮的红漆金花的乐谱架，形如四边的金字塔，并有一级一级的台阶，很适宜于四音合奏之用，不过近来已很少用了。我就把这个架据为己有，一级一级的把自然的代表物叠起来，把它的样子弄到又很好玩又够有意义。然后我要在清早日出的时候来举行第一次上帝的礼拜。这个小牧师只有一桩事自己还要踌躇的就是怎样把火焰生起来，同时它又必须发出很好的香味。他忽生急智，终于把两桩心愿都实现了，他有一些线香，虽不发出火焰，不过会闪出火光和散布极芳香的气味出来。真的，这个轻微的燃烧物和发烟物比起一个熊熊的火焰来似乎还更能表现出我的心情。太阳已出来很久了，但是隔壁的房子却把东方挡住。到后来它才在屋顶上出现，我便拿了一个取火镜，把在美丽的瓷盘里放着的线香搁在坛顶点起来。一切都如愿，礼拜便完成了。这个坛仍放在家人们为我在新房子腾出来的屋子里，如一特殊的装饰品然。各人都只把它看作是一个陈设得好的自然物标本，但孩子的心中却较清楚的知道自己暗地里所干的事。他渴想重演这个祭仪。不幸，当头的太阳正上升的时候，瓷碟却不在身边，他干脆把线香放在乐谱架的顶上层，把它点着，礼拜是那样的隆重，小牧师竟不觉得他的祭仪惹起多大的损害，以至不可收拾。那线香已把红漆和漂亮的金花烧灼到不堪，并且恍惚是一个恶魔走过留下他的黑的不能磨灭的脚印那样。小牧师这时弄到手足无措，他虽然得把那些美丽的自然物标本遮着那烧坏的地方，但是他的重新礼祭的勇气已失掉了。人们也许可以把这个意外当作是一种征兆或警告，指出要想循这样的途径去接近上帝是多么危险的事情。

第二卷

以上所述的一切，足征当时各国在长期的和平中所处的康乐悠闲的情境。不过，人们享受这个升平时代总没有一个地方像在城中那样舒服。城市在它自己的法律之下度日，地方之大足以容众多的市民，位置适中，得以借贸易行旅致富。外国人和外地人为营利而进支，并且为自己的利益起见必须给城市以利益。这种城市所支配的地方也不大，因而它的对外关系不须使它担负用费浩繁的事业或协力，故更能造就内部的繁荣。

当我的幼年时代，佛郎克福城的居民这样子度过好几个幸福的年头。可是，在一七五六年八月二十八日，我刚满七岁的时候，那个有名的战争马上就爆发了。这一场战争对于我后七年的生活是有很大的影响。普鲁士王腓得烈二世（Friedrich der Zweite）率领军队六万人进攻撒克森（Sachsen），他不先行宣战，而随后发出一个宣言——据说是出自他自己的手笔——举出许多理由说他采取这个可惊的步骤是出自不得已的正当手段。世界不独处于旁观者的地位，而且也被敦请为该事件的公判者，因分裂为两派，而我们的家庭就是这世界的缩影。

我的外祖父任佛城的市长时曾扛过法兰兹一世加冕时的宝座的天盖，并受过女皇的一条附有她的玉照的重金链的赏赐，他跟几个女婿和女儿都站在奥国那一边。我的父亲曾受敕命于普鲁士前王加尔七世为帝室顾问官，对于这个不幸的君主的命运衷心上极表同情，与家族中的少数人袒护普鲁士。我们多年来不曾间断的星期日聚会，不久便因此而发生纷扰了。姻戚间通常会有的龃龉，这回才找到一个形式把它发泄出来。他们争论，吵闹，有人默不作声，有人发起脾气来。外祖父本来是愉快、安静、闲适的一个人，这时却变成性急。女人们极力排解，也是徒然，经过几场的使人不快的吵闹后，我的父亲先不参加这个聚会。这时我们可在家里安安静静地来庆贺普鲁士的胜利，而这个消息通常由那个感情热烈的姨母狂喜地向我们报告。对于一切其他的事的兴味，这时都因为这个战争而搁在一边了。这一年的其余日子，我们都在不断的激动中度过。德勒斯登（Dresden）之占领，战争开始时普王之郑重行动，战事的缓慢而稳确的进步，乐窝西兹（Lowositz）的胜利，萨克森之夺获，也就是我们这一派的胜利。凡是足以证明有利于敌人的消息，我们或加否认，或加轻视，而站在对方的家族的成员，也是这样做，因此，他们便像《罗美欧和朱利叶》（莎士比亚的悲剧）中的人物那样，彼此在街上碰着就没有不吵架的。

于是，我的意志也是倾向普鲁士，不如更正确地说，倾向于腓得烈王了。但是我们跟普鲁士人有什么关系呢？最感动人的就是这伟大的君主的人格。我跟父亲为我们的胜利而雀跃，很高兴地抄写我们的胜利之曲，那嘲笑反对派的歌儿，虽然很浅薄，我几乎更欢喜抄。

我既是长孙又是外祖父母的教子（凡参加婴孩之洗礼加名仪式和保证担任其宗教教育者，为该婴孩之教父；而该婴孩对之称为教子），所以从小时候起就每星期日到外祖父母那儿吃饭：那是整个星期最愉快的时光。可是，这时我不想在这儿再尝一点食物了。因为在这儿我一定会听见我所崇拜的英雄为人所污蔑，无所不至，这里吹的风向，响的音调都跟家里不同。我对于外祖父母的倾慕，甚至崇敬都减低了，在父母面前我绝不提及他们，我这样子做，一半由于我自己的情感的驱使，一半也因为母亲的告诫。我由是起一反省，像我六岁那年里沙本地震之后，我对于上帝的正义有点怀疑那样，现在因为腓得烈二世，开始对于公众的正义心怀疑起来。我的性情生出来就是有恭敬的倾向，必要很大的震撼才能使我对某种可崇敬的事物的信念动摇。可惜人们以良善的习惯善好的品行向我们推荐，却不是为这习惯品行的自身，而是为某一些人起见。世人所说的话应当永远如是，而且我以为世人应当是善人，对于什么事都能加以正当的评价。但是，我现在所体验的却适得其反，最伟大和最显明的功绩却遭毁谤和敌视，最高尚的行为就不为人所否认，也为人所歪曲和轻视；而这样卑鄙的恶行却出自显然高出于侪辈的、平日的行为都可以证明其绝伦的能力的优秀分子。而且这样做的不是下等社会，而是上流人物，我当然也把外祖父和姨夫归入这一流。世间会有党派这一回事，而且他自己也属于一个党派，小孩（歌德自谓）是茫然不知的，小孩之所以更相信他自己是对的，他的思想敢说是较好的，因为外祖父和他的同志马利亚·特里西亚女皇派却推崇她的美丽和其他的优点，而对于凯撒法兰兹一世的财货和珍宝的癖好也不以为坏；道安伯爵（Graf Daun，奥将军）有时有“吊儿郎当”（Schlafmütz）之称，他们相信也可以为之辩护呢。

现在我的思想虽然精密一点，但是，我对于公众意见的漠视，甚至鄙视，已胚胎于这时。我的一生有一个整个时期抱着这种态度，到后来借着理解和教育之助我才能改正了这种观念。至少，党派的偏私之发现在孩子的心中觉得是很不痛快的，甚至对他有害。因为它通常会使他与所爱敬的人们疏远起来。那些接踵而起继续不断的战争和事变，使两派总没有安静和休息的时候。我们看到人们老是要重新激起和造成那虚拟出来的不幸和任性的吵闹，而感到异样的快适，我们也继续彼此互相窘厄，直至几年之后，法人占领了佛郎克福，我们家里真个弄到不安才止。

这时，大多数人虽然只把这个在远地发生的重要事变拿来作为激昂的谈话资料，不过也有另一些人洞见这个时代的严重性，还恐怕法国加入战争，我们的地方也会化为战场。家人比从前更要把我们小孩们留在家里，多方设法使我们有事做，有东西玩。为达到这个目的起见，家人把祖母遗留下来的傀儡戏再陈列出来，而且它的设置是这样的，观众在我你的三角顶的屋子内坐着，而做戏的和导演的以及舞台和外舞台却在隔壁屋子内。因为特别许可别的孩子们轮番的进来看戏，我在初时得到许多朋友，但是孩子们生就的不安静使他们不能长久有耐心的看戏。他们把戏搅乱了，我们必须找寻更年幼的观众，有保姆和使女在旁边，可以使后者保持秩序。傀儡戏班子原来排演的正本戏，我们已暗记在心，那时只专演它，不过，不久我们就厌倦了。我们便把行头装饰换过，大胆地排演各种的剧本，不过，这些剧本在那样小的戏台上演起来实在太大了。因为这种胆大妄为，我们纵然把我们实在能做得到的妨碍甚至毁坏了，可是，这种儿童的玩艺和事业从多方面训练和促进我的创造表现的能力、想象力以及一种技巧，而且在那样短的时期，那样狭小的地方，花那样小的费用，恐怕更没有别的途径能够有这样的成就了。

我很早就学会用圆规和尺，我把我从几何学上所得的知识马上应用到实际方面，厚纸细工占去我不少的时间。不过我不限于做几种物体、盒子和这一类的东西，而自出心裁去制造一些精巧的别墅式的小房子；用柱子、屋外楼梯和平顶屋盖点缀，可是，我很少做成功的。

不过，干得有耐性得多的，就是借着一个裁缝出身的男佣人之助，备办一些行头，拿来做喜剧和悲剧之用。我们渐渐大起来，傀儡戏已不高兴玩，而喜欢自己演戏了。跟我玩的同伴也自己备有这种行头，而且自以为跟我的一样的美好。但是，我所备办的不只够一个人的需要，而足够供给几支人马以种种的刀枪盔甲，因此我在我们的小朋友队里总是少不了的。不消说，这种玩意儿是涉及党同伐异、斗争和打仗的，而且通常是因为吵斗和忿怒而得到可怕的结局。在这种时候，通常有某一定的同伴附从我，而别人则站在对方，纵然常有许多调换。有一个优秀的小孩子，我唤他做皮拉的斯（Pylades），只有一回为他人所煽动，离开我一伙，但是，几乎不能一分钟跟我作对，我们在涕泣中复言归于好，许久，都很忠实地打伙儿。

当我向他和别的亲切的儿童讲童话的当儿，我会使他们很快乐，当我用自己的口气讲的时候，他们特别的喜欢，他们觉得很高兴，我——他们的小朋友——居然会遭遇着这样奇怪的事物，他们虽略知道我的作为和我出入的地方，但绝不疑心我怎样会得到做这样的冒险的时间和空间。而且这些故事发生的场所纵不是在别一个世界，也必定是在别的地域，而一切又是今日或昨日才发生的。因此，他们自己骗自己，一定比我哄他们所能做到的还多。可是我若不识得基于我的资质渐渐把这种空中楼阁和法螺加工，使成为艺术的表现，这种吹牛的开端实不免对我留有坏的影响。

若我们把这种本能加以很精密的考察，我们就可以认识诗人自己断然的把最不会有的事说出来，和要求人们把他——虚构者——自以为真的也认为实事时的自负。

在这儿只笼统地和理论地讲述的事，或可以借一个例子——一个杰作——而更有趣味和具体一点。因此，我在下面插入一段童话，我既常把它向我的小朋友复述，现在仍在我的想象力和记忆之中清楚地浮现着。

*　　　　*　　　　*

《新巴黎士》[1]

——一个童话——

新近在圣灵降临节的星期日之前一晚，当我站在一个镜子面前，正在穿着我的亲爱的父母特别为我做来过节的夏季衣服，我做了一个梦。你们知道的，我的衣服是一双漂亮带大银扣子的小皮鞋、一双细软的棉袜子、一条黑棉布的裤子和绿色厚绒绣金花的上衣，还有一件织金的坎肩是从我父亲做新郎时穿的背心裁下来的。我理过发，撒过发粉，挛发像小翅膀那样从头上垂下，但是，因为我老要把衣服掉换，一件才穿上身，我又想换穿第二件，我还没有把衣服穿好，正在进退两难的时候，有一个年轻漂亮的男子走进来，极亲切地向我招呼。“咳，我欢迎您！”我说，“我欢喜得很，在这儿看您。”“那么，您认识我么？”那人微笑问道。“为什么不认识呢？”

[1] *Der neue Paris*，巴黎士为托洛亚之王子，得爱的女神维那斯之助，赐以苹果，而诱拐希腊美女海伦那。

我也微笑的答，“你是神使（Merkur），我看你的画像已看得多了。”“我就是他，”那人说，“天神们派我到你这儿来有一个重要的使命，你看见这三个苹果么？”他伸出一只手来给我看，他的手几乎拿不了，又大又怪美丽，其中一个是红的，一个是金黄的，另外一个是绿的，人们看见一定把它当作是宝石，而琢成苹果的样子。我正要伸手去拿它，他急缩回手，并说：“你先要知道，它们不是给你的。你要将它们送给城中三个最漂亮的青年，然后他们各随着各自的命运，找他们的配偶——只要他们愿意找的话。好好的担任起和办你的事吧！”他一边说，一边把苹果放在我的双掌上，便走了。苹果在我看来似乎更大一点，我把它举高，向着灯光，发见它们是全透明的。可是，刹那间，它们向上伸长，变成三个怪漂亮的小姑娘，像平常的洋囡囡一般大，衣服的颜色跟刚才的苹果一样。于是她们从我的手指徐徐地溜上去，当我要捕捉她们，至少想握住一个的时候，她们已飘浮得高高远远，可望而不可即了。我站在那儿十分的惊愕，呆若木鸡，仍是高举着双手盯视我的手指，一若在那儿还看到一些东西那样，但是，忽然间我瞧见我的手指尖上有一个极可爱的小姑娘往来跳舞着，比那些小一点，但很美丽活泼，因为她不像她们那样飞去，而流连着，并且一会儿在这个手指尖，一会儿在那个手指尖往来跳舞，我一时间愕然望着她。可是，我既那样喜欢她，我相信终会把她逮住，并以为出手够巧捷了，怎么一瞬间，我觉得头上被人打了一下，我于是浑身麻醉的倒栽下来，到了我应穿衣上教堂去的时候我才从麻醉中醒觉。

在礼拜的时候，我的脑海里老是浮现着那些美丽的姑娘们的姿容，在外祖父母家里吃中饭的时候也是如此。午后，我想去探访几个朋友，一半是因为我应当去看他们，一半是因为我想让他们看我穿着新衣服，臂下夹着一顶帽，腰里佩着一把剑。我看见没有人在家，在那儿我听见说他们到了花园去，我于是想追着他们一道走，俾快活地过这一晚。我所循的道，领我走近城濠，最后来到一个地方，那儿是与所谓“恶城墙”相通，这个名字是很对的，因为那儿一向不很安全。我只慢慢地走，心里想着我的三个女神，特别是那个小女神。我有时还把手举高，希望她会那样的亲切再在我的手上定定的站着。我一边这样沉思，一边向前走着，我瞥见在左手边高墙上有一扇小门，我记不得从前曾否看见过。它看来像是颇矮，但它上顶的尖门拱却可容极巨的人通过。门拱和墙都是由石工和雕刻家极精巧地雕琢成的。不过，先引起我们的注意，还是那扇门本身。褐色的极古的木，只略加装饰，用宽的凸起和凹刻的青铜条镶成，它的花草有最生动的鸟儿栖着，我看了为之惊叹不已。但是，我觉得最可注目的就是看不见键孔、插锁和门环一事。我猜想这扇门只是从里头开的。我果然猜中了，因为当我走近一点，想去抚摩那门上的装饰时，门就往里打开了。那儿出现一个男人，衣服有点长阔而奇怪，还有一绺可尊敬的浓髯像云那样环缀着他的下颚。因此，我几乎把他当是犹太人，但是他像是猜中了我的心那样对我画十字为礼，由此我认识他是一个善良的罗马教徒。“青年先生，您怎样到这儿来，又为什么到这儿来呢？”他和颜悦色以亲切的声音说道。“我觉得这扇门的制作奇怪，”我答道，“因为我从没有看见过像这样的细工，如斫成小块一定会在鉴赏家的艺术搜藏之列。”“我很高兴，”他答道，“您喜欢这样的制作。里边的门更要好看，进来呀，假如您高兴的话。”这个事我却不大敢冒昧。守门人的奇怪的打扮，地方的偏僻和其他渺茫不可测的事情阻逼着我使我不敢进去。因此我借口只要多看一会儿门的外边，在外头徘徊着。在我面前展开的是一个花园，我从门口把花园打量一下，刚在门后，我看见一个有树荫的广场：老菩提树有一定的疏密排列着，它们的浓密交错的枝叶把广场完全遮着，因此，在白昼的酷暑中，万千的游人也可以在树下纳凉。我不觉已进了门阈，而那老人老是一步一步的引我再前进，其实我也不加拒绝；因为我常听见说，一个王子或一个苏丹在这种时候绝不会问有没有危险的。而且我还有剑佩在腰间，万一那老头对我露出敌意，我不会把他干掉吗！因此，我泰然踱进去，守门人把门关上，它闭得那么轻，我差不多一点也觉不到。然后他把装镶在里边的确更美术得多的细工指给我看，并对我细加解释，由是证明他的特别的好意，所以，这时我完全放心，让他领我前进到有墙环绕着的林荫地方去，并在那儿看见好些奇异的东西。用贝壳、珊瑚和矿石精巧地装点着的壁龛从海神（Tritan）像的口喷出许多水到大理石盘内，在那中间还装置有鸟笼和别的格子细工，在这里头有栗鼠四周跳跃着，海豚前后奔扑着，还有其他我们说不出的许多可爱的动物。我们一路走来，鸟儿迎着我们呼唤和唱歌，噪林鸟喋喋的说出极滑稽的话，一个老嚷道："Paris！ Paris！"别一个喊道："Narziss！ Narziss！"它们说得那样清楚，只有小学生的发音才能相比。当鸟儿这样叫的当儿，老头老像是恳切地望着我。我却装做不觉，而事实上我没有时间来注意他：我很清楚，我们是在兜圈子，而这个林荫的广场本是一个大圈，环抱着另一个更有趣致的圈。我们真个又走到小闸门那儿，好像那老头子要让我走出去那样；不过，我的眼睛还是望着一个金色的栅栏，这栅栏像是用来把这个怪美丽的花园的中间围住，当我们一路走时，我很有机会端详一番，纵然那老头子老要我沿着墙走，因而与园中间相隔颇远。这时他正要往小闸门走了，我急向他说道："您既然对我那样厚爱，在我跟您分手之前，我敢再向您提出一个请求，那个像是用来围着这个花园的内部一大个圈的金栅栏，许我瞧真切一点吧？""高兴得很，"那人答道，"但是您就要答应两三个条件。""什么条件呢？"我赶快问道。"您必须把您的帽子和剑留在这儿，我陪您走时您不要离开我的手。”“真高兴！”我这样回答，就把我的帽子和剑放在第一张最美丽的石椅子上。他马上把右手牵着我的左手，牢牢地使劲地握着，领着我一直向前走。当我们走到金栅栏面前，我的诧异心忽变为惊骇。像这种境状我从没有见过。在一个高高的大理石台上，排列着无数的枪和戟，借着它们的奇妙地装饰着的上端，它们彼此联系起来构成一个完全无缺的圆圈子。我从罅隙间张望，看见刚在它们的后头，有一泓轻柔地流着的水，两旁用大理石做堤，在清澈的水底，可以看见许多金鱼和银鱼，它们一会儿悠闲地，一会儿矫捷地，一会儿一条一条散开地，一会儿成群结队地往来游泳着。但是这时我又喜欢去看看石渠的对岸，俾知道花园的内部究竟是什么样子，可是，怅惘得很，我发见在对面的石渠也是用同样的棚栏围着，而且弄得很巧妙，在这一边的罅隙恰就有一杆枪或戟在那边填塞着，所以，加上其余的装饰物，我们无论站在那儿，也不能看清楚那边的东西。而且，老头又在妨阻着我，他老是牢牢的牵着我，使我不能自由的行动。然而，我对于一切所见的好奇心，越发增长着，我决心向那老头问一问能否走到那边去。“为什么不能呢？”那人答道，“不过又有新的条件。”当我再问他是什么条件的时候，他就让我知道，我必须换过衣服。我很乐意这样子做；他便把我再带到高墙那儿，踱进一间洁净的小厅内。在那儿的壁上挂着种种色色的衣服，但看来全都像是带有东方服式的意味。我很快的把衣服换过，他不管我的惊愕，强把我的上过粉的头发弹拂过后，用一个五色的网把它缀着，这时我看见我在一个大镜子的面前，改装得很漂亮，比起我原来的硬朗朗的星期日衣服来，我更喜欢一点。我做几下表情和跳几下，一如在大市集的戏台上所见的跳舞者那样。我照镜的时候我又瞥见在我后头的壁龛的影。在它的白色的地上，系有三根绿色的小绳子，每一根绳子的打法，我在远处看不清楚。我因此匆匆地回过头来，向老头儿问问壁龛和绳子究竟是怎样一回事。他很高兴地拿一根绳子下来指给我看。它是一根相当结实的绿丝绳子，它的两端有两处有孔，用一种绿皮穿过和缠缚着，使人看来当作是一种用于不大正当的用途的工具。我对于这个物件觉得怀疑，因问老头子是什么用意。他冷静而亲切地回答这些绳子是为那滥用我们对他的信任的人而设的。他把绳子挂回原地，马上要我跟着他走。这回他没有牵着我，我自由地和他并排的走。

这时，我的极大的好奇心就是想有一道门或一道桥，来通过这个栅栏，渡过石渠：因为像这样的东西我至今还没有发见过。当我们急忙忙的跑到那儿，我便很精细地来观察那金栅栏。可是一刹那间我眼花缭乱起来，枪矛钺戟蓦地里摇动起来，悉索作响，这种奇异的动作竟以全数的枪尖互相向而终，一若古代两支带着斧钺的人马互相厮杀那样。无数的枪矛的杂乱琅珰悉索的响声，使人眼为之眩，耳为之聋，但是使人惊异的景物层出不穷，这些枪矛完全倒下之后，便盖着石渠，造成一道非我们所能想象得到的极美丽的桥。于是，五色缤纷的花圃便豁然呈现在我的眼前了。它是由于错综交织的花坛构成，合起来看便成为一个花团锦簇的迷宫，全部花圃都由绿色长着茸茸的矮植物编成的花墙围住，这些植物我从没有见过。全部都种着花，花是在地上低低的长着，每一畦有一畦的颜色，使人看了很容易就可根寻那原来描下的图案。我在盛大的阳光中享受着瑰丽的景物，使我眼为之迷；但是我差不多不晓得我应当在那儿插足：

因为那纡曲的花径是用最纯净的蓝沙铺成，恍惚在地上造成一个蔚蓝的天，或映于水中的天空一样。我跟我的向导并排走了一会儿，眼睛望着地下，直到后来我才觉得在这些圆圆的花圃的中间，有一大圈的扁柏和白杨之类的树矗立着。因为那些最低的枝干像是从地上长出来的那样，我们不能从那儿看见对面。我的向导虽不强我一直向最近的路走，但却直接领我到那中间去。当我们踏入那些高树的圈子中间，一个华丽的楼台的柱廊映在我的眼前，真是出乎人的意料之外，看来像是它的四边都有同样的外观和门户，不过，从这座楼房透出来的天乐比这个建筑术的模型更使我惊喜欲狂。一会儿我相信听到的是琵琶，一会儿像是竖琴，一会儿又像是筝，一会儿更琮琮琤琤，又不像是那三种乐器所发的声音。我们要进去的门，经老头子轻轻一敲，就豁然自开。我多么惊愕呵，那出来迎我们的司阍女郎完全跟我所梦的在我的指尖上跳舞的娟好的小姑娘相像。她跟我招呼，有如素识，并请我进去。那老头子留在外头，我跟着她穿过一道装潢美丽圆拱顶的短廊，踱入正中的大堂，我一踏进去，它的华丽的穹隆形的屋顶已引起我的注目和使我惊异。可是，我的视线也不能在那儿多留恋，因为一幕迷人的戏又把它诱引去了。刚在那圆顶的正中之下，在地毯上，坐着三个青年女子，恰成三角形，所穿的衣服，各不同色，第一个是红的，第二个是黄的，第三个是绿的，坐的安乐椅子是金色的，地毯活像是一个花坛。在她们的腕上抱着我在外头分辨出来的那三件乐器，因为我的莅止的妨碍，她们暂时中止不弹。“我们欢迎您呵！”那个坐在中间，面向着门穿红色衣服拿着竖琴的女郎对我说。“请坐在敏儿的旁边和谛听着，假如您是音乐的爱好者的话。”这时我看见横在我前面有一张颇长的凳子，上面放着一个四弦琴。那个可爱的小姑娘把它拿起来，坐在那儿，并牵我坐在她的旁边。现在我又把在我右手边的第二个女郎端详一下。她穿着黄色衣服，手里拿着一个筝。那个弹竖琴的是仪容壮丽，风度大方，举止庄严，这个弹筝者却可看出是一个窈窕活泼的人儿。她是一个修长的金发女郎，而那个却覆着深褐的头发。她们的弹奏的繁错和谐不能阻止我再把第三个穿绿衣裳的美人打量一下。她的琵琶声在我听来，像是悲恻动人和新异一点。她像是最注意我，而且向着我弹奏的就是她。可是我不明白她的意思。在我的心目中她一会儿像是温柔，一会儿像是奇妙，一会儿像是坦白，一会儿又像是任性，随着她的表情和弹奏的变换而不同。一会儿她像是要感动我，一会儿又像是要打趣我。可是无论她怎样作态，她也不能获得我的心，因为我旁边的小姑娘——我跟她臂挽着臂的坐着——完全夺了我的心了；而且我既把那三个女郎很清楚地看作是我梦中的女神，是三色的苹果所变。我自己很明白我无法长久保有她们，只要娇好的小姑娘在梦中打我一下的事完全忘记了，我会更跟她亲热。这时以前，她按着她的四弦琴静静的不动，但是一当别的女主人停了不奏，她们就命令她竭其所长地弹几首轻快的小曲出来。她于是很兴奋地弹拨了几支舞蹈和声乐，她忽然跃高，我也照她的样子做，她弹奏着，舞蹈着，我给她迷醉了，也翩然随着她的步武起舞，我们于是表演一种小“巴勒特”（Ballett）舞，女郎们看见很是满意：因为一当我们跳舞完，她们就吩咐那小姑娘在晚餐备好以前还拣一些好的东西款待我，这时我真个忘记了在这乐园之外，世界上还有别的东西。敏儿马上领我回到我刚才进来时所穿过的短廊去。

在侧边有两个收拾得齐整的屋子，在她住的那一间屋子里，她把橘子、无花果、桃子和葡萄端出来给我，我除了备尝殊方的异味外，还把那些鲜果饱嚼一顿，糖果已经吃不了。她又用一个光泽莹然的水晶盏倒满葡萄酒，可是饱饫水果之后，我已不需要喝酒了。“现在我们想玩一会儿”，她一边说，一边领我进第二间屋子去。这儿的光景像是圣诞节之市那样；但是，那样贵重和精美的东西，我们在圣诞节的货摊子上也从没有看见过。那儿有种种色色的洋娃娃，洋娃娃的衣服和用具，小厨房、小住室和小铺子，以及无数的零星的玩具。她领我到各个的玻璃橱去看，因为在这些橱内，保存着这些美术细工，她很快就再把最初几个橱关好，并说道：“这些不是为您的，我知道很清楚。可是，这儿，”她又说道，“我们可以找到好些建筑物，城墙和望楼、房子、宫殿、教堂，合起来构成一个城市。但是这个我不喜欢玩，我们想拿一些别的，您跟我都高兴的东西。”她说着端出几个箱子，在那里头我瞥见小军队一层一层的放着，我马上就发觉，像这样好看的玩意儿，我从来没有看见过。她不让我有时间来逐一个逐一个的端详，而拿起一个箱子来夹在臂下，我把别一个抱起来。“我们到金桥上去吧，”她说道，“在那儿玩军队是最好不过的，那儿的枪矛立刻指出方向，教我们应该把军队怎样放。”于是，我们到了金桥之上，当我跪下把我的队伍摆开的时候，我听见脚底下流水潺潺地响，鱼在激水作声。现在我看见我们的军队都是骑兵，她自夸得着阿美逊（Amazone）的女皇做他的娘子军的元帅；而我这方面则有阿智尔（Achill）和很威势的希腊马队。两方军队作对战的形势排列着，再好看也没有了。它们不是平扁铅制的骑兵，人和马都是躯体饱满，像真的一样，并以极精巧的手工制成。而且，它们是自己站着，不用承脚板，我很难明白，它怎样会支持重心。

当她向我宣告进攻的时候，我们各自看着自己的军队都扬扬自得。在我们的箱子内，我们又发见了炮弹，那即是满一匣子的磨琢得好好的玛瑙球。若用它就要离开相当远才能交兵，可是在这个地方，显然，有一个条件要遵守的，就是掷时不要太使劲，只可以把兵打翻就够了，弄坏它们却是使不得的。于是我把炮弹交投起来，在初时我们双方对于它们所得的结果都满意。可是，及至我的女敌人看到，我瞄准得比她强一点，并且我最后会有获到胜利——胜败是看依然直立的骑兵谁多一点而定——的时候，她便走近几步，她的娇弱无力的投掷于是也得到所得的效果了。她把我的好些精锐掷翻了，我越向她提出抗议，她越努力掷，这个终于惹起我生气了，我声言我要照样的做，我不独真个也走前一点，而且气忿忿地更使劲的掷，这样子，不一会儿我就把她的一对人马击碎了。在兴奋中的她，当时还不觉得，但是，当我看见那些破碎的小人物自己再接合起来，阿美逊和马再成为一个整体而且同时变成完全活的，从金桥疾驰到菩提树林中，以全速力往来驰驱着，末了——我不知道怎样——竟没入高墙中，我惊骇得像是化石一样。我的美丽的女敌人忽然发觉了，便即高声的恸哭起来，并嚷着说我给她一个无可补偿的损失，损失之大真是说不出来。但是，我——已经激怒了的我——这时倒高兴给她一个不痛快，还拿两三个剩下来的玛瑙球使劲的向她的军队中乱抛去。不幸，以前在我们的正常的游戏中作为例外的女皇，却被我所掷中了，她迸碎了，她的最贴近的副将也粉碎了，但是她们很快就完好如初，像刚才那一个的样子，很高兴地在菩提树林中驰驱着，终于没入高墙中。

我的女敌人骂我，詈我；我呢，一时性起，俯身把在金桥上滚着的几个玛瑙球捡起来。我的忿激的愿望，就是想使她的全军覆灭。她这一方面也不示弱，向我身上扑来，给我几个耳光，使我觉得脑袋嘤嘤的响起来。我常听见人说过，女子赏你一个耳光，你就要报她以一个粗野的接吻，我便执着她的耳朵，吻了她好几下。可是，她号叫得那样惨锐，连我也骇怕起来，我让她走开，这还算我的幸运，因为一刹那间我就不知怎么一回事了。我脚下的地开始震动和格格作响，我立刻看见那栅栏再动起来；但是我已没有时间来考虑，也不能立定脚步准备逃去。我恐怕每一瞬间都会遭戮杀，因为那再举起的戟矛已把我的衣服割破了，总而言之，我不知道怎样我的视听都已茫然，骤开的栅栏把我抛到一棵菩提树下，我才从昏迷和惊恐回复过来。随着我的醒觉，我的恶意也复生了。当我听见那边我的女敌人——她在那一边虽有致命的危险，却稍比我好一点——的嘲笑，我的凶念更像火上添油。于是，我蹦跳起来，当我看见跟我一块给那骤开的栅栏抛过来的我的小军队和元帅四散在我的身边，我先把那英雄拿起，照着树掷去。他之复元和遁走，现在使我加倍的高兴，因为我不独视此为世界的奇观，而且又添上我的幸灾乐祸心了。我正要把全体的希腊兵向树抛去，忽然间，澌澌的水从四方八面，从石和墙，从地下和枝叶间喷射出来，无论我避到那儿去，水都向我交加地溅击。我的薄薄的衣裳不一会就完全湿透。它本已撕破了，我毅然把它完全除下来。我把靴子抛掉，一件又一件的脱下，而且，最后我觉得在暖天受这样的日光浴，倒很舒服。这时，我赤条条的堂堂然走进那迎面射来的水中，以为可以这样子舒畅一会儿了。我的怒火已冷下来，我只想跟我的小女敌人言归于好。可是一转眼，水就停流了，这时我湿淋淋地站在满着水的地上。不料老头儿这时却走出来，他之露面，我一点也不欢迎；我愿意即使不能把自己藏起来，也至少能够把我的身体遮着。羞耻之心，冷水的淋浴和要稍为把自己遮盖着的努力，把我弄成了可怜的样子。那老头子却利用这一瞬间来尽情的痛斥我。“谁阻止我，”他喊道，“使我不拿出一根绿绳子来，它纵不合您的脖子之用，也合您的背脊之用呵！”这个恐吓我认为极可恶。“您说出这种话来，”我喊道，“要小心点，连这种想头也要小心点好：否则于您和您的女主人们都会不利的呵。”“那么你是什么人呢？”他悍然的反问道，“你竟敢这样的说！”“我是诸神的宠儿，”我道，“那些女郎们能否找到良好的丈夫和度幸福的生活，抑或在她们的魔宫内憔悴到老，也全视我而定。”老头子听了退后几步。“谁把这个向你启示呢？”他惊愕和狐疑地问道。“三个苹果，”我说道，“三块宝石。”“然则你想要什么做报酬呢？”他喊道。“第一样我要那个陷我于这种魔障的小鬼头。”我答道。老头子向我纳头便拜，地上还是湿淋淋泥滑滑的，他也不顾了。然后他站起来，身上没有湿，很亲切地执着我的手，领我回到那大堂里面，急速地替我穿好衣服，不一会儿，我又穿着礼拜日的衣服，头发的装扮也像从前一样。看门的不再说一句话，可是在他未送我出小闸门以前，他止住我，指着路外墙上的几件物事给我看，同时他向后指指那小闸门。我很明白他的意思，他就是要我牢记着这几件物事，以后好再找到这小门，等我一走出门槛，门就突然关上了。这时我看得很清楚，在我对面的有什么东西，在高高的墙头上，胡桃古树的枝柯耸出来，把墙的尽头的户槽的一部分遮着。枝叶一直伸到一个石碑上，碑的有藻饰的边栏，我是很认得的，它的题字我却不会读，它是放在一个龛的支柱石上，在龛里有一个美术地凿成的泉喷出一盂一盂的水注入一个大盘内，后者像一小池，流入地下。泉水、碑文和胡桃树全都是垂直地一个在一个之上：我想把我所见的画出来。

我怎样过那一晚和以后好几天，我怎样三番四次的连自己也几乎不会相信这个故事，那是不言可喻的。只要一有机缘，我就再跑到那“恶城墙”去，想至少也使那些标识仍活现在我的记忆里，和把那个奇妙的小门端详一回。不过，奇怪得很，我发见一切都改变了。胡桃树们依然耸出墙顶，但它们已不是彼此相靠着了。一个碑也是嵌在墙里，但是在树的右边，相隔很远，没有藻饰，而且碑文可以认出来。一个有泉水的壁龛我发见是在很左那边，但是绝不能与我所见的相比。所以几乎不得不相信，我第二回的奇遇也就是跟第一回的一样是南柯一梦，因为那小闸门我简直找不到一点痕迹。只有一事可以慰藉我的，就是我觉得那三样物件恍惚是常在改换它们的地位，因为在迭次寻访该地时，我相信我觉得胡桃树等像是已彼此靠近一点，碑和泉也似乎趋于接近了，也许，当这三样物件都再合在一块的时候，那扇门也重新现出来，而我将会再尽可能的继续这个奇遇。我能否讲给你们听我以后的遭遇，抑或断然不许我泄漏，我这时说不上了。

*　　　　*　　　　*

这个童话，我的小朋友们都热烈地想使自己信以为真，而且很得他们的称赞。他们瞒着我，也瞒着别人，各自去寻访我所述的地方，发见胡桃树、石碑和泉水，但彼此老是相隔很远。不过像我那样年纪的人不喜欢老把秘密瞒着，后来就讲出来，于是关于这事的争论，就开始发生了。第一个断言这三样物件不会移动地点，它们的距离老是一样。第二个确说它们是移动的，而且越移越远。第三个跟第二个一致地承认移动那一点，不过他觉得胡桃树、石碑和泉水倒是越近的。第四个所见的像是更有意思，即是：胡桃树在中间，而石碑和泉水都在两旁，如我所述的那样。说到小闸门的痕迹，他们各人所见的也互异，这样，他们给我一个很显然的例子，证明人们对于一桩很简单而容易分解的事也会具有和抱持互相抵触的意见。因为我固执地拒绝胡诌我的童话的续篇，小朋友们常望我再把它的第一部分讲给他们听。我讲时小心不把情节多加改变，为了我所讲的一致，竟能使这童话在听者的心中变做真事了。

而且，我是不好说谎和作伪的，更绝不轻佻，我待人接物的真诚不但由内心显露出来，即外貌也是如此，人们常恳切地——也常揶揄地——抬举我，高出我自视声价之上。我虽然也有良好卓异的朋友，但是，我们比起坏的朋友来老是占少数，后者以熏染我们以粗野的恶习为快，并且常很粗暴地使我们从童话般的自乐其乐的好梦中惊醒，这种由我创造而同伴们共同参与的梦境，我们实太喜欢沉溺其中了。这时我们再度发见人们不委身于温柔之事和幻想的欢乐中，而宁愿使自己冷酷化，俾能忍受那不能免的磨难或与之对抗，实很有理由。

我因此养成一个小孩子能够做得到的克己的习惯，肉的痛苦之忍受也在这种训练之内。我们的家庭教师很严酷地和笨拙地用鞭打来对付我们，因为稍一抗拒，便受极严厉的处罚，我们便只有硬着头皮来忍受。有好些小孩子的笑话是由于挨苦比赛引起的，例如有人用两个手指或整个手掌轮番地打自己直至四肢麻木才止，或颇镇静地来忍受那因某种游戏而处罚的鞭打。又例如在角斗时有人让他自己为半胜利者所抓破而颜色不变；有人极力忍受由受人揶揄所引起的笑谑；甚至孩子们好互相闹的捻捏和隔肢窝也处之泰然。因此，我们便得到一种非别人所能及的好处。

可是我既常以这种痛苦的抵抗为事，别人的压迫便得寸进尺，顽皮的暴行是没有止境的，它把我逼迫到出乎我所能忍受的范围以外了。我现在只将许多这样的故事中择一个讲出来。教师有一个钟头没有来，当我们孩子们全体都同在一块的时候，我们很规矩地玩着，可是等候了好一会儿之后，那些对我有好感的同学们便走出去，只我跟三个对我怀恶意的同学留在那儿，他们便想磨折我，羞辱我和逼迫我。一转眼，他们就全离开屋子，带着几根鞭子回来，那是从一把竹帚破开急速地制成的。我知道他们的来意，相信这一课的时间将到，临时决定在钟响以前不防卫自己，于是他们开始残酷地痛鞭我的脚和腿肚，我动也不动，但是不一会儿我就觉得我打算错了，这样的痛苦一刻都难挨过去。我越忍受越生气，时钟一响我就拣那个最料想不到的，抡拳捶他的脖子，一转眼就把他打翻了，我用膝盖压在他的背上。第二个是从背后打我的，他比较年轻又没有劲，我用手腕抱他的脑袋，压他到我的身边，牢牢的箍着他。这时只剩有最后一个，但不是最弱的敌人，而我只有左手来防卫自己，我揩他的衣服，因为我转身灵活而且他却转身太急，我便把他摔倒了，拿着他的脑袋照面向地上撞。他们咬我，抓我和踢我，无所不至，而我则在他们的脸庞和四肢上报仇。我既然占了上风，我屡次拿他们的脑袋互撞。到末了，他们喊出可怕的求救的呼声，我们不久就看见这家的人围着我们那七横八竖的鞭子和我脱了靴子露出来的脚上伤痕，就可替我做证人。人们不要罚我，让我离开，我却扬言下回若再侮辱我，我纵不将这一个家伙或别一个扼死，也要挖去他的眼睛，撕去他的耳朵。

这个意外我们虽然不久就忘记了，甚至引为笑乐，——小孩子们的事往往是如此——但却是我们共同上课时间减少，以及到后来完全取消的原因。于是我再像从前那样，闭居家内的时候多，在家里我的仅比我小一岁的妹妹珂妮里亚（Cornelia）就作了我的愉快的伴侣。

可是，当再讲几件故事，说明我从前怎样在我的小朋友那儿碰到的种种不快的事之前，我还不想把这个题目放弃。因为这是一种有益的伦理的宣示，使人们明白别人所遭受的是怎样，和他在生活中所期待的是什么；并且使他虑及，无论发生的是什么事，都是把他当作是人类的一个施于他的身上，而不是把他当作是一个特别幸福或不幸的人。我们即使不充分利用这种见识来免除祸害，可是也很有助于我们俾能够知道忍受以至克服它。

在这个地方再作一般的详论是很适合的；即是说，当出身大家的儿童长大时，有一个很大的矛盾呈现出来。我所谓矛盾，就是儿童一方面为父母和师长所督促掖导，行止有节，明哲而有理性，不因自己的放恣傲慢而加害于人，并抑制一切会自然发展的可鄙的情感。可是在相反的一方面，当少年人以这种习惯自励的当儿，他却须忍受他人施于他的责骂和最严重的处罚的举动。

由是这个可怜的人儿便悲惨地处在自然状态和教化状态之间进退两难，长此下去，不免怀恨于心，或愤激而发为暴行，这要视乎各人的性格而定了。

以暴力驱除暴力是应当的。但是，一个心地好的，抱着有慈爱和同情心的小孩不大知道怎样对付别人的侮蔑和恶意。我虽然略晓得防避我的同伴的种种举动，可是我绝不是讥刺和恶劣的匹敌，因为在这种场地，防卫自己的人一定有输无赢，因此，这种的攻击，假如惹起我的愤怒，我便用全力抵拒，或激起我作种种不可思议的考察，后者总会有结果的。除了别的好处之外，那些恶意的人还妒忌我一点，那就是因为我外祖父官居市长，以这种家世自喜。祖父既为市民中的第一人，所以他的家族也以为荣。有一回，在“奏笛裁判”完结之后，我把那时的情景有点自负地说出来：怎样见到我的外祖父在陪审官的中间，比别人坐高一级，和像登宝座似的坐在凯撒的肖像之下。儿童中的一个就讽刺地说：我应当像立起来的孔雀那样，望望我自己的祖父，他不过是威敦荷夫（Weidenhof）旅馆的老板（歌德之祖父腓得烈本为裁缝，始迁居于佛城，后再娶一寡妇，得其产业——威敦荷夫旅馆——遂改业为旅馆老板，故被人这样嘲笑。——译者），对于宝座和皇冕是没有权利的。我接着答道：我绝不以这个为羞耻，因为我们生长所在的城市，所以宏大高贵，正在于一切市民应互以平等相待以及各人的作为可以各有其效能光荣之处。我只抱憾的，就是那好人已死去那么久（死于一七三一年），我常渴想自己能亲炙他，我有好几回注视他的小像，以至瞻礼他的坟墓。至少在他们的遗体——我所从出的遗体——的简朴的纪念碑的铭刻之前，感到得意。另一个恶意的同伴——他们中最阴险的——把第一个拉在一边，附着他的耳朵低声说一些话，一边说，一边老是嘲讽地望着我。我的怒火已开始焚起来了，我要求他们高声的讲。“好，还有什么？”第一个说，“你想知道么，他是说你踏破铁鞋到处找寻你的祖父也找不着呢！”我更凶的恐吓他，假如他们不再说明白一点。他们因此向我吐露一套说是从他们的父母那里偷听得来的无稽的话，他们说我的父亲是一个贵族的私生子，而那个善良的市民（即祖父）却愿意在外表上做他的父亲的代理人。他们居然不知羞耻的提出种种的论证出来，例如他们说我们的财产是靠祖母遗下，我们的住在佛莱堡和别的地方居留的亲族，同样是没有家产的，此外还有别的证据，只以阴险见胜。我更冷静地听着他们说，他们等我作势要揩他们的头发时，就拔足逃走——这一着他们早已准备着。可是我很镇静地答道：就是这样子，我也满足的。有生是那样的美好，所以无论我们是受谁之赐，我们也可以把它视同一律，因为归根到底，生命是由上帝得来，而在上帝之前一切全都平等的。因为他们没有得到什么结果，他们这回也就让事情好好的了结了。我们继续在一块儿游戏，而游戏在儿童中常是一种灵验的重修和好之具。

可是，因为这种恶意的话，我像是染了一种伦理的病，潜滋暗长着。做任何一个高贵的缙绅的孙子，即使不是基于一种合法的关系，我也不会不高兴的，我的探索的能力依着这样的路线走，我的想象力兴奋起来，我的敏锐的感觉为之促进。这时我开始来研究关于我的祖父的问题，得到和发现新的盖然性的根据，我很少听见家人们谈及我的祖父，只有他的画像和祖母的画像曾挂在旧屋的客厅中，新房子筑成以后，这两个像便保存在楼上一间屋子里。我的祖母从前一定是一个很美丽的女人，并与她的丈夫的年龄相仿佛。我又记得在她的屋子内，曾经看见过一个很漂亮穿着佩有星和勋章的军服的男子的小相片，自从她死后，房子从新翻造的时候，这个小相片和好些其他小东西都不见了。这一件事和许多其他的事情在我的幼稚的头脑中，凑合起来，很早很早的就施展那一种近代诗人的伎俩，这即是说借着人生的一些的有意义的情景的空想的联缀，便能引起整个知识界的同感来。

不过我不敢将这样一种事体对任何人泄露而且又不敢寻问一下。我唯有暗地里孜孜不倦设法来使真相明白一点。我曾听见人家确定地说父子或祖孙常是十分相像的。我们有几个朋友，特别是市议员斯奈德（Schneider）——常来往我家的熟朋友——邻近所有的王公领主每有事务上的交往，后者——无论是当朝的或其后裔——在莱茵、梅茵河畔和两河之间的地方都有领地邸宅，由于特殊的优渥，有时宠赐他们的忠诚的代办者以他们的玉照。这些画像，我从小就常在壁上看见过，这时我以加倍的注意端详它们，探究一下，能否发见出与我的父亲，甚至与我自己有相类的地方。于是，我一会儿觉得这个人的眼睛，一会儿觉得那人的鼻子显出与我有多少关联。这种标识弄得我时时神魂颠倒。我纵然后来不能不把人们对我这种诽谤当作是完全无稽之谈，可是它的印象仍铭刻在我的脑海，使我不得不将那些画像很分明地和留在我的印像中的全数贵族们互相对照检验一下，凡是足以加强世人的内心的骄傲和谄媚他的潜伏着的虚荣心的事，就是他所最心愿者，这是一种不易之理，因此，他就不再问，在别的方面会不会成为它的光荣或是耻辱。

不过，在这儿还是不必混入严肃以至有训诫意味的考察，我宁愿将我的视线从这个美好的时代望过去：谁能够把少年时代的内容丰富的时期说得圆满呢！我们只可以抱着欢悦以至惊奇心来瞧着这些小生物在我们的面前老是转变：因为他们前途的希望大抵总胜于他们现在所为者，而且惯于作弄人的造物在这里像是特别存心要愚弄我们。造物最初赋与儿童的器官，是与生物的最直接的境况相应；他自然地无求地以最巧妙的方式利用它们，以达到他的最近的目的。单从儿童本身观察和站在儿童方面观察，当其跟同伴在一块时和在与其能力相适应的范围内其明哲会理之处，无有能出乎其上；其适应愉快熟练之处，我们希望教育所能成就者，亦不过如是。如果儿童照着他所表露出来的样子长大下去，我们就有很大的天才。但是育成不是单纯的发展之谓；构成一个人的各种器官的诸体系，彼此相生彼此相续彼此互相转变，互相排斥，甚至互相消蚀，因此经过相当时间之后，有许多能力和活动几已不留一点痕迹。人类的素质在大体上纵有一种确定的趋向，不过最富于认识力和最有经验的人也难确凿地预先把这种趋向说出来，在后来人们才看出以前所预示者。

我绝不是想在本书的头两卷中就完全结束我的童年的历史，我希望在后面把已暗地里贯通我的少年时代的许多线索捡起来，引述下去。可是在这儿我不得不将战争渐渐给予我们的思想和生活方式以怎样一个强烈的影响略加说明。

安静的市民对于重大的世界事变的关系很是奇异，即在远处发生，也已足使他兴奋和引起不安，纵与他无关，他也不免加以判断，或予以同情。很快他就站在一党一派的立场，视乎他的性格或外面的原因而定。如果这样大的事件这样重要的变迁更逼近一点，则除了许多外部的不快之外，他总会更添上内心的懊恼，恶念会因而加倍增强，现存的善念反见摧毁。于是，他从朋友仇敌两方面着实感受痛苦，而源于前者尤多。他既不知道他应当怎样来守持他的志向，也不知道应当怎样来维护他的利益。

一七五七年那一年，我们纵然在完全平安里过着市民生活，但也经过大的情绪的激动。战事的胜利，英雄的战绩，意外的凶变，和情势之复振，接踵而至，互相错综，互为消长。但是，不消多久，腓得烈王的雄姿大名和伟绩，又高高的浮现在上头。他的崇拜者的热诚日益增大和强烈，对于他的敌人的憎恨日深，这种甚至足以分裂家庭的意见的龃龉，并使本来在许多方面已经互相乖离的市民更彼此隔绝。因为在一个像佛郎克福那样的城市，三种宗教把居民分为三个不同之群，只有少数的男子能够参政，即在上层阶级也是如此，所以一定有许多有钱和受过教育的人退隐，不问世事，读书和耽其所好，形成一种特异和隔绝的生活，如我们要将当时的佛城的市民的特性描画出来，无论现在或将来都要提到这一点。

当我的父亲从旅行回来以后，依他自己的癖性，他持有这样的见解，即是能替本城服务起见，愿意不受薪俸做一个属吏，假如不必经过选举就给他做的话，他的性癖和自具的理解便是如此。他又觉得自己的意志是善的，他便相信他值得获有这种既不是依据市府法律上又不是依据惯例的优遇的。因此，当他的请求遭拒绝的时候，他便忿忿不平，立誓永不接受任何的职位。为使到这个成为不可能起见，他便谋得一个帝室顾问官的资格，当时市长和最老的市议员有这个头衔的算做是特殊的荣誉，所以他的地位就得与城中大员并肩，不能再从下僚出仕。同一的动机使他想获得市长的女为妻，因这一事他又为市议会所排除。现在他是属于退隐者之流，从不与社会交际。他们彼此那样隔绝，与社会全体也不相闻问，又因为他们在孤寂的生活中日益冷酷地形成其独异的性格，更形孤立。我的父亲既常远游于外，置身于所见的旷阔的世界中，也许比平常的佛城人会养成一种对于较优雅和自由的生活方式的观念，事实上，他在这方面又找到老前辈和同志。

乌芬巴哈（Uffenbach）的姓氏是很多人知道的。有一个系出乌芬巴哈氏的市议员在当时是很有名望。他曾在意大利住过，专攻音乐。唱次中音唱得很美妙，他既从那儿搜集些贵重的乐谱带回，家内便常开音乐会和圣乐会。因为他自己也在会场内歌唱和以金钱奖励那些音乐家，人们就觉得这与他的高贵的地位不相称，请的客人和其余的同乡竟对于这事作种种可笑的批评。

我还记得有一个赫格尔男爵（Baron von Hackel），他是有钱的贵族，已婚而没有儿女，住在安东尼街的一所华美的房子内，家具之陈设，凡为优雅的生活所必需者，应有尽有。他又藏有很好的油画、铜版画、古物及其他收藏家鉴赏家所搜罗之物，他不时约请当地的绅士名流到他的家内吃午饭。他做的慈善事业很特别而具有深心，他常给穷人衣服穿，而取回他们的褴褛的衣服，并要他们履行一个条件，然后每周施舍，这个条件就是每次他们穿上那套施赠的衣服要显得干净齐整。我只朦胧地记得他是一个和蔼而美丰姿的男子；可是我却较清楚地记得他的家具拍卖时的情形，那时我自始至终都在场，一半由于我父亲的吩咐，一半由于我自己的意思购买了不少东西，现在仍在我们收藏之中。

以前，当我差不多还未能亲眼看见的时候，约翰·弥克尔·丰·罗因（Johann Michael von Loen）在文艺界和佛郎克福城都颇哄动一时。他不是生长于佛城，而在佛城落籍，并娶我的外祖母的姊妹忒斯陀尔氏——在林德海姆（Lindheim）生长者——为妻。他既熟悉宫廷和政府中人物，又以再得为贵族自喜，他毅然参预那些出现于教会和政府的种种活动，因而博得声名。他著有一本教训式的小说，名唤《里维拉的伯爵》（*Grafen vor Rivera*），从它的副书名《宫廷中的正义者》（*Oder der ehrliche Mann am Hofe*），可以窥见它的内容。因为本来只习于机智的宫廷也是企求道德。他的著作很受欢迎，并且借了他的作品而博得颂扬和名望，正因为这样，他的第二种著作倒损了他的名誉。他写了一书名唤《唯一的真宗教》（*Die einzrge wahre Religion*），该书的本旨是在于倡导宗教的宽容，特别是倡导路德教派和喀尔文教派间的互相宽容。关于这个问题，他便与神学者发生龃龉，基逊城（Giessen）的宾奈（Benner）博士特著文反驳他。

丰·罗因又著文答辩，这个争论弄到激烈起来，而且变成私人之争。由此引起的不快使作者接受腓得烈二世授给他的灵根城某校长的职位。腓得烈王相信他可算是一个开明而无成见，并倾归于当时法国早已流行的新思潮的人物，他怏怏然离开佛城。那时佛城的人断言他在那儿是不满意的，其实也不会满意，因为像灵根那样的地方绝比不上佛城。我的父亲也怀疑他不安于校长之位，并断定如果这个善良的姨夫不跟腓得烈王发生关系，会好一点，因为腓得烈王在别的方面虽是一个异常的君主，和他接近却总是危险的。的确，人们已看见过有名的福禄特尔（Voltaire）因为普鲁士的驻节公使佛莱格请求，在佛城被捕是怎样的受辱，而他从前却受那样优渥的恩宠，并被目为腓得烈王的师传雄视法国诗坛。当有这种机会的时候，有不少考虑和榜样来警告服官于宫廷和王侯者。对于这种事情，一个生长佛城的人差不多不懂得的。

有一个优秀的人奥斯（Orth）博士，我想只在这儿提一提他的名字，因为我不是要替有功绩的佛城人树立纪念碑，我之提及他们不过因为他们的职业或人格对于幼年时代的我有多少的影响。奥斯博士也是从不问政治而学识倒很足以出仕的人之一。对于德国特别是佛城的古学，他有很多的贡献。他刊行所谓《佛郎克福城宗教改革考》一书，在该书中他搜罗了这个自由市的法规。该书的关于历史的一章，我在童年时研习颇勤。

我在上面也曾提及的我们的邻人奥克逊斯泰因，三兄弟中的老大，因为在生时过隐遁的生活之故没有什么惊人之处，可是在他死后倒反引起人的注意来。因为他留下一个遗嘱，他愿意清晨就由几名工人扛到坟墓去埋葬，静肃地执行，不必要人送殡和仪仗。果然这样办了，这种办法使惯于豪奢的葬礼的佛城大大的哄动起来，凡是在这种情形习惯上有钱赚的人们都起来反对这种革新。可是这个勇敢的贵族在社会各阶层中都找到附从者，纵然已有人把这种葬法戏唤作“牛葬”（Ochsenleiche，因“奥克逊斯泰因”一姓之“奥克逊”本当作牛解），不过它在许多资产不丰的家庭中，最为流行，大出丧的习惯日益消失了。我之所以把这个事举出来说，是因为前世纪后半期从上而下在许多方面表现出和发生意外的影响的自卑和平等的思想，已渐树之风声了。

爱好古代美术之士在佛城也不是没有的，那儿有油画陈列室，铜版画的收藏，不过故乡的珍品，特别为人热烈搜罗和保存着。往代佛城颁布的法规和律令虽没有专为它而设的古物室，它们的抄本和印本却很为人所留意搜罗，按时代的次序排列，而且视为法律和惯例的宝库，郑重保存，即遗下不少的佛城名人的画像也搜集起来成为古物室中的一个特殊的部门。

我的父亲像是把这一些人一般地作为模范看待。凡是一个善良可敬的市民应有的特征，他都不少一样。他把房子改建之后，他也把那一类的收藏物收拾好，荀克氏（Schenk）和别种优美的地图的名贵的搜集，上述的那种法规律会，那种画像，一柜子的古代兵器，一柜子的有名的威匿斯城制的大小玻璃杯盏、矿石、象牙、古铜和许多其他的古物都分别放置和陈列起来，而且碰着拍卖的时候，我每禀承父亲的委托，去增加我们现有的古物。

更有一个重要的家族我必须提及，我从很幼小的时候就已听得许多关于他的异闻，从他的家族中有几个人本身我体验过更多的奇异的事情。这一家就是胜根堡

（Senckenberg）氏，关于他们的父亲我所知道甚少，无甚可说，但只知道是一个有钱人。他有三个儿子，在小孩子的时期，已全以奇人著称。在这狭小的城市内，不论在善的方面或恶的方面，无人显露头角，这样的人自不会为人善意看待。绰号和久留在人们记忆中的奇异的逸闻，大抵是这种僻性的结果。他父亲是住在兔街的犄角那儿，这街名是因为他的房子雕刻着一个兔子——纵然不是三个兔子——得来。人们因此就把这三兄弟唤做三兔子。这个诨号他们很久还不能洗脱。可是，天才常在童年中以一种奇异不凡和不中规矩的地方预兆出来，他们三兄弟也是如此。老大就是后来声名籍籍的帝室顾问官胜根堡，老二后来当市议会的议员，并显出他的卓越的才干，可是他却滥用它来曲解法律，甚至肆行无赖，纵不为祸他的故乡，至少也贻害于他们的同僚。老三是一个医生，人甚正直，不过很少并且只在贵家行医，直到高年，还保留一种奇异的外貌。他老是穿着得很齐整，从没有看见他在街上不穿鞋袜，卷曲之假发不好好的上粉和帽子不夹在臂下。他走路很快，但奇怪地逶迤着，一会儿摆到街的这边，一会儿摆到街的那边，形成一个"之"字形的路线。好嘲笑人者便说：鬼魂会循着直线的跟在他后头，所以他以这种异常的步武来闪避它们，而且他这样子做是仿效那些畏避鳄鱼的人的。不过，到末后他把他的在爱森海姆街有院子的华美的住宅、花园和一切家具都捐给一个医院时，这一切的谐谑和可笑的背后闲谈，竟变为对他的崇敬了。在那儿，除了一个专为佛城市民而设的医院外，一个植物园，一个解剖学教室，一个化学实验室，一个优美的图书馆和一所供主任住的房子已建立起来，有这样的规模设备可以说是很完美的了。

更有一个优秀的人物，其人格对于我的影响虽不深，但是他在这地方的作用和他的著作曾给我很重大的影响。这个人就是加尔·腓得烈·丰·摩些尔（Karl Friedrich von Moser）。因为他作事务的活动，他的姓名老挂在人的口唇边。他也有一种强固的善良的性格，为了人类的天性的种种缺憾常使他烦恼，这种性格甚至引他到所谓虔诚派那边去。所以，正如丰·罗因之守于宫廷生活那样，他愿意以一种诚实的处理方法来对付实际生活。许多许多的德国小宫廷聚有一群的领主和臣仆，其中前者要求无条件的服从，而后者只视其信服若何而肯为之尽心效劳。因此便发生不断的冲突急剧的变迁和爆发。因为无制限的处理事务在小局面比起大局面来，更快就见分明和现出破绽，好些贵族负了债，国家有帝室债务清理委员之任命；别的贵族也或快或慢的走上这条路去。而为之执役者或从那儿取得亏心的厚利，或觉得良心不安和为人所憎恨。摩些尔愿意委身为政治家兼实务家，而在这一方面，他的得自遗传以至为职业而养成的才能，使他得操胜算。可是，他同时又想站在一个人类和一个市民的立场来做事，而力求不损及他的道德的尊严。他所著的《君臣论》（*Herr und Diener*），《狮穴的但尼尔》（*Deniel in Löwengrube*），《圣徒之遗物》（*Reliquien*）完全描写他纵不苦恼也常觉得困逼的情况。这三部书全是说明在一种境遇中的焦灼不安之状，人们既不能与这种境遇水乳交融，但又不能摆脱它，在这种情形之下，他当然要想寻求别的职业，以他那样多才多艺，这自然不难。我记得他是一个很可亲近活泼而又温柔的人物。

克洛卜斯托克（Klopstock，十八世纪德国文坛上第一流的作家，一七二四——一八〇三）的名字很久就给我们以大的影响。初时，人们觉得奇怪，这样一个卓越的人而会有那样古怪的姓氏，不久也就惯了，不再想及这个姓的缀音的意义（Klopstock 之 stock 一音在德文为棍）。在我们的父亲的藏书中，到这时我只找到往代的，特别是在父亲的时代渐渐抬头和驰名的诗人的作品。这些诗集全都是有脚韵的，而父亲以为脚韵是诗歌不可缺的成分。坎尼兹（Canitz）、哈革多恩（Hagedorn）、德罗凌格（Drollinger）、革勒特（Gellert）、克雷兹（Creuz）、哈勒尔（Haller）的著作都是用优美的犊皮订装一行排列着。在这里头还添上奈开尔斯（Nenkirch）译的《退林马克》（*Telemach*），刻兹（Koppen）译的《解放后的耶路撒冷》（*Befrectes Jerusalem*）和其他的译本。这些诗集我从幼时起就很用功地全读过，并且背熟了一部分，因此我常被唤出来诵诗，以娱宾客。克洛卜斯托克的《弥赛亚》（*Messiah*）——在我父亲看来这不成为诗歌——出版后，诗歌成为使世人惊异之物，我的父亲反觉得那是一个讨厌的时代之来临。他自己极力禁止家人购买这种著作，但是我们的熟朋友，市议员斯奈德氏却把它秘密输进我们的家里，偷偷的给母亲和孩子们看。

这个事务家虽少看书，但《弥赛亚》一出版，便给予他以强烈的印象。这部书里多自然地表现而又多优美地高尚化的热烈的情绪，这种悦耳的用语，纵然只把他当作和谐的散文看待，也使那在别的方面枯燥的商人大为感动，以致他把这诗的头十首——因为我本来也只论这十首——当作是最美的宗教书，每年复活节的前一周，他摆脱一切俗务，静静的自己取来细读一过，并以此为整一年的精神之粮。初时他想将他的感想诉与他的老朋友知道，可是当他发见我的父亲对于内容这样优美的作品，因为他的无关重要的外形——在他觉得是如此——而深恶痛绝时，他觉得很困惑不解。不消说，关于这桩事情也屡次谈及但是两方面都老是越谈越不对劲，并发生过几回激烈的拌嘴；于是那个逊让为怀的人，末后就甘愿绝口不读他的爱读的作品，以免同时失掉一个童年的朋友和一顿星期日的佳肴。

劝人皈依自己所崇信的事物，是每个人类的自然的愿望，我们的朋友既发见我们家里其余各人对于他所崇拜的圣者那样明白地露出企求之心。他觉得他自己已暗地里获得很大的报酬了。他每年只看一星期的书，在其余的时间都专借给我们看。母亲秘密地把它收藏起来，我们两兄妹有可能就把它拿过来，好在课余的时候躲在一个角落里，来把那些最奇妙的地方在心里背熟，尤其是把那些最温柔和最有力的诗句尽快地牢记着。

我们比赛朗诵《波提亚之梦》（*Portias Traum*）一节，堕入红海里的撒但和阿德拉美勒（Adrameech）间的粗野而绝望的对话，我们分来背诵。第一个角色是最要强暴的，归我担任；第二个角色是要悲惨一点，由我的妹妹担任。这些纵然可怖，但声口又很好听的交相诅咒的话，只信口流出来，并且我们一有机会就用这种魔鬼的谈吐来互相搭话。

有一回是在冬天的一个星期六晚上，——父亲老是在灯光下剃胡子，俾星期日早晨能够从容地打扮——我们坐在火炉后的矮椅子上，当剃头师傅涂胰子的时候，我们低声念我们惯念的诅咒，可是，这时阿德拉美勒要用铁般的手执着撒但了，我的妹妹使劲的拉着我，并背诵出来，虽然十分的低声，但越念却越情绪激昂起来：

救我呀！求你，我祈祷，假如你要这样的话，

怪物，我求你！……堕入永劫者，凶恶的罪人。

救我呀！我受着报复的永恒的死亡之痛苦！

从前我能够以炽热狂慕的憎恨恨你，

现在我已再不能够了！这也是刺骨的悲酸呵！

一直到这儿，全都是悲恻地念出来；但是她却高声用可怖的音调念出下头的一句出来：

呵，我怎样五内崩摧！……

那个善良的剃头匠吃了一惊，把一盅胰子酒在父亲的胸上，于是起一场骚动，特别是因为恰在剃胡子的时候，会惹起意外，父亲从严追究这事。为要否认我们有一点恶意的嫌疑，我们承认我们是学魔鬼的口吻，而这

篇六脚韵诗所招致的不幸既然太明显了，它自不免于重新被摈斥和禁绝了。

这样子说来，小孩子们是惯于把伟大崇高的事物化为儿戏，甚至谐谑，可是他们又怎样能够自持自禁呢！

第三卷

那时的元旦，因为私人彼此贺年普遍地盛行之故，全城热闹得很。本来不轻易出门的人，急忙穿上他的最好的衣服，预备到他的恩人和朋友那儿打一个转，表示刹那间的亲热和客气。在我们孩子们看来，特别是那一天在外祖父家里的庆祝是我们极快乐的事情。一清早，孩子们已在那儿聚齐，听着军乐队、市音乐队和其他乐队所吹打的鼓、木笛、纵笛、大喇叭、号筒等等乐器。封好和标着字的新年礼物由孩子们分派给那些中等以下的贺客，越晏一点，贵宾之类便鱼贯而来。先上门的是挚友和亲戚，随后官吏也来；市议会的议员们也少不得来跟他们的市长拜年；晚上还请了一班客人在家内宴饮，整年也差不多没有开过的厅房这时却为他们打开了。甜点心，饼干，有馅面包，甜酒，对于儿童们发生极大的魔力。此外，市长与旧市街和撒克森豪逊两个区长每年从一些团体收受一些银器，而他们的孙儿和教子也得到这种赏赠。总而言之，凡是使最盛大的庆典添光辉的，也就少不得小孩子们参加的份儿。

一七五九年的元旦来临了，在我们小孩子的眼中，是像前数年的新年一样称心快乐，但在大人们看来，却满怀着疑虑。法国军队之通过虽已为人所惯闻，成为不时发生之事，可是在前年的年底几天，更是频繁地发生。按照自由市的旧俗，每有军队行近，大城楼的看守人便吹大喇叭，在这个新年的日子他也不想停止，这就足征有几方面的大军是在行进着。事实上，在这一天，也有大队人马穿过城内；人们奔走去看他们走过。以前人们惯见的只是小队通过；可是渐渐增大起来，人们已不能也不想阻止它。总而言之，在正月初二那天，一纵队经过撒克森豪逊，渡过桥，由法尔街走到市的警备部的营舍之后，它就停着不走，占领了这个少数人驻扎的司令部和上述的营舍，穿过柴尔街下去，警备部的本营稍一抵抗以后，也不得不降服。霎时间，和平的街巷却变为一个战地了。那儿军队滞留着和扎下露营，直至后来才腾出一些民房来给他们预备好正常的营舍。

这种多年来未闻过的意外的担负，使那安居的市民受累很重，而我的父亲所受的困难更比任何人为深。他不得不收留外国的军人住在他的刚盖好的房子内，把他的收拾得很好而平时关闭着的客厅让给他们，并且把他平时收拾料理得那样精细的东西任外人随意乱用。本来倾向于普鲁士的他，这时却眼巴巴看着自己在房子内为法兰西人所窘迫。照他的思想的倾向看来，这真是他所遭遇中最可悲的事了。他既说得一口很好的法国话，而生活方式又极华贵优雅，假使他把事情看开一点，他和我们或会少过一点忧郁的时光；因为在我们家内寄驻的是一个高级武官（Königsleutenant），虽是军人，但只判理民事、军民争执、债务和商务。他就是多伦伯爵（Graf Thorane），生在布罗温斯州（Provence），离翁提布（Antibes）不远的格拉斯（Grasse）。身躯瘦长而庄严，脸庞为痘疤所毁，眼睛漆黑，炯炯如火，举止凝重可敬。他之莅临，立刻就对房主人表示好意。我们把各间屋子——其中有一部分是让出来，有一部分留给自己住——说出来，他一听见提到画室，他就马上提出请求，请我们立刻点着火把，来把画大略看过一遍。他对于这些东西有极大的兴趣，向陪着他去看的父亲表示极为亲密。当他听见说大多数的艺术家仍然活着，并住在佛郎克福城和附近，他就说他但愿能够在极短期间内结识他们，并请他们绘画。

可是，这种从艺术方面的接近，也不能改变父亲的思想和使他卑躬屈节。他任由无法防止的事发生，但是他却持着一种无济于事的疏远的态度，而这时他所遭遇的异常的事变，即最细微之点，他也觉得不堪。

同时多伦伯爵的举动却很可钦佩。他从不肯把他的地图钉在墙上，以免弄坏新的壁衣，他的兵士也机敏、静肃和规矩；不过，的确整天和晚上有一部分时间，他是不能安静的，告诉人接踵而至，犯人捕来又带走，军官和副官都传进来接见，此外，伯爵每每要宴客，所以在这所盖来只供一家人居住并且只有一道楼梯通到各层楼的不很大的房子中，纵然一切事都很有节制地、严肃地、端谨地通行，也会发生一种像在蜂窠似的扰攘和嘈杂。

在一个心里不痛快，好像生着忧郁病似的苦恼着的房主人与一个心地好而很严肃精细的军人住客之间，幸而有一个称心的传话员做居间者。他是一个漂亮，体格很好而活泼的人，本为佛城市民，说得一口很好的法国话，晓得随机应变，碰着种种小的不快的事情，他只以笑谑混过。我的母亲就托这个人把她的丈夫的心境以及她的情况向伯爵代达，他很巧妙地把这事情的详细叙出来。崭新还没有十分盖好的房子，房主人的天性上的孤高恬退，他对于子女教育之自任，和其他应说的事，他都说出来，供他思量，因此，居官本以极端的正直，清廉和高尚的品行自负的伯爵在这儿寄居也决心端谨自处以为表率，故当他居留数年间，在种种情况之下他坚守着这种态度。

我的母亲略通晓意大利文，一家人中也没有人完全不懂这种语言：她因此决心学法文。在这个纷乱的时期中，她曾参预传话员的儿子的洗礼，他以我家处于教父的地位对我们感到两重的友谊，因此一有余暇便教他的教母学法文（因为他正住在对门），并且最先教她学会用来对伯爵讲的语句，果然有极好的结果。伯爵看见主母以这样的年纪而这样的苦心，觉得很高兴。他在性格上既有一种活泼多才的品质，又喜欢做出一种干燥无味的对妇人们的殷勤，因此发生极好的关系，而教父教母们和他联合起来也觉得称心满意。

上面已经说过，假如能够使我父亲快活一点的话，这种变换的环境也许不很苦恼。伯爵以铁面无私自励；就是他在职位上应得的馈赠，他也拒绝，凡稍涉贿赂嫌疑者，他即勃然怒斥，甚至处罚；他对下属统御极严，力求使房主人不受一点的损失。但是，他却分给我们孩子们许多的果物。说到这儿，我不得不说出一桩事来，证明那个时代的人们的素朴。有一回有人从宴会里带给我们一些冰淇淋，我的母亲以为一块真正的冰纵然已全拌上了糖，也不是肠胃所能消化，就把它倒了，这使得我们整天都不愉快。

除了这种好吃的东西——我们已逐渐学到很会享受和消化它们——之外，略能摆脱规定的受课时间和严格的教育束缚，我们孩子也觉得很舒服。父亲的坏脾气愈加利害，他不肯屈服于不能避免的事物之前。只因为想摆脱伯爵一事，他多么自苦，并使母亲、教父、市议员和一切他的朋友苦恼。人们对他陈说，这样一个人住在家里，在现在的情形之下实是一种幸事，假如伯爵搬到别处寄驻，恐怕跟着就不断换人住，或是将校，或是兵士也说不定。但是这些话说了也是徒然。这些论点对他不能发生一点效果。目前的情况他觉得非常的难堪，他的愤恨使他看不见后来会有更坏的遭遇。

因此，他的作业——一向主要地为我们的教养致力的作业——便停顿起来。他指定我们做的功课，不像从前那样严密地要我们做，而我们一有可能就设法来满足我们对于军事和公众的事的好奇心，不独是在家内，而且在街上去寻求满足，因为我家的大门日夜都打开，由步哨守着，而他们又不理睬淘气的孩子们走出走进，这自然更容易找到机会。

高级武官开庭审理种种的案件，因为他注重在判决时以一种滑稽机智和开心的话出之，特别的富于诱惑力。他所裁夺的极为公正，他表现的方式却诙谐冷隽。他像是效法奥孙拿公（Herzog von Ossuna）的榜样。差不多没有一天传话员不将这种关于判案的逸事讲给我们和母亲听，来逗我们笑乐。这个快活的人曾搜集了一些关于这种梭罗门式的判决词；可是我只记得些模糊的印象，特殊的例子在记忆中已再找不到了。

伯爵的奇异的性格，我们渐渐多认识了一点。这个人最清楚地知道自己的特性，因为他也会有一个时候，一种不快，或忧郁病袭来，或所谓着恶魔迷，他便在这些时刻——有时延长到数天——蛰伏在自己的屋子内，除了他的侍役之外什么人都不见，甚至在必要的时候也不出房门，让人谒见。可是，一当恶魔离开他之后，他的样子就像从前一样，和蔼，快活和勤勉。从他的侍役圣约翰——一个瘦小而心性活泼的人——的口述，我们可以断定伯爵从前为这种性情所支配，并曾惹祸，现在既任要职为天下所瞩目，已真诚地立下决心来提防有同样的乖误发生。

伯爵初莅临的几天，即把佛城全数的画家如赫特、叔兹、脱劳特曼、诺特拿格尔（Nothnagel）、荣克等请来。他们把他们已画好的画拿给他看，伯爵把那些出售的买下。顶楼上我的美好而光亮的三角顶屋子，让给他用，马上就变成一个搜集室和绘画室，因为他希望全数画家有整个时间在这儿为他绘画，而丹姆斯达城的西刻兹的画笔在写自然而素朴的景物时特别为伯爵所喜欢，尤欲罗致。他的哥哥在格拉斯城本有一所漂亮的房子，他因此写信叫家内把各个厅室的全部尺寸寄来，然后与画家商量墙壁的分配和决定将来要画的壮丽的油画的大小，这些画将来不是装在框内，而是像壁衣的一部分那样张在墙上。现在这种工作很热烈地做去。西刻兹担任画田家的景物、老人和小孩子，照着实物图写，有极佳的成绩，但是画青年便没有那样好的结果，大半画得太瘦；而妇人也画得不如意，原因却恰相反。因为他娶一个矮肥、善良而不悦目的女人做太太，她除了她自己以外绝不许用模特儿，所以他不会画得称心的。此外，他画人物必要超出他们的尺寸。他画的树木虽逼真，却是琐细的叶形装饰。他是勃灵克曼的门徒，而后者画架画却无可非难。

风景画家叔兹恐怕是最到家的。莱茵河风景，和在晴和的季节使那儿生机翕然的明朗的色调，是他的擅长。他画大幅的东西也不是不惯，而且笔画和明暗的配置也很不错。他所绘是很清爽的画。

脱劳特曼把《新约》几桩复活的奇迹用林布兰的画法写出来，此外还用红色渲染出一些村落和风车。我从厅室设计的略图看到，另有一间特别的小屋子是专门挂画用的。赫特画几幅很好的槲林和山毛榉林，他的家畜也值得称赏。荣克惯于师法极工细的荷兰派，最不适宜于写壁画的体裁，可是，他也乐意答应以花卉果物来装饰那些厅房，以博厚润。

我既从幼时起就知道了这些画家，常去参观他们的画室，而伯爵又不以我为嫌，因此，在他委托他们绘画，商量，定约，以至缴卷的时候，我都在场，并且当画稿和略图已草就之际，我有时居然把我的意见吐露出来。

我幼时在图画癖好者的家里，特别是拍卖场——那儿我到得很勤——已博得一个名声，就是我能够马上说出来，任一幅的历史画是表现什么故事，无论它是取材于《圣经》也好，异教的历史也好，神话也好。我纵然不能常将寓意画的意旨说对，不过在场者的理解也很少有比我好的。我又常帮助艺术家们去说明这个或那个物象，现在我也很高兴和利用我这种长处。我还记得我写成一篇详细的论文，说明表现约瑟的历史的十二幅图画是应当怎样，其中有几幅是已经画出来了。

上述这种成就，在小孩子究竟要算是可称赞的。我还想接着说一下我在这些艺术家里头所遇见的一桩小小的羞耻的事。事情是这样的：人们拿到我们屋子来的所有的画，我都很熟悉。我的幼稚的好奇心使我什么东西都要看一下，研究一下。有一回，我在火炉后发见一个黑色的小箱子，我少不得去寻究一下，看里头藏有什么东西，我不稍思索就把小箱子的闩子打开。里头收藏的画真个是通常不能够陈列给我们看的东西，我纵然立刻就预备把箱子关上，但弄得仍不够快。伯爵已踱进来，逮住我。“谁许可你打开这个小箱子呢？”他说时带着高级武官的神气。我不答他，他立刻很严肃地宣告他的责罚：“在八天内，不许你进这个屋子来。”我鞠躬一下，返身就走。我遵守这命令也极严，致使恰在那屋子作画的善良的西刻兹感觉得很不痛快——因为他跟我很合得来——而我也使小性儿，故意严为服从，以致我往常端给西刻兹喝的咖啡只放在门槛就走，他因为要放下工作来拿，觉得很不高兴，差不多对我生气。

但是，这时应该详细一点报告和说明我怎样在这种场合把自己还没有学会的法文学会了。我的天资在这儿也有帮忙，这即是说我能够很容易把握一种语言的音响，它的转动、重音、腔调和其他的外部的特性。从拉丁文中我已识得好些字；意大利文帮助我更多，在短期间内我听见佣人、兵士、步哨和来宾说法文，说得那么多，所以我纵然不插口谈话，至少也能够应用几句简单的问答了。但是，这一切比起戏剧给予我的裨益来，只是很微。我从外祖父处得到戏院的免票，不管父亲的反对，只求得母亲的赞助，便每天跑去听戏。在戏院里，我坐在池子边看外国剧，因为我对于台上所说的懂得那样少，甚至不懂，我对于动作、打诨和道白的表情更为注意，因而我只从做手势和腔调中得到乐趣。喜剧我懂得最少，因为喜剧的说话很快，而且是以日常的事物做题材，它的口语我简直不懂。悲剧很少开演，它的安详的步调，六脚短长格的节拍，和语法之普通，无论在那一方面都使我好懂一点。不久我就把在父亲藏书中偶然发现的拉辛（Racine，法国悲剧作者，一六三九——一六九九）剧本集拿到手，照着我的听官和与之有密切关连的语言器官所能感受领略的演戏的方式，自己把剧本朗诵，虽还没有明白整套话上下文的意义，但念起来却很有劲儿。真的，我背熟了一整节，像教过的能言鸟那样朗诵出来。因为我从前曾把《圣经》里头孩子们大抵不懂的篇章背熟，仿效新教牧师的声调把它们朗诵，所以更容易把戏剧背熟。当时法国的用诗体裁写成的喜剧很受欢迎；对图士（Destouches）、马里服（Marivaux）、拉勺施（La Chaussee）的剧本常常出演，而我还很清楚地记得许多特异的角色。莫利哀（Molier）的剧中人物，虽在我脑海里留下模糊的印象，但给我最深的印象的是勒美尔（Lemierre）的 *Hypermnestra*，它是一本新剧，表演得很好并且屡次出演。最优美的却是 *Devin du Village*，*Rose et Colas*，*Annette et Lubin* 给我的印象。到现在我还能回忆起那些带绶的儿童和小姑娘以及他们的动作。不久，我就自然而然的起念头，想自己上戏院去瞧戏，而这种机会又时常遇得到的。因为在那儿我不是常有耐心听完全出，有许多时候是在外廊里——当晴和的季节也在门外——跟年龄一般大的孩子们做种种的游戏，于是有一个很漂亮而活泼的小孩加入我们的队里来，他是班子里头的，我也曾看见他扮过好几回戏，不过只是当不重要的角色。因为我这时把我的法文向他应用起来，他跟我最对劲，加以戏院里和附近地方没有跟他年纪一般大的法国小孩，所以他跟我更觉亲密。除了看戏的时候以外，我们也有来往；即当开演时，他也很少让我安静的看。他是一个极可爱的善于吹牛的孩子，嚼起舌根来喋喋不休，有迷人的力量，他对我讲了许多关于他的奇遇、事业和别的异闻，使我感到非常的乐趣，并且我从他学得的语言和用语言传达的事物之多，出乎想象之外；因此，没有人知道我怎样会一旦如得了神灵之助而能操起外国语来。

在我们结识的头几天，他马上就拉我一块到舞台上去，并特别领我到后台休憩室里，那儿是男女戏子在休息时间坐立和打扮卸妆之所。这个地方既不合式也不舒服，因为这所戏园子是借一个音乐厅勉强搭成的，甚为狭隘，没有多余的房屋供给台后的戏子用。在一个颇大的侧房内——从前是用来赌钱的——现在男女剧员都大多混杂在一块，当他们穿换衣服时常不很雅观，他们面对着面，和在我们孩子的面前，都不觉得害臊，这样的不害臊，我从没有试过，可是上那儿几回之后不久就看惯了，觉得很自然。

没有多久，我发生了一种独有的特别的兴趣。我跟那个少年的德洛奈斯（Derones）——这是我对那个孩子的称呼——的友谊老是继续着，他除了善于吹牛之外，是一个有道德守规矩的孩子。他介绍他的姊姊跟我认识，她比我们大两三岁，是个十分可亲的女孩子。长得很好，体貌修短，肥瘦合度，微褐的肤色，黑色的头发和眼睛，她整个的风度带点静默，甚至悲戚，我竭力想得她的欢心，但总不能得到她的垂注。青年的女孩子自以为比年轻一点的男孩子先进得多，当她们对那个初恋她们的男孩献媚时，便以长辈自处。我跟他们一个小弟弟也没有交情。

有时，当他们的母亲出去试演或有应酬时，我们便聚在他们的家内，游戏或谈话。我每次上他们家里去总送给那个漂亮的女孩一朵花，或一个水果，或别的东西。每回她都很有礼地受下，极客气地致谢，不过我从不曾看见过她的愁容展开一下，更看不出她在其他方面还注意到我。末后，我忽然发见她的隐衷了。那男孩从他的母亲的睡榻——那是用很华贵的丝帷帐装饰着的——之后拿出一幅粉笔画，一个很漂亮的男人的肖像，同时用狡猾的声口说，这不是爸爸，但也跟爸爸一样；他称赞这个男人，而且详细地和夸大地讲出许多话来，由此我推测这女孩子怕是属于这个爸爸的，而其他两个孩子也许是他们母亲跟别个姘头生的。这时我明白她面容不欢的缘故，更爱她一点。

我对于这个女孩的倾慕，使我传染了她的兄弟的撒谎的习惯。他吹牛有时竟逸出他的范围之外。他把他的事业讲得天花乱坠，常常自己打自己的嘴巴，我只有耐心听着，而不愿打断他的兴致。我这样子做，完全是为着他的体面，他说他常常缴掉对手方的武装，然后宽恕他。甚至说他很懂得打落对手的长剑的剑法，有一回他把敌人的剑掷在一棵高树上，以至不容易取下，他自己弄得很狼狈。

因为我有从市长那里得来的免票，戏院里头什么地方都任由我出进，连池座也可以坐，这使我看戏很方便。

池子是照法国式布置的，很低，两旁围以座位，而座位却用很矮的栏挡着，前后相靠地设了好些排，并且最前排的座位只略比戏台高一点。这整个池座算是一种特别名誉座位；纵然因为靠近戏子之故——即使我不说使人的幻觉解消——有点煞风景，但只是军官们惯坐这种位置甚至连福禄特尔那样引为不平的戏院内的座位之使用和擅用，我也经验过，目击过。当军队过境，戏院十分满座的时候，雄纠纠的军官却极力要坐那些名誉位，但那儿早已有人占了，于是人们加几行椅凳在池子内的戏台上头，男女主角们唯有在一个逼狭的地方，穿插于军服和徽章之间，来表演他们的戏剧。我自己就曾看见 *Hypermnestra* 在这种情境下出演。

在两幕剧之间，幕是不放下来的。我想再讲一桩很稀奇的习气，因为我既是一个善良的德国小孩，看见戏院内有背乎艺术的地方就简直不能耐，这种习惯我自然觉得很可惊异。详言之，戏院本视为最神圣的场所，偶然在那儿发生骚扰，一定马上就被斥为扰乱观众的听视。因此凡演喜剧必有两个执着长枪的守卫公然站在最后的帷幕的两旁，一切最秘奥的事他们都看见。上头已经说过在两幕戏之间，幕是不落下来的，所以音乐一响，另两个守卫就来换班，他们一直从舞台布景的障隔那儿踱出到头两个守卫之前，而后者也那样堂堂的退回去。这样的设备既很足以将戏剧上所谓幻觉一概打消，而在那个时代，刚是根据狄德罗（Diderot）的原则和示例。

提倡“最自然的自然性”（die natürlichste natürlichkeit）的舞台艺术，以完全的陶醉为戏剧艺术本来的目的底时代有这样事情出现，更是使人惊异。不过，演悲剧的男主角有权来自己监视自己，而守卫兵便隐在侧面布景的背后。

现在我还想说一说，我曾经看过狄德罗的《家长》（*Hansvater*）和帕利苏特（Palissot）的《哲学家》（*Philosophen*）两剧，还很记得在后一剧中哲学家的脚色，他四脚爬行和咬着生菜头。

不过，这一切的戏剧上的光怪陆离的事情仍不能把我们孩子老留在戏院里。天气好的时候，我们便在戏院的门前和附近游戏，并做种种的傻事，特别是在星期日和节日。我们这种举动绝不与我们的外貌相当，因为那时我和我的同侪的外表是很斯文的，正如在那个童话中所描写的我那样，臂下夹着一顶帽子，佩着剑，剑柄缀着一大球丝穗。有一回，我们玩了好一会儿，德洛奈斯也加入我们中间，他忽然心血来潮要我决斗，说我开罪于他，一定要恢复他的名誉。可是我茫然不知道他根据什么理由，不过我也赞成他的要求，愿意决斗。但是他对我宣言，做这种事，照例要到僻静的地力，俾能够更舒适一点。因此我们跑到一个贮物仓的后头去，彼此站好地位。两方的厮杀略照着戏台上的榜样，剑身索索的响，而剑锋总向身旁落下；后来，在厮杀正酣的时候，他的剑锋已挂在我的剑柄的丝穗上。丝穗已戳穿了，他对我声明，他的名誉现在已完全恢复了，然后同样以戏台上的姿势搂抱着我，和我同到一个最靠近的咖啡馆去，叫一杯扁桃乳来平复我们的兴奋，和把我们的旧友谊更牢牢的系合起来。

说到这儿，我想再讲一个另一桩的奇遇，那也是在戏院里碰着的。事情是这样的，我正在楼下与我的一个小朋友很安静地坐着，并很开心地瞧着单人跳舞，那是由一个很漂亮的差不多跟我们一般年纪的男孩子——一个漫游过境的法国跳舞大家的孩子——巧妙优美地表演出来。他是照跳舞家的打扮穿着一件红绸子的小褂，褂子像围裙那样从一个短的带箍的马甲披到他的膝上。我们随同全体观众对这个未来的艺术家喝彩，当时我不知道怎样忽然起一种道德上的反省。我对我的同伴说道：这个孩子现在打扮得多漂亮，他的样子多么善良；但是谁知道他今天晚上是穿着怎样一件破烂的小褂睡呢！全体都已站起来，观众只没有让我们上前。一个本坐在我旁边，这时紧靠我站着的女人凑巧就是这个少年艺术家的母亲，听见我的忖度的话，觉得很受侮辱。不幸，她的德文程度足以了解我的话，而她所讲的也刚够骂人所必须的。她骂我了，她的意思是说，我是什么人，居然敢对于这个少年的家庭和他的贫富猜疑起来。无论如何，她以为他总能够比得上我，而他的才技会为他准备一美满之前途，非我梦想所及。这一顿训斥她是在人丛中赏给我的，使前后左右站着的人都注意起来，他们惊讶我做错了什么一桩淘气的事，竟会弄到这个样子。我既不能向她请罪，又不能离开她，我着实狼狈，当她稍停一瞬间，我不假思索即说道："好，吵闹干什么呢？早上红颜，晚上白骨！"她听见我这句话，立刻哑口无言，盯视着我，一见有点空儿，她就离开我。我也不再想到我的话。过了一些日子，当那孩子已不再出台，害着病并且很危险的时候，我才再记起这话来。他是否死去，我就不知道了。

由于一种不合时地甚至拙笨地说出来的话而成的相

似的预感，在老人们已加以顾虑。最值得注意的，就是各民族和每一时代的信仰和迷信都老是一样。

从我们的城市被占领的第一天起，娱乐从没有间断，对于小孩和少年人特别感到兴趣。戏剧和跳舞会，阅兵和行军，到处都引起我们的注意。后者特别的一天比一天加多，而兵士的生活在我们看来像是十分有趣的。

高等武官在我的家里寄驻，使我们得有方便，渐渐看见法国军队的一切重要人物，特别是我们本已闻名的第一流人，这时可以切近一点观察他们。我们从楼梯和梯顶很悠闲地瞧着将军们从我们那儿经过，一若从戏院中的“花楼”望下来那样。其中，我记得苏比士公爵（Prinz Soubise）是一个漂亮和蔼的贵族；但是记得最清楚的还是布罗格里奥元帅（Marschall von Broglie）。他是一个年轻，虽不肥大而体貌英俊活泼，八面玲珑，而又敏捷的人。

他到高等武官那儿来过好几回，我们看出是来商量重要的事。在他寄寓的第一季，我们刚进于这种新的情境而消息已渐传渐不利起来：据说联军已在进兵中，布蓝士外喜公爵菲迭南（Herzog Ferdinand von Braunschweig）要驱逐法人于梅茵河外。因为法人没有得到什么特别战胜的声名，人们不大以他们为意，而且自从洛斯巴哈（Rossbach）一役（一七五七年，普鲁士军击破法军于洛斯巴哈）以来，人们以为他们是应受轻视的，对于布蓝士外喜公爵菲迭南却有极大的信心，一切倾向普鲁士的人们引领期待着他把他们从现在的羁绊中解放出来。我的父亲略愉快一点，我的母亲却忧虑着。她的锐眼已洞察到目前的微小的不幸很容易引起大患：因为法人不会欢迎公爵进来，而在附城必有一场攻打，那是明若观火的事了。法国人的打败，逃走，城的防守，——纵然只是为掩护退却和握着梅茵河桥之故，——轰城，抢掠，这一切已浮现在奋兴的想象力之前，使两派人都惴惴忧虑。我的母亲，什么都能受得了，只耐不住忧虑，请传话员把她的恐慌传达给伯爵知道，后来她得到一个安慰的答复，就是说没有什么可怕，叫她安心并且镇静自持，不要跟任何人谈到这个事情。

穿过本城的军队更多；听说他们驻扎在山边。来的往的，骑的跑的，渐多起来，我们的房子不分日夜都在扰攘中。在这个时候我更常看见布罗格里奥元帅，他老是愉快，容貌举止第一回跟第二回完全一样。这个人的体貌曾给予我以良好而永久的印象，后来我知道他是名垂青史的人物，我也不禁高兴起来。

经过一七五九年的扰攘不宁的复活节之后，受苦日终于临头了。一个大的静默预告将临的暴风雨。我们小孩被禁止不许出门，父亲心绪很不宁。厮杀开始了；我登到顶楼，在那儿我虽给别的房子挡住看不见交战的地方，但是能够很清楚地听见大炮的隆隆声和密集的噼啪噼啪的枪声。几个钟头之后我们从一行兵车看见战争的最初的标识，在车上伤兵露着残肢断体和种种悲惨的姿态慢慢地从我们房子前走过，送到改作野战病院的圣母寺去。市民的恻隐心马上就发生。他们把啤酒、葡萄酒、面包和金钱送给那些还能接受一些东西的伤兵。可是后来不久发现在这些车中还有负伤和被俘的德国人，同情更扩大到无边，一若每个人都想把所有的财产尽量呈出来，帮助他的被压迫的同胞。

但是，这些俘虏是普方联军打败了一仗的证据。我的父亲惑于党见，十分相信联军会打胜仗，居然激昂地有勇气要迎接那预期的胜利者，却不想一想，打败仗的那方面，逃溃时先要跟他碰头。他先跑到菲力堡门前他的花园内，在那儿他看见一切都寂寥安静，然后冒险跑到波恩海姆林去，可是在那儿不久就看见许多四散的落伍兵和辎重兵，他们以向着界石射击为笑乐，因而那反跳的铅弹呜呜的在这个好奇的游客头上响着。他因此觉得转身回去还是上着，打听了一下，他知道——其实炮火的轰响也已明白告诉他了——法人方面的一切形势仍很好，绝不会有退却之意。回到家里，满肚子不痛快，瞥见负伤和被俘的同胞经过，便失去常态地生气。他也送给驰过的伤兵和俘虏以赠品，但是他只给德国人，不过，因为命运已把敌与友装在一车，这使他不是常能办得到的。

母亲和我们孩子们因为信赖伯爵的话，所以过着一种颇安静的日子，早上母亲用了一口针刺她的小宝箱来占卜，关于现在和未来，都得到很可安慰的答复，我们非常开心，母亲更加倍的放心。我们希望父亲有同样的信赖和同样的思想，我们极力要得他的欢心，我们因为他整天滴水不沾唇，请求他吃一点东西；他谢绝我们的抚慰和任何食物，走回他自己的屋子里。可是我们的欢慰却不因此而中辍；大局已定了；今天高等武官例外的出去骑马，末后回来，我们觉得他之在家比平日更需要一点。我们跳起来去迎接他，吻他的手，和对他表示我们的欢慰。他像是很高兴。“好呀！”他说话比从前更和气，“为你们的缘故我也觉得开心。亲爱的孩子们。”他马上吩咐给我们糖果、甜酒和其他最好的东西。他回到他的屋子里，在那儿早已为一群有急事的、有要求的、有请托的人们所包围了。

这时我们有一个很美好的中餐，善良的父亲却不想参加，我们觉得可怜，逼着母亲去请他来；但是她比我们聪明，知道他见到这种礼物会怎样的不快。同时她已预备一点晚饭，而且很想送一份到他的屋子里，但是这样的不规律的事，他是绝对受不了的，即在非常的时候，他也不愿。后来送来的甜品已经吃完撤去，我们设法劝他下来到平日的餐室内吃饭。后来，他不得已的下来，心里不高兴，我们料想不到我们将给他和我们自己造下什么不幸。楼梯是通全间房子和各层的前厅的。父亲下楼时一定要直接经过伯爵的屋子。他的前厅，已站满一屋子的人，伯爵为要一回就可跟多人接谈之故，决定走出来；而他出来那一瞬间不幸恰就是我父亲下楼的时候。他欣然迎着我的父亲，跟他招呼，并说道："你也祝福我们和你们自己，这一个危险的事情是这样子幸运地过了。""绝不，"我的父亲恨恨的答道，"我愿意他们把你们打到一塌糊涂，而我也能够跟他们一块的追奔逐北。"伯爵停了一会儿，然后勃然大怒，喊道："仔细你的报应！你对我和正义的战胜这样开罪，不会饶过你的。"

父亲就在这时脱身走下楼，到我们那儿来，像是比刚才开心一点，开始吃饭。我们因此觉得高兴，不知道他怎样居然把心里一块大石卸下来了。不一会儿，有人叫我的母亲出去，我们便很快乐高兴的把伯爵送给我们甜品的荣幸泄露给父亲知道。母亲没有回来。末后传话员却踱进来了。得他的暗示，家人便叫我们去睡；那时已经晚了，我们欣然服从。经过一夜宁恬的熟睡，我们才知道昨晚发生震撼全家的重要变动。高等武官即刻下令将我父亲看管。他的部下知道不能反对他；不过延宕点执行他的命令，有时却得到他的感谢。我们的教父传话员，无时不沉着深思，他知道设法运动他们极力从这方面着想。当时的纷扰本来很大，延宕执行也可以躲得过去和可以宽恕。他把我的母亲叫了出来，把她交下给副官们，让她以请求和解释去求得一刻的延宕。随后他自己就急忙忙跑到伯爵那儿去。伯爵为要大大的抑制自己，已马上退回内屋，宁愿让最紧急的事情停滞一刻，而不肯冷下他对于一个无辜的人激起的怒火，和下一个有伤自己的尊严的命令。

传话员对伯爵的陈辞，整个谈话的经过，那个肥胖的教父——他因为幸而成功得到不少的报酬——对我们不知复述多少遍，所以我仍能从记忆里，把它很完整的描画出来。

通译员大胆的开了房门，踱进去，这种举动本来是极端禁止的。“你进来干什么？”伯爵含怒喊道，“给我走出去吧！这儿除了圣约翰外，谁都不许进来。”

“那么，我就在这一刻间当一当圣约翰。”通译员答道。

“那是您的奇妙的幻想。两个他合起来也凑不成你一个。离开我呵！”

“伯爵大人，你有一副天生的伟大的本领，我是向你这种伟大的本领陈诉的。”

“您要想拍我马屁么！不要相信您会成功。”

“您有一种伟大的本领，伯爵大人，即在情绪激昂的瞬间，在愤怒的瞬间，也倾听别人的意见的。”

“好，好！就是意见的问题，我听人的意见听得太久了。这家里的人不爱我们，这市的市民嫉视我们，我知道太清楚了。”

“不是全都这样！”

“多得很，这些市民，帝国自由市的居民，他们想怎么样呢！他们曾选举他们的凯撒和看见他加冕，当凯撒给人不公平地进攻，很有失去土地和屈服于僭位者之下的危险，当他幸而找到忠实的同盟者，牺牲他们的金钱和鲜血来帮助他的时候，他们竟不愿意忍受他们分内应尽的区区的负担，来击破帝国的仇敌。”

“当然您知道这种意见已经很久，并且因为您是一个贤明的人而容易忍得住。不过，这些人也只是少数。一些人惑于敌人的优美的品性，而您自己也把他视作非常之人。只少数人吧！您也知道的。”

“对呀！我知道并且容忍得太久了，否则这个人就不敢在这个最重要的瞬间当面对我说出这样侮辱我的话了。他们有多少人我不管，这家的主人既是他们的勇敢的代表就应受罚。他们还要小心防着将来更要吃苦呢。”

“我只求延宕执行，伯爵大人！”

“这样的事情是可以迅速地办的。”

“我只求略缓执行！”

“邻人！您以为可以引诱我踏错脚步：您不会成功的。”

“我既不想诱惑您踏错脚步，也不想阻止您。您的决定是公道的：那是与法国人，与高等武官的地位相适应的；但是，请您想一想，您同时也是多伦伯爵。”

“这个在这儿没有关系。”

“世人也会听见这个勇敢的人哩。”

“那么，他们会怎样说呢？”

“高等武官大人！世人会说：您已经容忍那么些的微贱、讨厌和笨拙的人那么久了，纵然他们得罪您不太厉害。这个人的确很开罪于您了；但是假如您抑制着自己，高等武官大人！世人谁都会因此赞颂您。”

“您知道，我有时能够忍受您的戏谑，但是您不要滥用我的好意。这些人，他们真个昏迷了么？假如我打败仗，在这一会儿，他们的命运会怎样呢？我们抗战一直到城门之前，我们把城关闭了，我们守着，防御着，来掩护我们后方退却过桥。您相信敌人会把手插在怀里不动么？他们会放射溜弹和手上所有的东西，碰着能着火的，就焚烧起来。这一个房主人在这儿，他想怎样呢？在这一个屋子里炮弹一爆炸，第二个也就跟着；我爱惜这个屋子里的彩色绘画的北京壁衣，我竟不敢把地图挂在墙上，他应当整天叩头多谢呢。”

“多少人这样做过呀！”

“他们应当为我们祈福，以名誉章和贺礼来迎接我们的将校，以饮食来慰劳我们的疲乏的军士。他们不这样做，偏将党见的毒气来败坏我生平最美满、最幸福、由那么些忧劳奋斗博得的时光。”

“这是一种党见；但是您把这个人责罚了只会使它加甚。那些跟他意见相同的人将会以暴君、野蛮人的名号加在您的身上，他们将会当他作为正义而牺牲的烈士；即使意见与他不同的人现在虽是他的敌人，但也只视他为同胞，而怜悯他。纵然他们承认您是对的，但也觉得您处置得太苛了。”

“我听您讲得已太久了，快走！”

“那么，请您再听我讲这一句话！请您想一想，这是他个人和这一家所遭遇的最可怕的事。您虽然不愿为房主人的好意所感动，但是房东太太对您是先意承志，孩子更把您当作是他们的伯父看待。单是您这一个打击，您就会破坏这家的和平和幸福，至于永久了。我可以说，就是一颗落到房子里来的炸弹，所摧残的也不见得比这个厉害。我一向佩服您的度量，伯爵大人；这回让我有请求您的机会吧。一个战士住在敌人的家里自视如客，是值得敬佩的；何况这儿又不是敌人，只是一个执迷的人。假如您抑制您自己，您的大名便会永久留下了。”

“这样子做一定很离奇了。”伯爵微笑答道。

“那是很自然的呢，”传话员答道，“我没有打发房东太太和孩子们走到您的跟前；因为我知道您不喜欢这种把戏；但我愿您想象一下太太和孩子们怎样感谢您，我想向您描写一下他们怎样子一辈子都谈及山边打仗之日和您在那时的豁达大度，他们怎样会对子子孙孙讲述，以及外人也怎样会对您起仰慕之心：这一种举动是不会埋没的。”

“您没有抓着我的弱点，传话员。对于身后之名我向不以为意的，别人要这个，我却不要。但是，立刻做好事，不怠忽我的职责，绝不损害我尊严，这却是我所努力的。我们讲的话已经太多了，现在您走吧——并且让那个忘恩的感谢您吧，我饶恕他了。”

通译员为这个意外的顺利的结局所惊吓和感动，不禁淌下泪来正要吻伯爵的手；伯爵拒绝他，并严肃诚恳地说道：“您知道这样的事我是受不了的！”他一边说一边踱出前厅，去处理紧急的事务，和询问许多等候着的人们的愿望。这件事就这样了结，我们第二天早上就以昨天送来的甜品的残余来庆祝一场灾难的过去，它的胁迫，我们幸而免了。

传话员是否真个说得这样巧妙，抑或像人们经过一场好意而顺利的交涉所惯为的那样，把话大加装点，我不想加以断定；至少，他复述这些话时从没有出入之处。总而言之，在他心目中，这一天是他一辈子最忧虑的，同时最光荣的了。

此外，伯爵怎样谢绝一切虚伪的礼仪，怎样无论如何都不受跟他不相称的头衔，以及他高兴的时候怎样常是诙谐多智，有一桩小事情就可拿来做证明。

有一个出身贵族而也是属于怪僻孤冷的佛城人之流的人，定要到伯爵那儿陈诉他的房子给兵借驻之苦。他亲身来，通译员自请帮他的忙，但是那人以为这是用不着。他走到伯爵面前，端端正正地弯身为礼，说道："阁下！"伯爵回他一鞠躬，也还他一声"阁下"。他受宠若惊，一心为他称呼的头衔太少了，他更深深鞠躬，喊道："大人！""我的先生，"伯爵很诚恳地说，"我们不要再来这一套了，否则我们很容易就会连陛下的头衔也拿出来。"那人狼狈万分，不知说什么话好。通译员站在不远的地方，这些话他全听见，但坏得很，连动也不动；可是，伯爵很高兴的继续说道："比方说吧，我的先生，您贵姓？""斯班根堡（Spangenberg）。"那人答道。"我呢，"伯爵道，"唤做多伦。斯班根堡，您要多伦怎样帮您呢？现在我们坐下，事情马上就得解决。"

于是事情马上就商定，结果那人——我在这儿已经称呼他做斯班根堡——很为满意，而这个故事也就在这一晚上由那个幸灾乐祸的传话员不单是讲给我们家人听，而且还口讲指画，形容尽致。

经过这场纷乱、骚动和困迫之后，从前的无挂无碍无忧无愁的生活，不一会儿又再来临，而儿童们只要有可能的话，照常这样过日。我对于法国戏院的耽好，多看一回戏，便更增加一点兴趣；我没有一晚缺过，纵然每一次看戏回来后，当我坐着跟家人一块儿吃饭，甚至常以冷饭残肴自足的时候，我老要挨受父亲的责骂：他说，戏剧是一点用处都没有，也不会使你得到什么。在这种时候，我常常引出戏剧拥护者像我那样受责难时应有尽有的论据。在幸福中的罪恶，在困苦中的德性终于借着诗的正义而再得到平均，过恶的报应不爽的为例子，如《萨拉 · 森逊小姐》（*Miss Sara Sampson*）和《伦敦商人》等很生动地举出来；但是，当戏院演的是《斯加宾的奸计》（*Schelmstreiche Scapins*）或这一类的戏时我的议论便输一筹。人们在公众中看见奸刁的奴才之欺骗，和放恣的青年的愚行之好结局，而感到愉快，我也一定不以为然。我跟父亲两方面谁都不能折服谁；可是当父亲看见我的法文程度以不可信的速度增进时，他也很快就不反对我看戏了。

人类本来是这样的，就是每一个人看见别人做时宁愿自己来着手，不管他这时有这种才干没有。我不久就熟悉法兰西舞台的整套戏；有好几本戏我已看过两三回，由最有价值的悲剧到最浅薄的余兴剧全都在我的心目之前映过。我既然在幼时已敢模仿德伦兹（Terenz，罗马喜剧作家，纪元前一九〇——一五九），现在少年时代又给一种更有力的急切的动机所诱发，自不免按照我的才能去把法国戏剧也依样葫芦一下。那时曾开演几出半神话半寓言，颇有皮郎（Piron，法国戏曲作家，一六八九——一七三三）风味的戏，它们像是一种游戏文章，很受人欢迎。这种戏对我特别有吸引力：在那儿我看见欢愉的天使的金翅膀和戴假面的主神（Jupiter）的雷箭，一个殷勤娴雅的丹尼娘，即所谓为神所访寻的美人——纵然不是一个牧羊女或猎户女，但是天神却为她而屈身。而且，奥威德的《变形记》和庞梅（Pomey）的《神秘的万神庙》（*Pantheon Mythicum*）的同样的人物老是在我的脑海中浮现着。不免在我的想象中也凑成这样小小一出的戏，关于它，我只能说得上这么些，即是，那背景是乡下，但是，公主、王子和天神在那儿都少不得。那儿的天使在我的心目中特别活跃，我真要发誓了，我曾经亲眼看见过他。

我把我亲手很整洁地誊好的脚本拿给我的朋友德洛奈斯看，他以特别恭敬和真正的爱护者的态度来接受它，把稿子浏览一遍，指出几处的文法上的误谬，觉得有一些对话太长，末后并答应在相当闲暇的时候再仔细的检视和批评它。当我谦逊地问他这剧本究竟能否上演时，他断言那绝不是不可能的。有很多脚本上演是由于情面，而他却尽心维护我；我们只要把这事守秘密：因为有一回他自己拿一篇自己编成的剧本交给剧场经理，假如不是太早发现他就是编者，这篇剧本一定会排演出来。我答应他极力缄口不言，在我的想象中已看见我的作品的名称用大字标贴在街角和广场上。

我的朋友在别的地方虽然很疏忽，但是，有机会为人师似乎是他求之不得的事情。他仔细地读过剧本，当他跟我一块坐下的时候，为要把几处小的地方修改，在谈话中间他把整篇稿子翻来翻去，把它弄到体无完肤。他删改，增添，抹去一个人物，代以另一个，总而言之，他是以极狂妄的任性来处理，使我毛发悚然。我以为他一定会理解戏剧的成见，所以任由他所欲为：因为阿里士多德的三一律，法国戏剧的规律性、实在的自然性、诗的和谐，以及一切与戏剧有关的东西，他常对我讲过那么多，使我相信他的话不单是有见识，而且是有根据。他骂英国作家，轻视德国作家；一句话，他是把我生平不知听见多少回的论戏剧的又长又臭的熟套对我搬出来。

像寓言中的小孩那样，我把我的支离破碎的产儿带回家里，企图把它恢复原状，但已是徒然。因为我仍不想完全放弃，所以我把最初的稿子稍为修改，交给我们家里的书记誊出一个整洁的抄本，然后呈给我的父亲，我由是很得他的欢心，此后有好久时间我看完了戏之后，他让我安安静静地吃我的晚餐。

这个失败了的尝试使我细加思量，今后我想直接从文献上考究每个人所引的，和因为我的僭越的师傅底放肆而置疑的理论和法则。对于我，这虽是不难，但是苦事。我先读科奈耶（Corneille，法国戏剧作家）的《论三一律》一书，从那儿很明白世人想具备的三一律是怎样，但是为什么要这样，我殊不了了。最坏的就是当我知道关于 *Cid*（科奈耶的名著）的争论，以及读了科奈耶和拉辛对批评家和读者为自己辩护的序文时，我马上陷于更大的迷惑中。在这儿，我至少看见极清楚的就是没有人知道他自己想要什么的作品，像 *Cid* 那样的剧本虽产生极美好的效果，依照一个全能的主教的训示，却应当绝对宣告为恶劣。拉辛本是与我同时代的法人的偶像，现在也已成为我的偶像［因为当市议员，丰·奥伦斯拉格（von Olenschlager）叫我们孩子们排演他的 *Britannicus* 时，我在里头当尼罗王一角，我认识他深一点］。但是拉辛——我说——在他的时代与戏剧癖好者和艺术批评家都不能意见融洽。这一切，弄到我更比从前糊涂，我看了这些翻来覆去的话和前世纪的理论的喋喋空谈，把自己辛苦一场之后，我相信，我觉得，即使产生优秀作品的作家，当他们开始讲到这作品时，说明他们的论争的理由，为自己辩护宽恕时，是想文过饰非，不过他们仍不是针对题目发挥，我便索性连珠带椟送走，和把整堆的废物抛弃，连忙再去看那些活生生的眼前的东西，更热烈地看戏，聚精会神不断地读剧本，因此，在这一个时候，我耐心根本地研究莫利哀著作的全部和科奈耶的一部分。

高等武官还老是住在我们家里。他的举止没有丝毫的改变，对于我们特别如此；不过，有一点却可以看出来，而我们的教父通译员对我们说得更清楚一点，就是，他之居官处事，虽然还是跟从前一样的正直，忠诚，但已不再像开头那样高兴热烈。他的风度举止，显出他倒像西班牙人而不大像法国人。他的性情对于他的政务也往往有影响，他对于繁文俗礼之坚不循守，对于凡涉及于他个人或性格的一切事物之敏感，这一切合起来，会使他有时也与他的上司发生冲突。加之，他又在一场决斗中——这是在看戏时发生的——受了伤，人们便毁谤他，说他身为最高级维持秩序的长官而自己先开头做一种犯禁的行动。这一切也许会使他，如上头所说的，举止比前退怯一点，以及处理各方面的事或者没有从前那样有劲。

那时，定下来的绘画已有大部分缴卷。多伦伯爵把他的闲暇的时光就消磨在画上头，他在上述的三角顶屋子内让人把画一幅一幅的，阔的窄的，彼此并排的——

因为地方不够的缘故，一幅盖一幅的——挂起来，然后除下和卷上。这些作品老是三番四次考究，一个人认为最成功的地方，他屡次看，也觉得喜欢；但是看看这幅或那幅作另一种写法的愿望也是有的。

由此便发生一种新而十分奇怪的作画方法。这事的原委是这样的：因为一个画家长于画人物，另一个善绘中景和远景，第三个以画树擅长，第四个以画花卉为最得意，伯爵便起一念头，想将这些人的长处在画中合起来，俾产生美满无瑕的作品。于是他马上吩咐画家开始这样子做，比方有一幅风景已经画好了，他叫别人再添画一些美丽的牲畜上去。可是，这幅画儿不是总有相当的地方，而画家画一两个羊也不大行，所以到末后，极广大的风景画也变成狭窄了。既而人物画家又添上牧人和一些行客，这些画家再互相把画的余地占去，这样子，最空阔的地方不完全给他们窒塞了才怪呢。人们绝不能预见，这画会变成怎样，当它画好时，它不能满人之意，画家们便感到不快。作第一批定绘的画时他们是有所得的，后来再作画时，纵然伯爵很慷慨的给钱，他们却都有所失了，几个画家混在一块在一幅画内合作的那部分，虽极费力，倒没有产生什么好的效果，因此，末后他们都相信他的劳作是给别人的劳作败坏和打消了。只差一点，艺术家们就因此倾轧起来，陷于不能和解的敌视中。这些改作品——或不如说添加物——之完成，是在上述的画室内，只我和那些画家在场。当我考究画法——特别是牛羊的画法，选出这个或那个，这一群或那一群，并建议它们的远近布置时，我觉得很有乐趣。他们有时因为对我折服，或对我的好意而常顺从我。

这样说来，参加这种工作的人们是极胆小的，西刻兹虽是一个很忧郁而恬退的人，不过跟朋友们在一起的时候，由他的愉快无比的心绪显出他是一个最良好的伴侣，但是当他做事的时候，他愿意独处自守和完全自由地工作。当他把困难的学术上的问题解决，极用功地和极热诚地把它们完成——他是有这种能力的——之后，他便屡次由丹姆斯达城跑到佛城来，为的是要将他自己的画略为修改，或补充别人的画，甚或叫他人在他的辅助之下替他的画着色。他的忧郁增加了，他决心不听伯爵的话，要我们大费唇舌，来使这个教父——因为他也曾做过我们的教父——顺从伯爵的心愿。我还记得，箱子已摆在一旁，准备将全数的画收拾好分别装入，俾在它们的目的地，裱糊匠可以就这样子裱上，在那个时候——我再说一句——只有一点点而又是不可缺的地方要加润饰，但是西刻兹却不肯动手来画。在结局他毕竟要显出他的本事把它做了，他在一个门额上以孩童的形象写生似的来表现地、水、火、风四原素，他不单是极用心的写那些人物，而且对衬景也费了一番工夫。这幅画交卷并付了钱之后，他以为可以永远不干他的事了，可是伯爵还要他再来把几幅尺寸画得太小一点的画，再加上几笔，来放大它们。他相信别人也可以做这个；而且他已经着手做新工作，他不愿意来。这些画就要送走了，虽然，还要更晾干一点，一有延迟就糟了；在绝望中的伯爵叫人用武力拉他来，我们全都愿意看这些画终于送走，末后我们能得到的消息，就是我们的教父通译员坐在一辆马车上把那个强顽反抗的画家和他的妻孥带来，伯爵很和气的接见他们，很好的照料他们，最后，送他们许多礼物，才放他们走。

画寄走之后，家里便平静起来。伯爵叫人把顶楼的三角顶屋子收拾干净，交还给我，父亲看见画箱已送走，就连带发生打发伯爵迁出的愿望。因为纵然伯爵的性向跟他的多么一致，他看见他的求诸当代画家的原则为一个有钱人那样的有成绩地遵守，他又多么高兴；他的收藏使一班大胆的艺术家在这种艰难的时候得有那么大的收益，他又怎样扬扬自得；不过他对于那个霸占他家内的外国人又那样的憎恨，使他对于这个人的举动总不以为然。他以艺术家是应该请的，但是不应叫他们绘壁画来委曲他们，他们照他们自己的信念和能力画就的，纵不能完全取悦于人，人们也应当对它满意，而不应当老是斤斤论价，吹毛求疵。总而言之，不管伯爵的高尚的努力，父亲跟他是绝对合不来。只当伯爵吃饭的时候，父亲才上那个屋子去，我记得仅仅有一回，当西刻兹作画突过他自己的天才所能成就，参观这些愿望促使全屋的人都跑到那儿去看的时候，我的父亲和伯爵碰着，表示对于这件艺术品有一种共同的喜悦——他们本身你对于我，我对于你都不能有的共同的喜悦。

因此，一当那些箱箧刚从房子搬走之后，从前已开始而中断的撵走伯爵的图谋，又旧事重提。父亲谋以抗议来获得公道，以吁求来获得正义，利用自己的地位作间接的运动，末了，竟使管理营舍的人作如下的决定：伯爵应迁往别处，鉴于我们的房子这几年来日夜不停的无补偿的重累，以后免作为借驻之用。但是同时为要有一个达到这个目的的明白的借口，父亲就要把刚是高等武官一向住的一层楼租给别人，俾他人不能再行占住。伯爵跟他的心爱的画分离之后，在我们家里也没有什么特殊的兴味，而且本来也希望不久就召回和调任，所以他没有异议，高兴地搬到另一个好房子去，亲睦和气地跟我们分手。他不久也离开本城，还升任各种的官职，不过据人说，他都不快意。不过，他看见他那样勤勤恳恳购来的画顺利地带到他的兄弟的邸宅去，引为欣慰。他写过几回信，寄尺寸来，请那些较有名声的画家补作种种的画，末后我们再不听见关于他的什么消息，唯在数年之后，有人宣言他是在西印度一个法国殖民地总督任内死了。

第四卷

法军之借住虽然曾令我们家里很不安适，不过，我们既已这样子弄惯了，所以我们并不觉得有所失，在我们孩子的眼中，这房子倒不像是没有生气。而且，我们又不是确定了想再做到完全一家人自为一国，新的房客已经讲好，略事拭扫除，稍加刨削、磨蜡、油漆和涂刷，这房子就完全恢复旧观了。高等法院院长摩力兹（Moritz）和他的家人——我的父母的很要好的朋友——搬进来了。他不是本地人，但是一个能干的法律家和事务家，替好些小王侯领主办法律上的事务。我老是见他愉快可亲，和埋头于他的法律文书。太太和孩子们，温柔，静默，而怀好意，因为他们喜欢独处，不会使我们感到烦扰，我们又复归于久已不曾享受的宁静的生活了。现在我再住在顶楼的屋子里，在那儿，许多画的影子还在我眼前荡漾，我就以写作读书来把它们驱除。

公使馆参事摩力兹——法院院长的兄弟——也常上我们家里来。他是一个洞明世事的人，丰姿英俊而举止又可人意。他也替各种有身份的人办事，因为办理破产和皇家委托的事务曾经好几回跟我父亲接触过。他们两人彼此都很互相尊重，而且大抵都站在债权者方面，但是，他们常听说在这种场合的委员的大多数惯于偏袒债务者，觉得很不痛快。这个公使馆参事官喜欢将他的知识传授给人，爱好数学，因为在他目前的生涯中数学已无从表见，他便以补助我钻研这种学问为快乐。因此，我有能力比前更精确地来绘画我的建筑设计图，和更好好的利用我的图画教师的课业——现在我们每天有一个钟头学画。

这一个善良的上了年纪的图画教师的确只是一个半艺术家。我们定要画线条，将它们结合起来，从那儿然后产生出眼睛、鼻、嘴唇和耳朵，最后才见整个的头脸；不过这既不能说是自然的形态，也不能认作是艺术的形态。我们好些日子都辛辛苦苦来画这种拼凑成的人体，人们以为我们结局有很大的进步了，因为我们已得到勒勃伦（Le Brun）的所谓“表情画”来临描。不过，就是这些漫画对我们也没有什么帮忙。于是我们专去画风景、树干，以及我们在平常的功课里不曾有次序有方法练习过的一切题材。末了，我们注意于准确的摹临和线条的整洁，不再管到原来的价值和趣味的高低怎样了。

当我们这样努力时，父亲以身作则的来领导我们。他从没有作过画，但是现在他的孩子们既从事这种艺术，他也不想后人，而想以他这样的年纪，做一个榜样，给我们看看他在童年会怎样做。因此，照着匹阿扎达（Piazzetta）的小形八开本的有名画集，用英国的铅笔在极细小的荷兰纸上摹临几个人头。临画时，他不独在轮廓上保持极大的洁净，而且还模仿铜版画的线影，丝毫不爽。他用笔很轻，不过太软一点了，因为他为想避免粗硬起见，他的画没有浓淡。不过，它们仍是十分柔和均匀。他用功孜孜不倦，甚至照着那本颇大的画集的页数依次将整本完全摹临，而我们小孩子却一忽儿翻翻这个人头，一忽儿翻翻那个人头，只挑些我们喜欢的来临。

在这个时候，久已忽视的请人教我们音乐的计划也实施起来，促成这事的最后的原动力却颇值得在这儿提一下。我们之应学钢琴是已定归了；只教师的人选问题老是争执着。末后我偶然有一回跑到我一个小朋友的屋里去，他恰巧在学着钢琴，而我觉得他的教师是一个十二分可爱的人。左右手的每一手指他给一个诨名，运指的时候，他便以它的诨名极诙谐地称它。黑白键也同样寓意地有名字，甚至调子也以象征的名字登场。这样一个五光十色的集合，纷然工作，很有乐趣。指法和拍节像是容易而明白了然，学生的最高的兴趣既已引起，一切自然极美满地进行。

我刚回到家里，我即恳求双亲今后要认真让我们学琴，并延请这一个无双的人做我们的琴师。家人略为踌躇，打听一下，不听见说这个教师有什么坏，但也没有什么特别的好处。同时，我已将那些诙谐的诨名全告诉给我的妹妹，我们急到差不多要马上就有音乐的功课，请这个人教的计划便实现了。

先学的是读乐谱，在那时没有什么诙谐的玩意儿，我们便希望一学钢琴和用到手指时，笑话儿就会开始，我们以这种希望自慰。可是，不论键盘也好，运指也好，却像没有应用一些譬喻的机会。在五条线上和五条线间写着字画的乐谱干燥无味，黑键白键也是如此，“daümerling”（拇指）、“deuterling”（二指）、“goldfinger”（无名指）总不听见说它们一个字；在教授这种干燥的功课时，不像从前说干燥的笑话时那样，很少装作古怪相。我的妹妹屡屡的埋怨我，说我骗她，并相信那只是我的向壁虚构。可是我自己也爽然自失，纵然这人十分有次序的教授，我却学得很少，因为我还老是希望从前的笑话儿还会来临，一天过了又一天的安慰我的妹妹。但是它还是不来，我恐怕一辈子不能说明这个谜儿，如果不是同样一个偶然的事把它解决的话。

在我们学琴的时候，一个小朋友踱进来，突然间滑稽的喷泉的全部的细管都开放了。“Daümerling，Denterling Kraber，Zabler”（他给手指起的绰号）！“Fakchen”和“Gakchen”（他给F和G调起的名字），“Fakchen”和“Giekchen”（他称fis和gis调）蓦地里再现出来，构成一大群的奇怪的小人儿，我的小朋友笑个不绝，觉得用这种滑稽的方法可以学得很多，很为高兴。他誓言非要他的父亲答应请这个卓越的人做教师，他就不让他有一刻的安宁。

这样子，照着一种新教育的原则，两种艺术的门径十分早的就为我开了，但这只运气好，而不是深信一种天生的才能可以使我在这方面更可深造。每个人一定要学画，父亲这样子主张，因此很佩服马克西米兰帝（Maximilian），后者曾以明文颁布这样的命令。他还督促我学画要比学音乐认真一点；反之，他劝我的妹妹多致力于音乐，而妹妹自己除了功课外，每日颇多时间守着钢琴。

可是，人们越是这样子督促我干，我便越发想干，即使余暇也用来做种种奇怪的作业。从很小的时候起，我已感到对自然的事物有改造的冲动。小孩子把玩了许久，一忽儿这样子弄，一忽儿又那样子弄的东西，最后割裂破碎了，人们有时认这种举动是由于天性残酷。不过这却是出自好奇心和想知道这些事物怎样构成，内部的情况怎样，由此可以得到明白的指示。我记得小孩子的时候，我把花儿摘了，揉破了，来看看花萼里头的萼片怎样；和把鸟儿的羽毛拔了，来看看羽毛怎样附着在翅膀上。这也不能怪小孩子的，因为自然科学家之教人求知识由于运用分离割裂的方法所得来的，比用结合联系的方法时多一点，从弄死所得者比从弄活所得者为多。

一块用深红色布缝缀着的装了保磁子的磁石，也成为我研究欲的对象。因为这种奥秘的摄引力不独对于适应它的小铁条发生作用，而且还有这样的妙处，即是逐渐加强起来，一天比一天能吸引更大的重量，这种十分神妙的本领，惹起我非常的诧异，许久的日子我只对它的作用眼睁睁的惊愕。末后，我相信如果把裹着它的外壳除掉，总会获得一些较确切的说明。我真个这样子做了，但是我也不能因此了解一点；因为那个赤裸的保磁子并不能增加我的知识。连这个我也拆掉了，手上这时仅仅托着一块石头，我拿着它用铴屑和针孜孜不倦地做种种尝试，除得了一种繁杂的经验外，我的少年的精神再得不到什么好处，我不晓得把整个装置再配合起来。各部分已经拆散，我把这个仪器和它的奇妙的现象同时失掉了。

我对于一个电机的配合也得不到较顺利的结果。我们有一个熟朋友，当他童年时，正是电气惹起全世界人的注意的时代，他常讲给我们听，他在少年时怎样盼望有一个这样的机器，怎样察知几个主要的条件，借一个旧纺车和几个药瓶之助，产生颇好的效果。他常常喜欢复述这个话，并且在这话里给我们关于电气的一般知识，我们孩子们便觉得这桩事情很可行，辛辛苦苦的拿一个旧纺车和几个药瓶翻弄了许久，可是，连极微的效果也不能产生，虽然是这样，我们的信仰还坚持着，当大市集的时候，除了陈列种种的珍品、玩魔术、变戏法之外，一个电机也在那儿演艺。在那个时候，电气机也像磁气那样已有多量复制品出来了。

对于学校教育的不信仰一天比一天增深。佛城人四处寻求家庭教师，如果一家出不了修金的费用，便几家合起来，以达到这个目的。不过孩子们彼此间却很少合得来；青年教师既不够权威，经过好几回的没趣后，只有悻悻的离开。因此，怪不得人们要想出另一种较永久又较优越的制度。

设立私塾（寄宿学校）之思想是由于人们感到法国话有灵活地教授和传习之必要而发生。我父亲也曾训练出一个青年，他曾做过他的佣人、侍役、书记，总而言之，渐渐什么都充齐。这人唤做普淮尔（Pfeil），说得一口好法文，并且对它有基本的了解。他结婚之后，帮他忙的人们一定要为他设法谋生，他们便想起让他设立一个私塾，渐渐再扩充为一个学校。在那儿，一切科目都有，后来甚至拉丁和希腊文都有教授。佛郎克福城的广布的交通，可使这个学校有这样的机会，即是想学德文或受其他教育的英法青年也信赖这个学校进校为寄宿生。普淮尔正当壮年，又有异常的魄力和异常活动，把整个学校管理得很值得称赏。因为他从不觉得忙碌得够，而他又必须为学生请音乐教师，一有机会自己也委身学习音乐，他练琴练得那么热心，因此，从前绝没有触过键盘的他，很快就学会而且弹得很好。他像是采取了我的父亲的格言，这即是说，如果连一个上了年纪的人也再以学生自居，以他这种年龄本很难得有新的成就，但他却以老少年的热诚和毅力，谋赶过在天然上较占优胜的人，这是最能使少年人以兴奋激动的事了。

普淮尔既这样爱好钢琴的弹奏，便自己办置乐器，他希望能购得最好的货色，因与给剌城（Gera）以制琴驰名远近的菲力德力兹行（Friederici）来往。他从那儿办了若干钢琴，为它代理贩卖，不独把一架大钢琴陈列在他的家里，而且陈列好几架，他在这些琴上头练习和听着弹奏，觉得很高兴。

这个人的活跃使我们家里也多从事于音乐。我的父亲除了争论外，与他保持一种历久不渝的良好关系。我们也买了一架菲力德力兹的大钢琴，我仍守着我的旧钢琴，很少摸到它，但是正因为这样，使我的妹妹更吃苦一点，她为要对这个新乐器表示适当的尊重，每天更多花一点时间来练琴。练琴时，我的父亲像是监督者那样，而普淮尔却像是指导和鼓舞她的熟朋友那样，轮番站在旁边。

我父亲有一种特殊的癖好，使我们孩子很不自在。这就是养蚕。他认为这种事业如能普遍传播，便很有利益。哈瑙城（Hanan）居民本精于养蚕，在那儿他有几个朋友，这是直接地引起他的这种嗜好的原因。一到时候蚕种便从那儿寄给他；每当桑树已长有繁多的叶子，便把它们摘下来，很小心地来伺候那些差不多还看不见的小生物。在楼顶的屋子里头，设有放着木板的桌子和木架，俾蚕儿能得有多点地方和饲料。因为蚕儿长得很快，末一次脱皮之后，它们那样的贪食，差不多摘得的桑叶还不够喂饲它们；甚至它们要日夜不停的喂饲，因为恰在它们发生奇异的大转变的时候，饲料充足是最关紧要的。如果天气好，这种事体的确可以视为有趣的娱乐；但是如果冷的天气袭来，桑叶便受害，那就有很大的麻烦了。最不愉快的还是到了末期下雨，因为这种生物简直受不了湿气；所以那些沾了雨的叶子定要小心揩抹和晒干，不过这不会常是那样严格地弄好，由于这个，或别种原因，蚕群便发生种种的病。这可怜的小动物会整千的死掉，由此发生的腐败，惹起一种着实恶臭的气味，而且死蚕病蚕必要拿走，和没病的隔离，以免连仅存的几条也死掉，所以这确实是一件极麻烦讨厌的事，使我们小孩子觉得有些不好过。

我们以饲蚕儿过了一年极美满的春夏之交的几周之后，我们又要帮忙父亲做别的事。这事纵然简单一点，但也一样的麻烦。事情是这样的：我们的罗马风景画在旧房子里，本用黑色的木条上下镶着，挂在墙上已有好些年了，给阳光、尘烟弄得很黄，而苍蝇也把它弄到很不雅观。在新房子内既不容有这样龌龊的事物，而这些画因为父亲离别它们所图绘的日期愈久，便愈加宝贵。

初时这些写生画对于我们的用处，就是使先前刚不久得到的印象从新复活起来。但是我们这些画比起那些印象来像是价值低一点，而且大抵只是贫乏的代用品。可是，我们对于原来的形象的忆念渐消灭了，而写生画不觉取它们的地位而代之，在我们眼中它们之可贵正如那些一样，初时我们蔑视的，今后却博得我们的重视和爱好。一切写生画都是如此，肖像画尤甚。一个人对于一幅摹写眼前人物的画是不容易满意的，而对于描写不在眼前甚或已逝去的人物的画，我们是多么合意。

总而言之，我的父亲既觉得他以前糟蹋之可惜，便想设法把那些铜版画尽可能的恢复原状。漂白的方法之可用，是知道的，虽施诸大幅的画，常可怀疑。但我们在一种不大方便的本地情况之下，实施这个方法了。因为湿黏着被熏过的铜版画拿来晾的木板，靠在顶阁窗前瓦面的承溜上头，所以易招许多损害。而且纸张绝不要弄干，一定要常保持湿润，是最紧要的。我和妹妹便担负这种责任，当做这事时我们感到无聊，焦躁，又须严密注意绝不容分心，本来求之不得的偷懒却成为一种极大的苦事了。不过这事总算做妥了，裱画工便把每页裱在韧厚的纸上，尽他的能耐把那些因为我们怠忽而损破的边缘修补好。全数的画页装成一册，这次便把画救回了。

可是，我们孩子们不会因此减少种种的生活和学业，恰在这个时候有一个英语教师来访，自称负责在四个星期内教授略知外国语门径者的英文，且可教到他稍加用功便能自修，再求深造。他取修金不多；一时间内，学生多少也不论。我的父亲决定即席尝试一下，带同我和妹妹一块跟这个速成的教师授课。功课是认真的教授，复习也是有的，在这四个星期，我们宁愿抛弃别一些的练习。教师离开我们，我们离开他都觉得满意。后来他因在本城逗留的日期渐渐长久一点，找到许多生徒，他不时来探视我们和替我们补习。一半出自感谢之诚，因为我们是属于最初对他有信任的学生；一半是出于自负之心，因为我们可作为其余的生徒的模范。

因为英语的学习，我的父亲便怀有一种新的注念，即是，连英语也要列在其他的语言修习之中。现在我承认我那时一忽儿从这种或那种文法或例子的搜集，一忽儿从这个或那个作家抓到机会来工作，因而滥用了我对于研究对象的兴趣，同时又浪费了时间。因此我忽起一个念头，想一次就把我所做的一切都做好了，我便虚构一篇讲六七个兄妹的小说，他们彼此相隔很远，散处四方，他们互相通信报告自己的景况和心情。老大哥是用好的德文报告他旅行中的种种见闻和故事。他的妹妹是以一种闺阁的体裁全用逗点和短句，有点像后来*Siegwart*一小说所写的那样，时而答复他，时而答复别的兄弟，把她要讲的家事和自己的心境分别写出来。一个兄弟研究神学，写得很规矩的拉丁信并有时添上一些希腊文的信后附言。在他之后的一个兄弟是在汉堡做商店雇员，自然是适于用英文的通讯。在他之次的一个弟弟居留在马赛，自然就用法文。用意大利文的是一个初次作世界旅行的音乐家。最小的一个兄弟是一个好事爱嚼舌的青年，他既不懂得其他的语言，便专用犹太人的德文，他这种可怕的暗语使他的兄弟们为之绝望，使他的双亲对这种妙想为之大笑。

我想为这种奇怪的形式找一些内容，同时我研究我创造的人物所居留的地方的地理，并在那些干燥无味的场所再虚构种种与人物性格和职事有关系的种种人事。

这样子，我的练习簿的卷帙就较为浩繁，我的父亲较为满意，我很早就发觉在自己的材料和熟练上所缺的是什么。

这一类的事，一旦开始便没有了结，没有限界。我现在做这个事也是这样：我既然要精通犹太人的德语，和写得像我能看的那样好，不久我就发现，我缺少希伯来语的知识，现代的德国犹太人所用的特异的语言本是古希伯来语的恶化与歪曲。希伯来语的研究才可以自由地应用这种方言。因此我向父亲说出学希伯来语的必要，很诚恳地求他的允许：因为我还有一个更高的目的。我到处都听见人说，想了解《旧约》和《新约》，原始的希伯来语是必要的。《新约》我读得很舒服，因为《福音书》和《使徒行传》在星期日也有修习，从教堂回来后我又要背诵、翻译和略为讲解。我现在也想这样子来对付《旧约》，因为它有一种特性，我从来就特别喜欢它。

我的父亲不喜欢半途而废，决定请求本市的高级中学校长阿布勒喜特（Albrecht）博士替我补习希伯来文。他每星期教我，直至我已明白这个简单的语言的要素为止；因为他希望学这种语言纵不能像英语那样快，至多也只用双倍的时间就可学完。

阿布勒喜特校长是世上体貌最奇特的人物之一，矮而不胖，但是身阔，畸形，而又不是佝偻；一句话，他是一个穿着披肩和带着假发的伊索（Aesop）。他的年逾七十的脸庞常常表现讥诮的微笑，笑时他的眼睛老是很大，虽然带红，却常炯炯有光，伶俐活泼。他住在法兰西斯派僧侣的寺院——高中学校所在——内。我幼时已有时跟着父母去访他，带着使人战栗的快感穿过那长而幽暗的游廊、那改作客厅的礼拜堂和多台阶多犄角的空的场所。他以试验那样的眼睛瞧我，但又赞赏我和鼓励我，使我不觉得不舒服。有一天，公开考试后，举行及第仪式，他分授品行和成绩奖品时，他把我看作是外宾，离他的教坛不远站着。我很渴想瞧瞧那些小奖品，他从其中拿出一些赏牌；他给我使一个眼色，走下一级，拿一个银牌递给我。我喜欢得很，纵然别人觉得这个分给一个校外学生的奖品是极端破格。不过在这个善良的老头儿看来，这是不甚要紧的，一般来说，他本是一个怪僻的人而且怪僻得很明显。他本是一个很有名声的学校教师，了解他的职业，纵然他的年纪已不十分容许他再做教师了。可是，他觉得自己的衰弱的身体牵掣他，差不多还没有外界的环境那样厉害。我很早已经知道，他对于罗马教宗务局也好，视学也好，僧侣也好，教师也好，都不满意。他的注意别人错误和短处，好讥诮的天性在他的计划和公开演说时都自由流露出来。他读的和尊重的作家差不多仅有琉细安（Lucian，希腊的怀疑派哲学者，讽刺作家，二世纪）一人，因此他所说所写的都染有辛辣的气味。

幸而他从没有单刀直入地讥诮他所不满意的人，而只老绕着弯，用隐约之词，引喻古典和《圣经》的格言来暗示出他想诮骂的缺点。而且他的口头的演讲（他是持原稿朗读出来的）是不清爽、听不懂的，最糟的就是演讲有时为他的一声咳嗽——而更惯常的，为他的干嘎的格格笑声——所中断，他惯常以这种动作来预告和伴着那些讥刺的地方。当我开始跟他授课的时候，我却觉得这个怪僻的人和蔼可亲。我只每天下午六点钟上他那儿去：当那带铃的门在我进去后关上，我便穿过那长而幽暗的寺院的廊时，我总觉得一种莫名的快感。我们坐在他的藏书室里头的一张铺着蜡布的桌子旁，一本读了不知多少遍的《琉细安集》总不离他的身边。

不管他怎样好意，我仍不能不经过初见先生时的一番麻烦就到本题：因为我的教员禁不住说出一些讽刺的话，和关于希伯来语的真正的用处。我对他不说出我想写犹太人德语的念头，而只说是为更理解《旧约》原文起见。他听说就微笑一下，并说，假如我只学会看书，我该就满意，这个使我暗地里不愉快。到了学字母的时候，我聚精会神的学。我觉得希伯来文字母与希腊文相仿佛，它们的字形是易明白的，它们的名称的大部分对于我也不是陌生。我很快就把全数字母都明白和记住了，以为这时可以教看书了。希伯来文之从右到左，我是很知道的。但是忽然加进一大队的小字母和符号，种种色色的点和线，点线本用来代表母音的，因为大字母有分明的母音，其余的母音像是只隐在别的名称之下，我更觉得奇怪。教师又对我说犹太民族隆盛的时候他们的确只用头一类的字母，不识得别种写读的方式，我本很喜欢依照古代的，我想用方便的法门来治希伯来文，但是老头儿颇严正地对我解说，文法既已一度流行和编成，我们就必须照文法来研究。没有这些点和线，阅读便是一桩很难的事，只有学者和最熟练者才能做得到。因此我一定要将就连这些小符号也学会；但是这事体却越做越糊涂起来。开头的大旧字母中有几个就搁在那儿，简直没有什么意义，因此，后起的小字母之存在不是徒然的。它们有时再表示一个轻呼音（H 的发音），有时又表示一个颇硬的喉音，一忽儿却只有辅助之用。但是，到末后，我们自信熟悉这全数字母以后，无论大字母也好小字母也好，有几个投闲置散，于是我们用眼看它们的时候老是很多，用口读的时候很少了。

因为我要期期艾艾地把我在内容上已知道的事物用一种外国的急口的熟语说出来，而在这种语言中，一种鼻音和喉音我既不能说得出，我便把这个事情差不多完全放弃了，像小孩子那样我拿那些用字堆砌成的奇怪的名称来笑乐，其中有“皇帝”、“王”、“诸侯”等字，重音时在这儿，时在那儿，我觉得很好玩。但是，这些浅薄的笑乐资料不久也失去它的吸引力了。不过，这于我无关紧要，因为我在阅读、翻译、复习和背诵时，书的内容却那样有生气地迎着我，而这正是我盼望我的老师阐明的。传说的事与实际的事正和可能的事之间的矛盾我先前已很怀疑。我曾将《旧约》中所记太阳止于基遍（Gibeon）和月亮止于阿查伦（Ajalon）这一事（见《约西亚记》一〇章和一二节）问我的私人教师，使他很为难，别些可疑的事和矛盾的事之质问更不必说了。这一类的疑惑都惹起来。因为我既欲精通希伯来语便专治《旧约》，并且不再读马丁·路德的译本，而要钻研斯密德（Sebastian Schmid）的逐字对照的《旧约》，这书我的父亲马上就替我买来。可惜，到这时，我们的上课时间，以语言的练习论，已开始有漏罅了。阅读，讲解，文法，字的记录和暗诵，很少读到半个钟头，因为我立刻开始乱问乱说书中的意义，纵然才开头读《摩西五书》中的第一卷我已谈到后头各卷我想得起的事了。初时，这个和气的老人见我这样的离题，便引我复归本题，但是，末后，他自己也觉得这个有趣。他不能照他的样子，从咳嗽和笑声——纵然他小心不这样做——来给我此中消息（会使他自己困惑的消息）。但是我的强求仍不肯放慢，因为我觉得较为紧要的还是提出我的怀疑，而不急急于知道怀疑之解决，所以我日益活泼和大胆，而他的态度像是使我有理由来这样子做。而且，他除了一次又一次的纵声大笑喊道：“他这个呆子！他这个傻瓜！”之外，我从他再得不到什么。

同时，我想从各方面钻研《圣经》的幼稚的劲儿，也许他觉得颇为真诚，而对我稍为帮助也像是值得。因此，过了一些日子后他叫我参照一本英文《圣经》释义的著作。他的藏书室内已备有这书，书内已将艰深和可疑的地方明白详细地加以注释。德文译本由于德国神学者的努力，比原本还好。各种不同的意见都引出来，末后却试为一种折衷的见解，于是圣经的价值，宗教的根据，及人类的理解彼此都能互相融洽。这时，在一堂功课将完的当儿，我那样惯常的提出疑问，他也常叫我参考他的书库；我把书拿出来，他让我读，自己浏览他的《琉细安集》。当我对于该书有所论列时，他的惯作的笑声就是他对于我的洞察力的所有的回答。在长夏里我看书的当儿，许多时他让我一个人独自坐下，至不看为止；但是不久之后他就许我将一本一本的书先后带回家里看。

人类虽会随其所欲而定方向，会随其所遇而试为之，却常常回到天性前曾规定给他的路上去。我在目前的场合，也是如此。我对于希伯来文的努力，对于圣书的内容的苦心钻研，末了的结果使我的想象力中对于那个美丽的，万人赞赏的国家，它的环境，以及使这地球的一隅历几千年而犹光华璀璨的人民和史实，发生一种更活生生的表象。

这个小地方是人类的起源和成长的摇篮，原始历史的最初的和最奇异的讯息是从那儿传给我们来，并且这样的一个地方在我们的想象中简单明了，而同时又繁复。适宜于最奇妙的移殖和宅居。这儿，在四条有名的河流之间从整个可供人居住的地面划出一块极优美的地方来给犹太人。在这儿，犹太人发展他的最初的才能，在这儿，当犹太人为求知识而努力时，失掉安宁的运命同时临在他的身上，而他的后裔全体也为其所决定。乐园被亵污了，人类渐渐繁殖而堕落起来，对于这一族类的邪恶不惯的神（Elohim）不能忍，索性把它灭绝了。只有少数人从洪水中得救；这个可怕的洪水刚退去，有名的故国的土地又再在感激天恩的得救者的眼前。四条河中的两条，幼发拉底和泰格里斯，仍在河床上流。第一条河仍存原名，别一条河像是由它的急流而得名（泰格里斯是虎之意）。经过这样大的变动之后，乐园的较确凿的痕迹已不可求。更新的人类从这儿第二回发轫，他有种种的养活营生的机会，但是，最普遍的就是聚养大群的驯良的生物于身边，领着它们向四方流浪。

这种生活的方式以及部族的繁长，逼使这民族不久就要彼此疏隔。他们舍不得让他们的亲朋永远的离别，他们忽然想起要建造一个高塔，它从迢迢的远方指引他们以归路。但是这一种企图也像头一次努力那样归于失败。他们不会同时幸福又聪明，同时人多又合为一体。上帝使他们纷乱，建筑停止了，人类散居四方，世界上人口繁殖了，但是彼此隔离不睦。

不过，我们的视线，我们的同情仍是附着在这个地方。末后一个部族的始祖从这儿诞生，他很有福气，给他的后裔镌上一种确定的性格，因而联合起来，永远地成为一个伟大的民族，不管运命及地域如何变迁，亦团结甚坚。

从幼发拉底河出来，阿伯拉罕得神之指示，向四方流徙。沙漠挡拦不了他的队伍；他行达约但，过了这河，达于巴力斯坦南部之优美的地方。那里早已为人占有而且很多人住着。虽不太高而峣雄瘦瘠的山却饶有水利，宜于耕植。孤立的村落，散处于地面，大谷之斜坡，山谷的水潴成约但河。这样子该地有人居了，被开垦了，但是，这世界仍然够广大，人类还不必急于满足需要和勤劳以达到要占有他们周围的一切土地的地步。在那些占住地之间，扩展着广阔的空地，在那儿游牧之群可以自由自在地移徙着。在这样一个地方，阿伯拉罕住下，他的兄弟罗得（根据英译《圣经》，罗得为阿伯拉罕之侄——译者）也跟着他，但是他不是久在这个地方居留。那个地方的居民一时增一时减，土地的生产从不能与需要保持平衡，这种土地的情形使饥荒不知不觉地发生，来居的人与土著同样罹祸，后者因为前者的偶然来临而缩减自己的食料。这两个从迦勒底移来的阿伯拉罕和罗得因向埃及徙去，于是数千年来世界最重大的事变发生所在的舞台，便图绘于我们之前。由泰格里斯河到幼发拉底河，由幼发拉底河到尼罗河的地面，我们看见已为人居，在这个地方，一个有名的、为神所爱和已为我们所尊重的人，携着牲口货财往来移居着，这些财产并且极浩繁地增加起来。两兄弟回来了，但是已因前次受过的困苦而长了聪明，他们决定彼此分离。两人虽同在迦南的南部，但是阿伯拉罕留在幔利林附近之希伯仑，而罗得则迁至西订玛谷。这一个山谷——假如我们的想象力够大胆的话——成为约但河的地下的灌注之所，使现在的盐海（死海）所在之地方得有干地，在当时可以并且合该成为第二个乐园，还有，该地和附近的居民是以惰弱作恶著称的人，我们可以由此推定他们是度着一种舒服丰盛的生活，这更可证明那个地方是一个乐园。罗得在他们之中住着，不过仍是分开。

可是，希伯仑和幔利林在我们心目中像很重要的地方，在那儿我主与阿伯拉罕说话，和答应赐给他在四方他的眼光所能及的一切土地。我们的视线将要从这个安静的地域，从那儿的游牧的民族——合该与天族周旋，款待之如宾客和与之有许多会谈的民族，再转到东方去，和观察这个邻近的世界的情状——那儿的情状大体上是与迦南相仿佛。

家族团聚：他们联合起来，部族的生活方式视他们所已占领或在占领中的地域的情形而定。在泰格里斯河水源所在的山上，住有好战之族，他们很早就成为世界之征服者和支配者，由一个在当时算是巨大的战役，予我们以后来的伟大战绩的先例。以拦王基大老玛已经使好些民族结合，而君临其上。他称霸很久，因为在阿伯拉罕入居迦南以前十二年，他就命令约但河的居民向他纳贡，末后，他们背叛了，同盟诸王便约齐对他们宣战，我们觉得他们对一条通路不以为意，也许连阿伯拉罕也由这条路到达迦南来。在约但河左岸和下流的居民被压服了。基大老玛领军南走，攻打沙漠地的居民，然后转而北向，攻击亚玛力人，及至连亚摩利族也给他打败时，他便达到迦南，攻西订玛谷的五王，击败和打散他们，带了许多战利品，引军向约但河上游，俾他的战胜的队伍伸展至黎巴嫩。

在被虏、被抢和连财物一同被挟走的人们中，也有罗得，他罹着他作客的地方所遭的运命。阿伯拉罕听了这个消息，这时我们马上看见这个始祖是一个战士和英雄。他集合他的家奴们把他们分成几队，袭击那些行走困难的辎重营，使战胜者——他们忖量背后不会再有敌人了——狼狈起来，带回他的兄弟和财物，并战败的诸王的许多财物。靠着这回短短的战事，阿伯拉罕竟将该地占有了。在那儿的居民的心目中，他是保护者和救主，他的不自私更使他们奉之如王。西订玛谷诸王感谢地欢迎他，撒冷王兼祭司麦基洗德向他祝福。

这时，苗裔繁殖不绝的预言，重新再入于阿伯拉罕之耳，并且越加语重心长。由幼发拉底河至到埃及的河流，整块地方都答应给他，不过，他本身的子嗣就显出是很难。他已八十岁了，仍没有儿子。他的妻撒拉没有他那样信赖上帝，很为心急；他想依着东方的习俗借她的婢女来求后裔。但是一当婢女夏甲才得她的主人的爱宠，怀了孕时，家庭的分裂便现出来。主母很虐待她自己收为妾媵的夏甲，夏甲便逃走，打算到别的部落得到较好的遭遇。她又得到神的崇高的启示再回转来，诞生以实玛利。

阿伯拉罕这时已九十九岁了，苗裔繁多的神的约言老是反复地说，因此，末后两夫妇都觉得这话可笑。可是，后来撒拉也怀了孕，产了一子，名唤以撒。

历史的最大部分以人类的有规律的繁衍为基础。极重大的世界事件之循溯，必须深入到家庭的秘奥，所以始祖的婚媾也引起我们的特别的考察。在这一点上，一若好主宰人类命运的神明把每种婚姻的故事差不多都在这儿表现出榜样来。阿伯拉罕跟一个艳装而为许多人所追求的女人结婚多年而无子，在他上了百岁的年纪成为两个女人的丈夫，两个儿子的父亲，在这个时节，他的家庭的和平便破坏了。两个女人并居，以及两个母亲的两个儿子相对，彼此不能相容。不为法律、风俗和公意所袒护的那一方面不得不退让，阿伯拉罕不得不牺牲了他对于夏甲、对于以实玛利的偏爱，两人都被撵出去。今后夏甲必要反乎自己的志愿的再走上她在自动逃亡时踏过的征途，在初时，一若母子就将灭亡；可是从前指示她归去的神的使者这回又救了他们，俾以实玛利也成为大族。一切神的约言的最不可能者也越出其范围之外而趋于实现了。

末了，老夫妇和一个后生的独生子，享受一种家庭的安宁，一种人世的幸福，似应在人们意料之中吧！绝不是这样的。天帝仍准备给予阿伯拉罕以极难的试炼。不过我们不先作种种的考察以前，这个试炼我们还不能谈及。

如果一种自然的一般的宗教要诞生，并从那儿发展出一种特殊的天启的宗教，则我们想象力刚才一直流连着的地方，那儿的生活方式和居民的族类是最适宜于这个使命了；至少，我们看不见全世界中还有约略一样合式的和美好的出现。即以自然的宗教论——假如我们承认，它是在古代渊源于人类的心灵中——也有许多的思想微妙之处：因为它是基于人类对主宰万物的一般天道之信仰。至于一种特殊的宗教，一种由神启示于某一民族的宗教，便须具有一种对特殊的神意之信仰，这神意是由神明对其特别眷顾的人、家族、部落和民族许下来。这就像是不容易从人类的内心发展出来。它要有远古的传统、习俗和历史的实证。

因此，以色列民族的传说，即把这几个信赖这特殊的神意的初民表现为宗教的英雄，是很可喜的，这些英雄既盲目地遵守那个崇高的神明——他们承认自己是倚靠他的——的一切的谕旨，又不倦地等候着神的诺言之迟迟的实现，而不生怀疑。

一种特殊的天启的宗教之基础既在于一人比别人多得神之眷顾一观念，而这种观念之发生也大部分与生活情况之分化有关。初民彼此间之关联是很密切，但是他们的营生不久就把他们分开了。猎者是一切人中之最自由者，从他演变为战士和征服者。从事耕种那一部分人，委身于土地，建筑房屋和仓廪，以贮藏其收获品，他们的情况怎样不言可喻，因为他们的生活状态许给他们以持续性和安全。在游牧者方面生活的情形像是最不可估计。土地的占有要无限，牲口的繁衍无穷，而靠来养牲口的地方向四方八面扩充。这三个阶级刚在开头，便像是彼此交恶，互相鄙视，在城市的居民看来，游牧者是很可怕的，所以后者也远离城市。猎人没入山林中不可得而见，后来只以征服者的姿态而再登场。

始祖阿伯拉罕属于游牧人的阶级，他在浩瀚的漠野上的生活方式给予他的思想以广大和自由，他们居于其下的苍穹和晚上无数的星辰使他们有高尚之感，他们比起忙碌熟练的猎人来，比起安全谨慎家居的农人来，更需要有一种不能动摇的信仰，相信一个上帝把他们引到他的身旁，他探视他们，同情于他们，指导和救助他们。

我们还需要再作另一种考察然后进而谈到事实。始祖们的宗教纵然很人道的、美丽的和愉快的。但是野蛮和残酷的特性——人类是从这儿出来也许会再陷入去——仍贯注其间。

仇恨之以血和被压服了的敌人的死亡而解除是很自然的；古代人在死亡累累的战场中缔结和约也是不言可喻；古人以宰杀的牛羊来固结盟约也是由于上述的理由。古人既常视神明为一对方，为一反对者和一援助者，则古人就是以牺牲来招请神，来求佑乞灵于神的想象也同样毫不足怪的。可是，如果我们留心古代的牺牲品和考察一下，他们那时以怎样的方式供献出来，我们就会看见一种我们很不以为然的奇怪的习俗，这种习俗也许由战争中得来。这就是任何种类供牺牲的牲口，即使奉献很多，也一定要切开为两半，分两旁摆着，而愿意跟神订盟者则伏在这两列牺牲品的中间。

在当日的美好的世界中还有一种恐怖的特色，奇怪地可怕地流行着，凡是献给神的，为神所眷顾的就一定要死；这种习惯也是由战争的时代传下来。一个城市的居民以武力保护自己时，他们就要为这种誓言所威胁，他们或能度过了危局，否则便玉石俱焚。男人固然不能保持生命，就连妇孺以至牲畜都遭受同一样的命运。由于急逼或迷信便确定地或不确定地答应以这些牺牲来供奉神明，因此，在这种场合，人们便以他们所爱护的人，甚至最亲近的人，自己的儿女来当作赎罪品，为这种狂妄的信念而流血。

在始祖阿伯拉罕的温和诚实的性格中，这种野蛮的求神方法不会发生；但是有些时像是谋再引起我们这种特性，以及喜欢人类歌颂他的神，命令他做这种可怕的事。他要牺牲自己的儿子以为新的盟约之质，而且依照旧习惯不是单纯地将他宰掉和烤好，而且要分为两边，置身于他的熏熟的两边脏腑之间等待慈爱的神的新的宠赐。阿伯拉罕毫不踌躇地盲目地准备服从这个命令：但是在上帝看来他有这种心就够了。这时阿伯拉罕的试炼已经过了，因为这种试炼已经登峰造极，无以复加，但是撒拉逝世了，这使到阿伯拉罕有机会据迦南之地为己有。他需要一个坟墓，而这就是他在地上为自己找寻一块地产的破题儿第一遭，在幔利林附近他早已挑定一个双穴，于是他买了这个穴和毗连的田。他买地时，所办的手续的形式，指出这个所有权对他是多么重要。他之重要恐怕他自己还想不到：因为他和他的子孙将在这儿永眠，以后对于这全块土地的要求以及他的后裔要聚居这儿的不断的倾向，因此有最正当的根据了。

从这时起，种种色色的家庭故事不断地发生。阿伯拉罕仍严格地跟该地的居民隔离，以实玛利——埃及婢女之子——虽娶了本地人的女儿为妻，但是以撒却要跟一个同族同身份的女儿结婚。

阿伯拉罕打发他的家奴到留在故土美索不达米亚的亲族那儿去。这个聪明的爱里阿萨尔到那儿，没有人认识他，为要娶得合式的新妇回家起见，他试试井旁的诸女的意思怎样。他请求给他水喝，而利百加不待他的请求连他的骆驼也给它水喝。他送给这女人礼物，向她的家人求娶她，得到答应。他把她带到主人的家内，嫁给以撒为妻。以撒也是等了许久没有子嗣，经过几年的试炼，利百加才受神佑，以前由于阿伯拉罕的两重婚娶，两个母亲发生的家庭不和，这时却由一个母亲孕生出来。两个性情相反的男孩子在母亲的胎中已经是互相打架了。他们呱呱堕地了。兄活泼而有力，弟文弱而聪明；前者为父之宠儿，后者却得母爱。出娘胎时便已开始争雄长，以后老是继续着。以扫为人恬静，对于命运给他的嫡子的名分视为不足轻重，雅各忘不了出世时为其兄所逼退的旧恨。他留心一有机会就取得他所希求的利益，卒从他的哥哥买得嫡子之权，骗取了父亲的祝福。以扫怀恨，誓言杀弟，雅各逃走，投奔到他的母的故乡，以求幸福。

这时，在一个那样高贵的家族中，第一回出现一个人，不加踌躇，借着机智策略获得天然和环境不许给他的利益。《圣经》绝不想把始祖和其他为神所宠厚的人当作是道德的模范陈于我们之前，已经很可以看得见，并明白地现出来了。他们也是具有各种极不相同的性格的人，有种种不同的缺憾和弱点，但是在神的心目中，这些人不应缺乏一个主要的特性；那就是对于上帝特别眷顾他们及其家族一事有不可动摇的信仰。

一般的自然的宗教实际上用不着什么信仰：因为这种宗教是相信着一种伟大的创造者编排着和主宰着万物的神灵隐在万物之后，使我们得以明白它，这种信念自然地在各个人的心中现出；纵然他许多时把这种一生领导他的信念之情抛下，他会立刻到处都可以把它收取回来。特殊的宗教的情形便截然不同，这种宗教宣告那伟大的神是确定地特别眷顾某一个人，某一部族，某一民族，某一地域。这种宗教是以信仰为基础，假如要这种信仰不马上崩坍的话，就一定要毫不动摇。对于这种宗教一有怀疑便是它的致命伤。所以试炼是无穷的，神的宠赐要迟迟才实现，借此，以色列的祖先们的信仰力才极明显地表现出来。

雅各也怀着这种信仰而上征途，他的机智和欺诈虽使我们不喜欢他，他对于拉结的历久不渝的爱却赢得我们的倾慕。他即席向她求婚，像爱里阿萨尔之为他的父亲求娶利百加那样。苗裔不计其数的神的约言先向他完全启露：他合该看见身边有许多儿子，不过因为这些儿子和他们的母亲，他经历许多的悲痛。

他服役七年来求得他的所爱，耐心等待而不动摇。他的岳父拉班像他一样的机智，一般的思想，为求达到目的，无论什么手段都认为对，他骗了雅各，以雅各施于其兄之道还施于其身：雅各发现在他怀中的新妇并不是他所爱的。为安慰他起见，拉班不久答应再以他所爱的给他，但是以再服役七年为条件；这样子恨中便生恨了。失爱的妻多子，得宠者却不怀孕；后者也像撒拉那样想靠她的婢女来做母亲，而前者也妒忌她得到这种好处。她自己也把一个婢女给她的丈夫，于是这一个善良的祖先成为世界最苦恼的人：他有四个老婆，三个有孩子，所宠爱的却没有子。末后这个也受神佑，约瑟便降生了，为热烈的恋爱的晚生的结晶品。雅各的十四年的服役期限已满，但是拉班不欲失掉这个最好最忠实的仆人。他们订立新的条件，分取羊群。拉班分得白色的，占大多数的羊，而有斑点的——差不多只是多余的——归雅各所有。可是后者在这个地方也知道占上风，正如他以前借着食品来攫得嫡子权和借着化装来博得父亲的祝福那样，他这时晓得借着技巧和交感使最好最大部分的羊归他所有，在这方面他也成为以色列人的着实可尊重的始祖，为他的后裔的模范。拉班和他的家人纵看不出他的狡狯，也看见结果，憎恨由是发生。雅各带着他的妻孥和所有的财产逃走，半靠着运气，半靠着机智，拉班赶及他，他也得脱身。这时拉结还替他生一个儿子，但是她生产褥中死了！怀腹子边雅悯仍然生存，但是他的老父却因他的儿子约瑟表面上失去而受更大的痛苦。

也许有人会问一下，为什么我把一般人知道，并且那样常常复述和解释的故事在这儿再度详细地讲出来。我敢这样子答复他：以我的生活的散漫，学业的支离破裂，我不晓得以何别种的方法来表现我怎样集中我的精神、我的情感于一点上，而静中发生影响；因为我不能以别种方法来描写在我周遭——纵然外头的情况还是那样的纷乱奇怪——的和平。一种时常在忙着的想象力——前述的那个童话可以做证明——既一忽儿引我到这儿，一忽儿到那儿，寓言和历史的混合，神话和宗教的糅杂又有迷惑我之势，我因乐于逃往那东方的国度去，我沉潜于《摩西五书》的前几卷中，在那儿我觉得置身于极为孤寂，同时又极有伴的游牧之群的里头。

这个家族的情节，在未化为以色列人的历史以前，可以在结局时看见一个人，看了他，特别是少年人可生出种种的希望和想象，而扬扬得意，这个人就是约瑟——热烈的夫妇的爱的产儿。在我们的眼中，他是恬静而明敏，并预示出他超越过他的家人的优点。由于他的兄弟而遭受不幸，置身奴隶之中，他仍坚忍正直。拒绝那极危险的诱惑，以占梦的预言拯救自己，借着功勋而升至高官显职。初时他显出是有裨助于庞大的埃及王国，其后又有裨助于故国的家族。他的镇静伟大与其太祖阿伯拉罕相似，他的沉潜和忠诚则像他的祖父以撒。由他的父亲遗传给他的善于经营的才干，他大加施展，这时经营的已不是为岳父为自己博得的羊群，这时他识得替国王经营的却是人民和他们的财产。这种自然的叙述极为可爱，仅像是太短一点，我们觉得有把它细加铺陈的义务。

把《圣经》的只叙梗概的人物和故事加以这样的铺陈，在德国人也不是希罕。《旧约》和《新约》的人物借克洛卜斯托克之笔而获得一种温柔和富于情感的性格，这很适合我和许多同时的人之意。从波多麦（Bodmer，瑞士的著述家，一六九八——一七八三）的这一类的著作中，我所得很少，甚至绝无所得；但是摩些尔的《狮穴的但尼尔》（见第二卷）对于我的幼稚的心灵有很大的影响。在这书中叙一个好心的实务家和廷臣由种种的困苦而博得很高的荣誉，他的虔诚——人们因为这个而威吓要中伤他——在初时和后来都成为他的盾牌和武器。编撰约瑟的历史，本是我的夙愿；不过我不能够想到一个适合的形式，特别因为我不谙习一种适宜于这种工作的诗体。但是我觉得用一种散文的叙述也很妥适，便集中我一切精力来做这种编述。我企图将人物区别出来和加以描述，并借着偶然事件和插话之穿插，拟将陈旧简单的历史变为新的独立的作品。凡是少年人确不能思考得到者，以及这内容能从亲自体验得来者，我都加思考。总而言之，我把一切的事件都设身处地想象，不厌求详，并顺着次序细密地叙出来。

有一种情形使我这个工作进行得甚为容易，因为它，我这个作品和一般的著作都为之丰富起来。有一个多才多艺的年轻人因为用功过度和骄傲之故成为白痴，他住在我父亲的家里受他的监护，安静地跟我们一块度日。他很沉默恬退，如果人们任由他照常度日，他也满足高兴。这个人曾经小心地写他的高等专门学校的笔记，并写得一手熟练、清楚可读的字。他最好以写字为事，如果别人给他一些东西誊抄，他很喜欢。就是别人口授叫他笔写时他也高兴，因为那个时候他就觉得好像置身于往日的幸福的学校时代中。我的父亲手笔不快，他的德国字细小而颤抖，有这样的人正是求之不得，因此他常常找一些自己的以至别人的东西给这个青年人笔记，每天通常做几个钟头。在闲暇的时候，看见我心头忽然想起的一切东西，有别人替我写在纸上，我也觉得很快意，我的创作和模仿的才能，因为构思和保存之容易而增长起来。

不过像那种《圣经》的散文历史诗那样伟大的著作，我还没有着手。那时正是一个很平静的时代，没有什么能使我的想象力从巴力斯坦和埃及跑回来，因为这诗是乱七八糟地写在纸上，连我自己也还没有决定是否就这样子叙写，只有一些篇幅是久不存在要从新写过，所以我的文稿更一天比一天堆高起来。

当这个著作完成时，我便想起——因为它真个脱稿，我自己也觉得奇怪——前几年的许多诗也存在，现在我像是也不忍抛弃它们，如果它们的样式写成跟《约瑟记》一样就可以构成一本很不俗的四开本，并可以“杂诗”标题。这个创作我很喜欢，因为我借着这机会来暗地里模仿熟知和有名的作家。我也曾写过不少所谓安拿克勒安（Anakreon）体（轻快流利的诗体——译者）的诗，因为韵律之方便和内容之轻快我写得很流利，不过我不大取它，因为它没有脚韵，而且最紧要的我想拿一些合意的东西给我父亲看，因此我更觉得宗教的颂歌是适合于这个目的。我曾着力模仿斯勒格尔（Elias Schlegel）的 *Das Jungste Gericht* 来作这种颂歌，一首歌颂基督巡视地狱祭的诗很得我的父母和来客们的赞赏，连我自己在数年之后还喜欢它，这可算它的运气。当时已经印行的所谓安息日教会乐的歌本我很用功地研究，它们的确是很不高明，我敢相信我照着榜样作的好几首诗比起它们来也不见得不可以同样拿来作谱和为会众之进德而歌。这些诗和好些如此之类的诗，自年余以来，我亲手誊写，因为我这样自己习字就可以免去临写名家的字帖了，但是现在我所有的诗都要编订和整理好，我不必很费唇舌就得到那些好写字的青年人整洁地替我誊好，我连忙拿着抄本到订书匠那儿去。当我把那齐整的稿本呈给我父亲看时，他即特别满意地鼓励我每年都完成一本这样的四开本的东西，因为这一切我只在所谓余暇的时间做成，所以他更相信我能够负他的期望。

更有一种情境使我更沉溺于这种神学的——或不如说是《圣经》的——研究，此间教会的长老弗利信尼亚斯（Johann Philipp Fresenius）是一个仪容俊美可亲而和蔼的人，他的教会以至全城都尊敬他，视为一个模范的僧侣和良好的说教师。但是因为他起来反对赫尔恩胡特派，在那脱离出来的虔诚派中，他的声望不很好，不过在群众中因为他能够使一个受伤至死的自由思想的将军受宗教的感化而声名大噪，几有圣者之称。他死了之后，他的后继者普烈特（Plitt）是一个魁梧英俊可敬的人，可是他从讲坛（他也曾做过马尔堡大学的教授）修养得来的才能长于讲授而短于说教。他就职后马上宣布要作一种宗教学的讲习，他想使他的说法依照一种有组织的系统来讲习。我从前既一定要上教堂去，我很早已识得布道演讲的内容的区分法，并且有时能够把一篇布道演讲颇圆满地朗诵出来，因而以此自负。这时在教会中对于这个新的长老既有好多人拥护也有好多人反对，并且好多人不肯特别的相信他所宣告的宗教讲习，我便自己小心地担任做记录，因为我一向不肯去坐听讲方便而又有遮蔽的座位，所以我更识得记录了。我极为留心，敏捷，他一说过"阿门"，我即赶从教堂跑回家里，用一两个钟头将纸上和心中记得的急急地口授给那个青年默写出来，俾能将所写的布道讲词在吃饭之前呈给我的父亲。他看见我这种成就，觉得很荣耀，而恰在我家里吃饭的和气的挚友（长老）也一定觉得高兴。后者当然对我很优渥，因为我熟悉他的《弥赛亚》到这样的田地。我能够对他（当我常上他家里去请盖他的钤记入我的纹章谱时）背诵其中的重要的章句，他听了喜欢到淌出眼泪来。

第二个礼拜天，我同样热心地继续做这种工作，因为我居然觉得这种工作的机械性有趣，我对于我所写所记的竟不假思索。在第一季，我依旧一样努力，可是，到后来我的骄傲的性情，使我相信在这种工作上头，既不会得到对于《圣经》本身的特殊的阐明，又不会得到一种对于教义的较自由的见解，我便觉得因此获得满足的小小的虚荣心的代价，比起我用同样的热心来继续做这事业的劳苦来像是太高了。初时材料很丰富的布道演讲一天比一天贫弱，如果不是因为父亲——他是赞成做事有头有尾的——用好话来劝我和哄我，我就完全搁下我这种努力了。结果我到了五旬祭后第一个礼拜天才停止，纵然在末了，我只将题目内容的主题和段落记在小小的几页纸上。

以始终其事一点而论，我的父亲特别固执地主张：一旦着手做的事，纵然在中间所开始做的明显地现出不妥适，无聊讨厌，甚至无用之处，也应该把它完成。一若他以为始终其事就是唯一的目的，坚忍是唯一的德性那样。如果我们在迢迢的冬夜里，在团聚的家人之前开始朗诵一本书，我们就一定要把它从头念到尾，纵然在中间我们全体觉得失望，而他是其中最先开始打呵欠的一个，他也不管的。我还记得有一个冬天，我们在那时就是这样子把宝厄（Bower）的《教皇本纪》念完。这种情景是可怕的，因为这种关于教会的特殊关系的叙述，只有很少或没有什么足以引起儿童和青年人的兴趣。同时，无论我怎样不留心，怎样厌恶，这种诵读却仍有许多留在我的脑海里，因此，我在后来能够把许多东西跟它们联系起来。

在做这种种的课外的事业和工作时，它们接踵而来，以致使人很难知道它们是否可行，是否有用。不过我的父亲仍没有忽视了他的主要的目的。他企图把我的记性和才能略为包括和并合起来，灌注于法学的科目去，因此交给我一本和普（Hoppe）著的问答体裁的小书，其形式和内容都是照查士丁尼帝（Justinianus）的《法学阶梯》（*Institutiones*）作成。我不多时就把问话和答话记熟，无论是问者或是答者我都能够很好地扮演。正像是当时的宗教功课，以学会极敏捷地援引《圣经》为主要目的之一那样。在法学方面，也是以同样的娴熟《罗马法》（*Corpus Juris*）为必要，我不久就将这些经典完全熟习了。我的父亲想再进一步，叫我着手研究斯特鲁味（Struve）的小法律书，不过这本书我就不能学得那样快了。这本书的形式对于初学者不很合宜，使它可以自修，而我的父亲的教授法又不是那样的宽大，使它可以惹起我的兴趣。

不但是因为我们几年来遭遇的战时情况之故，而且也由于市民生活的本身，由于历史和小说之阅读，有一事我们看得太清楚了，这就是说，有许多时，法律是守着沉默，不能为个人之助，而他当时也许倒会看见他怎样找到出路。这时我们已经长大，照着旧习，我们除了其他的功课外也应该学剑术和骑术，俾随时能够保护我们的身体，以及在骑马时不至现出幼稚拙劣的姿态。以第一桩事论，这种练习是很合我们的意思的，因为我们很早就识得用榛木棍来断成木剑，用柳条很齐整地编成护手镡了。这时我们真个敢添上钢的剑锋，而我们用它来交手的铿锵的声音很有劲儿。

在本城内有两个剑术教师：一个较老的，是老实的德国人，很谨严地、老练地练武；另一个是法国人，则以进退的步法和轻灵敏捷的刺击取胜，刺击时常伴着几声吆喝。究竟那一派最好，意见不一，我们从学的小团体是法国人教的，我们不久就熟习了前进、后退、冲击和抽身的方法，这样子做时老是照例喊出吆喝的声音。但是，我们的相识有好几个是跟着德国的剑术师练武，而所练习的刚是相反。练习这种重要的技艺的方法既各异，而各人又都相信他的老师是较强一点，年龄相若的少年人们因此真个立起门户来，只差一点，武术学校就酿成十分认真的争斗。因为他们间以口舌相争差不多像以剑锋相搏那样厉害，为使这事终有一个归结起见，两武师便实行比赛，比赛的结果，我不须详细地叙述。德国人像一堵墙那样站下马步，留心施展他自己的长处，识得用扫撇的手法一回又一回的打脱了他的对手的武器。后者认这个为不合理，继续用他的灵动捷疾的手法将对手逼到呼呼的喘气，他也向德人刺了几剑，如果认真起来的话，这几剑倒会把他送了命。

以大体而论，既还没有决定了胜负，情形还是那样的坏。只有几个转投到同乡的剑术教师那儿去，我也是其中之一。不过我从前一个师傅传授得太多了，所以要经颇长的时间，然后新师傅才能将旧习的改变过来，一般而论新师傅对于我们一班“变节者”总没有对他的旧徒弟那样满意。

以学骑术而论，更糟一点。家人凑巧在秋天送我进骑术学校，所以我是在冷湿的季节起头。这种优美的技艺而以炫学的方法教习它，我觉得极可厌。开口闭口老是讲踞鞍骑稳，但是骑稳纵然是最关紧要，怎样才能骑稳却谁也不能说出来：因为我们没有镫就骑着马往来驰骋。而且，这门课业像是只以诈欺和羞辱生徒为目的。如果我们忘记了挂上或除掉马的衔链，或任马鞭甚或帽子落下地来，这种种可羞的事和失手，都要纳罚金，此外还被人耻笑。这使我极不高兴，尤其是因为我觉得练习的场所也简直受不了。肮脏、阔大、非泥泞则多土的地方，冷的天气，腐臭的气味，一切合起来使我觉得非常讨厌；而且管厩的人老是把最好的马给别人——这是因为他们请他吃早餐和用其他的礼物贿赂他，或因为他们的熟练得他的欢心——而把最劣的马给我骑，甚至还要我久候，像是蔑视我。于是，本该是世界上极愉快的事体，但在我看来虽只做几个钟头却极端可厌了。真的，那种情景的印象既还那样栩栩地留在我的脑海里，我日后纵然惯于兴奋地、大胆地骑马，差不多一天一星期都不离马鞍，我也避免到有上盖的骑术练习场去，顶多也只在那儿逗留片刻。而且，这样的事常会发生的，即是，当一种独立的技艺的初步传授给我们时，那是以痛苦可怖的方式实现的。人们既相信那是多么不快有害的事，在近代便立下这样的教育原理，即是一切都要以轻易、愉快和适意的方式传授给少年人，不过从这儿又生出另一种坏处和缺点。

春天渐近时，我们的日常生活也更清静一点。我从前既企图游览本城，参观它的宗教的和俗世的建筑物，公共和私人的建筑物，——尤其是喜欢那时还好好地保存的古物，所以后来我极力想借勒尔斯奈（Lersner）的

《编年史》和我父亲的佛郎克福城丛书里头的书籍，把往代的人物来对自己描摹想象一番；因为我对于各时代各种风俗的特性和重要的个人性格甚为留意，这事也像是有很好的成就。

在古代的遗物中，在桥塔上高悬着一个国事犯的头颅，我从幼时起就特别加以注意。本来是有三四个这样的头颅挂着的，从那些空了的铁尖顶，就可知道，但从一六一六年以来只有这一个历经世变和风雨的剥蚀而仍保存着。每当我们从撒克森豪逊回到佛郎克福去，塔矗立面前，而那头颅也映入眼帘。在孩子的时候我就喜欢听人讲这些叛逆——弗特密尔兹（Fettmilch）和他的党徒——的历史：他们怎样不满意于市政府，起来反对它，煽起暴动，抢劫犹太城和激起恐怖，以及最后却被擒获，由凯撒派的钦差判决死刑。后来，我因为要知道较详细的情形，和打听他们究竟是怎样的人，这时我从一本当时人著作，附有木刻画的旧书知道这些人虽处了死罪，但同时有好些市议员也革了职，因为在当时市政府内种种的紊乱和好些不负责任的事情正流行着。我现在既已听到详细的情形，知道一切原委，我不禁替这些不幸的人们可惜，我们应当把他们看作是牺牲者，由他们才得到将来宪法的改善。因为由那时起发生一种制度，依照它，旧贵族的林普格家（Hans Limpurg）渊源于一个政治俱乐部的佛娄因斯泰因（Hans Frauenstein）之外，法律家、商人和手工业者都一样得参加政府。这个政府更由一种从威匿斯市府制度演变出来的选举制补充，为市民出身的同僚所掣肘，以正直任事为天职，保持特别的自由，而不流于偏私。

使孩子以至少年人惴惴不安的可怕的事物中，犹太城特别是可以归入，它本名犹太街，因为它仅仅由一条街构成；在往代，它是逼处于城墙和城濠之间，像是在夹道那样。街道的窄小、肮脏、杂沓和可厌的语言的腔调，一切合起来，纵然只在城门走过瞧进去，使人起一种极不快的印象。很久日子之后我才敢独自上那儿去，好容易我从那些不倦地在锱铢计较的讲价还价的人们的挤拥中一下子脱身，再回转去。而且，我们在哥特夫里（Gottfried）的《中世纪编年史》看到可怕地描写出来的犹太人对待基督教儿童之残酷的逸事，在幼稚的心灵之中阴森地浮现着。纵然近代人对于犹太人的观念比前好一点，不过在桥塔之下，圆拱墙上，大幅的嘲笑和侮辱他们的画是异常仇视他们的，现在仍隐约可见，未免使他们难堪了。因为这个画并不是出于私人的无赖，而是由公共机关绘成。

可是，他们仍是上帝的选民，无论现在怎样，仍流连于远古的怀想。而且他们也是人类，勤劳而和气，即使他们有坚守他们的习俗的顽固性，我们也不可加以鄙视。此外，犹太的姑娘是美丽的，当一个基督教的男孩子在安息日（犹太教）在鱼场街碰见她们，向她们表示亲热和注意时，她们也不以为忤。因此，我颇以一见他们的宗教仪式为快。我这种好奇心不能放下，直至我参观了他们的学校，参与一次割礼和一次婚礼，以及得了一个关于结茅节（Lauberhüttenfest）的印象才满足了。我到处都受他们欢迎、殷勤地款待和敦请再来：因为带领或介绍我去的都是有势力的人。

我既是一个大城市的少年居民，时而置身于这个事物之中，时而为那样事物所吸引，目不暇给，而在城市的清静和安全中间也免不了有可怖的事件发生。一会儿，一宗近处或远处的火警使我们从家庭的和平中惊醒；一会儿，一件被发见了的案子，它的侦查和处罚，使全城有好几个星期哄动起来。我们总会目击过种种的死刑的执行。更值得说的就是有一种书籍被焚毁时我也在场。被焚的是一种法国滑稽小说的版本，它拼命攻击的不是国家，而是宗教和礼教。看见刑罚施于一种无生命的物体，的确是一桩可怕的事情。一大捆的书籍在火中爆裂，然后用火钳把它拨弄，俾能与火焰多接触一点。不消一会儿工夫烧过的书在空中片片飞舞，群众们争着把它攫到手上来。连我们也非抓到一册书不肯罢休，有不少人晓得马上就得到享受读这种禁书之乐。真的，假如作者要使人周知，恐怕没有比这个宣传更好一点吧。

不过，也有较平和的原因引我们在城里到处逛。我的父亲在我幼时就惯于叫我替他办一些小事。他尤其是好派我去督促替他做着工的工匠，因为他想一切都精密地做好，并且在末后常迅速付款好减低一点价钱。我因此能够到各种的作坊去，替他人设身处地，感知人类生活的形形色色，和参与别人对于他的生活的喜乐。这是我的一种天性，所以这种小差使使我过许多很愉快的时光，认识了各种的做事方法，以及这种或那种生活方式的不可少的条件所挟以俱来的喜悦、悲愁、困难和顺利。我由是得接近这个勤劳的，联结下层和上层的阶级。因为在一方面站着从事于简单和粗糙的生产的人们，在他方面站着愿意受用精制过的东西的人们，而职工借着官能和两手做那两种人的媒介，使他们彼此间各有所得，各满其所欲。各种手工业者的家庭生活，随其所业的不同而有种种的形色，也是我静中注意的对象，由是平等——纵然不是一切人平等，也是一切人的境况平等——的感觉在我心里发展和加强起来，因为我觉得素裸的生存是人类主要条件，其余的一切却是无关轻重和偶然的。

我的父亲不肯轻易为一些刹那的享乐而花钱——我记得我们绝少一块儿坐车游玩，和花一些钱在娱乐场所上头——不过他却毫不吝啬来购备那种既有内部的价值又有外表上的美观的东西。纵然他在战争的末期绝不觉得一点难受，但没有人像他那样企盼和平。他在这种心境中答应给我母亲一个镶金刚钻的金盒子，一当和平宣布，她就可以拿到手。为期望这种幸福的事件的来临，父亲叫人制造这件礼物已有几年了。这个颇大的盒子本身是在哈瑙做好的；因为父亲跟那儿的打金匠，也像跟丝厂的管理人那样，很熟识的。盒上还添上一些画的制作，盒盖雕刻一个花篮，花篮上有一个鸽子含着橄榄枝飞着，镶钻石的地方保留下来，一部分将要镶在鸽子那儿，一部分在花里头，还有一部分镶在盒子开关的地方，宝石匠除了供给所需的宝石之外担承全部的制作，他的名字唤做劳敦撒克（Lautensack），他是一个熟练而活泼的人，他像许多伶俐的艺术家那样，所做的很少是必要的工作，而通常是他喜欢的任意工作。本应在盒面的花上镶嵌的宝石却一下子镶在黑蜡上，样子十分好看，不过它们极难从那儿脱下来再镶在金上。在初时我的父亲还置之不理，可是和平的希望一天比一天的活跃，到末后人们已经想知道和平的条件，——特别是约瑟大公（Erzherzog Joseph）之晋位为罗马王一事了。我的父亲于是一天比一天着急，我要每一星期两三回——在后来甚至差不多每天——上这个怠慢的艺术家那儿去，因为我不断的厮缠和央求，工作纵然够慢，也向前进了，因为这种工作是一会儿可以拿起来做，一会儿又可以再搁下，所以老有一些事情排去了它，和把它搁在一边。

他这种行动的主要的原因是为了他自己打算接了一件工作。谁都知道凯撒法兰兹对于宝石——特别是有颜色的宝石——抱有很大的癖好。劳敦撒克曾花了很大的资本（后来发见比他的财产还大）在这种宝石上头，并已经着手用它们来结成一花束，在花束中每颗宝石都照它的形状和颜色配得很合出来，整个成为一件艺术品，值得在一个皇帝的宝藏中保存。他依着他的懒散的工作式地凸现方法来制作这个花束好几年了，现在因为不久就可希望得到的和约缔结之后，凯撒宣告他的太子在佛城登位，是在人们意料之中，他赶紧把这件工作完成和装镶妥当。他很巧妙地利用我想见识见识这种宝物的渴望之心，来分散我监工的精神，使我忘记了原来的目的。他想教给我关于这些宝石的知识，使我注意它们的品质和价值，因此我到后来竟把那整个花球都熟识了，并且能够像他一样对着顾客使用鼓吹的口吻将它指示。这种情景现在犹凿凿在目，像这种昂贵而不优美的装饰品和奢侈品经过我眼的也不少。此外，他还藏有很精美的铜版画和别的艺术品，他很喜欢谈起这些东西，我在他那儿过好些时光也不是没有益的。末了，胡伯特斯堡（Hubertsburg）的和会真个已经确定，他因为喜欢我的缘故，把剩下的工作都做妥了，在庆祝和平那天，金鸽子和花真个到了我的母亲的手里。

那时我还做了许多同样的小差使到画家那儿去催促定下的画，我的父亲固执着这样的成见——许多人也不免——就是绘在木版上的画总比绘在布上的画强得多，因此收藏种种的优美槲板是我的父亲很关心的事。因为我父亲很知道轻忽的艺术家每在这种紧要的事情上头倚赖着细木匠。他极力搜罗远年陈旧的木板，叫细木匠极精密地把它胶接、刨滑和调整，然后把它们整年的搁在楼上一个屋子里，俾能够晾得十分的干。这样的贵重的木板是交给画家荣克来画，要他以艺术和装饰的方法在上头拿一个花瓶和一些极有意味的花卉来写生。那时刚是春天，我毫不怠慢地每星期二三次把手上能够得到的最美丽的花送到那儿，他马上就把它们插入去，渐渐照着这些花忠实地、勤勉地把全部画成。又有一回我偶然捉到一个小耗子，我把它拿到他那儿去，他把它当作是一个装饰的小动物，高兴地来替它写生，这个小耗子蹲在花瓶下偷食麦穗也画得栩栩如生。还有同样的天真的自然物，如蝴蝶、甲虫之类也捉到他那里去，让他写生。因此，到后来，以描写和画笔论倒构成一幅极可宝贵的画。

当画快要交卷的时候，这个善良的画家有一天详细地向我吐露他怎样不喜欢这个画，以各个部分论，它虽不很坏，以整幅画论却构图不佳，因为它是一点一点逐渐画成的，一开头就犯了错误，至少没有拟具整个的设色和配合浓淡的计划，俾各个花朵可以依照着来编排，我听了这话觉得十分奇怪。他同我一块把这幅半年来在我眼前出现和我有点儿喜欢的画，详细推敲一下，并能够完全折服我，使我为之怅然。他又以为后来画上那个小耗子，是一种错误；因为，他说，这种动物好些人认为是可怕的东西，不应搁在引人欢乐的地方。这时，我像那些自觉成见已经破除、自以为比从前聪明的人那样，真个贱视这个艺术品，完全赞同那画家的意见。他于是叫人另制一块同样大小的木板，在这上头，照着他自己的趣味，配上一个好样子的花瓶和美术地编排的花束，而且用来陪衬的小生物也想拣选配置一些美丽而又得人欢心的。这一块木板，他极用心的画，不过这只是依照他从前画过的来画或出自记忆，但是经过长久孜孜的练习，记忆对他也很有帮助。两幅画都画好了，我们对于后一幅显然喜欢一点，它的确饶富艺术的意味，和比较悦目。父亲定绘一幅画而有两幅画交给他，让他挑选，他为之惊异，他赞同我们的意见和我们所举的理由，还特别称赏画师的好意和勤劳，可是，他把这两幅画审视几天之后竟决定要第一幅，对于这种选择也没有说出什么理由来。画师气忿忿的拿回他的第二幅好意画成的画，不由得不对我详论，说第一幅画的精美的槲木板无疑的是使我父亲选定的原因。

我既在这里提到绘画，我因记起一个大的作坊，因为它和它的管理人特别惹我注意，我在那儿消磨不少时光。那是一个制造蜡布的工场，为画家诺特拿格尔（Nothnagel）所创立。诺氏是一个熟练的艺术家，但是他的才力和思想方法使他对于美术工业比起美术来爱好一点。在一个很大的院子和园子内，制好种种的蜡布，由一种以大篦着色的、最粗的用于货车和相似的用途的蜡布，经过印花的壁衣到较精致和最精致的蜡布，在后一种蜡布上头是由熟练的工匠以毛笔绘画中国式和意笔的花卉，或自然的花卉、人物，或风景种种色色无穷无尽的花样，很引起我的兴趣。那么多人从事工作，从最平凡的作业到总带有多少艺术价值的工艺，我觉得极可注意。我跟这一群在好几间屋子内前后工作着的少年和老年人认识，并且有时还自己动手做过。这种货物的销路极旺，当时谁建造或陈设一所房子都愿意享受一生，而这种蜡布的壁衣是绝对坏不得的。诺特拿格尔对于全部工作的指导自己做了不少工夫，坐在事务室内都有工人和听差环绕着，一有余暇他就从事于美术品的搜集。他的收藏大部分是铜版画，他有时也做买卖铜版画和他所收藏的油画的生意，同时他癖好金属制版术，也作过种种的金属版画。到晚年还继续从事这一部门的艺术。

他的住所位于爱森海姆门，所以当我上他家里的时候，我的路途惯引我跑出城外，和到我的父亲在该门外置有的两块地产去；一块地产是一个大林园，他的地土是用来做牧场，虽已经租给别人，但是我的父亲对于那儿的树苗的培养以及其他要保存的东西很小心照管。在菲力堡门外一个培养得很好的葡萄园，更使他多忙一点。在那儿的一畦一畦的葡萄树之间很小心地栽种和培养好些畦的龙须菜，在晴和的季节我的父亲差不多没有一天不跑到那儿去。我们既常常陪侍着他去，因此看到春天的初次的收获和冬天末次的收获，我们感到有趣愉快。这时我们也学会了园艺，因为园艺每年都要从头来过一次，所以后来我们便很在行，很熟悉了。经过夏秋两季的收获之后，末了的葡萄采集却是最好玩的，真的，连葡萄生长和喝葡萄酒的地方也会有一种较自由自在的空气，既无足怪，那么葡萄采集的日子——结束夏天和同时开始冬天的日子——也怪不得会散布一种不可信的愉快热闹了。整个地方充满了快乐和欢声，在白天没有一处不听见喝彩和射击的声音，在夜里，一会儿这儿，一会儿那儿，现着火箭和火球，显出各处的人们还没有睡，还是兴奋着，愿意尽久的延长这个庆祝的日子。后来榨葡萄汁和在地窖发酵时的劳作也使我们在家里有一种快活的事情做，这样，使我们到了冬天还不觉得冬天已经来临。

在一七六三年的春天，我们特别喜欢这一块地产，因为那年的二十五日由于胡伯特斯堡和约的订立而成为我们的庆祝日。在它的幸福之中我度过了我的大半生的时光。可是，在我未写下去之前我应该提及几个对于我的童年有重大影响的人的历史。

丰·奥伦斯拉格（von Olenschlager）系出佛娄因斯泰因家，曾任陪审官，是上头说过的奥斯博士的女婿。他是一个英俊、乐观的多血质的人。他如果穿起他的有庆典时用的公服来可以扮成一个极庄严的法国主教的模样。大学毕业以后，他投身宫廷和政治，他的旅行也为这个目的而开始。他特别看得起我，常跟我谈他所爱好的东西。当他写他的《金律释义》（*Erläuterung der Goldenen Bulle*）的时候，我正常在他的身旁。他那时能够将这种文书的价值很清楚地对我阐释，因此我的想象力又回溯到那个粗犷而纷乱的时代去，竟不得不将他向我作为历史而讲述的东西像目前的现实那样，表现出来，人物情境均加以描画，甚至添上滑稽的意味。他对于我这种工作表示很高兴，他的赞赏引起我屡次的这样做。

从小时候起我就有一种奇怪的习惯，老是去记诵一种著作的头几本书或头几章节。初时记熟了《摩西五书》，其后记熟了《阿尼特》(*Aeneide*，罗马维琪尔所作的史诗）一诗篇和《变形记》，这时我也这样子去记诵《金律》(一三五六年加尔四世宣布的宪法)。当我怪严肃地蓦地里嚷道“Omne regnum in se divisum desolabitur : nam principes eins facti sunt socii furum”（不问何国，从内发生分裂者即蹂躏之。统治者应置之于盗贼之列)，常惹起我的爱护者笑起来。这个聪明人微笑摇摇头，狐疑地说道：“凯撒意会在帝国大会中对着他的诸侯当面宣布这个敕令。这个时代是怎样一个时代呵。”

丰·奥伦斯拉格在交际上是很温雅的。他虽不多应酬，但是他很爱作一种活泼的娱乐，时叫我们少年人演剧：因为他认为少年作这种演习特别有益。我们排演过斯勒格尔（Schlegel）的《坎奴特》(*Kanut*)，在戏里我扮做王，我的妹妹扮爱斯脱里特（Estrithe）的角色，而乌尔佛（Ulfo）则由他们家里的幼子扮演。其后我们居然敢演《不列颠尼库斯》(*Britannicus*)。这样子我们除了练习戏剧技能之外，还可练习外国语。我扮尼罗（Nero）王，妹妹扮阿格里宾（Agrippine），他们家里的幼子扮不列颠尼库斯。别人称赏过当，而我们相信，我们还会演得比人们所称许的好一点。所以我跟他这一家的交情极好，靠着它我得到许多快乐和较快的进步。

丰·莱纳克（von Reineck）系出旧贵族，能干、正直而固执，是一个瘦长、紫棠色脸的人，我从看不见他笑一声。他有一桩不幸的遭际，他的独生女竟为一个熟朋友诱拐跑掉，他追究他的女婿，提出激烈的诉讼，因为法庭依着法律的手续，既不够迅速地，也不够强烈地顺从他的报仇之心。他自己便与法庭开交涉，由是吵了一场又一场，缠讼不休。他一直蛰居在他的家里和毗连的一个花园内。他住的是一个很宽敞而凄清的楼下房子，那儿好几年没有粉刷过一回墙壁，恐怕连使女的扫帚也没有来过。他倒喜欢接纳我，特别的把我介绍给他的幼子。他有时请那些常去找他的老朋友、他的办事人和法律顾问吃饭，从不会不请我参加。在他家里吃得很好，喝的酒更不坏。可是，在那儿有一个裂了许多罅而喷出烟来的大火炉使客人们觉得极不舒服。有一回一个最亲密的朋友大胆把这个说出来，问他能否整个冬天忍受得住这种不舒服。他便像一个 Timon（纪元前四世纪希腊的愤世主义哲学者）和 Heautontimorumenos（德伦兹的喜剧中的主角，好自寻烦恼）第二那样答道："天晓得，这就是那些害我的人们的最大的罪恶了！"到后来他才听别人的劝告再跟他的女儿和外孙相见，女婿却不敢再现在他的眼前。

对于这个勇敢而又不幸的人，我之在场有很好的影响：因为他很喜欢跟我闲谈；特别是爱把世界和国家的情势讲解给我听。谈话时，他自己也像是觉得心里好过和高兴一点。因此聚在他家的少数老朋友，想解慰他的不快的心情，和劝他散散闷的时候，常常需要我去。此后，他真个常跟我们一道出去游逛，重览他多年来未曾看过一眼的地方。他提起旧时的物主，谈及他们的性格和故事。讲时他虽显出老是那样严正，但已经是愉快活泼了。这时我们还想引他再跟别人交往，但是这个几乎使我闹出岔子来。

有一个纵然年纪不比他老，也跟他一般大的绅士丰·马拉柏德（von Malapert）是一个有钱人，在马市街拥有一所很华丽的房子，从盐场赚有很好的入息。他也是过孤寂的生活，不过在夏天，他有许多时候在博根海姆门外的花园内消磨，那儿莳种着很好的石竹花丛。

丰·莱纳克也是石竹花的爱好者。当花盛开的时节已来临了，我们便有点兴奋，不知道双方愿意不愿意互相探看。我们把这个事情准备下，进行了许久，到后来丰·莱纳克才决定星期日下午领我们坐车上丰·马拉柏德那儿看去。这两位老先生彼此间的寒暄很简单，甚至仅像木偶那样，我们以一种真个外交式的步武在石竹花篱落间蹀躞着。盛开的花丛的确异常美丽，各种花朵的样色千殊万异。一种比一种强，更有一些稀奇名贵的种，终于构成我们一种谈话的资料，而谈话又像是十分的亲切似的。当我们看见在旁边一个的亭子里已摆着晶莹的玻璃杯，杯中盛着最名贵的莱茵河葡萄酒、精美的水果和其他佳品，我们彼此更因我们的成功而高兴。可惜我们竟无福享受它们。因为，不幸，丰·莱纳克看见他面前有一枝很美丽的石竹花，但是花头却有点低垂着；他因此用二指和中指轻轻的将枝提起，引向萼后，将花从后扶高，俾能够好好的鉴赏。不过，连这样轻微的抚摸也引起花主人的不快。丰·马拉柏德即念出“Oculis, non manibus”（眼看手勿动）一句话，虽然说时客气，但也够强硬和有点扬扬自得之色了。丰·莱纳克本已把花放下，但是一听见他的话即马上生气起来，用他惯常的干脆严重的语气说道："这样子抚摸和观赏一朵花正是内行的人和爱花者分内的事。"说时他再作刚才的姿势把花枝夹在手指间。两方面的熟朋友——因为丰·马拉柏德也有一个朋友在身边——这时极为狼狈。他们"顾麋鹿而言他"（在原文为"他们让一个兔子追着另一个兔子走"，这是德国的口头成语，意是要即打断话头，乱以他语，故意译如上——译者），不过这并不奏效：这两位老绅士简直变成哑口无言，我们恐怕每一息间丰·莱纳克会复演刚才的动作，这样子我们就全都糟了。两方的朋友把这两位老绅士分开，而他们也一会儿在这儿，一会儿在那儿自己干自己的，最机警的一着，还是我们终于准备走开，因此我们不得不很可惜的舍掉那没有吃的悦目可口的满桌点心走了。

帝室顾问官许士根（Hüsgen）不是在佛城生长的人，信仰改良派的宗教，因此连正式律师也不能充当。不过，人们深信他为优秀的法学家，他能够自由无阻的用别人的名义在佛城和帝国法庭所在的首都执行律师的业务。

我跟他的儿子一块学写字，因此上过他的家里去，那时他已有六十岁的年纪了。身躯长大而不瘦，宽广而不肥胖。他的脸庞，不单是给痘疤弄到难看，而且还缺了一个眼睛，猛然看见，只使人害怕。光秃秃的头上老是戴着一顶全白的钟形的帽子，上头用带子系着。他穿着有光泽的毛布或花绫做的睡衣，全身很整洁。他住在林荫路一列房子内，地板与路面同样的高低。那环境的洁净与他的爽朗的性情相宜。他所有的文书图籍，极端整齐，使人看了起一种愉快的印象，他的儿子海因里许·些伯斯提安（Heinrich Sebastian）后来以美术的著作著名，在青年时却显出没有多大的希望。他为人善良而鲁钝，虽不粗野，但却率真，没有特别的志愿向学，他宁愿避开他的父亲的面，因为他从他的母亲得到他一切所欲愿的了。反之，我认识这位老头儿越深一点，我越去亲近他。他只接办重大的法律案件，所以他有余暇可以在别方面做事和寻乐。追随他和听他的教训，不久我就觉得他跟上帝和世界站在反对的地位。他爱读的书中有一本是 *Agrippa de vanitate scientarum*（《科学的不确实与无效力》，为德国神秘学者阿格里巴所著），他特别推荐这本书给我，因此我的幼稚的头脑一时为之迷惑起来。我在少年时代的快乐中是倾向一种乐观主义的，并已经与神们重修旧好，因为经过几年的时间我已经得到一种经验，即是已有许多与恶事对抗之力，世人已能从灾祸中翻身，从危险中自救，而不是常陷于破灭，即人类所作所为，我亦宽大视之，并发现好些值得称赞之处，而我这位老先生却绝不肯对之满意。是的，当他有一回对我从丑恶方面将世界描画时，我便看出，他还想把他一个重要的胜利牌拿出来。他使劲的合上他的瞎了的左眼——像他在这种场合惯做的那样——另一只眼灼灼射人，并用一种鼻音说道："连上帝我也发现有缺憾。"

熏陶我的这个 Timon 式（即愤世主义者）的人也是一个数学家，但是他的实事求是的天性使他从事于机械学，纵然他自己不工作。有一种钟除了指示时日之外还指示日月的运行，在当时，他叫人照他的计划制造一个这样的钟。每星期日早晨十点钟他自己上钟弦，因为他从来不上礼拜堂，所以他更能够准时地这样做。在他家里我从不曾看见有应酬或宾客，我记得在十年间只看见他有过两回穿起衣服上街去。

与这些人作种种的谈话不是没有意义的，每一个人对我都觉有其特殊的影响，我对于各个人都像他自己的孩子那样关心甚至还厉害一点。各人都想把我当作爱子一样，因我而增加他们的快乐，并且争图在我身上再建立他们精神上的模型。阿伦斯拉格想陶养我使成为廷臣；莱纳克想使我成为外交家；这两人——特别是后者——企图使我厌弃诗歌和著作。许士根想我成为像他那样的愤世主义的人，此外，却愿意我成为一个能干的法学家，他认为是一种必需的职业，靠着它，人们可以有依法防卫他自己和家人以免暴徒加害，帮助被压迫者，而且大抵还可以加害恶人，不过后一种不是特别可行和合式的。我既然喜欢在这些人的左右，好利用他们的忠言和指示，而较青年的人、在年纪上只略比我稍长的人却促起我的直接的模仿心。在这些人中我想在这儿先提起斯罗塞尔（Schlosser）兄弟和格里斯巴哈（Griesbash）。到后来我跟这几个人进于更密切的友谊，并且历多年而不断。我现在只想说，他们当时在我们的心目中是擅长外国语和其他大学入门的科目，值得称赞和视为模范。并且谁都抱有一种期望，以为他们将在国家和教会中干一番大事业。

以我而论，我也常以干出非常的事业自期；可是，它是什么事业呢？我不想清楚地知道。正如世人多想及他将会得到的报酬，而少想及他应得的功劳那样。我也不否认，当我想及一种值得希冀的幸福时，对我最有诱惑力的，就是以编来装饰诗人的桂冠的形态而出现的幸福。

第二部

一个人在青年期所企望的，

在老年期便得到完成。

第五卷

每个鸟儿都有它的香饵，每个人都有他自己的被引导和诱惑之道。自然，教养和环境使我与一切粗野的东西隔离，纵然，我常与下层阶级——特别是职工们——接触，但我却没有因此发生什么亲密的交谊。尝试一种新奇甚或危险的事，我虽够胆量而且许多时觉得喜欢这样做；不过我还没有门径走上这个路去。

可是，完全出乎意料之外，我竟为一种关系所纠缠，使我濒于很大的危险，至少有一个时期陷于迷惑苦恼之中。

我幼时跟那个在前头称为皮拉的斯（Pylades）的男孩子的交情，至现在仍继续着。不过，因为我们的父母彼此交谊不大好，以致我们相见的时候较少，可是，我们一见面，旧日的友情的欢乐马上涌起来。有一回，我们在林荫路——位于圣哥伦门的内部和外部之间，是一个供人很舒服地散步的所在——上碰着，我们刚招呼过，他就对我说道：“我觉得你的诗还是像从前一样好。你新近送给我看的诗，我曾经在几个有趣的同伴面前诵过。他们没有一个相信那是你作的。”“随它吧，”我答道，“我们作诗是自己闹着玩的，别人怎样想怎样讲，任由他喜欢吧。”

“那个不相信的人恰巧来了，”我的朋友道。“我们不要讲这个吧，”是我的答话，“有什么用处呢，人们也不会改过来的。”“决不是这样，”我的朋友道，“我不能让他这样子就算。”

经过短短的冷淡的谈话之后，这个对我太含好意的少年同伴不肯罢休，向那个人痛切地说道：“这就是作那些美丽的诗——你不相信的诗——那位朋友了。”“他大概不会当我是恶意吧，”那人答道。“因为，如果我们相信作这诗的人所抱的学问，要远出乎像他那样青年的人可能具有者之上，是对他表示一种崇敬。”我淡淡的答他。我的朋友却接着说道：“不用费多少麻烦就可以折服您。随便出一个题目给他，他即席就作一首诗给您看。”我赞成这样子做，我们一致同意了，第三者却问我敢不敢用诗体作一封很绮丽的情书，当作是一个含羞的女郎写给一个少年，吐露她的爱慕的。“再没有比这个容易了。”我答道，“只要我们有纸笔。”那少年掏出他的怀中日记来。在那儿我看见有好些白纸。我便坐在长凳上去写了。他们踱来踱去，眼睛总望着我。我马上把这种情景弄清楚，并设想一下，假如有一个标致的女孩子真个喜欢我，用散文或诗向我剖露衷情，那是怎样美丽的事呢。我毫不踌躇的开始我的剖白，以极天真的口吻，用一种介乎四扬音（Knǘttelves）和马德里格尔体（Madrigal，一种十六世纪合唱体）之间的韵律在短时间内写成。因此，当我把这诗当着两人吟诵时，那怀疑者为之惊诧，我的朋友为之狂喜。这诗既写在那人的日记簿上，我很喜欢看见我的有才学的证据在他手上，使我不能拒绝他要求我给他这诗。离别时他又连声称异和表示其爱慕之情，愿意我们常能见面，并约定不久同往乡下一游。

我们的郊游会来临了，还有好几个跟那人同类的少年参加。他们是出身中层阶级——假如我们要说的话，还可以说是下层阶级——不是没有头脑的人，因为上过学校之故，也有好些见识和一种教养。在豪富的大城市里头，有种种的职业。他们自己帮助自己，或为律师抄写，帮助那些寒素之家的孩子在家补习，俾能比诸平凡的学校所造就者更深造一点。至于应受坚信礼的已成长的孩子，他们就为之复习宗教课程，其次，再替经纪和商人们奔走一下，在晚上——特别是星期日和星期五的晚上——省俭地自己寻一点快乐。

在路上时他们对我的情书极加称赞，又向我自白，他们曾把这封情书用在很有趣的用途上，这就是假作女子的手笔把这诗抄下来，加上一些切实的话，交给一个自负的青年。他现在深信他曾经献过殷勤的女郎已非常的爱他，和找机会来跟他发生更密切的友谊。他们又对我倾露，这人只求也能够以诗答她；可是他也好，他们也好，都没有这样的技巧，所以他们恳切地求我连复书也代做。

对于一个闲散而多少有才气的人，愚弄瞒骗常是一桩开心事，一种可恕的恶戏，一种自得的幸灾乐祸心，对于那些既不自有所事，也于世无补的人们，有一种乐趣。没有一个时代能够免除这种快感。在我们童年常彼此互相愚弄，好些游戏是基于这种的瞒骗和开玩笑。现在这个玩笑我觉得也不过是这样，我答应他们了；他们告诉我信内应包含的许多细目，我们回家时已经写好带回了。

不久，我的朋友，逼切地邀我参加他们那班人的晚宴，这回那个在恋爱中的人愿意出钱，并且要对那个替他做书记，写出那么好的诗的朋友特表谢意。

我们到齐时已十分晚，所食极为省俭，酒却可饮；以谈话论，所谈的差不多全集中在那个在场而确不很活泼的人的嘲笑上头。这个人把这信读过几遍之后，差不多要相信那信是他自己写的了。

我的天生的善良的性情使我在这种无赖的作伪中不觉得有多大高兴，而三番四次的谈论这个题目使我生厌，假如不是有一个意外的事来引起我的兴趣，我这一晚真过得极不痛快了。我们来的时候桌子已经很干净齐整地铺好，摆着丰富的酒；我们坐下随便在那儿吃喝不用人侍候。可是到了后来却要添酒了，有一个人便喊使女出来；但是出来的不是使女而是一个非常美丽——在这种环境看见她时，我们可以说美丽到不可信——的女郎。“你要什么？”她问道，当她亲切地道过晚安之后，“使女生病了，已经睡下。让我伺候你们好吗？”“没有酒了，”一个人说道，“倘若你替我们打两三瓶酒来那就很好的了。”“去罢格丽珍（Gretchen），”另一个人说道，“那不过是几步路罢。”“为什么不去呢！”她答道，她从桌子上拿了几个空瓶匆匆的走出门。她的体貌从背后看来差不多更漂亮一点，小头巾很可爱的覆在她的小脑袋上，细长的脖子很柔美地连缀着她的头和颈背、肩膀，她一切都像是超凡绝伦。如果我们的视线不单为她的娴静真挚的眼睛和可爱的小口所吸引迷摄，我们就可以把她整个容貌更冷静地细详一番。我责备我的同伴为什么在黑夜里打发这个女孩子一个人出去，他们付之一笑，而我不久也放下心，她已经再回来了，因为那卖酒的只住在对门。“那么你也跟我们坐下罢”，一个人说道，她就坐下，可惜她却不坐在我身旁。她喝了一杯酒，祝我们健康，不久就离开，走时她劝我们早点散席，不要那么嘈闹，因为母亲就要睡了，她所说的不是她的母亲，而是我们的主人的母亲。

这个女郎的容貌，从这一息间起，无论在那一个犄角儿都跟着我；那是一个女性给我的最初的持久的印象。我既不能也不想找寻一个借口，到她家里看她，我便为她的缘故上礼拜堂，不久就发现她坐的地方。这样子，在悠长的新教的礼拜仪式中，我可以饱看她，出教堂的时候我不敢向她搭讪，更不敢陪着她走，当她看见我，像是向我点首为礼时，我已觉得幸福之极了。可是不久就脱不了亲近她的幸福，人们已经使那个在恋爱中的人——我也曾替他作诗做书记的那个人——相信，用他名义写的那封信，确已经交给那女郎，于是他的期待马上极端紧张，以为不久就一定会有复信跟着来，而这封复信也要我写。这一群无赖的少年托皮拉的斯极恳切地求我出尽我的心机用尽我的技巧，俾这一封信成为很绮丽很圆满的作品。

为着要再见我的美丽的女郎，我马上动手写，设想假如格丽珍写给我时，我的最高度的愉悦是怎样。我相信一切都是从她的体貌，她的心魂，她的本性，她的感觉写出来的，我不禁希望事情真个会这样，只要我想起她能够写给我跟这个相似的信，我就沉醉于狂喜之中了。这样子，当我想开别人的玩笑时我就骗了我自己了，而且还会替我生出许多欢乐和许多烦恼；因为人们再次催促我写，我就写好了，答应到他们家里去，到时果然没有爽约。少年中只有一个人在家；格丽珍坐在窗前纺着纱，母亲踱来踱去，那少年要求我当面念给他听；我答应了，念的时候不由得不怦怦的心动，同时我的眼睛从纸上向着那美丽的女孩瞟过去。我觉得她的心神也有点不安，她的两颊有点绯红，我唯有将我愿意她听到的话更好的、更生动的表达出来。她的堂兄弟常常以称赞的话打断我，到后来却求我略加修改，他叫我修改的有几个地方是对的，因为它们较适宜于格丽珍的情况，而施诸那个女郎却不大合式，后者是大家出身，在本城也是有名望的富家小姐，可是这个少年人将他所希望的修正说出来和将文具拿来之后，因为有点事情，他要离开我一下。我仍在大桌子后靠墙的桌子上坐着，便在那块几占了全桌子的大石板上用石笔试行修改。石笔是常放在窗口的，因为人们常在这石板上计数，作种种的记事，连来往的人们也用它来写下短简。

我已经反复的写了好一会儿，又再把它擦去。当时我竟急起来喊道:“这不行呵!”“那就更好!”那个可爱的女郎用冷静的口气说道,“我希望它简直不行。您不应干这种勾当。”她从纺竿那儿站起来,走近我面前的桌子来,很明达很亲切地向我劝戒,“这个事情像是一个无伤无害的玩笑;虽是开玩笑,但也不是无害的。我已经听见过好几桩这样的事情,在这种场合,我们青年人因为这样的无赖而弄到很狼狈。”“可是我应当怎样办呢?”我答道,“信已经写了,他们自己走了,让我把它修改。”“请您相信我吧!”她答道,“不要把它修改;甚至请您把它拿回去放在口袋里,请您离开,设法托您的朋友将这事情弄妥吧。我还想有几句话跟您讲:您看见了,像我这样一个可怜的女孩子倚靠着这个亲戚,他们虽没有做什么坏事,但是常为着取乐和赚钱的缘故,做好些冒险的事,我曾经拒绝他的要求,不答应抄写第一封信,他们便伪作女子的手笔把它抄了。而这封信——假如情形还是一样的话——他们也是照样的做。而您呢,既是大家出身的青年人,有钱而又不倚靠人,为什么您愿意被人利用做这种事情的工具呢?这种事情的确不会生出什么好的结果,恐怕只会使您有好些不便的地方。”我听见她讲了一套的话，我觉得很幸福，因为她在谈话中向来只讲一两句话，我对她的倾慕不可信地增长起来，我不能自主了，便答道：“我不是像你所信的那样不倚靠人的，有钱也有什么用呢？因为我所敢希冀的最宝贵的东西却不能得到呵。”

她把面前我所写的诗体的信稿拿起，低声念它，态度亲切而温柔，“这的确是绮丽，”她道，当她读到天真坦白的地方时便停顿一下，“只可惜它不拿来用在较好和真正的用途上。”“这真个是值得企求的，”我喊道，“一个人如从他爱恋无极的女郎那儿，得到这样表示爱慕的信，那人是多么幸福呢！”“这的确是不容易的，”她答道，“不过仍有许多可能。”“比方说罢，”我接续说，“假如有一个认识、敬重、崇拜和恋慕您的人，献给您一纸这样的信，十分逼切地、情深地和亲挚地求您，您将怎样办呢？”我把她已经交还给我的那一篇东西递到她身边。她嫣然一笑沉吟半晌，拿起笔来，把名字签在后头。我狂喜到忘形了，跳起来，想拥抱她。“不要吻！”她道，“这是庸俗的玩意儿，但是尽恋爱着假如是可能的话。”我把那张纸取回，塞在口袋里，“谁也不能得到它，”我道，“事情已经定归了！您已经救了我。”“现在请您完成这样救助人的事，赶快的走，免至等到他们回来，使您陷于痛苦和狼狈中吧。”我不肯抛开她，但是她那样亲切地求我，同时以双手执着我的右手，和深情款款地紧握着，我差一点要淌下眼泪来；我相信也看见她的眼睛湿汪汪的。我把我的脸亲了她的手一下，便急忙的走了。在我一生中，从不曾有过像那时那样的迷惑无主。

不过未曾腐化的青年的最初的恋爱，是完全取一种精神的倾向的。造物像是要一个人在异性中具体发现善和美。而我也借着这个女郎的晤见，以及我对她的爱慕，而登上优美的新世界里。我把我的诗体的情书从头到尾读过千百回，凝视她的签字，吻她，把她紧压在我的心胸，想起她的可爱的自白而乐起来。可是我的喜悦越增加，我觉得不能直接去访她再跟她晤谈，越加愁苦，因为我怕她的堂兄弟的责骂和纠缠。为这事情做居间者善良的皮拉的斯，我不知什么时候可以跟他会面。因此我在第二个星期日动身到尼德拉德去，那儿是那一班人惯去的地方，并且我果然找到他们，可是他们不对我表示厌恶和陌生，反以笑容迎我，我因此觉得十分奇怪。最年轻的那一个特别的亲切，执着我的手说道：“您新近给我们开了一个玩笑，我们真个生您的气了；不过您的溜走和那张诗体的情信的私自拿去使我们生出一个好的念头，否则我们恐怕从不会作此想。为重修旧好起见，可否您今天请我们吃饭，到时候您就会知道我们所想象的，和一定也会使您欢喜的究竟是什么一回事了。”这一番话使我大为狼狈，因为我身边所有的钱只够我自己和一个朋友吃喝寻乐之用，但是请一班人——特别是这一班在恰可的时候不是常有限度的人——吃饭我是绝没有准备；是的，当他们又很体面地力言每人只付他自己那一份酒食钱时，他们这个提议更使我诧异。他们看见我狼狈的情形微笑着。那年轻中的一个说道：“让我们坐在亭子里头您就可以多知道一点。”我们坐下，他便道：“当您新近把情书带走之后我们把整个事情再讨论一番，我们感觉得我们单由于一种可厌的幸灾乐祸之心，完全无补偿地滥用您的才能，结果使他人憎恶，使我们有危险，不过我们仍可以利用他，使我们全都得到利益。您看，我这儿有定制一首新婚诗和一首挽歌之约。第二首要马上就作好，第一首还有八天时间，请您把它们作了，这对于您是容易的，这样子您就可以第二次款待我们了，我们许久都会感激您。”这一个提议从各方面都使我高兴：因为我从小就怀着一种羡妒之心来阅读应酬体的诗——那时候每一星期都有几首这样的诗传诵着，特别是在堂皇富丽的婚礼的举行时，有十数首出现——因为我自信作这种诗也能作得一样好，甚至好过。这时有人给我以卖弄自己特别是看见自己逼出诗来的机会了，我表示不反对。他们就把当事者的履历和家庭的关系告诉我知道。我便踱到一旁构思和作好几节，不过我还要跟他们一块儿乐，和舍不得不喝酒，诗便开始停顿起来，我不能在这晚上交卷。“到明天晚上还有时候，”他们道，“我们还想对您说明白，我们从挽歌所得的报酬足够明天我们再乐一晚之用。请到我们家里来罢，因为那是便宜一点，而格丽珍也可以一块儿乐，我们之所以有这样的意外事，本来还是靠她呢。”我的高兴真是说不出来，在归途中，我心里只想着那短的几节诗，在就寝之前又把全首写下，第二天早上把它很整洁地誊好。我觉得那一天无限的长，天才黑我就再置身于那个狭小的屋里，在那个极可爱的女郎的身旁了。

这样我跟这些少年，渐发生更密切的关系，他们本不是庸俗的人，但也是平凡的人物。他们的勤劳是值得称赞的，当他们纵谈种种赚钱的手段和门路时，我欣然倾听着；他们又最爱谈现在的白手兴家的富豪。有些人必须屈身为其恩主的厮养，末后却升做他们的女婿。更有一些人把卖硫黄火柴和这一类的东西的小生意扩充和改良起来，现在竟成为阔气的商贾。对于有为的青年人，为笨拙的富豪供奔走，做经纪，和承揽种种的差使和委托是特别有利可图的，我们全都喜欢听这些话。各人都在那瞬间想象到他自己也有那么大的才能，不但可以度日，甚至可以得到非常之幸福时，他们都有点想入非非。不过作这种谈话的人像是再没有人比皮拉的斯更认真一点。他末后自认他极爱一个女孩，而且真个跟她有婚约，他的父母的家财不容许他上大学，但是他已埋头于书算和现代外国语，现在想极力上进，以期能得到那家庭的幸福。格丽珍的堂兄弟们因此纵然不肯赞同他过早跟一个女孩有婚姻之约，但也称赞他；并且续说他们一定要承认他是一个勇敢而善良的少年。不过，他们以为他的勤劳和进取心都不足以成就非常之事。这时，他为替自己辩护起见，详细地说明他敢做的是什么，和他想怎样着手。于是其余的人也为之鼓舞起来，每人便开始讲述他已经有的本事，所作所为，走那一条路，将来的前途是怎样。最后轮到我讲了。我也应该将我的生活方式和前程表达出来，在我思索的当儿，皮拉的斯说道："我只提出一个条件来——这样子我们才不至失策——那就是，他的境况的外部的优点不能算。他不如像讲童话似的告诉我们，假如在这瞬息间，也像我们那样，完全要靠自己，他会怎样发轫。"

直到这一息间，还继续纺纱的格丽珍站起来，照常坐在桌子的尽头。我们已经喝干了几瓶酒了，我开始极幽默地讲我的假设的生活史。"那么首先我向你们自荐，"我说道，"使你们好替我保留你们已经开始介绍给我的雇主。如果你们逐渐替我收得全数应酬诗的报酬，而我们又不光将它吃喝个干净，我就已经有点入息了。其次，你们一定不要对我怀恶意才好，假如我也搀夺你们那一行的营生的话。"接着我对着他们讲我从他们的所为中看到了什么，以及那一样是我最擅长的。每一个人都是预先以金钱估算他的报酬，我也请求他们帮助我做好我的收支的预算。格丽珍很留心的谛听刚才所说的一切话，而她所坐的位置又掩蔽着她，使她可以随便的倾听和说话，她用两手执着她的交加着的双腕，和把它搁在桌边上。因此，她能够久坐，除了头部外绝不动一下，而头部也总是有缘故才动一动。有时也插嘴讲一两句话，当我们的计划停滞时，她也帮助我们这样那样；可是过后她又像平时一样的静默。我的眼睛老望着她，我所设想和讲出来的计划之会涉及她，不言可喻，我对她的倾倒使我所讲的具有真实性和可能性的外观，连我自己也得一时间骗迷了自己。自以为是像我的童话所虚拟的那样孤立无助，因而觉得拥有她的前途是极端幸福。皮拉的斯已讲完了关于他的婚事的自白，在我们其余的人中，这时也发生这个问题，这即是说我们的计划是否也计及婚事。“对于这个我绝不有疑问，”我道，“因为我们各人都要有一个太太来管家，和让我们全体享受我们从外头那样美妙地采集成的东西。”我描画我所希求的太太是怎样一个人，如果她不是格丽珍的完全的小影，那才怪呢。

挽歌所得的钱已经吃光了，新婚诗也快可以得到一点利益；我排除自己的一切恐惧和忧虑，识得躲避我的家人，使他们不知道我的真正晚上的娱乐是什么（因为我有许多相识），与这个可爱的女郎会见，和在她的左右，不久就成为我的生命的不可缺的条件。格丽珍也是一样的跟我厮混惯，我们差不多每天都在一块，一若非此不乐那样。皮拉的斯同时也把他的女朋友带到这一家来，这一对有许多晚跟我们在一块厮磨着，他们既然是一对未来夫妇——纵然还只是在胚胎中——也不掩饰他们的柔情。格丽珍对我只保持着不即不离的态度。她不给任何人握手，也不给我，她不肯让人家接触她，只有时坐在我身边，特别是当我写作或背诵的时候，然后她双手亲切地放在我的肩膊上跟我一道看书或读文章，可是倘若我对她也想僭作同样的放肆的举动时，她就拒绝，很快就退走暂不跑到我的身边来。不过她常常重作这种姿势，而且她一切的姿态和举动都很一律的，但是老是一样的合式美丽和动人，不过我从没有看见她对别人再作这样亲密的表示。

我与青年同伴参加过的最纯洁而同时又最有趣的游乐会中的一个，就是河上之游。我们坐在贺斯特市的市场船上仔细看着在里头打包裹的奇怪的旅客。高兴起来，放肆起来，便插身其间，一会儿跟这个一会儿跟那个打趣和开玩笑。到了贺斯特地方我们就上船，同时梅恩兹的市场船也到了那儿。在一个酒馆里，桌子却坐满人了，有钱的来往的过客彼此一块在那儿吃喝着，然后各人再继续着他的航程：因为这两只船都是再回去，我们一回在那儿吃过中饭后便趁上水的船到佛城去，只要有可能的话，一大班人花极便宜的船钱就作河中之游。有一回我也同格丽珍的堂兄弟作河中之游，在贺斯特酒馆中——一个青年人走到我们桌上来，他的年纪比我们略大一点，他们认识他，把他介绍给我。他的样子很有点可亲的地方，但是此外没有什么特别过人之处，他是从梅恩兹来的，这时跟我们一道回到佛城去，跟我谈到关于市制，官职，种种的事情，在这方面他像是知道不少东西。当我们分手的时候他向我郑重告别，并说他愿我对他有好的印象，因为他随时喜欢得我的吹嘘。我不知道他所说的是什么意思，但是过了几天之后，格丽珍的堂兄弟们便对我说明白。他们夸奖他，求我在我的外祖父面前替他吹嘘，因为正有一个中等的缺须补人，而这个朋友却很希望得到手。我初时敬谢不敏，因为我从不曾沾惹过这种事情，但是他们继续的向我说了很久，直至我决定答应了他们为止。不过我已经许多时觉得在这种官吏任用的时候——可惜这种事当作是一桩人情——外祖母或一个姨母的关说不是没有效果，我也长大了，可以冒昧替人们运动一下，因此为我的朋友们——他们声言对我这种好意总感激无尽——的缘故，我克服了孙儿的羞怯之心，担任将交给我的一封请求信呈给外祖父。

有一天星期日饭后，外祖父正在他的园子里忙着，秋天已经来了，他更是忙，我想随处帮助他一下，略一踌躇，我便把我的恳求和那人的请求书提出来。他瞧了一瞧，问我是否认识那青年，我对他把应讲的话大概的讲了，他便把信搁在一旁。“假如他有劳绩，并且有好的证明的话，我就为他和你的缘故给他好处。”此外他没有别的说话，很久我还不听见这事的消息。

我觉得格丽珍不再纺纱已有好些日子了，转从事女红，她的手工是很精细。现在日已有短了，冬天已临头，我更为之惊异。我不把这个事情思索下去，但是，有几回早上我去看她，她却不像从前那样在家，如不苦苦追问，就不知道她上那儿去，我因此只觉得焦灼不安起来。不过，更有使我咋舌惊异的一天。我的妹妹，为准备到一个跳舞会去，求我上首饰店买一些所谓意大利花回来。它们是在修道院内制造的，细小而绮丽可爱，特别是桃金娘、矮本的小玫瑰和这一类的花，显出美丽而自然。我很喜欢替我的妹妹做这件事，便上我跟她常到过的铺子去。我刚踱进门，跟老板娘招呼过，我即看见一个女郎坐在窗间，在一条绣花边的小头巾之下，现着的面庞像是年轻而美丽，披着一件丝绒的短外套，身材像是很合度。我不假思索就把她猜作是女伙计，因为她在忙着把带子和鸟羽镶插在一顶小帽子上。那卖装饰品的女掌柜端出装着一朵一朵的种种色色的花的长盒子，递给我看；我检视一下，挑选时我还再望着窗间的女郎：但是我发见她的样子跟格丽珍相似到了不得，末后我竟不得不相信了，她就是格丽珍本人，我为之惊诧不已。当她向我使一个眼色，给我打一手势，叫我们不要露出我们是相识的事实来时我便毫没有怀疑了。这时我拣了又拣，东又不是，西又不是，比起小姐们自己挑选来还更惹起老板娘的绝望。事实上，我没有挑选，因为我心里乱到极点，同时我却喜欢流连着，因为这样子我可以留在这个女孩子的身边，这个女孩的假面具使我憎厌，但是我又觉得她戴着这个面具比一向更加动人。末后，女掌柜再熬不住她的性子了，亲手替我挑出整纸盒装满的花，让我给我的妹妹看。让她自己挑，后来她叫女店员把盒子送去看，我于是差不多从铺子里被撵走了。

我刚回到家里，父亲即呼唤我，并告诉我说，约瑟大公将要被选为罗马王，和举行加冕礼的消息现在已很的确了。这样一件极端重大的事情，我们不要毫无准备地等待着，到时只瞪眼咋舌地让它过去。因此他想同我将最近两次加冕的选举记录和加冕记录以至近年改订的选帝法约浏览过一遍，俾到时可以看出在现在的场合有什么新的条件加入去。记录册打开了，我们整天的忙着翻阅直至深夜，同时那个美丽的女郎一忽儿作旧日家常的打扮，一忽儿穿着新的衣裳，杂在神圣罗马帝国的最堂皇高贵的事物之中，老是在我脑海中荡漾着。那一晚上去看她是不可能的，我整夜不能安睡。前一日的研究到第二日还是热烈地继续着，到了傍晚的时候，我才找到工夫去探访我的女朋友。这时她又打扮得像家常一样。她看见了我嫣然微笑，但是我不敢在别人的面前略为提及，当全屋子的人在安静地一同坐下之后，她开始说道：“你们不对我们的朋友说明白，我们这几天怎么样决定，是不应该的。”她接着叙说自从我们新近的谈话，讲及每一个人在世界上要有用处之后，他们也谈论及一个女性怎样能够增加她的才能和工作，以及利用她的时间。因此格丽珍的堂兄弟便说首饰店的老板娘，正需要一个女伙计，她可以到那儿试一下。他们已经跟那老板娘讲妥了，她每天上那儿去几个钟头，工钱颇不坏，只是为体面起见她不得不打扮一下。不过她每一次都把这些新衣服脱下才回来，因为它们与她其余的生活和境况都绝不适应。我听了这个解释之后虽然放下了心，只是知道了这个美丽的女孩子在铺子里抛头露面，而且所在的地方又是繁华色情的社会时常荟萃的地方，我不大高兴。可是我还不露出一点口气，只想静中把我这种带有醋意的忧虑打消了。而且不消多少时候那年轻的堂兄弟又再向我提出撰作应酬诗的请托，把当事人的履历讲给我听，马上要求我开始构思和布局。他也曾有好几回同我谈论过这一种课题的处理办法，因为我对于这种事情很爱说话，他就容易求得我，将这种文章的作法详细地解释给他听，给他一个概念，和利用我自己和别人的这种作品做例子。这个少年人纵然没有一点儿诗的天才，头脑却不坏，他问得那样的详细，始末原委都想我讲给他听，所以我高声的说道："看来真像是你要搀夺我这一行的生意和抢我的雇主了。""我不否认，"那人微笑道，"因为我这样做，于您无损。还要多么久呢，你就上大学去，直至那时为止，总还让我靠你得一点利益吧。""那是最高兴不过的"，我答道，并鼓励他自己来构思布局，依照着题目的性质选举韵律，以及做其余觉得是必需的事情。他真个认真地着手做，但是他做不成功，后来我总要替他涂抹修改那么些，我宁愿自己动手还容易一点，还好一点。不过这种教导和学习，这种传授，这种交互的工作，使我们得到一种利益和快乐。格丽珍也参加进去许多时妙趣横生。因此我们全都满意了，甚至可以说全都快乐了。格丽珍日间在首饰店内工作，晚上我们通常一块的回来，纵然后来应酬诗的定制不再继续下去，我们的愉快满足也不为之减损。不过有一回听说定做诗的人不喜欢一首应酬诗，向我们提出非难，我们觉得苦恼，可是我们自慰自解，因为我们恰认为这首诗是我们最好的作品，而那个人应视为不识货的人。那个想一旦就学会一点的堂兄弟这时自己虚拟一些题目来做，选作这些题目时我们纵然常是饶有乐趣，不过当然啦，他们既赚不到钱，我们的小小的宴会因此就要省俭得多了。

对于那件国家大事——罗马王之选举和加冕——的筹备人们日益认真起来，初时通告于一七六三年十月在奥斯堡举行的选帝侯会议，现在却改在佛城举行，本年年底和明年年初，这桩重大事件所必需的种种准备就忙乱起来。先开头的是一队我们从未曾看见过的仪仗，我们市政厅的一个职员骑着马，有四个同样骑着马的号筒手跟随着，有一队步兵簇拥着在城市各街各巷用洪亮可听的声音宣读一大篇谕旨，通告我们以将临的事情，诰诫市民行动要守规矩，和与各种场合相适应，在市参议会里头大加讨论。不消多久世袭大元帅（即撒克逊公爵）所派遣的辕舍总管在佛城出现，准备照着旧习惯替各地使臣和他的随从设备寓所。我们的房子是划在普鲁士选举侯的使节的住区内，我们预期就要接纳新的而为我们所喜欢的寄住者了。从前多伦公爵住过的中间那一层这时却给普鲁士一个骑士住，而最高那一层又给努伦堡城的代表丰·姜尼格斯泰尔（von Königsthal）男爵所占住，所以我们比起法兰西人入踞时更加挤迫，这个使我得有新的借口不留在家里，白天大半时候在街上消磨，去看公众的热闹。

我们看过了市政厅的房屋预先的修政和布置，觉得很有可观之后，各地的使者接踵而来。他们第一次的庄严的全体游行在二月六日举行过之后，我们不久就看见凯撒的钦使之来临，也在罗马广场上游行，极为富丽堂皇。力喜腾斯泰恩（Liechtenstein）侯的高贵的人格给我们以好印象，不过据在行者的见解，扈从所穿的华丽的制服在别的庆典时用过一回，而且这次的选举和加冕礼，在壮观上也很难与加尔七世的选举和加冕礼相比。我们少年人眼前看见什么就高兴，我们以为一切都很不坏而且有好些使我们惊异的事物。

选举会终于定期在三月三日举行。这时全城因为种种的新的仪式哄动起来，各地使节彼此的正式拜访又使我们的腿忙个不了，而且我们要处处精密地留心，因为我们不止瞪着眼看，而要把一切好好的记着才好回到家内适当地将理由举出，甚至要作许多小文章，一半为练习起见，一半作为自己的笔记，将我父亲和丰·姜尼格斯泰尔男爵的共同意见写出来，而事实上这个写作确使我得到特别的益处，因为，我颇能在外观方面献出一本生动的选举和加冕记事册来。

各地使节的人格风采给我以一个长久的印象的，首先就是梅恩兹大主教（选帝侯之一）的大使爱泰尔（Erthal）男爵——后来的选帝侯。他的体貌虽没有什么特殊过人的地方，但是他穿起黑色捆边的官服我觉得很欢喜他。他的副使格罗斯拉格（Groschlag）男爵是一个体貌俊伟、外观可亲而行止极娴雅的交际家，他总给人以一个很愉快的印象。布希米亚的使节爱斯特哈兹（Esterhazy）侯爵体格不高大而英俊活泼，雍容娴雅，没有骄傲和冷淡的态度，我特别倾慕他，因为他使我记起丰·布罗格里奥元帅，但是这个卓越的人的体貌和品格比起我们成见中的勃兰登堡的使节普罗多（Plotho）男爵来未免有点相形见绌了。这个人以其扈从和自己的制服的寒尘而倾动人，他本是七年战争以来一个有名的外交大家，在累根斯堡时，书记亚晋尼尔（Akrill）当几个人的面前，想把那个宣告排斥他的王于战后会议之外的文书送达给他，他即干脆地反问道："什么，送达这个么？"登时就把亚晋尼尔抛到楼梯下去，或有人说他自己滚到楼梯下去。我们相信第一说，因为我们较喜欢这样子，而且这个短小精悍、乌黑的眼睛灼灼四射的人，我们相信应有这种举动。万人的视线都聚在他身上，特别是当他下车的时候，每一次都发生一种表示欢迎的唧唧哝哝的声音，许多时之后还免不了向他拍掌和高呼万岁。他的王和他所尽心尽力的一切，极受群众——除了佛城人外还有各地的德国群众——的欢迎。

一方面我对于这些事情觉得有许多乐趣：因为所发生的一切无论是什么样子总隐含有某一种意义，指出某一种内部的关系，这种象征的仪式把那个给好些羊皮纸书籍差不多埋没了的德意志帝国一时间再栩栩欲活地表现出来。可是在他方面当我在家里，为我父亲的缘故，将内部的谈判抄录时我不能掩饰我心内的不快，并不得不注意到这儿有好些国和州互相对立着，保持均势，只当它们想将新的君主的权力比旧者更加以限制时，才彼此一致；只当每人希望保持和扩大他的特权，更保障他的独立的地位时他才对于这个君主的权力表示满意。这回人们纵比从前留心一点，因为他们对于约瑟二世，他的魄力和他的预期的计划开始害怕起来。

我的外祖父以及我常惯探访的其余市议会人员在这些日子也不是很好过，因为他们要迎接贵宾，款待他们和给他们送礼忙个不了。而市厅当局全体和个人也总要防卫自己和提出抗议，因为在这种庆典的日子各人想拿它做攻击的目标或嫁祸于他，而他所求助的人也很少能够帮他的忙。总而言之，我在勒尔斯奈（Lersner）记述同样的庆典中发生的同样事件的编年史里头所看到的一切，以及我惊异地看到那些善良的市厅人员的耐心和毅力，这时活生生地现在我的眼前。

城市渐渐挤满了必要和不必要的人们，好些讨厌的事情也因此发生，城中的旅馆虽受警告也不遵守那陈旧的《金律》的规定。不独是为正事而来的使者及其随从要受招待，而且有许多为好奇或私事而来的种种阶级的人也须加以庇护，谁真个应当给他预备寓所，和谁应当自己租房子住，这一个问题常不能马上决定，扰攘纷乱一天一天的增加，连袖手旁观不要负责的人们也开始觉得不舒服了。

即使我们青年人——能够看见这一切的我们——也觉得我们的眼睛，我们的想象力老是不能满足，使节的西班牙式的披挂和宽大的插翎毛的帽子，以及一些别的东西，确现出一种真正古代的威仪，不过有好些又是半新不旧的甚或完全新式的物事，因此到处只呈出一种五光十色，不满人意，甚至常俗无味的现象。因此，我们一听见凯撒和未来的王的御驾在途，已有大大的准备，选帝侯根据最近一次的选帝法敕约而开的全体会议已热烈地进行，选举日期已确定为三月二十七日，我们便很快乐。这时人们正关心努伦堡和亚亨两城所供给的皇帝冠笏和先盼梅恩兹的选帝侯车驾之来临，当时他的使节因为寓所的问题老是出岔子。

同时，我很有劲的在家里干记录的工作，并且看见这回条约缔结时要加以考虑的种种书信从各方面飞舞而来。每一阶级都想在这一个文件内维持它的权利和增加它的势力。不过，许多这样的意见和愿望都搁置一旁；

许多事情一仍其旧，不过这些请愿者得到最简约的申言，即是这种漠视绝不会损及他们的利益。

同时世袭大元帅一职不得不担任许多麻烦的事务；外人的群众增加了，安顿他们一天比一天困难。关于各选帝侯的住的界线又有争论。市府当局想减免市民的不当的负担，因此日日夜夜每一个钟头都有人抱怨、控诉、争议和纠纷。

梅恩兹选帝侯（大主教）的莅临是在三月二十一日，届时炮手开始鸣炮为礼，延续许久，我们听了耳都为之震聋。在各种仪式之中，这个仪注是重要的：因为我们以前看见莅临的人纵然爵位很高，也只是臣下；而这时却出现一个君主，一个独立的君主，凯撒以次的第一人，由他的许多高贵的扈从前呼后拥着到来了。他的卤簿仪仗的壮丽，如果我不是在后头将会再讲到，在这儿便有许多话要讲，而且在这种庆典中话也很难说得对。

在同一天，拉发忒（Lavater，瑞士的神学家，著述家）正从柏林回家，路经佛城，目击这个庆典，纵然这种俗世的非常事件对于他没有丝毫的价值，但是这个游行的队伍和它的壮观以及一切的附随的事件很清楚地镂刻在他的很生动的想象力内：因为几年之后，这个卓越而奇特的人，寄给我一段用诗做的《圣经》释义——我相信是“圣约翰的启示”吧——我觉得他所描写的魔鬼的莅临，又一切形象都是以梅恩兹选帝侯的车驾之进城为模范而描写丝毫不爽，甚至栗毛马头上的缨也没有缺少。如果我进而述到这种奇异的诗体的阶段——有人相信如果将新旧约神话用诗戏化为现代的东西，和把现代的生活（无论他是平庸也好高贵也好）的衣裳披上去，用这种诗体，可以使人对于新旧约的神话的观感更真切一点——就还有更多的话要说。这种表现的方法怎样渐渐为人所爱好，也是要到将来才讲到：我在这儿只说，拉发忒和他的私淑者所为已达到极度，他们中有一个人竟把东方三博士骑马入伯利恒时的情况描写得那样现代化，以致常来访拉发忒的君侯、高官的人物风采可以在其中辨认出来。

那么，我们这回就把大主教爱母麦里斯·约瑟（Emmerich Joseph）入市的情形省去不写而掉转笔再讲格丽珍吧。恰当看热闹的群众散乱的时候我瞥见她有皮拉的斯和他的女友陪着（因为这三个人现在像是不可分离的那样），正在杂乱的人丛之中。我们刚挨近招呼过后，我们就约定今天晚上在一块玩，到时我便上他们家里去。平常在一块玩的人都到齐了，各人都有一些话讲和议论；一个人讲这样，别个人讲那样，觉得什么最可注意就说什么。“您们的话，”格丽珍末后说道，“说起这几天的事件的本身来，使我差不多更糊涂一点，我不能够把我所见的弄明白，有好些事体我极想知道究竟是怎样一回事。”我便说为她效这种劳在我是一件容易的事，她只要说出她关心的究竟是什么。她把这个说出来，当我想对她略加解释时，我觉得循着次序解释似乎较好，我巧妙地拿戏剧来比喻这回的庆典和种种的职务。在这个戏里头，幕可以随便落下，而戏子继续的做戏。于是幕再开了而观众可以参加进这种戏里头去。因为我这时议论风生，如果人们任我讲下去，我就把从开头到今日的一切事情有条不紊地讲出来。为使我的演讲更明白一点，我即利用当前的石笔和大石板之助，我只给别人几个发问和自以为是的主张所略为打断。我演讲完，博得大众的满意，而格丽珍不断的注意听讲，给我以极大的鼓舞，末后她向我致谢，并表示对于那些熟谙世事和知道这事那事是怎样一回事和有什么意义的人们不胜其羡妒（用她的话来讲）。她愿意自己做一个男孩子并且很恳切地承认她已经从我那儿得了许多知识。“假如我是一个男孩子的话，”她说道，“我们就想一块儿上大学研究法律。”谈话是照这样子继续下去，她决心准备学法文，这种外国语之不可少，她在首饰店里头已经发觉出来。我问她为什么不再上铺子去，因为近来我在晚上既不能有多大工夫出去，所以在白天许多次为她的缘故跑过那铺子，为的不过是想看她一眼。她对我说明在这种纷乱的时候，她不愿在那儿抛头露面，她想在本城恢复旧观的时候，再上那儿去。

现在要讲到临到眼前的选举日了，它是怎么一回事和怎样举行，我可以长篇大论的讲和在石板上详细的绘图来做我的说明之助，我把选举的秘密室、室内的坛宝座安乐椅和坐位完全的描画出来——到了适当的时候我们就分手，觉得特别的愉快。

因为对于一对天性有点互相谐和的青年男女，如果那女子是好学的，而男子又好为人师的，便再没有更好的方法能够使他们契合无间了。从这儿发生一种又深远的又愉快的关系，她视他为她的精神生活的创造者，而他则视她为一种创造物，这种创造物之完成不是拜造物偶然或一方面的欲望之赐，而是拜双方的意志之赐；这种双方的交互作用是那么甜蜜，怪不得自从新旧的“失乐园”以来男女两性的这种结合会发生极强有力的感情底兴奋，和许多不幸的命运来。

即在第二天，城里已因拜王公的拜访和回拜——这时是以极隆重的仪式举行的——而大为哄动，可是特别惹起我这个佛城的市民的注意，和使我详加思索的就是市府人员、军事当局和市民亲身（不是派代表）当着群众举行“保安宣誓”。最先是市府当局和上级将校在大罗马厅内宣誓，然后全体市民按照着他们的各种阶级、身份和住区在罗马堡大广场举行，最后才是其他的军人宣誓。在这时我们可以一眼看见整个市府的共同体为崇高的目的聚集在一块发誓保障帝国的元首和股肱的安全，和使临头的大典举行时毫无惊扰。现在连特里尔选帝侯（大主教，Kurfürst Trier）和科尔仑选帝侯（大主教，Kurfürst Köln）也亲自来了。在选举日的前夕一切外人都驱出城外，城门关起来，犹太人禁止在他们的犹太街内，佛城的市民很以为只有他们才能做这样大的庆典的目击者。

截至这时为止，一切的进行都是最新式的，最高贵的人物和大员只坐马车出入，可是这时我将看见他们照古代的习俗乘马来往了，人们来往非常之多，非常的拥挤。罗马街的地理我知道很清楚，恰如鼠子之于秘密的谷仓那样，我在罗马街内蹑手蹑脚的钻，直至到了大门，在门前，初时坐着礼辇来和已聚齐在上头的选帝侯和使节，现在就要乘马了。那些雄壮的骏马披着满绣纹章的马被，用各种东西装饰着。选帝侯大主教爱母麦里斯·约瑟，英俊可人，骑起马来很好看。其他两个大主教在我的记忆中只有模糊的印象，我只记得他们的红色镶着黄鼬皮的大衣——从前我们通常只在画中看见过——在露天中饶有罗曼式的意味；就使不与会的俗世选帝侯的大使，穿着绣着金线，满镶着金边的织金西班牙外套，我们也觉得很悦目。特别是那些照着古风帽缘反褶的帽子上的大翎毛，飘摇得极为美观。可是，其中我很不喜欢的就是那短短的新式的裤子、白绸的袜子和时髦的靴。我们愿意他们穿的是半长统的小靴，满是金色的或是希腊式的皮靴，或是其他一类的东西，俾可以看见他们的服装上下一致。

以态度举止论，使节丰·普罗多这时也显出与其他各人不同。他表现出活泼而兴奋，对于全部仪式似乎不特加尊重，当他前头的一个人——一个上了年纪的贵绅——不能够立刻跳上马，因而要在大门等候了一会儿的时候，他忍不住哈哈的笑起来，直至他的马也牵出来才止了笑，他于是轻轻地跳上马再现身为腓得烈二世的可敬的使者，使我们为之叹美不置。

这时幕再落下来，我们又看不见了，我虽想挤到教堂里去，不过那儿不愉快之处还比热闹为多。那些有选帝权的人已退入至圣所，在那儿盛大的仪式代替了慎重的选举考虑。经过很久的等待挤拥和汹涌之后，末了民众才听见约瑟二世的名字宣告为罗马王。

这时外人挤进城里来的渐加多，他们坐车走路，全都是穿着宫廷服，因此到后来我们只觉得全金的衣服最映眼。凯撒和罗马王这时已到了海逊斯丹姆宫（Heusenstamm）——伯爵孙波恩的府第——在那儿受贺和受欢迎，但是全城却以各派教会的祭祝、大弥撒和说教庆祝这个重大的典礼，在俗世方面，一边唱着谢恩赞美歌，一边不断的鸣炮庆贺。

如果，我们把所有的公众的仪式从开头到现在都看作是一种经过深思熟虑的艺术品，则我们在那里头看不见有多少可以非难的，一切都预备得很定妥，公共的典礼很快就开始，而且更有意义，参加者的人数渐渐增加，人物的品级渐高，他们自己和他们的周遭也更壮丽，一天比一天更甚，因此到了末后就使一个很有准备很冷静的观众也弄到目迷五色了。

我们以前不肯详细地描写的梅恩兹大主教的车驾仪仗，壮丽庄严得很，足以使一个卓越的人的想象力中感觉到一个伟大的应运而生的世界统治者之来临。即使我们也为之目眩神迷，但是我们的盼望心紧张到极度，当听说凯撒和未来的罗马王的御驾已行近城的时候，在撒克森豪逊不远的地方已搭了一个帐幕，市府全体当局都停驻在那里表示对帝国的最高元首一种适当的崇敬，和将城门的钥匙献给他。更远一点，在一个美丽宽广的平地上设有另一个华丽的帐幕，全体的选帝侯来参加选举的使者都到那儿去，迎接皇上。而他们的扈从的沿路布满，俾能够轮到他们时，逐渐再回到城里，适当地加入巡游的队伍。这时凯撒的御驾已走到帐幕那儿，走进去行过庄严的朝见礼之后选帝侯和使者就辞退，好为御驾的先导。

我们和其他的人仍留在城里来瞻仰一下城墙内和街上的壮观——因为人走空了常会更美丽一点——我们看到了在大街小巷上的如堵的观者、潮涌似的民众以及其中发生的种种笑话和尴尬事情，一时间觉得很多乐趣。到后来钟响炮鸣，报告御驾已经来临了。一个佛城人一定特别觉得快慰的就是在那么些君主和他们的代表之前，自由市佛郎克福也算是一个小君主，因为他的马厩总管领队先行，披着绣有红地白鹰很好看的纹章的鞍鞯的乘马跟着他，接着是胥吏和职员，鼓手和喇叭手。市议会的代表有市议会的仆从穿着市制服步行簇拥着。此外还加入三中队的市的骑兵，步武整齐。这种马队，我们从幼时在迎接贵宾和别的公众典礼举行的日子就已看见过。我们因同感到这种光荣和享有这种统治权的十万分之一而觉得高兴，现在佛城的权势似乎正在灿烂的时期。世袭大元帅的扈从和六个俗世选帝侯派来的参加选举的使者的各种扈从随后一步一步跟着，各人的扈从至少由二十个部从和两辆花马车构成，有些更多。大主教的扈从更是一个比一个多，仆役和家臣像是不计其数，科尔仑大主教和特里尔大主教有二十多辆的宝辇，梅恩兹大主教一个人就有那么些。乘马和步行的随从全体打扮得极为华丽，仪仗簇拥着的主人——无论是王侯也好，主教也好，都免不了打扮得堂皇华丽，和饰以种种的勋章印绶。凯撒的卤簿当然超过一切的行列，前骑兵、备换之马、马具、鞍鞯等等使万人注目，凯撒的侍从，枢密院顾问官，侍从长，内务总管和御厩长乘着十六辆六马礼车，堂皇华贵为这一队的殿后，这一队纵很壮观和绵亘颇长，也只应列为全卤簿的前驱。

可是，这时行列渐紧凑起来，愈过愈见尊严壮丽，在一班精选的家人——多半步行，很少乘马——簇拥中，参加选举的大使和选帝侯本人，从爵位低的到爵位高的，顺序出现了，各人都坐在一辆华丽的辇内。紧接着梅恩兹大主教之后，有十个凯撒的亲卫前骑，四十一个从者和八个匈牙利步兵为御驾前导这个最华丽的辇，在车后也装有一整块的玻璃，以图画、油漆雕刻和装金粉饰着，上头和内部都张着红天鹅绒使我们得从容瞻仰翘企已久的凯撒和罗马王的威仪。这个巡游的队伍绕了一个大弯，一部分是因为必要这样子，队伍才能次第展开，一部分是想令人山人海的观众都可以看到。它穿过撒克森豪逊，渡过桥，经过法尔街，然后下柴尔街经由加多邻门——从前是一道城门，自从本城扩大以后便成为没有遮拦的通衢——而转到内城中心。在这儿，我们想起世界的美丽的外观自这几年以来总是在高度和宽度上增长，而为之欣慰。人们量度过之后，发觉经过这个旧城门口——从前那么些王公凯撒出入过的城门口——时，现在的御辇，如不要它的雕镂物和别的外部装饰受碰撞，就不能通过。当事者商量补救办法，为避免绕路的不方便起见，便决定将铺路的石板挖起来，因而车辇上落可以轻稳。为着同样的目的，街上的铺摊的檐棚也拆下来，俾辇、王冠、鹫和有翼的神像都不致受碰损。

当两位元首乘坐的珍贵的车辇行近我们的时候，我们虽很留心瞻仰这两位高贵的人物，但也不由得不移转视线看那些雄壮的马、马具和络绦的装饰物。那两个坐在马上的奇异的御夫和副御者特别惹我们注目。他们的样子像是来自别一国，甚至来自别一个世界；他们照着宫廷的服制，分穿着黑色和黄色的天鹅绒长袍，戴着同色的天鹅绒帽子，上插大束翎毛。这时好些仪仗挤在一块，我们不大能够再分辨出来，瑞士卫队列在车辇两旁，大元帅右手拿着一把撒克森的国刀，数名元帅骑着马在辇后领着凯撒的禁军，凯撒的侍从大队的跟着，最后才是御林军本身披着黑天鹅绒的斗篷，全都满镶着金条，里头红色的燕尾服和皮革色的短褂也同样的满压着金线，我们眼看手指，完全出了神了，所以选帝侯的打扮得同样华丽的卫兵，我们差不多没有注意到。假如我们不是要看看我们的市府当局坐着十五辆的两马的马车押尾，尤其是市议会的秘书坐在最后的一辆车内拿着一个天鹅绒的垫子，上放着本城的钥匙，我们恐怕会从窗口退回去。我们的市的精兵队之殿后，我们也觉得极其荣幸，我们在这种光荣的日子身为德国人兼佛城的市民，觉得双重的和极度的兴奋。

我们是在一个人家里借地方来参观的，当这个巡游的行列从圆顶教堂回来的时候也一定从我们那里经过。

神前奉告，奏乐，种种的仪式和庆祝，训词和答词，演讲和朗诵都是在教堂高殿和秘密室内举行，手续繁多直到宣誓尽忠于选举法敕约才算完事，所以我们有足够的时候，来进很精美的午餐，和干了好些瓶酒，来庆祝我们的老皇和少君万岁。同时，我们的谈话——正如在这种日子所常有的那样——醉心于往代的回忆中，而上了年纪的人也免不了有些以为今不如古，至少从当时支配着的某种人间的利害关系和激昂的同情看来，是觉得这样。在法兰兹一世即位时，一切还不是像现在这样的定妥，和约仍没有订好，法国勃兰登堡选帝侯和法尔兹公反对这选举；未来的凯撒的军队以海德尔堡为大本营，驻在那儿，从阿亨运来的“神器”（皇冕、笏剑等）差不多全给法尔兹人截获。不过，人们还在谈判着，两方面对这事情的态度仍不很严重。马利亚·特里西亚皇后纵然在妊娠中，也亲自到来，看她的丈夫的加冕终底于成。她到了阿萨芬堡（Aschaffenburg）登上一只快船，好赶到佛城去。法兰兹从海德尔堡动身想去会他的妻子，可是他来得太晚了，她的船已经开走。他微服上了一只小船去追她，赶及她的船，于是这一对亲爱的伴侣得到意外的聚首而欢慰不胜。这一个佳话，马上传播开来，全世界都同情于这一对儿女满堂的深情的夫妇。他们自结缡以来，便寸步不离，他们已经有一回在维也纳到佛罗兰兹的旅途中一块儿迫着在威匿斯的边界受人检疫。马利亚·特里西亚在本城极受欢迎，她入居罗马皇帝馆，而在波恩海姆林（Bornheimer Heide）已盖了一个大帐幕来迎接她的丈夫，不过僧界的选帝侯中只有梅恩兹大主教一个来，俗界诸侯的使者中只有撒克森的、布希米亚的和汉诺威的。御驾开始进城了，在美满和华丽方面所失的，却因一个美丽的皇后之在场而很能得到补偿。她站在位置很好的一个露台上鼓掌高呼万岁，欢迎她的丈夫，民众跟着齐声高呼，激起极热烈的情绪。既然大人物现在也一时间像是常人一般，市民因此也把他们当作是他的同侪，假如他是爱他们的话；如果他肯把他们看作是亲爱的夫妇，慈蔼的父母，友爱的兄妹和忠实的朋友，他自视为他们的同侪是最适当不过的了。当时人们为他们祷祝无所不至，今日我们已经看见应在他的长子身上，各人因为他的少年的英伟的容貌而对他倾倒，世界因为他预呈的高尚的特征而对他抱极大的希望。

我们完全沉醉于过去的回溯和未来的瞻望中，到后来有几个朋友进来，然后把我们唤醒重回到眼前的事实去。他们认识新奇的事物的价值，赶来先报告一下。他们也晓得将我们刚看见的堂皇庄严地走过的两个贵人的仁慈的特性，对我们讲及，这即是说，凯撒和王约定在凯逊斯丹姆宫和那个大帐幕之间，与丹姆斯达城的伯爵会于林中。这一位年将就木的老诸侯愿再觐见他从前那样尽忠奉仕的主子一次。当日伯爵怎样把选帝侯选举法兰兹做君主的决议送到海德尔堡，和怎样以尽忠不渝的誓言来答谢所受的珍贵的赏赐，两人怕还记得吧。这两个大贵人站在枞林内，伯爵年老龙钟，靠在一棵松树上，俾能够继续谈久一点，两方面在谈话中都似乎感动起来。这一个地点后来以素朴的方法加以标识，我们青年人曾上那儿去过几回。

这样子我们回忆过去和谈论新的闻见把好几个钟头消磨了，然后行列——不过比从前短一点和拥挤一点——再在我们的眼前汹涌而过；我们可以把细目较亲切地观看审察和为将来留下印象。

从这一息间起，本城不断在哄动着：因为非至应该对最高的领袖拜贺的一切人献过殷勤而且一一的表示各种敬意，便来来往往，没有穷期，人们可以从容地将各个在场的贵人的扈从再三观赏。

这时，神器也到来了。不过，在这里，也免不了发生从前惯有的争论，因为梅恩兹大主教与佛城发生护送地界的争执，这些“神器”必要从下半天到夜深搁在露天野外，后来佛城方面让步，梅恩兹人护送它们到斯拉格包因，这事才算解决了。

在这几天我真是神魂不定。在家内要写作抄录，一切都想看也应该看，三月便过完了，它的下半月我们过得好生热闹。我曾答应将最近经过的事和预期在加冕典礼举行那日所发生的事忠实地详细地讲解给格丽珍知道。那个大日子快就临头了，我心里所思量的，多半是我想讲给她听的，而不是我应当讲的；我将我眼中所见和笔下所记录的一切，为这个最近而唯一的用途只一下子就编排好。有一夕颇晚的时候，我终于跑到她的家里，预先我已觉得扬扬自得，以为我这回的讲演比前回没有准备的总会更有成绩了，可是一个偶发的原因，纵然使我们的主要的目的不能实现，却常常使我们自己快乐一点，并且因为我们使别人也更快乐一点。我进屋内，看见差不多还是从前那一班人在那儿，不过，有两个不认识的杂在里头，他们坐下赌牌；只格丽珍和她的年轻的堂兄弟陪着我，靠石板桌子坐下，这个可爱的女郎，很活泼地说出她的快乐来。她说，以她一个外人，而竟在选举日侪于女市民之列，并有份儿看到这个奇异的戏剧，使她非常高兴。同时因为我识得为她操心，常注意到替她觅入场券，证明书，找朋友和寻门路，间接由皮拉的斯通知她，她便在什么场所都可以进去，故对我极表谢意。

关于“神器”一事，她很喜欢听我讲叙。我答应她有机会我们一块去参观它们。当她听说那小王已试穿过御衣和戴过皇冕，她发出一些滑稽的议论。我知道她在加冕礼中想看的是什么和使她注意快将临头的一切，特别是从她那个地方可以看得真切的一切。

我们讲到忘记了时刻，那时已经是过了半夜了，我又发现身边不幸没有带着家里的大门钥匙，如果不惹起极大的惊动，我就不能进屋。我将我的进退两难的情形告诉她，“毕竟，”她道，“还是留在这儿跟我们一块玩过夜最好。”堂兄弟们和那几个外路人已经有这个意思，因为他们不知道怎样安顿后者才好。这事一会儿就决定了，因为蜡烛快将点完，格丽珍拿进来一个备有灯芯和油的大黄铜灯，点着了，然后进去烧咖啡。

咖啡使我们兴奋了几个钟头，但是渐渐斗牌也斗倦了，谈话已中止，母亲睡在大安乐椅上，外路人因为在路上走乏了，随便找着一个地方打着盹。皮拉的斯和他的女友坐在一个犄角里，她的头靠在他的肩膊上，睡着了，他自己也入寐。青年的堂兄弟坐在我们对面大石板桌前两腕交搭着，俯首伏在桌子上睡，我坐在桌后的窗隅，格丽珍在我身旁。我们低声谈话，但是末后睡魔也压倒她了，她的小脑袋挨在我的肩膊上，马上就睡着。这时只有我一个人清醒地在一种极奇异的境地中坐着，但睡魔也渐渐袭到我身上来，使我安静，我睡着了。当我再张开眼的时候，天已大亮，格丽珍站在镜子面前，理她的小头巾。她比从前更可爱一点，当我向她告别的时候她十分恳切地握着我的手。我兜了一个弯回到家里去；因为在我们房子的旁边，在窄窄的鹿窟街那一方，我的父亲在墙上开了一个窥视的小窗（颇受街坊的非难）。当我们回家不想父亲看见时，我们就不走这边。常替我们说好话的母亲，见我早茶时不在座，便替我遮瞒，说我一清早就出门，所以我不曾因昨天在外面度过一宵，而遭受不愉快的斥责。

一般而论，以全体而论，这个在我周围的五光十色繁华无尽的世界，只给予我很简单的印象。除了把事物的外表审视个真切之外，我没有别的意趣，除了我的父亲和丰·姜尼格斯泰尔男爵吩咐我办的事——因为它，我能够认识事物的内部——之外，我没有别的事。除了对格丽珍的爱慕之外，我没有别的爱慕。除了把一切好好的看，好好的把握，俾能够对格丽珍复述和说明它之外，我没有别的意图。当巡游的行列经过的时候，我常低声自语的来描写这个行列，俾能够将一切细目都记得清楚，使我的女朋友称赞我留心和准确。而别人的赞美和称道我只当作是多余的。

我虽然也要晋接许多高贵的人物，不过一方面他们谁也没有工夫来替别人操心，他方面老一辈的人也不知道对青年人应当谈些什么，和试炼他什么。在我这一方面，当别人面前去表现自己，也不是我所擅长。通常我获得他们的好感，但不能博得他们的称赏。我所从事的，我自己了然于胸；但我却不问它能否适合别人之意。我大抵不是太活泼就是太沉静，不是近于急切就是呆滞，视乎我应付的人是我所喜欢或厌恶者而定；因此，我纵被视为满有希望的青年，但又同时目为奇特。

加冕大典终于到来了，日期定在一七六四年四月三日。天气很好，全城的人都哄动起来，家人替我的好几个亲戚和朋友在罗马厅内上头一层号定一个很好的位置，从那儿我们可以俯眺下头全景。一清早我们就跑到那儿去，像鸟瞰一样观看下头我们前几天已看过真切的设备。那儿，新设一个喷泉，有两个大缸分列左右，在缸上的双鹫从两嘴里一边喷出白葡萄酒，一边喷出红葡萄酒来。在附近倒满一堆的燕麦，侧边盖着一间大板屋，在那里头几天前已看见一个大肥牛在煤火上用一条大铁棍串着烧熟了。凡是从罗马厅出去，和从别的街到罗马厅去的路都在两旁用东西拦着，用兵守卫着，这个大广场渐渐挤满了人，人山人海，越来越拥挤，越来越攒动，因为群众总是向有新的景致出现和预知有特殊的事件的地方钻去。

虽然是这样，一切似颇静默，当警钟响时，全体民众像是为惊慌所袭那样。这时凡是能从上头望下去的人们最先注意的，就是亚亨和努伦堡城的使者送“神器”进大寺来的行列。“神器”既为护国的圣物，故在车上占最好的座位，使者们坐在前头，表示对于后座的崇敬，然后三个选帝侯进堂来。“神器”递给梅因兹大主教之后，冕和剑即送到凯撒的驻驿所在。其他的设备和种种的仪式则由主礼者和观众在教堂举行，我们中的熟悉情形的人很可把这个想象出来。

同时，我们看见各地使者们骑马到罗马厅来，华盖由下级官员从那儿带到凯撒的行在去，世袭大元帅丰·巴本海姆（von Pappenheim）伯爵即上马，他是一个身材修长很英伟的人，作西班牙装束，华美的短褂，金色的外套，高高的羽帽，闪耀飘动的假发，打扮得很好看。他动身前行了，在一片万钟的响声中，各使者骑着马跟着他，到行在去，行列仪仗的壮丽比选帝日又胜一筹。在这种日子，人们真愿有分身之术，也到那儿去。在这一息间，我们彼此谈论着在那儿发生的事情，这时凯撒穿着衮服了——我们说——那是照着加罗林格朝旧制制成的新衣服，世袭官们接受了“神器”带着骑上马。穿衮服的凯撒和穿西班牙衣服的罗马王也同时上马，他们这样做的当儿，那先行的长至无尽的行列已将这个报告我们知道了。

打扮得花团锦簇的仆从和其他的官员，一队一队的走过，贵显们庄严地缓缓前行，我们的眼睛已为之看倦了；其后，选举大使世袭官员和最后十二个陪审官和市议员托着华盖，在华盖下凯撒穿着奇丽的衣服，在他左边稍后跟着他的太子，作西班牙装束，坐着装束得很华丽的骏马，翩翩然而来，这时只恨生少了眼睛。我们真希望有一种魔术可以把目前的景象定住，只一息间也好；但是正当这个璀璨的美景不停留地走过，才空了的地方立刻再给潮涌似的民众挤满了。

可是，这时重新发生挤拥了：因为一定要从市场到罗马厅的大门开一条路搭一道板桥，让行列从大寺回来时走过。

在大寺内所有的一切事情，准备着和伴随着涂油式、加冕礼和骑士打剑式而举行的无数的仪式，我们后来很喜欢那些为置身教堂而牺牲了许多别的眼福的人们讲给我们听。

这会儿，我们在位子上略吃一点东西。因为我们一生经历了这种最庄严的日子，不得不以冷食自足了。而且各家窖藏的最好最旧的酒都带到这儿来，因此，我们是饶有古风地庆祝这古色古香的庆典的。在广场上，现在最值得看的就是那已经搭好，用红黄白三色布铺着的桥。最先坐辇，其后乘马，使我们惊异的凯撒就要徒步而行，使我们更为之惊叹了。因为我们以为这样子表现是最自然的，又是最崇敬可贵的呢。

从参加过法兰兹一世的加冕礼的老人的口中所述，那时的情形是这样的。非常美丽的马利亚·特里西亚皇后，在罗马厅旁的露台窗间观看这个庆典。当她的丈夫穿着奇异的衣服从大寺回来的时候，在她的眼中恍惚是加尔大帝的化身。他像是开玩笑那样高举起双手，用御玺、朝笏和奇异的手套向她招手，她见了纵声大笑不止；这个使全体参观着的民众极为欢悦感动，因为人们认为在这里头可以看到基督教世界中最高的一对男女的善良而自然的夫妇关系。当皇后向她的丈夫行礼，飘扬着她的手巾和高声呼万岁的时候，民众的热烈和欢欣达到极点，欢声雷动，简直不能停止了。

这时钟声雷鸣着，长的行列的最先行者已轻轻踏过那彩桥前来，报告一切已经毕事。观众的注意比前更紧张，行列比前更清楚，因为它刚在我们的侧边走过，我们特别的看得真切。我们瞧着它和满塞着民众的广场，差不多像是瞧平面图那样。不过到末后这个壮美的行列挤得太紧了。使节世袭官员在华盖下的凯撒和王，并行着的三个大主教，穿着黑色衣服的陪审官和市议员，绣金的华盖，一切都像只缩成一团，这一团只为一个意志所推动，极其和谐地，刚在一片钟声中，从大寺步行而来，像圣神那样向我们映射。

一种兼有政治的和宗教的意味的庆典，是有无限的兴趣的。我们看见地上的主宰者在眼前权力的种种象征所围绕着，但是当他屈身于天上的主宰之前的时候，他就使我们想到他们两者的共通性，因为各个人也只在他屈身向天帝祈求的当儿才能征见他与神明的联系。

那一片从市场哄动而来的欢声，这时也能播到这个广场上，不绝的万岁之声从千人万人的喉咙里，而且实是从心里高呼出来。因为这回的大庆典将是一个长久的和平的担保品，而事实上，德国也因此享受许多年的太平。

在许多天之前，已经公告市民周知，布桥和喷泉上的鹫都要保存，因此民众不能像别的东西那样摸弄它们。这样子做，为的是免使群众杂沓突追时发生许多的不可免的意外。不过，为让下民的供奉起见，有几个约好的人从行列之后走上前，把布从桥上除下来，卷作一匹布那样，向空中撒开，当落下来的时候，便遮盖着若干数的观众。这时，执着布端和牵它到身旁的人们，使在中间卷布的人们全倒在地上乱抓乱卷，慌慌忙忙，直至它们各自设法裂取了或割取了一角给御驾踏过的神圣的布带回去才止。

这种粗野的热闹，我没有看多久，便连忙从我坐的高台，经过种种的台阶和走廊下来，到罗马厅的大楼梯去，从远处已为万人瞩目的美观的贵显者之群已潮也似的涌进来。那儿的拥挤不大，因为罗马厅的进路已挤满人了，我幸而能够一直的先到楼上的铁栏杆去。这时，贵人们在我旁边走过（他们的扈从却为他的留在下头的圆拱廊内），我可以从各方面看见在三折的台阶上的他们，后来，简直就在我的眼前。

最后，这两位君主都上来了，父和子像两幅同样的肖像画那样一式装束，凯撒的紫缎的衮，满缀着珍珠宝石，冕、朝笏和玉玺都很夺目，因为一切都是新的，而古代的模仿又饶有意味，他穿着这个衣服行来，很是合式，他的笃实威严的容貌同时流露出凯撒和父亲的仪态。幼皇却曳着他那套大袍服，带着加尔大帝的“神器”像是衣不称身的那样。因此连他自己也不禁望着他的父亲莞尔微笑。他的冕——一定里头塞了好些东西——像是屋盖那样罩在他的头上。白缎的长衣和袈裟形的长袍虽然很称身和缝得很好，但是并不见得美观。朝笏和玉玺使人惊叹；可是我们不否认，为好看起见，我们宁愿看见一个过于魁梧的身躯，用这种袍服打扮着，用这种东西装饰着。

当他们刚走过大堂的门关上了，我即连忙回到先前的地方，但已被别人占了，费了一些麻烦才让回给我。

我再在窗前占回位置，恰好是时候：因为最值得看的，让公众看的，刚要开始。全体民众的视线却向着罗马厅。再度的三呼万岁之声报告我们知道，凯撒和王已穿着衮服在大堂的露台窗间现身于民众之前。但是出来演戏让人看的不单是他们，而且在他们的眼前还要开演一出奇异的戏。首先，长身玉立的世袭大元帅纵身上马，剑已除下，右手拿着一个有柄的银皿，左手拿着一块防擦板，他骑马驰到栅栏那儿的燕麦堆上，跳进去，盛满满的一盆，擦落一些，然后很庄重地带回来。这样子御厩已备有刍秣了。然后世袭侍从长同样的跑到那个地方去，拿了一个脸盆盥手盅和手巾回来。但是观众觉得较有趣的还是那个来取一块烧牛肉的世袭御膳夫。他也拿着一个银盘，骑马经过栅栏，到了那个板盖的厨房那儿，不消半刻便再出现，拿着一盘盖着的食物，再回到罗马厅去。然后轮到世袭觞官，他骑马到喷泉那儿，把酒拿回来。这时御筵已经摆好了。万目睽睽的都等着那要大洒金钱的皇库总管。他也骑上一匹骏马，在马鞍的两旁不是系着短铳鞘，而是紧系着一双很华丽的绣着法尔兹选帝侯的纹章的钱袋。他刚开步，就掏钱袋向左右把金钱银币布施似的撒出来，每一回像金银雨那样在空中很有趣地闪烁着。霎时间，万千的手突伸向空中来接这种赏赐，钱币一落下来群众便向着地下乱抓乱滚，抢夺那些跌落在地上来的钱币。赏钱的人骑马向前一下，两旁的这种动作是复演着，观众便觉得很有乐趣。结局更极热闹，皇库总管连钱袋也抛高，各人都争着来攫取这个最好的赏赐。

皇上已由露台退回去，这时，下民又再度有机会得到一些供奉品了。他们在这种场合，宁愿把这些赏赐抢走，胜过让它们留下和感谢地领受。在较纯朴粗犷的时代，盛行一种习俗，即是世袭的大元帅把燕麦的一份取了，世袭的行觞官把酒取了，世袭御膳夫尽了他的职事之后，燕麦、酒泉和御厨就可以在那儿，任民众争夺。这回为避免一切意外起见，极力维持秩序，不使过度，不过往时的无赖的打趣还是要发生。一个人正装满了一袋的燕麦，别人就在它的口袋上割破一个窟窿，还有许多这类的开玩笑的举动。可是，对于烤牛的争夺这回也像旧时那样认真，人们只能够结伙来抢它。屠夫和葡萄酒脚夫两个行会，照着老例再对立起来，两个会中一定有一个争得这个巨大的烧烤物，屠夫自信他们是应得这个牛，因为他们把牛整头的送到御厨去；反之葡萄酒脚夫提出要求，因为御厨是在他们的行会公所的附近建立的，而且前一回他们曾占了胜利。从他们的会馆和公所的顶阁的格子窗口，还可以看见那抢得来的公牛的双角耸现出来，这两个人数众多的行会，有很武勇神悍的会员，但是，这回谁占了胜利，我已记不清了。

可是，这一种的庆典如果收场是有点危险和恐怖。那么任由板盖的厨房放在那儿的时候，真个有一个很可怕的瞬间。厨房的屋顶马上密集着人，不知道他们怎样上去，木板已拆掉和推倒了，使人看见——特别是从远处望来——以为一块木板把闯进去的人压死一两个了。转眼间，板屋已拆了屋顶，各个人攀着桷柱，也想把它们拆卸下来；甚至有好些人在下头拆不动，便更悬身上头撼动那屋架，木屋有突然倒坍之势。柔弱的人们把眼睛望到别的地方去，谁都预期着大的意外事之来临。可是，人们总听不见有一点伤损，纵然很猛烈，很用强，一切都平安地过去了。

这时各人都知道，凯撒和王将再从内室——他们曾从露台退入这儿——出来，在罗马大厅中进膳。御膳的设备，前几天看了就使人惊叹，今天如可能，我只想看一眼，就可慰我的渴想了。我因此循着平常走惯的旧路再走到大楼梯去，那梯子正临着大厅的门。在这儿我目不转睛的瞧着那些贵人们，他们在今天自承为帝国两元首的侍役。四十四个伯爵从厨房里端着肴馔在我身边走过，全都装束华丽，因此，他们的尊严与他们的执役对照起来，足以使一个儿童为之迷惑不置。那儿虽没有很多人，但因为地方小的缘故，也够拥挤了。大厅门布着守卫，执事人出出进进，我一眼看见一个法尔兹的家臣，我央求他能否带我进去，他略一迟疑，把他手上刚拿着的一个银皿给了我；因为我穿戴得整齐，他所以更答应我。于是我得进了那神圣的地方去。法尔兹的食台位于左边，紧靠着门，走了几步，便已到了栅栏后的台上。

在大厅的另一头，紧靠着窗户，高高的宝座上，华盖下，坐着穿了衮服的凯撒和王；可是冕和笏却放在后头颇远的金色垫上。三位大主教的食台在他们的身后，他们各自占一高台坐着；梅恩兹大主教正对着凯撒，特里尔大主教在右，科尔仑大主教在左。大堂的这个高部看起来是很庄严而悦目的，使人发生僧侣拥戴君主历久不渝之感。反之，俗世选帝侯全体食台食桌虽华美地铺陈着，但空无主人，使人想起数百年来渐渐发生的他们与君主间的不良的关系。他们的使节也退出，在侧室用膳：因为华筵是为那么些的看不见的宾客而设，大堂的大部分本已有点儿凄清阴森的景象，而中间的空无人坐的大筵席，看来更显得苍凉，因为这儿也有那么些座是空的。最有权坐在这儿的人，为着体面的缘故，在这个极尊严的日子不肯损失自己的尊严，纵当时也在城里，也不肯参加。

要想详细地审视，我的年纪和目前的挤拥的人丛都不许可我。我只有尽可能把一切谛视，当使节为献殷勤起见，再进来端点心的时候，我便脱身走到街外，上附近的好朋友家里，俾经过今日半绝世之后再痛快的吃喝一下，和准备着看晚上的灯火。

我想欢畅地庆祝璀璨的今宵；因为我会跟格丽珍，皮拉的斯和他的女朋友约定，入黑时在某处碰头。当我会着我的恋人的时候，满城都已灯火灿然了。我伸手跟格丽珍握手，我们由一区踱到别区，觉得在一块儿很快活。堂兄弟们初时也跟我们一道，后来却在人丛中不见了。在几个使节的寓邸之前，华丽地张着灯结着彩（法尔兹选帝侯的使节门前特别显得华丽），光亮如同白昼。为使熟人不认得我起见，我差不多掩面而行，而格丽珍也不以为忤。我们以惊异的眼睛看着种种不同的灿烂光华的灯景和奇异的火树银花，各使者都像故意以此争气斗胜。不过爱斯特哈兹侯爵的设备却驾乎其他一切的王公之上。我们这一小伙人对着这种匠心伟迹惊喜欲狂，正想细细的赏玩一番之际，堂兄弟们又再跟我们碰头，他们谈及勃兰登堡的使者，点缀他的寓邸的灯彩怎样华丽。因此我们从马市街到萨尔馆走了一大段路，也不以为嫌，可是我们竟发见被人恶意地愚弄了。

萨尔馆位于梅茵河那一方，是一个齐整而华丽的建筑物，可是，它的向着佛城的那一部分却陈旧、不齐整和难看。窗户细小，在形式和大小上彼此不谐和，既不同在一条线上，距离又不一律，门户设备得也不均齐，楼下一层大半已化为货摊，外观紊乱得很，从没有人注目到它。这儿，人们也按照屋宇的偶然的、不整齐的和散漫的构造，像别人在华美的房子总会做的那样，每一个窗眼门户都用灯围绕着。可是，从这房子各面的最丑恶难看的，不可信地呈现于最明亮的灯光之中，人们到了这儿来，有点像看见巴利阿苏（Pagliasso，马戏班中的滑稽角）的打诨而乐起来。不过总不能没有猜疑，因为谁都在这儿看出一点故意做作——人们对于这个在别的方面很可敬重的普洛多的一向的外面的举止，先前已有批评，他对于一切仪式都像他的王那样常漠然不以为意，人们从前对他既有好感，对于他的恶意亦为之惊异——所以我们宁愿再回到爱斯特哈兹的蜃楼海市的世界中。

这一位大使，为尊重这个日子起见，简直不管他的寓邸的位置不佳，在马市街菩提树大广场的前面结成五光十色的灯彩大牌楼，背后用更华丽的风景画点缀着。全区域的四周都以灯光照耀着，在树间列着灯光塔和球，用灿烂玻璃脚台承着。由一棵树到别棵树满布着一串一串光辉的花环，上头悬着灯笼。在几处地方，有人分派着面包和香肠给民众，葡萄酒也少不得有分给。

这时我们四个人紧靠着，极快适地蹀躞着，而我在格丽珍身边觉得真像在那极乐园中逍遥着，在那儿，从树上摘下水晶杯，马上就满盛着自己所需的酒。把果子打下来即化成任一种心爱的食物。到后来我也觉得有吃东西的需要了，皮拉的斯便领着我们进一个陈设很宜人的饭馆去；在那里头，我们再找不到一个顾客，因为人们都到街上逛去了，我们自己更觉得舒服，极畅适愉快地在友谊、爱慕的感觉中消磨了这大半夜。当我送格丽珍到她的门口时，她吻我的额头。这是破题儿第一遭，她对我表示这种爱宠；也就是末一遭，因为不幸，以后我就不再看见她了。

第二天早晨，我还在床上躺着，我的母亲却忧闷地焦灼地踱进来。她一感到有点窘迫，别人很容易看出来。"起床吧，"她道，"有点不快意的事情要告诉你，镇静才好。现在已发觉了你跟很坏的人们来往，而且把自己牵连到极危险极坏的勾当里头。父亲气极了，我们只能够得他答应，让第三者来查究这事。留在你的屋子里，等着事情的变化，市议员斯奈德就会到你这儿来；他同时受了你父亲和当局的委托，因为这案子还没有判决，恐怕会有很坏的结果呢。"

我看得明白，人们把这事情看作比原来更坏多了，不过就使真相给发现出来，我也觉得够踟蹰不安了。末后那位送《弥赛亚》诗集给我们的老朋友踱进屋来，眼眶里含着一包眼泪。他用手执着我，说："我心里很难过，我为这样的事情来看您。我想不到您竟会迷误到这样的田地，但是，坏的朋友，恶的榜样，什么做不出来呢；所以，一个年轻没有阅历的人一步一步的便被引到犯罪的路上去。""我自己不觉得什么犯罪，"我接着答道，"曾跟坏朋友来往，我也一样不自觉得。""现在的问题不是辩护，"他打断我的话，"而是查究，在您那一方面，问题就是光明正大的承认出来。""您盼望知道什么呢？"我反问道。他坐下，掏出一张纸来，开始问道："您曾否把某甲推荐给您的外祖父，替他找某一位置？"我答道："对的。""您在那儿认识他？""散步的时候。""在那一伙人里？"我呆了，因为我不愿意卖我的朋友。"不说也于事无补的，"他继续说道，"因为一切已知道得够清楚了。""那么，知道些什么呢？"我问。"那就是，这个人是由他的同类们介绍给您的，这些人就是某某。"他这时举出三个人的名字来，他们我从没有看见过也不晓得；我马上便把这个向问话者说明。"您说，"他继续道，"不认识这些人，但是倒会常跟他们聚在一块哩。""一点也不，"我答道，"因为我不是说过么，除了第一个人之外，我都不认识，而且这人我从没有在那一个人家里见过。”“您不是曾经上过某某街去吗？”“绝没有。”我答。不过这话不全与事实相符。我曾有一回陪着皮拉的斯到他的爱人家里去，他的爱人就是在这条街住；不过我们是从后门进去，只在园的小屋子内坐。所以我可以借为口实，连这街也说没有去过。

这位善良的人更向我提出几个问话，我全都加以否认；因为他想知道的一切事，我一点也不知道，末后，他像是有点不快意，说道：“我对您有信心和一番好意，您的报答却很坏；我是为救您而来的。您不能否认，您曾替这些人或他们的同谋者写信，作文，因此帮助了他们做无赖的事。我来是为救您而来的：因为现在的案子不是什么小的，而是涉及假冒字迹，伪造遗嘱，伪造借据和这一类的事情的。我这次来不独是以世好的身份来；我来还是以当局的名义和承它的命令来的，它计及您的家庭和您的幼年，想为您和一样为人陷害的几个别的青年洗脱呢。”我觉得很出奇的，在他所举的人名中，常跟我来往的人恰没有在里头。情形不是相符，不过是有关连的，我盼望可以不追究到我的青年的朋友。可是，这个精悍的人愈逼愈紧了。我不能否认我有好些晚很晚才回家，我承认自己配就一条家里大门的钥匙，我不止一回给人看见跟下流和形迹可疑的人们到娱乐的场所去，这事情还怕有女人牵涉在里头；总而言之，除了姓名外一切都像是给人发觉了。这个使我有勇气硬着头皮不发一言。“不要让我离开您，”这勇敢的朋友说道，“这案子不容延宕的，我走后，马上就有另一个人来，他就不会给您留那么些地步的。请您不要以您的硬性子来把这个本来坏的事情更闹得坏了。”

这时我想象那两个善良的堂兄弟，尤其是格丽珍，活现在眼前；我看见他们被逮着，审问着，受刑罚，受唾骂。像电光在我的神魂中闪着那样，我突然想起堂兄弟们纵然对我很守规矩，仍不免会干过这种坏的勾当，至少，那老大是如此，他从不为我所喜欢，老是很晚才回家，讲的很少是入耳的话。不过，我老不肯承认出来。“我自己个人，”我道，“不觉得有什么恶的，在这一方面我简直可以放心，我来往的人们会干了一些冒险或犯法的勾当，不是不可能的。你们可找他们，你们可以寻到他们，要他们服罪和惩罚他们，我自己到现在没有可责之处。他们在我面前的态度和蔼而善良，我也没有什么可责备他们。”他不让我说下去，而只兴奋地喊道：“对的，人们会寻到他们。这些犯人聚在三家里（他举出街名，指出那些人家的所在，不幸我常去的那一家也在其中），第一个巢窟已经破获了。”他继续说道，“在这一会儿，其余两个也将破获了。不消几个钟头，一切都会明白。请您坦白的承认，以免受到法庭的查究对审，和一切其他的麻烦事。”那间房子既已举出和指出来，这时，怎样缄默也没有用了；而且我可以希望说出我们的聚会的纯洁清白来，使他们得到比我更大的补助。“请您坐下，”我喊道，拉他从房门回来，“我将把一切讲给您听，使您和我的心都轻松一点；我只求您一桩事：从这会儿起，请您不要对我的话的真实性再有怀疑。”

于是，我将这事情的整个原委讲给这朋友听，初时还平心镇静；可是，我越记起这些人物和事件，以及把他们想象到如在目前，恍惚是好些天真纯洁的愉悦，好些清明的欢乐，都要供白于刑事法庭之前，我的极痛苦的感觉便越增长了，因此，我终于哭起来，尽让自己悲伤，不能抑制。我们的熟朋友，希望恰好在这时候真正的秘密会流露出来（因为他以为我的痛苦是我将勉强地承认这可怕的事的先兆），而它的发现，对于他又是很重要的事，极力劝我安静；他虽只得到一部分的成功，但也足以使我能够把我的故事马马虎虎地讲出来了。他对于这事件经过的清白无辜纵然满足，仍觉得有点怀疑，向我发出新的问题，这再度激起我来，使我痛苦愤怒。我最后断言，我再没有什么好说了，我自知很明白，我不用怕什么；因为我是无辜，我是良家子弟而又为人所称道。但是，那些人不用别人承认他们无罪或有别的援助，也是一样的清白。我同时声言如果人们不肯像我那样爱惜他们，宽容他们的愚钝，和饶恕他们的过失，只稍为苛待他们侵害他们，那么我就要自杀，谁也不能阻止我。讲到这个，那朋友极力宽慰我，但是我不相信他，当他离开我时，我便陷于极凄惨的情景中。这时我也抱怨自己，不该将这事情讲了出来，和把一切关系揭露出来。我预先看见别人会将幼稚的勾当、少年人的爱慕和亲密完全作别的解释，也许我会把善良的皮拉的斯也牵入漩涡，使他很不幸。这一切的想象一幕又幕的接连向我的脑海猛然袭来，刺激和加强我的痛苦，因此我压不住悲酸了，我把身体直挺挺的卧在地上，地板都给我的眼泪沾湿了。

我不知道躺了多少时候，我的妹妹才进来，她看见我的举动吃了一惊，拼命的拉我起来。她告诉我下面来了一个市府的人员，有父亲陪着，等候我们的朋友回去，他们关着门好一会儿之后，那两位先生便去了，彼此像是很满意，甚至带笑的说话。照她所懂得的，他们是这样的讲："那很好了，事情没有什么要紧。""当然呵，"我蹦跳起来，"对于我，对于我们，是没有什么要紧的；因为我没有犯过什么罪，就使我犯了罪，人们也能够替我开脱。但是那些人呢！那些人呢！"我喊道，"谁帮助他们呵！"我的妹妹极力用种种的话宽慰我，她的论点就是说人们既肯开脱有身份的人，对于贫贱者的过失也会装作看不见了。这一切都不济事。她刚走出去，我又陷入极度的痛苦之中，我们的爱慕和感情的对象，以及现在临头的不幸的影子，更迭的在我脑海中浮现着，我自己对自己虚构一桩又一桩的故事，看见的只一件又一件的祸事，尤其是免不了把格丽珍和自己都设想成为很悲惨的样子。

我们的世好曾嘱我留在我的屋子里，除了家人外，不要跟别人谈这个事。这对于我是很合式的，因为我自己独处是最好不过的了。我的母亲和妹妹不时进来看我，竭力以种种的好的慰藉来宽解我，甚至在第二天就以现在较明白一点的父亲的名义进来，自愿完全赦宥我，我虽然感激地接受他，但是对于他要我跟他一道出去瞧“神器”——这时人们的好奇心所集注的“神器”——的提议，我却固执地谢绝，我并断言，非到我知道那件讨厌的案子——对于我恐怕没有影响的案子——对于我的可怜的友人们有什么结果时，我不想再知道多一点关于人间和罗马帝国的事。她们对于这事没有什么好说，便不管我了。不过，过了几天，家人们还几次试劝我出门和参加公共的庆典。这也是徒然的呵！无论朝贺的大典也好，在这庆典中的好些升官加级的事也好，凯撒和王的公宴也好，什么都不能动我的心。纵使法尔兹选帝侯会到来，奉侍于两位君主的左右，后者也会去访这些选帝侯，人们也许在最后一次的选帝侯会议中彼此一致，把悬而未决的事端解决，和重兴选帝侯同盟，这些事总没有一样能够使我不愤激独处。我任由寺钟在谢恩祭时乱响，凯撒的御驾到喀普齐纳教堂（Kapuzinerkirche）去，选帝侯和凯撒起程回去，我却不会因此离开我的房门一步。最后的礼炮，纵然又那样的不同凡响，也不能引起我的兴奋，像炮烟的匿迹，炮鸣的销声那样，所有这些荣耀的事，在我的心魂之前也都无影迹了。

这时我觉得我的消遣，只有悲楚的咀嚼，和虚构地把它放大千百倍。我的全部创造力，我的诗才和词藻，全都集中在这一个创口上。借着这种生命之力，使身心都陷入于不可救药的病之势。在这种悲惨的境界中，再没有别的可以值得盼想热望的了。不过，我很想知道我的可怜的朋友和爱人的现状怎样，切实查究的结果怎样，在这个案子内牵涉他们到什么地步，抑或发觉了无罪，这种无尽的思虑不时的向我袭来。我自己也将这个对自己极详细地形容设想，免不了把他们当作是很无辜和不幸。一忽儿我图打破这个闷葫芦给我的世好写激烈的恐吓信，说他不应该把这事情的后来的经过瞒着我。一会儿我又把这信撕掉，恐怕因此真个陷我于不幸，而夺去了我的幻想的慰藉——靠着它我到现在更番地苦恼和安心。

这样子，我日夜都在严重的踌躇、狂躁和困惫中消磨，所以到末后颇厉害的病向我袭来，我倒觉得幸福。病时，家人请大夫来诊治，并为了医生的话想尽法子来安慰我，家人相信这是一般地可以做得到的，因为他们很严肃地对我确言，或多或少跟那罪案有牵涉的一切人都是极宽大地处治，我的最接近的朋友，像是完全无罪的那样，只略加申斥就释放，格丽珍已离开本城，回到她的家乡去。对于格丽珍的处治最费踌躇，而我认为这不是最好的办法：因为我可以看出她不是出自己意的动程回乡，而是驱逐出境。我的身心和境况都不曾因此而改善；忧苦这时才真个发作了，我尽有时候自寻苦恼地把悲惨的事件的最珍妙的传奇，和一桩不可逃的悲剧的不测，向自己描画出来。

第六卷

这样下去事情更番地促进和阻止我的健康的回复，一种隐秘的郁愤添到我的愁思里：因为我分明觉得，家人监视着我，他们不轻易将隐瞒的事情向我披露，就使披露，也要注意我是否保持秘密，抑或把它泄漏出来，以及如此之类的当心。我因此猜想皮拉的斯堂兄弟中的一个，甚至格丽珍自己恐怕会试行写信来，给我消息，和听我的消息；我这时除了忧虑之外，还开始真个不乐起来，时时胡猜乱想，迷惑于极奇妙的联想中。

没有多久，家人给我找来一个特别的监护人，幸而这人是我所敬爱的一个。他曾在我们的朋友家里充当家庭教师，不过他以前教的生徒已经上了大学去。当我在悲愁的情境中，他常来看我，家人觉得最自然的还是末后，在我屋子的隔壁收拾一间屋子让他住下，使他好照料我，安慰我——如我所分明觉得的——和监视我。不过我既然心里很敬重他，除了对格丽珍的倾慕一事之外我把许多心事对他剖露，而且我觉得跟一个人天天晤对而彼此互相猜疑，互相冰炭，是我受不了的事，所以我决定对他很公开很坦白。因此我不怎样犹豫就将这事情原委告诉他，以缕缕讲叙和复述我过去的幸福的详细情形为乐，并由此得到很好的效果。他既是一个明达的人，便深切地觉得将这故事的结果详细地说给我知，比较好一点。待我对于全件事明白之后，别人才可以诚恳亲热地劝我，应该放下心，把过去抛在脑后，和开始一个新的生活。最初，他倾怀告诉我，那几个青年人本也是出身上流的人，初时误入迷途做些冒险的戏弄人的事，继而做无赖的违警勾当，然后做些可笑的勒诈金钱的行为和其他如此之类的欺骗的事。因此，便真个形成一种作奸犯科的小奸党，聚集了一些没良心的人，以伪造文书、假冒签字开始做种种犯法的事，和准备做更加犯法的事。当我后来再忍不住问他堂兄弟们怎样时，他便说他们是完全无辜的，与那班人只是泛泛之交，但决不是跟他们有关连；至于请托我那个人——本来就因为我推荐给外祖父，人们才追究到我的那个人——是其中最坏的一个，他谋取职位，主要地是借来行恶，或掩饰他的恶行。他讲过所有这些话之后，终于我再遏不住，向他问问格丽珍——对于她我曾断然的承认有极大的爱慕——的近况。我的朋友摇头微笑。“请您放心，”他答道，“这个姑娘很能立定地步，并且带有一个很好的证据。人们在她身上只看到善和爱，连审判员对她也有好感，不能够不照她的希求，让她离开本城。就是她关于您的口供，我的朋友，也使人敬重她。我曾经在秘密的法庭记录内读到她的口供，和看见她的署名。”“署名么！”我喊出来，“这使我那样的幸福又那样的不幸的。然则她招认些什么呢？她署名在什么上头呢？”这朋友踌躇不答；但是，他的脸色的愉快表明他没有隐藏什么使我痛心的事在这里头。“如果您想知道这个，”他末后答道，“以您和她的交往而论，她是光明磊落地这样的说：‘我不能否认，我曾常常并很喜欢见他；但是我老把他当作是小孩子那样看待，我对他的倾慕的确是姊弟一般。在好些场合，我曾好好的劝他，我不独没有诱引他做暧昧的勾当，而且阻止他参加一种会使他受累的无赖的恶作剧。'”

这朋友还继续的背格丽珍的话，她的口吻像家庭女教师那样。但是我已好一会儿不再听他讲了；因为她在供状内把我当作小孩子，极引起我的不快，我相信我为她的相思病一下子就痊愈了。我甚至急急对我的朋友断言，现在一切都完了，我也不讲她，不再提到她的名字；我确不能任由我的坏习惯——怀想她，把她的容貌丰神，举止想象到如在眼前的习惯——继续下去，因为她现在在我的心目中的确是完全另一个人了。我觉得一个至多也不过长我一两年的女子把我——自信也可以算作一个伶俐有心思的青年的我——当作是小孩子，是我不能忍受的事。这时，她的从前对我很有魔力的冷淡拒人的容态，我觉得十分可厌；她许可自己施于我而不许可我还施于她的亲昵更是很可憎。这一切还算好，如果我因为她署名于那封诗体的情信上头，以这个来向我正式披露她的爱慕，很有理由地把她当作是故弄狡狯、毛遂自荐的求媚之女，那才更不堪呢。以她改装到首饰店去一事论，我也不再以为她是清白的，这些愤慨的观察老在我心里打盘旋，直至我后来把她的可爱的特质完全剥掉为止。在理性上，我已经死心了，相信一定要抛弃她；只是她的小影呢！每当她的小影在我面前出现——这确仍是常常有的事——的时候，便把我的理智当作是作伪者那样斥退了。

纵然这一根有逆钩的箭这时确已从我的心头拔了出来，我的内部的青年的回复力怎样奏功仍是问题。我真个鼓起勇气来，首先要马上戒除的就是哭泣和狂躁，现在我已把这种态度看作万分的稚气。这是到复原的路上的一大步：因为我曾整个半夜极痴狂地任情陶醉于这种痛苦之中，因此，流泪和欷歔终于使我食不下咽，饮食的享用变成痛苦，连有密切关连的肺部也是隐隐作痛。我因为发现了格丽珍的真态而日益感觉到的憎恨，使我摒除了这种柔弱的女儿态。我为一个女子的缘故牺牲了睡眠、安静和健康，而这女子却喜欢把我当作一个乳臭小孩，以自居于保姆为贤明，我觉得这未免可惜了。

我很容易就使自己深信，我这种病态的心理，只有靠勤劳做事才能摒除；但是，我该着手做什么呢？诚然，在许多科目上头我有好些要补习，这时我该进大学去，在许多方面我要做这种准备；可是什么我都觉得没味，觉得没有成就。有好些似乎是我习过和平凡的东西。起头学几门东西，我觉得自己既没有魄力，又没有外来的诱引，因此，任由我为我的勇敢的隔房的朋友的癖好引动我作新的研究。这种研究对于我是完全新的，陌生的，久已提供我们以认识和观察的广大的园地。这即是说，我的朋友，开始将哲学的秘密告诉我知道。他曾在耶拿大学受教于达理斯（Daries），他的头脑既很有条理，对于这种学问的体系，他很了然于胸，因此他想把它传授给我。不过，可惜这种东西在我的脑子里却不会像在他的那样联系起来。我发出问题，他答应晚一点才答复我；我提出要求，他应允将来使我满足。我们间的最重要的不同的地方，不过是这样，即是我主张一种独立的哲学部门是不必要的，因为它已完全包含在宗教和诗中。这一点他绝不肯承认，而且还要证明宗教和诗倒要以哲学为基础，这个我坚决地否认。在我们的谈论中，我每一步都找到为我的意见辩护的论据。因为在诗中既一定有一种对于不可能者的信念，在宗教中也恰有这种对于不可知者的信仰。我便觉得哲学如在它园地上想证明和解释这两者，它便立于很不利的地位；而且从哲学史很快就看出来一个哲学家是另寻一个异于别人的根据，而怀疑论者最后却主张一切都没有根据，没有理由。

就以我的朋友认为必须与我研究的哲学史而论，因为我从他的独断的讲述获不到什么益处，我觉得很有趣，也不过因为只要有能力去钻研它，便觉得一种学说，一种主张跟别的一样的好。以最古的哲学家派而论，我最喜欢的是诗，宗教和哲学完全合成一点，我觉得《旧约》里头的《约伯记》，梭罗门王的《雅歌》和《箴言》，与希腊的奥缶斯（Orpheus）和希西阿（Hesiod）的诗歌同样可作为我先前的意见有力的证据，我因此更力持这个主张。我的朋友已为他的哲学讲演的基本观念，略备津梁，我们越研究下去，我从那儿得益越少。初期的希腊哲学家的本来意见怎样，我不能了然。苏格拉底在我的心目中算是一个卓越贤明的人，他的生平和死事很可以与基督相比。可是他的门徒我觉得很与基督的使徒相似，师死之后马上分门立户，每人显然只认识正义的狭隘的一面。阿里士多德的敏锐绵密，柏拉图的渊博，对于我都没有得到一点结果。反之，对于斯多噶派从前我已有一点倾向，这时却得挨披克提忒（Epiktet）的书而读之，研究时我很具同情，我的朋友不喜欢让我陷入这种偏执之中，他又不拔我出来：因为他的研究纵是多方面的，却不知道把主要的问题加以精密的研究。他只敢对我说，在生活上只有行是要紧的，苦乐却是自然而然的。不过，青年只应一任其自然，他不会久执着谬误的原理，生活不久就再把他从那儿扯走或解放出来。

日子已渐晴和起来，我们常一块的到郊外和环城许多开着的娱乐场所去。不过在这些地方我觉得最不好过：因为我到处觉得堂兄弟们的影子像幽灵那样现在我的眼前，并且恐怕一忽儿在这里，一忽儿在那里真个看见一个走出来。人们的极冷落的眼光，我觉得难受。我从前没有人知道，没有人指摘地四处蹓跶，在极挤拥的人丛中也不想到有人察视我的无思无虑的喜悦，现在这种情形已失去了。我像是引起人们的注意，他们的眼光射到我的身上，钉着它，打量它和指摘它；忧郁病的阴霾已开始苦恼我了。

我因此拉我的朋友走到森林中，当我走到那些排列得整齐的枞林边时，我又想到那美丽青密的树林去，它在郊外绵亘不广，不过幅员之大，已可以够一个可怜的受伤的灵魂隐在那儿了。在树林的最深处，我找到庄严的远年的山毛榉和槲树所构成的一个宽大有荫的空地。地面是有点倾斜，由此可见老树的功绩。在这一个空阔的广场的周围，聚成极密的林薮，那儿长着青苔的岩石嶙峋雄伟地突现着，一道满涨着水的溪流湍急像瀑布似的流出来。

我强拉着我的朋友——他以为在野外宁愿置身于人丛中——到这儿来，他用打趣的口吻向我断言，我显出是一个真正的德意志人。他根据塔西佗（Tacitus，罗马历史家，有关于古代日尔曼民族生活的著作）详细地讲给我听，我们的远祖们怎样以爱好这种寥廓的环境，以自然使我们在这个地方从事素朴的耕植的方法而丰美地赋给我们的那种意趣自足。他对我谈了没有多久，我即喊出来："呵！为什么这个美妙的广场不落在深林之中，为什么我们不围筑一道围墙使它和我们都清净起来，与尘世隔绝呢！的确，上帝的崇拜最美妙的就是不用什么神像，只是从我们心里与自然的交感中生出来的崇拜吧！"我那时所感觉的，现在还如在眼前；我所说的话，我不再记得了。但是，的确有一些话的意思是这样，就是只有青年和未受过教育的人们的不固定和广漠的情趣是适宜于崇高之感的，这种情趣如为外物所激动，一定没有形式地，或不可形容地，环绕我们以一种无限超越的伟大。

这样的一种心情，一切人都会或多或少感觉到，他们也谋以种种方式来满足这种高尚的需要，正如泯合一切形态为一的黄昏和夜很容易生出崇高之感，而使一切事物分别隔离的白昼却把它摒弃那样。所以，一切进步的教养文化也会把它消灭，除非有那样的幸运逃避于美丽的自然中，与它契合为一，使两者同样不朽不灭，然后可以保存这种崇高之感。

我的有理智的朋友却不让我多流连于这种短短的欢乐之中；但是，我纵欲在光亮贫乏的环境中再刺激起我这种感兴，也是徒然，甚至连它的回忆也不能保留了。我的心仍是不能安静下去：它也曾恋爱过，爱的对象却给人夺了去；它也曾活过，而生活却日渐萎缩。一个太清楚地显出有意陶冶你的男朋友，引不起你好感；反之一个陶冶你，而又像是姑息你的女人，却当作是带着欢悦来的天人那样崇拜。但是在我心中唤起美感的人已没到远处去了；在槲林荫下，她常出现于我的眼前，不过，我不能固留着她，我觉得有一个强烈的冲动，要在广漠中找寻一个相似的东西。

我已经使我的朋友和监视人不知不觉地惯于让我孤零零独处，甚至逼着他这样做。因为，只有在清净的森林内，那种微茫伟大的情绪还能满足我。眼睛更是我用来把握这世界的感官。从小时候起我已与画家厮混，而且惯于从艺术的观点来观察事物。现在，我既然放任自己，纵情孤寂，这种才能，一半出于自然，一半是从天性呈现出来。我的视线所注，我瞧见一幅画图，凡是惹起我的注意和欢悦的，我都想留着它，我便开始以不熟练的方法来绘写自然。在这儿我也像在一切别的场合那样失败；不过我仍坚持不懈，没有什么技巧上的手段，就想把表现于我眼中的美丽的东西摹绘出来。诚然，我由此能够对于物象大加注意，可是，我能够把握的只是它引起我的感兴的大体；我的天性既注定不大适宜于成就一个刻画入微的诗人，同样也没有工笔画家的天赋。不过，绘画既是留给我的唯一表现自己的方法，我固执地，甚至带着痛苦地耽好着它，我越觉得没有多大成就，我越热烈地继续着这种工作。

不过，我不想否认这里头也杂有一种淘气在内。因为我觉得当我拣上一棵半有树叶荫着——强壮卷曲的根旁长着鲜亮的羊齿和杂生着闪耀着的露草——的老干做我的苦心研究的题材，我的朋友从经验上知道我不能在一点钟内弄完他，通常拿着一本书另寻美好的小广场去。在这时候，便没有什么搅扰我，可以尽情耽溺于我的癖好了。因为我通常觉得画在纸上的看起来，都没有我当时当地我所想象的那样好，我由是爱惜我的纸张，我的描绘便更费工夫。最平常种类的野菜和花卉也可为我们构成一个可爱的画册，因为凡是能唤起人们对于愉快的时光的回忆的决不能没有意义。可是现在我觉得很难把我从各时期剩下来的许多这一类的东西，当作是没有价值而抹杀，因为它能够使我重返于那个时代——我虽然悲恻地而也不是不喜欢回忆的时代。

可是，这些画幅本身虽或有某一种兴趣，它们之所以特为我所爱好，却赖父亲之同情和注意。父亲得了我的监视人的报告，知道我渐渐恢复原状，特别是热烈地从事于自然物的写生，他很为满意，一半因为他自己也很重视绘图作画，一半也因为教父西刻兹曾对他说过几回，可惜我没有委身学画。不过，恰在这个地方，父子彼此的特性又冲突起来：因为我绘画时差不多不能够用好的、白的、完全干净的纸，灰黄，陈旧，甚至一面已写过的纸最为我所喜欢，一若我生怕我的没本事给白地的纸试炼出来那样。而且没有一幅画是完全写好：我虽然看见物象的全体，但不能把握它，教我怎样会写成一整幅的画呢；至于个体我虽然能认识，但是去摹写它，我既没有技巧，也没有耐性教我怎样会写出一幅工细的画呢。在这一点上，我的父亲的教育法也是可惊叹的。他好意地询问我的尝试，每一幅未完成的画稿都画上线框，他想以此驱使我绘画进于完成和细致；不整齐的纸张，他裁到整齐，并开始将它们汇集起来，俾将来可以欣然看到他的儿子的进步。因此，当我的放浪不羁的形骸流连于郊外时，他绝不是不悦意，倒显出满足，只要带回一些画本，俾他能够耐心地谛看和略加增强他对我的期望。

家人已不再操心要我重返于旧时的倾向和情境中，而渐渐任我自由。因为偶然的刺激，以及这些旅行团的偶然参加，我开始漫游山岭间。在幼时，这些山岭像是那样迢远和严肃地列于我的面前，像是可望而不可即似的。我游览荷姆堡（Homburg）、科隆堡（Cronberg），登非乐得堡（Feldberg），从那儿看去，远景引我们越走远一点。姜尼格斯泰因（Königstein）也不肯失之交臂；微斯巴登（Wiesbaden），斯瓦尔巴哈（Schwalbach）和它的近郊使我们流连数日；我们一直走到莱茵河畔，从高处望下去，看见河水从远处蜿蜒而来。梅因兹使我们惊叹不置，不过，它不能使会遨游于空旷中的少年的视线久滞其间。我们看了俾布立喜市特异位置而心旷神怡，满意愉快地打点我们的归程。

我本来答应我的父亲在这次游览中画好几幅画，但是这整个旅行却差不多毫无结果：因为以我这种眼光，这种熟练，这种技能，怎样能够把广大的风景以画表现出来呢！不知不觉的，我被引到细微之处去，因而得到多少益处。因为我所碰见的古代的废宫残垣，没有一样不是看作可贵的事物和尽可能地加以摹绘的。即使梅因兹的壁垒上的贝壳化岩，我也冒一点险不顾恰当与否，对着来描绘。这种心情，凡是想从游览中带一些作为纪念的画回来的人都会经验过。可惜，我这次带去的又只是最劣的稿纸，并且把好些物象不适当地堆叠在一张纸上；但是我的父亲兼导师不因此而失望。他把这些画幅裁开，挑出一些适合的交订装匠裱糊，在一幅画上都画上一个线框把它围住，以此逼着我真个把各种山描画直到边为止，和在里面点缀一些杂草和石头。

他的诚恳的操心纵然不能增长我的技术，但他的爱好整齐的特性给我以一种很大的影响，后来在许多方面都显出来。

这种远足会一半是游乐性质，一半是艺术性质，在短时间内完结，而且常重复举行。可是我从这种远足会再回到家里去，是给一块向来对我有强烈的影响的磁石吸引的，这磁石就是我的妹妹。她只比我小一岁，自有意识以来，我们就一块儿度日的生活，因此使我们两人便极密切地结合着。除了这种天然的原因之外，还添上一个源于我们的家庭状况的诱因。一位虽极慈爱和好意而认真的父亲，因为心里头抱有很柔和的心情，在外表却表演非常始终一贯的铁也似的严正，俾能够达到给他的孩子们以最好的教育，建立政治和保持他的有好基础的家庭秩序的目的。母亲却刚相反，她差不多还是一个小孩子（歌德的母亲的年纪比父亲小二十年，一七一〇——一七八二），只跟她的长男长女一块，和在他们中长出意识来，这三个人都以健全的眼光来发现这世界，有生活力和企求目前的享乐。这样一种笼罩着家庭的矛盾与年俱深。父亲努力实行他的意图不动摇，不间断，母亲和孩子们却不能抛弃他们的情感、要求和愿望。

在这种情况之下，兄妹彼此牢牢相依靠和厮守着母亲，俾一般上得不到的欢乐至少还可以零星获到，是自然的事。但蛰居和用功的时间比起休憩和娱乐的时间要长，妹妹尤甚，她不能像我那样的长时间出门，因此她神驰到我身畔而渴想跟我晤谈。

在幼小的时候，游戏和学习，生长和教养，两兄妹都完全一个样，以致有双生之称，因此，随着心身的发展，他们中间的共同之处，他们的亲密也还保留着。那种以精神的形式，精神的需要，官能的形态表现的青年的兴趣，性的本能觉悟时的惊异，对于这种种的观察——只使我们迷昧而不能使我更明白的观察，正如从山谷弥漫来的雾只遮荫着它，而不能使它开朗那样——以及从此发生的许多错误迷妄，两兄妹都一块儿共尝，一块儿挨受过，而且当他们彼此更接近一点，想弄到明白，分属嫡亲兄妹的神圣的羞耻之心，只越残酷地来把他们分开，所以对于他们的奇异的情况更是蒙昧了。

这个我在前年虽已着手想表白，但我不高兴只大概讲出来，而不加以详细的描述。可是，这个可爱的难以理解的人既昙花一现地就逝去，我觉得有充分的理由，将她的价值追想一番，因此，我就想起作一长篇的诗，在诗中也许能够把她的个性表现出来。不过，我觉得作这诗除了用里察逊（Richardson）的罗曼斯的体裁外，没有别的形式可用。只有加以极绵密的刻画，只有把无穷的细端小节——它们活生生地表现着整个人的全部性格，而且是从不可思议的奥深之处迸出来，也可以显出这种奥深——尽情披露才略能够把这个值得注意的人格的表现传达出来：因为水泉只在流的时候才能识得有泉呢。但是，这种美好而虔诚的企图，像许多别的那样，为尘世的纷扰所牵阻，不能实现，现在，我除了——像是借着一个魔术镜之助那样——把那个已归乐土的精魂暂时召回一下，没有别的法子了。

她的体格高而美好柔嫩，在举止风度上有种自然而可敬的神态融会于一种可人意的温柔中。她的容貌既不动人也不美丽，显出既不是也不能与自己一致的风采。她的眼睛不是我所见者中最美丽的，却是最深邃的，富于含蓄，当它们作一种倾慕、一种爱的表情时，便有一种美妙无伦的光辉，不过这种表情本不是柔媚的，像是来自心坎和同时带着一种憧憬和愿望的那样，这种表情是来自灵魂，圆满丰富，像是只想给予而不需要人去受它。

可是真正毁损她的脸庞以至看起来有时好像难看的，是当时流行的装扮，不独把额全露出来，而且无意的或有意的把它外观上或实际上扩大。她既有一个极女性的和很凹进去的额，头上却有两道浓黑的眉毛和一双前横的眼睛，从这种形象便显出一种反衬，在外人骤然瞥见，纵不生厌，也至少不能动人了。她小时就感觉到这个，年纪越长大，这种感觉越是痛苦，因为到年长，男女两性如觉得彼此都可人意，便有一种无邪的快感呢。

无论何人也不厌恶自己的体貌，最丑者也像最美者一样有权喜欢他自己的容颜，好感既会增人之美，而每一个人都抱着好感来照镜子；因此我们可以断言，每一个人一定也顾影沾沾自喜，纵然他自己不肯以为然。我的妹妹是天生的一个理智非常发达的人，在这一方面，却不盲目地自欺，倒过度清楚地知道，单在外表的美丽上，她很落女伴之后，纵然她的内美胜过她们不知多少，也不觉得安慰。

一个闺秀小姐美貌上的缺憾也未尝不可以得到弥补。我的妹妹就是借着全数女友对她的无限的信心、敬意和爱慕，而能得到很大的补偿。她们无论年纪大一点也好，年纪小也好，对她都抱同样的情意。她跟一班很好的朋友搭伙，其中也有混进去的青年男子，差不多每一个女子都有一个男朋友，只有她还没有对象。不错，她的外貌既然有点可厌，她所流露出来的内心也足拒人而不能动人：因为一种价值（外貌）现在目前却使别一价值缩回去了。她自己很敏锐地感到这个，对我也不隐藏，所以她对我的爱慕越加强烈。这事情是够奇特的，可以对之披露恋爱的理解的心腹的朋友，因为真挚的同情而真个变成共同恋爱者，甚至变成情敌，最后把爱情竟引向自己方面去，我们兄妹间的情形，就是如此。因为当我与格丽珍的关系破裂时，我的妹妹觉得一个情敌已经离开，而暗地里得意，却越加热心地安慰我；所以当她以公正的态度对我说，我是她真正爱敬和认识的唯一无二的人的时候，我也不由得不有几分幸灾乐祸之感。有时我为着失去格丽珍而起的悲痛重新发作，当场开始哭泣、悲叹和撒泼，她看见我对于失去的人的绝望，这种从不曾获得的、失败的和已经逝去的青年爱恋，也急到绝望，我们都以为我们俩无限不幸，特别是因为在这种奇特的场合，心腹之亲的人却不化为爱侣。

幸而那位没来由地惹起不幸的奇异的爱神，这一次却仁慈地插进来，使我们脱离这种困难之境。我曾跟一个在普淮尔私塾念书的青年很有来往。他能够把英语讲解得很明白，我跟他练习，因而听了许多关于英国和它的人民的知识。他出入我们家里已十分久，我却不看到对我的妹妹有爱慕之心，不过他暗地里抱有这种念头，直至神魂颠倒，末后他才突然的一旦宣露出来。她认识他，看重他，而他也值得她这样看待。当我们作英语会话时，她常参加为第三者，我们图从他的口中学得英语口音的奇妙之处，因而我们不但习于英语的音调的特质，而且还习于我们的导师的个人的腔调的特质，以致后来我们三个人讲起话来如出一口，使人觉得很奇怪。他想一样的从我们学那么些德语，却不成功。我相信曾经看见过他们的恋爱的把戏，无论是谈情或写情书，都是用英语完成的。这两个青年男女彼此都很相配：他的体格像她一样高而美好，只稍瘦长一点。他脸庞狭小，如果不是给痘疤弄得太过破相，就可以算是一个漂亮的青年。他的态度安详确定，有时可以称做枯燥冷淡；可是他的心却满着善和爱，他的灵魂充满宽仁大度，他的爱情历久而又坚决和沉着。这一对新近才结合起来的诚笃的爱侣，在别对的男女中显出很奇特，后者彼此较为熟悉，性格较为轻浮，不为将来而操心，轻忽地在这恋爱关系上兜兜圈子，这种关系通常只像是未来的较认真的结合的无结果的序幕，那样的过去，很少对于生命有一种历久不磨的影响。

晴和的季节，美丽的郊野不会为这样快活的朋侣所辜负的，人们惯作河上之游，因为这是一切游乐中之最热闹的。不过无论我们作水上或作陆上之游，个人的吸引力便马上显出来：每一对情侣合在一块，有几个不为他们所拒绝而参加进去的男人——我也是其中之一——或完全没有女性的欢娱，或有也不是在这种行乐的日子所要挑取的。有一个在同样情形中的朋友，他之所以没有爱人，主要地因为他有极好的幽默而不温柔，有很好的理解而不晓得赔小心——没有这个，男女结合便无从设想。这个朋友屡次笑谑地巧妙地怨诉他这种情况之后，答应在下一次聚会作一个提议，俾他和全体都得到裨益。他果然履行他的约言。经过一次美妙的舟行和轻快的散步之后，当我们在有树荫的小丘间，或卧在草地上，或坐在长着青苔的石头树根上，意兴洋洋的吃过野餐，这位朋友看见我们心旷神怡，便带着滑稽的威严，命我们坐作半圆形，他走到这半圆的前面，开始有劲地作下列的演讲：

“极可敬爱的男朋友们和女朋友们，有对儿的和没对儿的！——就从这一个称呼，已显见一个说教师走出来和刺激起诸君的良知是多么需要了。我的华贵的朋友们中有一部分是有对儿的，大抵是很惬意的；另有一部分是没对儿的，他们觉得极不自在。从我自己的经验就可以断言：纵然可爱的有对儿的在这儿是大多数，我也让他们想一下，为全体人关心是否恰为社交的义务呢！为什么我们不许多人联合在一块，俾彼此分享，交换乐趣？而在我们这一群人中又看见再分为那么些小组织，这怎样可能呢？我的意思绝不是反对这样美好的关系，我也不是想只搅扰它；但是一切都有它的适当的时间，这是一句美好伟大的格言，当然谁也不记起它，当他找到充足的慰乐的时候。”

他越说越活泼，越有趣的，继续把社交上的德义和儿女的柔情两相对比。“后者，”他道，“我们从不会缺乏的，我们长存在心坎里头，每个人不用训练就可以成为个中能手；但是前者我们就要寻求就要向它用工夫，我们肯前进多少，才得到多少，不过我们仍永不能毕业的。”——这时他讲到特殊方面，许多人觉得给他的话说中了，不禁面面相觑；不过，这朋友，还算得到特权，人们不把他的话当作恶意，他因此没阻扰地继续讲下去。

“发现缺陷还是不够的，而且单是这样做而同时不识得举出改善的方法，更是不对。因此，朋友们，我不想像复活节前周的布道师那样，空泛地劝诫您们忏悔和为善，我倒祷祝全体的可爱的情侣有最长远耐久的幸福。为要对这个有极确实的补助起见，我提议，在我们大伙儿游乐的时光，分开和取消这个最可爱的小组织。我已经，”他续说道，“准备了实施的方法，只要得到赞成的话。这儿有一个囊儿，男先生们的名字都在里头，请您们抽签，我的小姐们，抽得那一位男先生，就请您欢欢喜喜地赏脸让他伺候您一个星期。这只在我们游乐的组织内才有效，它一取消，这种结合也取消了。谁送您回家，就随您的心决定。”

游侣中有大部分人对于他的话和演讲的方式很高兴，像是赞许他的妙想；有几对还是观望着，以为这样自己不上算。他因此添点滑稽的劲儿喊道：

“真的呵！出乎我意料之外，竟没有一个人跳起来——纵然另有一些人在犹豫着——来赞赏我的提议，说明他的利益，免得我自称自赞。我是您们中的老大哥，上帝可怜我！我头已经有点秃了，这是由于我设想得周到之故。”——

说到这儿他脱了帽子——

“我自己的深思虽弄干了我的皮肤和夺去我的俊美的风度，但是只要它能够使我和别人得一点好处的话，把我的秃头给诸君观赏一下也是愉快和光荣的。我们年轻朋友们，那是不俗的；我们将会老大，那是讨厌的；我们彼此间少互相猜忌，那是好的，并且与这良辰相适应。但是，不久，朋友们，我对我们自己也有许多猜忌的日子会到了。那时节，每日虽看到他自己是停妥了，但是同时别人会猜忌我们，我们甚至不能明白它，所以我们一定要准备一下，现在我就是做这种准备了。”

他的整个演讲，特别是后一部分，是以喀普真派的乞食僧（Kapuziner）的谐谑百出的说教音调和姿势表达出来；因为他是天主教徒，所以他会有充分的机会来研究僧侣的演说技术。这时他像是吁吁的喘着，揩干他的嫩秃的额头——这确使他的容貌像个神父——他借着这种谐谑使这一班轻浮的游侣都高兴起来，大家都渴望继续听他讲。可是，他不续说下去，倒掏出一个囊儿转递给一个最靠近他的小姐。“现在的问题是要试一试了！”他喊出来，“这事是会归功于作俑者的。如果一周内不喜欢的话，我们就取消它，也许仍然照旧一样。”

一半儿甘愿，一半儿被逼，小姐们抽取她们的签。很容易就看到，在这个小把戏中有种种的热烈的情感掺杂着。幸而碰巧，那些轻浮的情侣们被分开了，那些诚笃的却仍在一块儿；而我的妹妹也保持着她的英国少年，他们认为是爱神和幸福之神两方面的厚意。这些新的偶然的情侣，即由发起人为之结合，和举杯祝他们康健，因为欢期只是短促，所以更祝他们快乐。这时的确是我们这一班游侣许久以来所享受的最快活的一刻。分不到女友的青年人现在却担任监督之职，在这一星期内关心他们的精神，灵魂和肉体——我们的演说家这样的说——但是他以为特别要紧的还是灵魂，因其余两者已经识得自助。

这些监督人，为想马上博得称誉，赶快闹出一些新鲜美妙的玩意儿来，在相隔不远的地方准备露天的晚餐，——这是出乎意料之外的——当我们晚上回来的时候，把游艇用灯点缀着，纵然在明月下这不是必要，但是，他们却说明理由，谓以地上的灯光来遮过天上月亮的温柔的照射，是很与我们的新的结合相适应的。当我们上岸的一瞬间，我们的梭伦（立法者之意）喊道："Ite missa est！（走呵，弥撒唱了！）"（弥撒礼最后的法句）各个男子就带着抽签抽得的小姐上船，然后把她交给她本来的男朋友，而再换回他自己的。

在下次的聚会中，规定了这个一周情侣制在夏天继续实施，抽签再次举行。不消说，这种玩笑使这个旅行团有新的意外的转变，各个人都兴奋起来，把他内在的精神和优雅的姿态施展出来，极亲切地向他的暂时的女友献殷勤，因为他深信至少在一周内有充分的欢乐的供给。

这个事情刚弄到停妥，人们不但是不感谢我们的演说者，而且反责备他，说他把演讲的最精彩的部分，它的结论秘而不宣。他听了，力言一篇演讲的最精彩处就是说服人，谁没有想到说服人，就绝不该演讲。因为使人确信是一件困难的事。当人们不管他这个答复，纠缠着他，不让他安宁时，他开始以诙谐百出的话来说教，比从前更是离奇不经，也许正因为他以为是讲正经的事情。详言之，他从《圣经》引出文不对题的格言，拟于不伦的比喻，和不能阐明什么的暗示，来详说这个命题，即是说，谁不懂得隐藏他的情感、倾向、愿望、意图和计划，不独在这人世无所成就，而且还到处受人阻扰，和为人所愚弄，不过，特别是想在恋爱中得到幸福的人，必须牢牢的守着秘密。

他的意思虽不明言，但已概括全体。如果我们想去了解这一个奇特的人，我们可以想象他是一个很有天才的人，在耶苏会的学校中养成他的能干，特别是洞察力，对于世界和人类——但是只从坏的方面——积得很多的见识。他的年纪在二十一岁上下，我也很想学他那样玩世不恭；但是这是没有效果的，因为我是主张做善良的人和把别人看作善良，不过，我受他的影响而对于好些事情渐渐留心起来。

欲使每一个娱乐的团体的人物齐全，就必要有一个丑角，喜欢其余的人把戏谑的箭向他射来，使得冷落的时节热闹一点。他不单是一个稻草扎的撒拉逊人，在竞为谐谑的时候，武士们争拿他来练枪，而且他自己也懂得斗嘴、捉弄和挑拨，很容易就受伤和退走，而当他撒泼的时候，也可以给别人一下厉害的，不过，自然不会做出什么优雅的事来。这样的一个人，在我们的朋友荷尔恩（Horn）身上找到了，他的名字已经足以引起种种笑话（Horn 的意义为“角”，故云），因为他的矮小的身体，平常只被唤做“小荷尔恩”（Hörnchen，小角）。他的确是我们团体中的最矮小的，体貌结实而可人意，低鼻，卷唇，小而灼灼有光的眼睛，构成一个紫棠色的脸庞，像是老要挑起人笑。他的狭小的脑袋蓬满着黧黑的头发，他的胡子很早就发青，他偏很喜欢让它蓬生着，好当作一个滑稽的面具，老逗引朋侣们笑乐。在别的方面，他是齐整而机敏的，他自己表白他有一双弯腿，人们因为他喜欢这样，也编给他，从这个便生出好些笑话出来，因为他以为小姐们要看他的弯腿老在舞场上出现，是小姐们的特性之一，所以她们当他是很好的舞侣而找他。他的愉快是没有尽的，在每一次聚会中，他的临场是少不得的。因为他要跟我一块上大学，我们的交谊更加密切，我讲起他来很敬重他；他也是值得我敬重的，因为他许多年来都以无尽的爱、诚实和耐心来待我。

因为我作诗和把平常的事物诗歌化来得容易，他也受我熏染，做这种玩艺。我们的小旅行团，游乐会和由此发生的种种故事，我们都用诗来点缀着，因为一桩事件的描写便生出一桩新的事件来。可是，这种大伙儿的开玩笑结果常会变为嘲弄人，而荷尔恩君的滑稽表现，又常不是在适当范围之内，所以有时引出不快的事，但不消一会儿又缓和打消了。

他也试行作一种当时很流行的诗体——滑稽的英雄诗。蒲白（Pope，英国诗人，一六八八——一七四四）《鬈发的被劫》（原名 *The Rape of the Lock* 为蒲白初年成名之作品，叙一个美丽的女郎的一束鬈发被盗事），曾惹起许多人模仿。扎卡利阿（Zacharia）把这种诗体在德国的田地培植起来，人人都喜欢他，因为这种诗的通常的对象是一个呆子，天才的诗人赞美优良的人，而拿他来取笑。

当我们考察一国文学——特别是德国文学——看见一种物象曾经一度作为题材，并成功地以某种形式写出来之后，全国人便不能再抛开它，而且想以种种方式来复演，致使后来模仿者层见叠出，原物也被蔽掩和抹杀了。

我的朋友的打油英雄诗可作为我这种议论的证明。在一个雪橇旅行盛会中，把一位小姐分配给一个呆子，这个小姐却不喜欢他。他滑稽地闯了一场祸又一场祸——这是在这种场合时常发生的——直至后来，他请求驱橇权的时候，他从橇座上跌下来，这自然是由于鬼踹了他一脚。那小姐便自己执了缰独自回到家里，她的一个得宠的朋友迎接她，对那不自量的情敌高奏凯歌了。而且，四个不同的鬼怎样逐渐捉弄他，以致后来把这个傻瓜从鞍上推下来，他设想得很妙。这一篇诗是用六脚短长格写成，以一个真实的故事为根据，很能逗引我们这小伙人的笑乐，有人更深信它很可以与勒味（Lowen）的《瓦尔普兹斯祭的前夜》（*Walpurgisnacht*）或扎卡利阿的《法螺大家》（*Renommisten*）相比。

我们朋友间的娱乐只要一晚的时光，而事前的准备只一两个钟头，所以我有充分的时间读书——如我所欲为的——和研究。为博我的父亲的欢心，我用功地复习和普（Hoppe）的小法学书，并让我父亲从里头这儿那儿抽问我，因此我把《法学阶梯》的主要内容，完全习熟了。不过，不肯安静的求知欲，驱使我更为前进，我致力于古代文学史，从那儿作百科全书式的涉猎，因为我把格斯纳（Gesner）的 *Isagoge* 和摩尔贺夫（Morhof）

的 *Polyhistor* 从头到尾读过，由是得到一个观念，觉得许多奇奇怪怪的事已在学说和生活中找到。我这样孜孜矻矻日夜继续地用功，我不独不能启发陶冶自己，而倒使我糊涂起来。但是当我在我的父亲的藏书中找到拜棱（Bayle，法国著述家，一六四七——一七〇六）的著作和加以钻研时，我陷入更大的迷宫中。

但是，我有一桩深信的事，时常重新现在我脑海中，那就是古代语言的重要：因为使我感到困难的，有那么些是源于文字上的混淆，所以我以为在古代文字中保存着修辞学上的一切模范，和同时保留着当时所具有的一切有价值的东西。希伯来文和《圣经》的研究那时已搁置一旁，希腊文也是如此。我对于希腊文的知识不超出《新约》之外。正因为这样，我更专心于拉丁文，它的模范的作品，既近在身旁，而且除了优美的原作之外，还提供我们以各时代的名著的译本和最大学者的著作。我读了许多拉丁文书籍，读时甚觉容易，并且敢自信字面的意义既没有不懂的地方，也能了解作者的原意。甚至，当我听说格老秃斯（Grotius，荷兰学者和政治家，一五八三——一六四五）曾大胆武断地说，他读德伦兹（Terenz，见前）的著作比起小孩子读它时是不一样，我觉得很不快。青年人——甚至全人类——的这种狭小的眼界，实是一种幸福呢！他们的生命的每一刹那，他们都认为圆满，不问真假，不问高低，只问是否与他们适应。

我之学习拉丁文，也像学德文、法文和英文那样，只从它之应用学得来，对它的规则和原理，茫然不知。凡是知道当日的学校授课的情形就不会觉得我之涉猎文法和修辞学是不希罕的。我觉得一切都是自然而然的，我耳中感官中既记住各个字的构造和变化，就容易用它们来写作和闲谈。

弥喀尔祭（九月二十九日）——我应该进大学的时候——快就来临了，生活也跟学问一样的激动我的内心。对于我生长所在的城市的厌倦一天比一天清楚地感觉到。因为格丽珍的远去，我的儿童和少年的根株都由我的心内拔出来了，它要假以时日才能从横边茁生出来，以新的生长来克服旧的伤痕。我再在街上蹓跶，只像别人那样，走路拣必要的路走。格丽珍住过的区域我绝不再过，郊外也绝迹不去，旧城墙和望楼渐渐引起我的嫌恶，市的行政制度也使我不高兴；从前我觉得那么可宝贵的一切现在都像是歪丑的形象那样。我既是市长的外孙儿，这一个小共和国的秘密的缺陷瞒不了我，而且小孩子对于他一向绝对尊重的东西，一旦觉得有点可疑，他便感到很特别的惊讶，而惹起好奇的寻根究底，所以我更不会不知道。正直的人反对从诉讼的当事者谋取利益甚至收贿的人们的徒然的愤恨，在我只太明显地流露出来。我憎恶对民众不公平的事：因为儿童全是道德上的严肃主义者。我父亲对于市府的事，只以私人资格参加进去，常激烈地表示他对于市的许多失政的愤恨。我怎能看见他经过那些研究、努力、旅行和多方面的修养之后而终于不杜门家居过孤寂的生活，如我所愿望的那样呢。这一切合起来使我心里头有很难受的重负，我想能够摆脱它，同时我努力想出一个完全异于规定给我的新计划。我抛弃了研究法律的念头，只专攻语言、古学、历史和一切渊源于它们的学问。

诚然，我把自己所感受的，以及从别人和自然所发现的观念，作诗的描写，无论那一个时候都是使我最喜欢的事情。我这样子做，一天觉得比一天容易，因为它是出自本能，而又没有什么批评使我困惑不前。我纵然不很相信我自己的作品，但我只把它当作是有缺点，而不是看作完全要不得。我的作品中虽有可訾议之处，我暗地里仍深信逐渐一定会改善，我将来终有一天得与哈华多因（Hagedorn）、革勒特（Gellert，诗人，一七一五——一七六九）这一类的人齐名。但是，单是一个这样的决定还是太空和不充分的，我想认真地对这种学问作根本的研究，因为我以为古学的充分的认识可使我自己的著作有迅速的进步，故又想使我能够进大学去，我觉得大学对于一个已欲达而达人的青年，是最值得企求的。

我作这种思想时，我老是念念不忘格丁根大学。那儿的人物像海因纳（Heyne）、米哈亚里斯（Michaelis）还有许多位，我很信仰。我的渴望是想坐在他们脚下，留心他们的学说；但是我的父亲不以为然，纵然有几个跟我一样主张的世交劝他，他却坚持我一定要到莱比锡去。这时我决定违背他的意旨，选择自己的研究和生活之道，这可以算是一种正当防卫。我的父亲不知道我这种决心，反对我的计划，他的执拗更增加我的不孝。当他把为学立身之道、我应当怎样在大学和世间涉历的道理对我再三讲述时，我听了一个钟头，还绝不后悔。

我进格丁根大学的希望既绝，我的视线现在又注向莱比锡。在那儿，厄涅斯提（Ernesti）像是一盏明灯，而摩鲁斯（Morus）也很得人的信仰。我暗地里构想一条跟我父亲相反的路途，或不如说，我在一个颇结实的地基上建造一座空中楼阁；我甚至觉得为自己预先描画一个人生之道，是一件带有浪漫意味的可敬佩的事情。况且格里斯巴哈（Griesbach，《圣经》批评学者、耶拿大学教授，一七四五——一八二一）取了这样的途径，已有很大的成绩，并为人们所称誉，所以我所构思的人生之路越不是幻想了。当一个囚犯解除了他的锁链，锪破了牢狱的铁栅时，他的暗中的欢悦，也不过是像我看见光阴一天一天逝去，十月快来那时的欢悦一样大吧。天气不佳的季节，恶劣的道路，谁都当作谈柄，但我也不怕，想起在冬天的时候到陌生的地方去当新客，我也不觉得悲愁。总而言之，我只看见目前的光景是幽暗的，而其余的陌生的世界，却向我现出光明和欢畅。这样使我构成我的梦想，全然耽溺其中，在这迢迢的远处，只有幸福和满足期待着我。

我纵然极力把我这个计谋秘而不宣，但究竟不能瞒我的妹妹，她初时听了很吃一惊，到后来我答应接她上那儿去，让她也能对于我的新获得的优美的境界跟我一道高兴和分享我的愉快。

我渴盼的弥喀尔祭终于来临了，于是我偕同书商夫莱瑟（Fleischer）和他的夫人——一个天生的颤音唱者，要往威丁堡城省视她的父亲——欣然动身，漠不动心地抛离我生长和教养所在的可宝贵的城市，一若我一辈子也不愿再踏进它的城门那样。

到了某一个时期，儿女就离开他们的父母，仆人离开他们的主人，受庇护者离开他们的恩人，这种想独立而不倚赖他人，自营生活的企图，无论成败，都常是与自然的意志相适应。

我们是从万圣门驱车出城的，不一会儿就过了哈瑙，从那儿我就到了一带新异惹人注目的地方，纵然在那时候的季节是没有呈出什么悦目的景象。连绵的淫雨使路途泥泞不堪，那时的路政还没有弄到像后来我们见到的那样好；因此，我们的旅程既不舒服，也不愉快。

不过，因为这种湿雨的天气，我却得到看见一种希罕的自然现象，我以后再没有看见过这样相仿佛的境界，也没有听见别人说过曾经入目。详言之，我们的车晚间在哈瑙到革因豪逊（Gelnhausen）的路上正登着一个山，这一条路既危险困难，纵然天色很黑，我们也觉得步行还好一点。蓦地里，我看见路的右边一个坑内，有一种奇异的满着光亮的椭圆剧场似的东西。这即是说在一个漏斗形的空间中，闪耀着无数的火光，一级一级的砌叠着，并且亮得那样厉害，眼睛也为之眩。可是，更使人眼花缭乱的，就是这些火光不是静止，而是往来上下和向各方面跳跃着，不过，大部分仍是静止和颤着火光的。我本要把这个奇观看个真切，但却不容我细看，真是惆怅的事。我向驿车夫打听时，他却茫然于这样的奇景。不过他说，附近有一个石坑场，那坑中满贮着水，这个奇景是否是鬼火的魔窟抑或发光体的结集，我便无从断定。

穿过吐灵根的路更坏一点，不幸，我们的车到傍晚在澳厄斯忒特的城外，便陷在泥泞中走不动了。在我们的附近既绝无人烟，只得拼命的设法，把车拔起，我也免不了热烈的使尽我平生的力气。也许因为这样，把我的腰伸得太过度了；不久之后就觉得作痛，好了又再作，几年后才完全告痊。

不过，在同一的晚上，碰到一桩意外的幸福的事情之后，还要感受一种滑稽可笑的不快，一若注定了有倚伏的祸福那样。事情是这样的，我们在澳厄斯忒特遇见一对上流人模样的夫妇，他们因为同样的意外而阻滞了，也是刚到。男的是一个风采英伟可敬的壮年人，带着一个很美貌的太太。他们殷勤地请我们跟他们一道吃饭。当这个秀丽的贵妇要向我亲切地搭讪时，我觉得很荣幸，可是，当我被差使出去催做我们所要的汤的时候，不能胜的睡魔向我——的确不惯于不睡和旅行辛苦的我——袭来，我竟在走路时真个睡着了，头上覆着一顶帽子，再进屋子来，不曾看见他们那些人正在作饭前的祈祷，就失了知觉似的泰然地站在椅后，梦想不到我的举动却会很滑稽地搅乱他们的祈祷。夫莱瑟夫人既机敏多智，又牙尖嘴利，在他们还没有坐下以前，就请求他们不以他们在这时所看到的为怪。她说，这个青年的行客是倾向于桂格教派（Quaker）的，这一教派相信戴着帽子倒是最尊敬上帝和君主的礼貌。这个美貌的太太，禁不住笑起来，因而更显得美丽，这种笑乐虽那样的与她相宜，我宁愿钻入地里去也绝不愿做这个笑柄。可是，当我刚把帽子除下，他们照着社会交际的礼法，马上就把谐谑抛下，借着他的窖藏的佳酿，把睡魔、不快之感和对于旅路上一切的恶劣的事都扫除尽了。

当我到莱比锡城时，刚碰着大市集的日子，使我感到特殊的欢慰：因为在这儿我看见一种故乡的情景继续在我前面，看见摆卖的货物和小贩都跟佛城一样，只是地方和次序不同罢了。我穿过市场和货摊子，感到很大的兴趣，可是特别使我注目的，就是那些人的奇异的服式。东部的居民、波兰人和俄罗斯人，尤其是希腊人的秀美的体貌和可珍贵的衣服，使我大加叹美。

不过，这种熙熙攘攘，一会儿就走过，现在莱比锡城本身和它的美丽，高大的千篇一律的建筑，迎面而来了。它给我一个很好的印象，它一般地是有一种庄严之象，在礼拜日和祭日的静默的辰光尤然，这是不容否认的。在月亮下的街道，一半儿有树荫遮着，一半儿月光照着，也常引我晚上漫步其间。

可是，这种新的境界，比起我一向习惯的来，还不能使我满足。莱比锡城不能使游人回忆到古代去，这个纪念物显示给我们的是一个新的，才过去的征见商业活动和富裕的时代。不过，我觉得非常巨大的楼房，朝着两条街道，在一个周围的楼房筑得半天高的大院子内，自成一个天地，恍惚是一个大堡那样，甚至像一个小城市，也很合我的意思。在这样的奇异的地方，我安顿住下。那即是在介于旧纽尔马克特和新纽尔马克特之间的火球公寓，有一两间整齐的屋子临着院子，院子因为作为过道，是颇嘈杂的。在大市集的时候，书商夫莱瑟先住在那儿，到后来，我因为租钱还相宜而租下。住在我隔壁的是一个学神学的学生，他对于这门学问有精深的造诣，很有思想，不过贫穷而且患着很厉害的眼病，使他对于前途很为忧虑。他这个病的得来是由于看书过度，常到天已很黑，还不罢休，甚至为省灯油起见，跑到月亮下看去。我们的老房东太太待他很慈祥，待我也很和气，对我们两人都很关心。

现在，我连忙拿着介绍信去见枢密顾问官柏麦（Böhme），他本是马斯科夫（Moscov，史学者、法学者，一六八九——一七六一）的学生，现在继他而讲授历史和宪法。一个矮小而神采奕奕的人，十分和气地接见我，并且介绍他的太太与我相见。这两个人也像其余我拜访过的人那样，对于我以后的居留，有极大的期望；不过，我初时总不让人家看出我所打的主意，纵然我差不多不能等到适当的时候，把我抛弃法学研究而委身古学的意思说出来。我决心等待夫莱瑟动身走了，才进行这事，免至我的主意太快的就泄漏给家里人知道。等到他走后，我却绝不踌躇地走到柏麦那儿去——我以为要将这事情首先对他披露——首尾一贯，言之有理地将我的目的对他说明。但是，我觉得，我的陈辞竟得不到他的欢迎。因为他是一个历史学家和宪法学者，对于一切带有文艺的气味的东西都表示憎恶。不幸，他跟掖奖文艺的学者——特别是革勒特一派——又合不来，对革勒特那班人，我又笨拙地表示我的信仰，他更不能堪。把一个真诚的听讲者介绍给那些人，而自己却失掉一个，并且在这样的情形之下，他觉得是绝对不能容许。他因此即席就给我一顿大大的教训，他矢口的说，他不能在不得我的父母的允许之前就让我采这个步骤，就使他自己同意——这是不会有的事——的话。他随后激烈地把文学和语言研究加以丑诋，把诗的习作——我暗中曾露出这个意思——更骂得厉害。最后，他归结到要使我亲炙古学，走法学的路也最易奏功，他对我提起许多优秀的法学家，如鄂图（Everhard Otto）和亥涅克齐乌（Heineccius）之流，以及在罗马古学和法律史方面有说不尽的好处，并极明白地指示我，纵然我后来经过详尽的考虑和得父母的同意之后，仍想实现我的原意，也绝不是绕了远路。他请我恳切地把这事情再加考虑，赶快把我的意思告诉他知道，因为讲授快将开始，马上就要打定主意了。

他不当场逼我，还算不错。他的议论和他讲出来的理由，已经使我这个意志薄弱的青年折服了。这时我才看见我暗地里那样认为可行而构想的事情的困难和可疑之处。随后不久，他的太太又请我到他们的家里。我只见她一个人在家。她年纪已不是少壮，且很多病，非常的温柔和蔼，比起她的刚直而常骂人的丈夫来，是完全两个样子。她对我讲起她的丈夫新近所作的谈话，那样和气、亲切和通情达理地把这事情通盘向我规劝，我不由得不让步了。我所坚持的一点保留，她那方面也答应了。

柏麦跟着替我把课程定好：就是先听哲学、法律史和罗马法，以及其他两三种的功课。我也任由这样决定，不过我实行常听革勒特的关于 Stockhansen 的文学史和他的文学实习功课。

革勒特博得一般青年人的敬爱，是非常热烈的。我也曾去拜访过他，他很和蔼地接待我。他的体格不高大，清秀而不瘦瘠，眼睛温柔，而带一点忧郁，前额很好看，一管恰好的鹰鼻，一个小口，鹅蛋形的脸也很好看：总而言之，这一切使人觉得有他在面前是愉快的，值得企求的。我要费了一些麻烦才看到他。他的两个家仆像是神父之守护圣物那样守着他，不是什么人在什么时间都可以看见他的；这种小心是很必要的：因为如果那些自以为亲近他的人全都接见和使之满意，他就要牺牲整天的工夫了。

初时我用功地认真地听课，可是哲学绝不会使我明白，在上论理学课的时候我觉得很奇异。我从小时起极方便地做的精神的动作，都要割裂剖析，来察视它的应用是否正确。我自信我对于事物、世界和上帝所知的，差不多跟教师的本身一样，我觉得在好些地方逼着我要停滞起来。不过一切还颇循序渐进，到大斋节将临的时候就不同了。在温克勒（Winckler）教授的寓所附近的汤麻士普仑广场上，有些煎饼摊子，他授课的时间，恰就是甘美的油煎饼热辣辣出锅的时候，我们因此阻迟了，以致我们的笔记渐松弛起来，到了新年将近我们的笔记的末尾更随着雪一同的融化消失了。

以法律的功课论，情形也是一样的糟糕：因为我所知道的，恰是教授认为应教给我们的那么些。我初时记笔记的孜孜的勤勉渐渐弛缓下来，因为我从前在父亲身边一半儿问，一半儿答，常常的复习，把法律的功课常记在心头，现在再度把这些来写下，我觉得极无聊。如果人们躐等的教给在学校的青年以许多东西，其所造成的害处在日后更有不好的结果，因为这样子就把用在文字学习和真正的基本知识的时间和注意力分了去，拿来用在所谓现实的学问上，如果教授没有方法，不完不备，它不独不能陶养人，而且使人心散呢。

更有一桩坏处，使学生困难的，我在这儿也顺便说一下。教授们也像别的公务员那样，不能年纪一般的大；可是，年少的教授本来是寓学于教，有好的头脑的，还想迎头赶上时代，因此他们完全以学生为牺牲，来获取他们的修养，因为学生所聆受的不是他们真个所需要的，而是教员们自己做工夫上必要的东西。反之，在年纪很老的教授中，有好些已经停滞不进，历有年所；他们所教的大体上只是一些固定之说，以细节论，还有好些时代已判定为无用和谬误的了。从这两派的教授中生出一种可悲的矛盾，青年学子被人牵着向这两边牵来牵去。有丰足的学识和修养而又不断的努力求学深思的中年教授也不能把这种矛盾解决呢。

我循着这样的途径习了许多学识，而能够消化的却很少，因此心中发生不快之感，而且在生活上也有许多细微的不妥适之处，当一个人转换了地方置身新的境界少不免要先吃点亏。第一件，女人们指摘我的，是对于我的服装，因为我是从家里置办到大学去的服装，的确有点奇异。

我父亲最憎恶的就是无益的事，例如一个人不应用他的时间，或找不到机缘来利用它。他那样的极力主张时间和能力的经济，所以，最使他满意的就是一箭双雕，一物两用。因此他在家里用的仆人没有一个不是有多少别的用处的。他一向是亲手拈笔的，后来却得到口授那个年轻的寄居者笔写的方便，他又觉得最上算的是雇用裁缝做仆人，这样子他一定会好好的利用他的时间。因为他不独要做自己的衣服，而且还要替孩子们和父亲做衣裳，以及担任一切补缀之劳。我的父亲自己找寻最好的棉布料和麻布料，他在大市集里从外路的豪商购买货物，而把它们贮藏起来。我还记得，他时时去探访阿亨城的豪商丰·勒温尼斯（von Löwenich），我从很小的时候起就认识这些著名的豪商。

材料是要耐久的，种种色色的棉布、哔叽和格丁根的麻布，以至所需的里子都备齐，俾我们在衣料方面排场一点。不过为了衣服的式样常把那些衣料全糟蹋了。因为家用的裁缝纵然从前是一个很好的伙计，知道把师传裁剪的衣服缝就，但是现在要他自己裁剪，而这不是常常弄得很好的。还有一层，我的父亲对于自己穿戴上用的一切东西都打理得很好和干净，多年不拿来用，而只是收存着，因此他喜欢一种老的式样和装饰，于是我们的衣服也连带地弄到式样奇怪了。

我带到大学去的全部衣服都是照这个样子备办好，它们是很完备美观的，甚至里头还有绣金边的衣服。我本来穿惯这样的服装，认为穿戴得不错；可是，不消多久，我的女朋友初时对我稍加揶揄，后来却对我合理地譬解说我这样的装束，看来像是从一个别的世界飘下来的那样，我便为所折服了。我虽然对于这事觉得很不痛快，但初时还不知道怎样做好。可是，有一回丰 · 马苏伦（von Masuren）先生——那样得人喜欢的“诗人村夫子”——穿着同一样的衣服登台演戏，引得观众从心内大笑出来。多半是因为他的外貌的枯燥无味，而不是由于他的内部。我便鼓着勇气，毅然将我的全部衣服一下子改换一些新颖的、本地流行的样式，当然因此我的衣服就减少一点。

渡过了这个难关之后，又是一个新的难关到来，后者使我觉得更不舒服，因为那不是一件很容易放下和改换的事情。

事情是这样的：我生出来是讲上德国的方言，教我讲的也是这个，纵然我的父亲不断致力求语言的纯净，并且嘱我们孩子们从小时候起就留心某种方言的缺点的地方，和替我们准备较正确的语言，不过我仍旧保留着许多许多的根深蒂固的特色。因为它的素朴自然，我倒喜欢它欣然的把它特别说出来，所以往往为我的新居地的朋友们所指摘。上德国方言——也许特别是住在莱茵和梅茵所流域的人的方言（因为大河流也像海岸那样，总是有些蓬勃活泼气象的）——多是以暗示和譬喻来表达思想的，若是一个有悟性有思想的人，就用一种格言式的语法。在这两个场合，它常是密实的，但是以表现的目的而论，它是适当的，只是有时确带有一种使较温柔的听官感到刺耳的声音。

每一处地方都爱它的方言，因为它是灵魂所借以呼吸的工具。迈仙城（撒克森邦）的方言（十六至十八世纪流行的语法，即以迈仙城的土话为基础），怎样固执地要支配其他的方言，甚至有一个时期要排斥它们，已为世人所知。我们为这个炫学的专制所苦，已有好些年，后来经过多方的抗争，撒克森邦各省才恢复它们的旧日的权利。一个活泼的青年人长受这样的指摘矫正，他所感到的痛苦，我们可以猜想出来。假如我们试想一下，一个人如任由他的口语改变，随着他的口语同时他的思想方法、想象力、情感和故乡所赋与的性格也要割爱了。而这种难堪的要求却由受过教育的男女提出来，我实不能为之折服，它的不对之处，我相信是感觉得到的，不过不能准确地说出来。他们要禁止我暗引《圣经》的主要文句，以至应用素朴的历史的用语。我要忘记了我曾为凯撒斯堡（Kaisersberg）的盖勒（Geiler，说教学者，一四四五——一五一〇）的爱读者，和免去格言谚语的应用，可是这种语法不用绕来绕去，一语就中主旨；我以青年的热诚学习得来的一切却要我弃去，我觉得我的内心麻木了，差不多不能再知道怎样对于最平凡的事物表达我的观念。此外，我还听见人说，我们怎样写就要怎样讲，我们怎样讲就要怎样写；我觉得讲和写是绝对的两件事，关于这个，每个人都可以主张他自己的权利。而且我在迈仙的方言中也听见许多写在纸上就现出不很好的话呢。

无论何人，凡是听说，受过教育的男女学者和别的出入于上流社交界的人给与青年学子以怎样大的影响，他就——纵然不明白说出来——猜到那是莱比锡城的事了。德国大学校中每一所都有它的特色，在我们的祖国既不能贯彻一种统一的教化，所以每一个地方便牢牢守着它的风尚，把它的特别的个性遗留至最近，大学也恰是如此。在耶拿和哈勒两处，粗野之风极盛，肉体的健强，剑术的熟练和最粗犷的自卫在那儿是流行的。而这样一种情状只可以由更庸俗的放纵生活培养维持的。大学生与这两个城市的居民的关系，纵然有种种不同，但有一个一致之点，就是那些粗野的外地学生对于当地的市民是不尊重的，而自视为唯一的、有一切自由和厚脸皮的特权的人物。反之，在莱比锡的学生一旦跟那儿的殷富和端谨好礼的居民发生多少关系，就只有变为温文尔雅。

诚然，一切的娴雅之风如果不是从一种伟大宏阔的生活方式流露出来，一定会弄到固陋，板滞——从某一观点说来——甚至愚笨；因而哈勒河的粗野的猎者（指哈勒城的居民）也自信远胜过柏莱塞河（Pleisse）流域的柔驯的牧人（指莱比锡城的居民）。扎卡利阿的《法螺大家》永远是一种可珍贵的证据，从那儿当时的生活和性向的样式明白如活地呈现出来：凡是想明了当日的社会生活和天真得可爱的情况的人，一定会欢迎这诗吧。

凡是从一种共同生活的一定关系发生出来的习俗，是不能破坏的，在我的时代，有许多事还使我忆起扎卡利阿的英雄诗。我们的大学同学中有一个怪人以玩世不恭鸣高立异，他跟马车行的全数车夫拜把兄弟，他让他们坐在车厢上，像主人那样，而自己为之执鞭，把车翻了，他当作是一件大大的笑乐。半个马车破了，他会赔偿，车夫偶然肿伤了，他会备汤药，可是他的确没有侮辱过什么人，像是只把公众全体嘲弄了。有一回在极好的出游日子，他跟一个同伴从汤姆士磨坊强拉了一头毛驴，他们打扮得很齐整，穿鞋穿袜像煞有介事地骑着驴，随城跑，麇聚在堤边的游人愕然看着他们走过。有几个好意的人劝止他不要这样做，他却坦然力言，他只想看看基督在同样的场合会怎样卓然自异。不过没有什么人模摹他，他也没有多少的朋侣。

在这儿，有点家财和体面的学生当然很有理由对商人阶级表示尊敬，而且大学区域是法国习尚的典型，所以他们更致力于他们的容仪的整饬。大学教授们因为有家财，薪俸丰厚，生活优裕，不必靠学生的听讲的修金。有些从内地来的学生，曾受教育于王族学校或公立中学，希望升奖，也不敢违背传统的礼教。德勒斯登城之密迩，以及那儿对于莱城的关注，教育当局的诚敬，也不能没有礼俗上甚至宗教上的影响。

这种生活样式我在当时是不以为忤的。我的介绍信，把我介绍到上流的家庭去，与他们来往的社会也同样很好的接待我。可是，不久我就感觉到这个社会对我多所指摘，我依照他们的意旨改换装束之后，我还要照着他们的声调说话，而且我看得很清楚，我在大学生活中在学问和智能方面所预期者，却不能从他们得到多大补益，我因此开始疏懒起来，不作访谒或其他朋友间的应酬。如果我不是对于枢密顾问官柏麦深怀畏敬，对于他的夫人有信仰和倾慕，我就早已完全脱离这种关系了。柏麦先生可惜没有那种优越的本领，跟青年人交际，博得他们的信仰和领导他们。我每一次拜访他，我总觉得无所得；而他的太太却相反，对我表示真切的关心。她的宿疾使她长住在家里。有好几晚她请我去看她，为了我虽然彬彬有礼，但仍不识世人所称为“世故”，她于是指导我种种礼仪上的细端末节，和改善我。在晚间请我时，她只请一个女客作陪。可是这个女子既傲慢而又有教师的臭味，我极不喜欢，所以常时以别人惯施于我那种恶态再施于她。不过，当时她们对我还算能容忍，教给我“辟克特”（Pikett）和“隆伯尔”（L'hormbre）骨牌戏和如此之类的游戏，她们认为这种玩意儿的知识和习练是在交际场中不可缺少的。

可是柏麦夫人给予我最大的影响在什么地方呢？那是关于我的趣味，并且确是一种消极的影响，在这上头，她跟当时的批评家简直同一鼻孔出气。哥特瑟德（Gottsched，德国诗人和国语演剧的改革者，一七〇〇——一七六六）的河流曾泛滥德意志文学界以真正的祸水，甚至有淹到最高的山岭之势。等到这样的洪流退走，泥薮干涸，那是要许多时候，而且在各个时代都有无数的效颦的诗人，由是，浅薄无味的模仿又造成那样的荒漠，关于它现在差不多已没有一点概念了。因此对于坏的东西吹毛求疵是当日的批评家的极大的笑谑，也就是他们的胜利。凡是具有一点悟性，对于旧学略识皮毛，对于新学一知半解的人，就自信以为握有权衡，可以量遍天下士了。柏麦夫人是一个受过教育的女子，厌恶那些不关重要、柔弱和卑俗的东西；而且她嫁的丈夫又是一个与诗歌冰炭不相容的人，她觉得还许可的，他却不以为然。当我拣一些已享有盛名的诗家的诗歌或散文对着她朗诵（因为我也像从前一样看到有些我略喜欢的诗文就把它记熟）时，她初时有几次虽还耐心的听着；不过她的宽容不是耐久的。她最初对我痛詈的一篇东西，就是外塞（Weisse，戏曲家，一七二六——一八〇四）的《时髦的诗人》（*Poeten nach der Mode*）。这诗恰是常为人传诵而又为我所特别喜欢的。诚然如果我将事情看得真切一点，我就不会以她的见解为然。又有几回，我竟敢将我自己的诗——可是匿了名字——向她背诵，而结果也不见得比在其他的聚会好。这样子，在短时期内，我那样喜欢漫步其间的德国诗神之山地上长得美丽缤纷的丰草却给我毫不怜恤地割下来了，我甚至逼着自己要将这些干草翻转，而把刚才给我以生气盎然的欢悦的东西，当作是死的而加以嘲笑了。

摩鲁斯（Morus）教授——他不知道这事——更为她的这种说法张目。他是一个非常温良和蔼的人，我在枢密顾问官路维治（Ludwig）的席上认识他，我请求他许我去拜访他，他很高兴接纳。当我向他请教古文学时，我不隐瞒将新文学中使我喜欢的东西告诉他；他的态度比柏麦夫人安详，但是更糟一点，就是他更基本地来讲论这事，使我两目瞠然，初时感到讨厌，继而惊诧，最后却信仰起来。

此外革勒特在文学习作讲授中常垂涕而道的谏止我们从事诗歌。他只要散文的文章，而且常先批评这种文体。他只把诗歌当作是一种赘疣。最糟的，就是连我的散文在他眼中也得不到多大的称赞：因为我惯于照着我的旧花样老拿一个罗曼斯做基础而好以书信的体裁写出来。题材既富于情感，而风格又逸出散文的常轨，内容当然也不能备有作者的深邃的常识。所以我的教师不怎样称赞我，纵然他看我的课文也像看别人的一样，精细得很，用红墨水改削，有些地方还添上一些道德上的眉批。这一类的文章有好几篇我兴兴头头保存了很久，可惜到后来日子久了便散失了。

老辈的人如想教育的方法真合于教育原理，他应当对于使青年人喜欢的东西，无论什么东西也好，不加禁止，也不加指斥，假如他同时找不到别的东西替代它或与它调换的话。各人都反对我的癖好和倾向，但是他们推荐给我来替代它的，一部分是离我那么远，以致我不能认识它的好处，或者离我太近，我觉得它比起那被指摘的来恰也不见得好点。我对于这事弄到十分迷惑，从厄涅斯提（Ernesti，古语言学者，神学者，一七〇七——一七八一）的关于西塞禄（Cicero）的演说一门功课，我预期有最好的收获。在这一门功课中我诚然学得一些，可是我认为重要的问题，我仍旧弄到不明白。我要求一种艺术批判的标准，而我相信没人有这个标准，因为谁也不跟别人一致，就是他们举例子时也是如此。如果人们还能在像薇兰（Wieland，诗人、公法学者，一七三三——一八一三）那样的人的深得青年欢心的可爱的著作中，举出那些可指摘之点，那我们将从那儿得到公正的批判呢？

当我在枢密顾问官路维治家里吃中饭时，我的生活和研究的散漫割裂就呈现出来。他是一个医师和植物学家，席中的人除了摩鲁斯外全都是新进的医生或将学成的医生。在这几个钟头内，我听到的谈话只是关于医学或自然史，我的想象力便被引到完全不同的境界去。哈勒尔（Haller）、林内（Linné）、步松（Bussvn）等名字我听见很尊崇地提起；虽然为了他们曾经犯了错误而引起大家的争执，但是到后来论到他们的公认的可宝贵的伟大功绩时，又归于一致。谈话的对象有趣味，有意义，使我的注意力大为紧张。好些名字和浩繁的术语，我渐渐认识。我所以更喜欢去理解它，因为我这时怕写一首诗——纵然它还是自然流露出来——或读一首诗，我心里总惴惴然以为现在虽觉得很高兴，但是也许不消半晌就把它当作恶劣的东西，像许多其他的作品一样。

这种趣味上和判断上的不定，使我一天比一天不安，到后来我简直陷于绝望。我也曾把我认为精华的少年的作品带来，一半因为我希望借着它们还可以博得一些称誉，一半可以更确实地考验我的进步，可是我这时已置身于一种恶劣的境界，在这里头要完全改变志趣，把一向所爱的，认为好的东西都抛弃去。经过一些时候和许多挣扎之后，我对于我已开始的和完成的著作那样的鄙视，有一天我竟把所有的诗文、草稿、小品、草案等等同时塞在厨房的大炉中烧去，浓烟熏满了整个房子，我们的善良的老房东太太为之惊惧起来。

第七卷

关于当日德国文学的情况，已有那么多和丰足的文献，凡是对德国文学稍有涉猎的人已耳熟能详，而且对于它也已略有定评了。现在我想在这儿片段地和简单地说到它，不是关于它本身的情形，而倒是它在我心目中的状况。我因此想先讲讲特别惹起时人的兴奋的事物，及一切舒适的生活和一切的沾沾自喜生气蓬勃的诗的艺术的两个死对头：那就是讽刺和批评。

在平静的时代，各人都依着各自的样式而生活着，市民经营他的生计、他的事业，以期后来得到享乐；就是著作家也喜欢有所撰作，使其作品为人所知，所期望的纵不是报酬，也是称誉，因为他自信曾做了一些善的和有用的事了。在这种安静的状态中，市民却为讽刺者，作家却为批评家所搅扰了，于是这恬宁的社会便扰攘不宁起来。

我生当的文学时代，以矛盾抗争而从过去的时代发展出来。德国既久为外来民族所泛滥，为外国所透入，在学术和外交的事项上都以外国文字为依归，它不能够形成它自己的文字。无数的外来语必要也好，不必要也好，强挤进德国文字里，以表达许多新的概念，连已知的事物，人们也必要用外国的词句语法。差不多两个世纪以来，德意志人在不幸和骚乱的情况中粗野化了，因学于法人以求娴雅，学于罗马人以求尊贵地表现自己。可是，在本国文字上也要这样；那种外国式熟语的直接使用和它的半德语化，使交际和日常事务用的文字弄成很可笑。此外人们对于南德语言有过度的理解，并且夸张地应用它。同样人们把侪于王侯的罗马市民的高贵的礼仪施于德国小城市的学术界中，因此弄到非驴非马，极与本国不相宜。

可是，在这个时代，天才的作品已产生出来，同时德国固有的自由乐观的情趣也已作动。这种情趣伴着一种磊落的真诚，写作要纯净而自然，不掺杂外国语，用句平凡易解。不过，为了这种可称道的努力，本国的浅薄之风便得以门户洞开，堤防冲决，洪流才可以侵进来。同时，拘泥的炫学之习在神学、医学、法学、哲学四部门中已根深蒂固，直至后来竟由这一部门逃入别部门中。

因此，头脑清晰天性纯朴的人们便有两种对象可以供其论议，论难以至——因为这事情既没有很大的重要——肆行攻击：这两个对象中的一种就是给外国语、外国语的构造和语法弄坏了的国语，以及想免去这种错误而自存的凡庸的作品。在这里头，没有人想得到，当与一种谬误斗争时，别一种却应召而来援助了。

青年气盛的李斯科夫（Liscow，讽刺家，一七〇一——一七六〇）首先大胆对浅薄愚鲁的作家的个人加以攻击，后者的拙劣的反噬的举动，不久就使他有机会更激烈地讥评。其后他愈加猖獗，常对一定的人，一定的对象肆意嘲弄，他鄙视他们，和使他们受到鄙视，憎恨的情溢于言表。不过，他的生命短促，不久就死去，只使人记起他是一个不安静的反常的青年。他虽没有多大成绩，但是在他的著作中，国人已觉得他的才能和性格可贵地表现出来；因为德国人对于早逝的很有希望的天才者常表示特别的敬意的。总而言之，很早就有人以李斯科夫为优秀的讽刺家，称道推荐于我们之前，甚至可以驾乎为一般人所爱的拉宾纳（Rabener，著述家，一七一四——一七七一）之上。诚然我们在他的著作中只看到他在当时愚妄中指摘出愚妄，在我们看来，这是十分自然的事。

拉宾纳受过很好的教养，在良好的学校教育中长大，天性爽朗而绝不是抱有偏感，怀有恶意，专事讽刺的。他对于所谓愚和恶的非难，是源于冷静的人类理性的纯洁的观察，和一种对于世界的道德观。他对于错误和缺点的责备是素直的，爽朗的，因此他的著作纵有一点大胆之处也可告无罪，这是假定以嘲笑改善愚人，不是没有结果的事。

拉宾纳的人格是不容易再找得到的。他像一个能干精密的实际家那样（他曾任德勒斯登的财政顾问）尽他的责任因此能获得当时人的好评和他的上官的信任；此外，他还把目前的一切事物恣意的拿来打趣，引为笑乐。他拿炫学的学者，有虚荣心的少年，各种的固陋和愚昧来开玩笑，而不是嘲笑他们，即使他的嘲笑也绝不表现出一种藐视。他对于自己的情况，他的不幸，他的生和死也同样拿来打趣。

这个著作家处理他的题材的方法是不大艺术的。在外表的形式上他虽然繁杂多趣，但是他彻头彻尾应用直接的讽刺太多，以致他赞美值得非难的，而非难那值得赞美的，这一种的雄辩的手段，只应用得极少。因为，久而久之，有见识的人觉得它讨厌，没见识的人为所迷惑，只有中等的人引以为乐，因为他们没有什么特别精神上的消遣，自以为比别人聪明呢。但是他所提示的以及他怎样提示的，征见他的正直，爽朗和平心静气，因而我常为所感动。当时对于他的无限的赞美是这种道德上的优点的结果。

世人之在他的一般的描写中寻求和找到典型，是自然的；由是，个人对他抱怨。他断断为自己辩护，不承认他的讽刺是涉及个人，具见人们惹起他怎样不快。在他的信中可以征见他足为人类与著作家之表率。在一封他写的可靠的信中，他描写德勒斯登城之围，他怎样丧失他的房子、动产、著作和假发，绝不见他的澄平的心境有一点动摇，他的乐观有一点阴霾蔽着，纵然与他同时的人和同城的人不能原谅他这种愉快的心境，这仍是极可宝贵的。他说到他的气力就衰和将临的死期的信是极端可敬的；拉宾纳真值得为一切爽朗、明达、乐为尘世尽力的人们所尊崇，视同圣哲呢。

我本不愿意抛下他而讲到别的题目，但我只想再说一句：他的讽刺完全是关于中层阶级的。我们有时可以看见他也充分地认识上层阶级，但他以为犯不着涉及它。我们可以说，他没有后继者，找不到一个人足以与他相比的。

现在让我们讲一下诗的批评吧，并且先讲理论上的尝试吧！如果我们说，当时观念的要素是从人间逃到宗教去，甚至在伦理学说中也并不出现，不是说得太远吧；关于艺术的最高原理谁都茫然不知。有人给我们一卷哥特瑟德的《批评诗法》（*Kritischen Dichtkunst*）来看，它是十分有用而可以启发人的：因为它传授关于各种诗体的历史的知识，以至诗的韵律和各种的运动。诗的天才却已先假定了。此外，诗人却要有知识、雅趣、博学多能，以及如此之类的条件。后来，人们又叫我们参考贺拉逊（Horaz）的《诗学》（*Dichtkunst*）。我们崇敬地展诵着这本极宝贵的著作的零星的金石良言，但是我们一点也不知道它的全部对我们有什么用处，和应当怎样用它。

瑞士批评家之出现是与哥特瑟德立于相反的地位的。因此他们所为一定有点不同，希图有好一点的成就，我们也听见人说，他们的确优秀一点，让我们拿布赖丁格（Breitinger，反对哥特瑟德的古典主义的瑞士美学者，一七〇一——一七七六）的《批评诗法》来说。在这儿我们是置身于较广大的田园中，其实却只是较大的“迷园”，领我们到那儿逛的既是一个我们相信的能干的人，我们因更觉得厌倦。只要略为翻阅就可证明这话是对了。

我们不能为诗的艺术的本身找到什么基本原理：它是太形而上的和太缥缈了。绘画这一种艺术，我们可以用眼睛来凝视，可以用外部的感官一步一步追蹑，似还适于这种目的；英人和法人已有关于造形艺术的理论，人们便相信也可照样的创立诗学的原理。绘画是将形象置于眼前，而诗则将形象置于想象力之前；所以诗的形象是要拿来考察的第一桩事。人们先从比喻出发，然后继之以种种的形容，只要常能表现于外部感官之物，便用语言表现出来。

那么，就讲形象吧！可是除了从自然采取形象之外还从那儿采取呢？画家明白地模仿自然，为什么诗人不这样做呢？不过，就这样呈在我们之前的自然仍不能模仿的：它既包含有那么些没意义的、没价值的东西，我们就必须加以选择；可是选择以什么为标准呢？我们必要寻求那有意义的，但是什么是标准的呢？我们一定要寻求那有意义的，但是什么是有意义的呢？

为答复这些问题，瑞士批评家也许煞费踌躇，他们忽发生一个奇异而可笑的思想。因为他们说，最有意义的事物常是新的东西；略加考虑之后，他们又觉得可惊异的事物总比别的一切新一点。

这样说来，诗的要素已略综合起来；不过我们可以思维一下，一件可惊异的事物仍旧是空的，于人类无关。这一种必有的关涉，定然是道德的，因之又一定是能够改善人类的。如果一首诗除了有别的成就之外，又可用它达到它最后的目的了，人们便根据这全部的要素，来试验种种的诗体，凡是摹绘自然，而又有可惊异的特色同时并具有道德上的目的和有用处，那就算是最好最上乘的诗了。详加考虑之后，深信这个优越的位置终该给予《伊索寓言》。

现在，这样一个结论在我们看来纵很奇怪，但对于头脑很好的人却有莫大的影响。革勒特和后来力喜特维尔（Lichtewer）在这方面致力，连勒辛也想在这方面用工夫，更有许多别的人用其才力于此，都足征这种结论所赢得的信仰怎样了。理论和实际互相影响，从作品方面可以看见作者的思想怎样。而从人的思想可预知他将要做怎样的作品。

不过，我们在没有将瑞士派的学说加以公正的评议以前，我们还不应搁下不谈。波德麦（Bodmer，瑞士著述家，一六九八——一七八三）虽很努力，但在理论上和实际上一辈子仍是幼稚。布赖丁格是一个能干、博学、富于见识的人，当他正确地展望之时，诗的全部要素不会为他所忽略，而且我们还可以证明他也感到他自己的方法的缺点。比方说，他也曾问道：丰·刻尼喜（von König，德诗人，一六八八——一七四四）在奥古斯二世歌咏（撒克森之君主，一六七〇——一七三三）

的游乐园中某一首诗是否真可算作诗？这话便很值得注意；他的解答也同样饶有意义。可是，有一点可为他充分辩护的，那就是他虽是从谬误之点出发，差不多走了整个圈子之后，仍能碰到主要之点，礼俗、性格和情感——一句话，内部的人——的表现认为决定诗的艺术的主要条件，这个见解在他的著作的末尾像附录那样子必须介绍出来。

青年学子因为这种支离的格言，半懂半不懂的法则和破碎的学说而陷于怎样的迷惑，是不言可喻的。有人便依靠实例，但是这也不见得好多少；外国的例子离得太远了，古的例子也是这样，而从本国的最好的例子中每现出一种断然的个性。它的好处，我们不能够效颦；它的坏处，我们定要仔细的防避。在觉得自己有点创作力的人们看来，这种情形的确是非常绝望的。

如果我们把德国诗所缺乏的观察真切一点，那我们就可以看出它所缺乏者是实质而且是显露国民性的实质，在才力方面是绝不缺乏的。在这儿让我们只提到君特（Günther，抒情诗人，一六九五——一七二三）吧。他很可以称为真正十足的诗人（就最严格言之）。他是一个实在的才子，天生就有良好的感觉力、幻想力、记忆力、把握和想象事物的才干。创作力极富，在韵律上是妥适、玲珑、巧妙，并且渊博。总而言之，凡是要以诗在生活中——并且平凡的真正生活中——产生第二个生活的一切条件，他都具备了。他在应酬诗中以情感来使一切情景高尚化，并以适宜的意趣、图绘、历史和寓言的传说点缀其间，毫不费力，使人惊叹。至于他的诗中的粗野之处是与他的时代，他的生活方法，特别是他的品性——我们也可以说他之没品性——有关。他不会驯服自己，因此，他的生活也像作诗那样把他埋没了。

由于一种粗野的举止，君特便辜负了他被召入奥古斯二世的宫廷的幸福。在这宫廷中，除了一切别的荣幸之外，人们还想搜求一个供奉的诗人，俾能够在庆典盛宴时添加活气和装点，以及使一种刹那的华丽留传久远。丰·刻尼喜是较温文有礼和幸福一点，他任这一个职位时颇得人的敬重和称赞。

在一切君主政体的国家内，诗的艺术的内容是从上头来的，也许慕尔堡（Mühlberg）的游乐的行宫就是现于诗人之前的第一个可宝贵的，纵然不是全国的也是地方的题材。两个君主在大军之前彼此交欢，在他们左右的全部的廷臣禁卫，整齐的军队，操演和种种的庆典：这些事已够供人耳目之驰骋，和有充分的材料供描写记叙的诗之用了。

这种题材当然是有内部的缺陷的：那就正因为它只是豪华和外观，没有什么有意义的实际行动从那儿呈现出来。除了王公贵人外，没有别人能引起人的注意；就使能够的话，诗人也不敢将他特别提出，以免损及王公贵人的威严。他必须请教廷臣录和朝臣录，因此人物的描写结果流于干燥无味，即当时的人也曾经责备他，说描写马还比描写常人好一点。可是，他在有一题材足供吟咏的地方，即表见他的艺术，这不是恰成为他的可称道之处吗？而且主要的困难之点也像已经呈露于他的面前：因为诗吟来吟去总不能超出头几节的范围呢。

在这种研究和考察的当中，一桩意外的事件向我袭来，使我想从头认识我国的新文学的壮志又消失了。我的同乡约翰·乔治·斯罗塞尔（Johann Georg Schlosser）在大学内用功努力完成其学业后，便在佛郎克福城照着老例充当律师；但是他的奋斗和进取的精神，因为种种的理由不能在这种情况表现。他毅然受居留于图勒普多夫（Treptow）的符腾堡公爵路维治之聘为私人秘书，因为公爵与少数的大贵族想以一种高贵和独立的方法来启迪，改善自己、家族和全体人类以及联合来从事较高尚的目的，为时人所称道。有一个德国王公为征求关于儿童教育的意见，曾写信给卢骚，他的有名的答复是以这样的可疑的句子起头的："如果我不幸生而为王公的话（Si j'avais le malheur d'êtrenéprince）。"这个王公就是现在说的路维治公爵了。

斯罗塞尔不但要经管公爵个人的事，和随时进言尽力，而且对于他的儿女的教养，也是如此。这个年轻、高尚和怀有好意的人，力求道德之极端纯洁，这种冷酷的严肃，很容易使人敬而远之。假如他不是具有一种优美的罕见的文学的修养，精通外国语言，和长于以诗文写作表现自己，使谁也为他所吸引和易与他相处的话。他这次路经莱比锡城，已有人通知我，我翘企地盼着他来。等他到了，在一个旅馆——或酒馆——安顿下。那间旅馆是落在布路尔街，掌柜唤做申科普夫

（Schönkopf），这个人的太太是佛城人。这间饭店纵然在平时很少人来吃东西，而房子小得也不能容纳许多客人，但是在大市集的时期，好些佛城人常到那儿来吃饭，必要时还在那儿住下。斯罗塞尔派人通知我他已来到，我连忙跑到那儿去访他。他的体貌变到使我差不多记不清我从前曾否见过他。我看见一样年轻而体格好的人站在我的面前，他的脸庞圆而紧凑在一块，但并不因此而使容貌呆钝。他的额头的圆圆的轮廓伴以黑色的眉毛和假发，露出一种真诚、严肃、甚或固执之态。他有多少是刚跟我相反，为了这个打下了我们的长远的友谊的基础。我很敬重他的才能，我分明觉得他对自己的一举一动之确信，胜我不知多少倍。我对他表示的敬重和信任证明他对我的好感为不误，和使他对我益加宽容——我的活泼轻躁和敏捷，恰与他相反的性格，使他不得不如此。他很用功地研究英国文学家蒲白的著作，纵不是他的模范也是他的目标，他为与《人类的诱惑》（*Versuch über Menched*，为蒲白晚年的作品）一诗对抗起见，曾用同样的体裁和韵律写一首诗。在这诗中，他要制造出基督教对自然神教的胜利。从他带在身边的一大堆的文稿中，他拿出一些用各国文字写的诗文给我看，因为他要激励起我照样来一下，使我再度感到无限的不安。不过，我还会以努力尝试来马上消除这种不安。我写一些德文、法文、英文和意大利文的诗赠给他，它们的材料是从我们的有意义有启迪作用的谈话中得来。

斯罗塞尔欲离开莱比锡城，而不亲与当地的有名人物把晤一下。我高兴领他去见我认识的人；我不曾拜访过的人，我却为他而很荣幸地认识了。因为他既是一个有学问和有身份的人，故备受优渥的接待，而他也能够议论风生，滔滔不绝。我们之访谒哥特瑟德，不应略而不记，因为这人的品性风度由此现出来。他很体面地住在金熊馆的第一层楼上，因为哥特瑟德诗集、译本和其他帮助使布赖特科普夫（莱比锡城著名书商的始祖，一六九五——一七七七）的书店得有很大的利益，故老布赖特科普夫曾许给他一所终身的寓所。

我们叫仆人替我们通报，仆人领我们到一间大屋子内，他说，主人马上就来。我们是否看明白他所作的手势，我说不清，总而言之，我们相信他是指一间隔壁的屋子，让我们进去。我们进去之后，便看见一个奇怪的景象；因为一转眼，哥特瑟德已从对面的门踱进来，他是一个硕长魁梧的人，披着一件绿缎面红绸里子的睡衣；但是他的大脑袋却光秃秃的，没有什么东西盖着。可是他的头马上就要覆着，因为仆人手上托着一副长的假发（发一直垂至肩膊）从侧门连跳带跑的进来，以可怕的姿势把头饰递给他的主人。哥特瑟德绝不露出一点不快，用左手从仆人的臂上拿起假发，当他很熟练地披在头上的时候，便用右掌赏给这个可怜的人一个耳光，以致这个仆人像在喜剧中所常见的那样从门口滚出去，跟着，这个有名望的老翁强我们很严肃地坐下，很温厚地跟我们作颇长的讨论。

当斯罗塞尔还留在莱比锡城的时候，我天天跟他一道吃饭，因此认识了一班很好的共食的人。其中有几个利夫兰人（Livländer），德勒斯登的宫中牧师长赫尔曼（Hermann）的儿子，即后来莱比锡城的市长。他的家庭教师枢密顾问官普淮尔，即《P伯爵》[*Grafen von P*，为模拟革勒特的《瑞典女伯爵》（*Schwedische Gäfin*）而作]的著者，以及诗人扎卡利阿的兄弟，和地理学谱系学纲要的编者克勒布尔（Krebel），他们都是彬彬有礼爽朗而和蔼的人。扎卡利阿是最沉默的。普淮尔是一个娴雅而有点外交手腕的人，但没有矫饰，而且很亲切。克勒布尔的确像莎士比亚剧中的丑角，又高又胖，肤色白皙，眼睛灵活而灼灼有神，老是快活而和气。一半因为斯罗塞尔的关系，一半也因为我自己流露的好意和殷勤，这些人全都待我极为优渥，不用多费说话，以后就可跟他们一同吃饭。斯罗塞尔动身走后，我仍跟他们一道，而抛弃了路维治那儿的饭局。还有一个原因使我更乐于留在这个不公开的社交集团中，那就是因为那酒店主的女儿是一个美丽可爱的女孩，我很喜欢她，可以有机缘来互通友谊上的眼波。自从格丽珍的事变以来，这一种欢悦我已不再企求，也不曾偶一找到呢。我畅适地和有益地跟我的朋友们消磨午饭的时光。克勒布尔确待我好，并且会有限度地来打趣我和鼓舞我；普淮尔却对我表示认真的爱慕，因为他对于我许多主张时时加以指导和赞同。

在这种交际中，借着谈话，使我深思熟虑，而且明白，欲想从浅薄冗赘和空虚的文学时代脱身出来，第一步只有借助于明确、精密和简洁的文章。以一向的风格而论，我们不能把平凡的作品和优秀的作品分别开，因为一切都同趋于肤浅。作家们已力图避免这种通病，他们的成就大小不同。哈勒尔（Haller）和蓝勒（Ramler）在本性上是倾向于简洁。勒辛和薇兰考虑的结果也走到同一的路上去。勒辛的诗逐渐弄到简洁像格言诗那样，*Minna* 和 *Emilia Galotti* 都以简洁称，到后来他才复返于一种明快的素朴自然，在 *Nathan* 一篇里用这种笔调写得很适当。在 *Agathon*、*Don Sylvio* 和《喜剧的故事》（*Komische Erzählungen*）等诗中还是冗长，但是在 *Musarion* 和 *Idris* 两诗便沉着精密，很可惊服，且甚优美轻快。克洛卜斯托克在他的《弥赛亚》（*Messiah*）前几曲中还不免冗长之弊，在颂歌和其他的小诗便简洁起来。他的悲剧也是如此。因为他力求比美古代作家——特别是塔西佗（Tacitus）——之故，他不得不日进于简约，以致后来弄到别人不能了解和欣赏。革斯敦堡（Gerstenberg）是一个优美而瑰奇的才子，也是趋于简洁；他的功绩虽可珍贵，但以全体论却不大使人喜欢。格莱姆（Gleim）天性冗赘而不着急，在他的战歌中几不曾有一首是简洁的。蓝勒本一批评家，而不大像诗人。他开始搜集德国诗人在抒情诗方面的成绩。他便发见差不多没有一首诗使他完全满意。他必须删除，编订，更改，以至这些诗后来只留得一些形体。由是他招出好些敌人，差不多凡是诗人和鉴赏家都在其中，因为无论那一个诗人，本来只互觉得彼此的缺点，而社会人士所关心的还是一个错误的个人，而不大理会到依据一般的文艺法则，整顿之后会有什么结果和改善了什么。当时韵律学还在摇篮之中，没人知道缩短它的幼稚时期的方法。诗的散文风行一时。革斯涅（Gessner）和克洛卜斯托克引起许多模仿者；更有人提出一种韵律，把这种散文翻成好懂的韵文。不过，这些韵文也得不到人们的赞赏，因为它们必然的有遗漏和有损原意，散文的原作总好一点。可是，无论如何，诗越求简洁，它的批判便越好，因为那有意义的东西既紧凑起来总可以拿来作确实的比较。同时又有一个结果，就是，好些真正的诗体发生了；因为诗人从他所欲描写的每一对象中只谋表现那必要的，他就必须公平地来对付这个对象，这样子——纵然没有人是有意识地做——表现的方法就繁异起来。诚然其中也有些奇怪可笑者，许多尝试得到失败的结果，但也无关系。

在这一切人中薇兰具有最佳的天资，简直是没有问题的。他少时便在青年人喜欢流连的那些理想之域里陶冶自己，但是这些理想之域既为了所谓经验以及在社会和女人方面的遭遇而幻灭，他于是投身于现实的世界，从事与空想和现实两个世界抗争，以自娱和娱人。在这方面，他一半儿开玩笑，一半儿认真，与这两世界作轻微的接战，最美好地表现他的才能出来。我在大学的时代，他的优美作品出现了不知多少，*Musarion* 对我的影响最大，我还记得我在什么地方看到它的印样本——那是厄塞尔（Oeser，歌德师事的画家，一七一七——一七九九，见后）通知我的。就是在这诗里头，我自信活活地新簇簇地重见古色古香。在薇兰的天才中形成的一切，在这诗中极完全地表现出来；而且那个注定陷于不幸的空虚的提孟式的芬尼亚（诗中人物，愤世主义者），到末了仍与他的女人和社会重修旧好，读者也可以跟他一道经历这个敌视人类的时期。此外人们还爱添说，这个著作含有一种对于高尚的思想的嘲笑，这种思想容易错误地应用到生活上便常流于空妄。当作者对于世人视为真实可敬的东西而加以嘲笑时，世人宽恕他，而且他借此使人知道他自己也因此而无时不感到苦恼，故更值得原谅。

当时对于这种著作的批评之贫乏可怜，可以从《德国万有文库》(*Allgemeine Deutsche Bibliothek*)的头几卷看出来。《喜剧的故事》得到褒辞；但是在这儿也绝找不到一点对于诗体的性质的真知灼见。这个批评家的趣味像当时一切别的批评家那样，为先例所拘束。我没有想到在批判这种模拟的戏作物(Parodistche Werk)时，首先定要注意到原本的高尚美丽的内容，才好看看这模拟者是否真能把它轻妙化，滑稽化，是否他在它那儿暗藏有一些东西，甚或在这一种的模仿的外观之下，提供一种优秀的独立的创作。批评家绝不提到这些问题，诗只是有些地方被赞美，有些地方被指摘。批评家自己也承认他所喜欢的诗有那么些是已加标记，他不遑在这儿一一引用。人们甚至可以对着极有功绩的莎士比亚戏剧的译本喊道："照道理良心，像莎士比亚那样的作家是不应翻译的。"由此看来，《德国万有文库》在趣味方面怎样极端落后，为真挚的情感所兴奋的青年之必须另寻导师，不言可喻了。

这样子，或多或少为形式所决定的诗的材料，德国作家到处寻求。他们所采用的材料很少或绝无国民特有的题材。斯勒格尔（Schlegel）的 *Hermann* 只暗示到这一方面。田园诗体的趋向极度风行。革斯涅的诗没有作家的特征以富于蕴藉和天真之故，使各人都相信自己也可作同样的作品。即使那些表现外国国民性的诗也同样的仅取材于一般人性，例如犹太的牧歌，涉及氏族社会的诗以及其他有关于《旧约圣经》的诗都是如此。波德麦的《挪亚之子》（*Noachide*）是泛滥德国文学园地的洪水的完全的象征，这洪水只缓缓地消退。阿那克里温（Anakreon）的诗体，同样使无数凡庸的作家追随彷徨着。贺拉逊（Horaz，拉丁诗人，前六五——前八）的精密，逼使德国人——然也只慢慢的——来想跟他并驾齐驱。诙谐的英雄诗，大抵以蒲白的《鬈发的被劫》为模范，也不足以导入一个较好的时期。

在这儿我还要提及一个怪想，它有很确实的影响，然当我们精密地考察它时，定然觉得可笑。德国人现已有关于各国特长的种种诗体的充分的历史知识了。哥特瑟德在他的《批评诗法》一书中已将这种五花八门的细工——其实它会消灭诗的内部的观念的——颇圆满地镶嵌好，同时并证明就是德国诗人也已能够以优秀的作品来充满这一切的诗体。后来还老是这样子下去，每一年的诗集大有可观，但每一年也见某一种的作品把别一种的作品从它素享盛誉的地方撵出去。现在我们虽没有荷马但也有维琪尔（Virgil）和密尔顿（Milton）之辈，即使没有品得（Pindar），也有一个贺拉逊了，而提奥克立塔（Theokritos）也没有缺乏；这样子人们可以自欺地与外国相比较，同时诗的作品在量上是一天一天增多，因而对内终也可以作比较了。

文艺趣味的基础既那样动摇不定，同时在这个时代我们绝不能否认有一个事实，即是在德国的信仰新教的一部分人和瑞士人中，普通称为人类常识的一物已开始活跃了。烦琐哲学虽常有一种这样的功绩，即是根据已确定的原则，依着任意的次序，在一定的题目之下，把人们所能够提出问题的一切讲解出来。但是，因为它的内容的常常晦涩和像是无用，因为一种本身上可敬佩的方法的不合时的应用，以及因为它广漠驳杂之故，使大众觉得它陌生，不能受用，终至认为它是不必要的了。有许多人深信自然既已赋给他以良好和直接的精神力，他的需要已大略具备，对于物象足以构成明白的观念，以为对于物象已一览无遗，并可以拿这种知识来供自己应用及别人应用了，不须再孜孜努力于寻求最普遍的原理，不须考求那些对于我们无特别关系最辽远的事物的体系怎样了。人类凭其所信，实地试验张开他们的眼睛，一直望前去，他们是注意的，用功的，忙碌的并且相信如果在他们自己的范围内正确地判断和行动，也可以对于在他们的范围以外的别的事物作相当正确的判断了。

依据这种观念，每个人便都有权利，不但是去作哲学的思维，而且渐渐自视为哲学家。那么，哲学就是一种或多或少的健全的和经过训练的人类常识，这种常识可作全般的探求及对内心和外界的经验加以判断，一种明敏的识别力和一种特殊的中庸性——因为人们以为对一切意见的折衷和评议就是合理——给予这种著作和口头的论述以尊严和信仰。末后，一切部门，甚至一切阶层和职业中都有哲学家。

循着这个途径，神学者也必然倾向于所谓自然的宗教，当我们讲起，自然之光怎样足以助我们认识神，以及使我们改善和高尚化时，我们通常可以不假思索就加以肯定。从那种中庸之道，我们便给予全数的实证的宗教（postive religion）以同样的权利，因而一种宗教与别种的关系冷淡而不确定。诚然我们让一切宗教都存在着，而《圣经》以内容丰富之故，提供我们以思维的材料和考察人事的机会比任何别的书为多，于是它便能为一切说教和别的宗教论述的基础，古今无异。

不过，这个著作，也像一切俗世的经典一样，注定罹一个奇异的命运，千百年来也不能避免。这即是说，直到现在，人们很诚意地承认这本圣书之编著是有一贯的精神，为上帝的精神所贯注，和几乎可以说是出自他的口授。不过，《圣经》各部分的参差不一，为信徒和非信徒时而揭发，时而辩护，由来已久。英国人、法国人、德国人曾以或多或少的热心、明敏、大胆和放恣攻击《圣经》，而各国的诚笃和善意的人们又以同样的态度来卫护它。以我个人而论，我是爱它和珍视它的：因为我的伦理的教养差不多独拜它之赐，而《圣经》的事件、学说、象征和比喻，一切对我都有深的印象，这样或那样地给我以影响。因此，我不喜欢那些不公平的带讥笑的和牵强附会的攻击。不过，当时的人对于《圣经》的辩护已到这样的地步，即是他们很愿意承认《圣经》内有许多地方是上帝顺着人类的思想方式和理解力而作，甚至那些为神灵所启发的人因此也不能否认他们的品格和个性。阿摩斯（Amos）既为一个牧牛者所讲的话自与曾为王子的耶舍亚（Jesaias）不同。

加以古代语的知识日益增进，从这种思想和信念中很自然地发展为一种研究，这就是说，人们图将东方的地理、民族性、自然产物和自然现象加以精密的研究，俾借此使《圣经》的时代重现于目前。米哈亚里斯（Michaelis，德国《圣经》研究的创始者，一七一七——一七九一）把他的才能和知识的全部力量都放在这一方面。游记成为阐释《圣经》的一个有力的参考资料，新近的旅行家抱有许多问题前去，其答案足为先知和信徒们的证明。

可是，一方面人们从各方面努力使《圣经》趋于自然的观照，俾它的本来的思考和想象方式为一般人所理解，借这种“历史 = 批评”的考察，许多异议可以排除，许多侮辱可以消灭，一切浅薄的讥笑也成为无效；他方面有一些人发生相反的倾向，因为他们挑选《圣经》中最隐晦最奥秘的著述来作他们考察的对象，以臆测推量和别的机巧奇特的忖度，想从这些著述的本身——纵不是阐明它们——证实它们，并且它们既含有预言，想以结果来确立它们的基础，和由是证明对于预期的奇迹的信仰为有理由。

可尊敬的本格尔（Bengel，新教的神学者，一六八七——一七五一）对于《约翰启示录》的苦心研究，曾证明约翰是一个以明达、公正、虔敬、无瑕的人著称。他的研究很有确实的门径。忍性深厚的人们不只要在过去活着而且要在将来活着。日常的俗事对于他们不会有什么意义，如果他们不尊重千百年来至于现在启示着的预言，以及在最近和迢远的未来隐伏着的预言的话。从这儿便生出一种历史所散失的关连，否则历史便只像是在一个必然的圈子中的循环往复，而流传给我们了。克鲁斯阿斯（Crusius）博士是属于最喜欢《圣经》的先知部分的人们之一，因为在预言书中，人性的两种相反的特质——情意和辨别力——同时作一致的活动。好些青年人曾专攻这种学说，其人数已颇有可观。因为厄涅斯提（见前）和他的一派人把前者所喜欢的那些隐晦的部分不加阐明，而且有完全排除之势，所以前者更引人注目。因此便发生争执、愤恨和迫害及许多不愉快的事情。我是赞同求明白一派的，并想采用它的原理和优点，纵然我敢预料因为这种极可赞赏的明达的阐释方法，《圣经》的诗的内容终于要跟预言的部分一齐丧失了。

但是从事于德国文学和文艺的人们却接近我们一点，这些人——像耶路撒冷（Jerusalem，神学者，一七〇九——一七八九）、左力科斐（Zollikofer）、斯波尔定（Spalding）——在宗教和与宗教有密切关系的伦理学说方面的说法和论著的努力，借着一种优美而修洁的风格，想博得一种有高尚的志操和趣味的人的赞赏和拥护。一种读起来明快的文体便开始成为极端的需要了，因为这一种文体首先必须容易明了，于是作家从各方面兴起，将自己的研究和事业明白地精确地和透彻地写出来，以供学者与民众的阅读。

有了一个外国人提索（Tissot，瑞士医师，一七二八——一七九七）做榜样之后，医师们也开始热心地在一般的教养上做工夫。哈勒尔、温柴尔（Unzer）和亲麦曼（Zimmermann）有很大的影响，纵然人们在细节上反对他们——特别是反对亲麦曼——在当时他们实有很大的功用。这里所说的是他们在历史方面——可是特别在传记方面——的贡献。一个人之有意义，不是在于他遗留一些什么东西，而是在于他有所作为和享用，而又引起他人作为和享用的。

法学者从学生时候起便惯于用一种晦涩难解的文体。这种文体从直属领主的记录室到累根斯堡（Regensburg）的国会（Reichstag）的公事都用这种文体，极其佶屈聱牙，他们自不容易获得相当的自由，况且他们要处理的对象与外表的形式，因而与风格也有极密切的关系，故更难摆脱那种束缚。不过摩些尔（Moser，政治家、公法学者，一七〇一——一七八五）的哲嗣（菲德列加尔，一七二五——一八〇七）已以自由和特异的作家表见于世。而培特（Putter，国法学者，一七二五——一八〇七）的演讲的明晰性使他的对象和论述这个对象的体裁也明晰起来。凡是渊源于他那一学派的，都因此出人头地。现在，连哲学也必须写得精确明白，俾能传布广远。孟特尔逊（Mendelssohn，哲学著述家，一七二九——一七八六）、加尔微（Garve，莱城哲学教授，一七四二——一七九八）乘时兴起，并且引起一般人的同情和惊叹。

随着德国国语和文体在各学问部门的形成，批判力也增长起来。在那时代关于宗教和伦理的题材以至医学的著作的批评，使我们为之惊叹，而同时我们却看到对于诗的批判以及对于其他文艺的批判，纵不可怜，也至少很贫乏了。甚至《文学书信》（*Literaturbriefe*）、《德国万有文库》以至《文艺丛书》（*Bibliothek der schönen Wissenschaften*）也是如此，这个我们很容易举出例证来。

以上所述的虽像是纷乱错杂，但凡是想自己创作，不欲拾前人余唾的人只有时时极力搜求一种可以应用的材料之一法。不过就在这方面，我们也容易被引于迷途之中而彷徨着。我们记起常听见的克莱斯特（Kleist，诗人，一七二五——一七五九）的一句话来。事情是这样的：人们看见他常常踽踽独自散步而呼唤他，他却滑稽地、机巧地和诚实地答复他们，说他不是偷闲，他是去作“物像之猎取”（Bilderjogd）。这一个比喻很适合于一个贵族和军人的身份，他借此将自己与他同阶层的人们作一对照，后者只要一有机会便无时不挟猎枪在手，出门猎取野兔和鹧鸪去。因此我们在克莱斯特的这种个别的，侥幸抓得来——纵然不常是顺利地吟咏成——物象的诗歌中，找到许多使我们亲切地忆起自然的东西。可是，又有人很诚恳地劝我们去作物象的猎取。不会的，纵然本市的阿培尔园、莱园（在城之北西）、蔷薇谷、果里斯（Gohlis，南城之公园）、拉斯维治（Raschirtz）和康纳维治（Connewitz），不算是搜求诗的野味的最理想的猎区，但在那儿散步总不至一无所得。我也常为这一个理由所推动，独自出门散步，但是既没有美丽的物象，也没有高尚的事物足供观赏，而当着和风丽日的时候，在真个美丽的蔷薇谷中，蝇蚋们又不容人作绮丽的思想，因此，我经过孜孜不倦的烦劳，对于自然界的“小生物”[Kleinleben，我用这个名词，是仿照着“静物”（Stilleben）一成语而用的]极为注意，因为我们在这方面看到的微细的事件在本身表现不多，所以我惯于在它们中看到一种意义。这种意义有时偏于象征方面，有时倾向于寓意方面，视乎直观，感觉或反省那一样占优越而定。现在我不想多说，只讲出一桩事情就够了。

依着人类的习性，我是爱我自己的名字的，到处都题着它，像没受过教育的青年人惯做的那样。有一回我又在一棵颇老的菩提树的光滑的树皮上精美地刻上我的名字。在那一年的秋天我对于安妮德的恋爱正在极圆满的时候，我不惮烦地在我的名字上头又刻上她的名字。可是，在冬天将尽的时候我这个好使性儿的恋爱者找到许多机会来呕她生气和使她不快；到了春天，我偶然跑到那个地方去，浓厚地孳乳在树上的树汁，正由那刻上她的名字和还没有结痂的切口喷出来，使我所写的已经变硬的字画斑斑染着这树木的泪痕。这样子，看见她对着的我——常常因为淘气引起她淌泪的我——哭，使我惘然若失。记起我的错处和她的爱，我的眼睛也流出泪来，我连忙上她那儿去，三番四次的请求她宽恕以前的一切。我并把这事写成一首牧歌体的诗，我每读起来总觉得爱慕油然而生，念给别人听，听的人也为之感动。

我在这个时候还像是柏莱塞河畔的牧童那样，正童心烂漫地醉心于这种纤小的题材之中，而且我常常只挑选那些能很快地引回心中的事物做题目，但是德国的诗人，却久已备有较伟大较重要的题材了。

在德国诗中的最初的真实和崇高的固有的生命内容，来自腓得烈大帝和七年战争的事迹。凡是国民诗而不基于伟人不基于国民和他们的指挥者团结一致时的事变，必然是浅薄的，和成为浅薄的。君主的勋业要在战争和危急存亡的时候表现出来，那时他借此而显出是伟人，因为他决定而且分担最后一人的命运，故比起决定命运而自己置身事外的神祇来更饶兴味，在这个意义上，凡是有点出息的民族必有一首英雄史事诗，却不一定要具史事诗的形式。

格莱姆（诗人，曾随勃兰登堡·斯威特之威廉公爵任秘书，参加第二次西利西亚战争，一七一九——一八〇三）所吟咏的战歌之所以在德国诗中保有那么高的地位，是因为它们是根据着事实发生，而且它们的优越的形式——像是一个参与战役的人在最紧张的当儿作出来的那样——使我们感到极圆满的效果。

蓝勒（诗人，柏林之国民剧场经理，一七二五——一七九八）在各方面都虔敬地歌咏他的君主的事迹。他的诗全都是内容充实，饱饫我们以伟大崇高的事物，借此保有一种不可磨灭的价值。

因为加了工的题材的内容就是艺术之始和终。我们虽不否认，天才和有修养的艺术家能够以艺术手腕从一切中造出一切以及可以控御倔强难使的材料。可是如细加考察，这样得来的作品常是一种“技巧品”（Kunststück）而不是一件“艺术品”（Kunstwerk），后者应当基于一种可宝贵的内容，然后艺术手腕借着熟练、勤劳终于使材料的真价更优越地更美好地现于我们之前。

普鲁士人以及通行新宗教的诸邦因此为他们的文学获得一个宝贵的价值，为他们的对方所缺乏，而这种缺乏也不是对方后来的努力所能补偿。普鲁士的文学家对于他们的王所抱的伟大的观念，他们开始信赖起来，因为他们假借其名义来干的腓得烈大王却绝对不把他们放在心里，他们倒更热烈。初时因为法人的居留普邦，继而因为大王对于法国教育和财政的称许已有一些法国文化输入普鲁士，这是对于德人极有补益的，因为它促进矛盾和抗争。腓得烈大王反对德人的文学的教养也是幸事。人们拼命的著作想惹起大王的注意，但不是为想得他的敬重，而只是想得他的一盼；可是，人们这样做是依着德国的方式的，基于他们的内心的信念的，他们所做的是他们认为正义的事，企盼和愿意大王承认和尊重这种德意志人的正义。这没有实现而且不能实现：因为我们怎能向一个精神地生活着和享用着的君主要求耗费他的时间，来看看他认为是粗野的东西太晚地发展和成为可读呢？在工艺方面，他强要他自己，特别是他的人民不用那优秀的舶来品，而用很平庸的国货来代替；不过，在这方面，一切很快就完成，不消一世代就可使这些事物达于成熟。

但是，有一篇著作是七年战争的真正的产儿，具有完全的北部德意志的国民的实质，在这儿我要首先特加敬意地提出来。它是取材于有意义的生活的第一本剧本，拿特殊的时事做内容，因此有不能估量的价值：它就是勒辛的 *Minna von Barnhelm*（喜剧，别名“军人之运命”，一七六七）。勒辛与克洛卜斯托克和格莱姆相反。好敝屣个人的尊荣，因为他自信随时可以再取得和续有它。他耽乐于闲散的酒店和交际生活，因为他须有一种强烈的对抗力来对抗他的有强烈作用的内心。因此他又投身入陶恩治安将军（Tauentzien，普鲁士将军，一七一〇——一七九一）的幕中。我们很容易看出上述的作品怎样在战争与和平之间，恨和爱之间产生出来。成功地使诗的艺术眼界一新，从它一向局促着的文学和市民的世界望到较高尚较有意义的世界去的，就是这个作品。

在这个战争中普鲁士人和撒克森人彼此互相憎恨的紧张的情态不会因战争的完结而消灭。撒克森人这时才真正觉到那太过骄傲的普鲁士人打击他的创伤的痛楚。政治上的和平不能马上使感情上的和平也建立了。但是，上头提过的戏剧却将这种和平虚构成了。撒克森女人的幽娴可爱却克服了普鲁士人的特性、尊严和倔强；无论主角也好，副角也好，奇怪和反抗心强的分子的和解，都以艺术的方法表现出来。

我这种对于德国文学的走马看花似的论述虽使读者有点迷惑，我却幸能够把我的贫乏的头脑所感到的混乱的情形陈述出来，当时两个对于祖国的文学那样重要的时代正在冲突之中，在我还未能饱饫旧的文学之前，那么些旧的东西对我仍有价值之前，那么些新的东西却汹涌地来逼着我，于是我自信已有理由来把旧的完全舍弃了。我采取那一条路来拯救自己——纵然只是一步一步的——出这个难关，我想现在尽可能的来讲述一下。

我的青年时代是在德国文学的冗漫时期过的。我随同许多可敬佩的人们认真用功地照着这个时期的趋向来努力。我留在父亲那里的几卷四开本的文稿，可作充分的证明。那些大半因为生气而不是由于信服付诸一炬的试作、草稿和半完成的稿子又有多少呢？现在，借着一般的谈话、讲授，借着那么些论难的意见，尤其是借着我的饭局上的朋友，枢密顾问官普淮尔，我渐渐知道重视有意义的材料和简洁的笔法；可是我还不明白从那儿找这种材料和怎样弄到简洁。因为我处境之局促，朋侣们之不以此关心，教师们之缄默不言，当地的有学问的人士之深居简出，以及自然物象之完全无甚意义，我逼得向我自己寻求一切。如果我企求我的诗得有真正的根据、感觉或是思维，我就不得不从我的心坎着手；如果我要求以诗来表现事物的直接的观感，我就不应退出那能够感动我和灌注我以兴趣的小社会。在这种意味上，我初时用歌体（Liederform）或自由韵律写一些小诗；

它们是从往事的反省和吟咏而产生出来，大抵是用一种讽诗的（Epigrammatisch）句法。

于是我就开始一个方向——我一辈子不能乖离的方向。这即是说，把那些使我喜欢或懊恼或惹起别的情感的事情转化为画为诗，使我对于这事算做了结，俾能够整理我对于外界事物的观念，而同时我的内心又因之得到宁帖。我需要有这样才力比任何人为迫切，因为我的天性常常把我从一个极端抛到别一个极端去。我由是自己认招出来的一切，只是一大篇自白的断片，要把它完全披露出来，这本小书未免是一个大胆的尝试了。

我从前对于格丽珍的爱情这时已转移到小安妮德的身上去，关于她我不能再说什么了，我只想说，她年轻美丽，活泼可爱，并且那样的得人欢心，真是值得在我的心坎中有好些时候瓣香供奉，视为小女神，以表示我的崇拜之心——崇拜人比起受人崇拜所引起的愉快还要多。我天天没有阻碍地看见她，她帮忙预备我吃的饭，晚上还端酒给我喝。这个除了大市集之外，平日极少客人的小饭馆的好评，因我们在那儿包午饭而得到保证。我们有机缘和有心情去寻种种的乐趣，可是，安妮德既不能也不敢多出门，故消遣娱乐还是不多。我们唱扎卡利阿的诗歌，共演克鲁革（Kruger）的《米哈尔公爵》（*Herzog Michel*），演时不得不拿一条打结的手巾当作是夜莺。这样子，在一个相当期间内还玩得很不错，不过，这样的关系越是天真清白，长久下去便越不能保持初起时的兴趣，一种恶癖便向我袭来，诱惑我们从爱人的磨折来寻乐趣，以任性专恣的妄想来博一个女子的死心塌地的依顺。因为我的诗的尝试的失败和不能明白失败的原因，以及我在这儿或那儿碰了别的钉子而起的坏的脾气，我相信应向她发泄，因为她的确真心爱我，只要她这样，便常引我喜欢。由于没根据和没味儿的吃醋，我把我自己和她的最美好的日子都糟蹋了。她一个时候还以不可信的耐心忍受着，我却够残忍地逼着她要极度的忍耐。不过，我终于觉得她的心情已跟我乖离了，我便觉得可羞和绝望。我从前无缘无故闹的疯疯癫癫之态，这时却有理由了。我们间也有可怕的争吵，在其间我什么也得不到；这时我才觉得我真正爱她，我不能少她。我的情感便增长起来，并表现在这种情景中应有尽有的形态。到后来，我甚至一变而学这女子一向所为。我尽力的讨她的欢心，甚至借他人来使她欢喜，因为我还不能抛弃再得她的希望。可是，这已经太晚了！我真的失掉她了，我因为失败而疯狂地向我自己寻报复，以种种的愚妄的方法来戕贼我的肉体的素质，使我的道德性也受损害。这种痴狂是我体弱多病的很大的造因，我在病中耗费了我几个最好的年头。真的，如果我的诗才以及它的疗治力在这儿不是特别的奏功，我或者会因为这种损失而完全毁了。

我早已在许多时候十分清楚觉得自己的坏性子，当我看见她完全没来由地让我凌虐时，这个可怜的孩子的确使我心酸。我时常详细地想象她的情境、我的情景以及与我们的来往的朋友中的另一对情侣的圆满的情况，因此，我到后来不由得不将这种情景以戏剧的方法来表现为一种磨折和教训自己的忏悔。由此便产生我的留存下来的戏剧作品中的最早的小小的一篇，名唤《情人的脾气》（*Die Laune desVerliebten*），从它的天真烂漫的特性中同时还可以看见一种沸腾似的感情之迸出。

不过，一个深邃的、有意义的满着葛藤的世界早已惹起我的兴味。从我与格丽珍的故事以及在这故事的结局中我早已瞥见那破坏市民社会的奇异的迷误之路：宗教、礼教、法律、阀阅、身份、习惯——一切只支配城市生活的表面。那些给华丽的房子围着两旁的街道保持得洁净，在那儿住的各个人的行为也够规矩；但是在内部却更显得腐败，只外头涂得光光滑滑的，正如一层薄薄的灰盖上很朽坏的墙，不久就要倒塌了，因为这是在安然无事的境界中袭来，它产生的影响更是可怕。我看见过多少的家庭因为破产、离婚、女儿私逃、凶杀、毒害、家贼自盗等等而或陷于崩坏，或沦于困鼞之境。我虽然很年轻，但人们已常求我援手：因为我的坦白引起人的信任，我的缄默是可靠的，我勤劳而又肯牺牲，并且最喜欢在极危险的场合卖力气。我便常常有机会来替人排难解纷，保守秘密，把大事化为小事，以及作种种的帮忙。在其间，自免不了从我自己和从别人获得许多痛苦的挫折的经验。为使胸中轻松一点，我计划写好些戏曲，并且大多数已写好楔子。但是，剧中的葛藤既不免于闷气，而差不多全是以悲剧终场，我因次第的把它们搁下。《共犯者》（*Die Mitschuldigen*）是其中唯一的完成之作，它的在阴惨的家庭背景上的愉快而滑稽的人物却像是带点惴惴不安的情态，因此排演起来，在细节上纵然可资笑乐，在全体上还是引起人的不安。那些冷酷地显露出来的犯法勾当，伤了那艺术的和道德的情绪，因此这个剧本不能上德国的舞台，纵然模仿它的剧本因避免这种危险而得到上演和博得欢迎。

不过，上头说的两本戏曲却是从高尚的观点上写的，我自己还不意识到。它们是暗指在道德上决定责任谁属时的慎重的忍耐，以一种峻严粗犷之笔调信口说出那极合于基督教的话："谁觉得自己没有罪的，谁就是先掷石者。"(《圣经 · 约翰书》)

我这种认真的态度使我最初的戏曲作品带着黯郁之色。在其间我也犯了一种错误，忽略了将我的天性所深好的很合式的意趣添了上去。这即是说，在我的那种诚笃的，对于青年人是很可怕的经验中还发展有一种大胆的幽默。它在当时自觉是超越，不独不畏危险，而且倒故意的引危险来。我之所以这样做是由于年富力强的人所深好的豪放，如果滑稽表达出来，在当时和事后忆起都使人发生许多乐趣。这桩事情是那样的司空见惯，它在我们的大学青年同学的字典中称为"Suite"(法语，等于中国北平土话的“蘑菇”），因为关系较亲昵的缘故，我们说“Suiten reissen”也就是等于说“开玩笑”一样。

把这种幽默的大胆行为附以才智、意识应用到戏剧上，是有极大的效果的。它跟诡计（Intrige）不同的地方，在于它是一刹那的，它的目的——如果有的话——不会是在远远的未来。波马社（Beaumarchis，法国戏曲家，一七三二——一七九九）是很明白这个道理，他的剧本*Figaro*的效果主要地是从它这儿来。如果这种好意的调皮和半无赖的开玩笑是有高尚的目的、不计个人的危险而施展出来，则从此产生的情节，在艺术上和道德上看来对于戏剧是有极大的价值的。例如歌剧《挑水夫》（*Der Wasserträger*，意大利作曲家格尔宾所作）所处理的题目，在这一点上，恐怕是我们在舞台上看见过的最成功的吧。

为想使日常生活的无尽的厌烦变作热闹有趣，我开过无数这样的玩笑，一半是完全没有用意的，一半是为着要得朋友的喜欢的缘故。在我自己却不知道有没有仅仅一回故意这样子做，我也绝没有想到把这种冒险当作艺术的题材；如果我曾将这种近在身边的材料拿到和加以锻炼，我的最初的作品就会愉快有趣和可用一点了。属于这类的东西有一些在后来出现于我的作品中，但是零碎的，而且又没有用意。

因为心之于人总比智为贴近，如智能运用自如，心便使我们创造，所以，我总觉得心的事情是最重要的。爱情的缥缈，人性的无常，精神的意欲，以及一切的崇高幽深的事物在我们的天性中连结起来，便可视为人生之谜者，我都加以深思，不以为倦。我又在其中把苦恼我的事物发泄而为短歌、讽诗或其他的韵文，因为这些文章是涉及个人的情感和最特殊的情况，故除了我自己之外，没有别人对它们感到兴趣。

可是，经过一些时候，我的外部的环境也有很大的变迁了。柏麦夫人经过一场缠绵悲惨的大病后，终于死了；到后来她已不让我见她。她的丈夫不会特别的喜欢我：他觉得我不十分用功，又太轻浮。他发觉我在听讲德国国法上，我不正当地去笔记，而反把在场的人——如带着奇怪的假发的最高法院院长、裁判长和陪审官——的样子在我的笔记簿边描画，这个恶作剧，使邻座用心听讲的人为之分心，并且大笑起来，所以柏麦教授对我很不好。自从他的太太逝世后他更比从前深居简出，而我后来也避开他，以免他的责骂。革勒特对于我们本很有力量，但他又不肯应用它，这特别是我们的不幸。不错，他没有工夫来做我们的忏悔师，和逐一打听我们的性向和弱点。因此他只大大概概的来照管这事，相信可用教会的设备来感化我们，所以当他让我们去见他时，他总是低着头用凄然可亲的声音问我们是否勤到教堂去，谁是我们的听罪师，以及是否受过圣餐？如果我在考问时答得坏，他便带着悲叹放我们走；我们倒觉得不快，而不为之感动，不过却不能不真心爱这个人。

说到这儿，我不得不将我青年时代的一些事情追述出来，以表明教会的宗教，如果要显出功效如人所期望者，它的重大的事体应当怎样有秩序有系统地处理。新教的礼拜太不充实和始终一贯了，以致不能结合教会的人，因此，会友从教会脱离，我自组小的宗教团体或没有教会的组织而只彼此不相关地安然的过市民的生活，这种事很容易发生。在许久以前已有人慨叹，参加礼拜的人一年比一年减少，求领圣餐的人也是如此。两种——尤其是后者——现象的原因显而易见，但是，谁敢将它说出来呢？我们现在想尝试一下。

对于道德和宗教的事情，也像是物质上和市民社会上的事情那样，一个人不喜欢当场就做：习惯所从出的连续行为是他所需要的，凡是他应该喜欢和做的事情，他不能把它单独分离地思想，如果要他喜欢复习一件事，这事对于他不是陌生的。新教的礼拜仪式在全体上既不充实，如果分别来论，我们就发见，新教徒的圣礼（Sakrament，天主教有浸礼、坚信式、圣晚餐、忏悔免罪、临终涂油、得度式、结婚式七种）太少了，甚至由他参与其中者的一桩，那就是圣晚餐；因为浸礼只是他看见别人领受，而他自己不参与其间，圣礼是宗教的最隆重的事，是非常的上帝的恩典的物质上的象征。在圣晚餐中人间的嘴唇要领受象征的神的实体，在人间的粮的形式之下分配一种天上之粮。在一切的基督教会中，这个意义是一样的，所不同的就是圣晚餐的领受或多或少任其神秘，或多或少求与常识相适应；但是，它常是一种神圣的伟大的事件，它在事实上代替了那可能的或不可能的，代替了那人类所不能得到又不能少的东西。可是这样的圣礼不能单独地存在，如果基督徒领受圣礼时心中不了然于象征的或圣礼的意义，他不能感到这种圣礼所给与他的真正的欢悦。他一定要惯于把内心的宗教和外部的教会的宗教看作完全合一，看作伟大的一般的圣礼，这个圣礼再细分为那么些的小圣礼，而这些部分又启示我们以它的神圣性、不灭性和永远性。

在教堂里，一对青年的男女交递着手，不是为暂时的招呼，也不是为去跳舞；牧师为他们的这种结合祝福，这种结合便不能分离。不消多久，这对夫妇便带了一个他们的缩影（子女）到圣坛的槛上，用圣水洗干净，他便与教堂合体了，只有那极可怕的叛教行为才辱没了这种恩惠。在生活上孩子对于尘世的事物自己可以经历出来，对于天上的事情，一定要有人教育，如果在试验时表现出这种教育已经完成，他就可以作为真实的市民、真心的自愿的信仰者接纳到教会的怀里来，其间自少不得用外表的仪式来表现这种行为的重要性。这时他才确定地是一个基督徒，才知道他的权利，也知道他的义务。可是，在其间，他既为人类，遭遇了许多奇奇怪怪的事情，借着教和罚使他觉得他的内心多么可危，而问题还老是教训和犯罪的问题；不过在这儿已没有罚了。在这种无穷尽的迷惑中——因为自然的和宗教的要求之冲突，他必然的陷于这种迷惑中——却有一个救济的手段给他，使他把他的行为错失，他的弱点和怀疑，对一个为这事而设的可敬佩的人尽情披露，而这个人能安慰、警告、鼓励他，和以一种象征的刑法来惩罚他，最后替他完全消罪来祝福他，使他洗手干净，重新为人。这样子，举行了好些圣礼，这些圣礼——如观察更真切一点——再分为一些小项目，他准备好和完全平心静气，跪下来领受圣饼；因为他只看见圣杯在远远的，这种举动的神秘性，更增强起来，这不是使人满足的平常的饮食，而是使人更渴想天上的酒浆和天上的饮食。

不过，少年人不相信这样子就完全解决了；即使成年人也不相信。因为在尘世的事情中，我们到末了是要靠自己的，而到这时，知识、理解和品性也常不够的；在天上的事情我们却从不会有学尽了的一回事。在我们心中的高尚的情绪既不会有一回是圆满的，加之又为那么些外部的事物所压迫，因而我们自己的能力很难贡献出忠告、慰藉和援助所需的东西。可是，为这目的而设，也有一种终身可以受用的药石，和固定地有一个有见识的虔诚的人来指点迷途和解除痛苦。

一辈子可以信用的药石，到了临死的时候更十倍的显其灵验。依照从小就开始的信仰的习惯，病危的人热心地领受那象征的明白的保证（涂油式）。当尘世的一切保证都消灭的时候，神却保证他永远往生天国。他非常相信一个敌意的势力或恶意的魔鬼也不能阻止他为一个变容的躯体所包围着，俾能与神发生直接的关系，分享那渊源于神的无穷无尽的幸福。

那么，到了结局整个人都神圣化了，连两足也涂了圣油和被祝福；即使幸而痊愈，他的两足应也觉得不愿意来履这尘世的硬板板的实地吧。它们会传受了一种奇异的弹力，因而从前为所吸引的地现在却在脚下为所排拒了。这样子，借着一样神圣的种种仪式——它的功德，我们刚指出来——的一个光辉的环，摇篮和坟墓，纵然相距还很远却连结而成为一个不绝的环了。

但是，这一切的精神上的奇迹，不是像别的果实那样从自然的地上生出来，因为它们是不能播种，不能种植，也不能栽培的。我们必须从另一个地域吁求它们来，但也不是任何一个人随时可以做到的。关于这点，从古代的信仰的传说得来的最高的象征便给我们以答复。我们听说，一个人可以先于别个人为上帝所宠厚所祝福和神圣化。但是这不是像自然的赋予那样，这种与艰难的义务紧相连着的大大的恩惠必然是由一个有资格的人交给别个，而一个人所能得的最大的福利——纵然他自己不获得或握住它的所有权——借着精神上的继承在地上保持着，永远留着。是的，在僧侣的神力中，凡是要来施行神圣的设施使大众受福的一切都具备了，除了信仰和无条件的信任之外，不需要别的勤劳。于是牧师在他的前辈和后继者间，及他的同事间出现，代表那最高的福惠。他之所以宏大，因为我们不是敬重他本身，而是敬重他的职位，我们膜拜，不是因他的示意，而是他所授与的福。他之所以更神圣，像是直接地来自天上，因为罪孽深重的尘世也绝不能减弱或消失僧侣的能力。

新教认为上述的象征有一部分是伪的（apokryphisch）和只有一部分是认为合于宗规（kanonisch）的，这个真正的宗教上的体系，怎样为新教所割裂呢！我们怎样可以借一个人的冷淡之信心而替他人准备到崇高之域去呢？

在我的时代，曾受宗教的教育于一个多年做我们家里的忏悔师的善良、老大而体弱的牧师。基督教问答书和它的注解，基督教真髓，我都耳熟能详，《圣经》里的有力地论证过的名句，我没有不记得的；但是从这一切，我都收获不到什么效果。因为人们向我说这个可佩服的老年人的信仰问答是抄旧本子的，于是我对他所教的完全失去兴味了。在最后的一周间，我从事种种的消遣，从一个年长的朋友借了一篇答牧师问的东西放在帽子里，把我应该能够真心确信地倾露出来的一切没兴趣地没意义地来念。

但是，当我快就要到忏悔场的时候，我觉得在这重要的场合，我的好意和努力，更为干燥无味死板板的熟套弄到麻木了。我自觉有好些的缺点，但没什么大的过失，减少我的过失的正是我的良知，因为良知指示我以道德的力量，这种力量伏于我的心中，着意地坚强地终于把旧的恶习克服。我们听见说，我们新教徒比旧教徒胜过许多，正因为我们不须在听罪席中自白一些什么特殊的事情，而且就使我们想这样子也是绝不妥适。最后一点我觉得很不对：因为我有极奇特的宗教的怀疑，想趁这个机会来改正它。这既成为不可能，于是我想好一篇忏悔词，一方面将我的情况表达出来，一方面把不许我详细说出来的意思大大概概的对一个明达的人招认。可是，当我跣足踱入那旧的高台，走近那奇异的栅栏——在忏悔时牧师们通常在这里头——守钟楼的人把栅门打开，我看见我自己已局促在这个小地方跟老牧师面对着面，他用他的低沉带有鼻音的声音欢迎我，这时我的心魂的一切光辉都突然消逝了。我记得很熟的忏悔词却从我的口唇边缩回，在这种困惑中，我把我手上的书打开，从那儿拣第一个最好的短的程式念出来，这是那样的通泛，无论那一个人都可以泰然说出来。我得了他的免罪，离开教堂，心中不冷又不热，到第二天跟着我的父母赴听罪师之宴，迷迷糊糊的过了几天，这是经过这种神圣的仪式后应有的事。

可是，事后我发见弊害，我们的宗教为种种色色的教条弄到复杂，以可作许多解释的《圣经》的格言为根据，这种弊害便由是生出，而向怀疑的人袭来，以致惹出忧郁的状态渐渐弄到思想偏固，而达到它的顶点。我认识好几个人，思想和生活的方式都是很合理的，但是总不能不想及对于圣灵的罪业和摆脱犯罪的恐惧心。对于圣晚餐一事，我也被同样的不幸所威胁。很早我已听见有这样的格言，谓凡是不该领受圣餐的人而领受，等于自己受神罚，这话给予我以极大的印象。我从中世纪的历史看到用烧红的铁火和沸腾的水来试炼的极稀奇的事情，连《圣经》也告诉我们有种泉水，无罪的人喝了很有益，有罪的人喝了就肚子膨胀以至爆裂。这一切的恐怖的事情现于我的想象力之中，结合而成为极恐怖的事物，而假的约言、伪善、伪誓、渎神等等罪过，在举行最神圣的仪式时像是压在那不该受圣餐的人的身上，而且谁也不敢自认为该领圣餐，罪孽的赦免虽终于把一切都解除，但是有种种的条件，谁也不能确信自己可以自由地获得赦罪，所以情形更是可怕。

这种阴黯的疑虑使我这样子苦恼，人们推荐给我视为很可用的救济的方法，在我却觉得那样的空虚，那样的贫弱，以致那个恐怖之象只越发可怕，我一到莱比锡城便想跟教会完全脱离关系。不过，革勒特的劝诫一定使我感觉痛苦如我们对于革勒特有所强求，他必定以直截干脆的手段加以拒绝，所以我不想拿这些奇怪的问题来麻烦他，而且我当在欢畅的时候也羞于提出来，末了，我就把这种稀奇的良心上的疑虑跟教堂和祭坛一块儿置于脑后了。

革勒特根据他自己的诚笃的精神撰作一种道德的教训，以之公开地诵读，因而很光荣地对公众尽了他的义务。革勒特的著作已久为德国的道德的文化的基础，谁都渴望看见他的著作出版，可是这却等到这善良的人死后才实现。因此，人们如听见他在生时亲自讲授，便认为很荣幸的事。在他讲授的哲学讲堂挤得满满的，他的优美的灵魂，纯洁的意志，这高尚的人对于我们的福利的同情，他的劝诫、忠告和请求，以一种微哑的沉郁的声调表达出来，当时很能动人。不过他的影响不能长久，而且有许多嘲笑他的人，他们弄到使人怀疑这个女性的神经衰弱和如他们所信者的人的举止。我记得有一个法国人游历过境，向我们打听这个鼎鼎大名的人的思想和意趣。当我们摘要告诉他之后，他摇摇头，微笑说道："Laissez le faire，il nous forme des dupes（不管他好，他是想把我们当作傻子来教我们）。"

就是上流社会也不能容忍这些高尚的东西在他们的

左右的，所以有时会力求减少他对于我们本有的影响。一会儿有人诋毁他，说他教授那几个特别有人介绍的尊贵而豪富的丹麦人，比其余的学生好，对他们特别的关心；一会儿又有人骂他自利和引用亲戚，因为他竟在他的兄弟家里宴请这几个少年人吃中饭。他的兄弟是一个高大雄伟、强壮、动作敏活而有点粗野的人，曾做剑术教师，因为革勒特对他们太过宽待了，他的兄弟对于这些贵客有时不免严厉；因此人们又相信他一定对这些青年人献殷勤。革勒特的好名声便为之破坏，以致我们到后来也对他冷淡起来，不想再谒见他，以免对他发生误解。不过，当他骑着他的驯良的白马进校时，我们总极恭敬地向他行礼。这匹马是撒克森选帝侯送给他的，让他好作一种为他的健康所必需的运动；这一种优渥的待遇很不易使人原谅他的。

这样子，使我发生一种感觉，就是一切权威都在我眼中消逝，连我认识的或我曾想及的最伟大最好的个人，我也对之怀疑甚至绝望。

腓得烈二世在我的心目中仍是驾乎当代的一切的大人物之上，因此，当我在莱比锡城的居民之前也像从前在外祖父家里那样不敢称赞他，那当然使我自己也纳罕的。莱比锡人的确曾痛感到战争的压迫，所以他们不把那发动和延续战争的人认为最好的是不足责怪的事。他们纵把他当作是一个卓越的人物，但决不是伟人。他们说，费大力气而成就不多，不能算是本事。如果一个人不惜土地、财货以至生命，到末了，总能把他的目的达到。腓得烈在他的计划和他所预定的企图上总没有一桩显见他的伟大。凡是要靠他的时候，他只会弄出错误来，当他被人逼着要改正这种错误时，他的异乎常人之处才表现出来；只从这个方面他获得鼎鼎大名，因为世人谁都知道怎样去改正他常常会犯到的过失呢。我们只须一步一步的检视七年战役的经过，我们就可看到，腓得烈大王简直徒然牺牲他的优良的军队，这个害人的战役延长那么久，也是要他负其咎。一个真正伟大的人和军事领袖之歼灭敌人应当神速得多。莱比锡人为坚持他们这样主张，引证许多许多的翔实事实，使我无从否认，渐渐我觉得从少时就对于这个可注意的王公所倾注的崇拜也冷下来了。

正像是莱比锡人破坏了我崇拜伟人的快感那样，一个当时结识的新朋友也把我对于同城的人所抱的敬意减少许多了。这个朋友是世界中奇人之一。他的名字唤做伯里斯（Behrisch），充当少年伯爵林登瑙（Lindenau）的私人教师。就是他的外貌也够奇特了，体格瘦长而美好，年纪已在三十多岁，鼻子很大，脸庞在大体上很特别。从早到晚披着一种假发［Haartonr，我们可以称为鬘（Periicke）］，穿着很齐整，没有一回出门不佩着剑和挟着帽子。他是有消闲的特别本事——或不如说有消磨日子的特别本事——的一流人。他所作所为都是慢吞吞的，要经过相当的踌躇。如果伯里斯的天性上本已带有一点造作，我们真可称他这种举动为矫饰。他的态度像是一个老法国人，讲写法文也很流利。他最爱板着面孔来开玩笑，每有诞妄的妙想，便追求到无尽。他常常穿着灰色的服装，而他的衣服的各部分既为种种不同的布料所制成，颜色也自不同，他竟能整天的思索怎样可以在身上多穿一样灰色的东西，如果他能够做到，并且可以使我们——不相信他能够这样做或认为不可能的我们——抱愧，他就很快活。他有时对我们演说一番，说我们怎样缺乏创作的能力和怎样不相信他的天才。

的确，他有很好的学问，特别精于现代的语言和各国文学，而且写得一手好字。他对我很亲切，我既惯于而且好跟老一点的人来往，不久就爱和他厮缠得很熟。他跟我交往，也感到特殊的乐趣，因为他以消除我的躁急不宁之气为乐，但因此却使他够操心了。在诗的艺术方面，他是具有常人所称为艺术趣味的，对于诗的优劣，平凡与差强人意，他有一种普通的判断力，不过他的判断毁多于誉，他能够对于这个或那个的诗文以嬉笑怒骂的态度来作冷酷无情的论评，使我对于当代作家的微薄的信仰更加粉碎了。他对于我的作品却取宽大放任的态度；他提出一个条件，就是我绝不要拿去印刷。他答应我亲自替我把他认为好的诗篇誊写，弄成一本美好的写本来献给我。这件勾当给他一个最好的消磨时光的机会。因为等到他找到合式的纸张，决定书的大小、边缘的宽度和字体，以及寻到羽毛和把它削好做笔，把墨磨好的时候，已经过了几个星期，而仍然一无所成。他每在这种情形之下来从事誊写，逐渐地真个写成一本极可爱的稿本。诗题是用古式德国字体，诗本身是用一种垂直的撒克森字体，在每首诗的末尾，绘一幅与本诗相近的装饰画，这些画他或是从别的地方挑选出来，或是自己创作成，在这种场合所需的木刻和铸板的线影，他能够很美术地模绘。当他进行这工作时，他拿来给我看，预先对我半庄半谐地夸称我竟有福气看见那样卓越的字写成的诗稿把我流传不朽，并且它的式样绝不是印刷局所能达到，这又使我们消磨了大好的时光。不过，因为他具有优良的学识，与他交往对于我是有好处的，而且他能够消除我的刚强不宁之气，在道德上对我也是一种药石。他对于一切粗鄙的事也特别的厌恶，他的调侃打趣纯然是滑稽的，而绝不流于粗俗。他对于他的同乡抱有奇怪的憎恶，就是他们要做的事情也绘影绘声弄到很可笑。他如发见个人的外貌有点可讥之处，他更是滔滔不绝把他滑稽地描画出来。当我们同在窗间的时候，他能够历几个钟头把走过的人加以批评、讥诮够之后，他便精确详细指出，他们应该怎样装束，怎样走路，举止应该怎样，才像是端正的人。他的矫正的建议大部分流于鄙陋不当，以致我们不大因为那人的外貌原来怎样而发笑，而倒因为如果他傻到把他的原来面目改变，我们想象起他那时的外貌而发笑。在这些事情上，他是毫不留情地做的，但绝没有一点恶意。我们却能够呕他，当我们向他力言，人们从他的外貌看来纵然不当他是一个法兰西的跳舞大家，也一定把他看作是大学的外国语教师。这一种讥评常是引起数小时争论的先声，他常自陈他与一个老法国人间的天渊之别。此外，我们向他提出种种不适当的建议，劝他改变他的服装，他常拿来讥骂我们一顿。

他替我抄诗愈抄愈美好，愈精细，我唯有更热烈地来作诗。我的诗的倾向这时已完全走于自然率真，纵然诗的对象不能常是有意义的，我仍力求明净精确地来表现它。况且我的朋友使我常想到用羽毛笔和墨在荷兰纸上写一首诗是什么意义，这要怎样的时间、才力和勤劳，我们应当不把它们浪费在虚空多余的东西上头。此外，他惯常把一本已抄好的本子打开，详细地讨论，在这个或那个地方不应该，有的字句，果然没有这样的错误，我们便引为幸事。跟着，他很藐视地讲到印书局，学那些排字工人的样子对他们的举动——他们东抓一把西抓一把的急忙忙的举动——加以嘲笑，并认为这种手艺是文艺的一切不幸之根源，反之，他把手抄的人的风度和高尚的地位抬到天上高，并马上立刻做样子给我们看。一面又责备我们说写字时的姿势不学他的榜样。然后又拿排字工来对照，把一封才开头写的信颠倒过来，指出从下而上或从右而左写字，以及排满整本书所用的如此之类的方法是怎样的不规矩。

我们以这样的无聊的呆事浪费了大好光阴，却没有人想到在我们交往的人中会偶然发生一种故事，激动一般人的耳目，和使我受到不大好的批评。

革勒特不大高兴上他的文学实习课，即使他有兴趣对于散文和韵文的体裁略加以初步的讲授，他也只给少数学生以课外的讲义，而我们不在其内。他在公开的课程上留下的缺憾，由克罗狄阿斯（Clodius）教授（诗人，一七三八——一七八四）来填补。教授在文学批评和诗歌方面薄负时名，青年活泼，而对人又殷勤，故在大学和城里都有许多朋友。对于他现在担任的功课，革勒特自己亦劝我们听讲。以主要方面论，我们觉得两人没有多大分别。他也只批评那些细端末节，同样以红墨水改卷，学生觉得自己满纸都是错误，却茫然不知道那儿是对的。我也曾把一些小篇的作品呈给他看，他也认为不坏。恰巧，那时候家里人写信来嘱我作一首诗去贺我的舅舅的新婚。我觉得我已不像从前那样轻率浅薄以作这样的应酬诗为乐了，而且我既茫然不知道舅舅婚事的情形，我便想以异常的辞藻极力来装点我的作品。我因此请齐整个阿林比山的天神，来对佛城的一个法学家的婚事贡献意见；而且其诚恳的情形很与这个有体面的人的庆典相适应。维那（恋爱与美的女神）和提密斯（正义之神），因为他而口角起来；可是阿摩尔（爱情之神）愚弄后者的结果，使前者胜利了，众神决定赞同这婚事。

这篇诗我决不是不喜欢，并且我还从家里得到很好的赞美之词。我不惜力气把它重新誊得好好的，希望也博得我的教授的一些称赞；不过，这儿我却猜错了，他很严格的看待这诗，他既不把我心目中的谐诗当作一回事，认为浪费神的资料在那么渺小的人事的目的上头，是极可非难的。指出这种神话的人物之应用和滥用，是一种从炫学的时代传下来的恶习，有些用语太深，有些又太浅，个别的加以删改，红墨水一点也不留情，而且还声明他删改得太少了。

他把我这首诗在堂上念出来，并加以批评，虽然没有说出我的名字。但学生们已彼此注意，这样失败了的众神大会诗之为我作，已不能隐秘了。不过，如果我采他的观点，我觉得他的批评也很对，诗中的诸神，如细加考察，的确只是空幻的人物，我因此把全体天神都诅咒了，把整个神话的判提温（Pantheon，雅典众神庙）都抛弃了。自那时起，只有阿摩尔和卢那（月神）还偶然出现在我的小诗中。

伯里斯挑来做嘲笑的目标的人物中，克罗狄阿斯恰是第一个；而且把他滑稽化也是不难的。他的体格矮小而强壮结实，行动起来很有劲儿，谈吐有点轻躁，举止也欠稳重。因为这些特点，他与莱城人便大有差别，不过，莱城人因为他的优良的品性和美好的前途，对他还很好。

莱城人有甚庆典要作得诗时，通常托他作。他是采取蓝勒所用的颂歌的体裁的，但这只有蓝勒才用得恰当。克罗狄阿斯之模仿蓝勒，只特别注意外国字之应用。蓝勒的诗借着这种字眼而呈出壮丽之观，因为与他的题材和其余的诗的作法相称之故，给予听官情绪和想象力以很好的影响。但是在克罗狄阿斯的诗中，这种字眼便显出奇特，因为他的诗的确不适于以任何方法来提高它的意趣。

这样的诗我们却常常看见好好的印成，并为人们所交口称赞。他一方面要我们摒除那些异教的神，一方面他自己想以希腊罗马的字砌成的台阶去登上文艺的神山，我们觉得极为不快。这种常常重现的字眼深印于我们的记忆中，当我们有一回在白菜园吃精致的烧饼，快活得很的时候，我忽然妙想天开，要将那些强有力的字眼凑合起来诌成一首咏饼店老板汉得尔的诗。想起就作了！现在这儿录的一首诗就是我用铅笔在酒馆的墙上题的诗了（原文下有画线者为外来语，在译文中则加深表明）：

O Händel, dessen Ruhm von Sud zum Norden reicht,

Vernimm den Päan, der zu demen Ohren steigt！

Du bäckst, was Gallier und Briten emsig suchen：

Mit schöpfrischem Genie originelle Kuchen.
Des Kaffees Ozean, der sich vor dir ergiesst,
Ist süsser als der Saft, der vom Hymettus fliesst.
Dein Hans, ein Monument, wie wir den Künsten lohnen,
Umhangen mit Trophän, erzahlt den Nationen:
Auch ohne Diadem fand Händel hier sein Gluck
Und raubte dem Kothurn gar manch Achtgroschenstuck.
Glänzt deine Urn'dereinst in majestät'schem Pompe,
Dann weint der Patriot an deiner Katakombe.
Doch leb'! dein Torus sei von edler Brut ein Nest,
Steh hoch wie der Olymp, wie der Parnassus fest,
Kein Phalanx Griechenlands mit römischen

Bällisten.

Vermög Germanien und Händeln zu verwüsten.

Dein Wohl ist unser Stolz, dein Leiden unser Schmerz,

Und Händels Tempel ist der Musensöhne Herz.

呵，名驰**南北**的汉得尔，

听听那颂歌，声彻你的两耳！

你烤着**皋罗人不列颠人**所渴求的东西！

以**创造的天才**制成**独有**的饼饵。

在你面前灌注着的咖啡的**海洋**，

比起**亥麦塔斯**（Hymettus）流出来的汁还甜香。

你的房子像我们酬劳艺术的**纪功坊**。

周围悬着**胜利品**，像对着**各国人细讲**：

就使没有**皇冠**，汉得尔也有运气

从**悲剧的优伶**夺取许多生意，

你的**遗骸豪华地**盛葬之时，

爱国之士在你的**坟**前流涕。

可是，你的**门楣**依旧鼎盛，

像**阿林比山**和**诗神山**那样峥嵘。

挟着罗马的**弩炮**的希腊**方阵**。

也不能把**日尔曼人**和汉得尔破损，

你的**福利**就是我们的光荣，你的**不幸**就是我们的**苦辛**。

汉得尔的**祭殿**。就是**诗人之子的心**。

这首诗杂在许多别的涂污那屋子的墙壁的诗中，许久没有人看出，而我们拿它来大乐一顿之后也因为别的事情把它完全忘记了。许久之后克罗狄阿斯的《米顿》（*Medon*，以雅典最后之王科多罗斯之子米顿为主角之戏曲）出现了。我们觉得主角的贤明、大量和良善非常可笑，以致这剧在第一次出演便被人指摘了。在那一天晚上，当我们聚在常到的酒馆里的时候，我就用四扬音有脚韵的诗体 Knittelverse 作一篇序幕，在该序幕中阿尔勒金（Arlekin）带了两大口袋出场，把它们放在外舞台的两边，说过种种的开端的笑话之后，便向观众宣布，在这两个口袋里是剧员很惯常地撒在观众的眼上的伦理学和美学的沙粒，一袋是满装着不值一钱的善行，另一个口袋装着的是用华丽的辞藻表现的思想，但里头却空无一物。他不愿意离开，再出场几次，诚恳地劝诫观众要注意他的忠告，和把眼睛闭起来，教他们记着，他是他们的友人，跟他们说的是好意云云。这个序幕当场由我们的朋友荷尔恩在屋子里演出来，不过这玩笑还是在我们自己中间开的，从没有把它写成抄本，而且这稿子不久就失掉了。可是扮演阿尔勒金很不俗的荷尔恩还要将我的咏饼商汉得尔的诗扩充好些节，并且开始涉及《米顿》。他对着我们把它念出来，我们听了很不喜欢，因为我们觉得那添加的诗并不精巧，而先前的别有用意写成的诗却为之弄坏了。这朋友不满意于我们的冷淡的态度——我们的讥评，拿去给别人看，而后者却觉得新奇有趣。于是人们便将它写成抄本，而克罗狄阿斯的《米顿》的名声也因之很快的传播起来。社会人士看了都不以为然，而作俑者（人们不久就知道这诗是我们这班人弄的）被人极端非难：因为自从克郎尼格克（Cronegk，诗人，一七三一——一七五八）和洛斯特（Rost，诗人，一七一七——一七六五）向哥特瑟德攻击以来，这样的事从没有再发生过。我们本早已韬晦，这时却成为众鸟中之枭那样（众矢之的）。即在德勒斯登也引起物议，这事情纵然不使我们感到不快，但也有严重的影响。林登瑙伯爵对于他的儿子的家庭教师之不大满意由来已久。因为这青年人的功课虽没有忽略，当别的教师授日常功课时伯里斯或在小伯爵的住室内，或至少在他的左右伺候着。他自己的功课很有恒地教授，白天总陪着他出门，散步时也给他作伴，不过我们其他的人仍常一块儿在阿倍尔酒馆，一块儿蹓跶；这已引起人的注目了。伯里斯也常到我们这儿来，到后来，一到晚上九点钟便把他的学生交给家仆，到酒馆里来找我们。而且来时，他没有一回不衣履齐整，佩着剑和照常挟着帽子的。他平常闹的玩笑和傻事层出不穷。例如有一个朋友照例是一打十点钟就走的，因为他跟一个女子有来往，而只能在这时候跟她晤谈。我们不愿意他走掉，有一天晚上，我们一道儿很乐，伯里斯暗地里立下决心这回不放他走。钟鸣十下，那人便站起来告别。伯里斯喊他来，并请求他等一息，因为他想跟他一道走。于是他首先极娴雅地寻找他的佩剑，其实剑就放在眼前，而且扣剑时的举动又那样的笨拙，以致总弄到不妥。他初时做作得那样自然，没有人以为他是在作弄人。可是，到后来，他为要变换花样起见，便越发的闹，一忽儿把剑佩在右边，一忽儿把剑放在两腿中间，于是引起满堂大笑。那个急遽要去的人同样是一个识趣的朋友，也一道儿乐，让伯里斯闹下去，直至幽会的时间已过，然后我们才大伙儿高兴，恣情的欢乐，直至夜深。

不幸伯里斯还跟好几个女子来往，而我们由他介绍也参与其中。她们的实际不像她们的名声那样坏，但我们的名声却因此不能而增进。人们有常常见我们在她们的园中，跟小伯爵在一道散步。这一切凑在一块，老伯爵终于听到了风声，于是他设法委婉地辞退了他的家庭教师，而后者反因而得到佳遇。他的美好的仪表、学识和才力，他的耿直，使人无懈可击。他借之获得名人的爱敬，由他们的推荐他被聘为德骚（Dessau）公爵的世子的师傅，在一个各方面都有力的诸侯的宫廷中，着实得到好处。

失去像伯里斯那样的朋友，对于我是有极重大的意义，他姑息我而同时却陶冶我，他在我的左右，是需要的，如果他认为对我操心是好的事，对于社会也有效果的话。他能够推动我做种种正经规矩和恰当的事，和引起我的社交的能力。可是，我在这些事情上头没有独立性，所以当我再独处的时候，我马上回到杂乱踌躇的状态，我越对于社会环境不满意，这种心境便越加甚。因为我自以为社会环境不满意我，我这样的任性下去，我便把从前认为自己的长处的也当作坏处，跟许多一向关系还不坏的人们断绝来往，并且当自己和朋友遇着种种逆境时，——那是因为我做或不做什么事情，做得过度或不及所招致的逆境——我必定听见善意的人会说我缺乏经验。对我有好感的任何人，如看见我的作品——特别是涉及外部世界的作品——也有同样的话。我尽我的能力观察外部世界，但是在那里头却找不到有什么使人信仰的地方，我只有常把我自己的责任添上去，好让我还跟这世界合得来。即使我的朋友伯里斯，我也有时坚求他明白地告诉我什么是经验。可是，他既满藏着傻气，一天推一天，到末了，准备过几时之后才告诉我，如果我们经验的时候像一个经验者经验他所经验的那样，这经验就是真正的经验（die wahre Erfahrung sei ganz eigentlich，wenn man erfahre wie ein Erfahrner die

Erfahrung erfahrend erfahren müsse）。当我们听见了把他大骂，和跟他争论时，他力言在这句话的背后藏有很大的神秘，要我经验过，才会明白，——他这样说下去，因为他继续讲一刻钟也不费他一点力气；经验常是越积越多，到后来便成为真正的经验。当我们对于这句滑稽话绝望时，他就誓言，这一套方法——为求明白和动人起见的方法——是从最新最大的作家学来的。他们使我们注意到，“人们怎样安静（动词）安静的（形容词）安静（名词），以及静默在静默中更常能静默一点（wie man eine ruhige Ruheruhen und wie die Stille rin stillen immer stiller werden Köunte）”。

偶然在上流社会里听见人称赞一个到莱城来的退伍军官，认为是一个特别有思想力和有经验的人，他曾参与七年战争，博得一般人的信任。我很容易就跟他接近，我们常一道儿去散步。经验一观念差不多在我脑子里头凝固了，想求个明白的需要如饥如渴。我既然很坦白，我便向他沥陈我的不安的心境。他听了微笑，为了解答我的问题，他十分亲切地对我略讲他的身世和所亲近的社会的情形，在这谈话中我并不曾得到什么好处，除了知道经验使我们深信，最好的思想，欲望和企图是不能实现，凡抱有这种痴想和强烈地表白出来的人，主要地就称为没有经验的人。

可是，他既是一个勇敢能干的人，还没有完全抛弃这种痴想，残存于他的心中的一点信仰、爱念和希望，他仍觉得不坏。以后，他当然会讲给我听许多关于战争的事情，战场的生活，大小战役——特别是他曾参与的战役，这些重大的事迹，既涉及一个人，自然获得群众的惊叹。我又劝他当众讲述以前的宫廷的情形，这种情形像是十分珍奇无稽的。我听他讲及奥古斯二世（见前）的体力，他的许多子女，和他的巨大的浪费，然后又听他讲他的后继者（奥古斯三世）的艺术癖和搜藏癖，布律尔（Bruhl）伯爵（奥古斯三世的总理大臣）和他的无穷的奢华的嗜好——其事端似流于低级趣味——以及那么些的淫奢的宴乐，这一切因腓得烈之攻入撒克森而完全中断了。现在王宫残破不完，布律尔的豪华已烟消云散，残留下来的只有备受蹂躏的美好的国土罢了。

他看见我对于那疯狂似的幸福的享乐而惊叹，对于那后来的不幸则又悲伤，因向我暗示，对于两桩事都恬不以为怪，也不对之发生热烈的兴味，这才是有经验的人能做到的，我因之觉得暂时还像从前那样没经验也不要紧的。他加强我这种确信，并热烈地请求我暂时常保留着愉快的经验，而尽力摒除那些不快的经验——如果后者向我进迫的话。可是，有一回，我们再泛讲到经验，我将我的朋友伯里斯的诙谐语告诉他，他摇头微笑说道："这就可以看见说话是怎么样的了，纵然只是一度从口说出来！这些话听来像是那样的滑稽甚至笨拙，以致不能够加以一种合理的解释，但是姑且试试。"

当我迫着他说时，他却明达爽快地答道："如果您容许我——因为我是批评和补充您的朋友——照他的式样继续说的话，我以为他的意思想这样的说，所谓经验不是别的，就是一个人经验到他所不欲经验的，至少在这个世界上，往往有这样的结果。"

第八卷

另有一个人，从各方面看来虽与伯里斯有无限的分别，但在某种意义上可拿来跟他比较：我所讲的这个人就是厄塞尔（Oeser）。他也属于悠闲地在所好的事业中过了一生的那一流人。连他的朋友们也暗中承认，他虽有很美好的天资，但在青年时候却不充分地下苦工夫，因此他总不能以圆满的技术来从事一种事业。不过，以他的年纪，将来还可用功，而且在我跟他结交的几年间，他没有不发挥他的创作之才和勤于做事，我初看见他就为他所吸引。且他的寓所，布置奇异，已使我感到极为动人；在柏莱逊堡（Pleissenbury）故宫中，转向右角，循一道新修的开朗的螺旋梯上去。他任校长的绘画学院的教室就在左边，光亮而宽敞；但是他自己住的地方要经过狭窄的黑暗的过道才达到，在过道的尽头，才寻到他的房子的门户，入口恰就是在这一溜屋子和一个大谷仓之间。第一个房子是以图画装饰着，画是近代意大利派的手笔，画家的优美他常加称道。我既与三数贵家子弟请他教授绘画，他许可我们在这儿习作。有时我们还能够进靠近的内室去，在内室里储藏着他的少数的书、艺术品和自然品，以及别的他最喜欢的东西。一切都收拾得饶有风趣，简单而经济，地方虽小而能容许多物件。家具、箱柜、纸夹都高雅，没有藻饰和多余。他向我们极力推荐和常常提起的第一件事也就是借着艺术和手业的协力，可制作的一切东西，一定要单纯素朴。他既坚绝地反对涡形装饰和贝壳装饰以及瑰奇的（barock）艺术趣味，他拿具有这种作风的铜版画和肉笔画的旧样本与家具和别的室内装饰的较好的细工及较简单的形式相对照，因为他前后左右的一切东西都跟他的原则一致，所以他的话和教训给予我们以良好和持续的印象。此外，他还有机会让我们在实际上看他的意见，因为他在私人社会和政府中人里头，都有很好的声望，有什么新的建造或改筑常来请教他。一般而论，他像是较喜欢随时为一定的目的和用途而制作，却不大喜欢担任和制作太费工夫的独立的作品；所以，如果书店请他替一本书作大小的铜版画，他随时都可以答应和着手。温克尔曼（Winckelmann）的头几本著作的装饰画就是他所刻的。可是，他常常画的只是很随意的画，在这些画里头该塞尔（Geyser）很识得随机应变。他所描的人物全是有点——纵然不说是理想的——一般的。他画的女人愉快可爱，小孩则十分天真烂漫；只有画男子他的笔就滞起来，因为他的笔法虽机巧，而老是模糊兼简略，故画的男子大抵带有贱民的形象。一般上，他的构图较注重明暗和尺寸，而不大理会到形体，所以大体上他的画看来是不坏的，他所作所制的一切都带有一种独有的优雅之致。他有所制作时，他不能也不肯克服一种欲求有意义，含有寓意和引起旁的思想的根深蒂固的倾向。他的作品，便常给人一种思索之资，借着一种概念然后完成——因为单是从艺术和表现的手腕上来看是不能算完成的。这种倾向常是危险的，纵然不把他引到逸出良好的趣味的范围之外，也有时濒于这种境界了。他常企图以极稀奇的妙想和带有痴想的谐谑来达到他这种目的；的确，他的最佳的作品便常染有幽默的气味，社会人士对于这样的东西既不很满意，他便以一种新的更奇怪的玩耍来泄忿。后来他在大音乐厅的前屋中画一个女像，她拿着一柄烛剪，正向着一根蜡烛要动手，人们看见这画便争论起来。不知这个奇怪的穆塞（Muse）是想剪那烛花还是弄灭它呢，他在那画里引起种种滑稽的枝节的思想，他由是觉得很为高兴。

不过，在我的时代，新戏院的建造，最为哄动，他画的戏院的幕因为图案崭新之故确发生非常好的影响。厄塞尔把穆塞从云里——在这种场合通常是浮现于空中的——请到地下来。在伟人同祀庙的前庭装饰着索福克丽（Sophokles）和阿理斯多芬（Aristophanes）的半身像，而一切近代的戏曲诗人聚在他们的周围。文艺的女神们也在这儿，全体都是庄严美丽，但是奇怪的笔调也来了！从没有人的画面的中间现出远处的庙堂的大门，一个人飘飘然披着短褂，穿过上述的两种人，一直走到庙前来，而绝不以他们为意；人们只看见他的背面，他不是特别的显现。这个人是暗指莎士比亚的，他是前无古人后无来者，不必管什么师承，而以自己独有的手笔博得不朽。这个作品是在新戏院上的屋顶室画好的，我们常聚在那儿看他画，我也是在那儿把*Musarion*（薇兰的戏曲）的样本读给他听。

以我而论，我的艺术的习作绝不见怎样深造。他的教授对于我们的精神和趣味很有影响；但是，他自己的绘画太不确定了，故不能诱导我——只浮沉于艺术和自然的对象中的我——作严格确实的学习。在人体和人面的描写方面，他传给我们的方法，偏于它们的神态，而略于形体，偏于姿势，而略于大小的比例。他教给我们以人物的观念，要我们自己明白，而神明变化之。如果在他面前的不是仅仅初出茅庐的学生，他的教法自是好的，对的。我们虽否认他有优秀的教授的才能，我们却不能不承认他是很伶俐通达，而且才智灵敏，在更高的意义上使他很适宜于充任教师的。生徒中各人一有错失，他很清楚地洞见；不过，他不肯直接地指示，而偏要间接地很简洁地加以褒贬，人们不得不对事情思索一下，很快就可作更深的洞察。例如我有一回在蓝纸上，照着面前的画本，用白黑的粉笔很用心地来画一束花，想半用线影，半用擦笔来托起这幅小画。我下了一番工夫之后，他踱到我背后，并道：“纸多点！”他说过马上就离开。我隔座的同学和我苦思他的意思而不得其解，因为我的花束是画在一张大的两开纸上，地方绰绰有余了。我们思索了许久之后，我们终于猜中他的意思，我们感觉到黑白两色的交错已把蓝地完全遮满，把中间色破坏，的确费了很大的力气而画成一幅不妥适的画。诚然，关于远近明暗之法，他也充分地教给我们，但总是要我们自己努力吃苦才能把他所传授的原理适当地应用。也许他的用意是想养成我们——本也不想做艺术家的我们——的观察力和趣味，以及使我们认识一件艺术品的要件，而并不盼望我们自己创作艺术品。既然用功是我不会有的事（因为，涉猎浅尝是我觉得最快愉的事），我纵然不想疏懒起来，也逐渐感到无趣，而且知比行舒服一点，我便任由他照着他自己的途径领我到什么地方，就到什么地方去。

当时，达根维尔（d'Argenville，法国人，一六八〇——一七六五）的《画人传》（*Leben der Maler*）一书已译成德文，我买到它时还是新出版的，孜孜不倦地来读。厄塞尔似乎也喜欢它，他设法从莱比锡城的藏画中找出许多画册给我们看，因而领我们开始作艺术史的研究。但是这种课业对于我也产生与他原意不同的影响。我看见画家所处理的种种题材，惹起我的诗才，正如有人制成有诗意的铜版画那样，我便把铜版画和其他的画化成诗，因为我能够把画中的人物的前后的情形加以想象，把适宜于作诗的，一会儿就作成小诗。这样子，我便惯于把艺术各部门结合起来观察了。我的诗常是描写的，这本是一种错误，可是在后来我多加思索的时候，这种错误也是有用的，因为它使我注意到艺术各部门的相异之点。这一类的小诗有一些收在伯里斯替我弄成的集子里头，但现在已经荡然无存了。

这种艺术和趣味的氛围，是厄塞尔生活其中的，我们如勤于探访他，也会熏染到，因为厄塞尔喜欢怀念那些曾跟他发生过关系或交谊仍存续着的故人或别去的人。所以，与他亲近是有价值有兴趣。他一度敬重某一个人，他便一辈子不改变对于他的态度，老是对他有同样的友情。

当我们听见在法兰西人中揆吕斯（Caylus，考古学者，一六九二——一七六五）特负盛名之后，厄塞尔也把德国人中之致力于这一方面的人告诉我们知道。我们听见说克里斯特（Christ）教授是艺术癖好者、收藏家、鉴识家和制作家，对于艺术有很好的成绩，曾用他的渊博的学问来促进艺术的真实的进步。海涅克（Heinecke）却不应享盛名，一部分因为他太埋头埋脑来研究德国最原始的艺术——厄塞尔不大重视的部门——一部分因为他曾一度与温克尔曼论争，以不可恕的卑劣的态度对待他。对于立柏特（Lippert，画家、塑像家，一七〇二——一七八五，出版有古代镂刻宝石复写本）的努力，我们的教师却引起我们强烈的注意，他很充分地表扬他的功绩。他说雕像和大型的画像虽然常是一切艺术知识的基础和最高峰，不过它们在原本或复制品上都很少见；借着立柏特的努力，镂刻宝石的小世界便为人所知。有他的这本书，古代人便较容易为人所理解；成功的匠心独创，有目的的编排和饶有风味的处理，在该书中也显而易见，而且搜集既多，比较更易。当我们尽可能地从事于这种工作时，厄塞尔又指示给我们以温克尔曼（古代美术史的开山祖，一七一七——一七六八）在意大利的高尚的艺术生活。我们虔诚地捧着他的初期的著作来读：因为厄塞尔对他热烈地崇拜，很容易影响到我们。温克尔曼的小著述——它们因为带有讥讽而意义更混淆，且涉及很特殊的意见和事件——之有疑问的地方，我们虽无从索解，不过，厄塞尔在这方面既有很好的影响，他又不断地传授美的福音——不如说艺术趣味和快感的福音——我们也能明白它们的大意，况且我们认为所汲的艺术泉水就是最初止温克尔曼之渴者，幸福不可谓不大，因而自以为可更放心作这样解释了。

如果一个城市内并住着几个同样有善良正确的思想的有学问的人，这城市便是最幸运不过了。莱比锡城是有这样的优点，而且他们的意见还不怎样分歧，莱城更可宁静地享受这种利益。胡伯尔（Huber）是铜版画的收藏家和受过良好训练的鉴识家，此外还有一桩可称道的功绩，就是他想将德国文学的价值也向法国人宣扬。克垒周夫（Krenchauff）是有独到的眼光的艺术爱好者，他为整个艺术社会之友，可以把任何人所有的收藏品当作是自己的。温克勒（Winkler）很高兴与别人分享他对于自己的珍藏所抱的饶有眼光的乐趣。还有许多别的人，凑合在一处，全都是只为美术而生活着工作着，当他们观赏艺术品的时候，我也常得参与，但我总不闻他们曾发生过一回纷争；他们老是正常地考虑到这艺术家所从出的家派，他生当的时代，造物赋予他的特别的才能在这件艺术品的制作上施展到什么程度。他们对于宗教的或世俗的题材，没有偏爱，对于农村的或城市的，有生命的或静物的作品也不加轩轾；他们所论的总以一般的艺术的价值为标准。

从这些艺术爱好者和收藏家的地位、性向、能力和机缘看来，他们虽较倾向于荷兰派，可是，当人们正注目于欧洲西北部的艺术家的无限的功绩时，他们对于在东南的艺术家常怀渴慕敬重之心，另眼相看。

那么在莱城大学里我纵然辜负了我的家人的期望，甚至我的自期，但不得不给与我一种基础，使我从中寻到我的生活的最大的满足；就是莱城的种种场所也使我受到很有意义的刺激的印象，在我心目中常是可爱可贵。柏莱逊堡故宫，大学的屋宇，尤其是厄塞尔的寓所，以至温克勒和里斯特（Richter）的收藏，留给我的印象至今犹新。

可是，一个年轻的人厕入老辈的队里，老辈的人所谈的都是他们熟知的事，他只偶然的得到启迪，而由自己把所听到的一切来整理，常是最不容易的事，所以他的情形必定很痛苦。因此我与别些人又热望地寻求一种新的引路的明灯，借着一个已帮助我们很多的人，我们便如愿以偿了。

精神可以在两方面感到很大的愉快，一方面是直观，另一方面是理解。但是，前者需要一种优秀的对象，而这种对象不常在，以及需有相当的修养，而修养也不能恰恰得到。反之，理解只须有感受性，它挟内容以俱来，本身就是修养的工具。因此卓越的思想家从幽黯的云里投射给我们的光辉是我们所最欢迎的。我们要设身做青年，才能想象到勒辛的 *Laokoon* 一书给予我们的影响是怎样，因为这本著作把我们从贫乏的直观之域摄引到思想的自由自在的田野了。那么久给人误会的“诗如图画”（ut picture poesis）的原则一旦摒弃，造形艺术和语言艺术的分别了然自明，纵然它们彼此的基础是那样互相交错，但是两者的顶巅这时却显出是截然分开了。造形艺术家要保持在美的境界之内，而语言艺术家不能没有一切种类的概念但可以逸出美的范围以外。前者为外部的感觉而工作，而这种感觉只有由美可以得到满足；后者为想象力而工作，而想象力还可以跟丑恶合得来。像在电光之下那样，这种优美的思想的一切结果给我们以灿然的光辉，从前所有的启导的和判断的批评，可以弃如敝屣了。我们认为已免于一切的思想错失，相信可以带着怜悯来俯视从前视为那样美丽的十六世纪了。当时，在德国的图画和诗歌中，人们把人生只想象作一个挂着铃的呆子的样子，把死亡想象作嘎嘎地响着的髑髅的怪样子，而必然和偶然的人世的害恶却想象作丑恶的鬼怪的形状。

有一种最动人的美的思想，就是古人承认死亡为睡眠的兄弟，两者像是双生儿那样形成，可以互易分不出来。这样我们才可以极大的庆祝美的胜利，各种的丑恶，既绝不能摒除于世界之外，在艺术的王国中，只有放逐于下级的滑稽的区域里。

这种主要和基本的观念的优美之处，只有心中感到它的无穷的影响的人才觉得到，也只有在它们正为人所渴望而适逢其会地呈现的时候才觉得到。凡是以这种思想之粮自奉的人们，一辈子都欣然从事于此，以一种可惊的发展自娱，可是这种新说一出来，也有一些人立刻就对它的影响加以反对，到后来，更有一些人对于这种高尚的意义吹毛求疵。

可是理解和直观既彼此互相促进，所以我把这种新的思想加以领略，不消多久，就不得不发生一极热烈的愿望，想将来能够把大批的有意义的艺术品鉴赏一下，因此我决定到德勒斯登去游玩，而不是在那儿居留。旅行所需的费用我是有的；不过还有一个难题要解决我的痴想癖，没来由地更把这种困难增加。因为我不把我的志愿告诉任何人知道，我希望完全照着我独有的眼光来观赏那儿的艺术宝藏，我的意思是不想给任何人迷惑我。除此以外，我还让别的奇怪的心理把一桩这样简单的事情弄到复杂了。

我们有生出来的和学习得来的弱点，两者中那一样最使我们担心，也许还是问题。我虽然很喜欢去见识种种的社会情形，而且有许多这样的机会，但是我受了父亲的熏染对于一切旅馆都极厌恶。在他旅行意大利、法国和本国的途程中，这一种反感已深植在他的心坎里。他纵然很少用譬喻的话来讲，只在很高兴的时候才乞灵于它，不过他许多时却惯于这样子说，就是：在一间旅馆的门口，他相信总看见张着一个大蜘蛛网，巧妙非常，以致虫儿们一飞进去，连可以冲破寻常的蜘蛛网的黄蜂也不能安然无事出来。如果一个人要放弃他的习惯和在生活上他所爱好的东西，依照着旅馆主人和侍役的意旨来生活，而且还要过度地花钱，他觉得是件可怕的事情。他称道古代的喜客之风，他纵然一向受不了家里有些陌生的东西，他却很好尽地主之谊，特别是喜欢接待艺术家和名流。例如教父西刻兹便常在我们家里住，新逝世的音乐家善于弹低音四弦琴，得人称赞的阿伯尔（Abel）也常得他的优待和飨宴。我既然从小就有这样的印象今仍牢不可破，怎能决心一个人跑到陌生的城市置身旅馆之中呢？最好不过的是住在好朋友的家里。枢密顾问官克勒比尔（Krebel）、试补高等官赫尔曼（Hermann）和别些人也曾常对我提到这个；不过我这次旅行也要瞒他们，我于是发生一种妙想。在隔壁屋子住的那位用功的神学生——不幸他的眼病使他一天比一天衰弱起来——有一个亲戚在德勒斯登城，他是做鞋匠的，时时跟这神学生通信。我看到这个人的信上的谈吐，对他久已发生注意，他每一封信到来，我们常引为庆幸的事。他对他的惴惴于失明的表兄弟的诉苦的答复的方法是十分特别的：因为他不竭力找寻一些常是难以找到的慰藉的理由；但是他对于自己的穷蹙艰辛的生活的乐观，他连忧患苦痛也拿来开玩笑的那种态度，以及生活本身是善的那种牢不可破的信念，在信里披露给神学生知道，使人读了信至少在那一瞬间以同样的心情来答复他。我既然是很热心的人，我常嘱我的同伴亲切地向他致意，赞赏他的美好的天赋，和表达我想跟他结识的愿望。既然有这样的种种前提，我觉得去寻访他，跟他晤谈，甚至住在他的家里，俾能真切地认识他，是最自然不过的事了。我的善良的神学生，略加反对之后，终于很费力的给我写一封信，我便把它郑重地搁在口袋里，乘着黄马车，抱着一腔热望，向德勒斯登城去。

我一到那里，就去寻访我的鞋匠，不消一会儿工夫，就在城外找到他了。他坐在矮椅子上，看见我来，很和气地接待我，读了信后，微笑说道："我从这儿看出，青年的先生，您是一个奇怪的基督徒。""怎么呢，师傅？"我答道。"我说奇怪的不是坏的意思，"他继续说，

“人们把不像他自己的人就称作奇怪，我称您作奇怪的基督教徒，因为您在某一方面是主的信徒，而在别方面却不是。”当我请求表白自己的时候，他继续说下去：“我觉得您的来意是向贫贱的人们传播可喜的使命，这是好的；这样的模仿我主是值得称赞的，但是您还要想想他宁愿跟殷富的人们一道儿好好地吃饭，他不鄙视香油的香味，而您在我这儿却只适得其反呢。”

这个有趣的寒暄使我马上感到痛快，我们彼此调笑了好一会儿，他的太太踌躇不决，不知怎样来安顿和款待这样的一个客人。他看见他的太太这样子，也有很妙的戏谈，他的话不独是出于《圣经》，而且涉及哥特夫里之《中世纪编年史》，当我们商定我留在这儿住的时候，我把我的钱囊原封不动的交给女主人保存，请求她有需要时就从那儿拿钱。他既想拒绝，且诙谐地对我说明白他不是像他外观那样赤贫，我却用话驳倒他，我说：“就使只想把水变成酒，在今日也不再会有这种奇迹，这种的家庭万应药（钱）也不见得不适用。”女主人对于我的一言一动渐渐不觉得奇怪，不消一会儿，我们便彼此都合得来，很欢乐地过了一晚。他的态度跟初见面时一样，他的性情是单一的，一切言行都像是从一个源头涌出来。他的无形的财产就是一种健全的常识，它是基于乐观的心境，以千篇一律的传统的劳作自得。他之不断地工作是他的第一件事，最必要的事，其余一切却视为偶然，故能够保持他的快乐；我不能不把他看作足称为实践上的哲学家和无意识的贤哲的一流人的表表者。

我不耐烦地等候着的画廊开放的时间到了。我踏入这圣地，我的惊叹之情超出我所能想象者之外了。那个左旋右转的大堂——在其中华丽和整洁极静默地笼罩着。——那灿烂耀目的画框（它们全都是在新近才上金色的），那上蜡的地板，以及为观众践踏的时候多、为作者利用的时候少的房屋使我起一种奇特的庄严之感。因为那么些神殿的装饰品，那么些膜拜的对象，在这儿却只为神圣的艺术的目的而陈列出来，这种感觉与我步入神殿时的感觉相仿佛。我很高兴的任由我的指导员流水似的对我指点，我只请求他许我留在外画廊。在这儿，我觉得真个满足舒服。有几位艺术家的原作我已经看过，有些却由铜版画知道，有些只认识名字。我没有把这个隐秘，而对指导员讲及，因此指导员便对我亲切起来。我看见有几幅画它们的画笔胜于自然，我喜极而呼，他也不禁乐起来；因为这种画是特别吸引我的东西，把这些画跟自己熟知的两相比较，必然会提高艺术的价值。

当我再踏入鞋匠的家里吃午饭的时候，我差不多不相信我的眼睛了：因为我好像看见眼前有一幅奥斯塔得（Ostade，荷兰派画家，善于室内画和静物画，一六一〇——一六八五）的画。它是那样的尽善尽美，只应挂在画廊里才配，对象的地位、光线、阴影，全体的微褐的色泽，有魅力的明暗的配置，以及使人在那些画中惊叹的一切，我在这儿却现实地看见了。这是破题儿第一遭，我很清楚地知道我有以这画家或那画家——对其作品我刚加以特殊的注意的画家——的眼光来看自然的才能（后来我较有意识地来施展这才能），这种能力提供我许多乐趣，但是又增加我的欲求，时常热烈地沉湎于绘事中来运用一种造物似乎靳而不予我的才能。

凡是开馆的时候，我便跑到画廊去，继续卤莽地吐露我对于许多名贵的作品的狂喜。我这样便妨害了我不想为人所知的可称道的原意；初时只是一个下级的管理人招待我，这时连画廊的主任顾问官里德尔（Riedel）也注意到我，使我留心许多似乎属于我研究范围内的东西。我当时觉得这个卓越的人，也像后来许多看见的以及他现在还是表现的那样勤勉和可亲。他的容貌与那些陈列的名画，那样的织成一片，我竟不能把两者分离，甚至我带着他的印象一路到意大利去，在那儿许多的伟大丰富的藏品中，有他的影子跟着来是很足珍贵的。

我们观赏这些作品时，纵然对着外国人和不认识的人也不能默然而不互表其同感。画的谛视倒是最适宜于彼此互剖衷曲的。我在画院中跟一个青年人相谈，他是在德勒斯登作客，像是一个使馆中的人，他请我晚上到一个旅馆来，在那儿聚有一班有趣的客人，每人只付一分很廉的酒食费就可以消磨几个很欢乐的钟头。

我跑进那旅馆去，却碰不见那班人，侍者把那约我来的绅士的话告诉我，请我宽恕他略迟一点来，又嘱咐我不要以所发生的事为疑，并且除了我自己那份酒食费外不要再付什么钱。我茫然不知这些话是什么意思，但是我父亲所讲的蜘蛛网突然又浮在我的脑海里，我镇静自己，等候看看究竟是怎样一回事。一会儿各人都到齐了，我的相识把我们介绍出来，我只留神一下，就看出他们不过要愚弄一个青年人，从他的喧噪不逊的神态显出他是一个新加入的人。我因此很当心，不要让他们挑选我做他的伴侣，来充他们的笑乐的资料。就席时，这个用意除了那人之外谁都更明白了。他们狼吞虎咽，越来越凶，到后来他们举杯祝自己的爱人万岁的时候，各人都矢言干了这杯后便不得再喝了；他们把杯抛在身后，而这更大肆其捉弄的信号。末了，我悄悄地溜走了，侍者只向我要很低廉的份金，请我再来，因为那儿不是每晚都这样的混闹呢。我住的地方相隔很远，我回到那儿已近夜半了。门户没有关锁，屋里人全都睡了，一盏油灯照耀着那湫隘的房子里的景物，那时，我敏锐的眼睛马上看到一幅最美的沙尔根的画，不忍舍去，以致睡魔也尽为驱除了。

我居留在德勒斯登的几天，全都消磨于画廊中。古代的画还在大花园的别馆中，我不愿意看它们以及德勒斯登所藏的其余的名贵的东西；我深信，就是在画廊的画的收藏上，一定仍有许多为我所看不到的。我对意大利的大画家的价值的承认，出于信仰者多，与我对于它们的鉴赏力不相称，凡是我不视为自然物，不能代替自然物，或不能与自己熟知之物相比较的，对于我都不发生兴致。总而言之，使人对于美术发生更高的爱好心的最初的印象是一种宝物的印象。

我跟鞋匠很合得来。他为人机智而多趣，有时我们彼此互斗谐谑；不过一个人以自己的幸福沾沾自喜而盼望别人也这样做，便使我们生出不满足之感，这种态度之层见叠出甚至使我们觉到无聊。我觉得在他家里得他充分的照料逗我的笑乐和兴奋，但绝不觉得自己是幸福。照着他的鞋楦造的靴是不适合我穿的，不过我们分手时还是朋友那样，就是我的女主人在分别时也对我满意。

在我动身回去之前，我还碰着一桩很快意的事情。借那个青年绅士——他想再取得我一点信用——的介绍，我得晋见画院长丰·哈革多因（美术学者、镂刻画家，一七一三——一七八〇）。他很和蔼地把他的珍藏拿给我看，为了我这个青年的艺术之友的热诚而极为高兴。他既为一方家，对于他自己所藏的画，特别地珍视，别人纵欲欣赏它们，但也很少达到他所期望的那样。特别使他高兴的，就是我对斯万尼维尔特（Swanevelt，荷兰画家，一六〇〇——一六五五）的一幅画非常的喜欢。我不倦地来把这画的各部分的好处赞扬表彰出来：因为那个画中的风景正使我忆起我生长所在的故乡的美丽晴朗的天空，青茂的植物，以及温暖的气候所惠及人类的一切，这种风景既刺激起我的憧憬的忆念，故它的摹写最能感动我。

可是这种为精神和感觉准备到真正的艺术之途的名贵的经验，为一种极凄凉的光景，为我路经的德勒斯登的许多街巷的破败荒凉的景象所打断和消灭。满目瓦砾的摩伦街（Mohrenstrasse）以及十字教堂（Kreuzkirche）和它的破塔给我深深的印象，到现在还像一个黑点那样留在我的心里。由圣母寺的圆顶阁望过去，我看见在美丽齐整的城市中间，却有这个苍凉的废墟点缀着；看守的僧人向我称赞建筑师的艺术，说他建筑时早已为教堂和圆顶阁准备应付这个意外的事变，把它们建筑坚固到连炮也打不入。这个看守僧人还指着四方的荒废的建筑物给我看，并愀然简单地说道："这就是敌人干的了。"

到后来，我纵然不愿意，也只得回到莱城去，觉得我的朋友们——不惯于那样离开我的朋友们——很为惊异，他们对于我的秘密旅行的意义作种种的忖测。当我将旅行的经过很正经地告诉他们听时，他们认为是我虚构的无稽之谈，竭力想用锐眼来揭破这个谜，以为我躲在鞋匠的家里来隐藏这个谜，已是够放恣的了。

可是，如果他们能够看见我的心的话，他们便不会发现我有什么放恣的行为；因为“知识的增长就是不安的增长”那句古语很切当地说中我，越努力将我所见的来整理和化为己有，我便越不成功；到末了，我不得不以一种静中的自然而然的影响为满足。日常的生活又来逼我，到末后朋友间的交往，与我相应的知识的增加，以及写作的相当练习，使我有所事事，虽意义不大，但与我的能力颇相适合，我便觉得很舒适。

这时我跟布赖特科普夫（见前）一家人结识，这种关系很为快意，且对我精神上很有益处。本哈忒·克里斯托夫（Bernhard Christoph）、布赖特科普夫（Breitkopf）是这一家的真正创业者，初时来到莱城时只是一个印刷店的穷职工，现在还活着，住在新纽尔马克特街唤做“金熊馆”的一座华丽的房子内，跟哥特瑟德同居。

他的儿子约翰·哥特洛布·伊曼纽尔（Johann Gottlob Immanuel）已结婚很久，做了好几个孩子的父亲了。他们以为对于他们的丰裕的财产的一部分的利用，莫如在第一所房子的对过，盖一所大的新房子，唤做“银熊馆”。后者比那祖屋还高大宽敞。刚在盖新房子的时候，我跟这家人认识。最大的儿子比我长几岁，是一个体貌很好的青年人，从事音乐和精于大钢琴和小提琴；第二个儿子是诚实善良的人，同样的长于音乐，也像他的长兄那样为常开的音乐会生色。他们两人以至他们的父母和姊妹对我都有好感。当他们的新房子建筑装修，设备和家具搬进去的时候，我帮过他们的忙，因此我明白关于这桩事的许多情形，我又有机会来看看厄塞尔的学说的实际应用，我眼见新屋子的落成，我常过从其中。我们合作地做过许多事情，老大替我的几首歌作乐谱，曾经付印，只用他的名字而不添上我的名字，不大为人知道。我把较好的挑出来，插入我其余的小诗里，他们的父亲曾发明或改善乐谱的印刷。他有一个很好的藏书室，书的大部分是关于印刷业的起源和发展的，他许我应用它，因此我在印刷方面得有一些知识。此外在他们那儿，还找到很好的表现古代景物的铜版画，我也在这方面继续研究。因为搬家时很好的硫黄版的画的收藏弄乱了，所以必须经过一番整理的工夫。我尽我的能力来把它们整理好，此外还要到立柏特和别人家里去浏览参考。有一个医生赖塞尔（Reichel）博士差不多也住在他们家里，因为我觉得自己纵然不是病，身体也有点异状，我有时请他诊察——这样子我们便一道儿过很安静而娴雅的生活了。

我和这一家还发生了别一种的关系。事情是这样的：有一个铜版画雕刻家斯托克（Stock）搬入他们的楼顶屋住。他生于努伦堡城，是一个很用功，做事缜密而着实的人。他也像该塞尔那样依照厄塞尔的画来蚀刻大小种种的铜版。这种铜版画插入小说和诗歌里头的风气日益流行。他雕刻得很干净，作品一从腐蚀溶液取出来便差不多完成，不用雕刻刀怎样修改，而他用刀也很精到。他要用多少时候来蚀刻一个铜版，他估计得很精确，如果他没有把他预定的每日作业完成，什么都不能打断他的工作。他坐在一个很有条理和清洁的作业室中，扇形的大窗下的宽长桌子之前，他的太太和两个女儿跟他作伴。他的女儿中有一个嫁得很好，有一个是优秀的女艺术家；她们一辈子仍是我的女朋友。这时我把我的时间分配于上层和下层楼中，依随于这个铜版雕刻家之前，他既坚忍勤勉而又性情很好，非常和气。

我给这门艺术的整洁的技巧所引动，我跟他厮混想也制作一些这样的东西。我的性向又偏于风景方面，我独自出游时所见的田园风景很宜人，它的本身是可以雕版的，且在艺术作品中，似较那些使我望而生畏的人像容易明白一点。因此我在他的指导之下仿照提尔（Thiele）和别的铜版画家蚀刻种种的风景画，它们虽非出于老练之手，但也有一些优点，得人的好评。铜版的渲染，涂上白漆雕刻本身以及最后的蚀刻手续使人有多方面的事情做，我不久就达到能够帮助我的师傅的地步。蚀刻时应有的注意我也顾到，而且我很少失败；不过我不十分小心提防在这种场合惯于发生的有毒的恶气，后来使我吃苦的疾病，也许有一部分由它所致。这些作品中有些又作成木刻，我甚至想试把一切都作成木刻。我仿效法国派的模型刻成种种的小木板，其中有好些还可以用。

让我在这儿再提及几位住在莱城或在那儿作短期逗

留的人。郡税征收官外塞（Weisse）正当盛年，爽朗、和气而恳切，为我们所爱慕敬重，我们虽不把他的戏剧作品全然视为模范，但也为它们所颠倒。他的歌剧为希勒尔（Hiller，作曲家）轻巧地给以一种活气，使我们得到许多欢乐。来自汉堡市的犀柏勒（Schiebeler）从事同一的生涯，他的 *Lisuart und Dariolette* 所以说是为我们所推许。厄申堡（Eschenburg）是一个漂亮的青年人，年纪只比我稍大，为学生中的杰出者。扎卡利阿高兴地跟我们玩了几个星期，由他的兄弟的介绍跟我们同桌吃饭。我们的客人是一个体格高大英俊而畅快的人，不向我们隐瞒自己对于美味珍馐的爱好。我们为顺从他，轮流地请他吃过几回非常好的肴馔，丰富的点心和精选的酒，并可以认为这是我们的荣耀。勒辛有一个时候跑到莱城来，那时我们有一种自己也莫明其妙的怪想，就是不去欢迎招待他，甚至他去的地方，我们也避而不往，这也许因为我们太过自负，不肯跟他泛泛的来往，又不能作跟他发生密切关系的要求。这种一时间的愚见，——不过在僭越而痴妄的青年人是绝不希罕的——到后来确有害处，因为我以后便永不能亲眼看见这个极为我所敬重的卓越的人了。

以一切有关于艺术和古学的努力而论，谁也会想起温克尔曼来，他的才学，在祖国中是为人所热烈地承认的。我们用功读他的著作并想明了他初著作时的情形。我们在其中发现有许多见解像是从厄塞尔得来，甚至连笑话和妙想也与他的相仿佛。我们毫不懈怠地继续读着，直至我们对于他的惊人而又那样神秘的著作产生的机缘在相当的观念才止；纵然我们对于它还不寻求精确的解释：因为青年人好受刺激，而不大肯受启迪，我倚仗神秘不可思议的书籍，当作一种有意义的教育的阶梯也不只是这一回呢。

那时候是文学界一个美满的时期，优秀的作家还受人的敬重。纵然克洛兹（Klotz，古语言学者，一七三八——一七七一）的纷争和勒辛的辩难已暗示这个时期就完结了。温克尔曼享有这样普遍的无条件的尊崇，如果公开地对他的很自满的尊严有所冒渎，他之难堪是可以想象到了。一切杂志都一致地称道他，访谒他的高贵的游客，都有所获和欣然而归，他发表的新的见解，散播于学术界和民众生活间。德骚公爵也一跃而博得同样的敬重。他年轻，思想良好而高尚，在他的旅行中和别的方面显出他是值得人的爱敬。温克尔曼极倾倒于他，一提到他，便给他一个极美的别号。那时的唯一的公园的建筑——是建筑艺术的趣味的表现——就是由丰·厄尔德曼斯多夫（von Erdmannsdorf）设计，由公爵促成，故很得人的赞扬。他立下好榜样，足为其他的王侯的先导，他的臣民竟有黄金时代再临之感。这时我们青年人听说温克尔曼将从意大利回来，要访他的朋友德骚的领主，途中会到厄塞尔的家里去，因而我们也可获一面了，不禁为之狂喜。我们不作与他谈话的非分之想；但是我们希望看见他，像我们这样年纪的人是喜欢把一切事情都化为游乐的，我们就约定旅行到德骚那里去。我们想象在一个为艺术所美化的胜地，内政优良而同时外观又装点得非常美丽的国度，四处顾盼着，俾能够亲眼看见那两个远出我们之上的人的游踪。厄塞尔自己只要想到这事时，就大喜若狂，而温克尔曼的死讯（在途中一旅舍中为同道的行客谋财害命），却像晴天的霹雳那样向我袭来。我还记得很清楚我在什么地方最初听到这个噩耗：那是在柏莱逊堡的庭中，离上登厄塞尔的楼居所常经由的小门不远。一个同学迎面走来，告诉我厄塞尔不会客的缘故。这一个巨大的事变有巨大的影响，举世一齐哀悼他的早死，加强人们对于他的生命的价值的注意。是的，如果他继续他的活动直至高年，它的效果恐怕还没像现在那样大，因为他也像许多非常的人物那样，以稀奇和不幸的结局更加显耀于世呢。

可是，当我对于温克尔曼的逝世致无限的哀思时，我却想不到我不久也要为我自己的生命而忧虑了：因为在这种种情形之下，我的身体上的健康已有不很好的趋向。从家里我自己已带有一种忧郁病来，在新近的整天伏案和不活泼的生活中，这种病只有增强而没有减弱。自在澳厄斯忒特时遭到的意外（马车陷入泥泞中），而发生的胸部作痛，时常感到，因为一度坠马而更加剧，使我郁郁不乐。饮食的不加节制，败坏我的消化力；烈性的麦则堡制的啤酒（Merseburge Bier）使我的头脑昏沉，咖啡惹起我一种很特别的幽郁的心境，尤其是因为我爱在饭后搀牛乳来喝，使我的肠胃麻木，像是完全停止了它们的职能，因而弄到我忧心惴惴，而却不能改良作较合理的生活。我的精神，因有青年期的旺盛的体力所支持，放逸于欢畅和沉郁的不快之间。还有一层，那时冷水浴的风气正在开始流行，为世人所极端提倡，一个人应当睡硬床，只盖薄被，然后可以防止平常一切的发汗作用，这种和别种愚蠢的举动，因为误解卢骚之说而倡导，据说是可以使我们接近自然，和免我们道德堕落。一切上述的，我不加辨别，不合理地轮流应用，受害极大，我把我的健全的身体激动得那样厉害，以至身体内的特殊的体系终于不得不谋变动和暴发为革命，以拯救全体了。

有一天夜里，我醒来剧烈地咯血，但还有气力和意识来唤醒我隔壁屋子的神学生。赖塞尔博士被请了来，他极亲切地多方帮我的忙，我有几天彷徨于生死的境界之间，甚至连后来痊愈的欢乐也变做苦，这因为吐血时我的脖子的左边长了一个瘤，到了暂时的危险渡过后，才有暇注意到它。不过，痊愈纵然是要慢慢地可怜地进行，还是舒适可喜的事，而且我有天生的体质助我，我这时却像完全换过一个人了：因为我已得有一种精神的愉快，为许久以来所未有；虽然在外部有慢性的痛苦威胁着我，我却觉得内部的自由自在而喜不自禁。

不过，在这时候，特别使我鼓舞的，就是看见许多卓越的人们分外的殷勤相待。我说的分外：是因为他们中没有一个我不曾使过性儿来令他难堪，没有一个不是因为我的病态的狂妄而被我屡次冒犯，甚至没有一个不是因为我觉得自己的错失而倔强地许久不与之相见，现在这一切都忘记了；他们亲切殷勤地看待我，到我的屋子来设法娱乐我，替我排遣，一当我能够出门，他们也一样的多方安慰我。他们领我到外头去，在他们的乡间别墅里款待我，我觉得我的病很快就复原了。

在这些朋友之中，最先我要举出的，就是那时的市议员，后来的莱城市长赫尔曼博士。他是斯罗塞尔介绍给我认识的饭局朋友中之常保持同样和永久的友谊者。他可以算作是大学同学中之最用功者。他极有恒地上课听讲，又非常的用功。逐步循进，没有一点改变常态，我看见他得到博士的学位，继而擢任试补高等官，这其间并不见怎样的费力，至少不见他有怎样着急的赶或迟滞。他的性格的温和有吸引我之力，他的饶有启迪意义的谈话，使我依依于他；甚至我相信我之所以对于他的有恒的勤勉很高兴，主要地因为我虽不能以这种优长之点自夸，但借着对他的尊重和赞叹至少可以策励自己去实行一部分吧。

在发挥他的才能和享受他的乐趣时他也像在他的业务中那样的有恒。他擅长大钢琴的弹奏，以热烈的情绪摹绘自然，鼓舞我也同样的干；我也学他的样子惯用黑白粉笔在灰色纸上把柏莱塞河的许多杨柳和这个静静的河上的好些可爱的涯涘加以摹绘。他每以快意的谐谑来答复我的偶然流露的滑稽的举动。我还记得我们一道过了许多欢乐的时光，当他以滑稽的庄重的态度单请我一个人吃晚饭，那时我们行着特殊的礼节，在燃着的蜡烛光之下，吃一个所谓“议员兔”——那像是送给市议员的礼物那样送到厨房去，——渐渐效法伯里斯以许多笑谑来增加莱肴的味道和提高酒的风味。这个优秀的、身居要职而仍继续活动的人，对于我的虽已预感得到而仍不预料那样厉害的病，曾极诚恳地帮忙，一有余暇便来探视，和以过去的欢娱的回忆来暂时开解我的愁云，我一辈子对他极诚实的感谢。经过那么久之后，才能公开地向他表示我的谢忱，我还是高兴的。

除了这个可敬的朋友之外，生于布勒门市的格罗宁

（Gröning）对我也特别关心。我跟他结识还不久，他对我的好意，在病中我才知道；因为一个人很不容易跟病人发生密切的关系，所以他的恩惠的价值使我感到深切。他想尽法子来逗我欢喜，使我摆脱对于病状的沉思，而将最近的将来痊愈的情形和复原后的活动预先向我指出和以此期望我。后来听见这个优秀的人物，从事于重要的职务为他的故乡谋幸福，我是多么高兴呢。

前述的荷尔恩君也在这时候不断地表示他对于我的亲爱和关心。布赖特科普夫全家，斯托克的一家和好些别的人把我当作亲人相待，为了那么些的亲切的人的好意，使得我对于病苦的感觉，轻减了许多。

在这儿我不得不较详细地提到一个人，我在病的时候才认识他。他的饶有益处的交谊，使当时我遭受的愁苦之境为所蒙蔽，以致我真个把它忘记了。这个人就是郎格尔（Langer），日后充任服尔芬步忒（Wolfenbuttel）的图书馆长。他有优秀的学问和见识，看见我寻求知识的饥荒在病中神经过敏的时候，狂热地完全吐露出来，很为高兴。他谋以精确的观察来慰藉我，以种种方法来指导我，使我注意到我应该采取的方向，所以我与他的友谊虽短，得他的帮忙却不少。他继伯里斯之后受聘为林登瑙小伯爵的师傅，老伯爵明白地向这新的教师提出不许他常与我来往的条件。他跟我交往使他冒一点危险，我因此对于这个值得注意的人更是感激。他既怀着好奇心想来认识这样一个危险的人物，在别人的住所来会我几回，我不久便得他的倾慕。他比伯里斯聪明一点，到夜里才约我出来，一块儿散步，互谈一些有趣味的事情，我陪着他一直到他的爱人的门口：因为这个外貌严正笃实和有学问的人，也不能摆脱一个很可爱的女子的情网呢。

德国文学以至我自己的诗的习作跟我生疏起来，已有好些日子了。像是一个自修者惯循的轨道那样，我又转致力于我所爱的古学去。古学老像是数叠蔚蓝的远山，在我的知识欲的地平线上横着，轮廓和大体是很清楚的，但我却茫然于它们的部分和内部的情形。我跟郎格尔作一书籍的交换，在这交换中，我同时充当格罗卡斯（Glaukus）和带奥米第兹（Diomedes）。[1]我把整篮

[1] 两人均为《荷马史诗》中人物，前者为托洛亚之勇士，后者为希腊勇士。在战场会面时，前者认识后者为其父之朋友，因不交战，互换武具，前者的武器之柄为黄金制，后者为铜制，故不均等之交换称为“格罗卡斯之交换”。

子的德国诗和批评的著作交给他，而从他那里取得一些希腊的著作，这些书，纵然读得极慢，它们的应用也可以慰解我。

新朋友们彼此互通的信赖心常是逐步发展的。共同的事业和癖好是引起相互的共鸣的第一桩事；继而常达到互剖过去和现在的衷曲——特别是关于恋爱的遭遇的——一阶段，但是，如友谊要圆满的话，有一种更深邃的事物开展出来，那就是宗教的思想，有关于心魂，有关于永生的事情，它既可以巩固友谊的基础，又使它登峰造极。

基督教是在它本身的历史的既成神论和一种纯粹的自然神论之间摇曳着，后者是以伦理为基础，而又为道德的根据，性格和思想方式的不同在这儿显出千差万别。在这儿特别显出一个主要的差别，因为发生了一个问题，即是，在这种信仰中应该有多少的理智成分，多少的情感成分呢。心智灵敏活泼的学者们在这种场合，像是一个蝴蝶那样，它完全忘掉它的幼虫的状态，把伏在其中达于机体的完成的蛹壳抛弃了。另一些思想较笃实端谨的人，可与花卉相比，虽已发展为极美丽的花，还没有抛离根干，倒是借着这种亲族的结合，才使所希望的果臻于成熟。郎格尔就是属于后一种人：因为他纵然是一个学者和优秀的图书学家，他还是特别的尊崇《圣经》，认为高出其他的流传的典籍之上，并视为一种可以说明我们的道德和精神的传统的唯一的文书。他跟一部分的学者一样不以为可与伟大的世界之神发生直接关系，他认为一种神人间的媒介是必要的。他相信在人间和天上的事物中随处可以找到这种类似的现象。他的说法既妥适而又首尾一贯，对于我那样的青年人自觉娓娓动听。我经过一场可厌的大病，和人间的事物隔离了，因极愿把心智的精力转到天上的事物去，我纵然精通《圣经》，这时成为问题的，只是把我一向从人间的观点尊重之物视为神圣的东西，因为我最初认识这本书时就把它当作是神圣之物，所以我更易作此想。一个像我那样吃得苦而情感温柔甚至轻弱的人是欢迎福音书的；纵然郎格尔在信仰上同时是一个很理智的人，并确信不应为情感所支配，不应堕入空想去，不过我还不大能够埋头于《新约》的研究而不挟有情感和热心。

我们以这种谈话来消磨许多时光，他既那样喜欢我来做一个诚实而有充分的预备的知识者的改宗者，不惜为我牺牲许多他的预留给他的爱人的宝贵的时光，其至给人泄漏秘密，——像伯里斯那样——为东家所指摘之险。我以极感激之忱报答他的爱慕，因为他为我做的事情无论何时都是可感的，在我现在的情景中，它当然是最可敬重的了。

可是，通常当我们的心灵的音乐合奏正达到精神的最高峰时，人世的粗犷的刺耳的声音便极猛烈横暴地袭来，而暗地里常继续支配着的矛盾便猛然现出，它的影响更为深切，而我也不能不于摆脱郎格尔的逍遥学派之前，还要经历一种奇特的——至少对于莱城是如此——的事件。这事是由于学生激动的，原因如下：有些青年学生曾跟驻城的兵士起争执，不免有斗殴发生，有些学生联合起来湔雪所受的耻辱。兵士的顽强地抵抗，而胜利又不在那些愤愤不平的学生方面。这时据说那些有力的当局因为胜利者的勇敢的抗争予以称赞和奖励，于是青年的名誉心和报复心大大的鼓舞起来，人们公然传说，这几天晚上就要袭击当局者之家，捣毁窗户。有几个朋友向我说，这事真个会发生，强把我拉出去看，因为青年和群众老是给危险和热闹所吸引呢。一幕奇特的戏剧真个开始了。在空街的一头都为一些人占据着，他们静悄悄的，没有声响，没有动作，等候着临头的事。在空街中有十几个青年人分散地走来走去，像是极为镇静；可是一当他们来到认作目的的房子之前，他们一边走过，一边把石向窗户投去，他们来来去去三番四次地掷石，直至窗上的玻璃不再作响为止。最后一切也像这种举动那样静默地过去了，再没有别的大骚动。

一七六八年九月，大学生们的复仇壮举，正惹起议论纷纷的时候，我便由莱比锡城动身回去，坐着向马车行雇的一辆舒适的马车，有几个我认识的可靠的人作伴。在澳尔斯忒特的郊外，我想起从前陷车的意外；但是我预料不到，许多年之后在那儿有更大的危险威胁我。同样，到哥达城游览宫殿之时，我在一个饰着石膏像的大堂中站着，也绝没有想象到将来在同一个地方会跟那么些的高贵的缙绅闺秀谈笑。

我越近我的故乡佛城，我越加沉思和忆起我离家时的境界、目的和期望，现在仿佛一个海上遭难者那样回来，想来很使人沮丧。不过我既没有多少特别可自责之处，所以还差可自慰；而且回到家里时家人对我的欢迎，也不免使我感动。我的很容易兴奋的天性，为病所激动增长，久别重逢时演出一幕很激昂热烈的场面来。我还不自知面色那样不佳，因为我许久已经不照镜子了！后来家人们不约而同地逐渐逐渐打听我种种的事情，首先让我心身上先得到一点安静。

我的妹妹马上就陪伴着我，从前我从她的信里得知的家庭的关系和状况，现在可以详细地正确地听到了。自我离家以后，父亲把他的整个好为人师的性癖施展在妹妹的身上，使她闭居在隔绝社会。太平时很安全，连房客也搬走了的自己房子里，差不多没有方法向户外略为透透气和排遣一下。法语、意语和英语她必须轮流的学习，此外他还强要她把一天大部分的时间练习琴，习字她也忽略不得。我早已觉得她给我写的信是出自父亲的口授，他的教训是经过她的笔底传到我那儿来。我的妹妹依然是一个性情无定的人，严正和温和，执拗和柔顺的极奇特的混合物，这些特性一会儿联合地来起作用，一会儿又受她的意志和性向的影响，而个别地起作用。她对待父亲那种冷酷的态度，使我觉得可怕。这三年间，父亲阻止她享受那么些无邪的欢乐，或使这些欢乐变为苦事，她不能宽恕他；父亲的优良的品性，她也简直不肯承认。他所命令或规定的一切，她都做去，但极不高兴。她照着传统的规矩做去，然也只此而已。她绝不是出自爱好或喜悦所驱使，所以，在母亲暗地里跟我谈话中，这就是她抱怨的几桩事之一。可是，我的妹妹既比任何人类更渴望爱的安慰，她的爱慕之情便完全挥洒在我身上了。她的时间全花在为照料我和逗我笑乐的操心上头；不知不觉地为她所支配的女友们也出尽心机来博我欢心，替我排闷。妹妹之慰藉我，很见巧妙的心思，甚至带有一点谐谑的根苗，这种能耐我从不曾看见她有过，而且来得很自然。在我们两人中间，不久，就渐渐生出一种“暗语”，我们可以在一切人的面前打暗语来讲，而他们无从明白，她竟很大胆地在双亲的面前也常用它。

我的父亲自身是颇安适的。他的身体还好，一天的时光大半消磨在妹妹的功课上头；此外便写他的游记，调他的琵琶，还比弹的时间久一点。他看见他的现在将毕业和经历他预定的人生的路程的儿子，不是一个强壮勤勉的青年，而是一个病夫，并且精神所受的创伤似还比肉体为深，他便极力隐蔽他的不快之感；他想我赶快治疗的愿望也吐露出来。而且，在他的面前特别要留心，不要有忧郁的表现，否则他会躁怒痛苦起来。

在这种情况之下，天性本来活泼愉快的母亲便过着很无聊的日子。小小的家务不消一会儿工夫就收拾好。内心总没有一刻闲的善良的女人的心情也要找寻一点有兴味的事情，她最先就在宗教上碰到机会了，因为她的最优秀的女朋友们就是有教养的笃信的上帝崇拜者，所以她更易走上宗教的路上去。在这些女朋友中，克勒顿堡女士（Fränlein von Klettenberg）是最卓著的。我在 *Wilhelm Meister* 插进去的“美的灵魂的自白”，就是根据这位女士的谈话和信札而作的。她的体格柔弱，身材中等，一种诚恳自然的风度添上了上流社会和宫廷的礼貌而更可人。她的很齐整的服装使人记起赫尔胡特教派的女僧的装束来。她的心境没有一刻不愉快宁静，她把她的病痛看作是她的暂时的凡身的必然的成分，极有耐性来忍受它，在没有痛苦的时候，她便活泼而好说话。她的最爱好，甚至唯一的谈话资料就是人能够从自省所得的道德的经验；她还把宗教的思想凑上去，后者经过她的优美而独创的观察成为自然和超自然的。关于这位女士的心性的详细描写，就是上头的几句话已足以使爱好这种叙述的人脑里浮着她的影子了。因为她从小时起的经历的奇特，她生长和教养所在的门第较为高贵，她的精神又蓬勃而特别，她跟取同一的路途来自救的别的妇女们总不能有很好的交谊。其中最卓越的一位是格里斯巴格夫人（Fran Griesbach），她像是太严正、太干燥和太有学问了；她所知、所想、所包罗的，比别人多，别人只以自己的情绪的发展自足，各个人既不能也不想带着那么些的参考资料来讲求宗教，所以她便为她们所厌烦。不过，她的宗教思想大部分是有点单调，因为它们拘滞于某一种术语，而这种术语又很可以与后来称为“伤感的人”所采用者相同。克勒顿堡女士所走的路是介于这两极端的中间，并像是以模仿亲层多夫（Zenzendorf）伯爵（同胞教会之开山祖，一七〇〇——一七六〇）为自得，后者的思想和影响足为出身高贵和品行高尚的证明。这时她发见我是一个青年，活泼，而且力求一种不可知的救药的人，正是她所需要的，我纵不能算是罪孽满身的人，但境况绝不是舒适的，身心都不健全。我的天赋的资质，以至好些后天获得的性能都为她所喜欢。她虽然承认我有许多优点，但这绝不是她的自卑的赞辞。因为第一样，她不想与一个男子汉斗短长；第二，她相信在宗教的修养方面她比我强许多。我的焦躁，性急，努力，寻求，探究，思维和动摇，她照着她的独特的方式来解释，认为这一切都由于我没有一个宥和的神，她没把这种信念瞒我，反坦白地对我申说。从小时起我就相信跟我的神很合得来，依据种种的经验，甚至想象神那一方面对于我还负有残债未清，并且很大胆地相信我还有点要原宥他，这种僭越，是基于我的非常的善良的心性，我觉得他应当更能为我这种善性之助。关于这一点，我跟我的女朋友常常发生争论，是在意料之中。这种争论常是极和气地结束，有时却像我跟那个老校长的谈论那样，她把我看作是一个傻小子，要多加照管。

我的脖子上的肿瘤很使我受痛苦，而内科和外科医生先要——据他们说——让这种肿瘤成熟化脓，然后才治疗它，最后还是把它割了好；因此，我还要过许多不舒服的时候，才受刀割之苦。不过，在治疗的末期，拿来不断涂点的硝酸银溶液和其他腐蚀的药品每天都极讨厌地现在我的眼前。内科医生和外科医生都属于脱离教会的虔诚派，但是两个人的性格极端不同。外科医生是一个瘦长而美姿容的人，手术轻巧，可惜有点痨病，但他以真正的基督教的忍耐精神来熬受它，不让它的疾病去妨碍他的职业。内科医生是一个难以形容，目光尖锐，言谈和蔼，而确带点玄秘的人，在敬虔的人们中特别获得很大的信用。他勤勉而当心，对于病人能给以慰藉；但是，他之能招徕顾客主要地是由于他有本事暗地里示人以一些秘密自制的药品，谁也不公开地提起这种药，因为依照佛城的法律，医生自制药是遭严厉的禁止的。有一种是助消化的药粉，他不那样的秘密；但是还有一种只在极危险的时候才应用的重要的盐剂仅给那些相信他的人，不过还没有人看见过它，更绝不晓得它的功效。为要引起和加强人们对于这样一种万灵药的可能性的信仰，这医生便向那些只受他一次诊治的病人推荐一些神秘的化学的兼炼金术的书籍，且告诉人知道，借着自己的研究就很可达到自能制造这种灵药的地步。这种药物之制炼不好传授，因由于物质的原因，尤其是由于精神上的原因，所以自己揣摩更是必要，而且为要明了、调制和应用这种伟大的灵药，就必须认识自然体系上的秘密；因为它不是专门的药，而是普遍的药，并且可以用千差万殊的形态制出来。我的女朋友曾为这种动听的话所动。身体的救药，跟灵魂的救药的关系太密切了，那么如果能够发现一种可以舒缓好些人的苦痛，排除好些危险的药，岂不就是最上的善行，最大的慈悲吗？她曾秘密地读过卫令（Welling）的《应用的密教与魔术》（*Opus mago-cobbalisticum*）。因为作者把他宣示的光辉马上又自己弄暗和熄灭了，她读时还想寻求一个朋友，俾在这种明暗交杂之中做她的伴侣。她只须略加鼓励就使我也染了这种灵药热，我借了这本书来读，它也像这一类的著作那样，所以直笔地追寻它的渊源直到新柏拉图派。我对这书最费心血的地方，就是把作者从一处征见别处和借以显出他们隐而不宣的东西的暗示的文句，极缜密地加以注意，和把这些互相发明的地方在页边注明页数。不过，这书依然是十分幽玄难解，到末了只有熟识了一些术语，可以随自己的欢喜来使用它们，自信纵然不全明白，也至少会胡诌一点了。上述的那本书提起它的先驱者来很加推崇；我们因此受了它的刺激，想自己去找寻典据。于是我们进而读巴拉塞尔士（Theophrastus Paracelsus，医师、博物学者，一四九三——一五四一）和伏伦泰纳斯（Basilius Valentinus，炼金术师，发明盐酸及其他化合物，创用锑粉制药）的著作，此外还有赫尔梦特（Helmont，比利时医学者，一五七七——一六四四）、斯塔基（Starkey，不详）和其他的多少涉及自然和想象的学说和药方，我们都想加以钻研和依照它们来制药。我们特别喜欢 *Aurea Catena Homeri*，这书把自然——纵或幻想地——美丽地加以表现出来；这样子，我们有时独自，有时一块儿花了许多时间在这些奇书上头，很快适地消磨了一个迢迢的冬季的晚上（在冬天我不得不伏在屋子内）。我的母亲也参加其中，我们三个人从这种神秘所得的乐趣，还比从它的启示所得者为多。

当时我还要准备受一种很苦的试炼，因为我的消化力受了障碍——甚或可以说完全坏了——已显出那样不好的征候。我惴惴然相信这回会丧了性命，不是医药所再能奏效。在最近这次病中，我的心烦意乱的母亲极焦急地逼着那个束手无策的内科医生，拿出他的万应药来；他坚拒了很久之后，才在深夜赶到家里，拿来一小瓶的结晶体的干盐，溶化在水里，交给病人吞下去，它显然带有一种阿尔加里（Alkall）的味道，刚服下去，即觉得舒服了一点，从这一瞬间起，这病便有转机，逐步痊好。这事怎样加强和提高我们对于这医生的信仰，以及参与这种宝丹的制炼的热心，我不消说了。

我的女朋友没有父母和同胞，自己住在一个宽大的地点很好的房子内，已经开始置备一个小风炉，中等大小的玻璃管和蒸馏器，依照着卫令的指示以及内科医生和专门家的暗示，特别地用铁做材料来制炼。据说，如果识得提炼，藏在铁里头的医疗的功能是极大的。在我们所知的著作都说空中盐素（Luftsalz）一定要凝聚出来，有很大的作用，因此在制炼时便使用阿尔加里，让它在空气中蒸散，与空中盐素化合，末了就自然产生一种很神秘的精美的中性盐。

我的病体刚好了一点，复拜晴和的季节之赐，已能再回到往日的楼顶屋去住，我也就开始装设好一副小小的仪器，安着一个带有砂火器的小风炉，我很快就学会用炽红的火绳，来将玻璃管变做曲的直的容器，各种混合的药品都放在那儿去蒸发。然后将大宇宙和小宇宙（人身）的特别的成分玄秘地奇怪地来调炼，最要紧的就是以非常的方法来制出中性盐。可是，有一个时期使我最埋头埋脑做的就是所谓硅酸液（Liqwor Silicum）（燧石汁，Kreselsaft）：如果将纯净的石英跟相当分量的阿尔加里合在一块熔炼，便产生一种透明的玻璃，在空气中溶化为一种美丽明亮的液体，那就是硅酸液了。凡是亲自把这种东西试过一回，和亲眼看见过的人，便不会讥评那些相信“处女土”（jungfränliche erde）和以它来再事烧炼的可能性的人们了。调制这种硅酸液时，我获得一种特殊的熟练，美丽雪白的硅石，是我在梅茵河中找来，可作很好的材料。在勤劳和其他方面我都不让人。不过到后来我就厌倦了，我觉得那些硅酸的化合物跟那种盐绝不如我们理论上所信的那样的紧相调合，因为它很容易再分解，那极美丽的矿物的液体，虽有几回像是变作动物的胶质的形态使我极为惊异，但后来仍化作粉末，我不得不把它当作最精细的硅石粉，不过在它的性质上绝不现出一点化生力使人们可以看见“处女土”进于“结胎”的状态。

这种烧炼虽然很奇怪，很没条理，但我在其中得了许多见识。凡是现出来的结晶作用我都缜密地加以注意，因而认识许多自然物的外形。我既很知道现代的人是有系统地来处理化学的对象，我因想得到关于化学的一般的概念。纵然半方士的我，对于药剂师和一切以凡火制炼的人们不大尊崇，部尔哈味（Boerhave，荷兰医师，一六六八——一七三八）的《化学纲要》对于我仍有最强的吸引力，并引起我再去看他的其他多种著作，因而——我的慢性的病本来使我接近医学的东西——使我开始研究这个卓越的人的《医家口诀》，我很高兴的把它牢记在心。

更有一桩工作较切近于人事，在目前的修养上有用得多，那就是将我从莱城寄出的家信检视一遍。如果我们将几年前从自己脑子里头发出的东西，再拿来看，这样子就可以把自己当作是外的对象来观察，这是阐明我们自己的最好的方法。不过，那时我的确是太年轻，而这些信所代表的时期也太近。一般而论，青年人总难免抱有一种沾沾自喜的骄傲心，这种心理在鄙视过去不久的行为一事特别表现出来：因为一个人确会逐渐觉得他在自己身上和别人身上认为好的和优越的东西，是不能长久如此，于是他便以为把他无从挽救的事一笔勾销，就是最好的解除困惑的方法。我也取这样的态度，正像我在莱城时渐渐识得轻视我少年时代的劳作那样，现在我也觉得我的大学的生涯一样的无甚价值，我却不明白，正因为它提高了我的观察和理解力，所以它对于我是有很大的价值呢。我的父亲也曾把我给他和妹妹的信小心地收集和订装起来；他甚至当心地把它修改，书写和文法的错误都加以改正。

首先使我注目的就是信的外形。从一七六五年到第二年一月中旬所写的信的书法之极端草率，使我吃了一惊；可是在三月的中旬，突然现出一种十分沉着整齐的书法，像是我从前在应征作文时所惯用的那样。我对于这事的惊诧，转变为对于善良的革勒特的感谢。我现在还记得，他用诚恳的声音，劝我们在交给他的课文中留心于书法，——甚至比文章还用工夫一点——视为我们的神圣的义务。当他看见一种恶劣潦草的书法时，他常复述这话，他并且时常说，他很高兴以教成学生写一手美好的字，为他的课业的主要目的，他既常常看到美好的书法就是美好的文章的先声，所以他更有此主张。

此外，我又看到我的信中的法文和英文，纵不能说没有错误，但也写得流畅。我在写给乔治·斯罗塞尔的通讯中，也继续使用这些外国语。他仍住在图勒普多夫，我跟他保持经常的关系；从他的通讯中我得知许多人世的情形（因为他常是碰着不如意的事），对于他的诚笃高尚的思想愈加信赖。

在检视旧札时，我不免发生另一种的观察，即是本意极好的慈祥的父亲贻我一种特殊的损害，而我后来堕入的异于常人的生活方式，也与之有关。事情是这样的，他三番四次的劝诫我不要玩纸牌；可是柏麦夫人在世的时候，却能够以她的方法来劝化我，她认为父亲的告诫，只是限于玩牌之滥用无度。我既然也看到玩纸牌在交际社会中的益处，所以便听她的话。我很有玩牌的心思，但没有玩牌的精神，我很容易很快就学会种种的博戏，但从不能整晚聚精会神的玩。开头虽然玩得很好，到末了总是不济，使自己和自己的一组都输了；因此，赴饭局或从交际社会走出来时我每感不快。柏麦夫人刚死去——她因为疾病缠绵之故本已不能再强邀我们玩牌——我的父亲的教训便生效：我先谢绝与人一道玩牌，我对于他们既已再没有什么用处，我自己比别人更觉得难受，因拒绝一切的邀请，这种应酬渐渐少起来，终于完全没有了。这种牌戏本可推荐给青年人——尤其是有实际性而想在社会上混事的青年人——但对于我的确不能成为嗜好，因为我只在喜欢的时候玩玩罢了。如果有人告诉我关于玩牌的一般的观念，在牌戏上头，有某种的征兆和多少的偶然性可以供判断力和敏活的动作之练习，和把种种的博戏一时间教给我，我就会较爱好它。无论如何，我由于那个时期——即现在说到的时期——的这种观察得到一种确信，即是我们不要避免应酬的赌博，而要力谋精于此道。岁月是无限的长，每一天都像一个容器那样，如果我们真要装满它的话，便可以注入许多东西。

在我的寂寞中，我有那么多方面的事情做，我从少年时代起逐渐对种种的嗜好倾心。现在对它们的爱好心又得有机会再呈现出来，所以更是无事忙。绘事也重理起来，我既常想直接地以自然——或不如说现实——为题材，于是便把我的房间和它的家具以及在那里的人物加以描写，如果这样再不能引起我的乐趣，我便转而将我听到的和有趣味的本城的种种故事用画来表现。这一切都不是没有一种特色，也不是没有一种风味，不过，可惜人物总不均衡和缺少独有的标识，而且笔画总是模糊不分明。这些画仍继续为我父亲所喜欢，他想我把它们弄清楚一点，他又要我完成这些画。因此他把它们裱起和用线框围起来，甚至他所供奉的家庭画师摩尔根斯吞（Morgenstern）——后来以画教堂风景见称，而宜驰名的就是他——不得不作成画里的屋子和场面中的远景的线条，衬起那模糊地现出的人物来，确有点刺眼了。他想以这种方法就可逼着我去益求明确。为博他的欢心，我画许多静物，既有实物在面前做模范，我便可画得较清楚明确了。到末了，我又再起从事铜版刻蚀的念头，我绘了一个颇有趣味的风景画，当我能够把斯托克传授给我的处方书搜出来和在工作时忆起那时的乐趣，我便觉得很愉快。我不久就把铜版刻蚀，自行试印出来。不幸，构图是没有光线阴影的，我苦苦的再把光线阴影插入去；可是，我既不大明白它的要领，我便不能把它完成。我觉得那时照着我的方式过日子很是不错，不过那时又有一种从不曾患过的病向我袭来。我的喉咙伤得十分厉害，尤其是称做悬雍垂（小舌）那一部分在发炎；受很大的痛苦，才能吞下一些东西。内科医生不知道怎样来医治，他们强我含漱口水和涂药，但不能治愈这种病。到末了，像是忽然的灵感那样，我发觉我在刻蚀铜版时不够小心，而且我常常热烈地三番四次地来从事各种工作，我便染了这病，并且老是再发和加重。医生们也承认这事为可能，不久便见真确：因为刻蚀铜版这种尝试，绝不见有什么好的成绩，我宁愿藏拙而不肯出示于人，所以便把这种工作放下，但不久我竟脱离那困人的病魔，所以放下这种工作也可以自慰。此外，我还作了这样的观察，即是，大概这种工作在莱城时也很会惹起那使我受很大的痛苦的种种的病吧。太对我们自己的健康的关心以及对于那些有损或有益于我们的事的关心，诚然是一种无聊而往往是可悲的事情。不过，一方面，人性有奇妙的特质，他方面，人类的生活方式和享乐又歧异无穷，但不见人类之灭绝，此仍为一桩异事，是毫无问题的。恍惚人性具有一种特殊的韧性和多面性，因为它能够把接近它或它包容的一切都克服了。即使它不能把后者同化，至少它能使之无害。诚然，如果外物太过暴烈，人类这种天性无论怎样的抵抗，也不能不对外界屈服，我们为那么些的方土病和烧酒的作用所克服，就是如此。如果我们能够镇静地留意在复杂的市民生活和交际生活中对我们为利为害的事情，并且能够戒除那些在享乐上诚然很舒服而结果有害的行动，我们就容易摆脱许多不快——对于向来健康的身体的人，所感的痛苦尤甚于疾病的不快。可惜在卫生方面也像是道德方面那样，我们在犯了错误之后才认知它，因为后来的错误看起来与以前的不相像，所以在同一的状态却认不出来。

在检视我从莱城写给我的妹妹的旧札的时候，我不禁也有这样的感想，即是，我初受大学的教育时，我即自以为很聪明贤智，因为我才学得一点东西之后就要自居于教授的地位，因而立刻想拿来教人。我看见自己怎样把革勒特在堂上教授或劝告我们的东西，马上拿来施于我的妹妹，却不了解在生活以至学问上，能够适应青年男子的不一定就适于青年女子，我自觉得真够滑稽，我跟妹妹谈起这种人云亦云的模仿性来，共引为笑乐。就是我在莱城写的诗，这时也已觉得没价值了。在我的眼中，它们像是冷淡，干燥，以其对于人类的心情和精神的表现而论，也太过肤浅。这使我在将要离开家乡，进第二所大学的时候，把我自己的作品再宣布一次焚书之令。好些已经开头的剧诗——其中有一些已写至第三或第四幕，有些只把楔子完成——连同许多别的诗、信和文稿都付诸一炬，除了伯里斯所誉的《爱人的脾气》和《共犯者》的稿本外，免于难者极少。后一剧我特别高兴，不断加以润饰，本文既已完成，我因把楔子再完全改作过，使它较动人而又较明白。勒辛在他的 *Minna* 的最初两幕中，立下一个关于戏剧的楔子的作法的榜样，使人难以模仿，揣摩钻研他的心思和他的意识，是我最热心干的事。

那时感动我、鼓舞我和使我忙碌的事情，我虽已叙述得够详细；不过，我仍想回头再说那形而上的事物——关于它，我尽可能的企图过一次构成一个观念。

在这方面我从手头有的一本重要书籍受到很大的影响，这书就是亚诺尔特（Arnold）著的《基督教会与异端的历史》（*Kirchen-und Ketzergeschichte*）。作者不仅是一个深思的历史家，而且虔诚富于情感。他的意趣与我很融洽。使我特别喜欢他的著作的地方，就是关于人们目为痴狂或无神的异端思想者，我获得一个好印象。抗辩的精神，和对于似是而非之说的爱好，潜伏于一切人的心中。我用功研究各种不同的宗教意见，我既常常听见人说，每个人到头来都有他自己的宗教，我之所以构成一个我独有的宗教，那是我觉得最自然不过的事，而且我很快适地这样做，以新柏拉图主义做基础；而炼金术、犹太秘教和神秘派的思想也参加进去，这样我自己构成一个很奇异的世界。

我很可以想象一个神体从永劫中自生出来，但是“生”而没有繁复性便不可思议，所以它必然马上以“第二者”而呈现，这个我们称“神手”；此两者必然继续那“生”的行为，再以第三者而现出自己，这个“第三者”也是像“全体”一样有实在性、活动性和永远性。可是神体的循环至此便完结了，它们本身不能再产生一个完全跟它们相类的神了，不过，“生”的动力老是继续不断的，因此便创生一个“第四者”。可是这个早已在本身含着矛盾，因为它也像前三者那样应是绝对的，但同时又包含在它们之中，为它们所制限。这个就是琉息斐（明星魔，Lucifer），于是整个创造力都要交付于他——一切其余的存在（Sein）都从他出发。他马上施展他的无尽的活动，因为他创造了天使的全体，虽然是照着他的模型，是绝对的，但包含于他本身中，和为他所制服。他为这种光荣所围绕，他便忘记了他的较高尚的渊源，以为渊源在于自己本身，从这种最初的背恩，便生出我们觉得与神的意旨不相容的一切。他越以自己本身为中心，他一定越不自在，而凡是为他阻止归向那太始的三神的一切精灵，也陷于同样的状态。于是我们号为普通天使之堕落的事情便发生了。天使的一部分跟着琉息斐结合起来，其他一部分又再归向他们自己的真实的太始，一切被造物既从琉息斐所出，自不得从属于他。从这种全创造界的集中运动，便发生我们在物质（Materie）的形体下感觉到的一切东西，我们看到是重的、结实的和幽暗的东西，它们虽然不是直接由神体生出来，但也是神体一派所生，跟父亲和祖先一样是有绝对的能力和永生不朽。这样创造世界的一切的祸害——如果我们可以这样子称它的话——既然仅由于琉息斐的片面的倾向生出来，这种创造物当然缺少那好的半面，因为凡是从集中倾向得来的东西他们是具有的，凡是只从扩散才能得到的，他们便缺少；于是整个创造行程可以因不断的集中而毁损了自己，跟着琉息斐一块消灭了，以及失掉了与神体有同样的不朽的权利。爱路亚（Elohim，太始的三神）有一个时候曾静观这种情形，有两条路给他们选择，或是等待再经数劫，宇宙重新澄清，他们仍有余地作新的创造，或是着重于目前，基于他们自己的无穷性来救济这种缺点。他们选择后一条路，仅借着他们的意志，在一瞬间就补救了琉息斐的开头的成功挟以俱来的缺点。他们给予无限的存在以扩散自己的能力，向着他们运动的方向，于是生命的真实的脉搏便复原了，琉息斐自身也不能摆脱这种影响。这就是我们视为光辉的东西的出现和普通号为天地创造的行程开始的时期。自这个时期以来，创造界虽因爱路亚之无穷的生命力的不断作用而一步一步的复杂化，不过仍缺少一种实体，适于重建与神的原始的关联，于是人类便产生出来。人类在全体上是与神相似的，甚至同一样，但是因此却又蹈着琉息斐的覆辙，他的存在同时是绝对又是有限的；这种矛盾既然通过实有“Dasein”的一切范畴，表现于人类身上，一种完成的意识以及确定的意志都随人类的存在状态而起，因此，他之必然为最圆满而同时又最不圆满的被造物，最幸福的而同时又最不幸的被造物，已经预定的了。不消多久他也完全地扮演琉息斐的角色。离反恩主是真正的背恩，纵然整个创造的行程在现在和过去都不过是离反太始和向之复归，但琉息斐最初的堕落又重演了。

我们很容易看见，宗教上的赎罪为什么不单是从永远定下来的而必然要视为永远的东西，并且定要历经生成和存在的全劫（die ganze Zeit des Werdens und Seins）而不断地重现。在这种意义上，神本身采取人类的形体——像是准备了这种躯壳那样——以及在短期间分尝人类的运命，俾以这种类化来提高人类的喜悦，舒缓人类的痛苦，是最自然不过的事了。一切宗教和哲学的历史训示我们，这个人类不能或缺的伟大的真理，由各种不同的民族，在各个不同的时代，以种种的方法——甚至在奇特的寓言和图画中——视乎文化的高下如何，传袭下来。总而言之，这种真理只要我们承认，我们人类的生存状态，虽似阻止我们飞跃，却给我们以机会来使自己高尚化，和实现神的意图，甚至引此为我们的义务；至于实现之方法，就是一方面我们必须把我“自我化”（verselbstigen），他方面又须以谐和的步调求我们的“无我化”（entselbstigen）。

第九卷

其次，心坎常为各种的德性——特别是社交的优雅的德性所感动，种种细微的感觉便在心中被刺激和发展起来。特别是使青年读者得洞见人类心坎和热情的隐微的角隅的特点也有不少。这样得来的知识比一切拉丁语和希腊语都有价值，而奥威德（罗马诗人，见前）便是传授这种知识的巨匠。但这还不是为什么要介绍青年人以古诗和奥威德的著作的真正原因，我们从慈爱的造物主得有丰富的灵力（即在童年的时候），给予灵力以适当的培养，也不应忽略，而这种培养又不是论理学或形而上学，拉丁语或希腊语所能为力。但是，我们有一种空想力，这种空想力既不应无所选择地把任何的空想都认为最好，我们便须提供它以最得当的和最美的材料，由是我们不得不习练我们的心意，随处和在自然本身中认识和爱好那有确定、真实而精致的美。为学问和日常生活起见，我们需要好些概念和一般的知识，这些概念和知识却不是从教科书，“某某学大纲”一类的书学习得来。我们的情绪、趣味、感情要有利益地促进和净化。

这一段见于《德国万有文库》的文字不是绝无仅有的。相似的原则和同样的思想从种种方面启示出来。它们给予我们这班活泼的青年以很深的印象。这种印象因有了薇兰的榜样而加强，由是影响更大。因为薇兰第二个光辉的时期的著作显然证明他是根据这个原理而陶冶自己的。我们更有什么企求呢？哲学及其玄奥的要求已为人所抛弃了，常要那样辛苦才习得的古代文字，我们看见已置于脑后；至于“某某学大纲”一类的书之有价值与否，哈姆勒特已在我们的耳边低语出可疑的话了，现在愈发可疑。人们促我们注意动的实际生活——我们那样喜欢过的生活——的考察，和热情的认识。这些热情一半在我们的心胸中，为我们所感受，一半为我们预先感知。从前的人纵然指摘它们，现在我们不得不把它们看作是重要和可贵的东西，因为它们确是我们的研究的主要的对象，它们的认识足为我们的精神力的最优良的修养之具。而且，这样的见解与我自己的信念，以及我的作诗的努力十分适合。自从我看见那么些的好的企图受了挫折，那么些正当的希望消逝了之后，我便不加抗争，顺从父亲的主张，任由他打发我到斯特拉斯堡去游学，在那儿我预期过一种愉快有趣的生活，同时我要继续我的学业，以达于毕业。

到了春天，我觉得我的健康已经复原，我的青年的勇气也已回复，于是我再度渴望离开我的家庭，不过，原因却与前次完全不同了：因为我在家里生病吃了那么些苦，这个美好的房屋和场所已为我所厌烦，并且跟父亲也不能保持一种良好的关系。当我的旧病再发，很慢才病好时他现出过度的不耐烦，他不独不以同情来慰藉我，而且常对于非人力所能为的事露出冷酷不近人情的态度，一若疾病是只凭人的意志转移。这是我不能完全原谅他的。但是我也在许多方面伤他的感情和侮辱他。

因为青年的人从大学里带回一般的观念，它虽然是很对很好的，不过他们自以为在这方面是很贤明，便拿这种观念作为他们所碰到的事物的标准，而结果大多是不中绳尺的。我曾获得一种关于建筑学、屋内设备法和装饰法的一般的见解，当谈到我们自己的房子时，我便卤莽地把这种尺度应用起来。我的父亲自出心裁来设计这个房子的结构，和以很大的毅力完成它的建筑，它既是纯粹为他和他的家人而建造的住宅，因此也绝不容人加以评议。佛城有许多房子也是像这样子盖成的，宽阔的楼梯通上去，接各层的大前廊，前廊的本身很可以做住室。我们在晴和的季节，也老是在那儿坐立。不过，以这种上层至下层的交通方法，在一家人独住的时候，是住得很畅适的，一当几家人同住一所房子时，便极不方便，比方我们在法国人借住的场合已经验得太多了。如果我们的楼梯是莱城的式样，挤在侧边，每一层楼与楼梯间都设一隔门，也许那一场跟高级武官发生的可怕的口舌不会发生，而且我的父亲也不会多受那种闷气了。这种建筑式样我曾大加称赞，将它的优点举出来，向父亲指出也改装我们的楼梯的可能性，他听了大大的生气，使人不能置信，因为我从前不久曾对一些有涡形花纹的镜框加以指摘，和对某些的中国制的壁衣加以讥评，他更气得厉害。于是我们间发生了口角，虽然已经排解消释了，但促使我早一点作美丽的阿尔萨斯州之游。我坐新造的舒适的驿马车，也是不停留地在短时间内就达到目的地了。

在精神旅馆（Wirtshaus Znm Geist）下车之后马上就去满足我的如饥如渴的愿望，作大寺之游。这大寺早已为同伴的行客指点给我看见，很远就映入眼帘。我由一条窄巷才看见这个大寺，再过却在一个很窄的广场上，离它面前太近了。这个大寺给我以一种很特异的印象，可是这印象不能立刻就展开，只朦胧地现于我的心目中，因为我匆匆地登寺，以免辜负了高朗的太阳的美丽的刹那，这时的阳光可以一下子把广大丰饶的大地呈现于我之前。

从寺顶的望台上，我看见我将要卜居其中颇久的美丽的土地列在面前；那壮丽的城，在城外远远地展开满生着和交错着美丽菁密的树木的沃野牧场，都入眼底。

沿着莱茵河一带的惹人注目的繁茂的草木，指点出它的河岸和洲屿。南去的绵亘着的平地，为伊尔河（Ill）所灌流，也同样为种种色色的青绿植物所装点着。甚至西去近山的地方，有许多低地也呈出同样的动人的林野的景色，而北部较多丘陵的部分为无数小溪涧所穿过，到处都适宜于植物的茁生。我们试想一下，在这个芊芊地绵连着的草场之间，葱茏地扩展着的森林之中，一切宜于农作的土地都优良地加以耕植，繁长成熟，而在这些土地的最美好丰饶的地方又有村落农场点缀着，宛若为人类预备的新乐园似的这样一片浩大的田土，远远近近，半为已垦耕的丘陵，半为丛长着林木的山所围绕。我们就可以明了，我是以怎样的狂喜，来祝福我的命运——注定我要在这样美好的地方淹留一些时候的命运——吧。

在一个新地方——在那儿我们要居留一些时候——的一个这样的新鲜的印象，还是很奇特的，一半儿快适，一半儿又带有预感，全体像是一块没有写过字的黑板那样呈在我们之前。在这板上还没有志着与我们有关的悲或喜。这一片清明、繁茂、有生气的田野，对于我们仍是默然无语，只要对象的本身是有意义的，我们的眼睛便为所摄持，而这个或那个地方仍没有引起我们特别的爱慕或情感；不过，一种对于将来的预感，已足以使我的青年的心为之不安。将来应当怎么样，和会怎么样，暗地里为一种没有满足的欲望所诱致，不管我们所在的地方的性质如何，不管是苦是乐，将来的命运总是要接受的。

从高台下来，我仍在这个可尊敬的大建筑物的面前稍事流连。可是，我在最初和以后总不能够很明了的，就是我把这个奇迹看作是可惊的巨物，如果我不是同时觉得，甚至愉快地觉得，它是一个齐整而工作精美的建筑物，它一定会吓我一跳吧。不过，我绝没有思索这种矛盾，只每度参观这个可惊的建筑物时我静中领受它给我的印象。

我搬进鱼市街南边一所小而位置很好和优美的寓所去。鱼市街是一条美而长的街道，在那儿，不断的熙攘使没有事做的时候不致无聊。我于是将我的几封介绍信送去，发见我要请托照拂的人中有一位商人，他跟他的家人委心于我所熟知的那种虔诚的思想，不过在礼拜的形式上，他们仍没有与教会分离。而且他是一个明达的人，在他的一切行动上都不是伪善。人们给我介绍和介绍我给那些共同吃饭的朋友是很可亲和有趣的。有两三个老处女照管这个包饭的公寓，已很久了，很有条理和很兴旺，那儿连老带少约有十个人。在青年人中，有一个原籍林道（Lindau）名唤迈尔（Meyer）的对我最接近，如果他整个身体不是同时有点摇摇摆摆，从他的体貌来看可以算是最漂亮的人。同样，他的优美的天资却为一种不可信的轻浮所损毁，他的可珍贵的意趣又为一种难制的放荡所玷。他的脸孔，椭圆中带圆，开朗而喜形于色；从他的眼睛、鼻子、嘴和耳朵等感官看来可以丰容称之，它们显然露出一种丰盛之处，但又不太过大。他的嘴因为上唇覆过下唇，特别可爱。他的整个的相貌有一种特殊的表现，显出他是一个“Räzel”，这即是说，他的双眉在鼻上连在一道，如果是面孔漂亮的人，这种特色常产生一种可爱的肉感的表情。借着快活的性情，磊落爽直的品性，他真是人见人爱。他的记忆力好到可惊，对于功课的留心，不费他一点劲儿。他听到的，他都能记住，对于什么东西都有多少兴味，真是够八面玲珑，因为他是学医学的，所以更易如此。一切印象在他的心目中都保留得栩栩欲活，他复述教授的讲授和模仿他们时的淘气有时太过了。当他早上听过三个钟头不同的功课，到了中午吃饭的时候，他可以轮番的将各教授所讲的逐段，甚至更零碎一点，背出来。这种纷然杂陈的讲授常引起我们的笑乐，但也常使我们厌烦。

其余的都是大同小异的娴雅，沉着而诚实的人。有一个领年金的路易士骑兵也在其中；不过学生仍占大多数，全体都确是善良亲切的，只禁不住好酒的习惯。这事是不容易实现的，我们的饭团主席萨尔兹曼（Salzmann）博士便引以为忧。他已是六十来岁的人了，没有结婚，参加这个午饭局以及使它保持着秩序和体面，已有多年。他拥有丰厚的财产，在他的外表上是斯文修洁的，属于老是穿鞋着袜，臂下挟着帽子那一流人。戴上帽子，在他是一桩非常的事。他通常带着雨伞出门，老是记着，极晴朗的夏日却常常送来暴风阵雨。

我跟这个人谈到要在斯特拉斯堡求法学上的深造，俾能尽快的毕业的意思。他对于一切事情既都知道很清楚，我因向他打听我一定要听的大学的科目，以及问他对于这事情究竟有什么意见。他听了便答复我，斯特拉斯堡（当时属法国）的情形跟德国的大学绝不相同，德国大学是在广义和学术的意义上养成法学者。在这儿为顺应着对法国的关系，一切以实用为依归，和依照着实事求是的法国人的性向而设施。提供给各个学生的是某些基本原理和入门知识，教师尽可能地简述其意见，只择最必要的才教授给学生。随后，他介绍我认识一个人，这人充当补习教师，很得人的信任；不消多久他也能够博得我对他的信赖了。我开始跟他谈及法学的门径，他看见我那样议论滔滔，便不胜惊异，因为我除了乘机来表演我一向识得的把戏之外，我在居留莱城时还获得关于法律的许多知识。不过我的心得全是一种百科全书式的通泛的概观，而不能算是真正的确定的知识。我们在大学中虽不是以真正用功见称，大学的生活在种种修养上也提供我们以无穷的利益，这因为我们常给有学问或求学问的人所包围，从这种氛围中我们——纵然是不知不觉的——常可以吸收一些精神滋养料。

我的补习教师对于我的纵横的议论忍耐了一些时之后，他终于对我说明，我必须先留意于我的最近的目的，这就是应考，得学位，然后再进于实习。他说如果止于第一桩事，我们就绝不可好高骛远。我们不必问及一种法律是怎么样和从什么地方起源，它的发生的内部和外部的理由是什么，我们既不研求它怎样随着时间和因为习俗的缘故而变更，也不管它因为错误的解释和乖谬的法院引用而改变到什么程度，甚至完全改变。在这种研究中，学者很专门地消磨他一生的光阴，但是我们只问现行的法律是什么，我们把这个牢记着，俾能够在我们要需要它来保护我们的当事人时应用出来。这样子，我们是为我们的青年人准备最近未来的生活，至于更进一步就要看他们的能力和勤勉而定了。他于是把他一本笔记本子交给我，在那上头写着问话和答话，习熟了它我大约可以马上应考了，因为和普的法学小问答，我还完全记得，其余的，我就颇用功地来补习，这样子，我就——虽然心里不情愿——极容易地得到博士应考者的资格了。

可是，我因此中断了研究上一切自发的活动（因为我对于所有实际的东西都没有兴味，纵不是想明白一切东西的道理，也是想得到历史上的说明），我的能力遂大有活动的余地，我既对一种偶然由外烁而致的兴趣让步，我便极可惊异地应用这种能力。

同在一块儿吃饭的人大多数是医学生。这些人——我们已经知道——是在功课外还有劲地谈到自己的科学和专业的唯一的分子。这是源于医学的本质的。他们的努力的对象是最具体的（形而下的），同时又是最高尚的、最简单的和最复杂的。医学使整个人类从事于它，这因为它是涉及整个人类的。青年学生所学的一切，马上为一种重要的，虽危险而在许多方面是有收获的实务底前兆。所以，他热烈地来专攻他要认识和要做的东西，一部分是因为它的本身给他以兴味，一部分是因为它给他开辟一个独立和致富的幸福的前途。

在吃饭的时候，我因只听见关于医学的谈论，恰像从前在枢密顾问官路维治的饭局那样。在一块儿散步和游乐的时候，也没有多少别的东西做谈话的资料：因为跟我一道吃饭的人，既是很好的伴侣，在其余的时间也做我的同伴，并且每每有同样思想，同学一样科学的人从各方面参加到他们那里来。医学院总凌驾别的学院之上，在教授的名望和学生的出席数上头，都是如此，我因给这潮流卷进去了，加以我的医学知识的程度恰可以使我的知识欲增强和鼓舞起来，我更容易为所吸引。到了第二个学期开始，我因听斯皮尔曼（Spielmann）的化学和洛布斯泰因（Lobstein）的解剖学，决心真正用功，因为我借着我的奇怪的预备知识——或不如说多余知识——在我们那一伙人中已多少博得名望和信仰了。

不过，我在研究上这种分心和支离灭裂，还是不够的，它还要遭受很大的阻扰：因为一桩可注意的国家大事哄动了全国，给我们颇不少的连续的高兴的日子。奥国大公主马利·安东尼德（Marie Antoinette，法兰兹一世之女，一七七四年嫁与路易十六，后于一七九三年与路易同上断头台），嫁给法国做王后，将经由斯特拉斯堡到巴黎去。要使人民注意到世间是有贵显的人物，庆典正在急急的筹备，其间，为接待她和把她交给她的丈夫的迎亲大使之手而设的建筑物，特别惹起我的注意。这房子是在莱茵河两桥间的一个岛上建造的，只高出地面一点，在中间有一个大殿，两旁有较小的殿，稍后接着一溜屋子，总而言之，它是建筑得很坚固，大可以充做贵人们的游乐的行宫。可是特别引起我的兴趣的地方，以及使我不惜花费好些布塞尔（当时流通的小银币）来从看门的人得到入场的许可的原因是那些装裱整个房子内部的绫织的壁衣。在这儿，我第一回看见那些仿照拉斐尔（Raffall）的画稿织成的毯子的一种样本，这种见识对于我是有很大的影响的，因为我从此认识了许多虽然依照画样来织的正确而完美的艺术品了。我进进出出，不厌百回看，我既然很想明了我那样异常称赞的东西，这样一种徒劳无功的努力甚至使我苦恼。我觉得偏殿极为可爱，极为有趣，但是正殿倒因此更是可怕。正殿挂着许多辉煌华丽的满用装饰物围绕着的竖机织的帐帷，是照着近代的法国人的画的模型来织成的。

我对于这些画的作风也是很喜欢的，因为我的感觉以及判断力不易完全排斥某一种东西；不过题材却极使我生气。这些织画包含雅逊（Jason）、密地亚（Medea）魔女和克累撒（Kreasa）的故事（雅逊为脱提沙里亚王伊阿尔克斯之子，密地亚是他的妻，为他所弃，因杀其子以复仇。克累撒为哥林特王之女，亦为密地亚所毒杀，均见希腊神话），固是极不幸的婚姻的一个例子。在宝座的右边，我们看见那个与极残酷的死亡挣扎着的新妇

（克累撒）给对她洒同情之泪的人们围绕着；在右边，那做父亲的（雅逊）看见脚下被杀死的孩子们而惊骇，而复仇的女神（密地亚）却在空中驾着龙辇逃走。而且除了残酷可憎之外，还少不了一种鄙俗之处，在织金的宝座靠背的红天鹅绒披之后，右手边，现出那魔牛的缠曲的白尾来，同时，那喷火兽本身和跟他斗争的雅逊都完全为那种贵重的布完全遮蔽着。

这时，我从厄塞尔的学校学得来的一切原理都在我心胸中活跃着。在一个为婚礼而设的建筑物的偏殿中备有关于基督和使徒的画，是不须怎样选择和见识就会有的了。无疑的，那屋子的大小曾左右法宫管毯子的人的选择，不过，这一点我很原谅他，因为它给予我以那么大的利益：但是像在大殿那样的谬见，使我勃然大怒。我激昂地，痛切地，促使我的同游的人注意这种败坏趣味和感情的行为。“好家伙，”我喊道，不理会在我周围站着的人怎样，“一个青年的王后初进国门，就可以那样卤莽地把从前也许会成为事实的极悲惨的婚姻的榜样让她看见么！是不是法国的建筑师室内装饰师和裱糊匠中没有一个人明白，图画是表现一些东西的，图画是对感觉和情绪有影响的，它给人以印象和刺激起人的预感的呵！须知这不是别的，而是把可憎的妖魔打发来迎接这个美丽的而又据说是乐生的夫人直至边界呢！”我不知道我还说了些什么，总而言之，我的游侣设法来使我镇静和引我离开这个房子，免得闹出不快的事情。然后他们对我力言，不是人人都寻究图画中的意义，至少，他们是不会想到这一层，而汹涌来参观的斯特拉斯堡和附近的全体居民以至王后自己和她的侍从恐怕也绝不会作这种奇想。

这一个青年妃子的美丽和高贵，笑容可掬，而又庄严的仪态，我还记得很清楚。她在她的玻璃辇中让我们全体观众看见很真切，她像是跟侍从们切切细语，以潮涌而来迎她的车驾的群众为笑乐。在晚上，我们在街上打转，来观赏种种张灯结彩的建筑物——特别是大寺的灯火辉煌的寺顶，无论从近处也好，从远处也好，我们的眼睛总不厌倦地看它。

王后继续走她的路；乡民也走掉了，斯特拉斯堡城不一会儿又像以前那样安静。在王后驾临以前，城中当局曾下一道很合理的命令，不许畸形的人、残废者和可憎的病人当着她的道出现。人们拿这个来取笑，我作了一首法文小诗，在那儿，我把像是特为病者跛者而走遍世界的基督之来临与王后之来临作一比较。我的朋友们对它没有说什么，一个跟我们同住的法国人倒很不留情地批评我的法文和韵律。这种批评纵然像是太基本了，可是，试过这回之后，我记不清还再写过法文诗没有。

王后平安到埠的消息才从法京传来，马上跟着有一个凶讯，因为警察当局的过失，在一条给建筑材料阻塞着的街中，烧烟火庆祝时，有无数观众连同车马，共罹不测，死伤狼藉，巴黎城在这个大婚典礼中便陷于悲苦之境。为要将这场灾祸的严重性瞒过青年的王和王后，以及全世界，当局便将那些死于非命的人秘密地埋葬，因此，有好些家属因为他们的家人在外不归，而深信他们已经在这可怕的祸事中牺牲了。在这时候，正殿的可怖的画再栩栩地活现于我的心魂之前，不言可喻；因为我们谁都知道，如果某种精神的印象，化身为感觉的印象，它是怎样强烈有力的。

可是，这桩事变，因为我居然敢做出来的恶作剧，使我的家属亲友也陷于忧虑愁苦之中。在莱城一块儿打伙的我们青年人中，到后来也还以彼此在相欺骗捉弄来保持一种快感。抱着这种恶作剧的坏主意，我便写信给佛城一个朋友（他就是把我的咏烧饼店老板的诗扩大，应用到 *Medon* 上头，和使它广为传播的那一位），注明是由凡尔赛发出，在信中，我报告我已平安抵凡尔赛，参加庆典，和如此之类的事情，同时却叮嘱他替我严守秘密。说到这儿，我还要声明一下，我们在莱城的一小伙人，自从那一次引起我们那样不快的恶作剧以来，已惯于时常去捉弄他，加之他是一个极滑稽的人，当他发现别人故意使他陷于错误时，他是最可爱不过，所以人家更爱愚弄他。我写了这信不久之后，我便作短期的旅行，在外头两个星期。在这个期间，那桩惨祸发生的消息传到佛城；我的朋友相信我在巴黎，他对我的眷念，使他忧虑到我也为这次祸事连累了。他向我的父母和我常惯与之通信的别人打听，接到我的信没有，恰因为那次旅行阻止我发信，所以各人都接不到信。他怀着惴惴的忧虑到处奔走，到后来便将这事告诉我们的最亲密的朋友知道，后者这时也同样的焦灼了。幸而这种忖测在我的父母收到我报告回到斯特拉斯堡的信之后，才达到家里。我的青年的朋友们知道我还活着，便放下心了，可是还完全相信那时节我曾在巴黎。我接到他们为我的缘故而忧虑的真挚的信，非常感动，因立誓永不再做这样的恶戏，不过，在后来我还有时任我陷于相似的错误。这因为现实的生活既常失去它的光辉，故有时不得不以虚构的美观来使它再呈生气吧。

那个宏伟的宫廷和豪奢的洪流似的行列，既已逝去，我除了对那些拉斐尔的画幔憧憬之外，再没有别的企望留在我心里了。我真愿天天，甚至时时刻刻观赏它们，对它们崇拜甚至祈求。侥幸我的热烈的努力得到许多有力的人对这事发生兴味，这些画幔之取下和装走尽量的延宕。现在我们再委身于清静的大学和交际的生活中，以后者论，我们的饭团的主席法院书记官萨尔兹曼（Salzmann）仍为一般人的教育者。在我们开玩笑的一切场合，甚至有时在得他容许略事放荡的场合，他常能够保持的明达宽大和尊严的态度，使我们整伙人都爱他敬他。至于他露出认真的不高兴，或在小小的口角争执中，带着威严的面孔参进去，却是我极少见的事。可是，在我们一切人中，我是跟他最接近的，他也一样的爱跟我谈话，因为他觉得我的修养是比别人为多方面的，而且在论断上没有他们那样偏枯。在外表上我也以他为模范，他却毫不迟疑地公言我是他的同伴和同志。他所任的职位虽像是势力微小，但是他却把它看作是给他极大的尊荣的。他是被监护人法院的书记官，他在那儿，正像大学的终身书记那样，着实握有真正的权柄。他既多年极缜密地办理这事务，家家户户都没有不受过他的恩惠的；差不多在整个政府中，几乎只有一个关照孤儿或浪费他的财产或任其财产浪费的人最应受祝福或诅咒的吧。

斯特拉斯堡城的人是耽爱散步的，而他们这样子做也有正当的理由的。我们可以随意所之而漫步，便找到一部分天然的，一部分在古代和近代用人工造成的游乐的地方，这处那处都有游人的足迹，为欢畅快活的人们所享受。但是，在这儿，比在别的地方更使一大群游人悦目的，就是妇女们的各种装束。中层阶级的女子还留着用大针紧插着的卷上去的辫子，还有一种紧窄的衣服，它的衫裾总不大合式；最合人意的就是装束不是依身份家世而严为划分：因为还有几家富贵人家任由他们的女儿穿这种衣服。其余的妇女作法国装束，这一派人每年都得到多少的皈依者。萨尔兹曼认识许多人，到处都可以出入；跟他同行的人便得很大的方便。特别是在夏季，因为远远近近各处的园子里头都有好的款待，嘉宾佳会和鲜美的饮食，并且可以在这个或那个高兴的日子得到不止一次的邀请呢。在这种场合中，我碰到一个机会很快就得到我才第二次探访的一个家庭的好感。我们是被邀请了，届时就莅临，客人不多，像平常一样有些在玩着牌，有些在散步。到后来将入席的当儿，我看见女主人跟她的姊妹很有劲的，像有特别的故事似的谈着话。我恰跟她们碰头，并说道："我虽然不应该，太太们，看破您们的秘密；但是也许我能够贡献我的一得之见，甚或效劳。"她们听了便向我披沥她们的困难的情形，事情是这样的：她们请了十二位客人吃饭，在这一息间，有一个亲戚旅行回来，他既是第十三位，纵然他自己不以为嫌，但对于别的客人一定有几位觉得是一个不祥之兆（Momento mori）了。"这事情是很容易解决的，"我答道，"请您们让我走开，和保留以后的报酬就行了。"她们既是讲体面有礼法的人，绝不肯答应，只打发人在邻近到处找寻第十四位的客人。我就让她们这样办了，可是我看见用人们空手走进园门来，我便偷偷地溜走，在万亲瑙（Wanzenau）的老菩提树下很快乐地度过那个晚上。我这回放弃权利得到很丰厚的补偿，那是自然的结果。

一种普通的交际而没有玩牌，是不可思议的事。萨尔兹曼重兴柏麦夫人之教，我既真个明白，一个人借着这种小小的牺牲——假如真是牺牲的话——可以得到许多乐趣，甚至在交际社会中得到一种很大的自由，非别处所得而享受。因此陈旧的、催眠的“辟克特”（Pikitt，两人玩的牌戏）便挖出来，我学玩“维斯特”（Whist，四人玩的英国牌戏），依照我的教师的指导，我为自己置备一个罚金箱小袋，无论在什么情境中都不能触它。于是我便有机会跟我的朋友在最上流的社会中消磨大多数的晚上，在那儿，人们大抵都对我表示好感，我有许多不中规矩的行动，也得他们的原谅，不过，我的朋友虽很够和蔼，也常叫我留意到这种事。

可是，由此我从小处征见在交际社会中一个人外表上也要多么随和，和以这社会做榜样，我便是逼着要做我觉得世界上最不舒服的事了。我虽然有很美丽的头发，但是斯特拉斯堡的理发匠马上向我断言，我的后头的头发剪得太短了，他不能够理得出来一个见得人的式样，因为只有不大短的和卷曲的前发可以理好，其余从头顶以下的头发只须结成髻形式辫发囊（Haarbentel）。在这次我没有别的办法，只有甘愿用一个假发，直至头发过了一些时候自然地再长起来，才不用它。我初时很认真地反对这种无害的装假，理发匠答应我，如我能够马上决心这样子做，他绝不让别人看得出来。他履行他的约言，我可算是发理得最美和头发长得最好的青年人。可是，我既须从清早起一天到晚这样子打扮和洒粉于发上，同时又要当心我的假发不至因为热和剧烈的行动而露出马脚，这种强制的确很有助于我，使我好些时候文静有礼，出门时惯于把帽子挟在臂下，因而也穿鞋着袜了；不过，我却不能不穿上细皮的袜套，以防莱茵河的大蚊，因为在美丽的夏夜里，草场和花园常有这些小动物散布着呢。在这种情形之下虽不容我作剧烈的身体上的运动，但我们朋友间的谈话却日益有劲，日益热烈，甚至可以说，它是我一向未曾有过的最有趣的谈话。

以我的感觉，我思想的方式，我对任何人都承认他的现状，甚至承认他所自负者，也于我无损，因此，一种蓬勃青年之气——差不多是破题儿第一遭全盛地呈现出来——的磊落态度替我博得许多朋友和敬慕者。我们的饭团已增加至二十人，因为萨尔兹曼固执他的传统的方法，所以一切都一仍旧贯，各个人既要当心更多的人，谈话差不多更规矩一点。在新来的人中，有一个人特别引起我的兴趣，他的名字唤做荣格（Jung，后在各地大学任国法学教授，一七四〇——一八一七），日后以斯提灵格（Stilling）的名字闻名的人就是他。虽然装束得不入时，他的体貌，除了有一点朴实之外，却颇温柔。一个入囊的假发却无碍于他的有意思的、可亲的脸庞。他的声音温和而不柔弱，一当他兴奋——这是很容易会有的——的时候，便清亮而强大。如果我们接近他一点，我们便发现他有一种健全的常识，基于情意，因而为爱和欲所左右，正从这种情意便发生一种对于善、真和正义的极度纯洁的热心。因为这个人的以前的生涯是很简单的，但又历经世变和频作多方面的活动。他的活力的原素是一种对神和他的直接救助的不变的信仰，这种助力从神之不断地预为人谋，百无一失地拯救人于一切困苦过恶之中的事实明白地表现出来。荣格在他的一生中曾有那么些这样的经验，即新近在斯特拉斯堡，这种经验也常重演。因此，纵然在他的生计上，这一季还不知别一季的事，他也极愉快地度他的虽淡薄而仍无忧无虑的生活，和极认真地专心研究。在他少年的时候，曾做过烧炭夫，半途又从事裁缝的手艺，后来他在余暇自己研求高尚的学问，他的好为人师的志趣驱使他谋一个教师的位置。这个企图失败了，他重事手艺，不过，因为谁对他都容易起信仰和爱慕，他便屡次被聘再任家庭教师之职，而脱离手艺。可是他的最里面和最本来的修养得力于那一种普通常见的人，这种人必须向自己求救助而同时借着《圣经》和别的优良的书籍的阅读，互相勉励和剖白而努力立身，因而得到相当的文化，引起别人的惊异。因为他们常抱有的，在社会中也保存着的志趣，以道德、好意、善行等最单纯的基础为根据，而且这样家境寒素的人会发生的差误也是不大紧要的，因为他们的良知大抵都常是纯洁的，他们的精神常是清明的，由是便发生一种非人工的，而真正自然的文化。这种文化比起别的来，便有一个这样的优点，即是无论年龄老少阀阅高下，他们都与之相适应，并且他们在本性上也跟什么人都合得来；所以这种人在自己那一伙人中，真是善于说话的，并能够将一切关于人情的事——无论最微妙的也好，最宏大的也好——适当地可爱地表达出来。善良的荣格便恰是如此。在少数——纵不是思想同一，而对他的思想方式也表示不压恶——的人中，他表现出不独好讲话，而且善于讲话。特别是他讲述他的生平的时候，最为娓娓动听，他能够使听者了然于他所讲的一切情境，栩栩然如在目前。我首先鼓励他把这个写出来，他答应了。因为他表现自己的方式像一个梦游病者（Nacht wandler）那样，我们不能喊他，否则他就要从高处栽下来；又像温软的河水那样，我们绝不能妨阻它，否则它就要激湍，因此他在较大的交际社会中一定常觉得不舒服。他的信仰不容人有一点怀疑，他的信念受不了别人的讥笑。他在亲切的讲谈中虽是滔滔不绝，但是一当他遭人反对，他的话匣子马上就全停了。在这种场合，我通常助他渡过难关，他因而以很真诚的亲爱报答我。他这种性情对于我既绝不是可异，我在我的最好的男女朋友中倒已把这种性情，认识得很清楚，并且它的自然和坦白又很与我相宜，所以他能够跟我相处得极好。他的精神的方向，我觉得合式，他的奇迹的信仰那样有利于他，我却不置一词。萨尔兹曼对他的态度也还过得去，我说“过得去”，因为以萨尔兹曼那样的性格、气质、年龄和景况，他必然站在合理的——或常识的——基督教徒方面，和坚持这种主张。其家教本以性格的正直和一种丈夫气的自立性为基础，故不高兴从事和混入那种容易流于阴郁的感情以及容易陷于暗昧的幻想。这一派人也是可敬重的，为数不少；一切诚实能干的人都互相了解，生涯和信念都是相同。

勒塞（Lerse）同是我们饭团中的一分子，也属于这一种人；他是一个十分正直，因家道寒素而恬淡缜密的青年。他的生活和经济之道是极简单的，为我认识的学生中所仅见。他的衣服是我们一切人中之最整洁者，不过他穿的老只是那一套；可是他也极小心地整饬他的服装。他要他的周围保持清洁，因此在公共生活中他也想一切都照他的榜样。他从没有试过将身靠在任何地方，或把手肘横在桌子上；他从没有忘记把他的揩嘴的手巾加上标识，如果他发觉椅子不十分干净的话，女仆就要挨骂。虽然是这样，他的风采绝不是板执的。他说话诚恳、确定和干脆地有劲，在谈话中，他说出一种轻快而带讥讽的笑话，很跟他相宜。在体貌上，他也仪表不俗，瘦长而颇高，他的脸孔有痘痕而不映眼，他的蓝色的小眼睛明朗而锐利。他在许多方面都可为我们的师表。此外我们还把他当作我们的剑术教授：因为他耍得一手很好的剑，他像是开玩笑那样，他在我们练剑的时候，便把这门技艺的一切细端末节都向我们卖弄。我们真也得他的好处，他教我们合在一块儿来做很好的运动练习，渡过许多时光，我们也应感谢他。

勒塞具有上述一切的特性，便极有资格来在大小的争讧中充当仲裁者和审判者。在我们这一伙人中，争讧虽少见，然也有时发生，当萨尔兹曼的家长式的调处不能镇服的时候，便要烦到勒塞了。我们弄出来的团体是为环境和善意所结合的，没有外表的形式——在大学中有形式的团体引起很大的弊害——虽偶然与许多其他的团体接触，但不会插入其中。在判断我们内部的争端的时候，勒塞常表示极其公正，如果争执到了不再可以用说话和解释调处的地步，他识得以极体面的方法来执行预期的决斗，使不发生伤害。做这种事真是没有人比他更熟练了；他又常常说：上天既不是注定他做一个战争的英雄或恋爱的英雄，所以他只愿——用传奇和剑术的话来说——做一个配角（Sekundant）就心定了。他自己既始终完全一致，并可视为一种善良而有恒的性质的好模范，他的印象因此在我心中深深地可爱地铭刻着。当我写 *Götz von Berlichingen* 时我决心要纪念我们的友谊，便把那个能够那样可敬地屈身于人的勇士唤做法兰兹·勒塞（Franz Lerse）。

他以其常带幽默的干脆的态度，能够使我们常记得，一个人对己对人的责任是什么，以及要怎样立身行己，俾能够尽长远地与人和平相处，而对他们也能自占一点身份。可是，在我方面，我在内部和外部要与完全不同的情况和敌人相斗争，因为跟我争的是我自己，外界的物象，以至天地的四原素。我现在的健康状况已足以帮助我想从事和应从事的一切；不过我还有一种神经过敏的状态，使我不能常保持平宁的心境。我听见一声巨响便感到不快，病的事物惹起我的厌恶，但是特别使我惴惴不安的，就是从高处望下来时我每觉得一阵晕眩。这一切缺点，我都想设法除掉，并且因为我不欲耽误时间，以一种急激的方法扫除。在晚上军营奏归营乐的时候，我跑到许多大鼓的旁边，它们的强烈的咚咚的声音和擂击，差不多使我的心在胸中爆裂。我一个人独自走上大寺塔的最高顶去，坐在那塔尖的宝珠或所谓塔冠（krone）之下，塔“颈”里头，约有一刻钟之久，然后大着胆子，再出来在露天中，站在一块还没有见方一厄尔（Elle，德国古代尺度名，约等于一公尺之三分之二）大小，没有特别的扶靠的板上，看见那无际的大地列在面前，而最靠近的东西和饰物却把大寺以及我立于其上和跨于其上的一切都遮住了。这时完全像坐着孟特哥菲尔（Montgolfiere）的氢气球上升于空中所见的那样。这一类的惊恐和磨折的滋味我既那样频频的试尝，直至我对于这种印象已漠然无所动心。后来，我游山和作地质学的研究，在大建筑工程中与木匠们在悬空的梁桁上赛跑，以及在罗马为较真切地察视艺术作品起见不得不作同样的冒险的时候，从这种预早的训练使我得到许多利便。解剖学因此对于我也有两重的价值，因为它既能训练我耐得住讨厌的景象，同时又满足我的求知的欲望。所以我又听老医生爱尔曼（Ehrmann）的临床讲义，以至他的儿子的助产术的功课。我的目的也是两重的，一方面是想无所不知，他方面想免除我对于讨厌难看的事物的害怕。我既实际上能得到那么大的成就，如此之类的事物便绝不会使我失常。可是，我不只对于这些感觉上的印象，而且对于想象力的诱惑，也想锻炼我自己。幽暗，坟场，僻静的地方，晚上阴森的寺院及如此之类的可虑可怖的印象，我也能一样的漠然视之；在这上头，我也能做到很不差，以至无论日或夜，无论在那个地方，我都视同一律，甚至当我后来忽然高兴想再一度试尝少年时在这种环境中感到的有趣的恐怖滋味时，我已经不能够从我唤起的极奇怪可怕的印象中强求得来了。

我这种想从太过严肃和猛烈的东西的压迫——它支配着我，有时像是我的一种力量，有时像是我弱点——解放的努力，全靠那种自由的、群居的和活动的生活方式为之助。这种生活日益吸引我，我也渐以为惯，到后来并学会自由自在地享受它。在世界上，我们不难看见，一个人觉得自己最自由，并且最完全地觉得自己毫无缺点的时候，就是当他把别人的缺点凿凿如见地指出，和加以快心的指摘，播扬于众，以非难和毁谤来鄙视我们的同辈，已成为我们的一种颇快适的感觉。因此，由或多或少人构成的上流交际社会也耽于此。可是当我们俨然自居于长上、王公和政治家的评判者，发见公共的组织设备不当，和与目的相违，只注意可能的和现实的故障，而不承认本意之伟大及一切事业和计划常可从时间与环境，得来的协助，像这样的沾沾自喜的事，再没有别的能够相比了。

凡是记得当时法国的情形，和从后来的著作中确实详细地明白它的人，很容易就会设想，当时在半法国领的阿尔萨斯州的人怎样议论法国的王、大臣、宫廷和宠幸了。对于我的求见识的欲望，这是新奇的事物，而且也很投合我的好管闲事和青年自负的心理。我对于所听见的一切都加以缜密的注意，用功地把它写起来，现在我翻阅这些仅存的剩稿，觉得这样的记事，虽只是从虚构的传说和不可靠的一般的谣言即席凑成，不过到后来总有一点价值。因为，当我们将那终于周知的秘事与当时已经揭发和流布的事对照比较，把那为时人正确地或谬误地判断的事与后人之所深信者合而观之，加以对比时，它们便有用处了。

有一事很惹人注目，且为好逛街的我们天天看到的，就是本城市街美化的计划。这种计划的进行已开始由绘图设计，以奇特的方法，进于实现。总监督迦约特（Gayot）决定改造斯特拉斯堡城的弯曲不齐的街巷，照着绳尺，从根本上造成一个齐整壮观和美丽的城市。一位巴黎的建筑师伯朗德尔（Blondel）应征建议，照他的计划，有一百四十所的房子多占地方，有八十所的房子的地面比前减削，其余的照旧一样，这个计划得到采用，但不是一齐实行，而是随时一步一步的徐徐完成，于是本城便呈出齐整与畸形错杂的奇观。例如要把一个弯曲的街面弄到笔直，第一个高兴建筑的居民，便依着那指定的路线把房子挪前一点，也许他的最近的邻舍以至第三第四间房子的主人也照样的改筑，因为他们的房子向前挪了，留下来的极不合式的空地便成为那些不挪动的房子的前院了。当局既不想用强制，但是不用强制，人们却绝不会向前移动的；因此已经预备要移动的家，在其与街道有关系的部分，不许加以改良或修缮，所有这样的奇怪的偶然的不停妥的事情，给予我们游手好闲的人以极好的口实来恣意嘲笑。照着伯里斯的方式来建议促进本城改造的计划，纵然好些新建的美丽的房子使我们又作别想，但我们对于全部改建的计划的可能性加以怀疑。至于那种计划借着长时日之助，实现到什么程度，我现在却说不清了。

更有一个题目为奉新教的斯特拉斯堡人很喜欢谈到的就是耶苏会教徒（Jesniten，起于西班牙的旧教的一派，在路易十四时代盛行于法国，至一七六二年以后便渐被放逐于国外）之驱逐。当本城改归法领的时候这派的神父们便也即出现，并想找寻住所。不久，他们便大大的活动起来，而且建筑了一个美丽的会所，它那样的靠近大寺，以致大寺的后部恰遮了它的正面的三分之一。它要建造成一个四方形的房子，在中间有一个庭园；三面已经盖好了，它是用石造的，像这些神父们所建的一切房屋那样，坚固得很。新教徒之为他们所逼——纵不是压制——是在这个以全盘地复兴旧宗教为己任的会社底计划之中。因此，他们的塌台，使他们的对头大为快意，人们看见他们出卖他们的酒，搬走他们的书，这个建筑物定归让给别一个教派——也许是没有那样卖力的教派——而不免为之开心。当人们摆脱了一个对头，其实只是一个监护人的时候，他们是怎样的高兴。羊群却想不到，没了猎犬，便有陷于狼吻的危险呢。

无论那个城市都一定有它的悲剧的史实流传下来，使子子孙孙闻而害怕，古斯特拉斯堡城因也常提到不幸的大法官克灵格林（Prator Klinglin）。他登上人间的幸福的最高的阶段，差不多没限制地支配了城和乡，享尽了富贵和权势所能给他的一切之后，终于失了宫廷之宠，逼他对于一切从前被宽容的行动都负责任，甚至被投到监牢里去，到了七十多岁的年纪，还要死得不明不白。

这个和别的故事，我们的饭团中人，一个得有圣路易品级的退伍将校能够激昂生动地讲出来，因此，我也爱陪他散步。其余的人就不是这样，他们拒绝他的邀请，让我一个人跟他一道。我跟新相识既多半可以历一些时候还合得来，而不大对他或他给予我的影响加以思索，所以我后来渐渐的觉得这位将校的叙述和论断使我不安和迷惑者多，增我见识和给我说明者反少。我真不知道，我应当怎样看他，纵然这个谜似乎很容易就打开了。有许多人一生潦倒无成，因此对于随便什么事都无时不觉得厌倦，他便属于这一流人。不幸，他还爱好甚至耽好深思，而又不长于思维，这一种人，很容易为一定的观念牢牢地笼罩着，这种情形，我们可以视为一种精神病。而且他老是把这种固定的见解反反复复地讲出来，所以长久一点便极讨厌。比方说吧，他常惯苦苦地埋怨他的记忆力退减——特别是关于最近的事——并且依照他的一个奇特的结论，断言一切的德性都从好的记忆力来，而一切罪恶却都源于善忘。他能够很聪明地贯通这个道理，因为，我们如果很不确定地应用名词，时而广义时而狭义，时而远的意味，时而近的意味，则无论什么都可以言之成理呢。

头几回，听他讲话是很有趣的，甚至可以说，他的雄辩使人惊叹。人们相信在面前的是一个善演讲的诡辩家，谈笑起来，把极奇特的事弄到有声有色，可惜这个最初的印象不消一会儿就索然无味了：因为到每次谈话的终结，无论我取什么态度，他总回到那个老题目去。纵然他对于往代的事件很有兴趣，并且能将极细微的情况说出，不过他是记不住的。他实是常借一种细端末节的描画，从世界史的叙述中急转直下，而归结到他的可憎的而又爱之成癖的思想。

我们的午后散步，有一回为了这一点事而感到特别的不痛快；兹将这事的原委举出以例其余，这些故事诚然很多，不过，纵不使读者悲叹，也会为他们所厌倦吧。

我们在穿过城的途中，碰见一个年老的女乞丐，她的求索妨阻了他的谈述。“滚你的，老虔婆！”他一边说，一边向前走过。她跟在后头呶呶的对他嚷着那老套的话，只稍为更改一点，因为她看见这个不和气的人也是上年纪了：“如果您嫌老的话，您在青年时就要让人绞掉才成！”他猛翻身过来，我恐怕会有一场口角了。“给人绞掉么！”他喊道，“让我给人绞掉吗？不，这不会有的，这不是像我那样的好汉子做的；但是自己绞掉自己，自己上吊，这是真的，我应该这样子干；我应该一枪把自己打死，以免我枉生一世。”那婆子呆若木鸡地站着，他却继续说下去，“你讲的话很有道理，老虔婆！你既然还没有给人淹死或烧死，我就要因你的一句话赏你。”他递给她一个“布塞尔”（小银币），给叫化子这么多的钱，那是不轻易有的。

我们已过了第一道的莱茵河桥，想转入旅店去，便向着它走。我正想回到以前的话头，不料在一条很宽适的小道上迎面来了一个很漂亮的姑娘，在我们面前站住，殷勤地鞠躬为礼，喊道："喂，喂，大尉上那儿去呵？"并说了别些在这个场合惯说的客套话。"姑娘，"他答道，心里有点迷惑，"我想不起……""怎么呢？"她带着可爱的惊诧说道，"您忘记您的朋友这样快么？""忘记"这两个字使他不快起来，他摇一摇头，十分晦气的答道："真的，姑娘，我想不起！"于是她带点调笑答他，不过也很温和的："请您当心，大尉，我恐怕还有第二回也错认您呢！"她说过后，便匆匆地走过，步武很快，而不向四围张望。蓦地里，我的同行者使劲地握着两个拳头捶他的脑袋。"呵，我这个笨牛！"他喊出来，"我这个老笨牛！现在您可看见了，我究竟对不对。"他于是很有劲地尽情将他的老套的话和态度拿出来。不过在这场合他更加甚一点。我不能也不想在这儿把他的弹劾自己的演说复述出来。到末后，他转向我说道："我请您做证人吧！您还记得那个在街角的既不年轻又不漂亮的女小贩吗？每一次我经过都向她招呼，许多时还跟她和气地搭讪几句，不过，她对我表示好意已是三十年前的事了。可是，现在，还不到一个月——我可以发誓——这个女孩就对我表示过度的亲切，而我竟不肯认识她，她对我那么殷勤而我反侮辱她！我不是常说么，忘恩是最大的过恶，而不是善忘的人却绝不会忘恩呢！”

我们进了馆，只有那在前厅聚饮嘈杂着的人，才阻住了他对自己和同年纪的人的破口大骂。他已静下来，当我们走进楼上一个屋子里，看见一个青年人独自踱蹀着，大尉唤他的名字跟他招呼时，我希望他息怒了。我得到跟这个青年认识是很快意的：因为那位老同伴（大尉）曾对我很称赞他，并对我讲及他在军务局当职员的时候，许多时，他自己的养老金迟迟不发，这位青年却不自私地帮过他很大的忙。这时见我们已转作普通的谈话，我高兴起来，我们谈下去时，喝了一瓶的酒。可是，这时，另一种缺点——老大尉与顽梗的人共通具有的缺点——又闹出岔子来。因为他在大体上是不能摆脱那种固定的见解，他又同样地固执着一种刹那间的不快的印象，老是让他的感情发泄而不加节制。他刚才对于自己的不快还没有消灭，现在又添上一种新的不快的事了（当然性质是完同不同）。事情是这样的：他的眼睛向周围张望了一下，不一会儿他就发觉在桌子上有两份咖啡和两个杯；而且他自己本是一个精细的浪子，也总觉得这个青年人绝不会这样子一个人在这儿。当他猜测到那个美丽的女孩也许会到过这儿来，认这事为可能的时候，开头的不快更添上了极奇特的妒意，使他完全糊涂了。

因为我到这时还满不在乎的跟那青年人谈话，料不到有什么事情发生，大尉已开始用一种我惯闻的不快的口吻刺那对同喝咖啡的人，刺这个刺那个了。那青年惊愕起来，带笑和通情达理地避他——有礼貌的人通常是如此——但是，这老头子继续不留情地恣意谩骂，那人没有别的法子，只好拿了帽子手杖走开，临走时还颇明确地露出不辞以决斗解决之意。于是大尉无名火起，因为刚才他差不多独自喝光了一瓶酒，更是火上添油。他用拳头捶着桌子喊了几回道："我要揍死这个家伙！"不过他的话不是真正含有那样恶的意思，因为有人反抗他或有别的不快意的时候，他每每用这个词句。在归途中，我偶然不小心，指摘他辜负了那个青年人的好意，和向他提起他从前怎样对我称赞这个公务员恳切待人，这事情便同样出人意料地弄糟了。不，一个人对自己这样的生气，我以后真没有再见过；这是那美丽的女孩惹起的开篇的演说底极激昂的结论。在这里，我看见一种张大其词的忏悔，并且——正如一切热情都有天才为之补充那样——这种忏悔着实是天才的。于是他把我们午后散步所遭遇的全数事情再提起来，借着它们来滔滔不绝地诅骂自己，到末后连那老乞丐婆也让她再现出来，他弄到那样颠倒糊涂，使我担忧他会跳入莱茵河里。如果我确信我能够像拯救退林马克（Telemach，阿加棉农之子，见荷马的《奥得塞》一诗）的师傅那样很快就把他捞起来那就让他跳水，而我这回就可以使他冷静下去，带他回家。

我马上把这事情告诉勒塞知道，第二天早上我们便跑到青年那里去，我的朋友的干脆的态度使他笑起来。我们一致地主张来一个临时的聚集，把这事情调解。这里头最可乐的，就是老大尉这回也忘了他的无礼，并愿意向那青年人致歉意，而后者也不是以口角为事的，一切在一个早上便解决了。因为这件事情不能完全秘密，我便免不了我的朋友们的打趣，他们根据自己的经验向我预言，跟老大尉做朋友有时是多么麻烦哩。

可是，当我想一想，现在要把什么报告给读者的时候，因为记忆力的很奇怪的播弄那个可崇敬的大寺的建筑物便再浮现在我的脑海里，这个建筑物正是当日我特别留意的，而且在城里和在乡间都常常映入眼帘。

我越多看大寺的正面，我最初感到这儿是伟大与快适之美的结合物的印象便越加强和发展起来。如果当它的全体临着我们时，那种庞大的气势不使人惊惧，当我们细察它的各部分时，它又不使我们迷惑，那么，它一定作一种不自然的、表面上似不可能的结合，这即是说，一种快适之美一定与之为伴。可是，欲表出大寺的印象，我们只有设想那两种互相冰炭的特性合为一体才成，从此我们便可看见，我们应当怎样珍视这个古代的纪念物，并且开始认真地表白一番，说明那样矛盾的因素真可以静静的交融结合起来。

首先我们还不须理会到大寺的塔，专集中我们的考察于大寺的正面——那一个猛然映入我们的眼帘的矗立的长方形，当我们在黄昏有月亮或星光的时候走近它，它的各部分既有点朦胧不清楚，到末后并且完全消失了，我们便只看见一堵庞大的墙壁，它的高度与它的阔度很相称。如果在白天检视它，借着我们的精神力把各细微的部分舍象化，我们便看到一个建筑物的前面，它不独包着这建筑物的内部，而且，还遮盖着许多邻接的部分。这个巨大的平面的门户暗指出内部的需要，依照着它们，即可以把它分为九面。那个大的正门通入大寺的正堂，最先为我们所见。在这门的两旁，有两道较小的门，是与回廊相属。在正门的上头，一个轮形的窗户触到我们的视线，那是散布黯淡的光辉于寺中和它的圆拱的。在两旁，现出两个大的垂直的长方形的门窗，与正中的迥不相同，暗示它们是属于那高矗的塔的底层的。在第三层上有三个门窗并列着，那是定作钟架和其他的寺院上的用途的。在最高一层，我们看见这建筑物的全体为廊的栏杆——不是梁桁——打横遮断。上述的九方面却为四条从地上竖起的柱子所支撑着围着，和分作三大垂直的部分。

我们既不能否认在这大寺的全体上高度与阔度配合得很适宜，它因为有这些柱子和其间的长形的区分，而在个别上也获得一种均齐的轻妙之美。

可是，如果我们继续作这种舍象的观察只想及这堵庞大的墙有坚固的支柱而没有藻饰，只想及墙上的必需的门窗——但也只认它们是应内部的需要——以及也承认各主要的部分是配合得很适宜，那么，大寺的全体虽很庄严可敬，但总还是惹人厌，使人不快，而且没有藻饰也像不能算是艺术品。因为一种艺术品的全体，如果从它的伟大、单纯和谐和的部分来认识它，虽给人以一种高贵的印象，但是那引起人的快感的真正的欣赏只可以在充分地展开其特色的一切部分之和谐一致中得之。

可是，我们所考察的建筑物正在这一点上极度满足我们的要求：因为我们看见每一部分的全体和各个的藻饰都完全适当，它们从属于它，而又像是从它那里生出来。这样一种的繁异性，常常引起人很大的愉快，因为它既有适当的配合，同时就可惹起统一性之感，只有在这种场合，然后这工程的设施可以称为艺术的极峰。

借着这种方法，于是一堵坚固的墙，一道牢不可破的壁——它还要用来做两个摩天的高塔的地基——看来虽像是立于自己本身之上，由自己本身所构成，但还见轻妙纤巧，并且，纵然穿凿了极多的孔，却仍使人感到它的不能动摇的坚固。

这个谜是极顺利地解决了。墙上的门窗，它的坚实的部分，柱子，均各有其特征，视乎它独有的用途而异。这种特征一步一步的贯入那些细小的部分去，因此一切都适当地加以藻饰，大的小的都各得其所，能够很容易地理会，而快适之美便在伟大之美中表现出来。我只想提起那些远望去像是陷入厚墙中，在柱上和尖头拱（spitz bogen）上有无数的藻饰的门、窗户，和它们的要与圆形相配而用人工雕成的玫瑰花样，它们的玉缘（stak）的侧面以及垂直的部分的管状柱子就够了。我们试想象一下，那一步一步后退的柱子，修长而同样高矗着，为庇护圣像而设的天盖（baldachin）似的，带着细柱子的尖顶小龛伴着，以及末了，每一拱肋（rippe）每一宝珠顶（knop）怎样现为花形的柱冠和簇叶，或别的雕石的自然图画。我们可以将这建筑物来比较一下——

纵不是比较它的本身，但是它的全体和个别部分的绘画也可以了——来批判我的陈述，和使它添点生气。它怕会像是很夸张：因为，就是我自己在初瞥见这个建筑物时虽已心醉，不过也要长久时间才能真切地认识它的价值呢。

我既在非难哥特式的建筑术（Gotische Ban Kunst）的人们中长大，我因养成我对于太过繁缛杂乱的藻饰的憎恶，这样的藻饰以任意胡为之故与一种宗教的幽玄性质大相径庭；我因为从前只看见过这一派的没有生气的建筑物，尺寸大小的配合既不适宜，也不看见首尾一贯之处，所以我的厌恶更强起来，但是，在这儿我相信获睹一种新的启示了，因为那种值得非难之处我绝觉不到，而它的可赞美之处反逼人而来。

可是我越看久一点，越多考察一下，我便相信在上述的建筑物中发见更大的优点。那些较大的部分之相称，那种既巧妙又繁缛的藻饰和雕刻之无微不至，已经发见出来了。但是我又觉得这些繁异的藻饰是互相连结的，由一主要的部分衍生另一部分，互相错综的各细微的部分虽然相类，而形体仍变化百出，由圣者到怪物之像，由树叶形到羊齿模样，层出不穷。我越加考求，我越为之惊诧；我越以测量和图绘自娱和自苦，我对于它眷恋越深，以致我化了好些时间，半为研究那现存者，半为将那些缺少的，未完成的——特别是双塔——部分在我的思想中和纸上再建起来。

我既看见这个建筑物是在古德国的基址上建立，并且在真正德国的时代有那样的成功，连那素陋的墓石上的建筑师的名字在字音和语源上也出于祖国。我为这个艺术品的价值所促使，大胆欲将向来误呼的名称“哥特式的建筑”更改，而还给它我国的“德意志式建筑术”的名字。其次我却少不了先在口头上，继在一篇献给斯泰因巴哈（D.M. Erwin a Steinbach，大寺的建筑师，一二四四——一三一八）的小册子中把我的爱国的思想披沥出来。

我的自传式的叙述既已到了上述的论文——后来赫德尔将该文收入他的《德国文艺》一种定期刊物内——的时期，便还有许多关于这个重要的题目要讲的。可是，在我这次抛开这个题目以前，我还想乘机来将那题在本部书前头的格言说明理由，俾一些对于这格言怀疑的人得到明白。我虽然很知道，对于这句豪壮而满着希望的德国古语“一个人在青年期所企望的，在老年期便得完成”，有许多相反的经验可以证引，并有许多人对它曲解；但是，也有好些足为之佐证的事实，让我申说我对于它的感想吧。

我们的志愿是我们所具有的能力的预感，我们所能成就者的前兆。我们所能够做和所欲做的，我们的想象力便表现之于外和表现之于未来之中。我们觉得有一种对于我们暗中已备有者的憧憬，于是，一种热情的预期便把那真的“可能的”化为梦想似的“现实的”了。在我们的本性中既着实有这种倾向，因此，随着我们每一步的发展，初时的志愿便得到一部分的实现，在有利的环境下，则循直线的方向，否则要迂道以从，但仍常复回到正道去。所以，我们便看见有些人借着坚毅的精神，获得物质的幸福，为财富、贵显和外部的光荣所环绕。另有一些人却稳健地努力求精神上的卓越，获得一种对事物的明晰的观念、心意的宁静以及对于现在和将来的保证。

可是，还有第三种的方向，那是从前两种方向混合得来，而能最确实地成就的。这即是说，如果一个人的童年刚巧值着一个创造胜于破坏、饶有意义的时代，这在这个人的心中很早已发生一种预感，知道这个时代所要求和期许者为何，于是他便为外部的原因所驱迫，作行动上的共鸣，一会向这儿扪索，一会向那儿扪索，他的志愿既向各方面起作用，在他的心中便很活跃。可是，人类的智力既有限，又添上了许多偶然的障碍，因此，这儿一件事情还在开始，那儿一桩已着手的事却脱手了，一桩一桩的志愿相继成为泡影。可是，如果这些志愿是从纯洁的心坎里发生，又适应时代的需要，我们就可泰然的把它们搁在一旁，甚至中止，而仍可以确信，不独它们会再现出来和复归自己之手，而且还有许多我们从没有接触过的，甚至从没有想及的同类的志愿呈现于前。如果我们看看在我们一生中别人所成就的事业——我们先前也把这事业视为自己之天职，却不得不与别的许多事业一同中途抛弃——那么，我们便起一种很好的感想，即是，感到人类合起来才是真正的人，只要感到自己是融合在全体之中，他才能愉快幸福。

我在这儿作这种考察是恰相宜的；因为，当我想想那些古代建筑物对我所引起的倾慕，计算一下我专费在斯特拉斯堡的大寺的时间，我后来考察科隆和佛莱堡城的圆顶寺时的注意——这两个建筑物的价值我日益感到——我便可以责我自己，为什么我在日后简直漠视它们，甚至为别一种较发展的艺术所吸引，把它们完全置之脑后。可是，我在最近既看见人们重新对于这些建筑加以注意，对于它们的爱慕颠倒，表现出来，而且盛极一时，我又看见青年人为它们所感动，不顾一切地倾其力量、时间、注意和财产于这些往代的纪念物上头，我于是欣然记起，我从前所愿望企求的，确有价值。我很满意地看见人们怎样不单识得重视我们的前辈的成就，而且还企图从现存的已开始而未完成的部分，至少在图上表现原来的意图，——使我们借此明了那为一切计划最初和最后的因素的构想——并且努力以慎重的真诚来说明像是头绪纷乱的过去，和使它添加活气。说到这儿，我首先要称赞那勇敢的苏尔皮兹·波亚塞利（Sulpiz Boisserée，著有《科隆大寺之沿革与描写》等书，一七八三——一八五四）。他孜孜不倦地专心在一幅美丽的铜版画中将科隆圆顶寺的全景提出做一种伟大的构思的榜样。它的意思是像巴比仑人造的塔那样高接于天，与人间的能力既那样不相称，所以它的实施在半途中不得不停滞了。如果我们以前曾觉得奇怪，为什么这种建筑物的成功只到这个地步，我们这时就会极惊异地知道原来的意图是想成就什么了。

这种美术上的文献既确为一切有力量、财产和权力的人相当地奖掖，我们的前辈的伟大宏巨的思想便能为我们所观赏，同时我们又可以明了他们所企求的是什么。从此得来的观察力不会没有结果的，总有一回能够对于那些艺术品正确地加以判断。如果这位勤勉的青年研究家，除了那本专为科隆圆顶寺而作的单行本之外，还将我们的中古时代的建筑学史极详细地加以研究，我的这种愿望便可彻底实现了。如果关于中古建筑术的实施所要知的，也弄明白，这种艺术又借着与希腊罗马式和东方埃及式的比较，在一切要点上都得以阐明，那么，这一门学问便思过半了。不过，当这种为祖国的努力的成绩已明显地摆在我们之前的时候，像在朋友的私人通信中那样，我可以真正志得意满地把那句话在最好的意味上重说一回：“一个人在青年期企望的，在老年期便得到完成。”

可是，这类的事是穷年累代然后完成的事，我们只有任时间所之，待有机会便紧握着不放。另有一种事物却不是如此，在青年的时候，便像已熟的果实那样必须趁新鲜摘来享受。让我急转直下地来将跳舞一谈吧。正如大寺的影子之于眼那样，在斯特拉斯堡，在阿尔萨斯，无日无时不有跳舞的音乐在耳边荡漾。从很年少的时候起，父亲自己就已教我和妹妹跳舞，这事对于一个那样诚笃的人恐怕很不相称吧。不过他在教跳舞时也不越出他的常态，极准确地教我们以姿势和步调，当他把我们教到已能跳 Meunett（一种协三拍子乐音的雍容的二人舞）时，他便取短笛替我们吹着四分三拍子的通俗的歌曲，我们按着它，尽我们所能地来舞动。在法国戏院中我也从小就看见——纵不是“巴勒特舞”（Ballette）——“单人舞”和“两人舞”（Pas de deux），从这上头我发见脚的许多奇怪的动作和种种的舞蹈。当我跳 Meunett 跳得够了，便请求父亲给我们别的舞蹈音乐，这种音乐的乐谱一弄到手，在它们中提供称为 Gignen 和 Murkis 的种种东西，我马上便虚构一种步调和别的动作来衬着它，而拍子也很与我的肢体相适应，像是同出一源。这事引起我的父亲相当的兴趣，甚至他许多时跟我们说笑，谓猴子便这样的跳舞。自从我跟格丽珍的不幸事件发生之后，以及居留在莱比锡城的期间，此调已不再弹；我倒觉得，当别人强我在跳舞会上跳 Meunett 的时候，拍节和动作像是与我的肢体不相属，我已不再记得步态和身形怎样了；因此我大招人的耻笑，纵然不是大多数的旁观者，也有少数人力言我的不熟练的举止纯然是由于执拗，故意想使闺秀们因此绝不高兴强我伴舞，和加入她们的队里头。

当我回到佛城的时候，我完全与这种欢乐无缘，但在斯特拉斯堡时，我的手足的律动性不久便随同别的生活的兴趣活跃起来。在星期日和平日，人们在娱乐场所中消磨日子没有不聚着一堆人来跳舞的，而且大多时回旋地打着圈子来舞。在乡间的别庄更有私人的跳舞会，人们并已谈到临头的冬天的辉煌的化装跳舞会了。在这儿我当然不好置身事外，和成为交际社会中的废物了。有一个善于跳“华尔兹舞”的朋友劝我先在平常的交际社会中练习，将来便可以在最上流的社会跳舞了。他带我到一个以熟练著称的跳舞教师那儿，后者答应我，只要我把初步的基本动作稍为复习和已学会了之后，便教我深造。他是一个生性干脆敏速的法国人之流，很和气地接待我。我先付他一个月的钱，而买得十二张票子，他答应凭着这些票子教我若干小时。这个人严格，精密而不炫学；我既已略作过初步练习，故不久就使他对我满意和得他的赞赏。

可是，还有一种情况使这位先生的教授容易得多，就是，他有两个女儿，都长得漂亮，年纪还不到二十岁。她们既从小就习知这门艺术，所以跳舞很熟练，而且她们常伴着学生舞，纵是最拙的学生，不久也会学得一点。她们两个人都很娴雅，只讲法文，我于是振起精神，以免在她们面前露出拙劣和笑话。侥幸她们也称赞我，时常愿意和着她们的父亲的小提琴来伴我跳一回 Muenett，甚至还逐渐教我旋步转身的方法，这在她们当然是较难了。而且，她们的父亲所有的生徒似不多，她们便度一种孤寂的生活。因此，她们许多时请求我在上完功课之后也在她们那儿逗留一会儿，谈谈天，来把时间消磨一下。这个我当然也很愿意，况且我很欢喜那年轻的一个，而她的举止又很幽娴。有许多时，我从小说里选一些东西念给她们听，她们也同样的做。那大的女孩是很漂亮的，也许还比她的妹妹好看，倒没有后者那样合我的心，但对我的态度却较密切，在一切上头都和悦得多。在教舞的时间，她总在那儿，有时还把时间延长；所以，我有几回觉得应该多给她们的父亲两张票子，他却不肯接受。那妹妹却不同了，她对我虽然不是不和气，但倒喜欢静默自持，除非她的父亲故意召唤她，才出来替她的姊姊。

个中的原因到了有一晚上我便了然了。因为，当我跳舞完后想跟那姊姊到住室去的时候，她止着我，并说道:“我们再在这儿一会儿吧，我早想对您实说，我的妹妹叫了一个占牌卦的女人来，要占一占卦，看看她所倾心和一生希望所寄的在外的爱人是怎样。我的心却是自由无牵挂的，我要使她惯受一点儿作践吧。”我听了对她慰藉一番，同时我又答她，她既要问问那个占卦婆，才能确知这事究竟是怎样，我也想占一占卦，因为我久已想经验一下，看看我一向不相信的是怎样一回事。她听了因说我不对，并断言世间再没有别的像这种预言那样灵验了，我们只要不是开玩笑和存心亵渎，而真正问事情才行。末后一当她确知她的妹妹已占完了，我就强她到那屋子去。我们看见妹妹很高兴，对我也比平时殷勤一点，言语诙谐，并且几乎机智纵横了。因为她对于她的在外头的爱人已像是较可安心，所以她觉得对于她面前的姊姊的爱人——她这样子看待我——和悦一点，也是无碍的了。

我们奉承那老婆子一顿，并答应，如果她也替大女儿和我占得灵验的卦，就重谢她。她照例做了一番预备和仪式，将她的家伙摆出来，先替大女孩占卜。她小心地谛视那些牌的排列，却像是沉吟不愿说出来。“我看见了，”妹妹说道，她对于这种魔术的牌的解释已多晓得一点，“你踌躇着，不想把不快的事情对我姊姊明白说吧；但是，这是一副不吉的牌呢！”那大女儿的脸色变青白了，但她还勉自镇静，说道：“只说出来呵，总不会有性命的危险吧！”老婆子长叹了一声，便对她解说，她不为人所爱，有第三者从中作梗，并再说了些如此之类的话。那时，这善良的女孩的狼狈的情形可以看出来。老婆子为要把这事情挽救一下，便说她有得到信和钱的希望。“信吗！”那女孩说，“我不希望有，钱我也不想。如果真是如您所说的，我恋爱着人。那么，我就值得有一个心拿爱报我。”“待我们看看，会好一点不，”她一边说一边把牌再洗过，第二回把牌打开，不过我们都明白这回只比前回更坏一点。女郎不单是要过孤寂的生活，而且周遭还有种种不快的事情：爱人更站远一点，从中作梗的人却靠近一点。老婆子还想作第三次的占卜，希望得到较好的卦象，但是那美丽的女孩再也忍不住了，她纵声大哭起来，她的可爱的心胸剧烈地上下动着，翻身就跑回她的屋子去。我不知道我应当怎样做。我的爱慕仍是注于目前这个女子，我的同情却牵我向着那个；我的地位真是够苦了。“请您安慰璐仙德（Lucinde）吧，”那妹妹说道，“跟着她去呵！”我踌躇着；我怎能安慰她而至少对她确表一种爱情呢！在这个时节，我能以冷淡平凡的态度安慰她么！“让我们一块去吧。”我对安美梨（Emilie）道。“我不知道，我之在场会不会对她有好处。”安美梨答道。不过我们终于一道去，可是看见房门上了闩。无论我们怎样敲门，呼喊，请求，璐仙德都不答我们。“我们不得不任由她了，”安美梨道，“这时无论怎么样，她也不管的。”当我记起从我们最初认识她的为人时，她的性情的确常是急激易变，而她对于我的情愫，就是在于她不对我发脾气那一点最表露出来。我怎样办呢！我厚赏那老婆子，为的是她所惹起的惨剧，正想走的时候，安美梨便说道：“我约定还替您占一卦呢。那老婆子已准备了。”“请您让我不再来这个吧！”我喊道，随即匆匆地走下楼去。

第二天，我没有勇气再上她们家里去。第三天我叫一个平时替这一对姊妹们带过许多信和替我送过花果给她们的孩子，清早就告诉安美梨说，我今天一定去。我在平常的时间到她们那儿来，只见她们的父亲一个，他对于我的步武进退姿态举动更多加改善，并且在他方面像是对我也满意。他的小女儿到将下课的时刻才来，伴我跳一个很优美的 Meunett 跳舞时，她非常可爱地动着，她的父亲断言，找到比这个更美的更熟练的一对舞侣出场是不容易的。上完课之后，我照常到她们的住室去；父亲便走开，让我们两人独自在那儿，我看不见璐仙德。“她躺在床上呢，”安美梨道，“我看见您不曾因此介怀，我很高兴。她的精神上的病到她觉得肉体上有病时才开始减轻；她大概还不想死，所以她后来顺从我们的意思。

我们有一种家用的药，她已经服了，在休养着，那沸腾的惊涛骇浪这样就渐渐平息下去。她有了这样一种自作的病是太好太可爱了，而且她究竟是没有什么事的，不过给热情所侵袭着，她便寻思出种种的浪漫的死法来，她对于这事之害怕很有趣像，听见人讲说鬼故事的小孩子那样。她昨天晚上还很激昂地对我宣称，她这回一定死了，应当把那个初时对她那样好，现在那样薄待她的负义薄幸的爱人只在她真个弥留的时节带到她身边来：她想痛骂他一顿，便马上一瞑不视。”“我不知道，”我喊出来，“我曾经向她吐露出什么一种的爱情，要我负责呢！我表示有一个人最能够替我做这个证人。”安美梨辗然一笑，答道：“我明白您，如果我们不聪明决断，我们便全都陷入一种魔障中。假如我请求您，不继续上课，您怎样说呢？您前一个月才只有四张票，我的父亲已说过，他觉得再继续拿您的钱，是没道理的，除非您想认真地专心于跳舞艺术才可以；一个青年在社会上所需要的，您已经会了。”“您劝告我不上您们的家里来吗，安美梨？”我答道。“正是这样，”她道，“但不是为我的缘故。您只听我说吧。当您前天匆匆地走后，我便为您占了一回牙牌神数，三回都是一样的卦象，而且一回比一回厉害。您是给种种好的和愉快的事物、朋友和贵人所围绕着，钱也不是没有；女人们离您略远。特别是我的可怜的姊姊，常站得老远老远的。另有一个女人日益与您接近，但永不跑到您身边去：因为有一个第三者站在中间。我只想对您实说，我自居为第二个女郎，由这个自白，您可以极明白我的好意的忠告了。我已对一个远出的朋友倾心，并且有婚嫁之约，到现在我还是最爱他；不过，您的在场对于我恐怕会比一向更加危险，那么您介于两姊妹之间的地位会变成怎样呢，一个因为您的爱慕而陷于困境，一个因为您的冷淡而痛苦，而这一切的苦恼都是无谓的，短时间的。因为，纵然我们还不知道您是什么人，您的前途怎样，牙牌却已明白地指示给我们看了。愿您好好的过日吧。”她一边说，一边递手给我。我踌躇着。“好，”她道，一边领我到门口去，“这回真个是我们讲话的最后一回了，那么请您接受我一向不许给您的吧。”她搂着我的脖子，极温柔地吻我。我搂着她和紧紧的抱着。

在这个当儿，侧门划然开了，姊姊穿着一件轻而华贵的睡衣突然走出来，并喊道："你不应只一个人跟他作别！"安美梨放我走开，璐仙德拉着我牢牢地紧靠我的心胸，把她的黑发鬈压在我的脸颊上，这样子站了好一会儿。于是我觉得我自己真个像刚才安美梨对我预言的那样，介居于两姊妹之间，进退两难了。璐仙德放开了我，郑重地望着我的脸。我正想执着她的手，对她说一些亲切的话，但是她转身抛开我，在屋子里放重脚步地蹀躞了几回，便倒身坐在沙发的犄角上。安美梨走到她身边，但马上给她推开，于是便发生一场口角，这在我的记忆中最是痛苦，纵然在实际上没有什么戏剧的意味，但十足适合一个活泼青年的法国女人的情态，不过，只有美好善感的女戏子才能在舞台上名贵地表演出来。

璐仙德把她的妹妹大骂特骂。"这不是第一回，"她喊道，"有人向我倾心而又给你暗中夺去了。那个远出的人恰就是这样，到后来便眼巴巴看见他跟你订婚了。我一定要瞧瞧，我忍耐下去了；但是我知道，这曾经害我流了多少的泪。现在你又把这个人掳走，不肯放手，你究竟打算在一时揽着多少个呢？我是坦白，好心地的，谁都不消一会儿，就相信认识我，就应该把我丢在一边；你是阴险缄默的，人们便相信你藏有什么奇迹。可是你隐藏的不是别的，只是一个冷酷自私的心，只知道把人的一切牺牲，不过人们却不那样容易看破，因为它是深藏在你的胸中呢，我的热烈真诚的心却不然，我坦然露出它，像我的脸一样。”

安美梨一声不响，在她的姊姊的身旁坐下，后者越说越生气，并且说出一些关于特别的事体我本不想知道的话。安美梨反想力劝她的姊姊，暗中给我使眼色，让我溜走；但是，正所谓妒忌和猜疑是有千只眼的，璐仙德似也已觉得她的妹妹的用意了。她跳起来，扑向我，但没有使劲。她站在我的面前，像是寻思着什么。然后她说道：“我知道我已失掉您了；我不再打您的主意了。但是你也不该据有他，妹妹！”她一边说，一边简直抱着我的脑袋，把两只手插入我的发鬈中，把我的脸压着她的脸，连番亲我的嘴。“好，”她喊道，“怕我的诅咒吧！谁在我之后第一回吻这个嘴唇，就永远永远蒙灾惹祸！现在还敢跟他厮缠么！我知道，上天已听见我这回的诅咒了。我的先生，现在您可以赶快走了。”

我从楼梯飞跑下去，立定主意以后不再踏入这个房子。

第十卷

德国诗人既不是行会的成员，团结一体，在市民社会里绝享不到一点优势。除了在别的方面占有力的地位的场合之外，单是诗人便没有凭借，阀阅也没有声望。所以他们生而具有为荣或为辱的才能，纯是一桩偶然的事。一个可怜的凡夫，自感到具有智能才力，不得不困乏地被曳入世途，为目前的需要所压迫，而不得不将他的天才——总算是从缪塞得来的天才——浪费。庆吊应酬的诗本是一切诗体中之最美好最真纯者却为人鄙视到这样的地步，以致国人现在仍不能明了它的高贵的价值。一个诗人，如果不能取君特（Günther，见前）的途径，而极可悲地现身于社会，低首于人，像是帮闲的滑稽家和食客那样，因此他在舞台上和世途上都扮演一个角色，人们可以随意跟他戏耍。

反之，如果缪塞之神与有声望的人们结合起来的话，后者因而得以显赫，而缪塞也“与有荣焉”。像哈革多因（Hagedorn）那样的通达世故的贵族，像布洛克斯（Brockes）那样的堂堂的市民，像哈勒尔那样的真正的学者，便入国内第一流人物之林，跻于极高贵极为人所敬重者之列。更有一些人除了那种可喜的才具之外，复以勤勉和真正的实务人才见异，这种人又特别为人所崇敬。由是，乌斯（Uz，法律家、诗人，一七二〇——一七九六）、拉宾纳（Rabener）、外塞（Weisse，均见前）便享有一种很特别的敬意，这因为人们看见极少互相结合的极相异的特性却在这儿合为一体，必须加以敬重。

可是，诗人的天才有了自觉，为自己造出他自己的时势以及识得打下独立地置身显达的基础的时候，现在要来临了，一切都应在克洛卜斯托克（见前）的身上，来创立这样一个的时代。从身心两方面看来，他都是一个纯粹的青年。他认真地基本地受过教育，从少年时起就对于自己，对于他所作为的一切，大加重视，以慎重的考虑，预料到他缺乏生活的凭借，而同时又预觉到他的内部的全部能力，因转致力于可以想象的最高尚的题材。《弥赛亚》——一个表示无数的特性的名字——要借他的笔而重新被赞美。救世主要成为英雄，诗人想以人间的卑贱痛苦来伴着英雄达到最高的天上的胜利。凡是在青年的灵魂中的具有神性、天使性和人性的一切在这诗中都加之意。他既习于《圣经》，又为《圣经》之力所培养，在这诗中便恍惚跟（《旧约》中）人类的始祖、先知和先驱者一同活着，像现时的人那样。不过，这一切人自千百年来只是邀来作成基督一个人的光环，基督的屈辱，他们惊愕地旁观着，基督的归荣，他们却光荣地参加。然后到末了，经过了悲惨可怕的时光之后，那个永远的裁判者展开他的霁颜，再承认他的儿子和同体的神，而后者却把已背离的人，甚至一个堕落的魂再带领到主的面前。生气盎然的千百天使绕着宝座欢呼，一种爱光灌流于高物——前不多时才集中其视线于一个残酷的祭场上的万物——之中。克洛卜斯托克在构想和撰作这诗时所感到的天国的恬宁，使凡是读过前十节的人至今仍为所感动。但是，当读它时，随着读者教养的进步，必然会发生的某种要求便不得不放弃了。

题材的尊严使诗人对于自己的人格的自觉也提高

了。他自己之将有一日置身于这个天使的歌队中，基督之优待他，因他的努力而当面对他致谢——本来凡是富于情感的虔诚的人已以许多纯洁的泪够可爱地对他表示谢意了——这都是纯洁天真的思想和希望，只要是心地好的人就可以抱有。所以克洛卜斯托克也满有理由以一个神圣的人自居，由是他在他的行为中也极谨慎地力求纯洁。即在晚年有一事使他非常不安的，那就是，他曾眷恋一个女郎，后来她嫁给别人，使他不能确知她是否真正爱他，她对于他是否有价值。其后使他与美达（Meta，与克洛卜斯托克在丹麦京城认识，一七五四年结婚）结合的意趣，这种深厚静默的爱情，短促而神圣的夫妇生活，美达死后，鳏居的良人之不喜作第二次的结婚——这一切都是他将来在天国之中。可以重提起的事。

这种可崇敬的立身行己之道，更为一事所提高，那就是，他曾在善良的丹麦，一个伟大而——从人性上看来——又卓越的政治家（指丹麦的内阁总理大臣伯尔固斯多尔夫伯爵，曾向丹麦王腓得烈五世盛称克洛卜斯托克聘他到丹麦去）的府邸中优渥地留居颇久。这儿是一个上流的社会，虽与外面隔绝，但同时也重视外部的习俗和对社会留心，所以他的倾向在这儿更加决定了。举止的冷静沉着，语言的不苟和简洁——就是当他公开他的意见，和说出他的决心时也是如此——使他一辈子带有一种外交家和大臣的手段，这似乎与他的那种温柔的天然的意趣相矛盾，纵然两者都由一源发生出来。他的初期的作品提供我们以这一切特性的写影和模范，因此对于世人有非常大的影响。至于他曾私人在生活和作诗方面掖助别的努力上进的人，差不多已不能说是他的主要的特性了。

但是，恰是这种在文艺事业上对于青年人的奖掖，喜欢提拔那些有希望而运气不佳的人，予他以终南捷径的爱好，给予一个德国人以光荣了。这人以他自己得来的真价论，虽可称为文学界的第二流人，但以他的深烈的影响论，却可称为第一流人了。没有人不知道，我这里指的就是格莱姆（Gleim，见前）。他有一个虽隐晦而有入息的位置，所住的地方（指哈尔伯斯忒特城）地点既好，虽不很大而因为军事、工商和文艺的事业之忙碌，饶有活气。这个地方所生出来的金钱成为一个富裕的大机关的财源，也有一部分留作本地之用。在这种环境中，他觉得有一种强烈的创造的动机，不过无论怎样强烈他还不觉得对他满足，他因此又献身于另一种或者更强的动机，这就是，使他人也创造一点东西的动机。这两种活动在他很长的一生中，不断地交错着。作诗和馈赠对于他之不可缺，正如呼吸一样，他帮助种种困穷的有才的人渡过早年或日后的难关，因而真个也给文学以光荣。同时他获得那么些的朋友、受恩者和附从者，人们便也称许他的冗长的诗，因为人们除了许可他的诗之外，再没有报答他的丰厚的恩惠之法了。

这两个人对于自己声价所抱的高尚观念，同时使到别人也有点自负，因此公然和暗中都产生了很大很好的影响。不过，这种自觉纵很可敬重，对于他们自己，他们的环境和时代也惹起一种特殊的弊害。我们就他们的精神上的效果而论，虽可称他们为伟大人物，但是他们在世界中还只是渺小的，更就他们对于一种运行不息的生活而论，他们的外部关系是空虚的。白日是迢迢的，又继之以夜；我们不能老是作诗、做事或赠与。他们不能像交际家、贵人、富豪那样日无暇晷；因此，他们对于自己的特殊的狭小的情境估价太高，对于他们的日常行为的重视，只有他们彼此间才会容认。他们以其笑谑自得，亦未免过度，这种笑谑虽取快一时，在日后总不能算是有意义的事。他们从别人获得所应得的谀词和敬意，便以同样的报答，虽有准则，但仍常过厚。这正因为他们觉得自己的好意是很有价值，故乐得把它连叠地表现出来，不惜浪费纸墨，于是便产生了文人的往来书简，其内容的贫乏使现代人为之惊异。可是，如果我们不大明白优秀的人物怎样能够以这一种的双方无聊的举动自娱，如果他们明白地宣告这些书简是留着不付印的，我们便不能加以责备。可是，当人们知道最优秀的人也不过是有日过日，只享受微薄的给养，当他太过自封，恝然不肯插手于外部世界的丰富的内容之中——只有在这儿他才能取得他的生长所需的滋养，同时又得到它的准绳——的时候，这种数册少的作品便要伴同那么些别的搁在书架中了。

当我们青年人也在我们的园子里开始活跃的时候，这两个人的活动正在灿烂极盛之际，而我也有点开始跟较年轻的朋友们——纵不是跟年长的人们——堕入互相取悦，标榜的道中。在我的来往的一伙人中，我所创作的都常视为佳作，闺秀、朋友和护持者总不会以别人为他们而担任和撰作的诗为不好，从这种的情义，便终于产生一种互相倾露的虚套的甘言，如果一个人不一时一时锻炼较高尚的技能，这个人的人格就很容易丧失在这种甘言之中了。

侥幸我还可以说，因为一个意外的结交，我的沾沾自喜，顾影自怜的爱好、虚荣心、自负心和骄傲等等在我心中潜伏或作用着的一切都受一个很厉害的试炼，这种试炼在其种类上是独特的，又与其时不相宜，然唯其如此才更逼切深烈。

因为，最有意义的事件，对于我有最重大的结果的事就是与赫德尔（Herder，见前）之结识，以及与此紧相连接的跟他的较密切的结合。他陪了正在悲伤心境中的丰 · 和尔斯泰因一欧丁（von Holstein-Eutin，德国北部公爵，后与丹麦合并）王子游历，一同到了斯特拉斯堡，我们的团体，一听见他莅临便抱有跟他接近的大愿望，而那时我却很意外地偶然地碰着这个幸运。事情是这样的，当我到精神旅馆（Gasthof Znm Geist）去的时候，我不知访问那一个有力的外国人。恰在最下的楼梯级上，我看见一个人也正要上楼，我把他看做是僧侣。他的撒着发粉的头发结作圆形，黑色的衣服同样是僧侣的特征，他长而黑的缎子的袍子尤其是如此。他把袍子的角执起来搁在口袋里，这个我已听见谈及，有点特异而在全体上优雅和悦的人，使我一望而确信是那个新来的名人了。如果我对他招呼一定使他马上深信我是认识他的。他问我的姓名，我的名字对于他自没有什么价值，不过我的坦白像是得他的好感，他很亲切地来答我，当我们上楼梯的时候便准备向我作活泼的倾谈。我竟忘了自己当时本要寻访的人，在别时我乞他许可我去拜访他，而他也十分和气地答应我。我不肯辜负了这种特权，屡次利用它，而且一次比一次为他所吸引。他的举止有一种温柔虽不是真正的机敏，但很与其人相适合和很优雅。脸圆圆的，额高而秀，鼻稍扁平，嘴略向上反，但是悦目可爱，极显示出他的个性。在黑的眉毛之下，有一双漆黑的眼睛，纵然有一只眼是常变红和发炎，但眼光还是灼灼照人。他试以种种的问话来认知我和我的情形，他对我的吸引的魔力一天比一天强烈。我本来生性坦白容易相信别人，在他面前，我特别没有什么秘密。可是不消多久他的拒人的态度即现出来，使我陷于大大的不快。我对他讲及我少年时代的所做的种种和种种癖好，其中有一样就是纹章之搜集。这是主要地借着交游通讯广的世好的助力而凑合起来的。我是照着缙绅题名录把纹章排列的。有了这个机缘，我便很熟悉各国各州的大小王侯、统治者以至普通的贵族，在加冕礼举行的时候，这种纹章便常大有助于我的记忆。我颇得意地说起这事。不过，他的意见却不同，不独非难我这种兴趣，而且竟把我说成愚蠢可笑，甚至使我大为扫兴。

他这种反对人的性癖，我还要多多忍受，因为他想跟那王子分开，而同时又因为眼病的缘故，他决定滞留在斯特拉斯堡。他这种病是一种最苦最不快的病，而且它只有经过痛苦的、极可厌和靠不住的手术才会治愈，所以更是困苦。他的眼疾是这样的，泪囊的下部太过密塞，因此其中所含的液体不能流注于鼻腔中。还有一层附近的软骨本有小孔，分泌自然从此出来，现在又没有这种小孔，流通便更难。因此，泪囊之底必须切开，在软骨上必须穿孔，施了这个手术之后，便用一条马毛穿过泪点，再穿过那切开了的泪囊，然后再穿过与这个相通的新泪管，并且每天要来去的穿动，俾新泪管的两端的流通恢复起来。可是，如果不先在脸庞这一部分从外另划一个口，这一切手术都不能进行，也不能成功。

赫德尔这时已与王子分离，搬进另一房子自己住，立下决心让洛布斯泰因（见前）替他施手术。这时，我曾企图以之医治我的神经过敏的锻炼，便对我很有用处了；我可以在旁边看施手术，并且可以对这一位可敬重的人作种种的伺候和帮忙了。在他的病榻畔，我不得不对他的强毅坚忍大表惊异：因为不管由于手术而受种种的创伤也好，由于常换绷带而痛苦也好，他都绝不露不快的颜色。他像是我们中最不感到痛苦者；但是在其间，他的脾气时时改变，我们确要加倍忍耐。我说“我们”，因为除了我之外，有一个名唤柏克罗夫（Pekelow）的和悦的俄国人差不多常在他的身边。这人是赫德尔在里加城（Riga，旧俄立陶宛州的都会）的旧相识，今虽已不是青年，却图在洛布斯泰因的指导之下求外科术的深造。赫德尔在高兴的时候便极为可人，才智纵横，但是在不高兴时，那种使人不快的态度也一样容易呈现出来。这种吸引性和排拒性，凡是人类都具有的。视乎天性怎样，而或多，或少，或缓徐，或急激。实际上能够在这个地方抑制自己的特性的人很少，而暴露出来的倒很多。以赫德尔论他的好歹对人，苛刻辛辣的性情之占优势多半由于他的病以及随之而来的苦痛。在世间，这种场合是常会有的，世人对于病状及于心性上的影响不加以充分的注意，由是批判好些人的性格时便很不对，这因为他们把一切人都当作是健康的，故要求他们的举动也照着健康的人的标准。

在赫德尔受治疗的整个期间，我早晚都去访他，甚至几天都留在他的身边。我既对于他的优美伟大的品性、广博的知识和深刻的卓见日益敬服，在短时间内我已能惯于他的叱责和非难了。这个心地好的躁急者的影响很大，很重要。他的年龄比我大五年，在年纪轻的时节，这五年已造成很大的差别；而且我既称许他之为人，又敬重他所已成就的绩业，所以他可以得我尊为远胜于我的人物。不过，我的境地不是愉快的；因为我一向交往的年长的人欲以宽恕的态度来陶冶我，甚或也因过于宽大而纵坏了我，但是，从赫德尔方面，无论人们怎样举措，也永不能期待一种赞许。那么，一方面我对他的强烈的爱慕和尊敬，他方面他的坏脾气所惹起的我的不快，便不绝地在我心中斗争着，结果生出一种自相矛盾，这种矛盾在其性质上实是我一生破题儿第一遭感到的。他的谈话无论何时听来都有意义，无论他是发问也好，答我也好，或以其他的方法传达他的意见也好，必能逐日甚至逐时诱导我进于新的见解。在莱城的时候，我倒习于一种褊狭拘束的气象，我对于德国文学的一般的知识也不为我归居佛城的生活所扩展；甚至我为那种神秘兼宗教的炼金术的研求所导引而堕入幽玄之域，近数年来在广大的文学界中所发生的事，大部分我都茫然不知。可是，现在我借着赫德尔而忽然知道文坛的一切新活动以及这些活动应取的一切倾向了。他本身已博得充分的声价，仗着他所著的 *Fragmente*、*Kritische Wälder* 等书，已跻于那些早已为国人所仰望的第一流人士之列。在他这种心灵中定有一种什么活动，在他这种天性中起了什么一种的发酵作用，是不能理会，也无从说明的。不过他所隐藏的努力总是很大的，如果人们想到在数年之后他有什么著作和成绩，也就容易承认这一点了。

我们这样的共同过日子，不消多久，他就告诉我，柏林悬赏征集关于语言起源的研究论文的最优篇，他拟应征。他的论文已将近完成，他写的字既很清楚，所以不久就可以对我出示他的已订缀成本的可读的稿本。我对于这种问题从没有思索过；我太过陷入这问题的正中了，以致无从想及它的始和终。而且，我又觉得这问题有点无聊：因为，如果上帝已把人类当是人类那样创造出来，那么，也应像赋予他以直立步行的能力那样赋予他以语言。他既然自己觉到能够走路和把握东西，他也一定会觉得自己可以用嗓子来唱歌以及借着舌头、上颚和嘴唇以种种的方式来变化他的声音。如果人类是神造的，语言也就是神造的了；如果人类在自然的范围内是自然的生物，那么语言也同样是自然的了。两者像灵魂与肉体那样，绝不能把他们分开。苏斯米尔克（Süssmilich，讽刺家、僧侣，曾著有《在人类的变化现象上神的摄理》，一七〇七——一七六七）是一个露骨的现实主义者，而同时有点是空想家，断然主张神造之说，这就是说，神对于最初的人类有教师那样的作用。赫德尔的论文止于指出人之为人怎样能够并且必然以自己之力来发明语言。我以很大的兴味来读这论文，得到特殊的鼓舞。不过，以我当时的知识和思想，都不足以对它加以批判。我因此对作者表示赞赏，而只据自己的感想稍为添加一点意见。可是，两者他都接受了；经过他叱责非难之后，无论有条件赞成也好，无条件赞成也好，都可以了。那个肥胖的外科医生却没有我那样能忍耐；赫德尔要出示他的应征论文时，他诙谐地辞谢，并断定他绝没有能耐来思索那样抽象的题目。他宁愿催我们玩“隆伯尔”的牌戏——我们在晚上常一道玩的牌戏。

赫德尔的治疗虽多么不快，多么痛苦，他还不失他的活泼之气；但是越比健康时带有恶意了。就是他写一纸短简想要一些东西时，也总不会不夹杂一点嘲骂。例如他有一回这样子写一首诗给我：

你的书架的西塞禄（Cicero）书简集中有布鲁特斯（Brutus）的书简，

你为设备得很好刨得很滑的板的学校（指书架）的慰藉者（指种种的藏书）所慰藉，

但是这种慰藉不是内心的而是外面的，

神，Götter或哥特人（Gote，即中世入侵
罗马帝国的日尔曼民族之前身）或污物（Kot）
的苗裔的歌德，
请你把这书给我。

他竟拿我的名字开玩笑，的确是不佳；因为人的姓名绝不是像一件外套那样，光披在他的身上，可任人拉拉扯扯，而是一件极适合身份的衣服，甚至像皮肤那样盖过他的全身，跟他一块生长出来的，非伤及他自身就不能刮它剥它。

反之，他开头的责备是有根据的，因为，我把那些跟郎格尔交换的古籍，以及从我父亲的藏书中取出的种种的版本美好的书籍一同带到斯特拉斯堡来，搁在一个整洁的书架上，打算好好的利用它们。可是我把时间分用在无数的杂事上头，我怎么会有余暇呢！赫德尔无时不要书，故对于书籍极为留心，在第一次访我时已发觉我的精美的藏书，但不久也发现了我简直不去利用这些书；他既最憎恶虚饰和夸示，故有机会便常以此嘲弄我。

另有一首嘲骂诗，我记起来。当我对他讲了关于德

勒斯登的画院一大篇话，回家之后，他晚上便送给我这首诗。诚然，我对于意大利派的高超的意义还不识得透彻，但是，多明尼科·费提（Domenico Feti，意大利画家，传有《圣经》画及风景画，一五八九——一六二四）虽属一个幽默作者，但非第一流名家，却也甚获我心。他的画采材于宗教，专选《新约》的寓言，很高兴表现它们，画法饶有创见、趣味和快感。他把这些寓言化为有人物有情节的实际生活而描画出来，他的构图的巧妙而素朴的特性，又辅之以泼刺的笔调，给我以饶有活气的印象。赫德尔对于我这种幼稚的艺术崇拜，作诗嘲弄如下：

因为同情的缘故
我特别高兴一个画家，
他的名字唤做多明尼科·费提。
他把《圣经》的寓言来滑稽化，
巧妙到像滑稽家的无稽之谈，
为着同情的缘故。——这个痴狂可笑的寓言呵！

像这样的恶作剧，或带点滑稽，或幽玄难解，或是快活，或是刻薄，我可以更引许多出来。它们虽不致使我生气，但使我觉得不快。不过，凡是足以有助于我的修养的，我都能尊重，并且将我从前的见解和爱好抛弃，所以我不久就随便它。并且，只要我在当时的立场有可能的话，仅欲将正当的非难从不正当的谩骂分开。因为这个缘故，我与赫德尔亲近的时候，没有一天不极有结果地得他的启发。

以诗而论，我现在从完全与一向不同的方面和在另一意义上得到认识，并且这所谓另一意义是很合我的意。赫德尔承着他的先辈劳司（Lowth）之后，巧妙地论究的希伯来诗，他鼓舞我们在阿尔萨斯探讨其流传的德国民歌，取诗的形式的最古的文献，都足以证明诗的艺术总是一种世界的和国民的才具所构成，而不是几个趣味知识优秀的人的私有物。我像饥渴者那样，把他这一切话一口气吞下去，我在容受方面越热烈，他在给予方面便越不吝惜，我们一道过的日子遂极有趣味。我在别方面已开始的自然研究，我仍想继续。如果人能善用他的时间，便常不患时间之不足，所以我往往有两倍三倍的收获。以我跟赫德尔共同度日的几个星期的丰富的内容而论，我很可以说，他日后逐渐发表的一切作品，已萌芽于此时，并且我因而得有很好的时机，将我一向所思想的，所学的，所同化的，完成扩大和与较高级的相联结。假使赫德尔是较有系统的话，我便可在他身上得有极富的指导，使我的教养有永续的方向；可是，他的倾向，倒偏于试验和激励，而不长于指挥领导。例如他初时盛称哈曼（Hamann，哲学者，著有 *Sokratsiche Denkwurdigkerten*，*Krenzzuge des Ploilobogen Pan* 等著作，一七七三——一七八八）的著作，把它们介绍给我读。可是他偏不对我把这些书加以解说，以及使我明了这个具有异常的精神的学者的倾向和路线，而当我要求理解这个莫名其妙的文章，现出十分奇特的表情时，他只引为取笑的资料。我觉得这些著作颇合我的意，但是我不知道它们的思想的由来，也不知它们把我引到那儿，只凭着信赖心耽读它们就是了。

赫德尔的治疗时期比预定的延长了，洛布斯泰因开始对于他的疗治的方法有点拿不住，并且反复地施术，这事像是没有了期。连柏克罗夫也暗中对我说恐怕难望有好的结果，光景便完全暗淡起来。赫德尔渐变躁急易怒，他已无法像从前那样继续他的工作。而且医生开始将手术结果之不成功，归罪于赫德尔在病中精神上之兴奋过度，以及他与我们的不断的活泼而有趣的交谈。总而言之，经过那么大的磨折痛苦之后，人工的泪管却造不成，预定的通路也不实现。医者觉得逼要让伤口合口，以免他的病愈弄愈坏。如果我们在施那样痛苦的手术时看见赫德尔的强毅而不得不表示惊叹，那么，他念及一辈子带有这个创痕时却坦然不顾，这种态度实有真正的崇高之处。而使看着他和爱他的人对他永远存着尊敬之念。这种病既大大的弄坏了他的面部，还另有一事更使他气愤。即是他曾在丹姆斯达城（Darmstadt）认识一个优秀的女郎，并且博得她的倾心。主要地为着这个缘故，他才去受手术，他想在归去时，更自在、更痛快和更英俊地现身于他的已有婚约的爱人之前，俾与她的关系更加确实强固。现在他尽可能地赶快离开斯特拉斯堡城，因为他在此地的滞留既苦痛而又费钱。我从别人处借了一笔钱给他，他答应定期偿还。期到了，他的钱还没来。我的债主虽没有催促我，但我有几个星期弄得很僵，到末了，他的信和钱都来了，即在这个场合，他也不免露出平素的态度：因为他的信里没有感谢或道歉的话。而反用四扬音有脚韵的诗体（Knittelverse）写了满纸嘲骂的话，如果是别人看了，便会误会甚至翻面了；但是它却不会引起我什么，我既对他的价值那样的尊重，凡足以损及他的不快之事，我都把它打消了。

可是，关于自己和他人的缺点，除非说出来觉得有益的场合之外，绝不应说出，更不应公然说出；因此，在这儿我想插入一些必须的辩明。

感恩与背恩是人间时时刻刻会发生的事件中之一种，对于这种事件，人类彼此间总不能完全认为满足的。我常惯把不感恩（Nichtdankbarkeit）、背恩（Undank）和不欲感恩（Widerwillen gegen den Dank）三事加以区别。第一样是人类生而有之，为人性的一部分，先天地具有者：即是说，它源于人类对于横逆以至喜乐的轻忽而又幸福的善忘，唯有这样人类才能继续生存。人类为一种可以过得去的存在，它需要许多从外间来的预先的助力和同时的助力，因此，如果他要对于太阳和地球，上帝和自然，祖先和双亲，友人和同伴一一加以适当之感谢，他便再没有时间或心之余裕来受享新的恩惠了。但是，如果自然的人类真个任那种轻忽支配着他，于是一个冷淡的漠不关心的态度日益占优势，终至把自己的恩人当作外人看待，如有利于己，甚至连加害于恩人的事也敢做出来，单是这一种才真正可以称为背恩，这是源于心的野蛮的状态，未受过教养的人迟早终必会陷于这种田地。不过，不欲感恩一事，是以一种不逊或不满的态度施于恩人，很是少见，只有优秀的人物才会有的。这种人既有伟大的天分，而自己又预感及此，出身寒素或生当贫乏无助的境遇，从少年时候就必须一步一步的跋涉世途，冲过难关，以及从各方接受援助，而这种援助常因施恩者的鄙陋的态度而使受恩者觉得讨厌难堪。他们所受者既为俗世之物，而他们所成就者却属于较高尚的性质，所以对于所受的恩惠之一种真正的报偿是不会想到的了。勒辛在他的青年时代，深感到俗世的事物对他的恩惠，曾有一回真正地对受恩的事发出率直而有趣的意见。反之，赫德尔在他一生中最美好的时节却不断地自苦和使他人苦恼，他在少年时代就已经染有这种恚忿的性情，到后来，以自己的精神力也不能调节它了。

我们对于自己作这种的要求是很对的：因为不断地起作用来使我们明白自己的现状的自然的光明，对于一个人的自己教养的能力，也很有帮助的。总而言之，我们在种种的道德的事情上，对于缺点不可太过重视，也不可寻求太过认真和用一种手段来洗刷它，因为某种缺点之清除是很容易，甚或可以游戏出之。例如感恩之心，我们就可以单靠着习惯，从自己心中引起，牢牢地保持，以备应需要而现出。

在一个传记的尝试之中，讲及自己本身的事，是很适当的。我生性也像任何人那样不大感恩，而因为忘了所受的恩惠之故，一时间的不恰的奋激的感情很容易引我作背恩的行动。

为对付这种恶癖，我惯于预先把自己现有之物多加回忆，即是追想一下它们是怎样得来的，从谁得来，是由于赠与、交换、买入，抑或其他的方式。又如在出示自己的搜集品时我常将借其斡旋而各物入于我手的人提出来，甚至使那些东西成为我所珍爱之物的机会，偶然的事情，极远的诱因和外头的协助，我都一一致以适当的感谢。这样子，在我们周围的东西便得有生命，我们在一种精神的、亲爱的和生成的关系上去看它，借着这样对于过去的情况的浮想，现在的存在便较高尚较丰富了；而赠物的人屡次呈现于我们的想象力之前，我们将他们的影子与一种快适的回想相结合，背恩的事便成为不可能，趁机酬答也是容易而又是愿意做的事了。同时，我们就会对于自己的无形的所有物也加以追想，屡次想及这种较高尚之物从何处和从什么时候来，成为我们的所有，而觉得高兴了。

在我将视线从那种对我那么有意义而又有成绩的与赫德尔的友谊离开之前，我觉得还有一点要补述的。在赫德尔的面前，凡是一向我自己教养所资的事物，尤其是我眼前认真地着手做的事情，我日渐靳而不公开出来；是最自然不过的事。他拿了我从前所爱好的种种事物来打趣，更因为我对于奥威德的《变形记》一书的爱读，而特别极严厉地加以非难。我试尽力为我的恩物辩护，我申说，对于青年的空想最可乐的事，没有能过于与神和半神们逍遥于那个极乐庄严之境，为他们的行动和热情的目击者；我想将上述的对那个诚笃的人（奥威德）的敬重详细地说明，以我自己的精神的经验为之佐证。但是，赫德尔却全不以为然，他认为这诗篇中没有一点真正的直接的真实味，这里所描写的既不是希腊，也不是意大利，既不是原始的世界，也不是开化的世界，一切都只是已存者的模仿，和只可以期诸有过度文化的人的缩小的描写。我最后便主张，凡是一个卓绝的个人创作出来的东西，总也是自然的。无论在什么时代什么民族之中，诗人终归只是诗人。赫德尔对于这点也绝不承认，我因此不得不大大的压着自己的性子忍受，甚至我所尊敬的奥威德差不多由是为我所厌倦了。因为没有一种爱好、一种习惯能够那样的强，可以长久地抵受着一个人所信仰的优秀的人毁谤，而不加改变呢。如果常常爱好一样事物，但不是无条件爱它时，这种爱已露出破绽了。

在赫德尔的面前，我最小心地隐匿对于某种题材的兴味，这种题材，曾深植根于我的心中，渐渐成长而取诗的形式。这就是：*Götz von Berlichingen*（以德国中世纪的骑士 Götz von Berlichingen 为主角的戏曲）和《浮士德》（*Faust*）。前者的传记曾抓着我的心灵的最深处，在野蛮无政府时代的一个粗野而有善心的自助的英雄的面目，激起我的最深的共鸣。以后者为主角的傀儡戏的有意义的本事，在我心中发出千态万状的反响。我也曾访求一切的知识，而这些知识之空虚很早我就已得到暗示。我又曾在实际生活中作种种的尝试，而每次总是越发比前不满，越发苦恼，废然而返。我抱着这些题材以及其他的种种的材料，在孤寂的时候以之自娱，而却没有将其中一些写出来。我最要瞒着赫德尔的就是那神秘的宗教的化学试验以及与它有关的一切的事，纵然我当时还很喜欢秘密地从事这种试验，想用比我从前所闻更合理的方法发展它。以我的所作的诗论，我相信曾将“共犯者”（Mitschnldigen）给他看，不过他对于这诗作什么指正或鼓励，我已记不得了。可是，他对于我的著作，依然故态，我对他也仍旧视为可信仰的优越者。出自他口的话纵然不是亲切，但有重大的影响，甚至他的笔迹对我也有一种魔力。我不记得曾否将他所写的一页纸，或一个信封撕毁或抛弃过；不过，因为居地和时日的变迁，足为那时所过的奇异的，含有一种预感的和幸福的日子的证明的文书，今已荡然无存了。

至于赫德尔的吸引力，对于别人也像对于我那样显其作用，殆不用我细说，它之特别地对待后来以斯提灵格（Stilling）一名见称的荣格（Jung），我也不必加以记述。这个人的诚实笃厚的努力向上之心，凡是具有心肝的人便一定极感兴趣，他的求智心，凡是能够受他启迪的人，一定为他激起，而开诚布公。赫德尔对于他的态度，也比对我们这些人宽大一点：因为荣格的反响，和他所受的影响，像是每相适应的。荣格的狭小的眼光，却伴有那么大的善意。他寻根问底的态度却伴有多量的温柔和真挚，所以一个明达的人定不会对他持苛刻的态度，心地好的人也就不会嘲笑愚弄他了。荣格也为了与赫德尔之挚交而狂喜，以致感到在一切行为上都增加力量和有所促进。诚然，他对于我的情愫似乎与他对于赫德尔的交情恰成反比例而减退；不过我们始终是好朋友，后来与先前一样相看待，彼此互相表示极亲睦的忠诚。

现在还是让我们抛开那个友谊的病室，以及那种指出精神的病态多于健全状态的一般观察；而步入空旷的空气之中大寺的高而宽的望台之上吧。我们青年朋友们常约定在傍晚到那儿去，互倾罗马式的绿杯，来送那将没的太阳。那时的情景仿佛如在目前。在这儿，我们的谈话只以景物的眺望为限，然后各试验自己的眼力，各人都努力想看见极远的东西，以及把它们辨别清楚。精良的望远镜也拿来助眼力之不足。我们各人顺次把自己最喜欢和觉得最有价值的地点精确地指示出来。我的心目中也有一个这样的小地区，它在所眺望的风景中虽没有特别的好处，但比起其他任何处都使我感到一种可爱的魔力。在这种机会中，想象力为种种的谈说拨惹起来，好些回的小旅行由是约定，并且准时实行。从这些旅行中，我想将情形详细地讲述，因为它在许多方面都给我以丰富的效果呢。

我偕同两个可敬的朋友兼饭团的同伴安格尔巴哈（Engelbach）和威兰（Weyland）——两人都生于下阿尔萨斯州——骑马到扎柏尔因（Zabern，下阿尔萨斯州之一县）去，那时天气晴和，这个可爱的小地方像是带着笑眼欢迎我们。大主教的府第之瞥见惹起我们的惊异。由一所新筑的马厩的广大华美，可以想见这房子的主人的其他的舒适的生活了。台阶的壮丽使我们咋舌，升堂入室，更感到惴惴然恐惧，及至看见主人大主教时，他的人与他的房子却相反，他身体矮小而瘦弱。我们看他时，他正在吃饭。庭园的景物也是华丽的，有一条三公里长的小河直贯他的府第的中央，使人了然于往代的宅主人的趣味和势力。主教府本位于服给赠（Vogesen）山之脚，美丽的阿尔萨斯平原的尽头。我们在这位置甚佳的广大的府邸内各处往来散步，享受许多乐趣。

我们看了这个权威有如王侯的宗教底前哨，观赏一番，在它的世界中沉酣一下之后，在第二日清早便到达一个通进法兰西伟大的王国的最可钦佩的公共建筑物那里。在东升的太阳的光中浴着，那有名的扎柏尔因坂道——一个超乎人的智力之外的建筑物——便豁然呈现于我们的眼前。一条蜿蜒纡曲的道，在使人震恐的岩石上砌叠成，宽度可容三辆马车并行，它那样缓缓的倾斜，使人不觉得是登高险的山坂。路面的坚滑，两旁的填高的平坦的行人路，为疏导山潦而造的石渠，一切都用人工造得那样整洁，耐久而又美术的，看见了为之心旷神怡。登了这个坂道，我们逐渐到达一个新筑（一六八〇年）的普法尔兹堡城寨（Pfalzburg）之上。它是位在一个颇高的小山上头，在黑色的岩石上，以同样的石建筑，甚为壮丽。石罅是用白石灰来接上，因此石之大小便很分明，而筑造的精巧，也由是更为显现。普法尔兹堡的村落本身是有规则地用石建筑成的房屋，与城寨地的外观相适应，教堂却是一个饶有趣味的建筑物。那时正是星期日早上九点钟左右，当我们在街上漫步时，我们听见音乐之声，人们已乘兴在酒馆内跳舞了。那里的居民既不曾因为物价的高涨甚或有饥馑之虞而耽误了他们的欢乐，我们也绝不曾因为面包铺子误了我们的旅行用的面包，告诉我们说在旅馆里总可以当场叫来吃，而弄到少年的喜悦之心愁苦起来。

我们很高兴再循着扎柏尔因坂道下去，俾能再度叹赏这建筑上的奇迹，和重眺阿尔萨斯的娱人的风景而快意。我们不一会儿便到达布克斯外尔（Buchsweiler，扎柏尔因县，临着服给增河的小镇），我们的朋友威兰已在那儿他的家里准备款待我们了。一个小城市的生活状态，与具有新鲜幼稚的心的青年是很相宜的；家庭的关系较为亲密和容易觉到各户的人随意地服务于官厅，或从事城市的工商业，或从事耕植园圃，不大繁忙，使我们起亲切的同感，他们待人接物很亲善。如果不觉得居民中的内部不睦——在这种小地方总容易看出来——的话，则从外地来的客人便会很舒服了。这一个小镇是汉瑙—列支敦堡（Hanau-Lichtenberg）伯爵领的主要地，属于在法国主权下的丹姆斯达方伯领地。行政机关和宫廷既在这儿，故成为很美好的小王国的重要中心地。当我们从那儿出来，想游赏那故宫和在山畔建筑美丽的几个庭园时，我们很快就忘记了这镇的不平正的道路，房屋的不齐整的建筑样式了。许多供人游赏的林苑，家雉和野雉的饲养场以及种种色色的设备和建筑物残迹遗址，都使人想象起这个小的王宫所在地从前一定是多么舒适哩。

可是当我们从那在布克斯外尔附近的巴斯特堡山眺望那完全像乐园一样的地方时，上述一切的景物都为之失色了。这一个小山，简直是由种种的贝壳积叠而成，使我破题儿第一遭注意到远古世界的遗物。贝壳堆积得那么多，我从来没有看见过，可是我们的喜欢眺览的眼不一会儿便全为远景所吸引。我们所站的地点是靠近平地的最后的山嘴，在北边绵亘着一片给森林穿走着的肥沃的平野，为一个严峻的山所限。这个山伸延于西方，直至扎柏尔因，我们可以清楚地辨出大主教的府邸和相隔四公里的圣约翰寺院（Abtei St. Johann）。从那儿，我们纵目送着那个逐渐消失的服给赠山脉，一直到南方。如果转眼眺望东北，就可以看见那立在大的岩崖上的列支敦堡的宫城，在东南方无边的阿尔萨斯的平野迷着我们的望眼，逐渐模糊暗淡化为霞霭，到末了，那许华勃（Schwab）山脉，却像影子那样飘逝于视界中。

依据我的几次旅行的经验，我已觉得在游览时寻究河水，甚至小溪的水道，看其到底流向何处，是多么有意义的事。借此，我们得知自己正踏足的河川流域的大概，对于彼此相关的高地低地有明白的观念。这种方法不仅有助于眺望和记忆，而且借此线索，我们可以把这地域的地质上和政治上的繁杂的状态极可靠的理出头绪来。我作过这种展望后，便与那亲爱的阿尔萨斯州肃然告别，我们想在第二朝转到洛伦（Lothringen）州去。

那天晚上，在密切的谈话中度过，我们想以快乐的过去的回忆来使目前的不满足的状态畅适一点。在这儿也像在整个小地域那样。未隶法国版图以前的最后的领主莱因哈德·丰·汉瑙（Reinhard von Hanau）的名字最为人所称道。他的非常的明达和智能在他的一切行动上表现出来，关于他的治绩现在仍是口碑载道。这样的人是有做两重的施恩者的好处，先给予他所生当的现在以幸福，其次，恩泽又及于未来，培养后世的人的感情和保持他们的勇气。

当我们转向西北的山岭去，从吕且尔斯泰因（Lützelstein，属于扎柏尔因县）——在一个丘陵堆叠的地方的古山寨——的旁边走过，向萨尔河（Saal）和摩塞尔河（Mosel，均莱茵河的支流）流域下去，天空开始阴暗起来，一若它要使我们更感到这西部王国（指阿尔萨斯州）的荒凉的光景那样。在萨尔河的河谷地方，我们先到博根海姆（Bockenheim）这一个小都会去，遥望着对面的建筑得很好和盖有一别墅的奈萨尔味敦（Neusaarwerden）镇。这河谷的两边有山围着，如果在山麓不是有称为“寒瑙”（Hohnau）的无际的草地和牧场，一直绵亘到萨尔阿尔伯（Saaralbe），望之无尽，则这儿便有点阴森的气象。在这儿，往日洛伦大公的为养马而设的大建筑物映入我们的眼帘。现在因为地点适当，供农场之用。我们经过萨尔格闵德（Saargemund）而到达萨尔布洛克（Saarbrück），后一个小都会却是这带着岩石的森林地方浮出的光明之点。该镇既小又位于丘陵之上，因为最近的领主们将它大加修饰美化，故给予我们以快适的印象。房屋全都涂着浅灰的颜色，高低不齐，使人望起来感到变化多趣。在一个周围有壮丽的建筑物的美观的广场的中央，立着一个路德派的教堂，寺院虽小，但与全镇的规模相适合。宫殿的前面与镇同样位于平地上，它的后背却落在一个峻险的岩石的山坂上了。这个山坂不独是弄成为几层的台地，俾可以舒适地与平地相通，而且在下方，一方面把水流排去，他方面把岩山斫去，筑成一个长方形的园子，在这上头先填满了土，然后植树。在建筑庭园的场合，现在则参考风景画家的意见，而在那时营建宫殿，正是求教于建筑师的时代。从这宫殿的一切设备，其珍贵可爱和华丽之处，可以想象它的主人——前代的领主——是怎样一个乐观的人了。现时的领主却不住在这儿。我们受总理大臣丰·君德洛德（von Gunderode）的极亲切之款待，飨宴三日。其厚遇出乎我们所预期之外。我利用我所能得到的许多相识的人而得到多方面的知识。前代的君主的丰富的享乐的生活供我们以充分的谈资，他们为着利用该地的自然的特惠而作成的种种设备也给我们以话题。在这儿，我才真正对于这山国地方加以注意，对于经济和工艺的观察的兴味我一生有大部分从事于此——也开始引起来了。我们听见讲到丰富的度特外尔（Duttweiler）的煤坑、制铁场和明矾制炼所，甚至听到讲及一个在烧燃中的山，我们遂准备到它的附近亲眼看看这种奇迹。

于是我们进而跋涉满生着树木的山，这些山在来自优美肥沃的土地的人们的眼中，一定觉得荒凉阴郁，只为了它们内藏的矿物我们才对之发生兴味。在道中，我们看见一个简单的机械工场，一个复杂的机械工场，相距不远。前者是一个镰刀的锻冶场，后者是一个铁线制造场。如果我们看见前者以机械替代人类的手而觉得有趣，那么，后者的工作是更复杂的，有机的，差不多不能与智慧和意识分离，我们为之叹赏不置。到了制炼明矾的小屋中，我们仔细打听这种重要的原料是怎样得来和怎样精炼，当我们看见一大堆白色、肥腻疏松的矿物质，和寻问它的用途时，工人带笑答道：“这是在煮明矾时浮在表面的浮渣。斯陶夫（Stauf）先生希望它们还有用处，所以叫我们把它们收集起来。”“斯陶夫先生还活着么？”我的一个同伴惊诧地叫起来。工人肯定地答，并说，依照我们的游山的路程，我们还会经过他的孤寂的住所呢。

这时我们循着水渠而登，含有明矾的山水便由这水渠引下来，继而走过本地人称为“兰格鲁布”（Landgrube）的极有名的度特外尔的石炭坑的旁边。这儿的石炭，如果很干，就呈出带幽暗的钢铁那样的青色，每一翻动，在它的表面上便浮漾着彩虹似的艳光。可是，我们本不高兴进那阴黑的煤坑口去，何况其中的石炭又满倒在外头我们的左右呢。随后，我们转到那些没有遮蔽的矿坑去，在那里，已焙烧的明矾片正用灰水冲洗。不消一会儿，我们就看见一桩——虽然也在预期中的——奇特的事而惊诧了。我们踏入一峡谷内，已置身于那燃烧着的山的范围中。一种强烈的硫黄味包围着我们，峡谷的一边差不多还灼热地烧着，为带赤的烧成白色的石头所盖着；从罅隙里冒出浓烟，我们的靴底纵厚，也感到地面的热。这个凹地为什么会燃烧起来，我们无从知道，但是这个偶然的事使明矾的制造得到很大的利益，因为这山的上层是由明矾板石构成的，它们既已自然地完全焙好而露出来，只须把它们采集来，简单地好好地用灰汁洗提就成了。这整个峡谷是因为人们逐渐将化灰的板石剥取应用而形成的。我们从这凹地攀援而上，直到山的绝顶。在它的周围有很优美的山毛榉林，绵亘至凹地和它的两边。有好些树已焦死，还矗立在那儿，有一些是在枯萎之中，而附近的树却仍十分菁茂，烈火似有逼到它们的根之势，它们像是不以为意。

在这儿，地面有种种的窟窿，冒出烟来，有些已不冒烟了，那么，这儿的火继续从那些山中旧时凿通的纵坑和竖坑燃烧出来，恐怕已有十年了。它也许又在裂隙上次第将新的石炭层燃着。在这林中约百步远的地方，人们已看到有丰富的石炭埋藏之状，不过那里浓烟逼人，使工人不能近前，采掘也不可能。窟窿已再填好，但是，那儿还冒着烟，在访谒那隐居的化学家的寓所的途中，我们就看见了。他的住所是位于山与林之间，山谷在这儿便现出种种多趣的曲折，周围的土地是黑色，像石炭那样，连石炭层也常露出地面来。石炭哲学者——也可以说是火的哲学者［Philosophus per ignem,

希腊哲学家赫拉颉利图斯（Heraclitus）谓火为万有的原素，故名]，——的住处，再没有比这儿更适当了。

我们走到一所用来做住宅很适宜的小房子之前，看见了斯陶夫先生，他一见我的朋友就认识，寒暄时就诉说对于新政府的不满。从他的谈话中，我们可以看出明矾制造业和其他种种有益的经营因为外界以及内部的情况，恐怕不会赚钱。许多如此之类的事我们也听到了。至于斯陶夫先生本人是属于过去的时代的化学者之流，这些化学家确信天然物无论什么都可以利用，乐于把琐细之物和副产物加以幽玄的考察试验，以知识不足之故，又不识得将那种本来可以得到经济上商业上的利益的工作十分完成。例如他希冀得明矾的浮渣有一种用处，便很难实现。它不过是燃烧的山自然地供给他的一块硇砂罢了。这个瘦瘠衰弱的矮个儿，一只脚穿着短靴，一只脚穿着拖鞋，袜颈老是退下来，三番四次的拉起还是不成功。他准备欣然将他的不平向一个人类的耳边诉说，踅着领我们登山。在山上有一个他亲手盖的树脂采集的小舍，现在已经塌坏了，说起来犹有遗憾。在这儿有许多互相接连的灶，石炭就是在此提去硫黄，供制铁工场之用。可是，斯陶夫氏同时还想利用燃料中的油和脂，甚至连煤烟也不想糟蹋，于是多种的目的便在简单的设备之中凑集在一块。以前的领主在生时，这个事业的经营只是出自癖好，存有希望；现在却求它的直接的用处，但这种用处却没有实现出来。

我们离开了这个老化学家，任由他复归于孤寂。因为时间已很晚了，我们急忙走到弗德烈谷（Friedrichstaler）的制造玻璃的小舍去，当经过那儿时我们目击人类的技能的一种最重要而又最可惊异的劳作了。

可是，比起上述种种的有意义的见闻来，有些有趣的奇遇更能惹起我们青年人的兴味。在天将黑的时候，离诺克尔斯（Neukirch）不远，我们意外地看见自然的烟火。在前几晚，萨尔河的岸边，一大群云霞似的萤火虫从岩石和丛林之间飞出，所以，现在这些发出火花的烟筒便飞舞迎我们而来，构成很有趣的烟火。到了深夜，我们到了那位在低地上的熔矿小作坊中，这个板造的工场只借着那闪着火光的熔炉的小孔，而有微光照耀，作成一种异样的微明，很有趣致。但是，水力推动风箱的声响，水的轰轰的声响，在被熔的矿石上沸腾着的气流的呼呼呜呜的可怕的骚音使我们耳为之聋，目为之眩，终于使我们离开，走到那位于山腰的诺克尔斯镇投宿去。

因为那天的种种奇异的经历，心身大受激动，我在这儿竟不能入寐。我让我的朋友睡一个饱，而独自去访寻那位于高处的猎宫。它是在远远的山和树林之外，它的轮廓只在澄明的晚空中认出来，但是它的四边和奥深的部分却不是我的视线所能及。这个保存得很好的建筑物已空无人住，寂然立在那儿，看守者和猎人都不可得而见。我坐在它的玻璃大门前的台阶上，整个层台地都有台阶上下。这儿正是在山中深处，下望是一片为森林所蔽的暗黑的大地，有夏夜的明朗的地平线衬映着而更见黝暗，头上是辉耀的满布星辰的苍穹，我一人久坐在这荒凉落寞的场所中，自信从来未尝有过这样的孤寂。忽然一对号角的声音从远远送来，恍惚是一种馥郁的幽香，使寥廓的天空陡添活气，这是多么可爱的呵！在这时，一个幻想的爱人的影子［指菲烈德力加（Frederika），见后］突然浮现于我的心中，因为这次旅行的五光十色，它虽已退居我心坎的后方，但逐渐显露出来，使我从这儿回到我的投宿的地方，准备明晨绝早动身。

归途却不像来时那样多加利用。我们匆忙地穿过双桥（Zweibrucken）。该地是一个美丽的有名的王宫所在地，本也值得我们的注目。那广大而式样单纯的宫城，为训练猎马而设，整齐地种着菩提树，设备得很好的广场，宽大的马厩，以及领主建筑来做奖品的许多市民住宅，我们都略看一下。这一切，以及居民——特别是妇人女子——的装束和举止，明显地指出这地方与远处的关系和所受巴黎的影响。事实上，莱茵河西岸的一切事物之不免于这种影响，已历有年所了。我们又往游赏城门外的公爵家的酒窖。窖的内部很宽敞，备有大而美术的酒樽。我们离了这镇继续前行，逐渐觉得土地的状况与萨尔布洛克那边相似：在荒凉的群山之中没有多少村落，谷物也不见。我们循着荷尔因巴哈（Hornbach）山的山边，上登比特斯镇（Bitsch，阿尔萨斯伯爵领，一七六七年以后归法领），那儿正是河川分流的重要所在地，河的一部分注入萨尔河，一部分流入莱茵河，我们不久就要到后者的流域去。不过，比特斯这一个小城，环山筑成，风景如画，在绝顶又有一个城寨，使我们不得不对之注目。城寨一部分是筑在岩石上，一部分是穿凿岩石而成。它的地下室特别值得注意：内部的宽大不独可以容一大群人和家畜的居留，而且还有一个供操练用的大窖、一个磨坊、一个礼拜堂，以及地上有危险、避在地下时所需要的一切东西。

其后，我们穿过贝伦谷（Barental），沿着那急流如箭的小溪前进。谷的两旁的山丘上的菁密的森林都弃而不用。这里，万千的大的树干互相复叠而腐朽，无数的嫩树却在半已腐烂的之上萌生起来。在我们与几个步行的同路者的谈话中，又听见丰·第特立喜（von Dietrich）的名字。在一带森林的地方，我们从前已常听见人们很敬佩地把这名字提出来。丰·第特立喜的活动和才干，他的财产，以及对于财产的利用和使用，一切保持均衡，无过与不及之弊。他很应当以他所增殖的利润自娱，和以他所确实取得的报酬自奉。我在社会中的见闻渐广，除了鼎鼎大名的人以外，我很喜欢听见在一个特殊的地方为人提起来而含有敬爱的名字。在这儿我稍加打听即听见说，丰·第特立喜之识得利用这山的实藏，开采煤铁和木材，著有成效，比别人为先，且因这种事业之成功，而日益富有。

我们跟着到了尼德布纶（Niederbronn），在这儿，关于第特立喜的功绩，更得新的证据。他从莱尼根（Leinigen）伯爵家及其他的共同所有者收买了这小地区，好在附近的地方建立重要的制铁场。

在这儿，古代罗马人所设立的浴场的旧址，使我犹沾沐着古代精神的波沫，它的光荣的遗迹如浮画的雕刻物和碑文的残片，柱冠和柱身，仍残留于农场之中，杂在产业上的废物和器具之间，以异样的光辉映入我的眼帘。

当我们上登附近的瓦逊堡（Wasenburg）城寨，在那构成石台的一边的大岩石上读那感谢神使 Merkur 的碑文时，我也肃然起敬。这城寨是位在靠近平地的比特斯的最后的一个山上。是在罗马人的旧址上建筑的德意人的城堡的废墟。从它的望塔上可以再下瞰阿尔萨斯全州，而大寺的明晰的尖顶指出斯特拉斯堡的所在。可是，绵亘在最前面的，还是哈根脑尔（Hagenau）的大森林，这城的几个望塔却在林后很清楚地现出来。现在我要回到那儿去了。我们骑马经过莱斯和芬（Reichshofen），——第特立喜在该地筑有一个宏丽的府第——从尼德摩德尔恩（Niedermodern）附近的小山下来，游览那沿着哈根脑尔森林的摩德尔（Moder，莱茵河的左边支流）小河的美丽的河道之后，我便与那要参观附近的石炭坑的友人——在度特外尔煤坑参观才真正有意思，他在这儿视察未免有点滑稽吧，——分手，从我自知的最短的路，经由哈根脑尔森林到我所怀想的塞逊海姆（Sesenheim，下阿尔萨斯州之村落，歌德的新恋人菲烈德力加就在那儿）。

在那荒凉的山国的全部风光，以及随后在明朗、肥沃、充着喜悦的乡村看到的景物，也不能系着我的心眼，因为它已飞向一个饶有吸力的可爱的对象的身边了。这回旅行，我觉得归途比去时动人一点，因为它使我再得回到一个女郎的面前呢。我对这个女人已倾心相爱而她也值得我的爱敬。可是，在我没有把读者领到这女子的乡居之前，许我先说及一桩特殊的事情，因为它对于我的爱情和她所给我的欢悦之培植和提高，很有帮助呢。

我关于近代文学知识之怎样落后，可以从我在佛城所度的生活状况，我所致力的研究工作推论出来，即使我在斯特拉斯堡城的居留也不能在这方面有所促进。其后，赫德尔来了，除了他的渊博的知识以外，他还在这方面带给我以很大的助力。并且挟有新出的文学书来，就这些书中，他给我们推荐《威克斐尔牧师传》（*Vicor of Wakefield*），称为优秀之作，他自己把这书的德文译本讲读给我听。

他的讲诵的方法，是十分特别的；谁听见过他说教的人，就可以想象出他的特征。他讲读时都以真挚素朴的态度出之，这本小说的讲读也是如此。他完全的作演剧的做手表情，即使在朗读史诗或传奇的场合不独许可而且还需要声音的抑扬高低，他也避免。当书中种种不同的人物说话时，声音如稍有变化，每一人物所说的话，便玲珑地现出，而朗读者也可与书中动作的人物区别出来，但赫德尔却不这样子做。赫德尔朗读时，全以单一的腔调读下去，而不陷于单调。一若书中的情节人物全不是现在的，而只是历史的，篇中的人与物之影不是栩栩地在他面前活跃着，而只是轻轻地滑过。不过，这种出自他口的朗读方法，有无限的魔力，因为书中的一切，他都极深刻地感觉到。这样一种著作的复杂的结构，他又能够重视，所以一种作品的一切的动人之处都纯粹地呈现出来，而且因为听者既不为特别强调地读出来的零星的情节所分心，而能领受全书所提供的感觉，故书的效果更特别地明显。

一个新教的乡村牧师也许是近代牧歌（传奇）的最美的题材吧。他像麦尔启则得（Melchisedek，阿伯拉罕时代的王兼祭司，见《旧约·创世纪》）那样，是以一身而兼充僧侣和王。尘世中最纯洁的生活算是农夫的生活，而乡村牧师大抵以相似的日常工作，和相同的家庭状态，而与农夫相联结；他一身是父亲、家长和农人，纯然是农村社会中的一员。他的更高的使命，就是以这种纯洁美丽的俗世生活为基础；导引人类入于世间，照管他们的精神教育，在人生的重要阶段中为他们祝福，教导他们，鼓励他们，和安慰他们。如现世的安慰不足，则唤起他们对于来世的希望，自任保证，这些都是乡村牧师的职责。试想象一下，这样一个的人，具有纯粹的人类的感情，无论在什么情形之下，都不肯屈挠的坚强的意志，已经是超出那些不能纯洁强毅的常人之上了；

如果，他又有他的职务上所必需的知识，以及快活地始终不懈地做事的心情，甚至一种不肯一瞬间不为善的热情，那么，他就是一个全人了。这样子描写出来的乡村牧师就是《威克斐尔牧师传》的主人公。但是同时书中所描写的他，不止局踏于狭小的范围内而且还要转入更狭小的区域中，增添了种种的拘束制限；于是书中又添给他以和善的性情、宽恕之心和坚忍的意力，以及一个明确性格所露出的一切值得赞赏之点，此外更赋予对自己和他人的罪过宽容和忍耐的品性，——这样子，这个卓越的威克斐尔牧师的为人便略具模型了。

这个主人公的性格都在其一生的经历中的种种苦乐，幸与不幸刻画出来，借着完全自然的情节与特别异样的情节之结合，传奇的兴味渐加浓厚。因此，这书便成为从来的第一流小说之一；此外，它还有一种优点，就是，它极饶伦理的意味，而且是合于严格的基督教的教义。它表现善心的好报应，固守正义者的得到褒赏，使读者对上帝抱绝对的不动的信仰，确信善人的最后的胜利，而这一切写起来又绝没有伪信或炫学的痕迹。著者之所以能免去这两种瑕疵，是由于他的高尚的见识，这种见识以讽刺的形式流露于全篇，因此，我们读起这本小书来，不独觉得可爱，而且还发见它的明哲。著者哥尔斯密博士（Dr. Goldsmith）对于道德的世界，它的价值，和它的固有的缺陷之有非常的卓见，是无可疑的。但是他幸而生为英国人，这一点，他是应当致谢，它的国土国民所提供给他的优越的景况，他应当归功吧。他所描写的家庭，从安乐的公民生活之点看起来，是属于最下级的，一方面却仍与最上级接触；这个家庭的狭小的范围日益缩窄，但是因为事物的自然的趋势和公民生活的趋势，与广大的世界便有交涉。这个渺小的船，在英国人生活的浩瀚汹涌的波上飘浮着，为喜为悲，却要从那航行于它的周围的巨舰们受帮助或损害哩。

我可以假定读者已知道这本小说，而且记得它的内容；如果只在这儿才听见这书名的人，或因我所讲而惹起去读它的兴味的人，都会感谢我的介绍吧。对于前者，我只顺便的说，乡村牧师的太太是勤勉善良的女人，她不让她自己和她的家人有什么缺憾，可是也为这个缘故对她自己和她的家人有点自负。两个女儿中，珂梨弗（Olivie）美丽而志趣偏于外，苏菲（Sophie）体态动人而志趣偏于内；她们的兄弟摩西（Moses）勤勉而带点峻严，努力欲成为跟父亲一样的人物，我也应在此提及。

赫德尔讲读时有一个缺点可以指摘出来的，就是他没有耐心。他不等到听者已听见和了解情节的相当的部分，可以正当地领略它和适当地思索它，就连忙要看看他所讲的对于听者发生什么效果。可是当这种效果呈现出来时，他又不满意。在听讲时，我的感情一步一步的涌出来，他因非难我的感情过盛。我在感受时的兴奋，是人类，青年的常态；在我心目中，一切事情都是活的，真实的，活现于眼前的。但是他呢，只注意事情的实质和描写的形式，当然会觉得我是为材料的内容所动，他便不以此为然。至于柏克罗夫对于这小说的感想既不十分精到，赫德尔更认为不对，使他特别生气的，就是我们缺乏洞见力一点。著者常用的对照法，我们没有看出来，只为它所吸引感动，而不识得作家这种常反复地应用的艺术伎俩。在开头的时候，布谢尔（Burchell，书中的人物）在讲谈中，由第三人称而转到第一人称，快要把他自己的身份泄露出来，我们这时却不会立刻看到或至少揣摩到他自己就是他所谈述的贵族，赫德尔因此认为我们愚钝到不可恕。到后来，那贫贱的漂泊者露出了真相，复变为有财有势的贵族，我们的幼稚的心灵不禁喜跃，他便把前头作者的本意已泄漏于我们之前的地方指出，对我们的拙钝大加训斥。我们由此看出赫德尔只把小说当作是艺术的作品看待，而也以此期待我们，怎知我们那时还在我们把艺术作品当作是自然的产物而受其影响的时代彷徨着呢。

可是我绝不因赫德尔之谩骂而迷惑无主。青年受了一种影响，这种影响便在他自身之中由他再加消化运用，从此便生出许多的好处，也生出许多的坏处，这可以说是青年的幸福，或他的不幸。上述的小说在我心中遗留有很深的印象，为什么这样，我自己也说不出理由。但是，我却觉得我与书中的讽刺的意趣有同感，这种意趣是超越于世间的种种事物，福与祸，善与恶，死与生等等之上，而达到真正的诗的世界的把握。诚然，这种见解只在后来才为我所意识到，至少，在当时我已为这小说所大大激动；不过，我绝不梦想到不久就从这个虚构的世界置身于与之相似的现实的世界呢。

我的同桌吃饭的朋友威兰，因生于阿尔萨斯州，时时探访那地方的亲友之故，他的沉静勤勉的生活便添生趣。在我作短期旅行的时候，他亲自领我去访种种的地方和家庭，或为我写信介绍，使我得到许多的方便。他常对我说及一个乡村牧师，住在德鲁逊海姆（Drusenheim）附近，离斯特拉斯堡约十五六英里；他拥有良好的教区，一个贤良的妻子，一对可爱的女儿。而且这一家的喜客和殷勤，常为人所称道。像我那样的青年的骑马的旅客，现已惯于在旷野中消磨那马上的悠悠的暇日，纵使没有威兰所说的这种好处，也可引动我去探访牧师的家了。因此我们便决定作这个旅行，但是我要我的朋友答应我，在介绍我时，关于我不必说好说坏，只是以满不在乎的态度对待我；甚至要许我改装，纵不是选褴褛的衣服，也打扮得寒素随便。他满口应承了，并预期这事会引出一点笑乐。

著名的人物，有时为要隐藏自己的外面的优越，俾他的独有的内部的人性的内容更明白纯粹地显露出来，这种妙想是可以鉴原的。因此，君王的微行，以及发生的奇遇，常使人起极大的快感。改装为凡人访问人间的神也是常有的，如果人对他的个人表示好意，他便加倍的嘉许，如果人待他不好时，他也可以宽大为怀，或避开他。例如朱匹忒（Jupiter，阿林比的主神）之访问腓利门（Philamon）和白昔司（Bancis，模范的和睦的夫妇，贫乏度日，朱匹忒往访他们时，他们视为旅客而厚加待奉，因得免于大洪水之难，出自希腊神话）；亨利四世（Heinrich der Vurte）猎后微服访他的农民，这种事是很自然的而人们也喜欢它。但是一个没有身份名望的青年却一时兴到，想以改装来得一点乐趣，别人也许看作是不可恕的骄傲吧。不过，这儿的问题却不是意趣和行为值得赞赏抑或值得非难的问题，而是它们开示和实现到什么程度的。问题所以为我们的慰乐之故，这回我的傲慢，是可以宽恕的，而且在这儿我还要说明一下，从我幼年的时候起就有了改装之癖，这种癖性甚至为我的诚笃的父亲所鼓舞。

这一回，我一部分用自己的旧衣服，一部分借了别人的衣服来穿，并且把头发梳得很特别，打扮起来，纵使不是难看，至少也很异样，尤其是因为我会模仿那称为拉丁风骑士（Lateinische Ritter，不善于乘马者）的人乘马时的身段做手，极为逼肖，在路上，我朋友不禁大笑起来。整洁的大路，极好的天气，莱茵河的映带左右，使我们心旷神怡。到了德鲁逊海姆，我们略歇一下，友人把服装略为整理，我则把我要改扮的角色重演一下，以免有时露出马脚。这一带的土地有空旷平坦的阿尔萨斯州的特色。我们穿过草场中一条幽雅的小径，不消一会儿就到了塞逊海姆，把马留在旅舍里，泰然往牧师的住所去。威兰远远的指着那房子对我说道："它外头像是一所破旧的农舍，但它的内部却很整洁华美呢，你不要误会。"我们进了院子；房子的全体我很喜欢：因为它正有所谓"入画"的意味，以及荷兰派绘画迷惑我的那种魔力。时间替一切人工的产品添上的古色古香，在这里却强列地显露出来。住房、谷仓和厩都在朽坏中，恰是到了使人不能决定修缮还是重新再建，不着手修缮而又不能改建那样的地步。

村中，院落中一切都是静悄悄的阒然无人。我们找到了牧师，他是一个矮小、深沉而和气的人，只一个人在家，他的家人都在地里工作了。他跟我们寒暄，表示欢迎之意，还要张罗茶水来款待我们，我们却辞谢了，我的朋友连忙出去找娘儿们，只留下我跟牧师两人。"您也许觉得奇怪吧，”他道，“您看见我在富裕的乡村里充当好入息的牧师之职，却住得那么坏；但是，”他继续说道，“这是由于不决断的缘故。教会同人以及当局本早已答应我把这房子重新建造，有好几个画则已绘出来，加以审议和修改过，却没有一个完全的画则弄出来，也没有一个拿来实行。已经拖下去那么多年了，我差不多不能再忍得住。”我便把我认为适当的话答他，加强他的希望和鼓舞他，让他好强硬一点来交涉这个事情。他听了，便把那些跟这房子的改建有关系的人们对我描述，他虽不是特长于性格的刻画，由他的话我已很明白这整件事情不得不停顿的原因。牧师之胸无城府是有特别之处，他跟我谈话，一若他已经跟我有十年的交情那样，同时他的眼中却绝不露出像是对我注意的样子。到后来我的朋友终于偕同牧师的太太进来了。她像是以全然不同的眼睛来看我，她的脸庞是端正的，有理智的表情，在年轻的时候，她一定很美丽。她的身段瘦长，但又与她的年龄相配，不是过度的瘦。从她的背后看起来，却觉得她很年轻悦目。随后，大女儿活泼地如飞跑进来；她问菲烈德力加在那儿，其他两个人也这样子问，父亲断言，自她们三个人出去后，就没有看见过她。大女儿便再跑出门外，来找寻她的妹妹；母亲端一些食物茶水出来，威兰继续跟这一对夫妇谈话，所谈的是朋友们久别重逢时的普通话，与彼此都知的人和家庭的情况有关，或打听一大堆朋友中各人的近状，或互相报告。我在旁边倾听着，因此知道我加入他们的交友关系时，会从他们的交往得到什么。

大女儿匆匆走进屋子来，因为找不着她的妹妹而着急。母亲和姊姊都为她担心，并且把村中的这种那种的坏的习俗骂出来。但是父亲却泰然说道："她老在外头吗，她这时就要回来了！"恰在这刹那间，她真个走进门来；于是这个鄙野的天地间便升起一颗最可爱的星。两姊妹都是作所谓德国式的打扮，而这种殆已过时的国粹的装束特别与菲烈德力加相配。一件短、白、有饰缘的圆形的上衣，长还不覆盖她的最美的腿儿的踝；一件短而白的胸衣，一件黑色的薄绸制的围裙，作这样的装束的她便介居于村姑与城市小姐的中间。她走进来的时候，身躯修长而轻盈，像是没有穿衣那样，她的可爱的头上结着一大条黄金色的辫，比起它来，脖子像是太纤柔不胜了。从明澄碧色的眼中，她很明晰地顾盼着，可爱的微低的鼻子，像是在世中无挂无碍那样在空气中嗅着。她的腕上挂着一顶草帽。这样子，在最初见面的一瞬间，我就已感觉她的一切的优美和可爱之处，而心花怒发了。

现在我开始有斟酌地把改装者的角色演出来，心里觉得欺弄这样善良的人，有点羞愧。女孩们继续刚才的谈话，而且讲得很热烈，很兴奋。我在旁边便有观察她们的余暇。在他们的谈话中，全数的亲戚和街坊都再搬了出来，在我们的想象力之前，现出那样一大群的叔伯姑母、侄儿、甥子，来的人，往的人，教父和客人，使我觉得是置身于极热闹的世界里。全家的人都跟我搭讪过几句话，母亲常走进走出，每次进出的时候总望望我。但是，最初跟我谈下去的还是菲烈德力加。她见我曾把散放在身旁的乐谱拿起谛看，便问我是否也弹钢琴。我应道“是”，她便请求我为她们弹一曲。可是，父亲却不让我去弹，因为他以为先给客人弹一曲或唱一支歌才是对的。

菲烈德力加便起而弹奏种种的乐曲，虽颇熟练但有田舍的风味，而那钢琴也音调不洽，我想学校教师有暇就应该教她调音吧。接着她又唱出一支小曲来，有点温柔而悲恻，后来她简直唱不成声。她站起来，嫣然微笑——或不如说带着她的脸常堆着的恬静的欢容——说道："如果我唱得坏，我不能归咎于钢琴和学校教师；让我们到室外去，听听我的阿尔萨斯和瑞士的流行小曲，一定会唱得好点。"

在吃晚饭的时候，有一个早已袭来的思想在我心里老萦回着，使我现出沉思和缄默的样子，不过姊姊的活泼和妹妹的可爱的言动却时时使我从思索中回转来。我觉得真个置身于威克斐尔牧师的家庭那样的环境。对于一切的表现，不禁惊异。那父亲诚然比不上那卓越的威克斐尔；但是，世上也那里有这样的人呢！反之，那主人公身上具有的一切高尚的品格，在这儿却表现于主母的身上。无论何人，看见她没有不起肃然敬畏之心的。从她的举动，可以看出良好的教育的结果；她的态度安详、自然、和悦而动人。

大女儿纵没有珂梨弗那样著称的美貌，她的体格也修短合度，动作活泼，而略带粗野；她显出是很爱做事的样子，什么都帮她的母亲的忙。拿菲烈德力加来当作是皮林罗逊（Primrose，《威克斐尔牧师传》的主人公）的苏菲是没有什么问题的，因为书中没有细细描写她，只承认她是可爱的少女；而菲烈德力加事实上也正是这样。同样的职业，同样的生活状况既会到处生出纵不是同样也是类似的效果来，所以在威克斐尔牧师家庭中已发生过的事也有许多是在这里成为话题和重演出来。可是，到末了，那个久已在人们口里提及和为父亲等得不耐烦的幼子，带跳带蹦的进屋里来了。他昂然坐在我们的身边，差不多不注意到我们客人，我几乎要失声呼道："摩西你也在这儿呀！"

食时的谈话的范围已扩充到这地方和种种的家庭的情况，而从其中时有发生的有趣的事件也成为话题。坐在我身旁的菲烈德力加因此乘机将各处地方的景物对我描述，认为它们是值得去游访的。一宗小话头既常引起别一宗，我这时便较易插入他们的谈话中间，和将类似的见闻讲述出来。同时，村酿的美酒我又绝不肯辜负，我便有露出改装的马脚的危险了。我的谨慎的朋友因此借口月明，提议出外散步，马上取得了众人的赞成。他挽着大女儿的臂，我则挽着妹妹的，一同步出旷阔的田野之中，头上的天空比起地面来像更是我们的对象物，地已没在我们身旁的广漠中了。可是，菲烈德力加的谈话却不是像月亮那样的缥缈，她的清朗的谈锋，使黑夜也变成白昼，话里也没有暗示情感或引起情感的地方；不过她已对我谈及我将来会知道的她的情形，以及这地方和她的相识者的景况，她的谈话已比以前对我较有牵涉了。她又接着说，希望我也像别的客人那样，到过她们家里来，便常喜欢再来，不要疏远才好。

默然听着菲烈德力加描述她活动所在的小世界，和她所特别重视的人物，我觉得很愉快。她所讲的话给我关于她的生活状态明晰而又可爱的概念，这概念对于我有不可思议的影响。因为我忽然感到我不早点成为她的知己是深可痛恨的事，而同时对于那些一向有福在她的左右的人们，发生痛苦嫉妒之感。她讲到男性，无论是邻人也好，表兄弟也好，教父也好，我便留心谛听，一若我有学做的权利那样。我还试作种种的臆测，可是一切情况我完全茫然，我怎会发现出一些什么来呢！到后来，她愈谈笑风生，我愈加沉默。她的话听来是很舒适的，而且，我只闻她的声音，她的面貌与其余的世界同为暮色所笼罩，所以我觉得恍惚是看见她的心那样。她既那样的倾箱倒箧地剖心相示，她的心一定是极纯洁的吧。

当同伴威兰和我进到为我们预备的客房时，他即沾沾自喜地笑谑百出，并且因为曾领我到这一个与皮林罗士相似的家庭使我惊异，而自鸣得意。我赞同他的话，并对他致谢。“真的，”他喊道，“这个虚构的故事已完全凑起来了。这个家庭与书中的很相似，而那个改装的绅士却想自居于书中的布塞尔；还有一层，在实际生活里，不像在小说中那样需要有恶汉点缀着，所以我这回想扮演书中那甥子的角色，而且还比他做得好一点。”这种笑谈我虽觉得很可乐，但我仍马上转话头，要他凭良心讲，有没有泄露我的马脚。他矢言道：“不，”我只好信他了，“他们倒向我打听那在斯特拉斯堡的公寓跟我一块吃饭，以种种的奇行著称的有趣的朋友呢。”我又进而问别的事：“这位女孩有过爱人没有？现在是否恋爱着；有过婚约没有？”他对于这三点全都给以否定的答案。“真的么！”我答道，“这样的出自天真的快活的心情，是我所不能想象的。如果她有恋爱过，而失恋，而又平复起来，甚或她已许了人，在两个场合，我都觉得无所谓呢。”

我们这样子一块谈天直至深夜，天亮的时候，我的精神已再爽适起来，再与那女孩相见的欲望不可遏止。可是，当我穿衣服的时候，我无聊地挑来穿的那套可诅咒的衣服使我吃一惊。我越穿上，我便越觉得自己卑鄙下流：因为在世上一切都看人的衣服而定呢。我的头发的样子还可以改正；但是，到后来勉强穿上那件借来的破旧的灰色外衣，那短的两袖穿起来极不雅观，当我对着小镜子照照，虽然只照到一部分，但一部分越比前部分滑稽可笑，我便陷于完全绝望的状态。

当我这样子装饰时，我的朋友已经醒来，从那缎套的棉被中露出面来，带着满足的善良的心，和对于白天的欢悦的希望张望着。他的漂亮的衣服挂在椅子上，我早已羡妒不置，假使他的身材跟我的一样，我就当着他面把他的衣服抓走，在外头换过，急忙的跑进园里，将我的可憎的衣服扔下给他了。如果他够幽默，肯把我的衣服穿上，那么，这个奇谈到了早上便会有很有趣的结局。不过，他的身材既与我的不同，这一着就别要想，又没有别的巧妙的方法。我的朋友介绍我时，说我是一个勤学有才而贫寒的神学生，如果我今朝再以这种姿态到昨夜对改装的我那样亲切地吐露衷曲的菲烈德力加之前，我觉得是完全不可能。我愤懑地站在那儿沉吟着，绞尽我的脑汁，却想不出什么法子出来。可是，那个舒服地躺着的朋友，定睛望着我好一会儿之后，蓦地里纵声大笑喊道："这不成！真的，你的样子太不像话了！"我高声答道："我知道我自已做的事；再见，宽恕我吧！""你疯了吗？"他喊道，一边从床上跳下来，想止住我。但是我已出了房门，下了楼梯，跑出屋外和院外，到了小客店；一瞬间，我的马已备好，我气愤愤地连忙向德鲁逊海姆疾驰，穿过塞逊海姆渐跑渐远了。

这时我相信已不怕人追上了，我便跑慢一点，开始觉得我逃出来是多不愿意的事。但是，这时我只好安天由命，宁静地回想昨晚的散步，我暗抱着不久就与她重逢的希望。不过，这种沉默的感想，不消半晌又再变为躁急不安，我决定赶快跑回城里，把衣服换过，另雇一匹新乘的良马，这样子，为热情所迷的我总还能在食饭之前，也许是在食点心的时候，或在傍晚再回到他们的家里，请求宽恕吧。

我正在想策马加鞭来实现我这个主意的当儿，另一个思想——而且我以为是很妙的思想——忽在我的脑海里浮现。昨天我在德鲁逊海姆的旅馆中已看见小老板穿了一身很整洁的衣服，今天早上他出去视察农地的耕作，在院子里跟我招呼。他的身材跟我一般，乍见时还觉得他与我无二。我这样子想后，就决定实行。我的马才转身，便已再到了德鲁逊海姆，我把马系在马厩里，对那小伙子作简单而殷勤的请求，请他把衣服借给我穿，因为我打算在塞逊海姆做点有趣的事。我不费什么唇舌，他便答应了我，还因为我要逗娘儿们的笑乐而称赞我。他说：她们是那样的俊俏美好，力加（即菲烈德力加）姑娘更是可爱，即使她们的双亲也喜欢看见她们常是喜笑地过日。他留心地瞧我改装，他根据我的衣服，把我当作是穷汉子，说道："如果您想取悦于人，这就是妙法。"我们这时都已快换好衣服了。他以他的节日穿的漂亮衣服来换我的褴褛，本应不相信我，不过，他是老实的汉子，而我的马又在他的旅馆的马厩里。我一会儿就把衣服换好，漂亮地站在那儿，挺着胸。小老板像是快慰地望着他的化身。“很行，好兄弟！”他说道，一边把手递给我，我猛然把他的手握了一下。他戏说道：“不要太靠近我的姑娘的身边，否则她会错认你是我了。”

我的头发这时已经长得很长了，我可以梳成差不多像他的样子，我既三番四次的注视着他，我一时兴起，用一个烧焦了的木枝来画我的眉，学他的浓大的眉的样子，和把眉在眉心那边画长一点，俾我除了谜一般的计划之外，在外表上也成为所谓“谜样的眉”（Razel）。当他把镶带的帽子给我时，我说道：“您有没有什么事要向牧师的家传达的，让我好顺便地向那儿报告呀？”“好，”他答道，“不过您就要再候两个钟头。我们家里有一个产妇，我答应把那婴孩受洗的饼送给牧师夫人，现在您可以带去吧。贪体面一定要吃点苦，开玩笑也是如此。”我决定等一下；但是这两个钟头，我觉得长至无尽，到了第三个钟头，饼还没有出炉，我焦灼欲死。到后来，终于接了饼，还热辣辣的。我拿着这信任状（指饼）在极美丽的日光中匆匆的跑着。小老板还陪着我走了一程，他答应傍晚也到塞逊海姆，把我的衣服送来，但是我极力谢绝，并答应把他的衣服送还给他。

饼是用一个干净的包袱包着，我拿着这件礼物还没有跑了多少路，就远远望见我的朋友偕同那两个女孩，迎着我走来。穿了这样的衣服，本来是不必怕的，但我的心却惴惴然。我停步站着，敛着呼吸，想考虑一下，应当怎样开头。这时我才觉得地势很有利于我：因为他们是走小溪的那一边，而这小溪和它所经流的草地却把两边的小路分隔颇远。当他们对着我走来时，早已看见我的菲烈德力加喊道："乔治，你拿什么东西来？"我那时情急智生，一手把我除下来的帽子，遮着我的脸，一手把那包着饼的包袱举高。"一个婴儿洗礼的饼！"她听了喊道："你的姊姊身体好吗？""好。"我答道。这个"好"我纵然不能用阿尔萨斯的土音说出来，也说成别的地方的音（把"Gut"说成"Guet"）。"送到我们家里去吧，"大女儿说，"如果妈妈不在家，就交给女佣人，但是等一等，我们一会儿就回来了。听见吧！"我连忙继续走我的路，欣然抱着极好的希望，以为这事开头既已顺利，将来结果必定很好的了。不消一会儿，我就到了牧师的住宅。在住屋里和厨房里都没有人，我猜想牧师是在书斋里做事，不想打搅他，遂坐在大门口的长板凳上，饼放在身旁，把帽子遮着脸。

比这时更愉快的感觉，我不容易想出来。我刚才绝望地跨过门槛，奔出去，现在又再坐在这门槛的旁边了。在不久之前，我因为愤恨而骗了自己弄到与她久别，现在我已再看见她了，再听见她的可爱的声音了，每一息间都期待着她归来，和窥破我的改装，我的心想起来，就怦怦地跳着。不过，这回的欺瞒就使窥破，也不必羞愧，因我在开头就弄一套这样有趣的把戏，却不是像昨天那一套为人所嘲笑的呵！爱和苦诫是最好的师傅，现在这两者一块儿起作用，而弟子也不愧为他们的弟子呢。

可是，女佣人从教会里踱出来。“哪！饼拿来呀？”她向我喊道，“你的姊姊好呀？”“很好。”我道，一边指着那饼，不敢抬头看。她拿了那个包袱，喃喃说道：“你今天又干什么了？小贝布（Bärbchen）是不是看上了别的男子？不要拿我们出气呵！如果老是这样子，做夫妇就糟了。”她讲话的声音既颇高，牧师听到了踱到窗间问道：“什么事？”她对她的主人作一暗示，我站起来，踱到牧师身旁，但仍把帽子遮着面。他对我说了一番和气的话，叫我玩一会儿。我便向着园子走，正想进去，那刚从院子门口进来的牧师太太，向我招呼。那时太阳正射着我的脸，我便再用帽子遮面那个妙计，屈身退步为礼；她叮嘱我吃点东西之后再回去，她说完走进屋里。我便进了园子，在那儿踱来踱去；到这时止，一切都极顺利，不过，当我想起，青年的娘儿们一会就回来，我便深深的呼吸一下。可是，不料牧师太太却走到我身边来，正想向我打听一句话，看着我的正面，我已不能再遮掩了；她正要说的话却欲吐还吞了。“我要找乔治呀，”她停了一息才说道，“我却找着谁呢！就是您这位年轻的先生吗？您究竟有多少化身呀？”“认真起来只有一个，”我答道，“开玩笑时，要多少就有多少。”“那么，我不想煞风景了，”她微笑，“请您从园后出去到草地里去，到了正午再回来，我就准备着这幕滑稽剧的开场吧。”我便依从她的话做去。可是，当我沿着村公园的篱笆走，想从那儿到草地去的时候，恰有几个乡中人从小路走来，把我弄得很狼狈。我因此转向着靠近的高地上的小树林走去，好在那儿躲到十二点钟。当我一踏进去的时候，我心里是多么高兴；因为林中有平整干净的地面和设有板凳，从那儿可以清楚地眺见这一带地方的全景。这儿是村庄和教会的塔，那儿是德鲁逊海姆，它的后头是林木菁密的莱茵河岛屿，对面是服给赠山脉，最后是斯特拉斯堡的大寺，这儿幅不同样的明晰的画图却有丛林做成的画框镶着，因此，再没有别的眺望能比这个更悦目快意的了。我拣一张板凳坐下，在凳旁的一棵极大的树上挂着一块长方形的小木板，题着“菲烈德力加休憩之所”几个字。我想不到我到这儿来竟妨扰她的休憩；因为在热情正萌芽着的时候，正像不自觉它的来源那样，也不想到它会有终结，又因为正在感到欢愉爽快，却不曾预想到它也招致灾厄，这正是在萌芽中的热情之美呢。

我正在想趁空四处张望，和恰浸入甜蜜的梦想中，我即听见有人来的声音，不料正是菲烈德力加。“乔治，你在这儿干吗？”她远远喊道。“不是乔治，”我迎着她走去，高声答道，“而是请求您多多宽恕的一个人。”她惊愕地注视着我，但即放下心，深深呼吸一下，才说道：“无赖的人，您唬得我多厉害！”“第一次的改装逼使我作第二次的改装，”我喊道，“如果我先前只略知道我是到什么人那儿去，那么，第一次的改装就是不可恕的了；这一次，我想您当然会饶我，因为我所改扮的人，是您待他还亲切的人呀。”她听了，她的微带青白的双颊染上了极娇艳的玫瑰红的颜色。“至少，您不见得不如乔治，但是，让我们坐下吧！我对您实说，我唬得浑身无力了。”我坐在她的身旁，非常受感动。“我们从您的朋友口中知道今日清早以前的一切事情了，”她道，“现在请您把以后的一段讲讲。”我不待她再度催促，便告诉她，我怎样因昨天那种寒酸相而抱愧，我从她的家里奔逃出去一事既那样滑稽，她便可爱地从心里笑出来。然后我接着把下文讲下去，说话虽极谨慎而同时又富有热情的表示，真可称为取故事的形式的爱的自白了。我为纪念我再见她的欢悦，我拿起她放在我掌上的手吻了一下。如果在昨晚月明下的散步，她任了不断的谈话之劳，那么，现在我这方面充分地偿还我的债了。我再见她和把我昨天隐忍不说的一切话倾吐出来的快感那样的大，我竟不觉得自己的喋喋不休，以及她怎样沉思和缄默了。她深呼吸了几下，我三番四次地求她宽恕我使她吃惊之罪。我们一块儿坐了多久，我不知道；但是，突然听见有人叫："小力加，小力加！"那是她的姊姊的声音。"这就很好玩了！"那可爱的女孩说道，她的愉快的心情已完全恢复了。"姊姊到我这边来呢，"她接着说道，同时屈身半挡着我，"您躲开一点吧，人们才不马上认出您来。"姊姊已进来了，但不是一个人，威兰也跟着来，他们看见我们，便像化石一般站住了。

如果我们看见从屋顶上冒出猛烈的火焰来，或碰见一个奇形怪状使人又憎又怕的妖怪，我们的惊怖虽然很大，但还没有像意外地亲眼看见一种我们认为道德上不可能的事时那样厉害。"这是什么意思？"惊呆的姊姊疾声喊道，"怎么一回事？你跟乔治一块，手握着手，我真不明白！""亲爱的姊姊！"菲烈德力加泰然答道，"这个可怜的人，他向我道歉，他也有事要向你道歉呢！但是，你一定要先饶过他。""我不懂，我不明白。"姊姊摇摇头，望着威兰说道。威兰呢，照着他平时的沉静的习惯，悄然站在那儿，默然旁观着这场的喜剧。菲烈德力加站起来，把我拉到她的身旁，喊道："不要迟疑了，赶快讨饶和给他宽恕吧！""好！"我说道，同时走近姊姊的身旁，"我要请您宽恕我呵！"她倒退几步，大叫一声，脸孔涨得通红通红的，然后倒身草地上开始大笑不休。威兰愉快地微笑，说道："你真是一个好玩的孩子！"跟着把我的手紧捏几下。通常他不轻易对人做抚爱的举动，他的握手却是恳挚有味的；不过他连握手也是常靳而不与的。

我们心神略定之后，便一同回到村庄去，在半途中我由他们的口中知道这回的不可思议的会合是怎样来的。菲烈德力加跟他们一道散步，到后来却离开他们，要在饭前到她的休憩所歇息一会儿，及至他们两个回到家里，母亲见午饭已备好，便打发他们赶快找菲烈德力加回来。

姊姊像是欢天喜地逸兴遄飞似的，她听见母亲早已发见这秘密时，她喊道："现在还剩了父亲、弟弟、男佣人和使女，也要一样地骗他们。"当我们已走到园子的篱笆的时候，菲烈德力加便跟我的朋友先进屋去。使女正在园子里头做事体，珂梨弗（让我在这儿也称呼姊姊做珂梨弗吧)，喊她道:“等等，我有话跟你说！”她让我站在篱笆旁边，跑到使女身旁去。我看见她们很郑重地谈。珂梨弗对她说，乔治已跟他的未婚妻贝布闹翻了，像是有意思跟她结婚。使女听了也觉得不坏；姊姊便把我叫去，把她说的话亲自证明。那个肥胖可爱的女孩含羞垂着眼睛，直至我逼近她的面前，她才抬起眼睛。但是，她猛然看见眼前的是别人的面孔，她就大叫一声，反身逃去。珂梨弗叫我追她，止着她，不要让她走进屋里乱嚷。她自己却走进去看看父亲怎么样。在途中，她碰见那个对使女有意思的男佣人；同时我已追到了使女，守着她不让她走开。“你瞧！多有福气！”珂梨弗喊道:“乔治跟贝布已闹翻了，她跟里莎(使女名字)结婚呢。”“这个我早已想到了。”那善良的男佣人答道，怏怏然呆立在那儿。

我已向使女说明，我们的用意，只想骗骗牧师。我跟使女一同跑到男佣人站着的那儿去，他正要转身跑掉；但是里莎拉着他，他既发觉我的改装，也做出极奇怪可笑的神态。我们一块进屋子去，桌子已摆着食物了，父亲已在屋内。珂梨弗叫我跟在她的背后，进了门槛，她便说道："爸爸，乔治今天跟我们一道吃饭，你觉得好吧？不过你一定要允许他不脱帽子。""无所谓！"老头说道，"但是为什么这样特别呢？他受了伤么？"珂梨弗把我牵到她的前头，我还是带着帽子站着。"不，"当她领我到屋内时说道，"他的帽子底下有一个鸟窠，如果除下来，鸟就飞出来，喳喳的乱叫，因为鸟儿很淘气呢。"父亲很高兴儿女们跟他开玩笑，但不明白这玩笑真正的意思是什么。一转眼间，珂梨弗除了我的帽子，屈身退步为礼，也要我这样子做。老头子看见我，认出我来了，但绝不失去他的牧师的冷静的常态。"呵呵！原来是学神学的先生，"他喊道，举起一只手指作警戒状，"您逃得那样飞快，您昨天才诚恳地答应我替我作星期日外的说教，怎知过了一晚就失掉一个助手了。"他讲完便从心里笑出来，表示对我欢迎，我们便一同靠食桌坐下。摩西回来得很迟，因为他像一切娇养的幼子那样，常听错了正午的钟，而且他对于来客不大关心，不过他也不以为忤。为要万全起见，娘儿们叫我不要坐在姊妹们之间，而坐在乔治常坐的桌子的尽头。当他进屋里来时，我正背着他，他在我的肩膊上猛拍一下，说道:“乔治，慢吃呀，上帝祝福你！”“多谢你。”我答道。另外一个人的声音和面孔使他吓了一跳。“你怎么说？”珂梨弗问道，“他不是跟你的兄弟很相像么？”“是的，从背后看来，谁也是相似的。”摩西答道，马上就复归冷静。他不再望我，只忙着端他的吃的东西，狼吞虎咽地吃完一样又一样。有时他也高兴站起来，在院子里和园里有所事事。到了吃茶点时，真正的乔治走进来，使这场面更添活气。人们说他妒忌而嘲弄他，指摘他不应该借衣服给我穿，而造出一个竞争者；但是，他的嘴也够谦逊巧妙，装作半呆的那样，把他自己，他的未婚妻，他的化身的我，和那两个娘儿们东拉西扯地混在一块来说，以至后来我们不知道他说的是谁，人们便让他安然喝着酒和啖了一角他自己做的饼。

吃过饭后，有人提议散步；不过我穿着农人的衣服散步有点不好看。但是，姊妹们今早听见了那么匆匆逃走的是一个什么人之后，已记起来，在衣柜里挂着他们的表兄弟的一件波兰式学生服，他到她们家里出猎时就穿它。不过我不肯穿，外表上以种种风趣的话来辞谢，实际上是由于一种虚荣的感觉以为农夫的打扮既得着好的印象，就不必再改为表兄弟，以打消这种效果。父亲已走开，照常睡他的中觉，母亲如常料理她的家务。我的朋友却提议请我讲故事，我马上答应了。我们便踱到一棵大树的树荫下，我开始讲一个童话。这个童话后来我写出来，名唤《新麦鲁信奈》（*Die neue Melusine*）它与《新巴黎士》（*Der neue Paris*）（见第一部第二卷）的关系正如青年之与少年那样。我本来想把它插入这儿来，但是这儿畅适地围绕着我们的既是现实的田园的风景和纯朴的情趣，如果把它插进来，我恐怕这种兴味就为空想的翻弄所伤了。总而言之，我讲故事的结果，是使我获得这种作品的创作者和讲述者的应得的报酬，那就是：激动好奇心，使人聚精会神，惹起人急要先解那不可解之谜，误人的期待，以奇中奇的情节来使人迷乱，引起同情和恐惧，使人操心，感动。最后将那表面上郑重出之的故事转变为机巧而有趣的谐谈，使听者的心情感到满足，使他们的想象力有材料来虚构新的幻象，他们的理智再有寻思的余味。

如果读者将来能够读到这个故事的印刷本，和怀疑到它是否曾生出这样的效果，那么，他就要想想一个人本来的使命就只是对现在起作用。“写作”是“言语”的误用，静默地独自阅读更是谈话的贫弱的代用品。人类以自己的人格尽可能的对别人起作用，青年对青年的交感最强，而最纯洁的效果也从这里发生出来。这样的特殊的对人的影响嘘拂世界以灵气，无论在精神方面或形体方面都不会死灭的。我从我的父亲遗传来多少好教导人的多话癖，母亲却授我以将凡是想象力所描出或领略的一切，强烈地有趣地表达出来的天分，以及将旧的故事换过新面目，另构新故事和讲述出来，甚至随讲随造的本事。父亲的遗传物使我在交际场中常为人所厌：因为别人的——尤其是经验不足判断常像是幼稚的青年的意见感想，谁喜欢听呢。反之，我的母亲的遗传物却使我在交际场中很受欢迎。最没有内容的故事已经有引起人们的想象的魔力，最贫弱的内容却使他们的理智也感谢地接受了。

我借着这种毫不费力气的讲述，使小孩们喜欢我，惹起少年人的兴味和欢悦，和引起年长的人对我注意。可是，进了社交场中，不消多久，就要把这种练习停止了；因此，我在生存的快乐和精神自由发展方面所失太多了。不过，这两种父母遗传给我的天分仍一辈子伴着我，并且与第三者——即是以譬喻类比的方法表白自己的感想的欲求——结合起来。具有卓见而又多才的迦尔博士（Doktor Gall）首照着他的雄辩学的见解，推称我这种天分，他并矢言，我生就是一个国民代表的演说家。我听了他这种启示，大吃一惊；因为，纵使他的话是有真实的根据，但我们的国民既没有什么可供演说的材料，那么，我试作别的演讲，也恐怕是失败的吧。

三联经典文库
177

歌德自传

（下）

歌德 著　　思慕 译

生活·讀書·新知 三联书店

图书在版编目(CIP)数据

歌德自传（上下）/ 歌德著；思慕译. -- 北京：生活·读书·新知三联书店,2014.1
（三联经典文库第二辑）
ISBN 978-7-108-04763-2

Ⅰ.①歌… Ⅱ.①歌… ②思… Ⅲ.①歌德，J.W.V.（1749～1832）－自传 Ⅳ.①K835.165.6

中国版本图书馆CIP数据核字(2013)第261731号

177 歌德自传（上下）

责任编辑 曹明明
封扉设计 蔡立国
责任印制 宋 家
出版发行 生活·读书·新知 三联书店
(北京市东城区美术馆东街22号)
邮 编 100010
经 销 新华书店
印 刷 北京鹏润伟业印刷有限公司
版 次 2014年1月北京第1版 2014年1月北京第1次印刷
开 本 787毫米×1092毫米 1/32 印张 38
字 数 546千字
定 价 118.00元

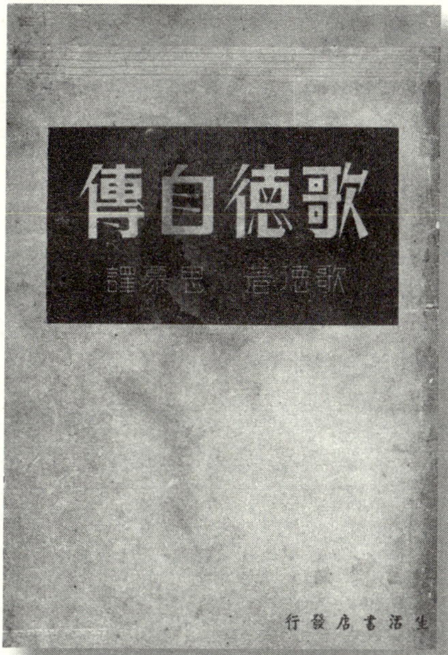

生活书店 1937 年 4 月初版书影

歌德自傳

每冊實價國幣壹圓貳角
外埠酌加寄費

原著者　Goethe
譯者　思慕
發行者　生活書店　上海福州路第三八四號
印刷者　生活印刷所

中華民國二十六年四月初版

原书版权页

目次（下）

第三部

第四部

第三部

第十一卷

我在塞逊海姆的树荫下，把我的故事——把寻常普通的事与不可能的事，十分巧妙地交错织成的故事——讲完之后，我看见那一路凝神倾听着的两姊妹被我离奇的讲述完全颠倒了。她们恳切地请求我给她们把这个童话写下来，好让她们自己时时能复述出来和讲给别人听。我欣然答应，而且我希望因此可以得到一个借口来再造访，和与她们作较亲密的交结的机会。我们一会儿就要分开，我们恐怕全都会感到，那么快乐地消磨了一个白天之后，晚上就会相形而兴味索然。可是，我的朋友却替我摆脱了这种忧虑，他替我们请求主人许可我们马上告辞，因为他是一个研读有恒的用功的大学生，决定今晚在德鲁逊海姆过夜，明天就依时赶回斯特拉斯堡大学上课去。

当我们到歇宿的地方去的时候，我们两人都默然无语。在我方面，因为我觉得心坎里有一根逆钩把我钩回去；在他方面，因为他心里想着一桩不同的事情，一当我们到达的时候，他立即把他所想的，告诉我：“你刚才恰恰讲起这个故事，”他开始说，“真是奇怪。它引起很特别的印象，你觉得没有？”“那当然，”我答道，“那姊姊听到有几个地方，异乎寻常地笑起来，她的妹妹却摇摇头，你们三人还很有意思地互相瞧着，你自己差不多兴奋到失了常态，这些我怎么会不觉得呢。老实说，你们这种态度几乎使我糊涂起来；因为我忽然想起，在这样的纯洁的少女之前，讲起她们不知道还好的戏谑，以及使她们对于我的传奇中的主人公一定发生关于男性的不良的概念，也许是很不合式的事吧。”“绝不，”我的朋友答道，“你猜想不到，你怎么能猜想得到呢？那两个纯良的女孩不是像你所信的那样绝不习知这些事情，因为她们周遭的广大的社会给予她们以作种种思索的诱因。而且在莱茵河的彼岸就恰有一对夫妇，像你所描写的那样，所不同的，不过是你张大其词和以故事的体裁出之罢了。那男的恰像你所说的那样高大、粗笨的汉子，女的也够纤秀，以致男的可以把女的放在手上。这一对夫妇的其他生活状态，他们的历史也跟你所讲的如出一辙，因此，女孩们曾认真地向我打听，是否你知道这对夫妇，而把他们开玩笑地讲出来。我矢口的说：‘没有这个事！’我以为你不把这个故事写出来倒好。我们如果用延宕的方法和用种种的借口，就可以卸去履行约言之责了。”

我听了觉得很奇怪：因为我杜撰这故事时，绝没有想及莱茵河的此岸或彼岸有这样一对夫妇，甚至我自己也不能说明我怎样会作此奇想。在我的想象中，我很喜欢杜撰这种与实际人事无关的笑话，因此我也相信，我讲给别人听时，他们也单是把它当作纯粹的无稽之谈来听。

当我回到城里，重理旧业时，我觉得它的艰苦比向来为甚。因为生而勤勉的人，立下超出他的实力以外的计划，和担任过于繁重的工作，初时虽做得还很好，但是到后来一有身体或精神上的故障发生，实力与企图的不相称便显现出来了。

我既希望以相当优良的成绩考得学位，我便以达到这种目的所必需的勤勉来研究法律方面的东西，可是医学也引起我的兴味，因为它纵然不是从一切方面对自然加以解释，也使人看得明白，而我又因为社会环境和自己的习惯的关系，更与医学有缘。对于社交也不能不分相当的时间和注意：因为许多家庭每对我表示好感和敬重呢。不过担负起这一切重荷，和继续的做下去，比起赫德尔课于我的负担——无限地沉重压在我身上的负担来，实在算不了什么。他首先从我的面前撕破了那隐蔽着德国文学的贫困的帷幕；他首先残酷地打破我所抱的那么些的成见，这样子，在祖国的天空中便只有寥寥无几的明星辉耀着，因为他把其余的一切文星都只看作是一时的流星呢。而且，我自己所希望和幻想的事情他却那样的看轻，以至我开始对于我自己的能力发生怀疑了。可是，同时，他又拉着我走上他自身所欲通行的光明的大道去，使我注意他所爱读的著者——其中斯尉夫特（Swift，英国讽刺作家，一六六七——一七四五）和哈曼（Hamann，德国哲学者，生于哥尼斯堡，与康德、赫德尔友善，文体神秘，思想深奥，有“北方魔术师”之称）最为他所敬重。他使我低首下心，而又激动我使我昂头向上。我既陷在这种种的迷惑混乱之中，这时又添上新生的恋情，使我有沉没其中之势，这种恋情虽一时间引我逸出这种迷惑状态之外，但究很难完全超脱。此外，我的身体上还得有一种病，这即是说，我每吃过饭后，便觉得喉痛如绞，得病的原因由于我在公寓里惯饮并且很喜欢饮一种红酒，到后来我才把这种习惯戒除，病便很容易治好了。当我到塞逊海姆去的时候这种难堪的苦痛幸而离开了我，因此我在那儿得有两种的欢乐。可是，一当我回到城里吃饭，这种痛苦马上再起，使我大为烦累。因为这一切事，我为之忧闷不乐，外貌跟我的内心同样的陷于这种状态中。

因为正在食后这种病痛剧作的时候，我就要参加临床实习，我更异常不快。我所尊敬的教授，以愉快的态度，领我们从一病床到另一病床去，有重要可注意的症候，便给我们详细说明，对于病的经过作诊断的解释，他的处理的方法，恰像医圣希波革拉第（Hippocrates）那样非凡。借着这种方法，他不需理论，而由自己的经验把病理学的各项目解说出来，他的结论更常是一课中最可宝贵的地方。这一切吸引我到他的身边，使我对于这一种外行的学科——我仅仅从罅隙中窥进去的学科——更有兴味更加喜欢。我越明白病理，觉得借着这理论，病的治理、人类的外形和本质的恢复都有可能，我对于病人的嫌恶便愈减退。在教授方面，觉得我是一个奇特的青年，像是特加青眼，我去听他的讲授那样的变格的事情，他也原谅。可是，这一天，在将下课时，他不像向来那样，作关于诊察病症的结论，而兴致洋洋的说道："诸君，我们将有几天的假期了，请您们利用这几天来把精神振作一下；学问的工夫不单是要认真地勤勉地来做，而且也要以愉快自由的精神来对付它。好好的把身体运动运动，徒步或骑马漫游这个风景美丽的郊野，本地的人将会看见惯熟的故乡的风物而色喜，外来的人会得到新的印象，留下一种愉快的记忆呢。"

实则他这种带有忠告意味的话只为我和另一个学生两个人而发；我希望那一位学生听了这种金石良言也像我那样恍然大悟吧！我觉得如闻来自九霄的纶音，赶快去雇定一匹马，打扮整齐，我叫人找威兰来，偏巧他不在。我的决心不曾因此而挫折，不过，可惜我打算错了，不能像预期那样的早出发。我虽快马加鞭的赶路，但是在途中已见夜的掩至。路是看得清楚，不至迷失，月亮像是嘉赏我的热情的企图那样，灿然照着。晚风颇紧；夜色凄然，我为着不要待至天明才获睹她的颜色，便纵马奔驰而去。

当我到达塞逊海姆从马上下来的时候，天已很晚。我向客店主人打听牧师家里还有没有灯，他便断言，小姐们才回到家里；他听见说，她们还等候一个客人来。我觉得这个话有点不对劲：因为我希望访问她们的单是我一个人。我连忙跑去，纵然是晚了，至少也要占先一步看到她们。两姊妹正在门口坐着；她们像是不大显出惊诧，可是当菲烈德力加对珂梨弗凑着耳朵说道："我不是说过吗？他真个来了！"这话给我听见，我倒惊诧起来。她们领我进屋里去，我看见，在桌子上已预备有一些清淡的夜饭。母亲把我看作老朋友那样跟我寒暄，可是当姊姊在灯光下端详我时，她哈哈的纵声大笑，因为她是不大能自制的。

这种开头的有点离奇的应接过了之后，我们的谈话马上就随便和热闹起来，那一晚上我还在闷葫芦里的事情到第二朝我就明白了。菲烈德力加也曾预言我会来访，如果一个人的预言——纵然是可悲的预言——应验了，谁不觉得洋洋自得呢？一切预感，在为事实证明灵验的场合，无论这是由于感情的锐敏而察知远隔的事件，或是借着锐利的知性而能推知必然而不确的因果关系，都使个人感到有可自负之处。至于珂梨弗的大笑的原因也公开出来：据她的自白，她看见我这回打扮齐整装饰漂亮而觉得好笑；可是，关于这一点，菲烈德力加的见解便不同，她以为把我这种装束看作是为取悦于她起见，而不视为出自虚荣心。这是较好的解释。

早晨，还早的时候，菲烈德力加便约我一块去散步，母亲和姊姊都忙着有事，准备一切来款待好些客人。我与这个可爱的女孩并肩走着，在美丽的星期日的早晨，享受像那位极可敬慕的嘿柏尔（Hebel，即医科教授）所描写的那样的田野的景色。她向我细说将临的嘉会，请求我帮她的忙，俾一切的游乐都可以尽量的一块儿和有秩序地享受。她说："客人多的时候，通常各自消遣，笑谑和游戏只恍恍惚惚地享乐着，所以到末了，有一部分客人除了拿纸牌来玩，另一部分人纵情跳舞之外，便没有别的消遣方法了。"

于是，我们打算在吃饭前后娱客的计划，两人互将所知的新的社交游戏说出来，我们的意见一致，心满意足作成了今日的程序。那时教堂的钟声已招我们去礼拜去，在教堂里，坐在她的身旁，听着她的父亲的有点干燥的说法，也不觉得太长。

在爱人身边的光阴老像是箭一样的快，不过，我在教堂的时间也在特殊的思量上消磨过去。我反复地想着她刚在我面前极自由地展开的种种特长之点：有思虑的愉快，带着意识的天真烂漫，有先见之明的喜悦的心境，这些特质像是两不相容而竟在她身上合体，而且在她的外貌上也很美妙地表现出来。同时我也不禁对于我自身认真地省察一下，可是这种反省倒败坏了我们的自由无碍的愉快心情了。

自从那一位狂热的女郎（指跳舞师之女儿璐仙德，见上册第九卷）诅咒过我的嘴唇和使它圣化（因为每一种起誓都含有这两方面）以来，够迷信的我，小心不敢跟任何女子接吻，因为我恐怕异常灵秘地害及她。在动人的青年女子之前，情欲的发作常足以使青年人要向她求取这种多少可以为爱的表示的接吻，所以我总极力遏抑这种情欲。可是，即使在极规矩的交际社会中，我也须忍受一种很困难的试炼那种带有多少机智，所谓“小游戏”（Kleine Spiele）——青年男女们借着它们而聚在一块，大伙儿欢乐——恰是大部分靠着打赌的彩头来增加兴趣，而接吻却不是不重要的打赌之彩头。我曾下决心不跟人接吻，可是有某一种缺陷或故障常引起我们试做我们平常不为的事，在这种场合，我便出尽我所有的才能和机智，来使我渡过难关，而且使举座也无所失，而倒有所得。当以即席吟诗来认罚的时候人们大都向我要求。我既常预备着有这一套，而且识得在这场合以诗来赞美那家的女主人，或对自己最表示好感的女客。倘若碰着逼着要我接吻的时候，我便力谋转圜的方法来脱身，并且使人们也满意，我既有时间预先来作这种思索，所以不会缺少种种色色的巧思妙想，不过在即席之间想出的，倒常是最妙的呢。

当我们回到家里，从各方面来的客人已杂沓一堂，高兴地交相谈笑。不一会儿，菲烈德力加便把他们聚在一起，领他们到那林中的清幽的广场去散步。在那儿已准备有很丰富的小午食，想以有趣的社交游戏来消磨午饭以前的时间。在这种场合，我也能得到菲烈德力加的同意，——纵然她不测知我的秘密——准备和实行一些不须赌彩，和不以接吻为赌彩的游戏。

这时我的技巧和熟练，更特别的需要，因为这一班对于我全然陌生的客人恐怕很快已经觉得我跟菲烈德力加的特别关系，戏谑而残酷地拼命逼着我做我私心要避免的事。本来，在这种会集之中，人们一看出男女们恋爱的开始，或把他们弄到狼狈，或强使他们的关系更密切一点。诚然，在后来，他们两人之间的恋爱关系已经显露出来，人们这时便又想法子来把他们拆散，究其意，这样的社交界中人，只求有趣，对他人为利为害就完全不放在心上了。

在这一个早晨，我可以十分仔细地来观察菲烈德力加的一切言行，在整个游乐的时候，她仍是始终一致。看了附近农人们特别对她亲切的招呼，就使人知道她是对他们有恩惠，和引起他们的爱慕了。在家里，有姊姊在母亲旁边帮忙；凡是需要体力的事情都不用干，家人说她“胸弱”，所以不让她做粗重的事。

女性之中有些在室内时特别惹人爱，有些在户外时较为悦目，菲烈德力加是属于后一种女性。她的举动，她的体貌，最动人的就是她步登高坡的时候。那时，她的体态的轻盈优美，像是与繁花满径的地上争妍，她的姿容的无限的绰约像是与碧空竞丽。这种在她周围的欢畅之气，她也带回家里去，不消一会儿就使人觉得她懂得消除那些起自客人间的困惑，和很容易地把一些不快的小事情的印象打消。

一个人在他的爱人身上感到的最纯洁的欢悦，就是看见她也使他人欢喜。菲烈德力加在客人间的行动一般上是蔼然可亲的。在几次散步的时候，她像一个分人欢慰的仙人那样，这儿那儿飘翔着，这儿那儿一有漏罅出来，她就认得填补。她的动作的轻灵，我们前已赞美过，而最美妙的就是当她跑的时候，正如小鹿轻轻地飞越过初萌生的植物的场合，它像是很充分尽它的性分那样，菲烈德力加最明白地表现她的独特的举措的场合，就是当她忙趱着步轻轻地在田畔或草野走过，去拿回忘了的东西，找寻失物，招唤远远走过的人，或办一件切要的事情的时候。那时，她从不会喘气，跟平时完全一样的安闲。因此，在好些人看来，她的两亲说她“胸弱”，对她特别挂心，未免是杞人之忧吧。

有时陪同我们在草地和原野间散步的牧师，常得不到适当的谈话的伴侣。因此我便陪着他走，而他总不免再提起他的老题目，对我详细地谈及他提议重建牧师宅一事。他特别抱怨的，就是他不能再得到那精细地绘成的图样，俾能对此加以思索，以及考虑一下关于修缮的事情。我听了便说，补画一个不是难事，并自告奋勇替他绘一个先成为一切的基准的草案。他听了很高兴，他说必要的尺寸的测量就要靠学校教师的帮忙。说完他马上连忙跑到教师那儿去找他，俾明日早上可以得到大尺和小尺。

他去之后，菲烈德力加便对我说："您真是亲切，能够包涵父亲的弱点，不像别人那样，早已厌烦他这种话，想避免说起这事，或打断他的话头。不过，我要向您直白地说，我们家里其余的人都不愿意新筑，这种新筑对于这乡村，以至对于我们都像是过分，不相称呢。而且，新的房子就要新的家具！我们的客人既在旧房子过惯了，进了新筑的房子恐怕也不会觉得舒服一点吧。在现在的房子里，我们可以充分地款接客人，在一个较宽大的房子里我们怕会感到不适合。我们所想的就是这样。可是请您不必中止您对父亲的好意，我真是衷心感激您啊！”

有一个陪同我们一块的女人，说起几本小说的名字，问菲烈德力加有没有读过。她答说没有，因为她本来读书很少；她是在一种澄明的、道德的生之享乐中长大，和从此得到教养。我差不多把《威克斐尔牧师传》说到嘴唇边来，不过我没有勇气把这书介绍给她：小说的情节与她的家庭的状况相似的地方太显著，太多了。“我很喜欢读小说，”她说道，“在小说里头我们看到种种的好人，我们希望真正看见有相似的人呢。”

房子的丈量在第二天早晨举行。这事进行得颇慢，因为在这种技术上，我跟学校教师都是一样的不熟练。到末了，才绘成一张过得去的草图。善良的牧师，向我说出他的意见，当我向他告辞，要将这图带回城里去从容的画好的时候，他也高兴。菲烈德力加欣然跟我作别；她之深信我的爱，正如我相信她的一样，因此十二英里路程的距离也不再觉得是远隔了。坐驿马车到德鲁逊海姆来，是很容易的，以及借着这种交通工具，经过职业的信差或临时的信差之手，与她保持接触也不难。而传递信息者常是请乔治充当。

回到城里去后，我一清早——因为我实无法久睡呀——就从事于图样的制作，力求画得整洁。在未画好以前，我叫人带几种书籍给菲烈德力加，还附上一张说得很亲切的短简。我马上得到她的复信，对着她的纤秀娟好、衷心流露的笔迹而非常高兴。信的内容和风格也是自然的，美好可爱，出自心底，因此我从她所得的印象铭刻于心，常活生生地留着。我心里老是欣然反复想象她的一切的特长，满心盼着不久就可以再见到她，而且更长久地与她晤面。

这时已不再需要那位善良的教授的督促；他那一番话恰在适切的时机使我从根本上得到治疗，因此，我不大有心思想再去看他以及当作他的教材之病人了。和菲烈德力加的通讯渐渐频繁起来。她邀我去参加一个祝典，那时，住在莱茵河的彼岸的客人也会来，这回我还可以住久一点。我答应她去，收拾了一大箱子衣服装在驿马车里，不消几个钟头，我又在她的身边了。在那儿会见了一大群的欢笑着的客人，我把牧师拉到一旁，把图样递给他，他看了大为高兴，我跟他谈起我在制图时所想及的事情，他欢喜到忘形了。绘图的整洁特别得他的称赞。我本来从小时起已练习绘图，这回更用极精美的纸，特别用心的画。不过，主人的这种欢悦不一会儿就给人削减了。因为他心里太高兴了，不听我的劝告，把这房子的设计图拿出来给客人们看。客人们不独不对这图表示他所期待的赞辞，而且一部分人对于这精巧的制图漠然不加一盼，一部分自以为懂得此事的人的态度更坏，他们讥诮这图画得不内行，当老牧师一下子不留意的时候，他们竟把这个整洁的图当作草稿那样看待，有一个客人用一杆硬铅笔将他所拟的修正的线粗重地画在这细薄的纸上头，以致无法再恢复原来的美好修洁。

老牧师的喜悦既备受摧残，他极感不快，我纵然对他矢口的说，我自己只把这图当作是我们所谈过的计划的草稿，还应依照着它来画新的图，但我也差不多无法安慰他。他不管我怎么说，快快然走开了。菲烈德力加因为我对她的父亲那样亲切，对别的客人的粗暴的态度又那样忍耐，向我表示感谢。

可是，在她的身旁的我既不知有什么痛苦，也不知有什么不快。那天的客人差不多全是年轻好闹的人，其中有一个老绅士吵闹得比他们更甚，所行的事更比他们做的出奇。在早餐的时候，他们已不肯把酒放过，午饭既很丰富，他们更纵情的吃喝。而且在颇热的天时闹了一下之后，他们更特别的开胃，当那上述的老官吏狼吞虎咽时，青年的客人们也不甘落后，风卷残云似的吃喝了。

我在菲烈德力加的左右感到无穷的欢悦，谈笑风生，意兴洋溢，机智百出，声调高扬，不过因为她的情感、敬意和眷恋之故，不无矜慎自持。她也同样的爽朗愉快，对我的话抱有兴味，而同时向我吐露衷情。我们像是只为客人们而生活着，实际上，我们俩单单是你为我我为你而生存。

吃完饭之后，大家都跑到树荫下，开始作社交的游戏，种种打赌的游戏轮流的拿出来玩，输了认罚时，便要答应种种的奢求，人们要求输的人装扮奇怪模样，或作种种的可笑的举动，或课他以难题，要他解答，这一切都显然是迷醉于恣情无度的欢乐之中。我自己也诙谐百出，来增进这种笑谑之乐，菲烈德力加屡以天才的雅谑使四座增光。我觉得她这时比向来更加可爱，一切的忧郁的、迷信的痴想都从我心中消逝，一有机会让我深情款款地吻我的那样窈窕可爱的女郎，我就不肯辜负过，而且以后更敢常反复寻求这种欢悦了。

众人对于音乐的企盼终于得到满足了，他们一听见音乐，全都连忙开始舞蹈。初作日尔曼的土风舞（Die Allemand），继作“华尔兹”舞，终以旋回的跳舞结束。客人们谁都习于这种国民的舞蹈，我也施展出从那两个秘密的女教师所得的本领来。菲烈德力加的跳舞像她走路、跳跃、飞跑那样轻盈自然，发见我是一个有熟练的舞侣，很是高兴。我们俩大半都合在一块儿起舞，可是人们四面八方的要跟她说话，没有多久我们不得不停止跳舞，不再闹下去了。我们弥补的方法就是手挽着手两人独自去散步，到了那块林中的平地里，我们极热烈地互相拥抱，极真挚地誓言相爱不渝。

客人中年龄稍长的人们避去游乐的热闹，也跑到这儿来，把我们唤走。在晚餐的时候，人们的豪兴还没有阑珊，跳舞直至深夜，人们干杯互祝健康以及互为笑乐，跟中午一样的热闹。

我就寝后，才熟睡了两三个钟头，沸腾的热血使我醒过来。在这种时分，在这种场合，忧虑和后悔常向着那横陈榻上的无备的人袭来。是我的想象中，同时描出那最生动可怕的光景；我看见璐仙德在使劲地吻我之后，狂热似的从我身边退去，双颊炽红，眼睛散着火光，吐出那个毒咒的情状，历历如绘。她的诅咒本只为威吓她的妹妹，怎知无意识诅及其他的无辜的女子了。我又看见菲烈德力加在她的面前呆呆像化石地站着，面容惨白，感受着她自己茫然不知的毒咒的结果。我夹在她们的中间，既不能否定那奇事的精神的影响，又不能避免那预兆凶事的接吻。菲烈德力加的柔弱的身体像是更增那诅咒的恶果的凶焰，这时她对于我的爱像是要以不幸而终；我真愿向另一个世界逃去呵！

但是这时隐在我心里，比这种悔恨更痛苦的，我也不想隐瞒不说。我这种迷信是给某种的自负心所支持着：我的嘴唇——无论是圣化也好，被诅咒也好——比一向像是特别一点，有意义一点，我许多时故意避免接吻这种纯洁的欢悦，一部分为的是保存我的两唇那种魔法的特权，一部分为的是免得一个无辜的妇人因此受祸，我意识到自己这种禁欲的行动时，实在有不少的自负心。

可是，现在一切都已完了，噬脐莫及。我已再回到寻常凡俗的状态中，我相信这位极可爱的女性已受了灾侵，我给她以无法回复的伤害，这样子，破戒后的我不独不能拔除那个毒咒，而且它反从我的嘴唇刺入我的心里了。

这一切的思想在我的为爱和热情，酒和跳舞所激动的血中驰骤狂舞着，使我的思考力混乱，使我的感情苦恼，于是，特别是把现在的心境比起昨日的欢畅时，我感到突陷于无涯的绝望之中，幸亏晓日的光辉从窗棂的罅隙射进来，这个初升的太阳打消了黑夜的一切魔力，使我再从榻上站起来；我一直跑到户外去，心伤纵不曾全治，也已很快地回复元气了。

本来，迷信和其他类似的妄想，如不迎合我们的虚荣心，反成为它的障碍，使这种微妙的心理陷于苦闷，便很容易失掉其威力。那么，我们会注意到，只要摆脱它，无论何时都可以摆脱它。如果我们压抑它越为我们之利，我们便越容易驱逐它。我再与菲德烈力加会面后，她的姿容之晤对，她的爱情之感受，以及环境的快阔，一切都似责备我为什么在极乐的时节中却在心里栖留着忧愁的恶鸟。我相信已永远把这种黑暗之力驱逐了。这个可爱的女郎的日益亲近和可信赖的态度使我欢乐不胜。这回跟她作别，她像对别的朋友和亲戚那样公然给我一吻，我更觉得幸福不浅。

回到城里，已有许多的事务和交际上的事情等着我，但我却借着与我的爱人经常的通信，而把心集中到她的身上。在信里头，她也老是始终如一，或把一些新闻说给我听，或语及以前的事情，轻描淡写。时时流露一些感想，她的运笔老像是她运步时的往来跳跃那样，轻快明确兼而有之。我也很喜欢写信给她：因为我对于她的优点的凝想，就在远离她的时候，也增加我的爱情。所以纸上的通谈之乐也不减于语对时，到后来，甚至更使我感到愉快可贵。

那种迷信当然要完全消逝了。它纵然是植根于往年的印象中，但是时代的精神，青年的轻锐之气，与冷静明达的人之交往，一切都不利于那种迷信的存在，实际上，我所来往的友好中，无论谁也好，一听见我关于那种妄想的自白，没有不捧腹绝倒的。但是，最难堪的，就是那种妄想逃去之后还使我不得不对于当时的情境加以真实的考察。初时只管恋爱而不保证后来有什么永续的结果的青年便往往会陷于这种情境。我既然无法摆脱这种迷误，理性和思虑在这场合只更使我苦恼。我越认识这个优秀的女郎的特长，我的热情越增长，我恐怕那样大的爱和善永远失去的时刻快就来了。

我跟菲烈德力加继续着娴静优美地来往已有一些时候，其间，我的朋友威兰却故弄狡狯，把《威克斐尔牧师传》带到塞逊海姆去，恰当我们谈起关于诵读诗文的时候，他突然把这书拿出来，像是无心要我的那样子。我也能镇静自己，诵读得尽可能的爽朗舒畅。听我的诵读的人们的面容也马上露着欢畅之色，就是她们不禁再把书中的人物与现实的作一比较，她们也不会觉得不快，她们从前既在现实中找到雷门德（Raymond）和麦鲁信奈（Melusine）那样的人物，那么她们在这小说中看见自己的小影，也决不是可厌的吧。她们听了这篇小说，纵没有明白地自承，但也没有否认，是置身于精神上和性情上与自身相似的人物之中。

凡是善良有思想的人，随着自己的教养的进展，渐感到本身在世上要充任两重的角色。一是现实生活中的角色，一是理想上的角色，一切高贵的意思和行动都可于这种感觉中求之。分配给我们充当的现实的角色是怎样，我们已充分了然于胸，但是第二种角色是怎么样，我们了然的时候却很少。一个人可以在地上或天上，现在或将来寻求这种较高尚的使命，因此他的内心总有永远不断的动摇而在外界又常为周遭的影响所妨阻，他终于作这样的结论，认为适应自己的就是善良的生活方法。

自与较高尚的人物同化，自侪于较伟大的人物之列的雄心，是最可饶恕的，青年人自比于小说中人物的本能也属于这一类的心理。这种心理是极纯洁无邪的，无论人们怎样激烈地加以反对，实际上也是全然无害。当我们无聊欲绝，或必须作激昂的谈话时，这样子自比是很可排遣的。

我们听见人板着面孔数说小说的害处，不知有多少回了吧！如果娴静的少女，英俊的青年，自比于小说中的比他自身较幸福或不幸的人物，究竟是怎样有害呢？

是不是实际的市民生活有那么大的价值，日常的生活的欲求把人的全体吞没，以致他定要拒绝一切种类的优美的刺激呢？

在德国教会中，儿童受洗礼的时候（纵然施行洗礼式的僧侣也常感到不满），便命以圣徒之名，这种历史的兼诗的洗礼无疑地可算作是小说的兼诗的虚拟行为的别出的旁枝吧。就是替自己的儿童起一个好听的名字，使之高贵——纵然没有隐含什么特别的意义——也是值得称赞的习惯。这样子构成的想象世界与实际世界的联结就已为他的儿童的全生涯指点出一片灿烂的辉光。有一个美好的孩子，我们给他起个像“维尔太”（Verta）那样的嘉名，如有人要替他命名做“乌耳塞·伯兰丁纳”（Ursel Blandine）我们便以为那是羞辱这个孩子。的确，一个有教养的人——更不必说有爱儿癖的人了——自不会把这样的名字说出口。固然，世人以冷酷偏颇的眼光来判断事物，把一切源于空想的事物视为可笑和不足取，我们不必对这种人加以责备。但是理解人性的有思想的人便一定要识得以这种行为的真实的价值为准而加以尊重。

对于美丽的莱茵河上的情侣的我们俩，因威兰的恶作剧而弄成的对比（与《威克斐尔牧师传》的对比）有极美妙的影响。一个人照镜的时候，他不是想及自身而只是感到自身，容认自身的存在。同样，一个人看见自己的精神上的肖像，从它那儿，像是在影画里，描出来那样看见自己的形状、嗜好、习惯和特质，便不禁想以骨肉那样的亲切之感来抱拥它。

我到菲烈德力加的家里，跟她在一块的习惯日益成为固定，她家里的人也只视我如一家人，恬不为怪。他们听其自然，而不问及我们这样子做会有什么的结果。实则，无论那一个做父母的，不是要放任自己的儿女于动摇的状态中，假以相当的时日，直至他们无意中确实地得到为人处世的经验，这种效果，比起由深思熟虑的计划所生者还好。

家人们对于菲烈德力加的纯洁以及我的规矩都以为可以深信，因为我连天真无邪的戏吻也拒而不为，他们对我已有先入的好感了。照着当时这地方的一般习俗，他们放任我们，不加管束。我们俩跟别人（有时三数人，有时一大批人）一块儿作小旅行，漫步探访附近的友好。

在莱茵河的此岸和彼岸，哈根脑尔，路易堡，菲列普斯堡，阿尔敦瑙等地，有我在塞逊海姆认识的人们散居着。我往访时，他们各都殷勤地款待我，欣然飨以酒食，而且还导我游览庭园、葡萄圃以至全境。那时，莱茵河的岛屿也常是我们的泛舟的目的地。在那儿，我们忍心地把澄澈的莱茵河中的冷血的住民（鱼）投进锅里，放在烤炉上，沸腾的油中来烧。我们在这儿的舒服的渔舍中，恐怕会流连得很久，如果不是可怕的莱茵河的蚊蚋，只有过了两三个钟头就把我们撵出来的话。我们这样的舟游是最快适不过的，除了蚊蚋的侵扰之外，一切都很如意，我们的爱情像是随着我们的游乐的顺遂而更见增长，但是，蚊蚋的扰袭却太难受了。有一天很早，我呆呆地怏怏然回到家里，竟在那善良的牧师之前，冲口发出冒渎神明的话，力言单是蚊蚋一样东西便足以使我摈弃世界的创造者是全智全爱的上帝之说了。这个敬虔的老人诚恳地劝诫我，并对我解说，这些蚊蚋和其他的毒虫类都是在我们最初的祖先（亚当和夏娃）堕落以后才发生的，倘若它们或也在乐园中住过，它们只作悦耳的嗡嗡的鸣声，而不刺人。我听了这话，觉得自己马上心平气和了，因为一个动怒的人如幸得别人把他逗到笑起来，怒也容易止了。不过我还力说，有了蚊蚋在，简直不要天使挥动他的灿烂的宝剑，就可把这对犯罪的夫妇赶到乐园外去了。我并说："恕我僭越，我想象泰格里斯和幼发拉底河的大蚊，就会有这样的功效。"这回我这句话又使老牧师笑起来；他是懂得谐谑的，或者至少也不以谐谑为忤。

可是，在这个优美的乡间，更真切的和使人精神焕发的享乐，还是晨夕四季的自然之美。我们只要委身于现在之中，来在爱人的身边或其附近，享受那儿的清澄的天空的明净，丰沃的大地的光辉，快适的黄昏，温和的夜。我们幸得到连续几月的澄明清爽的晨间，其时，天空呈出它的一切的壮丽，大地饱浥它所降的清露，而且为使景色不太单调起见，云峰从远山突起，时浮在这儿，时浮在那儿。云虽整天的甚至整周的聚着不散，但却不会把晴朗的天空弄昙了，即使骤袭来的风雨也是给田野以活气，使草木呈更鲜绿之色，不到枯萎的地步，就再浴于日光之中辉耀着。两重的彩虹，捆镶着天际的浓灰近于黑的两色的外圈，比起我在别的地方看见的，更为美艳，分明，而又更迅速地幻逝。

在这种环境之中，我久已忘了的作诗的兴味不觉油然复生。我按着旧有的乐谱为菲烈德力加作许多的小歌。它们已可集成一本绮丽的小歌集了，可是其中残留至现在的很少，从我的其他的诗稿中大抵还可以容易找出来吧。

因为我的珍奇的功课和种种的对人关系，我必须时常回到城里去。由是我们的恋爱获得一新生命，而像这样的恋爱小把戏通常会引起的不快的结果因而可以完全避免。她在离开我的时候，为我而操心，想方法在我回来的时候添加新的乐趣；我在离开她的时候，也为她而忙碌着，想借着一种新的礼物，新的妙想，使她再见到我时有一种新颖之感。那时，绘画的带子恰是新流行的饰物，我买了几条带子，自己绘上画送给她，附以小诗，因为我这回在城里滞留的时日之久，要出于我意想之外了。我曾答应她的父亲绘制一幅新的精细的屋图，为要绘制的图尤胜于我所许者，我便拜托一个对建筑内行的青年代自己绘制。这位青年对我既有好意，而对于制图也有兴味，且因有获得这样良好的家庭的亲切的接待之希望而更增兴趣。他画好了房屋的图样，纵断图和断面图，连附属的院子和庭园也添上，此外更附上一个详细而有限度的意见书，根据它，一个大规模的费钱的建筑工程也可以容易地见于实行。

这些图和意见书既足以征见我们的友谊的苦心，因此我们赢得最盛厚的款待。慈祥的老牧师既看见我们极恳切地为他效劳，所以再提出一个愿望。这即是希望我们替他把他的一色的小马车，画上花藻，添上装饰。我们马上答应他了。绘画的颜料、画笔，及其他的需用的东西从附近城镇的杂货店和药店购备。可是，这家与威克斐尔牧师之家的类似的地方真是到处都碰着，在那儿有过的失败在这儿也就免不了。即是，当我们孜孜汲汲地使用许多鲜妍的颜色描绘艳丽的花样时，才发现我们买得的是干不了的坏的假漆，无论是当着日光也好，风也好，晴朗的天气也好，潮湿的天气也好，都不会干。在其间，老牧师只得用一辆老式马车来代步。我们没有办法，只得设法把这个坏的漆画磨掉，麻烦之处，还甚于画花样的时候。而且，在做这种工作时，娘儿们还极力的请求我们慢慢地小心地擦，免得把它的原样也弄坏了，我们的不快更见增加。可是，经过这种手术之后，原样真的不能再恢复它原来的艳光。

不过，纵有这些不快的琐事发生，我们也像皮林罗逊（Primrose）博士（《威克斐尔牧师传》中的人物）与他的可爱的好家庭那样，绝不会因而害及我们的快适的生活。因为我们也好，朋友也好，邻近的人们也好，都碰着许多意外的快事：结婚，产儿，新筑落成，遗产的承继，中彩，一类的事，不断地来临，我们一同享乐。我们像是享受公有物那样来共同消受这种欢乐，并能以机智和相互的爱来作锦上添花。我现身于别人的家庭和社会集会里，恰就是他们最热闹最高兴的时节，已不止这一次，而是屡见的了。假如许我自负的话，我可以说我之在场对于这种场合的欢乐有几分的贡献，不过他方面，这样的欢乐的时期正因为这个缘故而更速地消逝，我又不能不自责了。

可是，这时，我与菲烈德力加的爱情还要经受一种特殊的试验。“试验”这一个名词虽不适当，但我要用来称它做“试验”。我所亲交的乡下牧师有亲戚住在城里，他们是市中的有名望有丰厚的财产的人家。这些亲戚的晚辈常到塞逊海姆来玩。但是，老辈的人，他们的母亲、伯母姑母等，却不轻易出门，听见儿女们说及乡村生活的种种事情，菲烈德力加姊妹们渐渐出落得美丽可人，甚至听到我对于她们的好影响，因此，他们便愿意跟我认识。我访问过他们几回而且也受他们很好的接待，后来他们又盼望我跟菲烈德力加的全家都来，一块儿地玩一下，况且他们以为儿女们既在塞逊海姆受牧师家人的殷勤款待，也要礼还一下。

他们应招与否，拉拉扯扯的交涉了好些时候。牧师太太很难摆脱她的家务。珂梨弗不宜于过城市生活，她对它有点嫌忌，菲烈德力加也不喜欢到城里去，这个事情因此久延不决，直至后来因为我的缘故而解决了。即是，我为事所阻，在两星期内不能到乡间来。她们宁愿有点勉强，冒着不便到城里来看我，还比在那期间完全看不到我好点。这样子，我一向只在乡村的场面中看到的女朋友们——一向以临风摇曳的枝柯，湍流的小溪，草花招展的草场，广袤数里的旷野为背景，而现身的她们——这时却破题儿第一遭在都会风的宽广的屋子中出现于我的眼前了。可是置身于帘帷、照身镜、座钟和瓷器等陈设之中，房屋虽宽，她们倒觉得局促起来。

对于自己所爱者的关系是那样的有决定的能力，所以环境对事物的影响甚微。但是，置身于适当的、自然的和惯熟的环境，还是心意所企求的。我对于一切目前的事物既有强烈的感觉，所以我不能对目前的矛盾龃龉之处无所关心。母亲的娴雅大方的风度与都会的客室是完全相称，不在别的妇人之下。反之，珂梨弗却像是给浪打上海边的鱼那样，显出局促不宁的态度。一向在乡下的时候，如她有事跟我说，她或在庭园之中高声呼我，或在田原之中向我招手使眼色，她在这儿也是作类似的行动，从窗龛里呼我进来。她狼狈地，笨拙地作这样的行动，因为她自己也感到与这种地方不相宜，但她还是现出那样的举止来。她对我讲的话只是我已知道的最无关紧要的话。她说，在这儿太苦了，太不舒服了，愿意跑到莱茵河岸去，逃过莱茵河，以至到土耳其去。他方面，在这种情境中的菲烈德力加却极可注目。老实说，她本也不适宜于这种环境，可是，她不是被动地陷身于这个新的状态中，而不知不觉地使环境来适应她，这就可征见她的性格怎样了。她在乡间施展的娱乐的方法，也在这儿施展出来。无论那一瞬间，她都能增加人的热闹高兴。她不用焦灼周章，就使一座活动起来，因此，那实在无聊时才踌躇不宁的座客恰就恬宁起来。她以这种态度使城居的姑母伯母们十分的满意，她们现在也愿离开自己家中的安乐椅子，亲自领略一下乡间的游乐。她这种行为既做得妥贴，而都会妇女的衣着装饰，以及法国式打扮的侄女们所特别映眼的地方，她也顾而乐之，不露羡妒之色。她对待我也轻快自然，像平日一样。她有什么欲求愿望，不向别人而偏向我说出来，把我认做她的忠仆，我觉得这是她赏给我的唯一的特典。

有一天，她以相信我会服从的态度命我效劳，她向我说女客们希望我朗诵小说或戏曲给她们听。这一家的女儿们，到塞逊海姆来时常听见我朗诵——因为我在那儿，无论什么时候或拿什么书请我朗诵，我都答应——首先替我大为鼓吹。我马上答应了，只请求她们注意静听几个钟头，她们也首肯了。我于是在一个晚上把全部《哈姆勒特》（*Hamlet*）一口气地朗诵出来，尽我的能力来贯透全曲的意义，以青年的特有的活气和热情表现出来。我博得听者的大大的赞美。其间，菲烈德力加时常作深的喘息，两颊上突泛着红色。这是她的纤柔的心深受感动时的两种征象，她外貌上虽似愉快恬宁，但我已十分明白。这也就是我所企求的唯一的报酬。听者们都说，因为得她的斡旋才得听到这样好的朗诵，而对她致谢。她得意洋洋的领受这些感谢，不免感到她自己在我身上，和借着我而得到光彩的小小的自夸了。

这次的城中之游，本预定只作数日的逗留，但是归程却延宕下去。菲烈德力加设法的使她的家人享受社交之乐，我也尽我所能。但是，在乡间看到的那样丰富的自然景物，在城里既没有，不久，可供娱乐的资源便涸竭了。加以姊姊渐渐踧踖不宁起来，情形更苦。到这家里来的妇女中作德国式的装束的只有她们姊妹两人。菲烈德力加从没有作另行打扮之想，不把自己的衣服与别人的相比，以为无论在那儿穿德国式的衣服都合式的。但是在珂梨弗看来，插进这样的仪容华贵的妇人队中，而露出婢女那样的装束，实在太难堪了。在乡下，她差不多看不到别人穿都会式的服装，她因也不作改装之想，到了城市来，她却不能再穿村姑的装束了。她初见的都会贵妇人们，不单是在服装上，而且在一切举止上都娴雅轻巧，为生所未见，而都会的事物更有无数与乡村悬殊之处。这种相形见绌之感在她的容易激昂的心中潆洄沸腾着已有好几天，我顺着她的妹妹之意，竭力以近于阿谀的体贴来安慰她，我恐怕会闹出活剧出来。我眼中似看见她将要投身伏在我的脚下，苦苦的求我把她从这个苦狱里救出的光景。如果她按着她平素的生活方法来自处，她是一个天仙似的好人儿，但是勉强置身在这种环境中便使她怏怏不快，并且终会弄到绝望。于是，我设法促成母亲和珂梨弗所企求而菲烈德力加也不反对的事，使之早日实现。说起菲烈德力加来，我觉得她与姊姊相异，不由得不在面前致赞美之辞。我对她说：看见她不改平素的态度，在这种环境也像枝头的小鸟那样自由无碍，我真是高兴得很。她的答话更是可爱。她说，这只是因为我在这儿的缘故。只要我在她的身边，她那儿都不想去了。

末了，我终于看见她们动身回去了，我的胸中像是除去了一块大石那样；因为我分有菲烈德力加和珂梨弗两方的心境，纵然不像后者那样的惴惴不安，但也绝不像前者那样泰然自若。

本来，我之到斯特拉斯堡来，是为考取学位起见，所以我把这样一桩主要的事情当作是附带的事，的确是我一生的变则的行动中之一。对于试验的悬念，我极轻易地付之等闲。可是这时也要想想作论文的事了。因为我从佛郎克福动身时我曾答应父亲并且自己立下决心要写论文。凡是有一点能耐，以至许多能耐的人，都有对于一切存自负之心的通病。青年如有所成就，总要经过那样的一个时期。我对于法学的一般及各分科已有纲要的知识，而对于法学上的各个题目也有充分的兴味。而且我既以莱塞尔（Lyser，见前）的勤勉来做我的模范，自信靠着自己的一点常识就可以试验及格。在那时的法学界中正见重大的新运动之开始，法律上的判决应多侧重公平合理方面，向来的一切习惯法日见动摇，尤其是刑法，预期将有大大的改革。回顾我自己，我很觉得，要发挥我自己所定的题目，便有无限的不足之处，不独我缺乏所需的知识，而且又没有内心的兴味来督促我在这个题目上用工夫。外部的激励也是缺乏，另一种性质全然不同的学问反吸引了我，使我埋头其中。本来，我抱有兴味的场合，只限于我能够从那对象得有一些什么收获的时候，以及我看到会从中得到效果和前途的时候。我已经选取一些材料，并且搜集起来，拿出我的札记本子来读，再考虑一下我所主张的论点，我把各细目编排成体系，这样子工作了已有一些日子了，可是不久我的灵机一动就发觉这样子做是不成功的，我知道要论列一特殊的专门的题目，也要有长期间永续的和特殊的勤勉，如做一篇这样的论文，纵不须是法学的宗师，至少也须是老手，才能顺利的完成呢。

当我把这样的迷惑对朋友说起时，他们觉得可笑，据他们说，人们可以不必把它当作“论文”（Traktat）那样的写，而只当作是一个“论题”（Theses）来研究，甚至这样写还好一点，这样的做法在斯特拉斯堡是很流行的。我也很愿意这样子马马虎虎的干，但是，我把这事情写信告诉我的父亲时，他的复信要求我写一篇正式的像样的论文，据他的意思，只要我有这个心，肯用相当的时间，我就很可以办得到。这时，我只有在一般的题目上下工夫，和挑出一些我所熟知的问题来。我关于教会的历史的知识差不多比在世界史方面还好一点，而且，我对于教会、公共承认的礼拜式在两方面所起的冲突——老是存续着的冲突——抱有很大的兴味。这即是说，教会一方面与出乎其上的国家不断的发生纠纷，他方面与它所欲集合到自己身上来的各个个人冲突。在国家方面，它不欲承认教会的宗主权，而个人又反抗教会的强制权。国家企图想把一切事情都以公共的一般的目的为依归，而个人则想以跟家庭感情和心意有关系的目的做一切事物的标准。我从小孩的时候起就见闻过僧侣有时与他们的官宪有时与民众龃龉的风波，结果，照着自己的青年气的见解，我确信国家——立法者——有规定宗教上的式制的权力，教会应以之为准来行动和宣教，而民众方面在外表的和公众的行动上也要以之为准。至于各个个人内心怎样思想、感觉，有什么观念，是在问题之外。我想这样子就可以一举把所有的论争解决。因此，我选出这个问题的前半做我的论文的题目，即是说：立法者之国家不独有权利来确立某一定的成形的宗教，而且还有这个义务。无论是僧侣也好，民众也好都不许逸出它的范围之外。我就史实和推理两方面论到这个题目，指出从来一切的公共的宗教都依靠军事领袖国王和其他的世俗的权威者来树立，即基督教也不是例外。新教的兴起与普及就是最近的实例。我之写这篇论文本来只是为使父亲满意起见，我更大胆的写。如果它犯着审查官的忌讳，不予公表，就是我最渴望不过的事。自从与伯里斯交往以来，看见自己的著作印刷出来一事仍觉得厌恶，不能自抑。而且我与赫德尔的亲交又使我十二分清楚地发现自己的疏才浅学，甚至因而深深地养成对于自己不信任之念。

这篇论文既差不多完全自出心裁，而拉丁语的讲和写方面也算流畅。所以我用在论文写作的时间还过得很快适。我的论旨至少也有多少根据，以修辞而论，文笔也不劣，全体颇算圆满无憾。一脱稿之后，就拿去给一个精于拉丁文的友人共同检视一遍。他纵然不能把我的文章大体加以润饰，但是有注目的谬误的地方，他圆熟地加以改削，俾能示人。我把它整洁地誊好，马上寄给父亲。他的复示虽因为我绝不论及以前所从事的题材而不以为然，可是，对于我以大胆的态度选此论旨一事，富于新教精神的父亲甚为满意。他宽恕我的矫激，称赏我的努力，并预期这篇小论文发表后会有良好的影响。

我把这个论文向法学院提出，幸而教授们对它取聪明而又恳切的态度。灵活明达的院长初时大加称赞，继而转到这论文的思想可疑之处，渐渐他更目这种疑问性为危险性，最后他的结论认为这篇东西不宜当作学位论文那样公表于世。他说：提出论文的人已表示出他是一个有思想的青年，学院当局对于我的前途有莫大的期望。为使这事情不致耽误起见，他们也赞成把我的论文付诸讨论。日后，我可以照现在的样子，或加以补充，用拉丁语或其他文字把它出版。我以私人的和新教徒的资格来印行，这就没有什么困难，而且这样子广为流布，博得世人的称赏，比由学校印行更为纯洁普遍。我听他的一番话时，心房像是有大石在骨碌骨碌地盘旋着那样起落不定，我差不多要将我这种心境对这位善良的院长说出来。至于院长为使我对于他拒绝公表我的论文一事不致怨怼或不快，而说出新的理由，我越听越觉得安心。而我对于他的论据，不独出人意表地不加反对，而倒觉得非常有理，并答应今后完全照他的忠告和指导办理，他最后也觉得安心了。于是我再到我的复习教师那儿，把我前后提出的论文选择数种出来付印，至于论文讨论，则由和我一同吃饭的朋友们做反对者，谈笑般轻快地举行。我少年时对于罗马法记诵上的习练这时很足为我之助，我因而能有富于法学知识之称。讨论的仪式终了之后，便殿以盛大的常例的酒宴。

可是，我的父亲听见我这篇论稿没有当作新博士的讨论文那样正式印行，大为不满，因为他希望我的论文正式发表后回到佛郎克福便可借此荣耀一下。他因此愿自费特别把它拿出来印行。我却对他这样子说明，即是，这论稿的材料只仓卒集成，将来定要再加补充。为着这个目的，他很小心地替我保存这篇论稿，好些年之后，我仍看见它藏在他的文件之中。

我是在一七七一年八月六日得到学位；第二天叔普夫林（Schöpflin，史学家，斯特拉斯堡大学教授，一六九四——一七七一）以七十五岁的高龄逝世。我虽没有亲炙过他，但他仍给我以显著的影响，因为同时代的伟大人物可比于空中的大星，当它在地平线上现着的时候，我们的眼便不禁向它注望。如我们幸能消受这样的优美之性，我们便感到自强和受了陶冶那样。慈惠的造物赋予他以俊秀的外貌，身躯修长，两目慈蔼，嘴也很能说话，故到处都受人的欢迎。造物对于他的宠儿的精神上的恩惠也不吝啬，他的成功不是痛下苦功所得来，而只是他天赋地和安静地培养成的优良的结果。他是一个历史的研究者，算是喜欢把过去和现在结合，识得以历史的知识应用到人生问题上的幸福的人们中的一个。他生于巴登，在巴塞尔和斯特拉斯堡受教育，地域广大，位置优良，乐园似的莱茵河流域的低地真不愧为他的故乡。他既倾心于史学与考古学的对象，借着优良的想象力而灵活地加以把握，借着最练达的记忆力而巨细保留不忘。好学而又好启迪人的他，无论在学者生活也好，实际生活也好，以始终一律的步调前进。他没有何等的中断，不久便崭然露头角，盛名容易地传布于文学界和市民间。因为他的历史知识既到处有用场，而他的谦和的态度又无处不得人的欢迎。他历游德国、荷兰、法国、意大利各地，到处与当地的知名学者结交，又为各国君侯所招请，以陪食时的进讲相娱，只当他的滔滔的辞源超过预定的谎语食时间，伴食的朝臣才感到厌倦，在他方面，他得到有力的政治家的信任，向他们贡献关于悬案的最彻底的演绎的断定。这样子，他的才能到处都有供活动的舞台了。他所到的地方，当地人士都愿他永住其间，但他固守着对斯特拉斯堡和法兰西王家的忠诚。他的坚贞不摇的德国人的诚笃的品性，也为法国宫廷所承认。有权有势的大法官克灵格林（Klinglin）曾暗中对他敌视，人们却庇护他。他天性既好交游而健谈，故不止在学问和实务方面，在社交方面也很出风头。他一辈子是一个女人的嫌恶者，如果我们不知道他人为异性愉快地浪费的许多的光阴，却成为他的余暇，我们就不明白他有那么些的时间了。

而且，他也是以一般人为读者的著作家，以民众为听众的演说家。他的论说，讲演或演说，大抵是在特别的日子，或庆典的来临之前发表，以资纪念的，他的大著《阿尔萨斯志》（*Alsatia illustrata*）使过去重现，使白骨化的人物复活，再予雕刻物石像以生命，使磨灭破损的碑铭再度鲜明地映于读者的心目中，这真可说是属于人生的读物了。他的活动以这样的方式充塞于阿尔萨斯州和邻近地方间，在巴登和普法尔次两州，直至高龄还不断保有籍籍的声望。他又在曼海姆城创立科学专门学校，至死前还是充当该校的校长。

我得亲炙这个卓越的学者的颜色，只有一回，那就是我们学生为他奏炬火夜乐（Fackelstandchen）的那一天晚上。那一个给苍郁的菩提树覆罩着的古僧院的中庭，与其说是为我们的火炬所照耀，毋宁说是给它的烟所弥漫着。嘈杂的音乐奏过之后，他从他的座上走下来置身于我们的中间，这儿比那高座更与他相宜。这个长身瘦躯的爽朗的老学者，以悠悠自在的态度，庄严可敬地站在我们的面前，饷我们以一篇语重心长的演说，演词绝无勉强及炫学的痕迹，而露出慈父似的蔼然可亲的声口。因此，我们听到这位常为国君王侯所招请，讲演于他们之前的老学者的话，当时便有自身受与王侯同等待遇之感。我们大声喝彩，表示我们的满足之意，三番四次的吹喇叭和打大鼓，然后可爱有为的大学生们满心洋洋得意的散队回家。

我跟他的弟子和学友之科克（Kock）和奥伯灵（Oberlin）两人早已有一种颇密切的关系。我对于古代遗物的癖好至为热烈。他们常领我至博物馆去参观，馆中藏有许多足为叔普夫林关于阿尔萨斯的名著立证的东西。我作阿尔萨斯的旅行，当场看到那儿的古物之后，才较精密地读这本大作，此后，我借着这书之掖助每作大小的探胜旅行时，可以历历地想象出属于罗马帝国时的莱茵河流域是怎样情景，而且像是在白昼下梦入前代的风物之中那样。

我才对于古代的阿尔萨斯得有多少的知识，奥伯灵便又引起我的探究中世遗物之心，介绍我认识那时还残存的废墟、遗迹、器物、图印、文书，甚至灌注我以对于宫廷“恋爱诗人”（Miunesinger）和英雄诗的兴味。我得这个豁达的学者和科克君的帮助不少，如果我照着他们的希望期待做去，那么我的一生的运命便要受他们之赐了。可是其间的事情却是这样的。

叔普夫林既一生进出于国法学那样的更崇高的学问园地中，并有很大的影响（这种学问和同类的学问在宫廷和内阁中自易给予一个有才干的人以影响），所以对于当时的民法学者有一种不能自抑的（甚至不当的）反感，而且影响到他的弟子们也抱同样的态度。上述的两人同是萨尔兹曼（见前）的知友，以丰厚的友情跟我结交。热情地把握外界的事物，以独特的技巧来描写它们的长处，引起对它们的特殊的兴趣，这是我的一种能力，但他们对于它的评价比我自己还高。我的民法知识的狭小——并且可以说是贫弱——也不会逃过他们的眼中。他们看破我是胸无定见的人，而我也向他们披沥我对于学者生活的志趣。他们企图先诱导我暂时对历史、国法学与辩论术发生兴趣，然后使我更确定地走上这条路。本来斯特拉斯堡城本身就提供这样的事以充分的便利。他们希望我在此地得法学博士的学位后便任事于凡尔赛的德意志法院。叔普夫林曾任职该地，他的功绩诚非我能企及，纵不能引起我的模仿之志，但也使我羡慕，也许因此就养成我的与之相仿佛的才能。实际上，这样的才能，对于那些以此擅长的人们固有裨助，即对于那些想利用它的人们也会有实利的。这两位掖助我的人连同萨尔兹曼，认为我的记忆力以及对于外国语的理解力很有价值，以此为主要的理由提出他们对我的主意和建议。

可是，后来他们的计划怎样完全不能实现，我怎样从法国方面回到德国方面去，我想在这儿细加叙述一下。不过像以前那样，让我在记述之前先作一点一般的考察吧。

本来，传记之能够表现主人公个人的生涯的纯粹的、静稳的和不断的发展的，实不多见。我们的生涯与包含我们的总体同样，是以一种不可解的方法由自由和必然构成的。我们的意欲是我们在一切的情势之下所欲为的事情之预告。但是这些形势却按着独特的方式来影响我们。“什么”（das Was）是视乎我们自己而定，“怎样”（das Wie）却很少由我们自己主张，我们更加没有寻问“为什么”（das Warum）的资格，因此人们说我们“因为如此如此”（Quia）也是对的了。

我从小时起就爱好法兰西语；我在一种活泼的生活中学习法文，又从法文的学习中认识一种活泼的生活。我没有学过文法，没有经过正式的教授，恰像是第二种母语那样，从交际和练习中就把它学会了。为想更熟习法语起见，我不进别地的大学，特地挑中了斯特拉斯堡大学而到这里来，可是，我在这儿的经历可惜与我的期望恰相背离，不独不与法国的语言、法国的习俗接近，而且倒与之疏隔起来。

一般上，法兰西人是以优雅的举止自励的，对于初讲法语的外国人取宽容的态度，有说错的，从不加以诽笑，即指摘错误也无不以婉曲的方法出之。可是，把本国语说错了，他们听了究竟不能堪，因此，他们把对方所说的事自己再以别的说法重复地说出来，借着这样的委婉的方式来示人以正当的语法。如果对方是有理解力小心的人，就可以由此学得正当无误的语法了。

诚然，如果我们外国人真心地学习法语，努力克己，自居于一介学生而不以为耻，法人这样的修正法自给予我们以很大的裨益，不过，我们在这种场合总感到多少屈辱，而且我们谈话也是为有所谈而谈的，法人这种修正方法使我们所谈的话常常中断了，甚至转到题外，他们因不能忍耐而把谈话中止了。我特别比别人多碰到这样的事情，因为我自信常是说些有点兴味的事，在他方面也常对于有意义的事倾耳而听。不欲老是只关心于语法方面，加以我的法语比任何别的外国人都驳杂一点，我碰见这样的事便更频繁。我的法文的语法以至读音，是我从仆人、侍役、哨兵、老幼的剧员、戏迷、农夫、大人物，种种色色的法国人那里加以注意而学来的。我这种像巴比仑语那样乱七八糟的惯用语，因为一种奇怪的成分之掺入而更混杂。即是，我喜欢听改革派的法兰西僧侣的说教，星期日往博根海姆（佛郎克福城之近郊）

散步时，便到他们的教会去，父亲因此不独许我作博根海姆之行，而且还劝促我去，可是，还不止此，入了青年时代的我，对于十六世纪的德意志文艺日益倾倒，而同一的优美时代的法兰西作家也在我的爱好范围之内。蒙田（Montaigne，怀疑家道德家，一五三三——一五九二）、阿米奥（Amyot）、剌柏雷（Rabelais，讽刺作家，一四九四——一五五三）、马鲁（Marot）是我的良伴，使我对他们的作品起共鸣和惊叹。所有这种种不同的成分在我的法语中乱七八糟地混杂起来，因此，我的异乎寻常的语法便使我的听者茫然于我的话中的旨趣了。以至连有教养的法国人也不再客气地婉曲地修正我的话，而不由得不单刀直入地指摘我的错误。因此，我在这儿又再像在莱比锡城所碰到那样的事了（即是改乡音一事），但是在莱比锡城的场合，我可以根据自己的故国也有与他州同样说自己的方言的权利来自处，今回既置身外国的领土，那就只有依随它的传统的法则了。

也许我们也会甘心这样子做了，如果不是有一个恶意之神老在耳边喃喃的说的话。他说："一个外国人讲法国话，无论怎样努力，还是徒劳无功；德国人、英国人、意大利人而学法语，总会被一个耳朵尖利的人听得出来。人们听他们的话，虽可以听得过去，但他们决不能登法国本国人士的语言的堂奥。”

在斯特拉斯堡的法国人认为只有极少数是例外的。有一个人可以举出来的，就是格林姆那位名绅士，但是，连叔普夫林也不能称为登峰造极。他们承认他从早就已看到了完全的法语表达的必要，称许他好与任何法国人谈话，特别是乐于和贵显高官对谈一事，甚至他在所居的法国领土内，努力以法国语言作为本国的语言，尽可能的使自己成为法兰西式的社交家和演说家，也为他们所赞扬。但是他抛弃本国的母语，而苦心致力于外国语，到底有什么好处呢？结局谁也不满意他这样子做。在社交场里，人们觉得他是虚荣家，人们认为这种情形恰像是一个没有自觉没有自负的人对别人讲话那样。上流社会和语言学者们断言他讲的话倒像是一种议论和对白，而不是会话。前者是德国人的遗传的根本的缺点，而后者是周知的法国人的基本特长。就是在公众之前演说的时候，也不见得好一点。他曾把对国王君侯的精心结构的演说印了出来，因为他是新教徒，而向来憎恶他的耶苏会僧侣，便留心指摘出他的语法的不合法国语的地方来。

我们不独不因叔普夫林之受到酷评而藉以自慰，以及像幼树那样来忍受枯树所加的负担（出自《旧约》），对于这种批评家的炫学不公平态度反愤愤不以为然。我们想起叔普夫林的显著的实例，而反绝望起来，深信以内容来使法人满意的努力是徒劳而无功的，因为他们太过拘泥于表现事物的语法的外形的条件了。由是，我们立下一个相反的决心，完全抛弃法语，比以前更起劲更认真地致力于母语的修炼。

即在这一点上，实际生活也给我们以机会和助势。阿尔萨斯之合并于法国为时还不久，因而在老年人中，青年人中，还保留有对德领时代的旧政制、习俗、语言、服装的爱好。当被征服者必须丧失他的存在的一半时，他便觉得把剩下的一半自动地抛弃是一种耻辱。因此，他牢牢地抱守着那足以使他忆起过去的好时代以及助长他对于幸福时期的复归的希望的一切事物而不放。有许多许多的斯特拉斯堡的德籍居民虽然散居各地，但在精神上构成一个紧密的小集团。这个集团因为在法国主权下拥有广大的地产的德意志王侯的许多臣民之入居而日益扩大起来。这些臣民，为求学或经商起见，在斯特拉斯堡作长期或短期的勾留。

在我们的膳食小组中，会话也只用德语。萨尔兹曼讲得一口流畅优尚的法国话，但也赞成求为纯粹的德国人的努力和活动，勒塞可立为德意志青年的模范；迈尔·丰·林道（Meyer von Lindan）倒喜欢从容的说优美的德国语，而不肯费劲去说好的法语。其余的人中虽有不少爱慕法兰西系的语言和风习，但是只要跟我们在一块儿的时候，也恪守这个一般的主义。

现在让我们从语言转到国制方面去。诚然，关于德意志帝国的制度没有许多可以称赞之处。我们承认，它是单由法律的滥用构成，但是这正是它高出现在的法国制度的地方。因为法国的制度是陷于无法律的滥用的紊乱之中，行政上的威力只用在不当之处，因此，在它的暗淡的前途上早晚会起根本的变革，已在一般人的预料之中，不容否认了。

反之，回望北方，那儿普鲁士王腓得烈却像北极星那样灿然呈辉，德国全土、欧洲以至全世界都仿佛以他为中枢而回转于他的周围。他在一切方面显出他的绝对的优越性，最显著的确证，就是在法国军队里头，普鲁士式的操练法，甚至普鲁士式的棍也被采用。至于他对于外国语的法语的爱好，我们也加以原谅，因为他所招聘的法兰西的诗人、哲学家、文学家们始终惹起他的厌恼，而他们也屡次宣称，只把他当作爱管闲事者看待。

但是，最使我们疏远法国人的一桩事，就是，他们屡屡不逊地力言德国一般人以至这个采用法国文化的君王都不知趣味为何物。这种说法，正像诗歌中各节末尾重复的叠句那样，殿于法国人的每一批评之后。对于这种批评，我们加以无视以平自己之愤。可是，我们总不能解释为什么法国人倒会有这样的话，因为我们也听见说过，美那日（Ménage，法国的文学者，言语学者，一六一三——一六九二）曾谓："法国的作家什么都具备了只缺乏趣味。"又如我们从现在的巴黎的文坛看来，最近的作家全体缺乏趣味，连福禄特尔也不能完全免这种最高的瑕疵。从少年时候起，就与自然相亲，以后不断习于自然的我们，除了感情的真实和诚挚以及它的大胆直截的表现之外，不认有何物为真正的文学的价值。

Frenndschaft Liebe，Brüderschaft，

Tragt die sich nicht von selber vor？

友谊，爱情，亲睦。

那不是从本身表白出来的吗？

这一句话在我们学生的小团体中成为公认和互相勉励的口号和口令，我们一切的友谊的宴集也基于这个格言，在这种晚上宴集里我们许多时还让市民中的典型的德国人来参加，发挥我们的国粹。

在上述的话中，我们纵只看到外来的偶然的诱因及个人的特性，但是，法国的文学本身也有一些特质，使年少发奋的我不为所吸引，而反与之疏远。这就是说，法国文学是老成的，高贵的，而四处寻求生之享乐与自由的少年却不会从这两种特质得到快慰。

自从十六世纪以来，法国文学从不见一度的完全中绝，而且国内的政治和宗教的动乱以及数次的对外战争加速它的进步。但是，一般人已断言法国文学早在百年以前，已达于全盛的状态。由于种种有利的情况，法国文学一举而得到丰富成熟的收获，以至十八世纪的最伟

大的作家，也不得不谦退地以拾落穗自足。

可是，这期间，也有好些文学作品是达于老朽之境了，就中特别是喜剧。本来喜剧一物，纵不能很圆满，也须具有新的兴味，以投合新的生活和风习，故需不断地更新。悲剧中有许多已在舞台上绝迹，而福禄特尔不肯放过这千载一时的机会，把科奈耶（Corneille）的戏曲拿来出版，来显出他的先代的剧作家是有怎样多的缺点，但是据一般的批评，后者却非他所能及呢。

这个福禄特尔，可算是他的时代的奇迹的天才，他自身也与他支配历一世纪和予以活气的文学同样衰老了。除他以外，还有许多老作家残留着，多少做点创作，颇好的度日，但他们也渐渐消逝了。社会对于著作家的影响渐见优势，因为从名门世族，贵显和富豪之家构成的上流社会挑选文学做主要的娱乐，文学由是带有很大的社交性质，和成为高贵的东西。上流人士与文学者互相陶冶，而同时又必然互相恶化，因为一切高贵的东西都是带有排斥的性质，因法国的文学批评也富于排斥性，尽摈拒、贬黜和诽讥的能事。上流社会的人们以这样的批评施于著作家的身上，而著作家们又以更放恣的态度，讥评其同伴，甚至对他们的恩主也报以恶骂。他们既不能使读者大众畏服，因努力而赢得后者的惊异，或自卑以博其好感。由是，除了教会与国家的内部的纠纷以外，文学界也发生风潮，以至福禄特尔要用他的全力，拿出他的一切的优越点来，才能从这一般的漠不关心的潮流，耸身自拔。他本已有“老年的放恣的孩子”之称，他的继续不倦的努力，人们视为垂死的老人的徒劳的奋励。他一生恪守并致力宣传的某几种原则，世人已不再重视不再尊崇了。甚至他的关于神之说——因为他承认这神的存在而继续与一切无神论者绝缘——也不再为世人所称许。因此，本属文坛祭酒的他，也不得不学当时他的较年少的后辈文学家那样，觑着机会，攫取新的宠遇，对自己的友方过分的奖誉，对自己的敌方过分的讥骂，在真理的热情的追求者的假面具下，玩弄虚伪不真之笔。他的生涯渐渐失去初期时代的自由，而终于没有独立性，度过这样活动的伟大的一生的劳苦，是值得的吗？这种情境怎样难堪，不会为他的卓拔的精神和敏锐的感性所放过，有时突然地痉挛地发泄他的郁愤，放纵自己的脾性，发出一些过度的言行，以致惹起大多数的友和敌的恶感，因为无论何人纵然事实上不能与他相颉抗，却都自以为可漠视他。常常只听老辈的判断的读者大众易流于老成，而一种未成熟的精神所取的成熟的判断却是最不充分的。

我们青年为德意志人特有的对自然和真理之爱所促，对自己和对他人诚实一事，像是生活和为学的最好的指导者那样，常浮现于眼前，因此福禄特尔的带有党派性的不诚实，及他之将许多值得尊重的事物歪曲恶化，便为我们所嫌恶，并日益加甚，而我对于他个人的厌倦也与日俱深。他为着要惩创那些所谓僧侣起见，总不厌对宗教和它的基础之《圣经》加以贬黜，因此常惹起我的不快之感。可是现在我竟听见说，他为要推翻挪亚大洪水之说，否认有化石的贝类，认为这不过是自然的作用。他由是完全失掉我的信仰。因为从前在巴斯特堡山（Babstberg）所见的大堆贝壳十分清楚地证明，我是置身于太古的已涸的海底，它的原始住民的遗物之中。不错！这个山曾一度为波涛所覆，至于这是在洪水以前或是在洪水泛滥的当儿的事，也不能动我的确信。总而言之，莱茵河流域的低地从前是一个浩瀚的海，一个望之无尽的湾；这是无可置疑的余地的。我想再进一步作地质和山岳的研究，也许这种研究会有满足我的所欲的结果。

要之，法国的文学，在本身上是衰老的、高贵的，并且经由福禄特尔表现出来。让我们关于这个卓著的文学家再作一点考察吧！

福禄特尔从少年时代所希求努力的，就是活动的社交的生活，政治，丰富的薪给，与世间的权威结交，以及这种关系之利用，因而自己也成为世间的权威。一个人把自己弄到那样不独立而想求独立是不容易的。他又能使许多思想家屈服，一时间国民全体也靡然从风。他的敌对者徒然发挥他们的平庸的才能，对他抱极度的憎恶，但总不能损他的毫末。他纵然不能与法国的宫廷和解，但外国的君王却转成为他的风雅的附庸。喀德邻王后和腓得烈大王、瑞典的考斯道夫（Gustav）、丹麦的基利斯当（Christian）、波兰的坡纳托甫斯歧（Poniatowski）、普鲁士的亨利、布蓝士外喜的加尔，都自居于他的思想的臣仆之列；甚至罗马法皇也以为要对他稍示宽大，来怀柔他。只约瑟夫二世与他疏远，可是这事决不能提高他的令名。因为，本有那样优秀的头脑美的心性的他，如能师事福禄特尔，成为一个更有才智的人，以及更好的文士庇护者，他自身，以及他的事业恐怕只有得而无失吧。

我在这儿简略地略有系统地讲出来的事，在当时像是目前的呼声，永远不能谐和的嘈杂之音，没有联络没有启发地在我们的耳边响着。我们只老听见对于先代的赞美。人们要求一些好的新的东西，但是最新的总不想要，一个法国爱国主义的作家，才把他的富有国民精神激励观客的戏曲，拿到久已消沉的剧场上出演，《加莱城之围》（*Die Belagerung von Calais*）才博得热烈的喝彩，这篇戏曲即已随同其他的爱国主义的作品被目为空疏，从那一点来看都应该抛弃了。对图士（Destouches，擅长风俗剧的法国喜剧作家，一六八〇——一七五四）的风俗描写，我在儿时常读而乐之，现在却被讥为文笔软弱，这个可尊敬的作者的名字已不再挂于人的口边。还有其他不知多少的作家，我不能在人前话及，如果我在那些乘着最近的文学潮流的人们之前，表示对这些作家或作品有一点同感，我便只目为乡曲流的批评者，而不得不忍受他们的讽骂了。

因此，我们便日益为别的德意志同学所厌恶。依照我们自己的性情和天性，我们喜欢明确地把握对象的印象，只缓缓地对之加工，而且要加工的时候，也要很迟得很迟。我们确信，借着真诚的注意，持续不断的勤劳，无论从什么事物都会得到一点结果，而且我们必须以坚强的热心继续努力，终于达到不独可得关于这事物的判断，而且可说出它的判断的根据之点。我们也不否认，伟大而光辉的法兰西的世界提供我们以许多的好处和利益：例如卢骚就实获我们之心。可是，如果我们把他的生涯和运命观察一下，我们就可以看见，他的一切成就的最大报酬，不外是在巴黎度着没有人知，为人所忘的生活吧。

如果我们听见人说及《百科全书》的编纂者［Enzyklepädist，一七五一年至一七七二年编纂《百科全书》之翁贝尔（Amber）、狄德罗（Diderot）、福禄特尔、孟德斯鸠、卢骚等］或打开他们编的巨帙一看，我们便感到，恍惚是彷徨于大纺织工场中，无数的转动着的卷丝轴和织机之间，置身于嘈杂的唧唧得得的声音，心迷目眩的机械以及极复杂的种种色色不可解的装置之前，看见要那么大的麻烦才制成一块布，因而连自己身上着的衣服也嫌弃起来。

就中狄德罗与我们尚算很接近，他在一切方面都有纯粹德意志人之风，因而招法人的指摘。但是，他的立场也已过高，他的视域也已太广，我们虽欲追随他接近他也有所不能。他能够以伟大的修辞的手腕指出和使之高尚化的自然儿（Naturkind），甚为我们所喜，又如他所描写的豪勇的盗猎者和私枭，也使我们非常感兴。这种无赖的人物后来在德国文学上更频频的出现了。这样子，他也像卢骚那样，宣传一种对社会生反感暗地里导出那打破世界一切现状的巨大的变革来。

可是我们置这点的观察而不论，转考察一下上述两个思想家对于艺术的影响，似较为适当。他们在艺术方面也昭示我们以自然，也从艺术那儿驱策我们去接近自然。

一切艺术的最高的使命，就是借着外观，给予一种更高的现实性的幻感。可是，如果使外观过于现实化，以至末了只剩有一种平凡的现实，作者的努力便错了。

舞台本是一个观念上（理想上）的场面，应用远景法顺次装置起来的侧面背景，获得最大的效果，可是人们想任意放弃这种好处，关闭舞台的两侧，配置真正的房屋的墙壁。在这样的舞台场面之上，连戏曲本身，剧员的演法，以至一切都应一致，而崭新的剧场便诞生出来。

法国的优伶演喜剧时已达到艺术的真实的绝顶。他们在巴黎的居留，宫廷人士的外貌的观察，男女优们以恋爱的勾当跟上流社会的人们接触，这一切事都有助于社交界最高的技巧之移植于舞台之上，在这点，“自然之友”（自然主义者）没有多大的非难。但是，他们却相信，若果选择较认真的悲剧的剧本（在市民生活中也不缺乏悲剧的材料）上演，应用散文表白更高的意味，这样子便可以渐渐一同摒弃喜剧所用的不自然的韵文，以及不自然的道白做手了。

有一桩极值得注意，而又不为一般人所认识的事，就是当时连古的，体裁严格的，韵文的，精巧的悲剧作品，也有被革命之虞，这种革命，只有借着伟大的天才和传统的威力才可避免。

事情是这样的，当时有一个名唤奥夫勒奴（Aufresne）的优伶起而与名优勒加因（Lecain）抗争。勒加因以特殊的戏剧性的优雅高贵和力量来扮演主角，而不务自然化和现实化，但奥夫勒奴却对一切不自然宣战，力谋在他的悲剧性的戏剧中表现最高的真实性。这种表演方法与巴黎其他优伶的相抵触，他因同行的连结一气而弄到孤立，但他坚抱他的志向，宁愿离开巴黎而道经斯特拉斯堡。在那儿，我们看见他扮演 *Cinna*（科奈耶的悲剧）的奥古斯和密特里达脱（Mithridat，拉辛的悲剧的主人公）以及其他一类的角色，演起来极为自然，饶有真实性。他以俊伟之姿现身于舞台之上，长身玉立而不大强壮，虽不威武动人，但具高贵可亲的风度。他的表演，沉着稳重，而不流于冷淡，需要气魄雄浑的时候也够雄浑。他是一个非常熟练的艺术家，是能够把艺术的东西全化为自然，把自然全化为艺术的少数人中之一个。但是，这样的人的特长多被误解，错误的自然主义的论理每由是发生。

在这儿我还想再说一说一本小小的而有开新纪元的影响的戏曲：这就是卢骚的 *Pygmalion*，这作品大有议论之余地，因为这个奇异的作品彷徨于自然与艺术间，是想将艺术融化于自然之中的错误的努力的产物。在这戏剧里我们看见一个艺术家虽已作成最完全的作品，却不以艺术地表现他的理想和赋以高尚的生命为满足，不！他要把它引下到现实的生活中，和与他自身接近，他想以最鄙俗的肉欲的行为把精神和行动所成就的最高尚之物败坏了。

一切这类的作品以及其他许多的作品，无论是正当或愚蠢，真或半真，都给我们以影响，更促使我们的头脑混乱，我们彷徨蹀躞于迷路和歧路之中，这样子，后来的德国文学革命也从许多方面准备出来，我们成为这革命的目击者，无论有意识地无意识地，愿意或不愿意，不能自己地参加进去。

至于哲学方面的启迪和诱掖，我们还没有这样的冲动或倾向。关于宗教的事情，我们自信自己已获有充分的光明，故对于法国哲学者与僧侣的激烈论争颇漠不关心。被禁被焚毁的书籍在当时曾引起骚然的物议，但对我们却没有什么影响。我可举出因为好奇心而到了我们的手上的《自然的体系》[*Systéme de la nature*，为居于巴黎的德国男爵荷尔巴哈（Holbach）所著，是十八世纪法国启蒙思想之唯物论的典型的代表作，有“唯物论圣经”之称，一七七〇年出版］一书以例其余。我们不明白为什么这样的书会是危险。它的内容显出那样的灰色、黝暗、带着死的气味，我们要很努力才耐得住把它阅览，并且对着它就像对着幽灵那样感到阴惨。著者在序言中申言，他已到风烛残年，行将就木，愿以此书对现代和后世宣达真理，想特别地把这书推举。

我们读了不禁失笑：因为据我们看来，这世上本来没有什么可爱的善良的东西为老年人予以正当的评价。“古寺的玻璃是暗的！——樱桃和莓果的味道怎样，一定要问小孩和麻雀儿才知道！”这是我们的口头禅。因此那本称为老年人的结晶品的书在我们看来是没有味儿的，甚至味恶不堪一读的。著者说，一切应是必然存在的，因没有神。我们反问：神不可以也必然地存在吗？不消说，我们也不能否认，昼夜的迭代，四季的往复，气候的影响，物理状态和动物性底必然性；但是我们仍感到在自身中有一物，如完全的自由意志，然更有一物，力求与这自由意志保持均衡。

日进于理智化以及日益不依存于外物甚至不依存于我们自身是我们的希望，不容抛弃。自由一名词那样的好听，纵然它表白某一种的谬妄，我们也不能少了它。

我们中间没有一个人把这本书读到终卷，因为我们觉得翻开它来读时，就使我们大失所望。这书以“自然的体系”的名字宣告出来，我们因希望真个得到一点关于我们所崇拜的自然的知识。物理学和化学，天文学和地理学，博物学和解剖学，以及其他许多的科学；自这几年以来至于最近，不绝地使我们注目于那广大的美的世界，我们很愿得到关于太阳和天体，行星和月球，山岳、谷野、河川、海洋以及在那儿生活活动的一切事物的一般的知识和特殊的知识。当然这样的把宇宙阐明，寻常人视为有害的，僧侣阶级视为危险的，国家视为不可容的许多事态便不能不跟着生出来，我们对此不以为疑，并且希望这本小书确有价值，耐得试炼。可是我们开卷一读，便觉得堕入于凄惨的无神论的黄昏中，地球天界的森罗万象都在这黑暗里消失，空虚之感便向我们袭来。一种物质是永远存在而且永久运动着，因为这种四面八方的运动——单是这种运动——就生出存在的无穷的现象。如果著者真能在我们的面前证明世界是确由他所说的动的物质构成，这种学说我们也许还觉得满意。但是，他关于自然的知识的贫弱，跟我们不相上下，因为他把几个一般的观念标出来之后，马上就离开它们，为的是要把比自然更高的东西，或现于自然中的更高的自然，化为物质的，有重量的，虽运动而没有方向没有形状的自然，以为这样子就可以充分地发展自然的奥秘。

这书虽给我们的思想上以一些坏的影响，但消极地给我们以裨益。因为，读了这书后，我们对于一切哲学——特别是形而上学——十分厌恶，视同糟粕，而转以更活泼的精神、更大的热心，灌注于活的知识、经验、实行和诗作方面去。

这样子，我们身在法国的边区里，而一举摆脱了一切法国的东西的束缚。我们觉得法国人的生活方式太过固定，太过上流，他们的诗流于冷淡，他们的批评偏于否定，他们的哲学晦涩而又不充分，因此，我们几有非归依——至少也当作是尝试那样——于粗犷的自然不可之势，幸而有另一好的影响给我们以正当的指导，才免于这种危险。这种影响从很早以前就提供我们以较高级的、较自由的、诗的而同时又真实的世界观和精神的快乐，初时只隐隐地，淡淡地，但后来渐渐明显地和强有力地支配我们的思想了。

我这里指的是莎士比亚，差不多不用我明言，我说出来之后，也用不着我怎样详细阐明。莎士比亚的价值之为德国人认识，比其他一切国民都较深切，恐怕连他的本国人也有不及。我们德国人对于他，不吝以对待本国人那样的公平、正义和爱护相献。优秀的学者们忙于以极好意的态度来探究他的伟大的天才，我每读到他们的论评，无论是尊崇他也好，称赞他也好，以至为他护短也好，我都欣然同意。这个旷世的天才对我的影响已在少年时现出来，我并曾把对于他的戏曲的感想和评论，试写出来，颇得别人的赞许。在这儿我只想笼统地说出他的影响就算了，待到有适当的机会才把关于那样伟大的作品的零星论评再录出来献给那些愿意读的读者。——其实，我在这儿差不多心里跃跃想把它们插入了。

现在我只想稍为详细地说说我以怎样的因缘得知莎

士比亚。那是颇早以前在莱比锡城读多德斯（Dodds）的《莎翁选粹》（*Beauties of Shakespeare*）一书开始的。这本选本把著者的全集断片地介绍出来，不管人们怎样指摘，它仍发生好些很好的影响，我们究竟不能常有那样恬宁的心，卓绝的精神力来把全集读遍而理解其价值。我们读书时不是在那些直接与我们有关涉的地方加以标记吗？青年人特别是如此，他们既缺乏彻底的教养，而醉心于光彩彪炳的地方。我还记得我耽读上述的《莎翁选粹》时，可算是一生最快乐的时期。莎翁的绝伦的特长，掷地作金石声的名言佳句，不爽丝毫的描写，幽默的情调，一切处处都获我心，和深铭于我的肺腑中。

这时，薇兰的译本出现了。我一口气把它读完拿它向朋友知交鼓吹介绍。我们德国人有一胜人之处，就是许多外国名著最初给我们以平易明快的体裁迻译过来。莎士比亚的散文译，以薇兰为嚆矢，继则为厄申堡（Erschenburg）。因为以散文译出，无论何人也易读易明，所以流布很快，收效很大。我对于韵和节奏都认为有重要的价值，诗之所以成为诗，就靠着它们，但是，诗作中本来根本地深切影响我们的，实际上陶冶化育我们之物却是译成散文之后而尚俨然残存的地方。即是，这时剩下的是纯粹的完全的实质，因为有诗形那种绚烂的外饰，没有它时也使我们觉得有，有它时诗形却把它的存在遮盖了。因此，我以为对于青年初期的教养，散文译比韵文译较为有效。我们知道，一切事物在儿童的心目中都视同娱乐，他们以诗句的铿锵，脚韵的谐调为快，因为一种耽于一种顺口好听的格调，而大作名著的深远的实质往往为之破坏，所以我尝有首先把荷马的诗用散文翻译之想。当然这种翻译工作在现在的阶段的德国文学已可担当而无愧。我想把这个提案以及刚才所说的事，请我们的可尊敬的教育家诸君考虑一下，他们的广泛的经验对于这问题当有极好的贡献。为支持我的建议起见，我只想引马丁·路德的《圣经》德文译本做例子。这个卓越的宗教家，把《圣经》中所包含的各种各色的文体，它的诗的、历史的、命令的、教训的繁异的语调，合一炉而冶之，用国语译出来，他这种译法比起刻意模仿原本的一一的特色更有助于宗教思想的进步。其后，《圣经》学者们努力把《约伯记》、《颂歌》、《雅歌》之类，依照原本以韵文译出给我们欣赏，也是徒劳而无功。对于读《圣经》的人，散文译本总是最适当的。那种与原本争巧的批评的翻译，实只对于《圣经》素有研究的学者们相互间的娱乐品吧。

这样子，在我们的斯特拉斯堡的小社会里，莎士比亚的作品，无论是依据译本抑或原本，断片抑或全体，有那么大的影响，以致我们也像世间的《圣经》通那样，渐成为莎翁通了。在会话中模做他所描出的当时的德性和过恶，耽溺于他的 quibbles（谐谑），或翻译来应用，或依样葫芦杜撰出来。我比其他任何友人更热心地耽读他的著作一事，也有不少的影响。当我对友人欣然自白，有一种较高的事物在我上头笼罩着，我的朋友便受了熏染，开始步我的后尘。我们不否认这时也有对这伟大的作品加以精确的考究、理解和充分的批判的可能。不过我们把这事留到后头去，现在我们只想欣然与他共鸣，活生生地模仿他，并且对于这个提供我们以那么大的快慰的作者，不敢加以考究妄评，而觉得无条件地崇拜他倒痛快一点。

如果读者中有想直接地知道当时我们的生气蓬勃的小社会关于莎士比亚和他的著作是怎样的想、怎样的讲和怎样的对付，那就请看收在赫德尔的《德国风格与德国艺术》（*Von deutscher Art und Kunst*）一书中的关于莎翁的论文，楞次（Lenz，狂飚时代的诗人，在斯特拉斯堡当家庭教师时认识，一七五一——一七九二）的《剧场观》（*Anmerkungeuüber Theater*）。在后一书中还附有《恋爱的徒劳》（*Love's labour's lost*）的翻译。赫德尔对于莎翁的湛深之处有透彻的理解，而能美妙地表达出来。楞次对于舞台的常套取偶像破坏者的态度，要求一切都莎翁化，我在这儿既已把这个多才多艺而又异乎常人的朋友（指楞次）提出来，正是试把他略加叙述的时机了。我到斯特拉斯堡的居留将终的时候才认识他，我们很少碰头，他的亲交是另外一些人，不过我们仍找机会来彼此见面，我们既是同时代抱有同样志趣的青年，因喜欢互相倾吐心曲，他身躯矮小而美丰姿，小脑袋美好可爱，端正而微带扁平的五官完全与之相衬，蓝碧的眼睛，黄金色的头发；一句话，他是北欧青年中有时可以碰到的一个美男子。他的步武安闲而略带端谨，谈吐虽不大流畅而甚悦耳，举措在羞怯与谨慎之间，与青年人也很相称。他朗读起小诗——特别是他自作的诗——来，琅琅可听，又写得一手很美的字。像他那样的人物风度，我只能以英语的 whimsical（隽妙）一字名之，照辞典所示，这个字把许多的偏异的倾向包纳于一个概念之中。正因为他是一个这样的人，他恐怕比任何人更能领略和模仿莎士比亚的天才的横逸和冗赘之处。上述的他的翻译就是一个好的例证。他以非常的自由的笔调来对付原作，在简净和忠实方面最为缺乏，但是他披起原作者的异样的装束——更不如说滑稽的装束来能够那样的合身份，那样的幽默地模拟原作的一切谐谑的手法，因此他当然能博得那些对此有趣味的人的喝彩。

莎翁喜剧中的丑角的荒唐无稽的言动特别使我们高兴得厉害，我们认为楞次的翻译的手腕在这方面更值得赞赏。下录他译的某公主射死的猎兽的“诔词”，就是如此。

Die schöne Prinzessin schoss und traf
Eines jungen Hirschleins Leben;
Es fiel dahin in schweren Schlaf
Und wird ein Brätlein geben.

Der Jagdhund boll!-Ein L zu Hirsch,
So wird es denn ein Hirschel ;
Doch setzt ein römisch L zu Hirsch,
So macht es funfzig Hirschel.
Ich mach hundert Hirsche draus,
Schreib' Hirschell mit zwei LLen.

美丽的公主射猎
伤了一匹小牡鹿的性命;
牡鹿倒地长眠
堪供一小盘的烤肉。
猎犬吠了!——对牡鹿(Hirsch)吠出L一个字,
这样子便凑成一个Hirschel(小鹿,意谓把L添在Hirsch一字之后,便成Hirschel),
可是如把罗马数字的L添上去,
便变成五十匹的小鹿了。
我从此可繁殖到百匹的鹿儿,
添加两个L于Hirschell之后。

青年人不羁地恬不以为异地显露出的爱好诞妄的倾向，随着年龄的加长而日益回到事物的深邃之处去，但决不因此而完全丧失。这种倾向在我们当时正是全盛的时候，我们并且努力自出心裁想出一些谐谑来赞颂我们的最大的宗师。如果我们能够在座上献出这一类的妙文，我们便引以为荣，而在社交上这种谐谑也被容许的。下录的嘲笑一个骑劣马坠下受伤的马术师的诗就是一例。

Ein Ritter wohnt in diesem Hans,
Ein Meister auch daneben；
Macht man davon einen Blumenstrauss,
So wird's einen Rittmeister geben.
Ist er nun Meister von dem Ritt
Führt er mit Recht dem Namen;
Doch nirmmt der Ritt den Meister mit,
Weh'ihm und seinem Samen！
在这家里住着一个骑士（Ritter），
在旁边还有一个工匠（Meister）。
如果将这两人以花束结合起来，

便变成一个马术师（Rittmeister）。
如果他是马术的先生（Meister von dem Ritt），
那就名副其实；
可是倘若马术竟把先生弄坏，
先生和他的子孙都要当灾！

这样的诗拿出来，我们都认真地加以讨论，看它有没有上莎翁的丑角之口的价值，是否来自纯粹真实的滑稽的源泉，抑或有一些心意和悟性，不相称地不适合地夹杂其间。可是这种奇态的倾向大大的传播起来，有许多人已能够参加这种文章游戏，而博得一般人的信用的勒辛在他的《戏剧论》（*Dramaturgie*）中，给这种滑稽之作以最初的着手的信号，更特别助长这种形势。

我与这样的耽好文学和染着莎翁热的人们常作上阿尔萨斯之游，至为愉快，然正因为这个缘故，在知识上没有什么特别所得。我们在每回流迸出来的小诗，集起来便有不少，且可用它们作为材料编成一种新鲜活泼的游记，但现在已散失了。在摩尔斯海姆（Molsheim）僧寺的十字廊下，我们叹赏玻璃窗的彩色缤纷的绘画；在科耳马尔（Colmar）和斯勒特斯达特（Schlettstadt）之间的丰沃的地方漫步时，我们高声吟出对栖里兹（Ceres，罗马司农牧的女神）的颂歌，而谷物的莫大的消费也详加说明和赞美。连它的贩卖的自由制度或制限制度这一重要问题也给我们热烈地辩论起来。到了安西斯海姆（Ensisheim）我们看见教堂中悬着一块巨大的陨石，随着当时一般的怀疑精神，把人类的迷信加以嘲笑，他们料不到这样的空中的怪客纵不落在我们自己的田中来，至少也应在我们的博物馆中保存着。

有一次使我常常回忆的旅行，就是由信徒百人——甚至千人——组成的奥提利安堡（Ottilienberg，服给赠山脉的绝顶）的巡礼。在那儿，绕着古罗马卫城的基壁还残存着，据说在这些杂陈的瓦砾和龟裂的石料中，有一个美丽的伯爵女儿曾有结庵修道之举。离那些参拜的信者们虚构的礼拜堂不远，导游者指点一个泉给我们看，说是那女尼朝夕出汲之所，还谈起许多关于她的优美的逸事。我想象中的她的逸姿和她的姓名，在我心坎里深深镂刻着。我把这两者保留到很久，直至后来我在我的作品中拿它们来构成一个女主角，虽然晚出，但不因此而不见得可爱。而心地虔诚纯洁的人们也喜欢读。

在这山上，我们也极目远眺那美丽的阿尔萨斯州，它的景色虽少变化而常新。当我们入到圆形剧场之中，无论在何处就席，虽可遍望全体的观众，但只有身边的人看得最清楚，在这儿眺望远处近处的丛林、岩石、丘陵、森林、田野、牧场、草原等等，恰也是如此。导游者甚至指点地平线上的一点给我们看，说是瑞士的巴塞尔。巴塞尔之入我们的眼与否，不敢确言，但是瑞士群山的迢递的蓝色，也从远处向我们逞它的魅力，一若要招我们前去那样，可惜我们不能应邀再作快游，深以为憾。

我尽情的作这种的排遣和游乐，因为当时我对菲烈德力加的热情的关系渐已引起我的不安，而更耽溺，弄到神魂颠倒。这样的盲目地灌注的青年的爱情，可以黑夜里射放的炮弹为喻，弹丸循着一条轻柔放着光的直线上升，直进至天空的星辰之间，甚至像是在那儿逗留了一会儿，然后循着同一的路，只走相反的方向，落下来，到末了，破坏了它落下的场所。菲烈德力加始终如一，她像是想不到也不愿意想及，我跟她的交情那样快就完结了。至于珂梨弗方面，虽也以不见我为苦，却不像她的妹妹那样翘望我。因此她较有先见，对我较为公开。她许多时跟我谈起我们的预期的远别，努力自寻慰解和安慰妹妹。在一个青年的女子跟一个男子隐然有爱情的场合，如果离绝了，她虽是痛苦，却没有像一个男子与一个曾对之明白表示爱情的女子断绝关系时那样痛苦。在这场合，他老是扮演一个苦角，因为他正是一个入于成人期的人，对于自己的现在未来应有相当的远见，露骨的轻薄行为与他已不相宜。使一个青年女子解除恋爱关系的事由，总被世人目为正当，但在男子的场合却贻不德之讥了。

可是这种带有沾沾自喜的恋情怎样会让我们预先见到，它会领我们到什么地方去呢？就是当我们以理性之力断了这种恋爱的念头之后，我们还不能完全摆脱，方法虽变但我们总以翻寻过去的可爱的习惯自慰。我就是如此。纵然跟菲烈德力加的晤会引起我的不安，我总感到离开她时怀想她以及与她共话时是比什么都愉快的事。我到她的家里虽渐渐疏了，但我们的通信却愈频繁。在信中，她以明快的语调报告她的近况，以优美的笔致描述她的心情；而我读起来，也满心欢喜，热情洋溢地把她的种种美点细加吟味。我与她的睽隔倒使我自由，而我对她的爱情借着远远的笔谈而才像满开的花那样远到极点。在这时节，我对于未来的明察力已完全失掉了，而时间的流转和种种的忙急的事务又使我无暇分心顾及。一向我靠着对现在和目前的事的不断地热烈地参加，能够做许多许多的事，但是到了末了，正像人们要离开一个惯住的地方时往往会有的那样，一切要做的事便同时猛然迫来。

那时，更有一桩无端插入的事情把我最后的几日也占了去。事情是这样的，我跟一些上流社会的人到乡间的别墅去，从那儿可以很壮丽地眺见大寺院的正面和它上面的高耸的尖塔。游伴中有一个人说："可惜得很，大寺的全体没有完成，我们只看见一个塔。"我听了便答道："我觉得有同样抱憾的事就是连这一个塔也没有完全造好，因为那四个柱头的螺旋形弄得太过扁平了，我以为它们上头应当竖上四个轻的尖顶，并且在那个厚重的横桁所在的地方的中央再安上一个更高的尖顶。"

当我以平素的兴奋的语气这样断言时，一个爽快的短小的男子向我打话，问道："谁对您这样说过呢？""塔自己，"我答道，"我既对它长久地注意地观察，并对它表示那么大的兴味，以致后来它终于决定对我说出这种公开的秘密。""塔对您说的话是没有离开真实的。我对于这一点最能明白，因为我是受命管理那个建筑物的职员。在我们的档案里还保存有原来的设计图，那图所指示的跟您所说的一样，我可以领您去看。"因为我动身在即，亟盼他这种特别的好意尽早实行。他出示那卷贵重的设计图的时候，我迅速地以蜡纸把现在的塔所缺的那些部分摹绘上，并恨不能早日得亲接原图。但是，我总要经过直观和观察，费了一番心血，然后对于某种事物得有概念，已是惯常的事，不止这一桩了，而且，如果别人把这种概念先向我指示时，恐怕这种概念还不会那样明显和有裨益吧。

在这样的忙乱之中，我仍不能抛弃重见菲烈德力加一面之念，在她的家里那几天是很痛苦的，到现在已不能记忆清楚了。当我动身时，从马上伸手与她作别，她的眼泪已盈睫了，而我也感到很悲酸。我向着德鲁逊海姆的路上驰去，在途中，一种极奇异的预感向我袭来。即是，我以精神的眼——不是肉体的眼——看见我自己骑着马在同一的道上迎面而来，并且所穿的衣服是我从没有穿过的绣着金丝的灰鼠色的衣服。一当我挣脱了这个幻觉，那个姿影便完全消逝了。可是，更奇怪的，在八年之后，我恰穿着与幻觉里所见的同样的衣服，不是出自故意而是出自偶然的走在同一的道上，来重访菲烈德力加。不管这样的幻觉究竟是怎样一回事，在诀别的途上这种幻象总给我以一点安慰。我因永远离开美丽的阿尔萨斯以及我在那儿所得的一切乐事而感到的苦痛，稍为缓和了，终于脱离了那一曲骊歌所给予的昏迷，而觉得已再置身于一个平和而愉快的小旅程中。

到了曼海姆我抱着非常的热望，连忙跑到那声誉洋溢的古物馆去。在莱比锡城时，我从温克尔曼和勒辛的著作已听见说及关于这里所藏的贵重的美术品的许多的话，可是实物还没有看见。因为在莱城绘画专门学校里除了“雷奥科温”（Laokoon）、“父亲”、“手持拍板的农牧神”（Der Faun mit den Krotalen）之外，便没有别的名作的模型。就使厄塞尔有时高兴起来对我们谈谈这些雕像，但他所说的还是谜一样。可是，我们那时对于艺术还是初学者，怎样能给我们以关于艺术的目的的观念呢？

古物馆的馆长味萨斐尔特（Verschaffelt）很和蔼地接见我。他的一个属员领我到陈列室去，他把室门打开之后，便让我随自己的喜欢观赏。在这儿，我置身于一个宽敞的，四方形的，因天花板非常高而差不多成为立方形的室中，从户槽下的窗口射下来的光线照着的广间中，而为极可惊叹的印象所围绕。古代的最优美的雕像不独沿着壁排列着，而且还在地板的全面高低参差地摆着。可以说是一个雕像之林，观众一定要在其中左转右绕地穿过，更可以说是一个理想的伟大的各国民的恳亲会，参观者必须穿插其间。这一切的名贵的雕像借着帘帷的上下，而发着最适合的光线，而且它们的台脚是回转式的，可以随意的变换方向。

我聚精会神领略这些陈列物全体的不可抗的，初次印象一会儿之后，转而观赏那些最吸引我的雕像去。"拍尔味对勒的阿坡罗"（Apoll von Belvedere，罗马教王宫城内拍尔味对勒博物馆所藏的名作的复制品）最出人头地，谁能否认呢？这个立像相当的巨大。身躯修长，运动的姿势自由而轻快，目光炯炯，像胜利者那样。这像对于我们的感觉的影响也非别的作品所能及。其次，我转而鉴赏“雷奥科温”（一五〇六年在罗马发见，原作为前四世纪之物，有三种），雷奥科温与他的两个儿子一块儿的雕像，我是破题儿第一遭看见。我尽可能的设想关于它的论述和辩论的一切之点，而力寻自己独有的创见。可是，我时而为这种见解所牵，时而为别种见解所引。那个“垂死的战斗者”使我凝视很久。可是，使我最感到眼福不浅的，就是观赏“卡斯陀尔和普尔禄斯”（Kastor und Pollux）的群像之时，这个遗物的真伪虽成问题，但很可贵。我还不知道观赏美术品时马上就把自己的观感说明是怎样不可能的事。我强迫自己来思索，却得不到什么明白的观念。不过我仍觉得，这些名作的大集团中每一样都是可理解的，每一对象都是自然的，在本身上是有意义的。

可是，我最加注意的还是“雷奥科温”，对于“他为什么不号叫呢？”这个著名的疑问，我自己对自己答道：“他不能号叫呵！”以为这样子可把这个谜儿解答了。父子三体的一切动作和运动，我以为是从这群像的最初的构想出来。主体之雷奥科温现出那样艺术的而又强烈的动的姿势，是由于与蛇挣扎的努力和想逃避目前的噬啮的两个诱因所致。为要减轻这时的痛苦，自然要把下腹收缩，而号叫出声便不可能。我又主张他的幼子不会被噬，此外关于这群像的艺术的优点还试作种种的解释，我把我这些观感写在信上寄给厄塞尔，可是他对我的说明不加以特别的注意，而只以一般的奖励的话来报答我的好意。幸而我仍固守这种见解，许多年后还不动摇，到后来他卒赞同我的经验和确信。其后我出版的《美术杂论》[*Propyläen*，与友人迈耶尔（Heinrich meyer）共同出版，三卷，一七九八——一八〇〇]，就是以现在所说的意味发表这种见解。

热烈地观赏了那么些崇高的造形美术的杰作之后，我对于古代建筑的吟味的机会也不肯放过。我看见圆形屋（Rotonde）的柱头的模型，它的棘床科植物叶形雕饰（Akanthblätter）既宏伟而又优美，我注视时，一向对于北方建筑术的爱好，开始为之动摇了。

这种青年时期的观赏对于我的一生虽有大的影响，

但是后来不久却没有收很大的效果。如果我能够将参观博物馆的纪事从卷头写起而不殿之卷末；那是多么高兴的事情。那瑰丽的陈列室之门刚在我踏出之后关上了，如醉如痴的我便想把自己回复过来，甚至力谋摆脱那些雕像加于我的想象力的重负。所以，后来要绕了一个大弯然后再回到这些美术品之林里。不过，这种印象暗地里作用着，我们只欣赏地领略它，而不加以支离灭裂的判断，它的效果是不可以估量的。如果青年人不取批判的态度，不加穿凿，不加探索，让那些优秀善美的东西对自己起作用，他就能享受最高的慰乐了。

第十二卷

游子终于回家了，比前次归省时较为健康，较为愉快，但是在他的一切举动里现出一种过度的紧张，不见得充分地表示精神上的健康；我一回到家里，母亲鉴于父亲的严谨方正的性格与我的种种的清狂偏僻的倾向间会发生冲突，便要用某一种方法来调节和解。在梅恩兹的途中，我曾碰见一个弹竖琴的少年，非常的喜欢他，因为那时弥撒祭（大市集日）已在目前，我便邀他到佛郎克福城来，答应给他地方住，和替他吹嘘。在这个事情中也显出我生平的癖性来，因为它，我一生招来不少的负担。这就是说，我很欢喜年龄比我小的人慕我的名而集于我的左右，和紧相追随，可是结果我当然要分担他们的运命。纵然经验过一回又一回的麻烦累赘，我仍不能遏止这种冲动。即在近年，我对于这种事情虽已充分明白，但仍时会再犯这种错误。我的母亲比我较有先见之明，觉得一个弥撒市的卖艺人安顿在那样体面的家里，要到旅馆去和酒店里弹琴赚钱，父亲一定看作奇怪。她因此在附近替这少年找到适当的食宿的地方。我替这少年向友人们介绍，他在弥撒市期间过得也不坏。数年之后我再看到他，他已是长大粗野了，但他的技术却没有怎样上进。可敬佩的母亲第一回试做调停的事做得很满意了，料不到在以后我居家的时节，这套把戏还是非常必要的。父亲以他的中年以后的种种癖好和工作度着满足的生活，他心中像那些不管一切的障碍和延宕而贯彻他的计划的人一样的愉快。我已考得学位了，向着渐进的公民生活走去的第一步算是完成。我的论文获得他的称赞，使他更绵密地对它加以斟酌，作将来印行的种种准备。当我滞留在阿尔萨斯时，我写了许多小诗、小论文、游记及其他即兴的东西。父亲以编排这些文章，附以标题和要求我加以完成为乐，并且欣然希望我从前不欢喜把这类东西付印的顽强之见马上放弃。妹子聚了一班伶俐可爱的女友，她虽没有妄自尊大，但却把她们支配了。这因为她的明智能够容恕许多事情，她的善意可以调和种种冲突，此外她又能使人不目之为竞争者，而视同可信赖的人。在旧友朋中，荷尔恩依然是忠实的友人，愉快的游伴。我跟里塞（Riese）也很亲密。我有所主张，每流于独断，他却常以疑问否定等反对的态度相向，以试炼我的推理力。别的人也渐渐加入我和荷尔恩、里塞的队里来，关于他们，以后须再加叙述。可是我这次新回到故乡来，最有助于我和最使我愉快的友人总算是斯罗塞尔兄弟。年长的希罗尼穆斯（Hieronymus）是一个学有根柢的优良的法学者，执律师业，博得世人的信望。他最爱栖迟的地方，就是书籍文书琳琅满架、陈设整然的书斋中。我上那儿访他的时候，总看见他以爽朗同情的容貌相迎。即在大庭广众之中，他亦蔼然可亲，添人兴趣。这因为他读书既多，脑中充满着关于前代的珍闻逸事之故。一有适当的机会，他不吝以拉丁语作天才横溢的诗，来增加一座的欢娱。我到现在还保存有他所作的种种滑稽诗，我曾把佛城的有名的畸人写成漫画，他便为之题上这些诗。我常跟他商量以后我的生活和事业的途径，如果不是有无数的倾向，种种方面的热情，和许多的可以分心的杂事，把我从法律的路上拉走，他一定会成为我的最确实可靠的指导者呢。

在年龄上与我较接近的是他的兄弟乔治，他这时已辞去欧根公爵那儿的职务，从图勤多夫回到佛城来。他在世界的知识和实务的技能上已有长进，而关于德国文学和外国文学的眼光，也不落人后。他依旧欢喜用各种外国语写东西，但是这已不能再像从前那样惹起我的外国语热了。因为我这时已一心一意的专用德语，外国语只修养到能读名著的原文就算了。他的正义之念依然不变，而且，人情世故之洞达反使他更严谨地，甚至更强顽地抱守他的善良的心地。

不久，借这两兄弟的介绍，我也与麦尔克（Merck）认识了。我在斯特拉斯堡时，从赫德尔的口中，已听见称道他。这个对我的生涯有极大影响的特异的人物，本生于丹姆斯达城，关于他少年时期的教养，我不知其详。学校生活完毕之后，他伴着一个青年到瑞士去，在那儿滞留了一些时候，结了婚才回国。我认识他的时候，他正任丹姆斯达的经理官。他生来本富于理智和气魄，对于近代文学特有深造，又博览各时代各国的通史与人文史。他具有适确而敏锐的判断力，在友朋中他有果断和可靠的事务家和老练的计政家之誉。他的风度虽像是严峻，但在见惯了他的人们之间，他被目为可亲的社交家而受欢迎，他到处都以轻爽的态度临场。身躯瘦长，突出的尖鼻惹人注目，炯炯四射的淡蓝色——或灰色——的两眼有点鹰瞵虎视的样子。拉发忒(Lavater，瑞士的著述家，骨相学的创始者，一七四一——一八〇一）在他的骨相学中曾引他的相为例。在他的性格中含有奇妙的不调和之处。本性上他是一个善良、高洁、可信赖的人物，以愤世嫉俗之故，任由这种妄想的病态的脾性支配他自己，像是为不可禁遏的倾向所驱使那样，故意玩世不恭，甚至取恶辣的态度。在某一瞬间，他现出是一个明达、安闲温良的人，但在另一瞬间他突然像蜗牛之伸出它的触角那样，想做出一些事来伤人的感情，惹人的愤怒，甚至予人以损害。可是正像世人相信自己对某种危险有安全的保障而爱亲近危险那样，我既有确信，预料他不会以他的恶意的方面对我，正因他有二重性格而更喜欢和他来往，和领略他的善良的方面。他在道德方面既有这样的不安的精神，又不由得不以险恶怨毒来待人，一方面自会败坏他的社交生活，他方面，另有一种的不安状态——他也很小心养成的不安状态——与他的内心的快感相径庭。这即是说，他感到有一种业余的创作欲，因为他能够轻快流利地以散文或韵文表现自己的感想，而实际上以他的文才也很可以侪于当时的名作家之林而无愧色，他更热心地耽于诗文的撰作。到现在我还保存有他写的韵文的信，豪放犷肆，而又带有斯尉夫特（Swift）的苦辣之味，以对人对事的独创的见解非常见长，但同时他的笔锋却有那样伤人的力量，我究竟不敢在现在的读书界中公表，我只有或把它们毁弃，或保留于后世，作为证明德国文学内部不和的显著的文献。可是在他的一切作品中，他都从否定的破坏方面着笔，他自己感觉得不愉快，他时常对我声言：他对我的无邪的著作癖既羡且妒，他以为这种癖好是源于对于前人的模范和自己模拟的作品之喜悦而来的。

究其竟，如果他不感到在技术的和商业的方面也有不可遏的冲动，而从事于实务，他的文学的业余嗜好与其说会误他，不如说有益于他。因为，当他一开始诅咒自己的才能，又愤恨不能十分天才般满足自己对于实行的才能的要求，他便时而舍弃造形美术，时而抛弃文学，而立心从事那既可赚钱又会有趣的工商业去。

此外，在丹姆斯达城还有一班很有教养的人。方伯的大臣，枢密院顾问官丰·赫塞（von Hesse）、培特逊（Petersen）教授、温克（Wenck）校长等等是世居丹姆斯达城的人，许多从邻地来的学者和旅行过境的名人，轮流地加入他们的高贵的队中。赫塞夫人和她的妹妹佛拉克斯兰（Flachsland）小姐是罕见的多才多艺的妇人，后者是赫德尔的未婚妻，既有种种的特质，而又跟那样卓越的人相爱，更两重的惹我注意。

这一班人物怎样促进我，刺激我，非一言所能尽。他们喜欢倾听我朗诵我的脱稿的或在执笔中的作品，当我公开地和详细地讲述我的腹稿时，他们鼓励我，当我因为新的诱因而搁笔不把以前着手过的作品写下去时，他们便指斥我。《浮士德》已经动笔写了，《格兹·丰·伯里生根》（*Götz von Berlichingen*）的构想也渐渐完成。十五六世纪的研究仍继续着，斯特拉斯堡的大寺在我心里留下很严肃的印象，很可用来充做这样的诗作的背景。

我关于大寺的建筑艺术的感想和空想，曾拉杂写下来。就中我主张最力的，就是：第一，我们应当称这种的建筑为德国式，而不是哥特式，不是外来的，而是国粹的；第二，我们不应当把它来与希腊和罗马的建筑术相比较，因为它是从一种完全不同的原则出来。如果这个大寺是在和风丽日的天空下，以圆柱来支持屋顶，那么，它自身自会为满开着门窗的墙壁所围了。可是，我们北国的人，既必须到处绕以墙壁来御寒，所以，天才的建筑家设法把厚大的外壁弄到有多样的凸凹，从外表看来像是开有窗孔那样子，打破全体的单调，使观者对那巨大的平面生优美之感，那是值得我们敬服的。这个道理也可应用到塔的方面。那个塔不是像圆顶阁那样，在内部作成天空之形，而是要在外部向着天际高插，并且要使安置在它的基底的至圣所的存在传达给远远的周围的地方知道。至于这个可贵的大建筑的内部，我只敢以诗的观照和敬虔的调子来触及了。

这个见解之有相当的价值，我自己也不想否认，如果我肯以好懂的文体把它明晰地写出来，那么，我其他出版的《德国的建筑术与丰·斯泰因巴哈》（*Von deutscher Baukunst*，*D. M. Erwini a Steinbach*，见前）一小册子在当时，就会引起更大的影响，而使祖国的爱好艺术的人早加注意了。然而，为哈曼（Hamann）和赫德尔的先例所误的我，却把这样非常单纯的思想和观察埋没在异样的文字、瑰奇的词句的五里雾中，使自己得来的光明在自己和他人的眼中都受障蔽而朦胧不可见。虽然是这样，这小册子还受人欢迎，并且再录入赫德尔编的《德国的风格与德国美术》之中出版。

这样子，我一方面因为自己的嗜好，一方面为着作诗及其他的目的起见，很热烈地研究祖国的古代美术，并力求得有新鲜活泼的印象，可是，同时，我又因为《圣经》的研究和宗教上的共鸣，而时常分心。而且彪炳于十六世纪中的马丁·路德的生涯和事业自会不断地导引我作《圣经》的研究，以及作宗教的情绪与意见的考察。主张《圣经》为凑集而成，逐渐出现，由各时代加以补修的典籍之说，很能取悦于我的幼稚的自负心，不过，这种新见解在当时还没有成为定论，在我所亲交的友朋中更受怀疑。以大体论，我附从路德的译文；以各个的细端论，我赞同斯密特（Schmidt）的直译，并且想尽可能的利用我的浅薄的希伯来语的知识。《圣经》中有矛盾的地方，今已没有异议。人们却想以这样的方法来解决这个问题：即是把那些最明白的部分当作基础，而设法把那些意义欠明了、与前者矛盾的部分，看作与前者相似的东西。反之，我自己却想加以检讨，寻出那些最明白地表达事物的意义的地方，只重视这些地方，而把其余的视为后世插入而加以摈弃。

其实，当时我已确立一种根本的见解，而不晓得这种见解是否从别人灌输给我，或由刺激而发生，抑或源于自己的深思熟虑，我的见解是这样的：即是，凡是流传给我们的东西，特别是以文字流传下来的东西，最关重要的，就是它的根柢，它的内面，它的意义和倾向，它所以为根本的，神圣的，有效果的，不可干犯的和不能磨灭的，正在这个地方。所以无论什么时代，什么外来的影响和条件，都不能伤这内面的原体之毫末，至少也不能像肉体上的病之能伤及善良的灵魂那样。那么，语言、方言、特色文体，以至全体文字都应视为一种精神的事物的形骸，这个形骸虽与内面的原体有密切的关系，但仍不能不受伤害败坏。其实，无论那一种的传统的东西，在性质上总不能全然纯粹的传下来，就使纯粹地传下来，无论在什么时代也不能完全理解它的原来的样子，前者的不可能由于传授的媒介物之不完全，后者的不可能是因为时代、地方的变迁，尤其是因为人类的能力与思考的方法之相异，同一典籍，有许多不同的释义者，他们间绝不会有一致，就是这个缘故。

因此，探讨自己所特别爱好的书籍的真实的内面的本体，是各人自己的事，而首先要省察的，就是这书对于我们自己的内性有什么关系，我们自己的生命力为这书的生命力刺激和培养到什么地步。反之，凡是对我们不起什么作用或成为疑问的外面的部分，我们可委诸批评家之手。批评家纵然能够把全体条分缕析，剖解无遗，但绝不能毁损我们牢牢地把握着的真实的根柢，甚至连摇动我们已抱的信心一瞬间也有所不能。

这种从我的信念和直观发生的确信可以适用于我们认为最重要的一切场合，予人以兴奋，而且成为我的道德的生活和文学的生活的根柢，纵然在单个的场合每会误用，但可视为一种安全地投下能产丰富的利润的资本。我抱着这种观念，才真的得亲炙《圣经》。像受新教的宗教教育的一般人那样，我把《圣经》反复读过好些回，或随意飞跃地，或从头到尾，或从尾到头研究。《旧约》的粗犷的自然味，与《新约》的优美的纯味使我处处都为所动。我虽不曾一度好好的领略它的全体，但是对于彼此相异的各书今已不再因为它们的不同的特质而迷惑了。我能够正确地、明白地依次把握和看出各书的价值和意义。究其竟，我的心情与《圣经》拉得太紧了，它已成为我的不能或缺的东西。恰是因为这心情的方面，我不为任何的《圣经》嘲骂者所动，马上就识破他们的不正的伎俩。我不独憎恶他们，而且会因而愤怒起来。我还很清楚地记得，初读福禄特尔的 *Saül*（攻击宗教的戏曲，一七六三）之时，为小孩似的狂怒所激，如他会落在我手内，便欲绞杀他。反之，对于一切的诚实的研究，我非常抱有好感，东方的地理与风俗的阐明，既愈益昭示《圣经》的真相，我更喜欢接受，并进而以《圣经》所含的贵重的传说来锻炼我自己的眼力。

读者已经知道，我以前怎样想阐明《摩西·第一书》所描写的原始世界的状态。现在我既想顺序的一步一步的进而研究，所以，中断了颇久之后，又拿起第二书来读。可是第一书第二书之间有多大的差异呵，恰像幼年时代的充实的内容从我的生涯逝去那样，我也觉得那第二书与第一书之间有很大的鸿沟相隔着。第二书中有一句不大重要的话已表出它怎样把过去全然忘却：“于是在埃及有新王即位。他一点也不知道约瑟。”不只是埃及王，就连像天空的星辰那样无量数的繁衍下来的民族也差不多忘了他们的祖宗。然而人类的这样的繁殖却正是耶和华在星空之下对他们祖宗许下的神约，到这时才实现的。我以难以名状的苦心，不充分的工具和能力，把五书细读过，结果却突生一奇想。即是，我相信发见了，那《十诫》不是写在石碑之上，以色列族之跋涉荒漠不是经历四十年的岁月而只费短时间。由是关于摩西的性格，我也自以为可得一个崭新的说明。

在我的检视之下，即《新约》也有问题，对于它，我的分析的研究兴趣也不肯放过，但是，由于对《圣经》的爱慕和癖好，我却赞同那句敬虔的话：“《福音书》的著者也许是自相矛盾的，只要不与福音矛盾就成了。”即在《福音书》的领域内我也自信有种种的新发现。在圣灵降临节的时候，语言的天才之明晰地堂皇地传授纪事，我曾用一种晦涩的方法说明，因而不能获得多数的赞同者。

认为罪恶的倾向在人类中占优势之说为路德宗的主要教条之一,“同胞教会”(Brüdergemeine)更张大其说,我也想顺应这种教旨,但没有多大的成功。不过,我仍略应用它的用语,并曾假作乡村牧师致新任牧师的一封信,插入这种用语。这信的主要题目却是当时的流行的标语,这即是“宗教上的宽容”(Toleranz),在当时的有力的学者和思想家之间,这是公认的思想。

这些随时写下来的东西渐积渐多,为欲公诸于世起见,我在后年自费把它们付印,送给——或不如说赠给——爱森堡书店,让它们尽可能地在世间销流,而自己当然得不到什么报酬。关于这小册子,时有批评,或加赞赏,或加反对,但这些反响都消失了。我的父亲把这小册子小心地保存在他的文书库中,否则我后来连一册也不会存有了。我想把它连同其他还找得到的未付印的相类的杂稿,附在新的全集之中。

我之以玄秘的文体来写这些小论文,并拿来出版,本是受了哈曼的影响,因此,我以为这正是一个适当的机会来把这个可敬重的风靡一时的学者提一下。他对于祖国老是一个神秘之谜，对于当时的我们也同样玄秘不可解。他所著的《苏格拉底要录》（*Sokratische Denkwürdigkeiten*，一七五九年出版）轰动一时，而对于眩惑的时代精神抱反感的人特别地欢迎它，从这书可以感知著者是一个思想深刻的彻底的思想家，精谙世相及一般的文学，同时又承认世界中有某种秘密的、不可探究的东西之存在，而他又以全然特异之笔把他的思想表现出来。固然，支配当时的文坛的作家们把他看作幽玄的梦想家，但是有向上心的青年不由得不为他所吸引，即使那些称为"村野的静者"（die Stillen im Lande，他们半开玩笑地，半认真地得到这种称呼）不属于任何宗派而隐然形成一个教会的敬虔的信徒们，也注意到他，在我所亲交的克勒顿堡女士（见前），以至她的朋友摩些尔（黑森大公国的宰相，公法学者，一七二三——一七九八）的眼中，这个"北方的神秘家"（Magus aus Norden）也是一个可欢迎的人物。更有一事使人们好与哈曼接近的，就是他们听见他为贫窭的家境所苦，而仍能抱持这样的优美崇高的思想。他现在既得到当宰相的摩些尔的崇拜，以他的势力，这个恬淡的学者之获得相当的富裕的生活当不是难事。与摩些尔同志的人们已安排好，邀请哈曼从哥尼斯堡到丹姆斯达来，而摩些尔也赞同和促成其事，但是他到那里的时候，摩些尔偏巧有事外出，这个奇人不知因为什么缘故马上回去，但他与摩些尔之间仍继续作友谊的通信。我还藏有他从哥尼斯堡致他的爱护者的两封信，很可征见笔者的异常伟大和笃实的性质。

可是，这样的良好的关系是不会永续多久的。这些敬虔的人以为他也抱与自己同样的敬虔主义，他们把他看作“北方的神秘家”那样崇拜他，希望他也继续表现出可尊敬的行为。但是，他们的期待是辜负了。他所著的《云——苏格拉底要录的补篇》（*Wolken,ein Nachspiel Sokratischer enkwürdigkecten*）已引起一点不快，后来，他竟印《行古语言学者的十字远征》（*Kreuzzüge des Philologen*），不独在这书的封面上画上一个带角的森林牧畜之神（Pan，半人半羊之神）的山羊的脸孔，而且在前头几页的木版插画中，有一个大公鸡做音乐的指挥者在它的前面，站着许多的小鸡爪里拿着乐谱，全体的样子极为滑稽可笑，据说这画是作者拿来嘲骂自己不喜欢的几种教会乐的。因此，在善良温和的人们的心中便起一种反感，这事传给著者知道，他没有因此觉悟其非，由是与这些人的亲交便中断了。可是，我们青年人对于他的热心注意，因赫德尔的刺激而仍不断。赫德尔与他的未婚妻和我们继续通信，凡是这个可注意的学者有什么新的言论，他即在信里报告。有时，插在哥尼斯堡新闻的他的著作批评和介绍也录给我们看，在这些东西里可征见作者的极特异的性格。哈曼的著作我殆收藏无遗，其中还有他论赫德尔的应征论文《语言的起源》（一七二二年出版）的可注目的手稿。在这篇东西里头，他对于赫德尔的论究，以极特异的笔法可惊叹地加以阐明。

我至今还希望哈曼全集之印行，或自己从事编订，或至少由我促进其事。只当这些重要的文稿再度提供于读者大众之前的时候，然后才可以较深切地谈到著者的本人以及他的性行。不过，在这事未实现以前，我还想在这儿略加论述。况且有一些与我同样敬服他的卓越的名人还生存着，我更喜欢由此得到他们的共鸣和教正。哈曼的一切的主张思想可以归结到下录的原则，即是：

“凡是自任要做的事，无论是以行为或言语或其他完成之，必须出自全能力的合体的活动，凡是欠浑一的，支离割裂的都不足取。”这诚然是金石良言！但是它的实则是不容易。在实际生活和艺术方面也许可以适用，可是，以语言文字传下来，没有纯粹诗的构造的东西很难适用这格言。因为语言文字而欲表白事物，就必须分解割裂。人类在说话的时候那一瞬间定然是偏于一面的，没有那一种传言、教授是不分离割裂的。可是哈曼无论什么时候都反对这种分割，自己在一个统一之中感觉、想象、思考，而又想这样子讲说和著为文字，并期望别人也这样子做。因此他必然会与自己的文章，以及他人的撰作抗争冲突了。为要实行这种不可能的事，他试尽种种的方法，自然与精神暗地里交接时的奥秘的直观，从这种交接闪出的光辉的理智的电火，在这样的境地浮现出的意义深远的形象，圣俗的先辈作家的金石名言，以及其他的幽默隽永的辞句——这一切构成了他的文章的异样的内容的全体。读者既不能在思想的深度上与他亲近，不能在高处与他共步，不能把握那些映在他自己眼中的异常的对象，在浩如烟海的文献中又不能找出他引用的典据的意义，所以我们越研究他，便越感到周围的昏暗，而且这种暗昧随岁月而俱增，这因为他的引喻主要地与当时文学和生活一时间显著的极特殊的事迹有关。在我搜集的东西中，有几篇他的已付印的文稿，他在页边亲手标明他所引据的例证的出处。如果把他所注明的典据翻查一下，便又发见意义暧昧，这种朦胧之趣虽然使我们感到很舒服，但是普通所谓“理解”一事，绝不能希望从他的著作得来。所以，这种文章也可称为“占语的”（sibyllinisch），这因为不能从它的本身去理解它，读者必须等待到一个机会来临，在那时才乞灵于他的预言，看出他所昭示的光辉。每一回翻阅他的著作，读者每一回都似感到一点新的东西，这因为隐存于一个地方的多方面的意义却随场合的不同，而以种种不同的式样接触我们，刺激我们。

我从没与他有一面之缘，也没有跟他直接通过书信。但是我像是极了然于他的生活状态和交友情况，并且很确凿地感知他的朋友间和对他的关系。我所看到的出自他手的信札，都很优美，远比他的文章为明晰易解，这因为信中对时代、对环境、对人的关系都较明了地现出之故。不过，从他的信，我以为很可以看出他极率直地感到自己的才智的优越，无时不自视为比受信者较聪明睿智，因而对后者的态度缺乏深情而近于讽刺。也许他只在这些信中才有这种态度，但是，这总是使我从不企求与他亲接的主要的原因。

反之，在赫德尔与我们之间，很快意的文学的通讯极热烈地继续着，只可惜这种交往从不能稳静地纯洁地维持下去。赫德尔在信中也不免带有揶揄叱责的话。麦尔克不经一激就怒起来，他又会煽动我们生气，因为这时赫德尔在一切作家和人物中最敬服斯尉夫特，所以我们替他起个浑名，唤做主任牧师（斯尉夫特自一七七四年以后任爱尔兰都伯林的圣巴多力克寺院的主任牧师）。因为这个绰号，我们中间再发生种种的误会和不快。

虽然是这样，当他任职毕克堡［Bückeburg，立贝（Lippe）伯爵领的首都］的消息传来，我们都非常高兴。这个职位给他两重的光荣：这因为他的新恩主虽以奇人著称，而同时以睿智果敢获得好的声名，托马斯·阿布特（Thomas Abbt，哲学的通俗著述家，毕克堡的名誉牧师，一七三八——一七六六）曾任同一的职务而享盛名，他之逝世，举国同悼，他的恩主为他建纪念碑一事，国人又引为欣慰。现在，赫德尔要承早逝的阿布特之后，来完成他的前任者所引起的世人的喁喁的期望了。

从那时期看来这种任命是具有两重的光荣和价值的，因为德国的好几个领主已学立贝伯爵的榜样，不独任用学者和实务的干才，而且还招聘有望的天才的人物。其中显著的一例，就是克洛卜斯托克（见前）为巴登的方伯加尔所招，不是让他奉职服官，而为的是使上流人士得接他的风采，受他的高雅的举止的熏陶，和获得精神的裨益。加尔们平素对于一切有益的优美的事物都加注意，这回的举动更增高他的信望。同时，克洛卜斯托克的声价也增加不少。出自他笔下的一切是仁爱和高贵。我们一得到他的短诗或挽歌，便仔细地抄下来。因此，一听见黑森·丹姆斯达的大公爵夫人加罗莲娜把他的诗集印刷，我们便非常欣慰。诗集印数很少，其中一部幸而到了我们的手里，这使我们把旧有的手抄的诗集增补不少了。对于我们，克洛卜斯托克最初流布于世的诗，历久还是最可珍爱的，就是后来作者自己贬弃的作品，我们还欢喜吟读。这是真的，从一个美丽的灵魂迸流出来的生命，愈少受批评的影响，引渡到艺术的专门范围去，只会更自由地发挥它的感化力吧。

克洛卜斯托克借着他的性格和行为，能够替他自己以及别的多才多艺的作家博得声价信望，而他们的家境的安固和改善也有赖于克洛卜斯托克之力。事情是这样的，向来的书业主要地出版有价值之科学专门书和常备的贩卖书，对著者的报酬不多。可是诗的著作的印行视同一种神圣的事业，如著者受书肆的报酬金，更或请求增额，殆看作犯了“沽圣罪”（Simonie，僧侣之营买卖）那样了。著者和出版者立于极奇异的相互关系中。两者因人的看法的不同而互为爱护者与受护者。著者方面，除了著作上的才能之外，通常被目为极有道德的人物而受公众的尊敬，拥有一种精神上的高位，自觉其著述上的劳苦得到成名的报酬，出版者方面自甘居于著者之次，而享有丰厚的利润。可是，富裕的书贾的资财实际上居贫乏的诗人的上位，由是，极微妙的均势的关系便形成了，双方彼此慷慨和感恩的佳话并不罕闻：布赖特科普夫和哥特瑟德（见前）一辈子都亲切如家人。书商——特别是翻版者的吝啬和卑劣行为在当时还未流行呢。

然而，在德国著作者之间却发生了一个一般的运动。他们把自己的虽不是贫窭也是寒素的生活状态与有力的书贾的豪富生活比较，他们想起像革勒特（Gellert）、拉宾纳（Rabener，见前）那样的作家，纵享很大的声名，他们的物质报酬还是那样的少。一个为全国爱读的德国作家，如果没有别方面的收入来弥补一下，便须以穷乏的家计自甘。因此，就是中流以下的作家也热望能改善自己的生活和离出版者而独立。

这时，克洛卜斯托克乘机奋起，预告他的《学者的共和国》（*Gelehrtenrepublik*，一七七四年出版）的出版，征集预约。纵然《弥赛亚》（第一部于一七四八——一七四九年出版，第二部于一七七三年出版）的后半，因为内容和作风的关系，不能像本身纯洁无邪而又在纯洁无邪的时代出现的第一部那样，发生极好的影响，但是著者借着许多的优美的小诗之出版，仍能吸引许多读者的心情和精神，读者对于他的崇敬依然不变。因此，他募集预约时，许多有思想的人——其中还有一些显宦名流——踊跃应募，缴纳预约费金“路易”一枚，这钱其实不单是支付书的代价，而实是趁此机会来报酬著者对于祖国的功绩吧。应募者争先恐后，连那些平素没有多少钱花的无名青年男女，也解囊预约了。男的，女的，上层的，中层的，都醵金来赞助这个神圣的出版计划，应募者之数恐怕在千名左右。他们的期待极度的紧张，他们对著者的新作的信赖，无上的大。

其后，这书的出版得到空前的异样的结果。它诚然有很大的价值，但决不与一般的读者相宜。著者关于诗和文学的见解，以古代德鲁伊得（Druide，古代皋罗民族的僧侣之称，他们结成一种自治的教团，以研究学问、医疗、卜星等为事）共和国的形式表现出来，他们论纯真和虚伪的原理，以极简洁的格言式的话来表达，因此，许多有教训价值的实质却为异样的文句所隐蔽了。固然，对于著述家和文学者，这书是有不可估计的永久的价值，然它的效果所及也只限于这些人吧。凡是自己有思索上的经验的人，会为他的思想所指导，凡是能够寻求和尊重纯真的事物的人会为他的彻底的态度所训迪，不过一般的文艺爱好者，一般的读书家，却从这书得不到什么启迪，它仍是一本可望而不可即的天书。可是，这书终于到了一切预约者之手了，他们各人本都期望它是一种极有启蒙效果的著作，但大多数人所得的却是不能从中得有什么兴趣之物。一般读者都为之愕然失望了，不过，他们对著者的尊敬既然那么厉害，因此，公然的不平之鸣固没有发生，连喃喃的怨语也不可闻。青年的男女们忍受着他们的损失，把这种以高价得来的书开玩笑地送与他们的朋友，我也从一些笃信的女朋友们那里得到数部，可是它们全都散失了。

这种对于著者虽算成功，对于公众却是失败的计划，有坏的影响，公众对于预约的应募之事今已望而生畏，但是，改善著作家的物质报酬的愿望既因此事而为一般人所承认，这种企图也没有重试之必要。现在，德骚城的书贾自己进行大规模的预约募集，学者与出版者结成紧密的关系，卖得的利润由双方适当地分配。因为世人久已痛切地感到这种需要，这种办法再惹起他们的信赖，应募者很多，可是他们的信赖不久又失掉，这因为著者和书贾努力合作了一些时候之后，双方受了损失而彼此分裂了。

可是，乘着这个机运，文学者间的急激地互通声气，互相联络已得实现。《文艺年刊》（*Musenalmanache*）把一切青年诗人都集在一卷帙之中，日刊把诗人与其他的作家联系起来。我的著作发表欲非常的大，不过一旦发表出来之后，我对之又常没有什么感兴，只当我在社交的结集中，在他人之前欣然把它朗读或再想象及它时，我这种发表欲才再发动。有好些朋友对于我的大小诗作发生共鸣，因为略有创作上的欲望和手腕的人见了我的新作便受了强有力的刺激，而想自己也作出一些戛戛独造的东西，而我同时也为他们的努力所淬砺，从事于新的吟咏和著述。这样子的交相策勉，有时虽逸出常轨以外，但随着各自的性质予以很好的影响，这种激动和创造，自利和利他，取和与，是许多青年们以自由无碍的心地，不需什么理论的指导，随各自的先天的性格，没有顾忌地行出来，而那个有名的毁誉不一的文学上的时期（即“狂飙运动”）也由此诞生。这个时期中一班青年的天才作家，以那样的时期固有的勇敢和自负活跃着，借着他们的才能的发挥，作出许多可喜的、优良的事，他方面又因为他们的才能的妄用而引起许多不快和弊害。现在本卷（十二卷）的主题恰就是关于从这种新机运出来的结果和反动。

可是，如果青年没有爱来赋予他以心灵，没有热情的事——无论是那种也好——在他的心中活跃，那么，他从那儿可以寄他的最高的感兴，他在同辈之中又怎样可以引起感兴呢？我在暗默里惆怅着已失去的恋情，这种悲哀使我温柔和婉起来，在从前我对人毫无抱疚于心的时候，我像野马那样奔放不羁，逞我的个性，现在比起那时来，在社交界中我较为可亲了。

菲烈德力加对于我的向她诀别的信的复书使我的心碎了，在这信里头我看见那同一的手迹，同一的心，同一的爱情，从前培养起来倾注于我的也是这个心，这个爱情。我这时才感到她所抱的遗憾，总找不到弥补它，甚至减轻它的办法。她的姿影始终在我的心里萦回着，我老是觉得我失去了她了，最糟的，就是感到这回的不幸是由于自己的不可恕的薄幸来。格丽珍是给别人逼走，安妮德是她自己抛开我，而这回却是我破题儿第一遭要负疚了。我创伤了那最美的心，直达到它的最深处，这样子，一种尝惯了的欢畅的爱的滋味失去之后，阴郁的懊悔的光阴是极苦痛的，极难堪的。可是人类还是好生的，我为排解自己的苦闷起见，诚实地尽力替他人帮忙，他们有困难的事情，便为解救，有爱侣要分拆的时候，便为结合，不使他们也陷于与自己同样的苦恼。因此，人们惯称我为“可靠的心腹朋友”，又因为我常在郊野中踯躅漫步，给我一个“浪游者”的绰号。其实，那时候我的心，只在置身天空之下，谷中，山上，田野森林之间，才得宁静，而佛郎克福城介在丹姆斯达和荷姆堡之间的位置，更有助于我这种以漫游自遣的方法。丹姆斯达和荷姆堡是两个宜人的都会，以双方的领主是姻亲之故，两地也保持亲睦的关系。我过惯了路上的生活，恰像信差那样惯往来于山和平地之间。我常一人独自或偕同伴侣踏遍我的故乡之佛城，像是与它极陌生的那样。有时在法尔街的大饭店中吃饭，饭后又继续的蹓跶。我那时之好与广大的世界和自然为伍，为以前所未有。在途中，我随时唱出奇态的颂歌和《酒神之歌》（*Dithyramben*），其中有一首唤做《浪游者的暴风雨之歌》（*Wanderers Sturmlied*）今仍保存在手里。因为在途中碰着可怕的暴风，无从躲避，我便热烈地唱出这首半狂的诗来。

我的心已冷然无所动于中，也无牵挂，只为天良所驱使，极力避免与女人接近。因此纵然有一个爱的精灵秘密地在我的周遭荡漾着，不加注意的蒙昧的我却一点也不知道。一个温柔可爱的妇人暗地里对我倾心，我觉不出来，正因为这个缘故，我跟她在一块儿的时候，我的举动越显得和蔼娴雅。过了好些年之后，到了她逝世之后，我才知道她这种秘密的神圣的爱，大为震悼。但是我在道德上于心无愧的，可以纯白诚实的心来伤悼这个可怜的无辜的妇人，而且我更感到一种神圣的美的，就是因为那时的我恰是收拾闲情，一心为自身和精神的追求而上进的时候。

但是，当我因为与菲烈德力加的诀绝而痛苦不安的时候，我又照从前的老法子，乞灵于吟咏。我续行把我的忏悔寄托于诗歌上，俾能以自责自苦的悔行来得到内心的赦免。《格兹·丰·伯里生根》（*Götz von Berlichingen*）和《克拉维哥》（*Clavigo*）两诗剧中名唤马利安的两个女性，以及那两个做她们的情人的薄幸郎，可以说是我这种忏情的静思的产物。

可是，正如少年时期的创伤和疾病之迅速痊愈，因为有机体的不健康的一部分，为新生的其他的健康的部分所替代，前者便有时间来复元那样，我也幸得有许多机会作种种的体育运动，这给予我的精神以很好的影响，我便受鼓舞而再恢复元气，重尝生的欢悦和享乐。从前我是踽踽地，惘惘地，忧郁地，而又缓缓地漫无目的地随处漫步，现在却渐渐代以驰马游骋了。骑马出游既迅疾而又愉快舒服地达到目的地。比我年幼的朋友们开始再作击剑的练习。特别是冬天来临的时候，一个新的世界在我们面前展开了。我决心看见友人们滑冰，自己也即决心去学我从未曾一试的游戏。不消几天，我借着练习、思索和有恒的热心，虽不能说滑得胜人一筹，也能够做到可以在冰场上跟朋友们一块儿洋洋得意地滑走如飞了。

可是，我们这种新的愉快的游戏，也是有点受克洛卜斯托克之赐，他在私信中热心劝人作这种有益的运动，而从他的短诗看来也证明他自己也爱好它。我到现在还很清楚地记得有一天晴朗的霜晨，从床上跳下来，高唱出他的短诗的两节来：

Schon von dem Gefühl der Gesundheit froh,
Hab'ich, weit hinab, weiss an dem Gestade
gemacht
Den bedecken den Kristall
Wie erhellt des Winters Werden der Tag
Sanft den See! Glanzen den Reif, Sterne gleich
Strente die Nachtüber ihn ans！
健康之感使我的心喜悦，
在遥遥的岸边覆着的晶莹的冰，
我使它更化成白雪。
冬天的曙光破晓的时候，
温柔的湖尽白了！
夜满撒璀璨像星辰一样的霜在它上面呢！

我的迟滞犹豫的决心马上确定了，一径飞跑到滑冰场去，在那儿，一个像我那样的年纪稍大的初学者也能以相当的熟练试行他的初次的练习。不错！这样子的体力的发挥确很值得克洛卜斯托克的称赞。到了滑冰场来，可与幼年的人接触，而熏染他们极清新之气，青年人的筋肉骨节可以充分的伸缩自如，而老衰的硬化状态也可以预防我们对于这种游戏也耽好无度。单是一个晴和的星期日在冰上消磨还不过瘾，我们一直滑到夜深。其他激烈的运动会使身体疲乏，可是这种运动常会使我们的新活气愈益增加。从云里现出来遍照着广漠的冰冻的夜的原野，虎虎的迎着滑走着的我们吹来的晚风，因为河水减少而堕落的冰的雷鸣似的严肃的声音，从我们的滑走作出来的异样的反响，这一切使奥西安（Ossian，皋罗族的古代诗人，三世纪）的诗所描写的光景历历如绘地现在我们的眼前。一会儿这个朋友，一会儿那个朋友以朗吟的声调唱出克洛卜斯托克的短诗来，当我们在朦胧的夜色中聚在一块时，我们对那个最先推荐这种游戏给我们，给予我们快乐的克洛卜斯托克一齐高唱真诚的颂歌：

Und sollte der unsterblich nicht sein

Der Gesundheit uns und Freuden erfand,

Die das Ross mutig im Lauf niemals gab
Welche der Ball selber nicht hat？
他替我们发见健康和喜悦
驰骤的骏马绝不能有那样效力，
连跳舞会也比不上这种成绩
难道他还不是不朽不灭?

一个人能以独特的精神的鼓舞把一桩世俗的事高尚化和使之有效地流行，是值得我们这样的感谢的。

这样子，正像富于天分的儿童，很早已养成他的突异的才力，一有机会便再致力于极单纯的小孩的游戏那样，耽于这种运动的我们，已把我们的较严重的作业忘个干净。不过，这种常独自做的运动，在茫然不定之中飘飘然的滑转，恰激起我的久已潜伏不动的种种的内心的欲求，我以前的创作的计划之能较迅速地实现，实受费在这种游戏的时间之赐。

我的知识欲和想象力很早已为德国史的黑暗时代（十四五世纪）所吸引。把《格兹·丰·伯里生根》（*Götz von Berlichingen*）和它的时代环境戏曲化是我的极喜欢和珍惜的夙愿。我孜孜不倦地研读关于这时代的主要著作，而达特（Datt）的《公安的史的研究》（*De pace publica*）尤为我致力的所在，我埋头埋脑地钻研它，尽可能地在脑中想象出其中的异样的史实。我这种苦心的研究本基于道德的和诗的意图，但也能在别的方面应用。不久我要有威兹勒尔（Wetzlar，帝国直属市之一，帝国高等法院的所在地）之行，在历史的知识上我已有充分的准备，因为那个高等法院（Kammergericht）[1]的产生是《国内公安协约》（*Landfriede*）[2]的结果，而关于它的沿革的史的研究可以用为贯串德国史上的错杂纷纭的事件的重要线索，无论在那一个国家，如法院和军队的体制知道清楚，就能精确地知道这个国家的性质和制度。财政虽同为国家的重大要素，但比起法院和军队来，却远乏考究

---

[1] 一四九五年马克西米兰一世（Maximilian）制定的裁判所与皇室法院（Reichhofrat）同为国内的最高司法机关。一六九三年以后设于威兹勒尔，一八〇六年撤销。有一名或二名之勅任裁判长，二十五名的审判官（半数为法律学者，半数为贵族），凡公安事件，对于帝国直属市县及个人的诉讼事件，其他民事诉讼，均归其审判。

[2] 为维持全国的和平与公安起见，由各州的君权所有者议定的法律协约。最初为一一〇三年在梅恩兹议定之协约，一四九五年，马克西米兰一世在位时所定者称为《永久国内公安协约》（*Ewig Landfriede*）。

的价值。因为如果国家财政拮据的时候，它就设法从个人征收他的辛劳地赚贮下来的钱，国家便常有钱了。

我在威兹勒尔所遭遇的事没有多大的重要，可是，如果读者不以高等法院的历史的简略的记述为嫌，那么，我在威兹勒尔的所遇也够有趣吧。实际上，如不明白那高等法院的事情，就不会明确地理会得我在那儿所碰到的不快的印象究竟是怎样一回事。

地上的支配者之把持主权，在战时主要地靠着集于自己身边的最勇敢的人，在平时却靠着最贤明正直的人之网罗。在德国凯撒的宫廷中也设有一个特别的裁判所，凯撒巡幸国中时，这个裁判所也附随而行。可是，无论这种绵密的设置也好，在南部德国施行的《许华勃法》（*Schwabenrecht*，许华勃公爵领衔颁行的法律）也好，在北部德国颁行的《萨克森法》（*Sachsenrecht*）也好，无论为维持这种法律而设置的裁判官也好，与双方敌对者同等位的人的调停也好，双方会议承认的仲裁者也好，僧侣所斡旋的和解也好——这一切总不足以镇压那炽热沸腾的骑士阶级的争斗心。因为德国人这种争斗心，由于连年的内乱，国外的远征——特别是十字军之役，甚至法庭的法律的误用，而促发培养起来，变成特殊的习俗。他们这种纷争扰攘使凯撒及其他的君侯领主非常烦厌，为着它，小国们互相威胁骚扰，如果它们联合起来连大的邻国也受害，结果德国在国内便见秩序之紊乱，对外的战斗力也为之减削。而且，当时的秘密裁判所（Femgericht，前注之《永久国内公安协约》制定后便撤销的司法机关）为德国大部分地方之累，只要我们知道它已失去裁判所的本质，而流为一种秘密的警察机关，到后来甚至为少数私人所把持，我们就可明白它是怎样一个暴虐恐怖的组织了。

为要改善这种枉法不公的状态，曾作种种的尝试而没有效果，直至后来领主贵族们亟谋以自费设置一个裁判所。他们的提案虽基于善意，但是在运用上总是有扩大他们自身的特权，削弱凯撒的权能之趋势。这个提案在腓得烈三世时悬而未决，他的儿子马克西米连一世即位，为外间的形势所逼，批准这个提案。裁判长由他勅任，领主大贵族等派送自选的陪审官。陪审官之数本定为二十四名，初时只得半数就算了。

人类计划一事时所犯的一般的过失，也就是这个帝国高等法院最初的而又永久的根本的缺憾：这就是以不充分的设备来当大事。陪审官的数目太少了，以他们区区之数怎样能裁断大规模和困难的事件呢！其实又有谁亟亟于把这个法院弄成充分有力的机关呢？这个对于凯撒像是害多而利少的机关，凯撒自不会加以赞助，把自己的裁判所，自己的枢密院充实，似更有理由。至于从领主大贵族们的立场考察，他们设立这个机关的本意，只在于止血，伤口痊愈与否，他们便不大理会了。而且这个机关又要一大笔的新费用！这个机关之设立会使每个领主的臣下之数增加，他们初时不大了然，事实上却是如此，这个机关虽为一定的目的而设，可是就是为必要的事情，谁高兴出钱呢？不费什么费用而把必要的事办得成功，那是谁都认为最好的事呵！

初时，陪审官要靠讼费生活，其后由贵族阶级给予定额的俸给，两者都是微薄得很。可是，有非常重大的案件发生，特别需人为助时，法院便由温顺的、精明的、勤勉的人组织起来。究其竟法院的当局察知与否，他们自己的任务只在于害恶的缓和而不在于它的解除，抑或他们像在类似的场合那样，奢望以小的设备来办大事，那就不能决定了。总而言之，高等法院的作用，与其说是为根本地防止不正而存在，不如说是只为惩罚秩序之扰乱者而存在吧。然而，法院才一度开庭，有一种威力就从法院自身发生出来，它感到自己的位置之高，它认识了自己具有重大的政治的权威。于是，它力谋以惊人的活动来博得更确固的威信。法院的当局把那些可以及必要急速裁断的事，即席可加裁决或容易裁决的事，敏捷地清理，因此在全国人的眼中，他们像是有相当的效果，令人敬服。可是内容困难的案件以及带有纯粹法律性质的案件却仍然搁置着，而这对于国家也没有什么妨害。因为国家所侧重的事情只是所有权的确定安固一点，至于所有之正常与否，便非国家所急的了。因此，后来搁压的案件渐渐山积，而也无关于国家的痛痒。对于用暴力的人之须以暴力制压，已预先知道，关于他们的处置可以干脆地决定。至于其他的关于所有权的诉讼就不裁断，任由原告者被告者随意的活着，或得，或失，到了他们死亡，事件自然解决了。这样的事情都是有关各家的福祸，德意志帝国却渐渐安宁起来。实际上，高等法院是赋有制裁不遵守法律者的法律的威力，如果它再能有发出破门状（Bannstrahl，法王对基督教徒的罚法）的权力，它就更会更有效吧。

可是后来因为陪审官之数时增时减，裁判权之行使有时中断，它的所在地又有移动，搁压的案件、文卷自然堆积无数。到了与法国的战争开始之时，法院的档案的一部分由斯派尔（Speyer，巴威略选帝侯领之首都，由一五一三年至一五二九年为帝国高等法院所在地）迁至阿萨芬堡，有一部分迁到瓦姆斯，其余一部分却落在法国军队之手。初时他们以为虏获了敌国的国事档案，后来发现它只是裁判所的无用的案卷，露出意思，只要有人愿意运走，就无偿地返还。

其后，当威斯特发楞的媾和会议开会时（三十年战争完结，一六四八年十月二十四日），与会的有力的人们很看得到要以怎样的杠杆来扛动这个艰难的重荷。结果陪审官之数增设至五十名，然实际上这个定额从没有达到。领主们恐怕费用太大，仍以定额的半数为限。可是，若果关系者切实地感到法院的存在是对他们有利的话，那是不难实行的。二十五名陪审官的俸给的全额约须十万“哥尔登”（Gulden），照这样子算来，两倍之数德国全国也很可以支办得来。后来又有人提议没收僧侣的财产来充高等法院之用，但也不能实行。因为天主教派和新教派中谁肯答应这样的牺牲呢？天主教不愿再有所丧失，而新教僧侣要把物质的所得用在宗教上。德国之在宗教上两派分立，即在这个地方，从种种方面看来，也是现出极坏的影响。渐渐，贵族们漠视他们自己所设的这个裁判机关；有力的君侯欲退出《国内公安协约》，请求凯撒署名免除隶属任何高等裁判所的免许状，日见请求者之激增。大贵族延滞不纳其应付的高等法院之费用，小贵族相信自己在纳款上头给别人欺骗了也尽可能地缓纳。

因此，高等法院的俸给的开支弄到很困难了。由是，对于高等法院，便发生一项新的耗费时间的事。在从前，对于滞纳款项者有一年一回的检查。王侯自己或他们的顾问官，一周一回或一个月一回到高等法院所在的地方按临检查金库，计算不足之数，担任筹补。同时，法律案件上裁判事件上有什么停滞的地方，法院有什么误用滥用的行为，他们有设法救济之权。法院的缺点，他们有摘发芟除之责，但是法官、雇员等个人的过犯之查办惩罚，到后来才成为他们的任务。可是，诉讼人有一线的希望也总愿把这希望延长一瞬间，因此常重行控告上诉。这些巡视大员便成为再审裁判者，初时，他们再审的只是特定的世间周知的案件，其后凡是求诉讼之延宕、缠讼不休者都到他们那里来，连本向国会控诉的事，天主教会与新教会为着彼此保全均势——纵然不是互相凌驾——而起的企求，也要他们管到了。

可是，如果我们想想，这个法院没有这种种的故障和这种纷扰破坏的条件时，会有什么的成就，我们就可明白它还没有完成它的重大显著的任务。倘若一开头就充实以适当的人数的陪审官，而他们又得保证有充分的俸给，那么这个备有精明能干的法律家的法院就会成为非常有势力的机关。世人曾赐他们以 Amphiktyonen［古代希腊同盟诸州派往特尔斐（Delphi）的定期会议，作一种高等裁判的代表者］的嘉名，虽只文辞上的称呼，但也可以说是名副其实的。其实，他们还可以一跃而成为君主与诸侯之间的一个中间主权者，得他们两者的尊敬呢。

可是，事实上却没有这样大的效果，除了加尔五世在位和三十年战争开始以前一个短时期以外，高等法院只苟延残喘地维持下去。世人常不明白怎样也会有人做这样的等于徒劳的苦事呢。但是人类所做的日常的事情，纵然他看不到有什么特别的成绩出来，只要他对这事情熟手，还是甘心做下去的。德国人特别有这样坚强的忍耐性，因此，三百年以来，最优秀的人才也委身于这个法院的工作。关于他们的人格精神的记述，至今仍能引起我们的感兴，和鼓舞我们的勇气。

因为，恰在当时那样的无政府的时代，精明有为的人物便崭然露头角，凡是求善者都得其所。例如孚尔斯敦堡（Furstenberg）做裁判长时的法院，便有口皆碑，至今不灭，及至这个卓越的人物逝世后，法院的历史便入于职权滥用的腐败时期。

但是，初期后期的一切的缺陷都源于最初的唯一的弱点：那就是人员数额之过少。法院的条件规定陪审官应依一定的顺序和手续提案。他们各知道什么时候轮到自己来，以及那一桩是交自己办的案件，他能够预先准备为这案件而做工夫。可是，法院搁压的案件数既堆积起来，法院便不得不从这些诉件中挑出性质较重大的来，要陪审官在规定的轮值以外清理。不过，判断某一件案比别一件重要，在需要迅速地决定的场合，殊不容易，它的挑选已有偏心的流弊，偏又添上另一件危险的事情。即是当报告案件的人以重大复杂的案件自苦和给予裁判官以困难时，就没有人肯下判决。在其间，原告被告两造或由调处而和解了，或死掉了，或他们的意思变更了。因此，法院便决定只把那些被当事人催促的事件挑出来审理。如果法院确信当事人依然坚持他们的诉讼，法院的极大的过失便会诱发。因为要运动自己的诉件胜利的人，一定要向人运动，而向经手办自己的案件的人运动是最好没有的了。把这种事情保持秘密，使不致有犯法的嫌疑是不可能的：因为法院内有那么些的下属共同知道，怎样瞒得住外间呢？即使要求诉件之速办，也得要求陪审官的人情，因为法官把自己的诉件热心的办，就显出他认为自己是有理的。也许法官自己不出头直接做这个事，但一定先由下僚经手，下僚定要赚钱，因此便引起种种的阴谋和贿赂的行为了。

凯撒约瑟（神圣罗马皇帝，一六七八——一七一一）一半由于自己的发动，一半由于前凯撒腓得烈的榜样，先注意于军队和司法的兴革。他留心高等法院的情形，传袭下来的不正的事，新起的职权滥用的行为也瞒不过他的眼。他认为这个机关也有予以激动、打击和改革的必要。他不管这是不是对凯撒有利，会不会有良好的结果，提议“按临”国内，平理诉讼，并赶即实行。到那时没有举行过正式的“按临”已有一百六十六年了，案卷堆积如山，与年增高，因为十七名的陪审官连现行的案件也从不能办通呢。积压的案件有二万宗，每年只能清理六十件，但每年却新添了两倍之多。等待按临大员来再审的也有不少，据说有五万件之多。而且，种种的法律的误用阻碍裁判的进行，但是最重大的就是陪审官个人的暗中舞弊渎职的行为。

当我要到威兹勒尔去的时候，“按临”已从前几年起在举行中，被告诉者停职，审理进行得很快。因为这时正是德国国法学者和精通者发表自己的意见和为公众的幸福尽力的千载一时的机会，所以有好些彻底的优良的法学著述的出现，凡是有多少的法律的入门知识者，可以从这些书得到根本的知识。如果我们在这个机会，溯寻德意志帝国的体制，和论究它的典籍，便会觉得很出奇，为什么这个只借着奇迹来苟延残喘的高等法院的病废的机关，纵是畸形的产物，偏成为学者最好论议的题目。这固为德国的可敬服的努力，多在各个事物的搜集和阐明方面用工夫，而不注重事物的总结果，故高等法院便提供给他们以一无尽藏的研究材料。学者可以从帝国与凯撒的对立上，小贵族与大贵族的对立上，天主教徒与新教徒的对立上论述，随着种种的利害的不同，而必然具有种种的意见，不绝地引起新的论争和辩驳。

我既把这一切的过去和现在的状态尽可能地加以考虑想象，我在威兹勒尔的逗留自不能期待有很多的愉快。那儿的景物是不动人的，城市的位置虽好，而规模小，建筑坏，在那儿见到两重的世界。一个是旧的传统的土著的世界，另一个是受命把这个加以峻严的检视的外来的新世界，一个裁判人的裁判所和一个被裁判的裁判所。居民中有许多正提心吊胆，恐怕也会被牵入森严可怕的按临的刑网之内，一些久著声望的人的极丑的恶行却被摘发出来，且受最屈辱的处刑的宣告。这一切凑合起来使威兹勒尔市露出极悲惨的景象，高等法院本身已是混乱，今因这些恶行而更像是弄到乱七八糟，引不起人对它作较深入的研究。

我预想到威兹勒尔来除了德国的民法和国法的研究之外，不会在其他的科学上有什么遭遇，而与一切诗的消息更是绝缘。可是，略事踌躇之后，我仍然跑到这里来，与其说是知识欲的驱使，毋宁说是出自换换环境的愿望。可是，在那儿我碰到的不是面孔阴郁的人们，而第三次的大学生活反突然的在我面前展开，我便觉得很为惊异。事情是这样的：在一个大饭店中，我碰见差不多全部的公使馆员在一块儿吃饭。他们全是快活的青年人，很亲切地接待我。第一天，我已经明白他们每天到这里来吃午饭，以一种罗曼司的模拟为乐。即是他们各自居于骑士，愉快欢畅地围着一个所谓“骑士之桌”而食。在上席坐着大将军一名，他们身旁为宰相，其次为高级官吏，以下是号为骑士的人，依资历的次序坐下，外来者加入的场合，他必须甘居末席。他们的会话不只使用骑士的话，而且还有许多暗喻隐譬，外来的人听了大多数瞠目不知所云。每人都起一个骑士的名字和加上一个别号。他们称我做“格兹·丰·伯里生根”，别号“诚实之士”。我有前者的称号是因为我对于古代勇烈的武士的尊敬，后者的称号是因为我对于我在这儿结识的优秀的人们之真诚的爱慕和倾倒。我在该城滞留中特别可感谢者是伯爵丰·基尔曼斯厄格（Graf von Kielmannsegg），他是一个极诚笃的君子，非常能干和可靠。丰·顾爱（von Goué）是一个难以说明和描写的人物，具有结实肥大的汉诺威型［汉诺威（Haunover）为普鲁士的小王国，其住民特有一种体貌］的体格，举止沉潜。他的才能也不失为多方面的。有人猜测他是一个私生儿。他也喜欢做一种很神秘的举动，以种种奇特的外观来隐藏他自己的愿望和企图。他本是这个奇异的骑士联盟的中心的人物，而没有觊觎那大将军的席位。当骑士团中的领袖离去本城时，他宁愿让别人当选而假手于他来施展他自己的势力。他又能够把许多偶然的小事体弄成像煞有介事的，和以传奇的形式来处理它们，可是，在他这种种的举动中，都不见有什么认真的目的，他所关心的只是排遣他和他的友人在冗长的公务中所必然感到的无聊，以把那空虚的空间充实一下，纵然只是拿蜘蛛网来布满也是好的。可是，他这种虚构的荒唐的开玩笑，在表面上是极认真地演出来，当他把一个磨坊看作是城堡，把磨坊主看作城堡主，把《海孟的四儿》（*Die Vier Haimonskinder*，海孟为小说上的人物，西南法兰西的领伯，曾与加尔大帝抗争，这稗史流行于十二世纪至十七世纪间）称为经典，在举行某种仪式时，他从那里头选出几节恭恭敬敬地朗读，会众决不会当作可笑。骑士授任的打剑式（Ritterschlag）的举行，是采用种种骑士团所行的传统的仪注。更有一个足资笑谑的主要原因，就是他们把明白周知的事偏当作秘密的看待，他们公开地做某事，但禁止对他人谈及。全体骑士的人名录印出来，形式的庄严有如国会议员录。如果有团员的家人见了这人名录胆敢加以嘲笑和把这整件事情目为诞妄可笑，团员为报复起见，多方设计，直到把那团员的一个笃厚的有家室的家人，或近亲说服了拉到团里来，和举行打剑的授任式，那时看见这家的家人们的不快，而感到一种幸灾乐祸似的快慰。

这个骑士团还有另一个奇特的小团体错综其间，那是一个哲学的神秘的小团体，没有什么特别的名称。这团体内分为四级，第一级唤做“过渡”（übergang），第二级“过渡之过渡”（übergangs übergang），第三级“到过渡之过渡的过渡”（übergangs übergang zum übergang），第四级“过渡的过渡到过渡的过渡（übergangs übergang zu desübergangs übergang）。把这种等级的高远的意义解释是同人对于新加入者的义务，这种释义是以一本印出来的小册子做根据，在那里头，这些奇异的字眼以更奇异的文句说明——或不如说更把它们引伸敷衍。他们做这套的把戏是一种极可乐的时间消磨方法。伯里斯的傻气和楞次的悖理，在这儿似乎是合而为一了。我只重复地说一句，这种玩意儿的背后也没有什么的目的存在。

我虽然很喜欢参加这种滑稽戏，并替他们出主意，而且首先从前述的《海孟的四儿》一书中把讲“望远镜”（die Perikopen）几节整理出来，并提议在举行祭典和仪式的场合应当怎样把它们朗诵，而自己也能抑扬顿挫地把它们读出来；不过，我对于这种玩艺儿究已玩厌了。我到了此地来既失掉了佛郎克福和达姆斯达两城的环境和友朋，感到寂寞，我与哥特尔（Gotter，诗人，一七四六——一七九七）的结交使我非常高兴。他以诚挚的爱慕接近我，我也报以出自衷心的好意。他的心地温和明朗，他的才能凝炼有法度。他醉心于法兰西人的风雅，而又爱读以伦理和健全的情节为题材的英国文学。我们一块儿消磨了许多欢畅的时间，互相倾吐彼此的知识、目的和嗜好。我为他的督促而着笔作了许多小文章，特别是因为他与格丁根城的诗人们有关系，曾替波亚（Boie，著述家，一七四四——一八〇六）的《文艺年刊》（*Almanach*）向我索寄一些诗去。

因此，我与格丁根的诗人们也有多少的接触，他们青年多才，彼此团结起来（结成格丁根诗人同盟），到后来在许多方面有很大的贡献。斯托尔堡（Stolberg）伯爵兄弟（两者均为诗人，前者一七四八——一八二一，后者一七五〇——一八一九）、步耳革（Bürger）、佛士（Voss）、赫尔第（Hölty）等等在信仰和精神上都以克洛卜斯托克为中心而互相结纳。克洛卜斯托克的伟大的影响在各方面都波及。在这样一个渐渐扩大的德国诗人结集中，除了种种色色的诗的贡献以外，同时还发展有一种特别的精神。我不知道给予这种精神以什么名字才适当，也许可以称作独立要求的精神。本来，这种欲求是在和平的时代才发生，而人之脱离非独立的状态也恰是在这时候。在战时，人们尽可能的忍耐强暴的权力纵然感到身体和经济上受损害，但精神和道德上却没有此感，无论何人也不以被强制为耻，为时代而服役不是可鄙的事，人们从敌我两方忍受不幸的事，已惯之若素，虽有愿望，而没有意见。反之，在平和的时代，人类的自由欲日益萌生怒茁，越得自由，越更要自由，人们不甘受什么的压制，自己不欲被拘束，也不顾别人受拘束。这种过敏的、过偏的感情，在善良人的心中以所谓“正义”的形出现。这种精神，这种思想，到处都显露发挥出来，而且正是在只少数人被压迫的时候，但人们也要从这种偶然的压迫解放出来。由是发生一种对为政者的道德的斗争，在野的私人对政权的干预；这种活动在初时虽可称道，但其后却招来非常不幸的结果。

福禄特尔曾为卡拉斯（Calas）家的冤罪辩护而震动一时，博得人的尊敬［卡拉斯为沮里兹的大商人，新教的信仰者，他的儿子自杀死，卡拉斯被诬因愤儿子之改宗天主教，将之杀害，一七六二年国会宣告处卡拉斯以车礫之刑。福禄特尔因出版《信教自由论》（*Sur la Tolerance*）一书，以鸣其冤，要求再审，审议的结果，宣告无罪]。在德国有一桩差不多更显著重大的义行，就是拉发忒（见前）与地方长官格勒伯尔之抗争（一七六二年）。格丁根的诗人的文艺欲与少年的锐气合起来，勇往前进，不久以前，所学既为出仕而学，这时便开始以官吏的监督者自居，尽口诛笔伐之责。恰好戏曲家和小说家好以大臣和官吏为歹角而描写的文学史上一时期，在那时期已来临了。于是便产生一个一半儿实在、一半儿虚构的弥漫攻击和反响的世界，后来我们在这世界中目击到极酷烈的讦发和煽动，杂志和日报的记者，激于一种公愤，以主张正义为名大肆抨击，加以他们使公众相信他们的论议就是真实的法庭，他们的攻击更锐不可当，其实，这是傻的行为吧！因为民众没有什么的司法行使权，在政治上四分五裂的德国中，舆论也不会为何人之利，也不会为何人之害。

我们青年诗人中虽绝没有为这种可讥的参政的风潮所波及，但已为一种相类的倾向所熏染。这种倾向是源于诗、道德和高尚的努力之合流，虽没有流弊，但也没有什么的成果。

当时克洛卜斯托克出版《赫尔曼的战役》

（*Hermansschlacht*，以赫尔曼为主人公的三部曲，一七六九年出版）一剧，并在卷头有致约瑟二世的献辞，给世人以异样的激动。在那里头，从罗马的桎梏解放出来的德意志人的状态优美地有力地描写出来，这种描写本很可以振起国民的自觉，可是，在和平的时代，所谓爱国心者实只是各个国民各守本分，自忠于所事，勤于所学，使各家臻于和乐繁荣而已，所以那个由克洛卜斯托克所唤起的报国的心情实没有发泄的余地。然而，腓得烈王首摈拒联合来攻的外国，使德国一部的名誉得以保存，各个国民因得以赞叹和崇拜，来分润这个大王的战胜的光荣，可是，像那样的激起来的好战的敌忾心却发泄到那儿去呢？它要取什么的方向，和产生什么的结果呢？初时只见一种新诗体的兴起，其后，那种常惹人讥评甚至可笑的巴尔德（Bard，古皋罗的弹唱诗人）体的诗歌，也因为这种冲动和诱因，而大批的陆续发表。可是既没有外敌可资斗争，人们便虚构一些暴虐者，各地的君侯和他们的臣僚自成为他们的对象，初时只笼统地抨击，其后且摘发特殊的事实，对闲人也加以诋毁。结果，诗人也猛然奋起加入前述的干预司法权的运动。因此，从当时的诗看来，最触目的特征，就是它们基于推翻一切君临者——无论是帝王抑或贵族——的精神。

以我当时而论，我继续利用诗来表现自己的感情和狂想。像《浪游者》（*Der Wanderer*）一类的短诗就是在那时期写的。它们登载在格丁根的《文艺年刊》内。可是，那种爱国热渗进我心中的影响，到稍后我努力以《格兹 · 丰 · 伯里生根》一戏曲发泄出来，在这戏曲中，我描写一个生当中世纪的黑暗时代的善良的勇士，怎样决心欲代替法律和行政权来实行他的理想，但是，当那些公认的可崇敬的君侯把他看作抱异心的人，甚至叛逆时，他便陷于绝望了。

因为克洛卜斯托克的短诗的出现，德国诗中与其说是添加了北方的神话，不如说流布了种种的神之名。我在别的场合虽喜欢利用那些提供给我的东西，但是我却没有心想利用这些神名。它的理由是这样的：我在很久以前，已从马勒特（Mallet）的《丹麦史》的绪言知道关于厄达（Edda）的寓言（发生于九世纪至十二世纪，为歌咏神与英雄事迹的故事诗），并且马上把它记在心中。我在社交的席上，为客人所敦促而讲述故事时，这个寓言也是我最喜欢讲的。赫德尔给我一本勒逊尼阿斯（Resenius）的北方神话集读，使我更熟知该地的英雄故事。不过，这一切东西我纵认为有贵重的价值，也不能接受入我的诗作的园地之内。它们对于我的想象力虽有奇妙的刺激，究缺乏实感的素质，反之，在希腊的神话中借着最伟大的文学家的手腕，神与英雄却绘影绘声，栩栩如生，在我们眼前仍有许多活现着。其实我总不好在作品中把神们描写，因为他们是存在于我所能照实描绘的自然以外。那么，有什么能够推动我，使我把窝丹（Wodan，受了厄达神话影响的古德意志神话的主神）代替朱匹忒（Jupiter，罗马神话的主神），以多尔（Thor，北方神话的雷神，又农耕的守护者）来代替马尔斯（Mars，罗马神话之军神），舍弃那些描摹得轮廓判然的南方的形象，而采用模糊影响，甚至只存名字的形象，做我的诗材呢？所以，一方面我宁把它们置于奥西安（Ossian，三世纪的皋罗族的故事诗人）的同样的形体不明的英雄之列，只较为粗犷魁梧；在他方面，我把他们归入于有趣的童话之中，因为北方神话全体无处不露出来的幽默味，是我极加注意和非常喜欢的。我觉得它有一个唯一的特点，就是它自己跟自己开玩笑，把奇异的巨人，魔法师和怪物与奇妙的神的派系对立起来，前者一心只想迷惑君临者之诸神，愚弄他们，和从后头算计陷他们于不可抗的可羞的没落。

印度寓言使我得到一种与此相类的——纵然不是同一的——兴味。我最初从达柏尔（Dapper）的游记知道印度寓言，同样感到很大的兴趣而收归我的童话寓言的材料库中。我最好对人讲述的就是《拉姆的祭坛》[*Der Altar des Ram*，《拉马耶那》（*Ramayana*）英雄史事诗中的一篇，以寓言的体裁记述阿利耶族的印度人侵略南印度和锡兰岛的事，把与前者敌对的土著民族当作恶鬼，把欢迎他们的德坎州的原始民当作猿类来描写，皇子拉马率领善良的猿汉纳曼和猿军讨伐恶鬼拉哇拿，夺回给后者诱拐的自己的妃子]。这个故事中虽有无数种种色色的人物，但我的听众最喜欢的还是唤做汉纳曼的猿。不过，这里头的奇形的和无形的怪物不能给予我以诗的满足。他们离开我的心所刻意追求的真实太远了。

不过，这一切的反乎美的异样的形象，因为我的美的意识的绝对之力，仍不足以败坏我的艺术心。我以为文学的幸福的时期常就是在过去的大作重新出现，编入文坛的日程之中的场合，因为这时候，这些不灭的杰作会产出完全崭新的影响。恰在那时，荷马的灿烂的光辉也重新映射于我们之前，并且那个时代正极欢迎这样的作品之再现，所以它的重现恰与时代的精神之推移相吻合：因为不断地倾心致力于自然的结果，终于影响到连古代的大作也须得要从自然的方面来玩味。像好些游历家之为《圣经》的阐明而尽力那样，另有一些旅行家为荷马作考证的工夫。荷马的地理考证由盖氏（Guys，法国学者）发其端，由伍德（Wood，英国学者）的鼓吹而大见盛行，对于最初非常罕见的原本之批评在格丁根之出现，使我们知道这个企图，和明白这个意图实现到什么程度。此后，我们在荷马的故事诗中不再看见只是紧张浮夸的英雄人物，而认出是远古世界的如实的反映，并尽可能的努力把它引到现在来。可是，同时，有人主张，为要正确的理解荷马所描写的人类性起见，我们必须知道今日的旅行家所报告的新世界的野蛮民族与其风习，我们对此殊不敢完全赞同。因为我们不能否认，荷马诗中所描写的欧罗巴人也好，亚细亚人也好，已是达到高度的文化，恐怕比托洛耶战争当时还高一点。不过那种说法仍与当时盛行的时代精神——自然的认识——合致，在这一点，我们也可容认它的。

这样子，我分心于种种的研究上头去，这些研究，在较高的意味上是与人类学有关，与诗学也有极密切极惹人兴味的关系，可是那时我仍不能不感到我是在威兹勒尔逗留。关于“按临”的情形，它的故障的日益增加以及新的犯罪的发现的谈话时时刻刻在我的耳边响着。在这儿，神圣罗马帝国的主脑者再一度聚集，但是，不单为外表的仪式的举行，而是为着国家的根本大事的商议。我在这儿也不由得不突然想起加冕礼举行那天的半空的食堂，被招请的诸侯，以侍宴为有失体面，留居别室。在这儿，他们虽共聚一堂，但不得不显出更险恶的征象。全体的不统一，各部分的互相抗争，不断地现出来，同一鼻孔出气的王侯们互相密谈，看能否利用这机会来消灭皇帝的特权一事，已成为公开的秘密。关于高等法院的荒怠职务，滥用职权，渎职收贿等行为的传说风闻，对于追求正义和基于此种意旨来培养内部的生活的青年的印象之恶，凡是有道义心的人都会同感吧。在这样的情况之下，怎能发生对法律与裁判官的尊敬呢？可是，纵然有人对于“按临”的效果极为信赖，相信它能够完全实现它的崇高的使命，在一个活泼前进的青年看来，这仍不是什么挽救之方。诉讼裁判进行的繁冗的形式和手续，在本身上已可使诉讼延宕下去，倘若这时候有人想出来露头角和使人认知他自己的实力，那他就只要为不义的方面尽力，常为被告洗脱，以及长于狡黠曲解的刀法就行了。

我的心既为这种事情所扰而不能着手于文学的著作，便耽于美学的冥想中。盖一切理论的思索都是恰在创作力缺乏或停滞的时期行之。以前我与麦尔克一块，现在却常与哥特尔一道，力图寻出可作为创作的准则的诗的原理。但是我也好，他们也好，都得不到什么好成绩。麦尔克是一个怀疑论者和折衷论者，哥特尔则拿自己最喜欢的作品来作准则。苏尔最（Sulzer）的理论（《美德的理论》，一七九二——一七九九年出版）已发表出来，但是只适于一般文艺爱好者的口味，而不合于作家之用。在于这种诗论的观点看来，首先最侧重的是道德的效果，由是便即发生作家阶级与利用作品的阶级间的不调和的关系。因为，一种文艺上的杰作虽能够会有道德上的效果，但是要求作家抱着道德上的目的来创作，那就是叫他把他的工作败坏了。

至于古代的学者对于这个重要的题目的说法，我这几年以来已热心加以研究，虽不是连续地阅读，也时时浏览。亚里斯多德、西塞禄、昆体良（Quintilian，罗马的修辞学者，纪元后约三五——九五年）、龙基纳（Longinus，雅典的哲学者，二一三——二七三）无一不为我所注意，但是我读了也渺无所得：因为这些学者都以一种我所缺乏的经验为前提。他们引导我进到一个无限丰富的文艺的世界，缕述卓越的诗人和演说家的功绩，而这些人的大多数只剩有名字为我们所知。不过我从他们的理论却得到一个极深切的确信，即是，第一，我们先要有对象的很丰富的内容在我们之前，然后才能对他们加以思维考察；第二，我们先要自己实行一下，甚至必须失败过，然后才能知自己的能力和他人的能力。然而，我关于古代的许多杰作的知识，老只是从教室和书卷得来，缺乏生气。但是，古代作家——特别是最著名的演说家——是在活生生的人生之中陶冶和教养自己，如果我们同时不能了然于他们的个人的情意的性格，就永谈不上他们在作家的性格上的特质。在诗人的场合，像是不尽如此；可是无论在什么场合，自然与艺术也经由生活然后互相接触。所以，我探究内部和外部自然，热心地描写它任其所之的夙望，是我这一切的考虑和省察的结果。

这种影响无日无夜不在我的心里萦回，在这种影响之下，我碰着两样大的——甚至可以说巨大的——材料。这些材料极为丰富，我只须稍加重视，就可以产生伟大的创作。一种材料是旧时代的，包含《格兹·丰·伯里生根》的生涯；一种是新时代的，它的不幸的全盛状态却在《少年维特的烦恼》（*Die Leiden des jungen Werther*）中描写出来。

关于前一作品的历史的准备，我已经在上头讲过；至于第二种作品的伦理的诱因，我现在要叙说一下。

一方面保存那现于我的内部的自然的本来面目，他方面任内外界的自然不改其特质地给予我以影响，是我的心愿，这种心愿驱使我入于一种异样的氛围中，《维特》一书就是在这种氛围里构思和写出来。在内心方面，我想摆脱一切异类的陌生的倾向和思想，对外则以亲爱的态度来观察一切事物，自人类以至下等动物，只要能理会得的，就任其对我各显其特殊的作用。由此便发生与自然界的各个物象的不可思议的亲接，与自然全体的内心的契合和共鸣，因此外界每发生一种变化迭代，无论是场所地方的迁换也好，时日季节的流转也好，或任何种的推移也好，都触到我的心的最深处。诗人的眼更添上画家的眼，美丽的乡村风景又有宜人的小河点缀其间，加深我的独处之癖，以及使我更得以在沉默里向各方面玩味和考察自然了。

可是，自从我别去那在塞逊海姆的家族，现在又与佛郎克福和丹姆斯达的朋友们睽离，我只感到心的空虚，无由充填。因此，那时的我便置身于一种这样的状态中，即是，只要爱情恋慕稍为改换面目现出来，就可以突然掩袭，把我一切的好的意图都打消了。

著者之自传既已写到现在的阶段，他破题儿第一遭觉得握管时心里畅快，因为从这时起，这自传才转到它本来的内容。我既已声明这自传不是独立的著述，而宁是为着填充著者的生涯的缺隙，修补许多破碎的断片，以及保存那些消失去或忘掉的种种尝试的纪念。不过，已经一度做过的事情，不应也不能再度的做，到了现在，那时著者在拉因河（Lahn，莱茵河右方的支流）滞留所遭遇的那样的美妙可爱的对人关系，虽欲重新栩栩地忆想，以它的暗钝的心灵之力，已是徒劳了。幸亏那呵护他的神早已为顾虑到这一层，在他年富力强的时候，就策勉他把那虽已过去而还新鲜热辣的关系牢牢把握加以描写，和在适当的时机大胆地发表出来。我这儿指的是《维特》这一小册子，恐怕不用怎样明言吧；至于其中所描述的人物以及所表现的心情，我将在下头逐渐略加阐明。

服务于威兹勒尔的公使馆的青年人，是在练习着未来的外交官的职务，在这些人中有一个青年我们简单地惯称他做“新郎”（der Brautigam），他的特长处，就是安娴不变的态度，眼光的明晰，以及行为言谈的确定。他的明快的活动力和坚毅的勤勉大得上官的激赏，许以不久即正式任用。他既有这种确实可期的前途，因与一闺秀缔结婚约。这个女子极与他的性情和理想所宜。自从她的母亲去世以后，她以长姊的地位，在许多弟妹的家庭中极尽操持照料之责，独自扶助安慰她的鳏居的父亲。所以她的未来的丈夫，也满可以希望她对自己和儿女做个贤妻良母，而家庭的圆满幸福也在期望之中。无论谁人，知道这个女子的，纵然不是抱有得她为妻的自私的希望，也承认她是一个值得称道的女人。女人中有些纵不能惹起男子的热烈的爱情，但足以引起一般的爱好，她就是这一流的女子。轻盈娟秀的体貌，纯良健全的心性，以及从此派生的蓬勃愉快的生气，对于日常要事的处理稳妥的才智，兼备于这女子的一身。我对于这种美点也向加重视，并且很喜欢与具有这种美点的人来往。我虽然不能常找到机会替这些女子们忠实地效劳，但比起别的女子来也较喜欢与她们共享受少年男女不费什么工夫和财力而常极容易得到的天真烂漫的欢乐。那时的妇女大抵总是为对女伴炫耀起见而打扮，彼此间不倦地互斗妍丽，我却不喜欢这种常态的女子。我最喜欢的还是那些淡装素服，对男友或未婚夫暗中保证，她们只为他们的缘故而打扮，不须多大的麻烦和花费就可以一辈子继续作这种修饰的女子。

这样的人既不太过在自己身上做工夫，自有余暇来观察外间的世界，以及有使自己顺应它，和使自己与它居于同等的位置的余裕，她们不须多大的奋励而自聪明贤达，不须读多少的书本而得到自己的教养，那个公使馆员的未婚妻就是这样一个的人。至于“新郎”既是一个非常正直和相信人的男子，凡是他敬重的人就把他的未婚妻介绍与之相识。他自身一日的大部分时间既忙在公务上头，所以很喜欢他的未婚妻在家务停妥之后，以别的事情自娱，以及跟男女友人们一块儿在市中或郊外散步，游乐。绿蒂(Lotte)——让我们这样称呼她吧——是一个淡泊寡欲的女子，我们这样子说她，是有两重的意味的：一方面，以她的天性论，与其说是求自己特殊的爱好，不如说是求众人共同的幸福；他方面，她已委身于一个男子，而这个男子也值得她的倾心，已自矢一辈子将自己的命运与她结合。在她的周遭荡漾着极愉快的空气，诚然，看见父母们不绝为儿女们费心已是使人快适，如果兄姊们对弟妹们作同样的照拂，更是美好的光景。在前一场合，我们看出较多的自然的本能和家庭生活的习惯；在后一场合，我们看出较多的选择和心情的自发的作用。

新来的我无拘无束，在这个女子的面前更无所用心。她既是已订有婚约的女子，自不会对别人的好意的效劳解释作为求爱的表示，更喜欢这样的殷勤，任其自然了。可是我与她接近不久就那样的为她的魅力所束缚，同时又为这一对青年爱侣当作亲切的朋友看待和信赖，我自己也茫然堕入五里雾中了。闲散和耽于梦想的我，对于现在既得不到满足，在这个女友的身上找到我所缺的东西。她事实上虽为整年累月而生存着，而在我的眼中却像是只为目前的瞬间而生存。她很喜欢我跟她作伴，我不久也不能离开她一刻，她导引我到这市里的日常的世界去，她到她家中所经营的广大的耕地、牧场、草原和果树园去的时候，我总是她的不能分离的伴侣。“新郎”公务有暇的时候也跟我们一道。我们三个人虽不是故意的这样子做，但彼此已这样子弄惯了，并且不知道怎样会弄到不能分离的地步。这样子，我们消磨了一个晴和美好的夏季，像是一首纯粹的德国风的牧歌似的，丰美的田野构成散文诗的部分，而我们间的纯洁的爱情构成韵文诗的部分。在满着清露的早晨，我们悠然自得地在黄熟的麦田间漫步，云雀的歌声和鹑的鸣声极为悦耳。蒸暑的时光连续来了，暴风雨掩至，我们因此只更亲近，借着不断的爱，她的家庭有时会发生的小小不快也容易解消了。这样子，一天又一天的消磨过去，天天都像是节日那样，我们的日历整个都要印红色了。那时我的心情怎样，凡是还记得《新爱绿绮思》（*Neue Heloise*，卢骚的小说）中关于那个幸福的不幸的青年的话，就可明白了。那里说“坐在他所爱的女人的脚下，他想梳栉着大麻，他愿意今天，明天，后天，甚至一辈子这样子梳栉着大麻”。

现在我讲的只是很少，但已到所必须的充分的程度，我可转述另一个青年了。他的名字我在后头常常提起。这青年就是耶路撒冷（Jerusalem），温和的自由思想家的神学者的儿子。他也是在某一公使馆中任事，身材中等，体貌英俊可亲，脸庞长中带圆，五官柔和静穆，其他的特征也是与一个金发白皙的少年相衬，他的碧眼不独表情欲语，且有摄人的魔力。他的服装是与仿效英国人的北部德国人相同，穿着蓝色的常礼服，革黄色的背心和裤子，以及褐色的长靴。著者从没有去访问过他，他也没有到过我这里来，只常常在朋友家里碰见。这个青年人是沉默寡言的，但是他的谈吐表现出他的良好的心地。他对于各种的创作抱有兴味，时常参加，特别喜欢那些描写僻静的乡村郊野的景色与其静寂之趣的图画和素描。他在这种机会便把自己所藏的革斯涅（Gessner）的铜版画拿出来传观，激励他的爱好者对它作研究。前说的骑士联盟和化装游戏他很少或绝不参加，他好独处，拳拳于自己和自己的心情。人们传说他跟一个朋友的太太有热烈的恋爱关系，但绝没有看见他跟这女人公然在一块儿。其实，关于他的情况，人们所知极少，只知道他是致力于英国文学的。他的父亲既是一个有钱人，他不用埋头埋脑于使馆的公务，也不必亟亟于正式官的任命。

那些革斯涅的版画增加我们对于郊野田舍的风物的感兴，同时，我们在小聚会中热烈地读的一首短诗使我此后只有憧憬于郊野的景物之一途。这诗就是哥尔斯密（Goldsmith，即《威克斐尔牧师传》的作者）的《荒村》（*Desserted Village*）。无论何人，在我们那样的教养程度，和那样的心境，定然会对这诗感到极大的兴趣。它所描写的一切，不是当作活生生的或有效力的，而是当作已过去的，消失的存在来描写，但是，它都是乡村中人喜欢看的，爱重的，以及在现在热烈地寻求，俾能寄托他们的少年之心的东西。乡村的祭日和庆典，教堂的创立纪念祭和每年的庙会，以及在那时候先见的菩提古树下的老人们的郑重的聚会，继之而起的青年男女们狂热的跳舞（连有教养有身份的人也常参加其中），都是乡村中的风物。在其间，善良的乡村的牧师，又能抑制一切放逸的行动，消弭可以招致争吵和不和的原因，使游乐不致漫无节制，这种欢乐便像是恰如其度了。即在这儿，我们也再度看见，可敬的，威克斐尔牧师的出现，他的周围还是在《威克斐尔牧师传》所惯见的那样，但是，在这诗中的他却不是有血有肉的活生生的人，而只是为作者的悲恻的挽歌之音所召还的魂影，如果我们明白这诗是以清幽的怀古之情来描出纯美的过去，这种构思已是极可推称的了。而那位英国诗人，在这种构思的描写上，从各方面看来，是多么成功呢！我与哥特尔共同爱赏这首极可爱的诗，两人同从事它的翻译，可是他的翻译比我的成功，这因为我太过龂龂于原语的微妙的意味之译出，句斟字酌，细处虽还要得，但在全体上却不协洽了。

如果正如世人所说的那样，最大的幸福在于憧憬，而真正的憧憬是以那些得不到的东西为对象，那么一切事情凑合起来，就可以使得那位青年——我们现在像是伴着他在迷途中走而记述他的短促的可悲的生涯——成为最幸福的人类了。对于一个已婚的女性的爱恋，把外国文学杰作完全转化为本国文学的努力，不独以文字而且以雕刀画笔不求工整地描摹自然的苦心，这种种的事情，就是其中的一样已足以使他的心胸怦怦波动，忐忑不宁了。但是强使他从这样的甜蜜的苦恼离开，而投入新的境遇，新的苦恼中，却因为下述的事情。

在基森（Giessen）城有一位唤做赫普夫纳（Höpfner）的法律学教授。他是法学大家，麦尔克和斯罗塞尔都推称他为有思想的善良的绅士，极加尊敬。我久欲跟他结识，这时，恰巧这两位朋友为着文学上问题的商讨，有访他之约，并邀我趁这机会也到基森去，我固欣然答应，可是，我们青年人在这样的愉快和平的时节，总常充着骄矜自喜之气，做什么事也不肯循直笔的途径，而像真正的小孩子那样，必要的事情中也要杂以一点谐谑，所以，我们决定我在访他时要隐去真姓名，装作别人那样，于是我的改装癖再一度施展出来。在一天晴和的早晨，太阳还没有出来之前，我由威兹勒尔动身，沿着拉因河步行，越过那美丽可爱的河谷，这样的徒步漫游使我再感到无上的幸福。我在途中一路走一路寻思，构想，在静默中我洋洋自得。我把那永远矛盾着的世界粗杂地混乱地闯袭到我的心目中的事物加以整理。一到了我的旅行的目的地，我即找到赫普夫纳的住所，和叩他的书斋的门。当我听见“请进来”一声，便端谨地走进去站在他的面前，像是一个在归省途中的大学生慕他的高名而晋谒的那样。他所问关于我的身上的种种的事，我已预备好了答话；我对他述说了一番很可置信的杜撰的话，他听了像是满意。我对他说我是一个学法律的学生，在应对上也敷衍得过去。因为我知道他在法学上的功绩，以及他致力于自然法的研究。可是我们的谈话有时也停顿，他仿佛是要拿来客的签名簿或催促我走的样子。可是，我知道斯罗塞尔素来是守时间的，等待着他来，老坐着不走。果然，斯罗塞尔来了，大为主人所欢迎；他横眼看见我，却装做不注意我那样。可是赫普夫纳却引我加入他们的谈话中，显出他是一个非常和蔼近人情的人物。后来我告辞了，赶快跑到旅店去，在那儿我略与麦尔克攀谈，安排好以后要做的事。

这两位朋友约定请赫普夫纳吃饭，另外还请一位唤做海因里希·斯密（Christian Heinrich Schmid）的人。这人在当时的文坛中虽地位很微，然也是一个角色。本来我们在这晚餐会中暗地里要耍的把戏是以这人为目的，他在文艺上所做的种种可非难的事，要在笑谑里受到窘罚。当客人进了食堂的时候，我叫茶房给我通报，看许我共食与否。面上像是表着一种难色的斯罗塞尔不答应，不欲他们的亲切的谈话为第三者所打断。可是因为我叫茶房苦苦的请求，而赫普夫纳也插口断言我是一个没有妨碍的人，我便被请进去了。初时我的态度装作很谦逊羞涩似的。斯罗塞尔和麦尔克自由无碍地，放言高论，谈到种种的问题，像是旁边没有陌生的人那样，他的谈话从重要的文学的事件谈到著名的作家。这时我渐渐显出放肆一点，陈述我的意见，纵然斯罗塞尔有时认真地反对我，麦尔克开玩笑地批评我，我也不管。可是我所放的箭全都针对着斯密射去，深知道他的弱点的我每箭都深锐地的确地射中他。

斟给我的一“奈些尔”（量器名）的食桌用的葡萄酒，我只稍微喝一下，但是他们却叫较好的酒，也劝我饮。当日的文坛的许多问题痛论过一番之后，谈话便转到一般的问题去。那就是谈到文学是在高潮中还是低潮中，是在前进着还是后退着的问题——只要著作家有一天存在，便一天重复提起的问题。关于这个问题，无论在什么人之间，尤其是年长者与青年间，文坛的耆宿与新进者间，很少能得一致的解决，他们大家都以明快的态度把它透彻地讨论，但没有打算求得决定的一致的结论。到后来，我插口说道：据鄙见看来，文学也有四季的，像自然的四季那样，循环迭代，顺次引起一定的现象，周而复始。因此，我相信，我们不能赞扬或指摘文学上某一时期的全体，我特别期期以为不可的，就是把一个时代的作家抬到很高，非常崇拜，而把别的作家痛加贬斥，压到很低。夜莺的喉因阳春而激动，但是杜鹃的啼声同时也是一样的呀！美丽悦目的蝴蝶和惹人憎恨的蝇蚋，同样是日暖的产物。因此，如果我们留心到这一点，我们就不用每隔十年便重复作这样的不平之鸣了，而为着要芟除这种或那种的劣作而白费的苦心劳力就可以省回不少了。他们大家不知道我从那儿学到那样的达观大量，都以惊异的眼看着我。我却泰然继续说下去，把文学的现象与自然的产物对比，我不自解，我居然将软体动物拿来作譬，并讲出关于它们的习性的种种不可思议的事。我说，这种生物之也像是有一种身体以至一种形体，我们也不能否认，可是它们既没有骨骼，初时真不知把它们当作什么好，只有看作一种活的粘液。可是在海里总也有这类的东西。其后我续拿水母来做比方，暗指眼前的斯密以及跟他一般的无定见的文学者，有人便批评我道："譬喻虽不错，说得太远了，终归没有意思。"我因答道："那么，我就从海回到陆上去，拿长春藤来说说吧。正像水母类之没有骨骼那样，长春藤是没有干的，无论攀缘到什么地方，都喜欢出风头。最宜于它的生长的地方就是坍废的古墙，因为那儿上头没有什么好给它败坏了，但是在新的建筑物上，人们便不让它蔓生。它吸取它卷绕着的树的汁液，我最讨厌的就是它攀缠上一根柱子的时候，因为柱子为它的枝叶所包了，它便俨然以有活的树干自居。"

不管别人再以我的比喻为晦涩和不切当，而加非难，我越说越有劲，把一切寄生动物痛骂一顿，并出尽我当时所有的博物的知识，把我的譬喻弄到相当的妥适。最后，我对一切自主独立的人高呼万岁，高喊打倒那些强行依傍别人的作家。饭后，我执着赫普夫纳的手，使劲的握几下，称赞他是世界中最善良的人，拥抱他，到后来也与其余的人恳切地行拥抱礼。这个善良的新朋友（指赫普夫纳）真以为是做着梦了，到末了，斯罗塞尔和麦尔克把这个闷葫芦打开了，这个玩笑明白了之后，大家都更兴高采烈起来，连那位斯密先生，也因为我们赏赞他的真正的功绩和对他的嗜好表示同感，而释去前嫌，跟我们一道笑乐了。

这样的有风趣的开场，只能够使我们的“文学协议会”更有劲地更顺利地开了。其实，我们这次的基森之行，是以这种会商为目的。麦尔克有时像是美术家那样，有时像是文学家那样，有时更像是商人那样，议论风生，引动了那位有思想和多才博识的斯罗塞尔，提议要在本年内发刊《佛郎克福学术杂志》（*Frankfurter gelehrte Anzeigen*）。他们已约有赫普夫纳和基森城的别的教授，丹姆斯达城的著名教育家温克校长（Rektor Wenck）以及许多别的知名之士参加。他们各人对于自己专门的学术都有充分的历史的知识和理论的知识，而当时的时代精神又使他们寻求某一定的倾向。出版最初二年间（因为这个杂志到第三年便由别人接办）的这个杂志，显然征见它的撰稿者的观察是怎样的广泛，眼光是怎样的纯净，意志是怎样的诚实。人道主义和世界主义都加以鼓吹。凡有名副其实的笃厚的学者便代为尽捍卫之责使不为一切强求固请所束缚，并替他们尽力防备论敌的攻击，特别是预防那些误传他们所教的门下生的暗箭。大抵最有意见的，就是对于别的杂志——如柏林的《丛刊》（*Bibliothek*）、《德意志麦库尔》（*Tentschen Merkur*）等——的批评，那些文章对那么些的专门学问有明快精练的论议，眼光超卓，批判公平，确值得世人的惊叹。

以我而论，他们也认为不是不适宜充当普通所谓批评家。实际上我的历史的知识缺乏一贯的联络，关于世界史、科学史和文学史，我只有一个时期一个时期的研究，关于各个题目，也只是探求它的部分或一群的事实。我之能够撇开事物与它的总体的联络，栩栩如生地思索设想，使我可以精通一世纪的事情，或科学的某一部门，而不须知道前后的事。并且，我具有一种理论的兼实际的眼光，关于种种的事情，不独知其然，而且较能知其应然，虽没有真正的哲学的联络，但时时洞中肯綮，此外，我还有容易理解事物真相的能力，他人的意见只要不与自己的确信正反对，我便很喜欢接纳。

加之，那个文学团体因参加者的通讯的频繁和近住者的常相访谈，更呈活气。团员中有读到一本新刊者，便作批评报告，与他团员通信，许多时别人也有相似的书评，关于这件事情的意见互相交换，与有关系的别的题目联起来，最后便作成一个结论，由一个人把它编述出来。因此，好些评论又精到又泼辣，又快意又有兴味。我常任编辑上的秘书的事务，我的朋友也让我在他们所做的工作范围内稍为戏耍一下，而在我对于某一题目特别有兴味，或觉得有把握的场合，便让我自抒所见在杂志上发表。当日的学界的真正的精神和旨趣究竟怎样，如果不是有那两年的杂志本身提示我们以最可靠的文献，那就欲回顾地加以观察和叙述，也是徒劳的吧！我认为是自己的手笔的文章，也许会选拔出来，跟别的类似的论文一块，在适当的机会再发表出来。

我们的知识、意见和确信那样殷殷地交换，因此，不久我就知赫普夫纳较深，并博得他的爱慕。只要我跟他在一道儿，我便与他谈论他的专门的学问——也即是我应该专攻的学科——从他那里得到很自然地成系统的说明和启迪。那时我还不了然知道，我得到的一点学识，恐怕多半是倚靠书卷和谈话，而不是从教室的连续的讲授得来。书卷可以任我在某一个地方停滞吟味一下，以至回顾重想一下，而教师口授的演讲却不能让我这样子做。许多时，在上一课听讲的开头，我每突起一念，只顾着思索它，其后的讲授便听漏了，以致全体失去联络。我上法学课的时候也是如此，因此我尽可能的利用机会来请教于赫普夫纳，而他也欣然替我解释种种的疑问，为我弥补了许多知识上的罅隙。由是我便希望不须离去威兹勒尔太远，就滞留在基森城，就教于赫普夫纳。可是，我那两位朋友对于我这种愿望，最初只无意地持反对的态度，其后却故意反对，因为他们两人不独决心亟亟要离开该地，而且还盼望也能把我一同拉走。

斯罗塞尔这时对我说明白，他初时与我的妹妹做朋友，后来却发生更密切的关系，他最近要找寻一个适当的官职，好来跟她结婚。纵然我在以前从妹妹给我的信中早看出这种情形，他的说明仍使我有点吃惊。固然，能够伤自己的自尊心的事也容易就想开，但我现在却开始觉得自己真个对妹妹抱有妒意。加以我这次从斯特拉斯堡回来，我们兄妹间的情谊比以前更加亲密，我这种妒意更不能自隐。我们聚首的时候，怎样絮絮不休地互倾我们别后的事，种种的心情，恋爱以及其他的琐事呵！而且在想象力的领域内不是有一个新世界在我面前展开，而我也要把妹妹领到那儿去吗？我自己所作的小东西以及以广泛的材料做题材的关于世相的诗篇，必须逐渐给她读。例如我从荷马的诗中选出她会立即发生兴味的地方，即席译给她听。有时我又把加拉克（Clarke）的逐字直译本，用德语朗诵出来，尽可能地求其正确，我的朗诵不是单像讲书那样，而常是有高低抑扬，声韵铿锵，而且我对于诗中的人物和情景的描写的栩栩欲活，我说出来时的语调的雄劲有力，使翻译朗诵的一切的局限性都打破了。我意兴洋溢地讲出来时，她也心领神会地听着。我们俩日中的大部分时间就是以这样子的遣兴消磨去了。如果她的女友也聚在一起时，她们一致要求我把大狼芬里斯（Fenris，出自北方神话的怪兽）和猿将军汉纳曼（见前）的故事讲出来，而雷神多尔（见前）和他的从者怎样为使魔法的巨人所骗的有名的故事也不知要详细地复述过多少回呢！这些要创作的工夫的讲述既留给我那样愉快的印象，所以它们到现在仍算是引起我的想象力的最贵重之物。我在丹姆斯达城跟朋友的关系，也把我的妹妹牵入去，甚至我有什么游览旅行也只有更加深我们的友爱，因为我把我见闻的一切都用信告诉她知道，每作一首小诗，纵然只是一种表示感叹之词，也马上寄给她读，并且把我所收到的一切的信和我所有的复信都让她看。可是，我对妹妹这种热烈的亲切，自这次离开佛郎克福城以后便停止了，我在威兹勒尔的居留没有多大的收获足供这样的通信的资料，其后我对于绿蒂的爱慕使我又无暇分心到妹妹身上去。总而言之，她觉得孤寂，也许感到被遗忘了，更容易接受那个笃厚的人的真诚的求爱，而许心于他；斯罗塞尔本是一个值得敬重和信赖的君子，厚重寡言，平素不肯轻易用情，今却热烈地对她倾心。既然是这样，我只任他们怎样就怎样，期望我的朋友的未来的幸福。不过我暗地里禁不住自矜地说，如果我做哥哥的不是出外的话，斯罗塞尔的成功恐怕不能到这样的地步吧。

我的朋友和未来的妹夫这时确很愿我回到家里去，因为这个意外地发生恋爱的他，像是极需要我做个居间者来谋更进一步的接近呢。他因此要我答应他，他一走后，我便跟着他回到佛城去。

那时麦尔克恰有工夫，我希望他会在基森多逗留几天，花一些时候来准备《佛郎克福学术杂志》的创刊，俾我每天能有几个钟头向赫普夫纳请益。但是他不为我所动，正如我的妹夫之为爱所拉走那样，他因为对于此间的大学的憎恶而不愿滞留。人类常有一种生而具之的反感，有些人看见猫就受不了，有一些人对于另一种东西感到不快，这位麦尔克先生却极讨厌大学生，而那时基森的大学生恰又是粗暴不堪的。我觉得他们还不错，我还把他们用来充当我的大斋节戏曲的假装人物的模特儿。但是在麦尔克看来，日间他们的模样，夜里他们的醉闹，实败人的清兴。他在少年时候在瑞士的法领地区过极好的日子，其后与宫廷中人、上流社会、名商巨贾和有学问的文学家，作高尚的交际，有几个有志于精神的文化的高级军人也求与他结交，因此，他是在很有教养的交际社会中过日的。这样子说来，他之憎恶此地大学生们的粗蛮之气，是不足怪的。不过他的反感确是太激越了，不是冷静如他的人所宜有。可是，他兴高采烈地描写学生们的怪状丑态时，我也常给他引到大笑。赫普夫纳的邀请，我的敦劝都归无效，我一定要尽早跟他一道回到威兹勒尔去。

我回去没有多久，便即领他到绿蒂那儿去。可是他身临这种人家倒使我得不到好结果。因为正如麦菲斯陀斐尔（Mephistopheles，即《浮士德》中之魔鬼）无论到什么地方去，大都不会为人祝福那样，他对于我所爱的人的冷淡纵然不使我的情愫动摇起来，也至少使我索然寡欢了。可是，如果我记得他不特别喜欢的正是这种修长温柔的女人，只使自己的周围清爽澄明，而淡素自甘的女人，我就会预知他会对绿蒂持什么态度了。可是，他不久即对绿蒂的女友中的一个朱诺（Juno，罗马主神朱匹忒之妻，体态庄严）型的女人加以青眼，不过他要费工夫才可与这女子接近，所以他严厉地责我为什么不追求这个美丽的女人，况且她又是没有跟人订婚，比绿蒂较为自由。他认为我不知选择较有利的事，他极不喜欢我把时间浪费在这个我偏好的地方来。

如果使自己的朋友知道自己所爱的女人的美点，因为他也觉得她的动人可爱之处，是一种危险，那么，如果友人对她作不好的批评，使自己的心怀疑起来，也有同样大的危险。在我的场合却不会到这样的地步，因为她的好处，已镂刻在我的心中，不容易因别人的批评就磨灭了去，不过麦尔克之在场以及他种种的劝说，使我早下决心离开威兹勒尔，他正想偕同妻子作莱茵河之游，因对我细说旅程怎样的愉快动人。我本已常听见人说到莱茵河的风物而羡慕不置，这时他引起我终要目睹为快的渴望。麦尔克先行出发，我与绿蒂作别，虽比别菲烈德力加时较为无亏于心，但心中仍不免耿耿。而且，我与她的友谊，因为连续的习惯和放任之故，在我方面已弄到热情过当，不过她与那位“新郎”欢愉地契合无间，那种关系已达到最美最亲切的了。正是这个从此而起的保证使我忘记了一切危险。而且，我也明白地知道，这个罗曼司就要收场，因为这位青年人与这个可爱的女郎的结婚，视乎他预期实现在即的任官而定。人类只要有多少的决心，就会甘受那不可避免的事，所以我也决定先自动离开此地，免到后来逼于难堪的境地而不得不走避。

第十三卷

我与麦尔克约定在晴和的季节到科不林士城的拉·洛赫夫人（Frau von la Roche）家里会齐。我已预先将我的行李寄到佛郎克福去，将在旅行中所需的东西托拉因河的便船带走，因可以沿着拉因河作徒步的旅行。河既曲折多趣，岸亦变化多端，我一路走来，在决心上是自由无碍，在情感上却为景物所牵引，置身于沉默而饶有生趣的自然之中，而得到很大的慰藉。我的长于发现景物的图画的和超图画的美的眼睛，耽溺于远近的景色的眺赏送迎之中，蒙着矮树的岩石，浴着阳光的树梢，苍润的低地，王冠似的古堡，和从天际摄引游子的心的几叠蔚蓝的远山，我都游目眺览。

我沿着河的右岸走，河流离路颇远，从岸上望下去，河道颇低，时为青密的杨柳丛所遮蔽，蜿蜒于阳光之中。

于是，我欲将这种景物好好地绘入画图的旧癖蓦地起了。恰巧我的左手拿着一柄美丽的小刀子，从我的灵魂的深处突然发出一个命令似的思想：“把那小刀不加踌躇地投在河里去吧！如果它落在河里，那么你的画家的愿望就可以实现；如果这小刀为临河的杨柳之丛所遮阻而不能没入水里，那么，你就息了这心，不必枉费工夫了。”我这种妄想一起来，我即照着实行。本来这柄小刀有其他种种的利器附属其间，用处很大，我却不管了，我就用握着它的左手使劲地把它投到河里去。但古代的人所引以为苦的占卜的意义的暧昧欺人，我在这回也要经验到了。小刀之没入水中与否，为丫出的杨柳枝所遮而不能分辨，但是，应着小刀的投入而起的水花，却高溅像猛喷的泉那样，并且很清楚地入我的眼，我把这个现象作为不吉之兆解释，因此而起的自信的动摇使我后来对于绘画比前疏懒，由是倒使我随便解释的占卜的前兆灵验了。至少，因为占卜的缘故，这时的外部世界不大为我所喜欢，而醉心于自己的想象和感想之中，任由淮尔堡（Weilburg）、灵堡（Limburg）、第次（Diez）和拿骚（Nassan）等胜地，古堡像云烟过眼那样过去。我大多时踽踽独行，有时与他人为伴走一短程。

这样愉快地漫游了几天之后，我便到了延姆斯城（Ems，拉因河下流的小都会）。在那儿我曾尝了几次温泉浴的风味，然后乘着一叶轻舸顺流而下。老莱茵河的名川豁然在我眼前展开了，奥柏拉因斯泰因（Oberlahnstein，延姆斯附近的古城）的胜景使我心旷神怡，可是我觉得最美丽最庄严的还是亚棱布里斯泰因（Ehrenbreitstein，十二世纪建筑的古城）的城堡，气象森雄，壁垒坚牢，巍然瞰临着。与它恰相对照的，是它的脚下的称作泰尔（Thal）的美丽的小村落，在那儿我很容易就找寻到枢密顾问官拉·洛赫的寓邸。麦尔克已预先给我介绍，故这个高贵的家庭很殷勤地接待我，不消一会儿便把我当作亲人看待。我与这家里的母亲谈美术、文学上情感上的事情，与父亲明朗地谈到人情世故都甚融洽，与小姐们则同是具有青年的心情而自然水乳交融。

他们的邸宅位在谷的尽头，离河面不高，可以纵目眺览下游的风景。房室高敞，四壁像是画廊那样密密悬着许多的画。通四方的窗户使窗棂就构成一幅自然的图画，柔和的目光照耀着，使它更添生气。我相信一辈子从没有从窗间眺望到那样明朗的朝景和美丽的夜景。

不久，便不是单我一个人在这儿作客。约定在这儿开的会商一半儿带有艺术的意味，一半儿带有感情的意味，类逊灵格（Lenchsenring）也被邀加入，从杜塞尔多夫城来。这个人精通近代文学，在各地旅行的时候——特别是在瑞士居留的时候，认识了许多人，他既和蔼可亲，能承顺人意，故很博得人的宠遇。他带了好些小箱子来，其中藏有许多朋友给他的亲切的书信。本来那时的德国人是有一种这样的普遍的坦白公开的习性，即是他写信不单是为那个收信的人而写，同时还想收信者的友朋们也得读到这信。这种通信既是互相披肝沥胆的，政府对于它也不加检查。邮车又迅速四达，途中封缄安稳，邮费不高，故这种道德上和文学上的通讯很快就大为盛行。

这样的书束——特别是从名人寄来的——每什袭珍藏起来，到日后与朋友聚会的时候，便选出其中的一部分拿来念，政治的讨论既无多大兴趣，这样子，人们对于全思想界的问题仍颇熟识。

类逊灵格的小箱子中藏有许多在这种意味上算是贵重的宝物。特别可珍贵的就是一个唤做朱里·逢德利（Julie Bondeli）女士的信，她是一个有思想有才具的闺秀，以曾为卢骚的女友著称于世。凡是与这个卓拔的人只要有一点关系，便与有荣焉，在卢骚的名字之下，暗地里形成的同志之群遍于各国。

读这些信的时候，我很喜欢在旁边倾听，因为借此我感到像是被引到一个未知的世界去，和认识在最近过去发生的事件的真际。当然，不是所有的信都是内容丰富的。拉·洛赫先生本是一个性情豪爽精于人情世故的实务家，虽属天主教徒，以前已在一些书中嘲笑僧徒和修道院的制度，他听见朗读这些信时，也看出有好些自己没有什么价值的人，攀上名人与之结交，举以骄人，结局他们狐假虎威自计甚得，而所结交的名人反受其累。每当类逊灵格开他的宝物箱的时候，这位拉·洛赫先生大抵避席他去。有时他虽在旁边听着读一两封信，他总不免加以冷嘲热讽。有一回，他这样说："看了这封信，我更相信我以前所信的是有根据，即是，女人们实在可以省去封信的火漆不用，只须用夹针把信夹上就成了，因为在途中可以担保没有人把它打开来读呵！”他以同样的态度对人生的实际活动以外的一切事物嘲笑揶揄，学他的主人和恩师的梅恩兹选帝侯领的大臣斯达底安（Stadion）伯爵的榜样。后者诚不能使少年时代的他的机敏冷静的世才，以对于冥冥不可测的事物的敬畏之故，得到平衡的发展。

可是，关于伯爵的实际主义的逸事，让我在这儿插叙一下。拉·洛赫幼时就没有父母，伯爵爱怜这个孤儿，亲自教养他，在他童年的时候已要他任秘书的事务：要他答复来信，草拟急用的文书，这些文件还要他自己誊净，有时又要他作暗记，封缄以至签题。他这样做了许多年，由童年而进于青年的他，确能胜任他从前只自以为可担当的职务，伯爵便领他到一张大公事台之前，那儿保存有一大堆的信和小包裹，原封不动，让拉·洛赫拿来作为初任事时的练习的材料。

伯爵更给与他自己的弟子的另一种训练，恐怕不会那样得人的佩服。即是，为免去伯爵的自己执笔之劳，拉·洛赫必须练到自己的字，酷肖他的主人兼恩师的笔迹。可是，拉·洛赫这种技能不独应用在公务事务上，即在恋爱的勾当上头，伯爵也要他代笔。伯爵与一个高贵有才的妇人热烈地恋爱着。当伯爵与这贵妇人一道儿欢聚至夜深的时候，他的秘书却留在家里编出极炽热的情书，伯爵回来把他喜欢的情书挑出来，即在深夜派人送去，那贵妇人看见她的热烈的崇拜者那样的熊熊不灭的情焰，恐怕会很欢喜吧。这种少年时候的经历当然会使拉·洛赫对于爱情的书柬不会有很好的观念了。

曾服官于两个选帝僧侯（天主教）的他，对于僧侣痛恶深绝，这大概因为他察知德国的僧侣往往演出粗拙、无味、没理解的丑态，因而阻碍和败坏德国国民的一切教养的缘故吧。他出版的《论僧院制度的信》（*Briefe über das Mönchswesen*）轰动一时，一切的新教信徒以至许多的天主教信徒大加欢迎。

可是，拉·洛赫氏虽反对一切所谓感情的事，自己又决不肯装做这样子，但他对于自己的大女儿的慈爱仍不能隐秘。事实上，大女儿确是一个很可爱的女子；身材不高，体貌秀丽，容态雍容大方，漆黑的双瞳，柔嫩的面色，其澄洁艳丽之处非想象所能及。她也爱她的父亲，意趣也偏近父亲的那一方面。拉·洛赫既是一个劝勉的实务家差，不多全部的时间给公务占去，来访的客人本不是由他，而由他的夫人招来，所以，与客人的交际不会使他有多大的高兴。不过，共餐的时候，他也有说有笑，蔼然可亲，只极力使自家的食桌不带有情感的气味。

凡是知道拉·洛赫夫人的志趣思想的人——她是很长命的，而且留有许多著作，所以德国人对她都知道都尊敬——恐怕会猜想他们的夫妻关系因此一定不会融洽。但是，事实上绝不是这样。她是一个最可惊异的非凡的妇人，我找不到有那一个女人可与她相比。她的身材略高，体貌娟秀，即至老年，她的风姿和举止仍能保持有一种特殊的优美。她的仪态实介于贵族社会的妇人和上流的市民阶级的妇人之间，极饶优婉之致。她的服装多年没有改变，不逐时流。绮丽的覆额垂下的小头巾很与她的小脑袋和美好的脸庞相配，褐色或灰色的衣裳使她的仪态更添娴静庄严。她善于辞令，无论说什么都含有一种感情，讲起来便很动听。她对任何人的态度都是一样的。可是，我上述的一切话仍不能说出她的特异之处，其实表达它不是容易的事呢。她像是对于一切事都有兴味有同感，但什么事都不能深切地影响她。她对于什么事都持柔和的态度，对一切事都能忍耐，而不觉得苦。丈夫的谐谑，来客的殷勤，儿女们的优美可爱，她都以一样的态度应接，因此，世间的善也好，恶也好，书卷中有可称道的事也好，有可指摘的也好，她都满不在乎，什么时候都不失自己的常态。她虽遭遇着种种的可悲的，甚至可怜的事变，但她到高年仍保持着她的独立性，实受她这种性情之赐。不过，为要不违背事实，我还要补述一句话，即是，那时她的两个儿子，正是含苞初放似的美少年，有时诱她不由得不说出一些与平常所用的不同的词句。

这样子，我处在一个异常愉快的新的环境中，度过一些日子。后来麦尔克偕他的妻子同来了，于是我们之间马上起新的同声相应、同气相求的作用，即是，拉·洛赫夫人与麦尔克夫人两位太太接近起来，麦尔克以拉·洛赫氏为洞明人情世务富于学识和阅历的人而亲近他，男孩子们打成一伙，两个女儿则跟我在一道。就中大女儿不消多久就特别对我有吸引力，在旧的爱情还没有完全消灭的时候，新的爱情就萌芽，使人感到非常愉快。这正像刚在落日苍茫的时候，新月从对面出现，看见日月双悬的两重光辉而欢悦不胜那样。

这时在屋内也好在户外也好，都不愁没有丰富的娱乐。我们遍游这一带地方，在这方的亚棱布里斯泰因，在那方的卡尔陶塞（Kartause，在山上的卡尔陶塞教派的修道院）都曾登临过。这儿的城市，摩些尔桥（莱茵河支流摩些尔河的大桥），渡过莱茵河的摆渡，给我们以种种多趣的慰乐。新的城堡那时还没有着手建筑，我们被带到它的基址去，并得见它的设计图。

但是，我们的情况纵很愉快，龃龉冲突的暗流已在动着。这种龃龉在有教养的人们中也好，没有教养的朋侣中也好，通常会显出不愉快的影响。心冷而同时又不耐烦的麦尔克，不消多久就不肯倾听那些书信的朗诵，对于信内所说到的事情人物和人的关系，他恣意加以揶揄，在背后则对我揭发信中本来包含的种种极可惊异的秘密。他所说的并不是政治上的秘密，也不是一种有关联的事情，他只教我注意某一种人。这种人虽没有特异的才能，但会巧妙地造成自己个人的声望地位，结交许多名人，来撑自己的腰。自此以后，我便有机会多领教这种人物。这种人通常变换他的居地，像游历者那样时东时西，因此人们视他为新来者不加妒忌，不加指摘，他便占了便宜。因为这是一种传统的现象，凡是旅行者都因此而享受优遇，凡是定居一地都因此受到不利。

这些都不管了，总而言之，自从那时起，我们对于那些随着漫游各地，一城又一城的寄泊，至少在几个有名的家庭里买得人的敬仰的人们，抱有一种不安的，甚或嫉视的戒心了。这类的人中的柔弱的型，我曾在 *Pater Brey* 一戏曲中描写出来，较能干和粗豪的型见于我将来出版的一篇大斋节戏剧中，后者的名字唤做 *Satyros* 或《视同神明的森林的恶魔》(*Der Vergötterte Waldteufel*)，这两篇东西对于这种人物的描写纵或失当，但至少也饶幽默的意味。

不过，在拉·洛赫家作客的我们的小团体虽含有奇异的分子，但彼此还可以凑合得来。这一半儿因为我们为自己的教养和礼节所约束之故，一半儿也因为女主人的特异的人品有微妙的缓和的作用。她不大为起于自己周围的事物所动，老是耽于某种的理想的观念，而又能亲切地好意地把它说出来，故起于我们间的一切轧轹都为之缓和，一切的凹凸不平都为之平滑了。

麦尔克恰在适当的时机告辞，因此大家分手时友谊还是极好。我跟同他和他的妻子一道走，乘一只归航梅恩兹的帆船溯莱茵河而上。船本来已走得很慢，我们还叫船夫不要赶程。我们悠然赏玩着沿河的变幻无穷的种种的风物，因风和日丽而景物更像是时时刻刻不同，规模和美丽之处老像是变换着。可是，我只把莱茵菲尔士（Rheinfels）、圣哥尔（St. Goar）、巴哈拉哈（Bacharach）、宾根（Bingen）、厄尔斐尔德（Elfeld）和卑伯里斯（Biebrich）的地名揭出来，希望每一个读者都能回忆起游过这些名胜的往事。

我们热心地绘画沿途的景色，至少由此可以使美丽的两岸的变幻无尽的风物更牢牢地印在我们的心中。此外，因为我们同舟共处那么久，彼此对于种种的事物互倾肝胆，我们的交情便更密切起来，以至我大受麦尔克的感化，把他看作我的畅适的生活上的不可缺的人。我的为自然所锻炼的审美的眼光再投到美术品的观览上头，佛郎克福城的绘画和铜版画的珍藏给我以充分的机会，在这方面我很受厄特灵（Ettling）、爱伦赖希诸氏——特别是善良的诺特拿格尔（Nothnagel）——好意之赐。从美术中认识自然，已成为我的一种热情，当这种热情达到最高峰时，连热心美术的人们看来，也一定觉得类于狂痴。欲培养这种对于自然的爱好，除了不断地鉴赏荷兰派的杰作之外，恐怕没有再好的方法吧。诺特拿格尔氏为使在这方面我不独做一个观赏者，而且在实技方面也能了然起见，为我特辟一工作室；凡是油画所必需的东西都备好。我照着实物画了几幅简单的静物画，其中有一幅是画小刀的镶银的玳瑁柄，我绘画的老师在我绘这画的前一小时才来看过我，后来看我画得那样好，便惊起来，断言一定是当他不在的时候有一个他的高足弟子来帮过我的忙。

如果我有耐性地继续练习这种写生画，把实物的光线、阴影和表面的特征画出，我便会养成一种熟练的技巧，可以再求深造。但是我犯了与一切的业余艺术者同样的过失，先从最难的着手，甚至想拣自己所不能成就的来做，没有多久，我便从事艰巨的图绘，以至手足无所措，半途而废，这一方面因为作此种画是远超出我的技能之外，他方面因为那使初学者也略能有所成就的带有热情的注意和沉着的勤勉心，我也不能常纯粹地有效地保持。

同时，我又被引入比绘画更高一层的艺术部门去，那时恰有机会买到几个古代人首的石膏模型。来赶年会的意大利人常带着这样的好东西来，把它们的型打好后，也拿来卖。我从他们渐渐买得“雷奥科温”，他的儿子们，“奈奥比女儿们”（此像的原作现藏于佛罗伦斯博物馆）等头像，作成一个小博物室。此外，恰有一个同好的友人死去，从他的遗物中又买得最著名的古代美术的缩制品。这样子我力图使我在曼海姆博物馆所得的大的印象尽可能地栩栩复活起来。

这时，我除了培养我自己所抱的才能，嗜好，和其他一切的性癖之外，我还顺着父亲的意思，把一日中大部分的时间花在律师那样的职务上头。偏巧那时有一个最好的机会供我作这种的活动。自从我的外祖父逝世后，舅父任市议会的陪审官，把我胜任的法律上的琐事委托我办理，斯罗塞尔兄弟也帮舅父办这样的事。我努力熟习法律的文书，我的父亲读起它们来也觉得很有乐趣，他因为儿子开始从事法律的实务的缘故，使得自己也重作久已抛弃的活动。我们共同商讨，然后我从容不费思索地作成必须的文稿。我们雇有一个熟练的录事，一切关于公文程式的写法都可以交给他办。这种新的作业既使我更接近父亲，所以我更感愉快。父亲在这方面既对我的态度完全满意，对于我所做的其他的事，也很关心，渴望我不久也可博得一个著述家的声誉。

无论在那一个时代，一切事物都是息息相关，支配的意见和思想向各方面分枝发叶，所以那时的法律学也渐渐以适用于宗教和伦理方面的原理为依归。在当时以青年占多数的律师之间，以及在以老年人占多数的裁判官之间，盛行人道主义的思想，即在法律的处理上，他们也竞以人道主义相尚。他们改良监狱，宽免微罪，减轻刑罚，使认可证明的法律手续比前容易，掖助离婚和怨偶。我们的优秀的律师中有一个因能说服一个死刑执行吏的儿子改入医学校，而博得极高的声誉。当时的行会和种种团体虽起而反对这种革新运动，也归无效，障壁一重又一重地被打破。各派宗教之彼此互相宽容，不独以言词劝说，而且见于实行。有一事使民法受更大的影响的，就是以理智、达见和热诚向善意的时代鼓吹犹太人待遇的改善。这种法律处理的新的对象既在成文法和习惯法的范围以外只要求正常的判断和同情，同时自须一种自然而有生气的文体为之表达。在这方面，便为我们少年后进辟一宽畅的场面，可供我们随意施展我们的好身手了。我还记得很清楚，有一位帝室枢密顾问官，因为我作这样的法律文书，写信对我大加赞赏。在法国法庭所流行的辩论方法做我们的榜样，给我们以刺激。

这样子一来，我们有成为雄辩家而不大像法律家的趋势，关于这一层，笃实的斯罗塞尔君曾一度加以指摘提醒我的注意。我告诉他："我曾替我的当事人很费工夫地写一辩护书，极力为他辩护，当我读给他听时，他很高兴呢。"斯罗塞尔听了便答道："你的所为，显出你倒像文章家而不大像律师了，我们从不要问这样的辩护状会不会得当事人的欢心，而只问它能否动裁判官的视听。"

一个人无论在日间致力于怎样重大和急迫的事，到了晚上决不会因而没有出去看戏的余暇的。我就有这样的闲工夫。因为佛郎克福城没有良好的剧场之故，我自己不断地对德国剧坛加以考察思索，想寻求出一个可以改善它的法子。前世纪后半期德国剧坛的状况，已为人所耳熟，凡欲详知当时情况者到处都可找到整理好的研究资料。因此，我只想在这儿插叙我的一点的一般的感想。

戏剧出演的成败系于俳优的技巧者多，决于剧本的价值者少。全然或一半即兴的戏曲出演的时候特别是如此。在这场合，一切都视乎喜剧优伶的幽默和技能而定。这种剧本的题材，一定要从最普通的实际生活采取，与来看戏的国民大众的风俗习惯相适应。基于这种直接的感应性，这些戏剧便时常惹起观众的大喝彩。这种情形在德国南部习以为常，到现在还是如此，只有时由于俳优的更换，使滑稽人物的性格不得不有多少的变化。不过，因为德国的笃厚的国民性之故，德国剧场早已转到道德伦理的题材去，这种趋向因一种外部的诱因而更促进。严正的基督教徒们提出一个问题，即是，究竟戏剧一物是否属于罪恶的和应该忌避的东西，抑或是无关重要的东西，善人看了还是善，恶人看了还是恶呢？严谨的反对者否认后一点，断言僧侣不应涉足剧场。所以反驳他们的人单是说剧场无害还是不够力，而且还要说明它是有益的。如要有益，它就要成为道德的。由是，在德国北部，戏剧的道德化便逐渐实现，首先，一种半生半熟的趣味，先将谐角驱逐了，对此虽有一些著作家提出反对，但是这些谐角也早从德国的粗野风的“汉斯乌尔斯特”（Hanswurst，十六世纪以后德国喜剧所描写的代表的滑稽人物）变身为优雅温文的意大利风和法国风的丑角（Harlekin）了，所以终不得不从舞台之上销声匿迹。即使斯加宾（Scapin，假面剧的歹角）与克利斯宾（Crispin，从法国喜剧输入的谐角）也渐渐不上演了。我看见老伶工科克（Koch，剧场经营者，戏曲家，一七一八年以后自充优伶，一七〇三——一七七五）扮演克利斯宾算是最后的一次。

本来，里察逊（Richardson，英国小说家，一六八九——一七六一）的小说已引起市民阶级对善美的道德方面注意。在他的 *Charisse* 之中，因妇人的失足而生的必然的悲惨的结果，无慈悲地剖析出来。勒辛的 *Miss Sara Sampson* 写同一样的题目。其后，《伦敦的商人》[*Kaufmann von London*，英国剧作家里罗（Lillo）所作] 一剧描出一个青年怎样被女人的诱惑而陷入极可怕的境地中。法国的戏曲也有同样的目的，只题材的处理较为不趋极端，并且插入新的事情，便有幸福的结局。狄德罗的《家长》（*Hansvater*）、《名誉的犯罪者》（*Der ehrliche Verbrecher*）、《醋商人》（*Essighändler*）、《不知其事的哲学家》（*Der Philosoph ohne es zu wissen*）、《尤金呢》（*Eugenie*）等类的戏曲是与当时日益占势力的可敬的平民精神和家庭思想相适应的著作。在我们德国，《报恩的儿子》（*Der Dankbare Sohn*）、《为爱子的逃军》（*Der Deserteur aus Kindesliebe*）一类的戏曲也循同一的途轨。给布勒（Gebler）的《宰相》（*Der Minister*）、《克勒门丁》（*Clementine*）以及其他的戏剧，金明根（Gemmingen，戏曲家，一七五五——一八三六）的《德国的家长》（*Der deutsche Hausvater*）都把中层以到下层阶级的价值优美地表出，博得一般民众的欢迎。厄克贺夫（Ekhof，汉堡国民剧场的台柱，为德国北部的特有的写实的演技的创始者，一七二〇——一七七八）更借其高洁的人格使从来为人所鄙的俳优界得有一种品格体面，扮演这些剧本的主角，收到空前的效果。加以他本身具有诚笃的人格，表白真正诚实的剧情来，恰到好处。

但是，当德国剧坛的这种新倾向中又有陷于文弱化之虞的时候，恰好有一个剧作家兼俳优的希勒得（Schröder，在汉堡的戏剧界活动，初演喜剧，后演悲剧，以演莎翁剧见长，一七四四——一八一六），他靠着汉堡市与英国间的密切的关系［自十六世纪中叶以来，包容荷兰、西班牙和葡萄牙的移住商人的汉堡市，欢迎英国的冒险商人（Merchant Adventurers），他们在十八世纪中在汉堡占有牢固的地盘］而致力于英国剧本的改作。可是，他在改作时只能极一般地采取原作的材料，因为原作大多数是没有具戏曲的形式的，开头纵很美满有条理，到末了便流于放逸无度。它们的原作者像是只顾弄出出人意表的奇异的场面，因此，看惯了密实的艺术品的人便不喜欢到后来被领到茫无涯岸的地方去。而且，这些戏曲的全篇充满着野蛮、不道德和粗俗的东西，达到使人不堪的程度，故从情节与人物中去掉这一切缺点是不容易的。这些戏曲实是一种粗硬而有毛病的食物，只有半堕落的大群的民众在某一时代才能享受和消化它。然而，希勒得对于这些戏曲的改作，出乎常人的推测之外。他把它们根本地改变过，力求与德意志的精神同化，和尽可能地减轻它们的粗野的气味。但是，这些作品常是描写无论是有正当的理由与否，有些人总为他人所虐待的情节，而以谐谑出之。所以改作的戏曲仍老是带有一种辛辣之味。这种改作的戏曲的上演，因此对于过于文弱的新戏曲暗中起平衡的作用，双方彼此互相影响，德国剧坛便幸而不致陷于单调化的危险。

先天具有善良宽大的性格的德国人，不欲任何人为他人所虐待。但是，无论怎样心性善良的人，也不能担保他人不插入一些自己所不喜欢的事情，而且喜剧一物之有趣本来常就以观众的一种幸灾乐祸心为前提，或要引起他们这种心理，所以德国剧坛便自然而然地走向一种从前视为不自然的行径。这就是把上流的阶级加以贬黜轻藐，甚至或多或少的诋毁。以前在散文上或诗歌上的讽刺总当心不施于宫廷和贵族阶级。拉宾纳（Rabener，见前）对这方面避免一切的嘲骂，而所揶揄的只限于较低的阶级。扎卡利阿（见前）好以乡村贵族为谐谑的对象，滑稽地描出他们的嗜好和特性，但没有含轻蔑之意。屠姆麦尔（Thümmel，著述家，一七四八——一八一七）的《威尔赫尔密纳》（*Wilhelmine*，散文的滑稽长诗，别名《既婚的炫学者》）是一篇才气横逸，大胆而又快人意的小作品，大博得人的称赏，这或者有一部分因为著者自身为贵族和宫廷中人，对于自己阶级毫不留情地描写之故。不过，接着这样的方向最决然迈进者还是勒辛，他在《爱密里亚·加罗蒂》（*Emilia Gallote*，悲剧，一七七二年）一剧中把上流社会的情欲和诈伪的情事痛切地苛酷地描写出来。这一切作品都与那新兴的时代精神完全适应，思想和才能较劣的文学者自信也可以同样的做，甚至做得更甚一点，格罗斯曼（Grossmann，剧作家，俳优，一七四六——一七九六）在他的《六个不美味的"盘"》（原名《六盘以上无用》，一篇滑稽剧）中，把他自己的穷乏的厨房中的一切的肴馔都献上给幸灾乐祸的观众，就是一例。在这个索然寡欢的饭局上，一个善良的人，枢密院顾问莱茵哈德（Reinhard）自任家庭教师之役，对全座客人加以劝慰感化。自从这时候起，舞台上的歹角日益从上流社会中人选出充当，不过，为使这种表彰有声有色，这种人物一定是宫廷的侍从，或至少是宫中的秘书。但是，当作家描写极恶不赦的人的场合，便以大小独立国的大官显爵做主人公，而法官们在这些高贵的阶层中只占恶汉中的末席。

可是我这样子叙述，恐怕已越过我现在所述的时期，所以我要掉回笔锋，来说明我怎样感到强烈的冲动，在有工夫的时候从事于既已一度构思的剧作计划的完成吧。

因为我不断地精研莎士比亚的剧作，自己的精神的视野大为扩展之故，我便觉得向来的狭隘的舞台面和只适于一出单纯的戏的短促的时间不足供一种伟大的戏曲的上演。忠勇的武士格兹·丰·伯里生根的自叙传，使我决心把材料作历史的处理，同时我的想象力扩展得那么厉害，以至戏剧的形式也逾越一切舞台的限界，我极力使情节栩栩如生，我的构思每进一步，便把它详细地说给妹妹听，而她对于这种事情也抱有理解和兴味。我既屡屡向她谈起这件事，而从没有着笔，她终于不能忍耐，向我好意地规劝，不要老是只说得天花乱坠，而应当把我所构思的，浮现在脑海中的，写到纸上来。我为她这话所督促，有一朝便开始拿起笔来写了，连草案计划都没有预先定好。我写好了开场的几幕，到晚上便念给妹妹听。她大加赞赏，但同时却说，她恐怕我不能一路这样子写下去，甚至断言不相信我有这样的恒心和毅力。这话只会更鼓舞我，第二天第三天我继续这样子写；每一回与妹妹共话，对我的希望便愈加强。因为我已把一切的材料都消化了，故每进一步，个中的情节人物也愈加活泼如生地现在我的心目中。我这样子不断地目无旁顾地一直写下去，约经六个星期，我便欣然看见这篇东西脱稿，缀成一小帙了。我把这篇稿子给麦尔克看，他以理解和好意批评它。我又寄给赫德尔看，他不独加以苛刻无情的非难，而且因此时在一些嘲骂的诗中送给我种种的诨名。但我不因为他这种态度而迷惑，反却更深锐地检视自己的试作，棋子已经下了，成为问题的，只是怎样使局中的棋子得操胜算。我很明白，在这方面恐怕没有人可以请益；到后来过了一些日子，我可以把这篇东西当作他人的作品那样客观地检视它，我便发觉，我的破坏时间与场所的统一的尝试却损坏了因此更需要的更高的统一。我这篇东西既是没有先拟好草案计划就写起来，任从我的想象力和一种内心冲动为所欲为，所以，最初的部分还颇贴切，不离本题，前几出还可以说与理想中所欲达到的相洽，但是其后的部分——特别是临到结束时的部分——我便不知不觉地为一种不可思议的热情所牵引。即是当我要把阿德尔海德（Adelheid）写成一个很可爱的女人时，我自己对于她也不禁起眷恋之情，不知不觉地将全副的笔墨专描写她，关于她的运命的兴味大增。将近结束的时候，格兹既成为一个不活动的人物，只现身为农民战争的不幸的参加者回来，那么，欲摆脱艺术上一切的拘束而另拓一新园地的作者把一个美妇人挑出来代替他的主人公的位置，是最自然不过的事了。这种缺点，或不如说画蛇添足似的多余之笔，因为我的剧诗的性质逼着我要求脚色的一贯之故，我不久即已发觉，于是我不再单留心格兹的自传和德国古代史，而注意我自己的戏曲，而极力在其中添加历史的和国民性的内容，淘汰去传奇的分子或单是热情的分子。人间味既要对艺术的信条让步，我自不免作很多的牺牲。例如我在支波西人的可怕的夜间的聚会中，让阿德尔海德出现，描写她的美貌怎样奇迹似的发生作用，我初时很为得意，但后来细加考察，便把她撤销了。又如在第四出和第五出的详细地描写的法兰兹和他的女主人的恋爱情节后来也缩短了，只将它的要点点出来。

我不欲把最初的原稿修改（这稿子现在我仍保存着，一点不失原来面目），而决心从头把它改作，我仍孜孜汲汲地握管，三数星期之后，一篇面目一新的剧曲便陈在我的面前了。我之所以能更快地把它完成，正因为我这次更无心拿第二回的作品付印，只是为预习的试作，想待后来以更大的勤勉和考虑重新写作时，拿它来做基础。

当我把心中盘算怎样着手改写的种种的方案对麦尔克披沥时，他便嘲笑我，问我这样子不断的写和改写有什么意思呢？改作的东西只与前作不同但很少比前作好一点；因此，我们要拿所作的东西出而问世，看它有什么反响，然后不断地从事新的创作。“让孩子在适当的时候就扶墙而行，襁褓就会干了，”他喊出这句谚语来，“踌躇犹豫只造成怀疑不定的人吧。”我却对他答称，我对于这一篇作品抱有那么大的兴味，如果把它送到书店去请求出版，书店恐怕以我为青年无名而又大胆的作家，不加青眼，我甚或得到拒绝的答语，那时我会感到怎样的不快呢？当我的嫌怕印刷的心理渐渐消灭之时，我也曾想拿我的颇有自信的《共犯者》一剧曲付印，但是我却找不到一家书店肯承受它。

麦尔克听了这个话，他对于技术和商业方面的兴味便勃然激动起来。他因为《佛郎克福新闻》的关系已与本市的学者们和出版业者有一些交情。他以为我的戏曲既是新颖定然可以轰动出版界的著作，主张自费出版，由此可以得到丰厚的利益。他常与别人计算书贾所得的利益，他们在好些书身上赚得厚利，如果我们不把他们在别些书或别的买卖中所赔的钱算在一块儿，他们的利益更是丰厚。总而言之，我们决定了印刷的纸张由我担任，印刷费则由他张罗。我们开始为这事敏活地忙起来，我看见我的信笔挥成的戏曲的原稿渐渐变成整洁的校正样，觉得殊不恶，实际上印刷来的齐整修洁还出乎我的预期之外。我们把印刷、校正、装订的事全弄成功了，便分作许多小包寄发出去。不消多久，到处都起很大的反响，全国为之轰动。可是因为我们的财和力都不足，不能十分迅速地将书分发到各地去，突然有翻版书出现。而且，我们发出的书自不能马上就有书价——尤其是现款——付回，而我尚是人子，自己没有多少私财，纵在惹起全国的注目以至博得很大的称赞的时候，也因不能偿付纸张——使自己的诗才为世人所知的媒介者的纸张——的价钱而极为狼狈。麦尔克是一个无论什么事情也会办通的人，他反泰然预期一切事不久就会弄妥。后来究竟怎么样我却不知道了。

当我以前不署名印行一些小册子时，我已以当时的出版费用为代价而认识了公众和批评家是怎么样的了，对于他们的或褒或贬已以颇冷静的态度处之，况且这几年以来，我不断注意他们对于我所敬重的著述怎样看待，我因之更觉泰然。

我把这戏曲发表之后，即在疑惑不定之中已看见很清楚，公众和批评家怎样没有根据地，偏颇地，随意地乱说。现在我躬尝这种滋味了。如果我不是有相当的自信力，有教养的人们的非难指摘便会使我怎样迷惑失望呢！例如在《德意志麦库尔》杂志上登载有一个冗长而好意的批评，出自一个思想凡庸的作家之手。他所非难之点，我不能同意，他认为应怎样修改，起头应怎样写之点，我更不能承认。因此，这个批评文刚出现之后，我看到薇兰的明快的评论，大体上是为我辩护反驳那批评，我便很喜欢感激。但是，像头一种那样批评还印刷出来，由此可以看见所谓有教育有学识的人的头脑呆钝的实例了。他们犹且如此，读者大众怎样看待这戏曲更不用说吧！

我与麦尔克一块儿谈论这种事情的乐趣只是短促的，因为有才识的黑森·丹姆斯达方伯夫人请他作圣彼得堡旅行的随员。他从那儿写给我的详细的信，使我得扩展我在世界中的视域，况且那描写又出自惯熟亲切的友人之手，俄国的情况更使我容易领会。虽然是这样，因为麦尔克的远游，我却感到长时间的非常的寂寞，恰在我很需要他的启迪的时候，他就离开我，那是很可惜的。

我们可以下决心去当军人，参加战争，勇敢地预定要经历危险艰难，挨受伤创苦痛，甚至死亡，但是其间决不会想象这种笼统空泛地预期的危害，实际向我们袭来的时候是怎样极度的不快。凡是初闯世界的人，尤其是初出茅庐的作家，也有同样的情形，我就是一例。读者大众的大部分人多为题材所动，而不大注意到描写的方法，所以青年人对于我的剧作的同感，大抵是关于题材方面。他们以为在《格兹·丰·伯里生根》中看见一面大旗，如以这旗为先导而进行，青年所具有的一切野蛮粗暴性都可以自由地驰骋，特别是以前也作过与这剧的情节相似的想象的有思想的人，更为它所感动。我现在仍藏有一个优秀的读者——并且在许多方面看来可以说是唯一的读者的信。他写给谁，我已忘记了，但是从这封信很可征见这篇作品给予当时的青年人以怎样的刺激和影响。可是，在他方面，老成持重的人便责我把“强权”（Fanstrecht，骑士们行使暴力的权力）描写得太有声有色了，甚至强指我有希望乱世之复归之意。更有一部分人相信我是一个学问湛深的人，希望我把《格兹自传》加以注释重新印行。当然，这样的事，我知道自己是绝不能胜任的，但是，如果书店把它重印，喜欢将我的名字题在表页，我也欣然承诺的。有人见我把王侯的豪华的生活能够那样细加描写，认为我是一个非常精细的风雅之士。但是对于我是一个大学者精通史实一事质疑的人也是有的，有一天一个著名的大商人意外地来访问我，我感到非常荣幸，尤其是因为他的谈话开头就表示对我的《格兹·丰·伯里生根》和我的德国史知识的赞美。但是我听了他后头的话却为之愕然。他说，他之特地来访，只为指点我一点，即是格兹·丰·伯里生根不是法兰兹·丰·稷轻根（Franz von Sickingen，与格兹同时代的骑士，一四八一——一五二三）的内兄弟（或姊妹丈，或襟兄弟 Schwager），我的诗上把他们这样弄成有亲戚关系便与正史抵触云云。于是我便说，格兹自己曾这样称呼过法兰兹以为辩解，但他却答我说，那时所谓 Schwager（内兄弟等等）的称呼，正如今日把邮递马车的车夫也称做 Schwager 那样，只是表示亲昵的朋友关系的惯用语，而不含有什么姻戚的关系于其间。我极口感谢他的指正，只可惜这个错误无法改正。他那一方面也引以为憾，并恳切地劝我以后再精研德国历史和国法，且愿提供他的藏书给我利用。我以后真个常借览他的藏书，得益不少。

因《格兹》一戏曲的出版而发生的事情中的最滑稽可笑的事，就是一个书商的来访。他以满不在乎的豪爽的态度约我写一打像《格兹》那样的作品，并答应给我丰厚的报酬。我跟麦尔克拿这事来当作笑柄自不消说，不过这个提案也不是完全没根据的。因为我已暗中把格兹的时代当作是德国史的转机点，注意到它前后的时代，和把其中的主要事件也拟作为同样的戏曲。这虽是很可称道的意图，但是，正像别的许多相似的意图那样，因人事的倥偬，光阴的飞掠而终成泡影了。

不过，这一篇戏曲不是使作者单埋头埋脑于它那方面，而在构想、撰写、改作、印刷和发送它的时候，在我的脑海中，别的想象主意也纷至沓来。那些要作成戏曲的构想特别为我所注重，思索最频，往往濒于完成之境。但是，同时我又转向别种的描写法去，这种描写法通常虽不能算是戏曲的描写之一，却与它有密切的关系。这种转向主要地因为作者连独白也好以会话之形出之的特性的缘故。

作者既极喜欢在友朋的谈笑中消磨他的时间，因此连个人独自的思索也要化作偶语对谈，详细的情形却是这样的。即是，当我独处的时候，我惯常在脑海中在想象中把所知交的某一个人召来。我先请他坐下，在他的身边往来蹀躞着，站定在他的面前，然后跟他交换关于自己刚想起的问题的意见。他听了有时加以答复，或以他平素的表情（人类各有其特别的表情法），表示赞否。然后，论主的我继续将客人所表示赞同的题材再详加论述，或将他不赞成之点附以条件制约，或更精确地说明其真义，甚或到末了迎合客人的意向，而抛弃自己的论据。在这种想象的对谈中，最不可思议的，就是我从不选择亲密的朋友做对手，而选择自己罕与晤面的人，甚至多数是只有极疏淡的关系远在国外住的人。但是这些人大多数性质上是偏于“受”而不是偏于“与”的，关于自己的视域所能及的事，都以纯一的精神来表示恬静的同情的。固然，在这样带有辩证性质的练习中，我许多时也招请富于反对精神的人来。这样子，男女老少，身份不同的种种色色的人都来与我共话，因为我们所谈的都是他们各自了然和喜欢谈的事，所以无时不现和蔼愉快之色。他们中许多都是实际上难有与我谈话的机会的，如果他们知道他时常被召为我的理想中的谈话的对手，他们应会怎样惊讶呢！

这样一种的理想中的对谈与通讯之相似，是很够明白的，所异者，只是在复信中所看到的是一种因袭应酬性质的披沥，而在前者的场合，所得到的是一种新颖的，次次不同的出人意料之外的独创的答语。因此，如要描写不是因为贫苦所逼而起，而是在感情上感到的人生的厌恶，作者便不由得不即以书翰体来表现他的意趣。因为，一切的不满之感都是孤寂的产儿，凡是陷于孤寂之感的人都想避免一切从他人来的反感，而最使他起反感的却是热闹欢愉的社交结集。别人的生的享乐在他的眼中却是一种痛苦的讥刺，由是，生的享乐虽应从他的自身之中诱引出来，却转把他锁闭于自己的幽暗的悲哀的深处。如果他要把这种悲哀发泄出来，那就要用书翰的体裁。因为用文字来传达自己的情感，无论是喜也好，悲也好，仍没有人直接与自己相反对，但是具有堂堂的反对的论证的复书使寂处者有机会来加强他自己的幻想，更沉溺于悲哀之中。《少年维特的烦恼》就是以这种意味而写成的书翰，它的种种的内容本来是在这种理想的对话中跟种种人互相披沥的话，但后来在作品中却只向一个朋友和同情者说出来，故有纷异多趣的动人之处。关于这篇小东西已谈过不少了，再讲它的描写方法，似属赘言，但是关于它的内容让我再补充几句话吧。

对于人生这一类的嫌厌，有生理的原因和道德的原因。前者的究明，我们要委诸医师；后者的查考，要委诸伦理学者。关于这种常为人所论究的厌世思想，我们只就其最明显地呈现之主要点加以注意就成了。对人生的愉乐都基于外界事物的有规律性的循环往复。昼夜的轮流，四季的迭代，开花与结实，以及其他以时呈现于我们的面前的事物，使我们能够和可以享受它，这些实是尘世生活的本来的动力。我们越自由自在地领略这种享乐，我们便越觉得自己幸福。可是，如果这些现象在我们的面前作种种的交替变化，而我们不能寄与同感，我们既对于这些美丽可爱的现象不能领略，最大的不幸，最难治的心病便产生了，这时我们已把人生当作是可厌的重负。据说有一个英国人为要不再每天又穿衣服又脱衣服而缢死。我认识一个管理大公园的诚实的园艺师，他有一天惘然忿然喊道："我老是要这样子天天看着雨云由西飘到东吗！"一又听说我们认识的优秀的人中有一个看见春天万物再呈绿色而讨厌起来，希望变换一下，春天，尽成红色。这些事本已是厌生的征象，驱人于自杀的时候也不少，有思想，好独处反省的人罹这种心病之多更出人意表。

可是，引起这种哀感的诸诱因之中，恋爱的复归，最有强烈的作用。俗谚说得好，最初的恋爱是唯一的恋爱：因为在第二次恋爱中和经过第二次的恋爱，恋爱的最高的意义已失掉了，本来提高和支持恋爱的永远性和无限性归于乌有，它与一切可以复归重现的东西同样，只像是一时的、无常的，在复杂地文明化的世界中，灵与肉的分离也使恋爱与情欲之感分裂，结果助长厌世的倾向使达于极端。

并且，一个青年纵不在自己身上也在他人身上不久就会发见道德也像季节那样以时变迁的。大人物的宠赐，权威者的恩惠，勤勉者的掖助，民众爱好，个人的爱，这一切都起伏出没，正像日月星辰之变转运行那样，非人力所能定住。而这一切又不单是自然的现象，因为我们自身或他人的过失偶然或运命而从我们手边脱去。但是它们是变迁的，因而我们对它们总不能有把握。

可是敏感的青年最感到苦恼的，就是自己的失德的不断的再现。因为到了后来年长一点，我们悟到一方面培养自己的德性，而同时自己的弱点也与之俱长。德性植根于弱点之上，后者暗地里向四面八方散布它的强密的根茎，正如前者之在光天化日中之开枝发叶那样。因为我们大抵以意志和意识实践德性，而无意识地为过失所袭，故德行很少使我们有多少的喜悦，而失德倒常为我们的苦恼之源。这点是自知的最困难之点，甚至使自知成为不可能。而且，如果我们想及青年时代的沸腾的血，因为一件事物而容易麻木的想象力，以及人事的倥偬变幻，则就会明白青年之急图挣扎，脱出这样的穷境，决不是不自然的事了。

这样的阴郁的人生观使一度被迷的人万劫不复，不过，如果不是有一种外来的诱因的刺激和促进，这种悲郁的心理决不能在德国青年的心中那样强烈地发展。这是由于英国的文学——特别是诗的影响。英诗的优美之处还伴有一种严肃的悲哀，凡是耽读的人便受其熏染。天才的英国人自少年的时候起便看见自己为一个非同小可的世界所围绕，自己的一切的力为所刺激，他迟早总会觉得自己要抖擞他的智能来与这世界打交涉。他们中的诗人在青年时代已作放逸不羁的生活，很早就已慨叹尘世事物的空虚，而自认为正当，像这样的人不知有多少呵！他们中在政治上作种种的尝试，或参加国会，或服官于宫廷，或出任于内阁，或就国外使臣之职，因职务之不同，而作用亦有高下，或参加国内之骚乱，或干预政变的运动，纵不是从自己而从友人或恩主身上也得有不少的悲惨而不愉快的经验，这种人又有多少呢！更或被放逐、流谪、投人牢狱、财产被没收，这样的人也不知多少呵！

他们虽只是这种人世大事的目击者、旁观者，但这种事也促使人生严肃之心，而这种严肃之心结果除了使人把一切世间的事物视为无常无价值之外，还会怎样呢？德国人本来也是严肃的，故英国的这样的诗便极适合德国人的脾胃，加以它们又是从一种较高级的社会状态传来，故又有力量。我们在这些诗中看到有一种伟大的、优秀的、受过世界的训练的知能，深沉而优娴的心情，卓拔的意想和热情的活动，天才与教养兼备者的特质在其中尽情发挥，但是这一切的特质凑合起来还不能构成诗人。真正的诗之所以成为真正的诗，是因为它像是世界的福音那样，借其内面的明朗喜悦，外形的谐和美畅，使我们得以摆脱肩上的尘世的重负。正像是氢气球那样，它把我们以及附着于我们身上的重荷上浮于云霄之中，任下头人间的错杂纷乱的景色像鸟瞰图那样在我们的眼前展开。最严肃的著作与最爽快的著作具有同一的目的，就是以一种美丽玲珑的描写来调节我们的快乐和苦恼。如果我们从这种观点来看英国的大多数的诗——特别是带道德的教训的意味的诗，则它们在平均上只会显出是一种幽暗的厌世观来。不独是杨格（Young，英国诗人，一六八三——一七六五）的《夜思》（*Night-Thoughts*，伦敦，一七四二——一七四六）把这种悲哀特别美妙地抒写出来，其余的显著的诗也出人意表地徘徊流连于这个哀愁的世界中。在这儿我们要给予我们的理智以一个它无法解决的难题，因为连知性能够建立的宗教在这儿也束手无策呢。下录的可怕的诗句（见于莎翁剧曲中），如要加以注释真是可以印成几本书呢。

Then old age and experience, hand in hand,
Lead him to death, and make him understand,
After a search so painful and so long,
That all his life he has been in the wrong.
于是老年和经验，手携着手，
领他到死亡之路，使他明了，

经过长年艰苦的追求之后，
他的一辈子还是在迷误里头。

有一事更使英国诗人成为人间的憎恶者，以及使他们的著作充满着对一切事物厌恶的不快之感的，就是因为社会的体制四分五裂之故，纵然不是一辈子，也要在盛年委身于这个或那个的党派。这样的一个著述家如要赞颂自己所属的党派和它的主义精神，即会招他派的嫉妒和反感，所以，他的才能就用在对付反对党的方面，尽情诋毁反对党，竭力磨炼他的讽刺的武器，甚至把它涂上毒药。敌对的派别互相攻击，夹在其间的无党派的世界便被蹂躏，破灭，结果，在一个理智地活动着的广大的民族结合中只能找到愚笨狂妄。即使他们的恋爱诗也以悲哀的情节为题材。不是一个被遗弃的女郎的情死，就是一个失情的男子投河自溺，或是急忙地游泳，还没有追到他的爱人以前就葬身鱼腹。像格雷（Gray，抒情诗人，一七一六——一七七一）那样的一个诗人，躲在乡村的教会的墓地之上，把他的著名的哀调（格雷的名诗 *Elegy written on a country churchyard*，一七五一）再唱出来，定然会有无数的悲哀之友环集在他的身边。密尔敦的 *Allegro*（牧歌，一六四三）不得不在激越的诗句中先扫去那惨淡的愁云，然后才能达到很有限度的喜悦；即使那乐世的哥尔斯密也醉心于挽歌似的心情之中，他的《荒村》（*Desserted Village*）描写一个“旅客”（traveller）怎样踏遍世界来找寻一个失去的乐园，文笔美妙而又充满着悲哀之色。

无疑的，人们也可以从英国诗中找出一些明朗愉快的作品出来，指给我看，作为反证，但是这种诗的大部分和最杰出的部分是较古的时代的作品，其中较近的作品也是有讽刺的倾向，很为辛辣，特别是以嘲骂妇人为快。

总而言之，上头笼统地提及的破坏人世的乐观的天性的严肃的英国诗是我们德国青年的爱好之物，我们对它们的追求比任何作物为迫切，随着性情的相近，或从其中寻求挽歌般的轻软的悲哀，或从中寻求摒弃一切的重苦的绝望。我们的文学之父师的莎士比亚，虽能散播欢乐的种子，而仍加强这种厌世的悲恼，更是奇怪的事。哈姆勒特（Hamlet）和他的独白，像是一个不可见的幽灵，我们的青年全都为它所魔魇。其中的主要的文句，那一个青年都记得住，好拿来吟诵。纵然谁也没有看见他的父亲的亡灵，没有父王的仇要报，但也相信应该像那个丹麦的王子那样的悲哀。

而且，连为这一切的悲哀而设的适当的场所也不缺乏，奥西安（Ossian，三世纪的皋罗族的诗人，作有以荒凉的北海诸岛为背景的故事诗）把我们引到屠尔（Thule，古代罗马人相信在欧洲北端之岛）之滨去，在那儿，我们置身于无穷无际的灰色的荒野之中，漫步于满着青苔的矗立的墓碑之间，环顾尽是怪风吹动的荒草，仰望是阴沉的弥漫着黑云的天空。在月明的时候，这个北地的夜才变成白昼，战死的英雄，凋萎的美人的亡灵在我们的周遭浮游着，直至连罗达（Loda）那样的可怖的形体，也活生生地映现于我们的眼中。

我们在这样的氛围之中，处着这样的环境，爱好和钻研这种的诗文，为自己的不满足的热情所苦，而又绝没有刺激来使我们在外界作有意义的活动，在无聊死钝的日常生活中苟延下去是未来的唯一的出路，于是我们便满怀愤慨，不顾一切，以为人生既无可乐，随着自己高兴，脱离尘世倒为得策，我们狎于这种思想，并以此才能把每日的无聊不快挨过去。这种思想既那样普遍地流行，把青年的病态的妄想赤裸地贴切地描写出来的《维特》才能到处引起同感的反响，收大的效果。英国怎样精密地了解这种悲哀，下录的刚在《维特》出版以前写的几行的有意义的诗句可以证明：

To griefs congenial prone,
More wounds than nature gave he knew,
While misery's form his fancy drew,
In dark ideal hues and horrors not its own.
倾心于这种的悲愁的他，
自知创伤还甚于自然所赐，
悲惨的形象是自己的空想所虚拟，
幽暗的理想的可恐的色彩不是本来的样子。

自杀是本于人类的性情的一种事变，关于自杀虽早已有许多许多的论议，但仍唤起一切人的同情，在每一个时代必会重新加以论议。孟德斯鸠认为英雄和大人物有能任意死的权利，他说，我们应任从各个人自由地随意结束他的悲剧的第五幕。但是我们在这里所讲的不是勤劳地度着一种有意义的生活，为着一个大的国家的捍卫，或自由的斗争而消磨其时日的伟大人物的自杀，如果这样的人因他的视为性命的理想在尘世间消失了，而想在死后的世界寻求，这样的死我们不会非议的。我们在这里谈论的是本因为自己的行动的缺乏，置身于极平和的生活状态中，为对自身的过当的要求所误，而厌世的人。我自身既有这样的经验，极了然于自己所尝的苦味，以及为摆脱它而费的努力，所以，我不敢自秘想将我关于人们会选择的种种自杀之方的痛切的考察发表出来。

人类之轻生，不独把自己伤害，而且要毁灭自己，这是那么不自然的行为，因此，自杀的实行大抵是采取机械的手段。当阿查克斯［Ajax，荷马史诗中所述的参加托洛耶战争的希腊方面的勇将，阿溪里（Achilles）死后与阿加棉农（Agammenon）相争，后发狂自杀］陷身自己的剑锋的时候，为他效最后之劳的是他自己的身体的重量。又如古代的战士向他的持盾的从者誓言不让自已落在敌人的手内为俘虏，而宁愿自刎，这也是恃着一种外部的力，所异者这力不是物质的力，而是精神的力。妇人以投身水中来消除她的绝望，用枪自杀是一种最机械的手段，借它可以最小的努力而得到最迅速的死。缢死为一种不名誉的死，故人们不喜欢提它。英国最常见这种死法，这因为英国人自幼少时起就见惯了绞刑，而恬不以这种刑罚为污辱。更有以服毒、割开动脉来自杀的不过是想慢慢的与人世诀绝。至于以毒蛇缠身那样的死法是最美妙的，最迅速的，最无苦痛的，与一个在欢乐荣华中度过一生的女王［指埃及女王克利奥佩特剌（Cleopatra）］最相宜。但是，这一切手段都是靠外头的臂助，是人类为着仇视自己而与之联盟的敌人。

当我将一切的自杀手段加以考虑，和把历史上所载的种种的自杀加以详细的考究，我便发见在轻生的人中没有一个能够像鄂图皇帝（Otho，神圣罗马皇帝，鄂图四世，一一八二——一二一八）那样以伟大的人格，精神的充分自由来实现这种行动。他在战争中为统帅，虽陷于不利的形势，但仍未到绝境，为着已有一部分归属于他的帝国的利益起见，为着免无数生灵于涂炭起见，决心以自杀离去人世。他招请亲密的友人开筵作欢乐的夜宴，可是到了第二天早晨，人们发见他已用利刃自刺心胸而死了。他这种空前无比的死法我觉得是值得模仿的，我确信，凡是不能做到像鄂图大帝那样自杀的人，是没有随便辞去人世的权利。借着这种确信，我把自己从自杀的意图和妄想中救出来。自杀实是在平和时代的闲散的青年暗藏着的念头。我搜集有不少的刀剑，其中有一柄非常快利的名贵的短剑。我常把它放在床的旁边，在每晚熄灯以前，我自己每以剑拟胸看我有没有决心把它的锐利的剑锋向心头刺二三寸的深，可是我总没有一回这样子做出来，我终于自笑自己的愚不可及，此后抛去一切的忧郁病的妄念，决心活下去。但是为要能以明快的心情来实行这种决心起见，我就非把一种诗的作品完成不可。在这作品之中我要把自己关于这个重大问题所感的、所思的和所妄想的写出来。于是我把这几年来萦回于我的心中的悲思愁绪搜集起来，追忆自己最苦恼最悲伤的情境；但是这种构想还不能具体化，因为我还缺乏一件实事，一个小说的情节来做它的骨干呢。

突然间我听见耶路撒冷的自杀的噩耗，刚传来大概的消息之后，便有人详细地精确地报告这事的经过，就在这当儿，我找到《维特》的情节了。它的全体是从各方集来，却构成一结实的晶体，正如容器中快将结冰的水，因极轻微的摇动而即化为坚硬的冰那样。当时有一事更使我能够把这种异样的侥幸的收获拿得稳稳，把含有那样纷异多趣的内容的作品在胸中构想，和把各部分完成，这就是说，我恰又陷于一种比前更少希望的苦境中，纵不致引起我的厌世之思，也使我非常懊恼了。

无端的置身于新的对人关系之中总会成为一种不幸；我们常常反乎自己的意志，为一种魔力所魅惑而生一种不当的同感，这种情境的非驴非马使我们痛苦，但我们却找不到方法来填补它或简直放弃它。

拉·洛赫夫人的长女嫁到佛郎克福城的某家来，夫人因常来探望她，可是嫁后的情形却不能像她自己以前选婿时所期待的那样。夫人每次来访总感到不快，也不讲求改善的方策，只一味悲叹，所以听见这事的朋友们，虽明知她的长女没有什么缺憾，她的丈夫也绝没有怎样忤逆她的意向，不明白她的不幸究在什么地方，但也不得不以夫人的长女的新婚生活为不如意了。那时我常到这一家来，受到亲切的款待，与常来的宾客们亦渐习熟，他们或是在结婚时帮过忙的人，或是愿望他们一对新夫妇前途幸福的人。其中，圣·里昂赫德（St. Leonhard）的牧师长杜买兹（Dumeiz）很信任我，且跟我结成友人的关系。我与天主教的僧侣亲近的他算是第一个人。他的头脑非常明敏，给我解说原始的教会信条，惯例，内外诸关系，繁征博引，美妙多趣。其次，一个虽已不是年轻而风姿仍佳唤做塞维爱尔（Servière）的妇人，我也记得很清楚。我又与阿勒新那·瑞士等家族和别的家族有来往。跟他们的女儿们友善，我与她们的友好关系到后来还继续着。这时我又突然在新认识的人家中交际出入，被邀甚至必要参加他们的所作所为，游乐以至宗教上的惯习。我与少女时代的新夫人的情谊只是兄妹似的，这种关系到她结婚后还继续着。我的年龄与她的相当，在她的夫家的来往亲朋中能够理解她从幼时起就习惯了的心声的只有我一个。我们像孩子们那样互相信赖地继续来往，纵然我们的友谊没有什么热情的分子掺进去，但也够使人苦恼。因为她觉得也不能使新的境遇中与自己相适应，物质上处境虽丰裕，但是，从风光明媚的亚棱布里斯泰因的山谷，迁入城中的阴沉的商人之家，从愉快的少女时代，变为主妇，而且又要做几个儿子的继母，自然会感到不如意。我在这一家虽与许多许多的家庭发生关系，但我没有实际的同感和兴味，没有插身协助其间。如果人们恒此融洽无间，这像是当然之理；可是，有什么轧轹不快的事发生的时候，参加者多请求我帮忙，不过我的积极的参与调处，惯常不把事情改善，而倒使它恶化。不消多久，我便觉得这种情境不能忍耐下去，一切从半生不熟似的对人关系而起的不快之感，像是二重三重地压着我，我需要一个强有力的新决心来摆脱这种事情。

因与友人的妻的不幸的恋爱而致的耶路撒冷之死，把我突从梦中撼醒。我不只静观冥想我与他所遭遇的恋爱的事，而且把现在恰碰到的使我热情沸腾焦灼不安的同样的事加以观察，因此，我正要拿起来写的作品之满注着炽烈的情焰，诗的情景与实际的情景的差别毫不能分辨出来，是不足怪的了。我特使自己与外界完全绝隔，连朋友的探访也谢绝，在内心上也把一切与这作品无直接关系的思念搁在一旁。在他方面我把一切与我这个意图有多少关系的思绪汇集起来，把还没有使用作为诗的材料的身边的经验加以追忆。在这样的情形之下，经过那么久的那么大的暗中准备，在四星期间握管疾写，没有把全部的计划或一部分的描写方法预先打下草稿，就一口气写成了。

在我面前堆着的原稿只略加修订便完成了。我即把它装订起来，因为稿子的装订仿佛是画的配上框子那样，作品之成为东西与否，装订配框以后像是更看得清楚一点。我像一个梦游病者那样，差不多无意识地写成这本小东西，所以，当我自己把它校读欲加以润饰改削时，我自己也觉得十分奇怪。可是我相信经过一些日子之后，从相当远的脱离（时间上）来看它，当会发见许多可以改善的地方，我因先拿它给那些比我年轻的朋友们读。这回我反乎从前的习惯，没有预先将这书的原委告诉朋友们知道，连这种意图也没有泄漏出来，故他们读了更大为惊动。诚然，给予他们以影响的，这回还是画中的材料，所以读了后的他们的心情正与写了后的我的心情相反对：即是，我借着这篇作品，比起其他任何的创作的尝试来，最能拯我于暴风雨似的心境之中。我因为自己和他人的过失，偶然的和故意选择的生活状态，决心和躁急，执拗和让步等种种的原因而陷入这种心境之中，强烈地往来牵曳。这篇东西写完了我觉得像是在慈罪师之前把一切忏悔了之后那样复归于欢乐自由，会该从头再过新的生活。这一贴惯用的自制药，这回特别的灵验。可是，我这一方面因把实际化为诗而心境明朗轻快，我的朋友们却因而迷惑颠倒了，他们相信定要把诗化为实际，拿这小说来作模仿的榜样，甚至失恋自杀，初时只有少数的青年是作这样的思想，后来却普及于大众，由是这本对于我自己那样有用的小册子，倒被目为极危险而遭非议了。

不过，在它脱稿以后不久，它有为我付诸一炬的危险，如果我真个这样做了，则它所引起的一切的祸害都会偶然地预先遏灭了。这事的原委是这样的：那时麦尔克才由圣彼得堡归来不久，因为他老是事忙，我不能与他详谈，只将我心中构思的《维特》的梗概极粗略地告诉他。有一天，他来访我，像是不大爱说话的样子，我因请他听我把原稿读出来。他坐在安乐椅子上，我开始一封信一封信的，把那传奇朗读出来。我这样子继续了一些时间之后，总博不到他的一句的赞赏，我便更悱恻掩抑地读起来，可是，我稍一停顿的时候，他却极冷酷地下一断语道："唔，很不错。"不再加什么解说，悄然起身走了。这是多么出乎我的意料之外的事呵！我完全呆了；因为我自己无论怎样欢喜自己的作品，一起头就听见人不加批评，我便确凿地相信，我已将原来本可怀疑的主题、情调、体裁都弄坏了，写成的只是要不得的东西。如果身旁有壁炉的话，我真会即把它抛在里头烧掉了。可是，不一会儿我便再振奋起来，过了几天很苦恼的日子，终于再碰到麦尔克了，他才对我说明白，他那天正在人类所不能堪的极恶的情境中，因此视而不见，听而不闻，茫然不知我的原稿是讲些什么。其间，他的事情总算尽可能的弄妥了，正当年富力强的他会顺应难局，他的性子也恢复原状，只比从前更辛辣一点。他严厉地责我不应抱着改写《维特》的念头，劝我即照原来的样子拿它出版。我把原稿誊好，不消多久就离了我的手上。偏巧在我的妹妹与乔治·斯罗塞尔结婚，家中正在开筵设席热闹辉煌的那一天，莱比锡城的淮干德

（Waygand）书店便有信来，请求我写稿。这样的巧合我认为是一个吉兆，便把《维特》的稿子寄出去。我收到的稿费，除了偿还我为了《格兹·丰·伯里生根》的出版而必要担负的债之外，还有多余，我因感到非常满意。

这本小册子的影响很大，甚至可以说轰动一时，这主要地因为它恰在适当的时候出版的缘故。正如只需一点的火药线来爆炸一个猛烈的埋藏炸药的地雷坑那样，当时的青年界已埋藏有厌世观的炸药，故这本小册子在读者大众前所引起的爆炸更为猛烈，而各个青年既已抱着满怀的过度的要求，不能满足的热情，和虚拟的苦恼一触即发，故这小说所引起的激动更大。我们不能希望公众把一种精神的著作，精神地来理解。正像我已从我的朋友们所经验到的那样，世人本来只注意情节题材。此外，因一本印行的书籍的品格而起的传统的成见，认为它定要有一个教训的目的，也会助长这种误解。但是，真实的描写决不含有教训的目的，它没有赞许什么，也没有非难什么，只把思想与行为依次地展开，以此来启迪读者而已。

我对于种种的批评全不介意。对于我自己，这事算是完全结束了，那些批评家先生们也可以看见他们是无所施其技的。但是我的朋友偏要把发表了的批评文章搜集起来，因为他们对于我的作品的用意较能通晓，故把这些批评当作是滑稽可笑的资料。例如尼古拉（Nicolai，著述家，评论家，与勒辛、孟特尔逊亲交，排斥法国文学而提倡英诗，一七三三——一八一一）的拿来出风头的《少年维特的喜悦》（*Freuden des jungen Werthers*，一七七五年出版）的出现，供给我们种种开玩笑的机会。从别的方面看来，尼古拉是一个学识丰厚在文坛着有功绩的诚实的人物，可惜他器量狭小，相信自己的所见，认为是纯真的唯一的，早已存心把一切不与自己志趣相合的东西加以贬黜排斥。我的《维特》出版后，他也马上要对我挑衅，他的小册子很快就到了我们的手。科多域基（Chodowiecki，画家，生于丹齐，曾任柏林美术学校校长，以铜版画擅长，一七二六——一八〇一）替他画的扉画，以我极度赞赏这位艺术家之故，使我非常的高兴看。可是从这书的内容看来，像是由粗麻布裁成的笨拙的东西，人类的常识费了一番工夫而造出来的粗品。尼古拉把我的《维特》的描写的方法踏袭至二百四十页，感不到维特的烦恼已到了无可解救之境，维特的青春之花早已像是为致命的毒虫所啮食，当那疯狂似的他准备自杀的时候，一个洞明心理的名医却识得，偷偷以一根装着鸡血的手枪来调换他的实弹的枪，结果虽然发生一个肮脏不堪的场面，但幸而自杀便不成功了。绿蒂终于成为维特的太太，整个故事，便大团圆，谁看了也高兴了。

关于尼古拉的小说我记得的只有这么些，我读过一回后再没有经眼。扉画我已经把它剪了出来，收归我的最珍爱的铜版画的搜藏中。其后，我暗地里谋作无恶意的报复，写了一篇短的嘲笑诗，唤做《站在维特的墓前的尼古拉》（*Nicolai auf Werthers Grabe*），但不欲将它发表。我欲将一切戏曲化的癖性在这机会又激发起来。我写了一段绿蒂与维特的散文对话，颇谑而虐。维特对于以鸡血替代火药而得救的事，结局太坏，而痛加抱怨。他虽然保得一条性命，但两眼却给鸡血弄瞎了。他做了绿蒂的丈夫而看不见她，觉得非常绝望，因为在他看来，单是触觉所能给他的甜蜜的一点点的快乐，倒不如一览他的爱人无遗时那样幸福。像我们所知的那样的绿蒂也不会以得偶瞎子为有很大的幸福，因有口实来把尼古拉的企图痛加斥责，说他不自量力就来干预别人的事。这诗的全体都以充分的幽默写成，并以充分的确信来刻画尼古拉的自负而失败的努力，他插手入自己所不能胜任的事，因而弄到后来自己和他人都得到许多不快的结果，纵然他在文坛上有不少的功绩，到末了也失了自己的作家的声望。这篇开玩笑的作品的草稿从没有抄下来，已经散佚许多年了。我对于那小小的对话特别喜欢。青年的维特与绿蒂的纯洁热烈的爱倒因为陷于这种悲剧兼喜剧的境遇而更加强。全篇都充满着优美温软的滋味，就是对我的敌人尼古拉也不是加以辛辣的刺骂，而只滑稽地嘲弄。但是当我借维特那小册子做自己的口吻说时，便没有这样的客气，那是仿效古的押韵法，这样子表现的：

Mag Jener dünkelhaft Mann
Mich als gefährlich preisen：
Der Plumpe，der nicht schwimmen Kann，
Er will's dem Wasser verweisen！
Was schiert mich der Berliner Bann？

Geschmäcklerpfaffenwesen！
Und wer mich nicht verstehen Kann，
Der lerne besser lesen.
任那骄慢的人
称我做危险的作家：
不能游泳的笨伯，
便要对水破口大骂！
柏林的放逐令难道我怕？
俗不可耐的小方家！
凡是不懂得我的人，
不如好好的读书吧。

我既对于别人指摘《维特》的一切，有充分的预见和准备，虽听见许多许多的非难也绝不以为忤，但是我却不料到，与我共鸣的好意的人偏给予我难耐的苦恼，即是，对于这篇小作品的本身没有人恳切地说过称赞的话，而想寻根究底知道我所写的究竟是不是事实，我听了这种质问很感不快，大抵总给以极不客气的回答。因为，如果回答这个质问我就会把我构想那么久而使许多素材获得诗的统一的作品再瓦解了，而它的外形也不得不破坏，由是，连那真实的诗的要素纵不消失，也至少纷乱散逸了。不过，再细加考察，我仍不能把公众的这种要求认为恶意。耶路撒冷的惨剧曾轰动一时。他本是第一流的神学家著作家（约翰·菲德力希·耶路撒冷，一七〇九——一七八九）的儿子，有学问的，无瑕的，可爱的青年，身体健全，家境丰裕，却突然间，以不明不白的诱因，辞去人世（一七七二年十月二十九日）。这等事怎样会有呢？无论何人都会起这样的疑问。后来人们知道了那是由于不幸的恋爱的原因，一切青年便大为感动，同时他在上流交际社会中所遇的种种不快的小事又传出来，整个中层社会的耳目也为之耸动，结果，谁都想知道这事的较详细的真相。现在，在《维特》中有详细的描述出现了，人们以为在《维特》中就可再找出耶路撒冷的平素生活和意趣。地方和人物恰与实际的相符合，而描写又非常自然，人们因相信从这小说可以完全知道事情的原原本本，而感到满足了。可是，再把这书精细地检视一下，与实际相抵触之点便发现许多，分析的批评必然地引起无数的疑窦，想寻求真相的人便觉得不能耐而要知个究竟了。不过他们想寻求根底也是枉然的：因为我虽把我自己的生活和苦恼，掺入那小说的构想之中，但我既是一个无名的青年，纵不是秘密地也是暗默里过活，故不愿把这哑谜儿剖明。

我写东西时，我便想起，一个美术家有机会来从许多美妇人中撷取精华集成一个维纳司（Venus）女神的像，是多么宠幸的事，我因不自揣，也模仿这种故智，把许多美丽的女人们的容姿和特性合一炉而冶之，铸成那女主人公绿蒂，不过主要的美点却是从极爱的人处撷采来。好诠索的读者因此可以发现出与种种女性的相似之点，而在闺秀们中也有人关心到自己也许是个中的人物这样子，好些自以为是的绿蒂却使我不胜其烦，因为逢人都想确知真正的人是在那儿。我想学拿单（Nathan）的故智，乞灵于三个指环［见勒辛作的《贤者拿单》。有人问拿单世界上三种宗教之中那种才是真正的宗教，他便以薄伽邱（Boccaccio）的《十日谈》中的三个指环的故事为喻，说得很巧妙］，这种解说诚然会为较有头脑的人所接受，但是轻信的人和读者大众却不肯就此满意。我希望过一些时候就可以摆脱这种寻根究底的苦恼，可是我一辈子却为这种质问所苦。在旅行的时候，我想隐性埋名来避免这种烦扰，不过连这种办法不料也归于无用。这样子，这小册子的作者，就算是为此做了一些不对和有害的事，他的罪过也从这种无可逃避的质问包围阵中受到充分的，甚至过分的惩罚了。

我既为这种情形所困苦，只越发明白作者与公众之间是为一鸿沟所隔，两方如都不知道这点，那就是他们之幸。因此，一切像序言那样的东西之徒劳无功，我早已看清楚。作者越想将自己的构想说明白，他的序言越发惹起人的迷惑。而且，作者纵然把序言写得充分的长，读者大众仍老是要向作者追问他先已欲谢绝不说的事。关于读者——特别是把他的批评发表的人——的共通的偏见，我也早已熟知，在我们作者看来，那是很滑稽的。即是，他们抱有一种妄想，以为作者有什么书出版，就成为他们的债务者那样，纵然到书快要出版的时候，他们还没有看见我们的作品，茫然不知像这样的东西会出现或竟有可能，但总以为这作品是远落他们本来所企求希望者之后。如果把这一点全搁在一旁，则一切人之欲认识接近我这个突然大胆地现出的异样的青年作家，算是我的无上的幸福或不幸了。人们希望见我，跟我谈话，甚至在远方也希望听见关于我的消息，因此，我的门庭便常有许多人出入，有时见卓拔的人物的访问，有时见可喜的客人来，有时因人的访问而感到不快，但总是使我费时失事。因为我身边还有许多许多开了头的工作要做，如果我以一向的爱好心继续来干，那就够我两三年的工作。本来静寂、幽晦是对于纯粹的创作工夫的唯一的助力，但是我却从其中被拉出来而露身于白日的喧杂之中，为他人而消失了自己，因为他人的冷淡、同感、赞赏、非难而茫然无所适从。因为世人对我们的态度论议都是隔靴搔痒，总不与我们自己达到的内部的教养的程度相合，所以不能掖助我们，而必然为我们之害。

不过，有一事比起日常的纷扰来更足以妨阻我去从事和完成较伟大的创作，就是流行于我们青年作家间，把实际生活中一切略可注目的事情戏曲化的好尚。“一切戏曲化”是我们青年作家间专用的术语，它的意义究何所指，让我在这里说明一下。我们在极快乐的日子聚在一块，谈笑风生，兴高采烈，便惯把通常应集起来写成较大的作品的题材分裂为短篇的速写。一桩单纯的事故，无心说出来的天真的警句，甚至带有憨气的话，误解、奇论、天才的隽语、个人的特质与习性，甚至一点可注目的表情，——总而言之，在一个繁复嘈杂的生活中常会发生的一切事象，都以对话，问答，活泼的描写或演剧的形式表现出来，许多时用散文的体裁，但用诗的形式的时候更多。

当时认为真正的诗的思想方法，是以这种天才的而又热情的写作的习练表现出来。即是，我们描写时任我们的对象、事件、人物照着原来的样子，原来的关系，我们只明确地把握它们，和生动地摹绘它们。一切批判，无论是赞同或反对，应在观者的眼前以活生生的形式发挥。我们可以称这种创作为活泼的寓意诗（Sinngedicht），它不具什么棱角锋刺，而能洞中肯綮，饶有明确的特征。我所写的《岁市的祝祭》（*Jahrmarktsfest*）就是这一类的作品，或不如说这类的警句诗的汇集。在那儿出现的化装的人物，实有所指，或是我们朋友间实际上活着的人，或是至少与他们有关系和略认识的人。但是实在的人大多数对于这个哑谜还是猜不出，看了只笑，却不晓得他们自己的特性做了笑柄。其次，巴尔特的《新默示录的序曲》[*Prolog zu Bahrdts neuesten Offenbarungcn*，一七七四年出版，巴尔特为新教主义理性主义的神学者，一七七三年所著的《关于神的最近的默示的书翰和故事》(*Nenesten Offenbarungen Gottes in Briefen und Erzählungen*)，歌德因作此小戏曲讽刺他]是另一例子。还有同性质的极短的诗夹在杂诗之中，但很多已散逸无存了，还存在手上的有许多又不想发表。当时将这类的诗印行，只增加对读者大众的激动，和他们对作者的好奇心。将手写的这些诗给亲交的朋友们读，那就使他们高兴起来。我们亲交的一伙人后来愈加扩充。巴尔特博士那时正在基森，有一天来访我，表面上很殷勤亲切，拿我的序曲来说笑，并希望跟我结交。但是，我们青年人在聚在一块的时候继续的做这种的恶作剧，总要把从别人观察得来和巧妙地加以刻画的性癖拿来做恶意地笑谑的资料，才感到痛快。

我这个青年作家，被目为文学界的流星，博得人的惊叹，我诚然不会不高兴，但我仍以带着喜悦的谦逊之心敬重那些真正的第一流的前辈作家。其中最杰出的为柔斯吐士·麦塞尔(Justus Möser，历史家，经济学者，著述有《爱国者的空想》等，一七二〇——一七九四）。这个卓绝的人的小论文，论及公民生活，曾在数年前揭载于奥斯拿布律克（Osnabrück）城的《知识周刊》（*Intelligenzblätter*），由赫德尔介绍给我阅读。赫德尔对于当时稍有价值的著作，特别是印刷出来的东西，无不过眼。麦塞尔的女儿佛阿格兹夫人（Fran von Voigts）正从事这些散见的论文的搜集。我们等不了这论文集的刊行，我直接与夫人通信，我在信里确表我的诚恳的共鸣，谓麦塞尔氏为特殊的读者阶层而写的有力的文章，无论在内容上、形式上都到处可供人利用，发生功用。她和她的父亲得到一个也颇知名之士如我的这样的称许，甚为满意，他们关于论文出版的销路所抱的杞忧因此为之一时扫除了。

麦塞尔这种小论文，全部都是以同一的精神写成，因而构成一个真正的整体，在其中，关于公民生活的深奥的极高度的知识可惊叹地可钦佩地发表出来。我们在其中看见国法制度怎样以过去为根据而又怎样活生生地存续着。在一方面，我们看见怎样牢牢地守着传统，在他方面，又看见文物制度有变迁进展之余地。在某个场合，世人连有利的革新也怀恐惧之心，在另一场合，连没有用的甚至有害的新制度也引以为喜。著者毫无偏执之见，论述阶级间的关系，城市与乡镇的相互的关系。我们由是知道它们的权利是怎样，以及有什么法律上的根据，我们又明白国家的“资本”是在于那儿，它会产生出什么利息。至于所有权与其利益怎样，赋税及其他种种的损失又怎样，关于种种色色的产业，营业，都详加阐明。此外，过去时代和近代的情形在这些论文中加以对照比较。

奥斯拿布律克城本是汉撒同盟的一员，在中世纪时期商业非常繁盛。从那时的形势看来，这城占优越的位置；一方面能够吸收内地的产物，他方面与海距离不远，能作海上的活动。但是，到了晚近，它已成为内地的都会，渐渐与海上贸易的舞台疏远，甚至脱退。关于这种推移的由来，麦塞尔从许多方面说明。他论及英国与大陆沿岸诸地，海港与内地间的冲突，指出滨海的居民所占的优势。恳切地建议内地的住民以怎样的方法也来取得这样优势。其次，我们从论文中还知道许多关于旧式商业、手艺的事，它们怎样为工场所压倒，为小商贩所破坏；我们看见这种衰灭是种种原因的结果，而这结果又是新的衰灭的起因，因果相生，循环无尽。不过这位善良的公民把这种事实指示得那样明白，使人看来仍以为有避免这种必然的趋势的可能。就是关于最特殊的事态，著者也无不表现出他的彻底的根本的见解。他所提出的方案、建议，都不是向壁虚构，不过实行仍往往困难，故把他出版的论文集称《爱国者的空想》(*Patriotische Phantasien*)，其实，其中所论的一切都是实际的和可能的事呢。

可是，一切公共生活都以家族生活为基础，故作者也主要地对此加以注意。他在这方面的观察庄谐杂作，风俗、习惯、饮食、家常生活、教育的变迁为他考察的对象。如果我们要将他所论述的事项列举无遗，我们就要将一切与公民生活和文教有关的事分门别类地标出来。他的论述确值得人惊服。他像是一个完全的实务家，在周刊的论坛中对民众说法，使任何人对于一个卓见善意的政府应计划实行的事有正确的了解，可是，他的笔调绝不是讲坛式的，而是以复杂多趣的形式出之，可以称为诗的形式而无愧，在最高的意味上且确可作为修辞的模范。他总不为题材所拘束，而超出题材之上，说到最严重的事情也使人有明快的观感。有时借用这人那人的口吻，有时自己现身说法，但无时不淋漓尽致，而且常带着愉快的声口，杂有多少讽刺的意味，精明、公正、善意到处流露，有时虽不免横肆激越，但总有法度，所以我们读了，不能不同时惊叹著者的精神、智力、轻妙、熟练、趣味和性格。以著者之选择带有公益性质的题材，深锐的观察力，自由自在的旷观，优秀的论述的手腕，轻妙而又透彻的谐谑而论，以我所知，只有佛兰克林（Franklin，美国的政治家，外交家，一七〇六——一七九〇）可以为比吧。

这样一个著述家使我们肃然起无限的敬畏，对于一个欲有所作为、着手要做大事的青年有极大的影响。以他的论文的形式论，我们相信也可以办得到，但是，谁敢希望获有那么样丰富的内容和以那样轻快灵活的手腕来处理极别扭的题材呢？

然而，我们企望把自己所尊重敬服的事尽可能地化为已有，以至能由自己把它作出来，表现出来，是我们一种极美极甜蜜的妄想，它纵然在我们生涯中惹起许多痛苦，我们仍不应放弃。

第十四卷

《维特》的发表除了在读者大众中引起上述的波澜之外，还发生另一种波动，对于著者也许较有意义，这因为它是在我的极亲接的范围内起的。我的故人之已读过那轰动一时的《维特》的原稿者，因引为自己与分的事，因自己以前大胆地预言的大成功得到实现，而感到胜利的愉快。在他们中更添有新的共鸣者，新的同志，而自觉具有创作的才能或希望有这种才能的人更特别兴奋起来。

在这些朋友们中，楞次（Lenz，见前，狂飚时代的诗人，一七五一——一七九二。在斯特拉斯堡任家庭教师时与歌德结交，其后出版有诗集、《家庭教师》、《军人》等喜剧，《剧坛所见》等著作，一七七七年发狂，一七八一年以后在莫斯科任家庭教师）最活泼地最异样地活动起来。这个非常的青年的外貌，以前已略有描述，他在幽默洒落的方面的天才亦已有称道，现在让我把他的性格总括地叙出，而不细加刻画，因为随着他的富于纡回曲折的生涯，逐一把他的特性加以描写，究是不可能的事呢。

我们知道当时的青年虽在外面没有什么困苦不足，而偏要自苦，这种现象很为流行，恰是使有天才的青年踌躇不安。凡是不会内省不观察自己的普通人只引为一时的痛苦的事，凡是他们所欲从心中摆脱的事，却为这些优秀的青年敏锐地加以注目，和在文稿、信札、日记之中留下痕迹。但是，对己对人的最严格的道德的要求，却伴着在行动上的极大的怠慢，由是，从一种“半橛”的自我认识发生的自负心，造成最异样的习癖和逸乎常轨的奇行。可是那时兴起的实验的心理学又承认这样的过偏的自己观察，它认为使我们内心不安的一切不是全是恶的，可非难的，但仍不能全都加以赞同。因此关于自苦的心理解释便发生永远无止期的论争。现在，为这种论争的先导和支持者，比起一切自寻内心的苦恼的闲人或半闲人都胜过的，却是楞次。因此，他在一般的意味上为那种应因《维特》的描写而告终结的时代精神所苦恼。但是，他有一种特殊的个性，与那些应视为坦白诚实的人有别。即是，他有一种好阴谋弄玄虚的坚牢的倾向，而这种阴谋却是施于他自己的，而又没有什么真正的目的——明达的、利己的，可以达到的目的；他倒惯常企图做些奇怪荒诞的事，并正以此来不断寻笑乐。这样子，他一辈子是一个虚构的无赖汉，他的爱和憎都是想象的，他任性地挥使他的意象情感，俾能常有所事事以慰无聊。他谋以极离奇古怪的方法来使他的爱和憎有现实性，自己做出来的东西，常由自己把它毁灭。因此对于他自己所爱的人们他从没有给以利益，他所憎恨的人也从没有受他的损害。究其竟，他像是只为自惩而试做罪恶的事，只为着常能把旧花样翻新而弄阴谋，捣玄虚。

他的才能是源于真实的心的深处和不竭的创作力，在其中，纤柔、灵活和犀锐相杂相竞，然而他的才能虽有特异之美，同时，却毕露出一种病的倾向。最难批判的正是这种才能。他的作品中之有某种伟大之处，是不容否认的。一种款款的深情隐现于最愚笨和最滑稽的离奇的叙述之间，即使他有很纯粹彻底的幽默味，和真正的喜剧的手腕，也难原谅他这种叙述的缺点。他的日常的生活是由“无为”构成，他借着无事忙来使它有特殊的意义，加以他赋有过人的记忆力，他费在读书的时间总给他以丰富的收获，他的独创的思考方法提供他以种种杂多的材料，故他更可以浪费他的时间。

他被派随同利夫兰（俄国的州名）的贵族到斯特拉斯堡来，选他那样的人做家庭教师实大为失策。已上年纪的男爵有一些日子回到故国去，留下一个他爱宠甚深的情妇在德国。与伯爵一道来的第二个弟弟也垂涎于这个女人，此外还有一些人对她醉心，楞次为要杜绝和撵去这些爱的篡夺者，替他的远出的朋友保存他的珍爱的心头一块肉，决心装作是恋爱她的样子，或不如说，真个与她发生恋爱。于是，他把那女人的美点造成他的理想，以极顽强的态度，来实行他的理论，追求他的理想，可不知道他自己也是像别的求爱的人那样是拿这女性来开玩笑供娱乐吧。可是，对于他，这正是最好不过的事呵！因为在他看来，这也不过是游戏一类的事。况且那女的方面也以游戏的态度来报他，时迎，时拒，一会儿逗惹他，一会儿又把他冷落在一旁，所以这个游戏更闹得长久。他也有时自觉到他实际所做的事，当他有这样的自觉的时候我们相信，他恐怕会欣然希望自己得有这样的美好的遗下物的幸福吧。

此外，他与他的生徒小男爵们同样，大多时与卫戍队的将校们往来，由这种交际，他得到一种奇特的观感，后来他把它在喜剧《军人》中发表出来。他既从早就习于军旅，因发生一种奇态的结果，即是他自命为娴于军务战略，而实际上也渐渐在这方面作专门的研究，以致数年之后，他上一篇洋洋大观的条陈给法国军务大臣，自期从此可得很大的成效。在这条陈中，关于军务的种种缺陷虽指摘得颇得当，但他的改革方案却不能实行，幼稚可笑，可是他自己确信借这条陈他定会给予法国王室以很大的影响。因此，当他的朋友们或持反对的论据，或以反对的行动，阻止他把他已经誊好，附着书翰，封入信封和照着正式手续准备呈递的空想的条陈遂达，和终于把它烧掉时，他大为抱怨。

他与那女人的曲折迷乱的恋爱故事的整个原委，他曾向我初时用口后来用信剖白过。他能够以最平凡的事入诗，常使我惊叹，因此我激励他把这桩纡回漫长的艳史以天才的手腕装点起来，作成一短篇小说。但是他对于这事毫不关心，并且不高兴这样做，一若他只不着边际地浮沉于单个的事物之中，没有目的地纺着一条无尽的丝那样。我现在已将他的生涯作发凡的叙述，至于以后直到他发狂时的一生历史，希冀在将来大概可设法再作明了的记述，因此，我只提到与本书这部分有关的事实。

《格兹·丰·伯里生根》出版不久，楞次即寄给我一篇长的文章。他的文章是写在他常用的粗劣的稿纸上，写得满满的，上下左右都没有空白，它的题目唤做《关于我们的结婚》(*Über unsere Ehe*)。如果这篇东西现在还在手的话，我相信读起它来，可使我们关于他的生平比当时更加明了。因为我当时关于他和他的性行还是茫然呢。这篇长文章的主要目的，是把我的才能与他的才能对比，时或屈我居于其下，时或使我与他并肩，但是全体的语句却充满着幽默和温柔味，因此我欣然接受他说到我的见解。加以我实际上非常敬佩他的才能，只不绝地劝勉他不要那样吊儿郎当地写东西，而聚精会神以艺术的体裁来善用他的天才的想象力，我之接纳他的意见，更是当然的了。我诚恳地写信答复他的信赖和好意，而且他的文章既要求与我做心腹的朋友（由那奇态的题目就可察见了），我便把我已写成的东西，和在打腹稿的东西，和盘告诉他知道。在他方面也逐渐把他的原稿寄给我看，其中有《家庭教师》（*Hofmeister*）、《新曼诺莎》（*Der Neue Menoza*）、《军人》等的模仿普罗塔斯（Plautus，大罗马喜剧作家，纪元前约二五四——前一八四）之作，以及作为《剧坛论》（*Anmerkungen über das Theater*）的附录的英文戏曲的翻译。

对于这一篇《剧坛论》我觉得有点诧异的地方，就是他在那简单的绪言中说，此书的内容是对那些正常的戏剧加以剧烈的攻击，这是在数年前在文学家的集会中讲演过，那时我的《格兹》还没有着笔。楞次在斯特拉斯堡的时候有什么我不认识的文学团体，似是一件成疑问的事，不过，我不管这疑问了，不久就替他这篇论文和别的著作找到出版的书店，他好挑我做他的空想的憎恶的绝好的对象，冒险的和狂妄的迫害的鹄的，我也绝不以为意。

依着叙述的次序，我想把一个好的朋侣略叙一下，他虽不是具有非常的天才，但也算是我们的人中之一。他的名字唤做瓦格涅（Wagner），初在斯特拉斯堡后在佛郎克福城都加入我们的队里，也有相当的才情教养。他显出是一个勤奋有作为的人，故为我们所欢迎。他也很跟我要好，我心里想什么都不瞒他人，所以我也像对别人那样把我的《浮士德》的腹稿——特别是关于格丽珍的惨史——告诉他知道。他于是采取这个题材，写成一篇名叫《杀子的女人》（*Kindesmörderin*），他人攘取我自己的构想，这实是破题儿第一遭，这虽使我感到不快，但没有把他衔恨于心。我后来还常碰见这样的腹稿的剽窃，不过我本性狐疑逡巡，有了什么计划、虚构，便好喋喋对人诉说，我也不能责怪别人呢。

演说家和著述家为要使自己所论述的发生大的效果，好应用对照法（kontrast），而对照的事物却先要特加寻找然后可得来，但是当我从楞次说到克林格（Klinger）为两个人物恰相反对，我自然得到对照，因感到很愉快。[克林格生于佛郎克福城，出身微贱，而卒成为有数的著述家，一七七三年与歌德相识，一七七五年模仿《格兹》而发表《鄂图》（*Otto*）一戏曲，其后续作有数种戏曲、小说行世。一七八〇年以后投入俄国军籍，后任中将，多尔巴得的大学校长。一七五二——一八三一。］两人是同时现身文坛，在青年时代彼此并驾齐驱互相角逐。然而，楞次像是一颗飘忽的陨星那样，在德国文学的地平线上只现一瞬间，就突然消逝，在世间不留下一些痕迹。反之，克林格是一个富有感化力的作者，勤勉的实务家，至今仍脍炙人口。两人的异同是自明的，所以我不再作比较，况且他在著作和实务两方面的活动都已公诸于世，他的功绩遐迩皆知，至今仍为人所怀念和仰望，因此，关于他的生平，我只拣必要的地方讲出来。

克林格的外貌——我描写人老是好从外貌开始——是很英俊的。自然赋予他以长身玉立的俊伟的体格，和端正的五官。他是一个修边幅的人，打扮得整齐，可以称为我们一小伙朋友中最翩翩的美男子。他的举止态度，既不是殷勤也不是冷淡，内心不是有什么激动的时候，是安详的。

我们之爱慕一个女子是爱她现在的样子，我们之爱慕一个青年男子，是为着他的将来的期望，我就是这样子一认识了克林格就成为他的挚友。他以一种纯粹的温厚的性情招人的爱慕，他的一见就判然的确定的性格博得人的信赖。他从幼小的时候起就度着严格认真的生活，与一个同样秀美善良的姊妹一道儿侍养母亲。他们的母亲是守寡的，正靠她的儿女来扶养。他所备的教养、才能全是以自己的能力获得来，所以流露于他的举动态度中的独立不挠的自负心，谁也不以为忤。凡是天资好的人共有的判然的天才，敏活的理解力，非凡的记忆力，语学之才，他都兼备而且达于高度。但是他自己对于这一切好处像是没有对于坚忍不拔的性质那样重视，后一种优点也是先天的，因过去的阅历而更充分地发挥。

对于一个这样的青年，卢骚的著作一定很合脾胃。《爱弥儿》(*Emil*)是他的最看重最爱读的书，这名著所表现的思想见解既倾动整个知识阶级社会，对他有很好的效果，真的，他恐怕比任何人都能得到《爱弥儿》的好处吧。因为他本身也是"自然之儿"，出身社会的下层，而卓然自立，连别人要抛弃的东西，他也从没保有，别人应要脱出的环境也从不曾束缚他；因此，他可以称为“自然福音”的最纯真的弟子中的一个，再以他的真挚的努力，不愧为人类和人子的行为而论，真可以高喊：“凡是从自然之手出来的都善！”但是，连这口号的后半截“一切经过人类的手就丑恶！”也使他不由得不回溯他过去所经历的逆境。他没有对自己本身斗争，而是与自身以外的传统的世界搏战。这个日内瓦的市民（克林格生于瑞士的日内瓦，故云）想把我们从传统的世界解放出来。在青年的地位，这种斗争常是艰难惨淡的，他觉得比起能受到一种愉快畅适的教养陶冶的场合须更坚强地返于自我。他不得不力斗应战，自己杀开一条血路。因此他的人物举止隐然有一种峻严之色，其后，他一方面培养这种特性，但矫正和克服它的努力还大。

以我所知的他的创作而论，显出一种严密的理解，诚笃的性气，活泼的想象力，关于人性的复杂的种种相的确当的观察，关于种类的差别相的独特描绘。他的作品中的女孩、男孩都是自由自在而可爱，青年充满着活气和热情，壮年以上的人物质朴而明达，所贬的人物也描写得不流于夸张。明畅快活的心情，机智妙想也常流露，譬喻和象征供他自由驱使。他识得娱乐和安慰读者，如果他不时以一种酷烈的愤恨来减杀他自己和读者对于那些明朗有意义的谐谑的高兴，则那种慰乐更为纯美了。不过，这正是他之所以为他的地方，正因为这个缘故，处世和著作上才有多种多样的型，以致各个人在理论上徘徊于迷与悟之间，在实行上彷徨于生杀的歧路。

克林格是以自己的力，以自己的心性和知能教养自己而入世途的人的一例。可是，这样的自己教养既是随同巨大的群众和在这群众中得来的，而在这些群众中彼此所用的语言是源于一般的人性和国民的特质的平易通俗的语言，他们用起来既有力而又有效果，因此，像克林格那样的人们对于一切典雅的语文形式，都始终极度憎恶，如果这些形式是从本来的活生生的现实源泉隔断堕入舞文弄墨的恶道，完全失去它们的最初的新鲜的意义，他们更特别憎厌。像反对新的主张、见解和制度那样，他们对于新发生的事件，新露头角的人物，因其预报或促进大的革新，也力加反对。他们之持这种态度，因为他们认为这种革新会使他们自己的存在与教养的根源陷于危险，故绝不应认他们为恶意。

但是，一个人具有卓绝的性格，抱持到底，纵历经人世和事业的推移，而仍保持他的性格，他应付传统的事物的态度，在许多人看来纵是矫激甚至乱暴，但能看准机会最确实地达到他的目的，则这种坚毅更为可敬。克林格就是如此。他没有易挠的柔韧性（固然德国本国人之具有这种德性者实未曾有过），然正因此更能干练地、坚强地、诚实地努力，置身于显达的地位，保持勿失，继续博得那些宠遇他的国君王侯的赞赏和恩渥，但仍不曾一时忘掉他的故人，忘掉他从前走过的人生之路。还不止此，克林格极力保持他对于过去的追忆，不管往事故人是怎样疏隔，他总念念不忘。例如他仿效维力基斯（Willigis，梅恩兹的世袭僧正，鄂图三世的摄政官，在德国文化和精神界上多所贡献，九七五——一〇一一），在他的饰以勋章的文章中，保存往时的标识，使不湮灭，这种举动确是值得提起的。

不消多久，我也与拉发忒（Lavater，见前）结识。我所写的乡村牧师致其同道的信有些地方很予他以启发，因为有许多点是与他的见解完全一致。他既为一个很活动的人，我们的通信不久便频繁起来。他当时正热心地准备他的人相学的大著作，其中的序论早已公表于世。他请求一切人送给他肖像画，写影像，特别是基督像。纵然我对于肖像画一道简直束手，他也希望我照自己所想象的，画一个救世主的像出来。他这一类的不可能的要求，每给予我以种种的笑谑的资料，为对付他这种奇怪的癖性，我只有把自己的癖性也拿出来。

不相信人相学的人，或至少认为不确和欺人的人为数很多，即使对拉发式怀好意的人，也喜欢试他和设法要弄他。他也曾向佛郎克福城一个有相当的艺术手腕的画家，定绘几个当地著名的人的侧面画。这画家要跟他开玩笑，先把巴尔特的像，当作是我的寄去。他接得后即复回一封虽磊落而大发雷霆的短信，竭力断言那不是我的肖像，以及说了一大篇他在这种绝好机会可以拿来证明骨相学的话。后来寄给他的我的真正肖像他比较认为满足了，但是，他与任何画家也好，与任何个人也好，不能完全融洽之处在这里也表现出来。即是，无论那一个画家替他绘画，总不能真实和正确到使他满意；一个个人无论有多少的优点，总远比他对于人性和人类所抱的理想为劣，以至一个个人之所以成为个人的特性总引起他的多少反感。

他以自己所抱的人性的观念为模范来培养自己的人性，而这观念又与他对于基督所抱的栩栩如生的心像打成一片，因此在他看来，一个人不同时做基督徒，而仍能生活呼吸于天地之间，是一种不可思议的事。我对于基督教的关系，只在性情方面接近，而对于拉发忒所倾向的肉体的亲缘之说，我绝没有一点概念。因此，像他那样的聪明诚恳的人，而以激烈的强迫的态度强我和孟特尔逊（见前）以及他人承认其说——即是我们一定要跟他一样成为一个基督徒，像他那样的基督徒，否则也一定要把他拉到自己的身边来，在自己安身立命的问题上说服了他——使我感到不快。我既渐渐倾向于自由主义的世界观，他这种强求既直接与这种世界观抵触，对于我没有什么很好的效果。本来，劝人改宗的企图，如不成功，就使那些挑来做改宗说教的对象的人顽梗强项起来，我便是如此，加以拉发忒最后竟把“不为基督徒即为无神论者！”那样的严酷的两难论法拿出来，我更忍不住，而答他说：如果他不容认我一向所抱持的基督教，我也未尝不可以改信无神论，因为我觉得两者究竟是什么意义，谁也不知道清楚。

我们这样子往还的书柬措辞虽很激烈，却没有妨碍我们的敦睦的友谊。拉发忒具有一种难信的忍耐，固执和坚毅。他确信自己的学说，他既抱有宣扬自己的确信的坚决的心，用强如不可行，他却甘以柔和忍耐的方法来贯彻它。要之，有少数人的外面的使命与内面的使命完全一致，最初的教养与后来的教养有不绝的联络，自然地一贯地发展其能力，这种人是很幸福的，而拉发忒就是其中的一个。他既生而具有极精微美妙的道德的素质，故他决定以牧师为业。他受有这种职业所必须的教育，和显出异常的才能，但仍不进于真可以称为“学术的”那种的教育。他虽比我们长许多年，也为当时的自由和自然主义的时代精神所倾动，这种时代精神在任何人听来都很动听，根据它，人类不用外界怎样的助力，在自己本身中就有充分的材料和实质，成为问题的就是怎样适当地开发它们。牧师的职务在普通的意味上是对人发生道德的作用，在较高的意味上是发生宗教的作用，这种职务与他的思想方法完全合致。在他的青年时代，他的最有力的内心冲动，就是把自己所抱的笃实敬虔的意趣思想传与别人，和唤起他们这种意趣思想，他最喜欢做的事就是像审视自己那样审视他人。自己的审视借着致密的内心，他人的审视借着锐利的眼光，而减去困难，或不如说因之不由得不促起。不过，他本性不宜于作哲学的观照，真正的写作手腕，他也缺乏，他倒觉得自己的一切能力是要倾在行动方面、实际方面，所以，像他那样孜孜汲汲地力行不倦的人，我还没有见过。可是我们的内部的道德生活是具体化于种种外部的条件中，我们总要属于一个家庭、阀阅、行会、城市或国家，因此，他如要以活动收实际的效果的话，同时必须涉及这一切的外部的条件，必须动到它们，由是定会生出许多冲突和纠纷来。特别是因为他生长所在的瑞士共和国社会在一种最严密确定的制度之下，享受一种可称赞的传统的自由，他更会如此。他自幼小的时候起，留心政治，与人共同讨论已成习惯。在正当青春的时代，他已为同业团体的一员，觉得自己要表示或可或否的意见。如果他想为独立公平的判断，他就先要确知他的同城的市民的价值，认识他们是怎样的人，以及探求他们的思想和能力，那么他既努力检视他人，同时就必须常反省自己的内心了。

拉发忒很早就在这种情境中锻炼他自己，而正是这种活动像是占去他很多时间，使他不能多致力于语学的研究以及与之有密切关系为它的根柢和目的之解析的批评学方面。到后来，他的知识和见识日见比前广博得多，他仍常常郑重地或以戏谈的口吻自道不是学者。他之所以泥于《圣经》，以至《圣经》的翻译本的字面，以为在这上头就可以找寻到他所求的，所企盼的充分的食粮和助力，我们不能不说是正由于这种切要的学问的缺乏。

但是，没有多久，那依着行会制度慢慢地活动的地盘，对于生性蓬勃活泼的他，已嫌过窄了。守正不阿，在青年的他看来是不难的，一个心情纯洁的青年对于自己未尝犯过的奸邪的事，深恶痛绝。当时有一个地方长官暴虐不道，市民有眼皆见，所难的就是把他向法庭告发。拉发忒便与一个朋友结纳，两人匿名恐吓那个该惩罚的长官。这事泄漏出来了，当局必须查办这事。结果那长官被判为有罪而处刑，而引起这样的主持正义的事的人，虽没有受谴责，也受非难。因为在一个整然有序的国家内正义本身也应以合法的手段来实施呢。

拉发忒后来遍游德国，到处与学者和思想家接触，可是他因此更加强他自己的思想和信念。归到故乡之后，他日益放胆自由地靠自己活动。他既是一个高贵善良的人，对于人性向抱有一个美好的观念，一切在实际经验上与这观念矛盾的地方，一切与圆满的人性相乖离，所不能否认的人类的缺陷，应由神的观念来弥缝。即是他心中的神是降下于现世的正中，人性之中，来使最初与神相似的性相完全恢复。

关于这个特异的人物的初期时代的叙述先止于此，现在让我先讲我们与他的面晤和会谈交欢的经过。我们与他通讯没有多久，他就写信通知我和别的佛城友人知道，他快就实行他的旅行莱茵河的计划，顺道到佛郎克福来。马上佛城的社会大为哄动，无论何人都抱着好奇心想来见见这个著名的人物的风采；有许多人希望从他那儿获得在道德和宗教的修养上的裨益；怀疑他的学说的人等着要拿出有力的反对说来，其中自负的人以为一定可以把自己所确信的论据来难倒他，羞辱他，其他一切的快与不快的事都等待着这位要与这样分子复杂的社会打交涉的知名的人了。

我们初次见面是很恳挚的，我们极亲切地互相拥抱，我马上认出他就是我在许多幅肖像上见过的同一的人。一个风貌非常特异，从前没有见过，将来也不会再找到那样的个性活生生地有劲地现在我的面前。反之，他骤然看到我的一瞬间，他异样地惊喊出来：“估不到这位就是您呢——”我听了按照着我先天和后天养成的现实主义对他说道：“神和自然既已把我造成这样的人了，我们就也听之而已。”我们随即谈论到我们在信中彼此最难一致的极关重要之点，不过详尽的讨论却没有余裕。那时我经验到我从来还没有试过的事。

向来我们要谈论到关于精神和心灵的事的时候，我们惯常离开一般人，离开自己平常交际的朋友，静心讨论，因为人多，思想方法便繁杂，教养的程度参差，即欲得与极少数人的意见一致也不容易。但是，拉发忒关于这一点的设想却全然不同，他欲他的学说的影响广为传播，最好与凡庸的众人交谈，他既有那种神妙的观相的才能为助，启迪这一种人和逗引他们笑乐是他的特殊的长才。他一见就能把人的人格人心正确地判别出来，所以任何人给他看了一眼，他就能看出他究是怎样心性的人。再加之以对手方的诚实的自白，恳挚的质问，他就能从他的丰富的内外的经验，予人以适当的答复，使任何人都觉得满意。他的眼光的深湛的温柔，两唇的特殊的可爱之形，甚至他的带有高部德国语调的响亮而纯朴的瑞士方言，以及他的其他许多特征，像听见他讲话的人，都感到极愉快的心神宁帖，甚至他的因胸部平凹而微向前弯的上半身，也使人见了他得有一种谦逊的印象，而消除了他与周遭的人间的高下优劣的差别。对于僭越骄慢的人，他会很娴静地巧妙地应付：先头他像是避人的词锋那样，后来突然拿出一个像金刚石做的盾那样的，目光狭小的论敌从不会想到的精到见解出来，而又仍把这见解所放的光辉加以适当的调节，以致他的论敌至少在他的面前的时候感到自己受了启迪，被说服了。恐怕有很多人还继续留有这种的印象，因为唯我主义的人同时也不失为善性的人呢，成为问题的，只是这个坚硬的壳要有适宜的感化力轻轻敲破，才发见它所含的多浆的仁肉呢。

但是，有些人因自己外貌丑恶之故，对于拉发忒所主张的外形与内心有密接关系之说，自视为不共戴天之仇，碰着这种人倒使拉发忒感到莫大的苦痛。他们既目人相学为侮辱他们的人格的学说，因常应用一种相当的常识，以至其他的才智，带着炽热的怨恨和小心眼的怀疑，来打破这学说。据他们的议论，像苏格拉底那样伟大的思想家是不容易找到的，而他的 Fann（半人半羊的森林之神）的外貌有裨于德性之修习的事实偏显出来。拉发忒很怕他们这种执迷顽固的态度，他的应战也不免带着盛烈的感情，正如熔炉之火吁吁地熊熊地烧熔那顽强抵抗的矿石那样。

在这种情形之下，关于我们自身的亲密的会谈是没有指望的了，固然，我自己从他的应接人的方法的观察而得到许多教训，但仍不感到自己的教养由此得到进步。因为我的情形跟他的完全不同呢。凡是在道德上有作用的人，决不会徒劳而无功。他们可期待的收获比《新约 · 圣经》对播种者所明白保证的还大得多。反之，在艺术方面活动的人的作品如不被公认为艺术品，则他花在这作品上的劳苦便是白费的了。我先前已经讲过，与我共鸣的可爱的读者的质问怎样使我不耐烦，因为什么的理由我极不喜欢跟他们通款曲。由是我觉得我的影响范围与拉发忒的影响范围之间有莫大的距离。他的影响范围是在面会的时间内，而我的却在与我远隔的时候。凡在远处对他不满的人，一在他身边便跟他谐洽；读我的作品而认我为可爱的人，一看见我是一个顽固不可亲的人便感到非常失望。

麦尔克即从丹姆斯达城跑到佛朗克福来，在以拉发忒为中心的朋友们中，扮演麦菲斯陀斐尔（恶魔）的脚色，特别嘲笑那些登门定欲一见拉发忒的妇人们。她们中有些很注意地检视那些为这位“先知”而设的屋子，甚至他的寝室，这个滑稽家便说道：“笃信的女人也想知道人们把主安置在什么地方。”（《新约 · 圣经》中的一句）虽然是这样他也不得不像别人那样给拉发忒驯服了，因为随同拉发忒来的立普斯（Lips，画家，长于铜版肖像画）也替他画了一幅侧面画，甚为精妙，与其他的有名无名的人们的肖像画一起，贮为将要出版的大著的人相学的资料。

与拉发忒的晤谈对于我是极重要而有裨益的：因为他的迫促的激励使耽于安逸和艺术的观照的我活动奋发起来，固然在目前是不见得于我有利，我的本已如野马的心神因此只更纷散，但是我跟他谈了那么多的事情，我便发生继续与他谈话的渴望。所以，当他要到爱姆士城去时，我决心陪他走一遭，好在道上，蛰居马车之中，与世间隔绝，把两人心中所怀的种种的事倾箱倒箧地互相披沥。

可是，拉发忒留居佛城时，他与克勒敦堡女士（见前）的对谈，对我甚饶兴味，且多所启迪。这时，两个彻底的基督教徒面面相对了，听他们的话，可以极明白地看到同是一样的信仰，随着各人的气质心性的差异而有不同的形态。在高唱信教自由的当日，人们屡言各人各有自己的宗教，各有自己的特别的崇拜上帝之方。我自己纵然不露骨地作这种主张，但是我在他们两人的交谈中，却可以说，男人和女人所需要的救世主各有不同。克勒敦堡女士对自己的救世主的态度像是对爱人那样，无条件地委身于他，自己一切的喜悦希望都放在他的身上，毫不怀疑，不稍顾虑，将一生涯的运命交付给他。反之，拉发忒视自己的救世主如一友人，不加嫉妒，以满腔的友爱追随他，师法他，承认和称颂他的功绩，而正因为这个缘故努力要近似他，甚至与他相等。两者的倾向间有多大的差异呵！两性的精神的欲求一般地从这个例子显现出来。从这一点我们还可以明白，性情温婉的男子倾向于圣母的崇拜，像散那匝洛（Sannazaro，意大利诗人，一四五八——一五三〇）在他的诗上所做的那样，奉圣母为女性美和女性的德性的典型，将自己的一生和才能供献给她，而对于圣子之基督，却只视为副主人公那样崇拜。

我这两个朋友彼此间持什么态度，彼此间的感想怎样，在他们侧边的我不独从他们的谈话知道，而且还从他们后来暗中对我泄漏的话知道。不过，两人中那一个的意见，我都不能完全赞同。因为我所信的基督也按着我的心性意趣而取特殊的形象。可是他们既绝不肯容认我的救世主，我便拿出种种的奇说怪论，过激的意见来困他们，当他们忍受不了的时候，我常乱以一些谐谑的话就跑开了。

在当时的思想界中，知识和信仰间的纷争还未成为问题，只有时这两个名词以及与之联系的概念也间为人所谈论，而极端的玩世不恭者却认为知识和信仰两者都不可靠。因此，我喜欢把两者都加称许，而不博得拉发忒与克勒敦堡女士的赞意。我说："在信仰方面，最关紧要的只是**信仰**之念，至于所信仰**为何**，完全无关紧要。所谓信仰就是对于现在和未来的一种广大的安全确实之感，而这种情感是由于某一个超绝地伟大的全能的而又不可探究的实体的信赖而生。只要这种信赖确乎不动，一切都不成问题了。可是我们对于这个绝对的实体怎样设想，是视乎各人自己的信仰以外的能力而定，以至视乎各人的环境如何而定，无关轻重。信仰正像一个神圣的机器那样，各人尽可能地把自己的感情，知能，想象力献纳其中。但知识恰与此相反，最关紧要的不是**知**之一事，而是所知**为何**、所知**到什么程度**和所知**有多少**。所以我们关于知识可以论争，因为知识可以匡正，可以增广，可以缩窄。知识从各个的事物开始，无尽无形，从不能集约起来——极其度也不过是梦想似的集约起来——所以与信仰恰相反对。"

这样的半橛的真理和从此而生的迷惑，如以诗描写出来，也许会予人兴奋和惹人兴趣，但是在实际的生活之中，这只搅乱人的谈话。因此，在拉发忒跟那些欲得他的感化和与他共同信仰的人们谈话时，我不插进去，我这种自制虽苦，但我以为我们约定的爱姆士共同旅行总可以补偿而有余了。沿途受风和日丽的夏季天气之赐，拉发忒心旷神怡，极为可亲。他的精神倾向于宗教和道德方面，不知有什么的不安，但是当人的心神为人生道上的种种事故刺激而畅适愉快时，他也不能无所动于中。他是富于同情、玲珑、机智的人，也喜欢他人有这样的特长，他只希望他人的话不超过他的精致微妙的心性意趣所容许的范围之外。如果别人敢越过这限度，他就拍拍那人的肩膊，恳挚地说道："喂，听我说呀！"忠告那人再回到正经的话去。这回爱姆士的旅行给予我种种的教训和奖励，但是这在我自己的性格的培养和调整上的作用，还没有对理解他的性情上的作用那样大。到了爱姆士城，他又即为种种的人所围绕，那时我恰有一点小事要办，不容延滞，只得与拉发忒作别，回到佛郎克福去。

但是不消多久，我仍不能再回复以前的安静的生活。因为巴西多夫［Basedow 教育学者，受卢骚的影响，提倡爱人主义（Philanthi opismus）的教育法，主张学校与教会的分离，教授方法的改善，母国语的尊重等，一七七四年得安哈忒·德骚的法兰兹侯之援助，开设学校，使教育史上得有一新的转机。一七二三——一七九〇］又到佛城来从别一方面影响我了。像拉发忒与巴西多夫两人那样显然相反的，真是再找不到。就是一看见巴西多夫的外貌，就觉得与拉发忒大不相同。拉发忒的面貌朗朗如玉山照人，可任人自由瞻望，而巴西多夫的脸紧凑在一起，像是缩向内那样。拉发忒的眼明澈虔敬，与眉相隔很阔，可是巴西多夫的眼小而深凹，黑而锐利，在逆竖的眉毛之下炯炯射出来，反之拉发忒的额像是覆着极柔软的褐色的头发。巴西多夫的声音洪壮粗犷，说话急而刺耳，伴着一种嘲弄人的冷笑，话题飘忽无定。这些特点以及巴西多夫其他的独有的特性，都与我们见惯了的拉发忒的特性全然相反。巴西多夫到了佛郎克福城来也有许多人访问他，他的卓越的精神的天才也为人所惊服，不过他不是适于教诲和指导人的精神的人物。他所致力的唯一的事情，就是好好地开拓他自己划定的广大的田野，俾将来的人类得较自然地较舒适地在其中度人间的生活，他一径向着这个目的冲去，其他都不管了。

我不独不能赞同他的计划，而且对于他的目的也总不能了了。他希望一切教授方法都是活的，自然的，这一点我也以为然，古代语应活用于现代一层，我觉得也可称道，其他以鼓舞人类的活动性和促进新颖的人生观为目的的教育方针，我也欣然承认其价值。我不喜欢的就是他所著的 *Elementarwerk*（列叙教育的基础事项，四卷，插有百面的铜版画，一七八五）的内容。该书插图之散漫，比所论述的事物更甚。本来，在实际的世界之中，总不过是可能的事物一块儿共存着，因此，这些可能的事物纵繁杂纷异，甚至表面上似是混乱，但在它们的一切部分中仍常有整然的秩序。可是他的书却简直支离灭裂，同时，绝无当于世界观的理论，单为着概念上类似的理由列在一块儿。因此我们在阿摩斯·夸美纽斯[Amos Comenius，摩拉维亚（Moravia）的教育学者，一五九二——一六七〇]的类似的著作（*Orbis sensualium pictus*，一六五八）所看到的实感的，有系统的要素，在巴西多夫的书中也不得而见。

可是，比他的学说更奇怪的，更难索解的，就是他的行为态度。这次的旅行，他志在以他的人格来感化一般民众，使赞同他的博爱主义的建设，但是他不谋启人的心胸，而一径以打开人的荷包为主眼。他能够把他自己的计划鼓吹得很动听，谁听了都许可他的主张。然而，他不独对人述其教育上的所信，连自己关于宗教方面的意见妄想也不能藏留而和盘说出，由是他极不可思议地伤及那些他求捐款的人的感情，甚至侮辱他们了。在这地方也显出巴西多夫与拉发忒相反的地方。后者从字面上领略《圣经》，认为全部的内容，甚至一字一句到今日仍然是对的，并可应用，而前者却亟亟于革新一切，欲依着自己的一时发生的妄想，把向来的信仰教条以至教会的外形仪式重新改过来。他最不容情地最轻率地攻击的，是那些不直接源于《圣经》而基于它的释义之说，即是教父们或宗教会议用来说明那些“难以名状的教义”，或驳倒异教徒的词句，哲学术语，实物的比喻等。他又在一切人之前以刻薄难以宽恕的态度公言自己极力反对三位一体之说，对于一般人所承认的秘义，不断加以论难。连我在与他的私人谈话中听了他这样说，也受不了，必须听他老把 hypostasis（位），ousia（实体），prosopon（化身）等教会哲学用语引出来。我这方面拿逆说法（paradoxie）那样的武器来对付他，压倒他的言论，试以更大胆的话来反驳他的大胆的话。这种论争使我的精神再有新的刺激，因为巴西多夫读书比我为多，在论争的战术上也比我这个自然本位的人为精练，所以所讨论的问题越重要，我不能不越奋力应战。

与他的谈话纵不能启发我，也总是锻炼我的头脑的绝好机会，故我不能让它匆匆地走过。我设法将最重要的事务交给父亲和朋友办，再陪着巴西多夫离开佛郎克福。但是，当我记起跟拉发忒一道时他的举措的温柔娴雅之处，我感到巴西多夫的举止多么相异呢。拉发忒既是一个纯洁的人，他的周围也要纯洁化，跟他接近的人，为要不伤他的纯洁的心，在他的身边，也温文贞静像处女那样。巴西多夫便不然，他太注力于自己的内面的思想，而顾不到自己的外观。他不绝地吸食恶劣的烟草，已予人以不快之感，加以他用一种肮脏粗恶容易引火而冒臭烟的火绒，烟斗才空便即再装上，以致刚吸两三口，四周的空气便恶浊不堪。我替这种火绒起一个学名，唤做“巴西多夫氏臭绒”，希望他在博物学书上采用这个学名。他听了很开心，怪可厌地详细地把火绒的制法说明，看见我那样嫌忌而反引以为快。这实是这个那样具有卓拔的天才的人的根深蒂固的恶癖之一，他好揶揄人，和恶意地呕那些极天真正直的人的气。他总不肯让那些在他的面前的人安静。他或露齿作嗄声来嘲弄人，或以没头没脑的质问来困人，如果他达到他的目的，他就格格大笑，如果对手方很快就镇静起来，用话来反攻他，他却也满意。

我与巴西多夫一道的旅行，使我对拉发忒的思慕之情更深。再见到我的时候，他像也很高兴，对我诉说别后所经历的许多事情，特别是讲到他的旅店的同住的客人的种种的性格。他在这些人中已得有不少的友人和信奉者。我在他们中也发见有好些是旧识，但已多年不见了。见了他们，我开始想起我在青年时代许久还是不识不知的"男老女变"的话了。温泉客人一天比一天多起来，跳舞无度，而且两个大温泉旅馆相隔不远，双方客人渐渐厮熟，便闹种种的玩笑和游戏。有一回，我化装乡村牧师，一个著名的朋友扮作他的夫人，我们在上流阶级的客人之前现出来，做成太好礼的样子来讨他们的烦厌，因而大家都快乐起来。傍晚，深夜和晨间少不得有音乐的弹奏，我们比较年轻的人连睡也不遑多睡。

我虽然为这样的游乐而心散，但每晚总有一部分时间是跟巴西多夫一块儿的过。巴西多夫从不早睡，别人睡的时候他也不断地口授。有时他也躺在床上假寐，而他的书记提罗（Tiro）握着笔，静默地坐在一旁等待他的半睡半想的主人思潮再涌出时就马上继续的写。这都是在一间给恶劣的烟草和火绒的烟雾弥漫着的屋子里干的事。我在跳舞中止的时候常即飞跑到他的屋子去，他见了我便马上要把种种问题提出来跟我讨论。过了一会儿，我仍匆匆赶回舞场去，我还没有把门掩好，他就像是没有跟我作过辩论那一回事那样，拾起他的思绪，继续泰然口授他的论文。

我们在附近的地方也一块儿作过好几次的小旅行，游览古邸——特别是女贵族的古邸。她们比起男人们来更要热心地探求领略精神上和宗教上的事情。当我们往拿骚（Nassan）访问斯泰因夫人（Frau von Stein）时，客人毕集。夫人是一位极可尊敬的女性，得全国人的敬仰（为著名政治家斯泰因男爵的夫人）。拉·洛赫夫人恰也在那儿，青年的闺秀和小孩子也夹杂其间。跟我们一块儿往访的拉发忒给客人们邀请作骨相的判断，不过大多数人的用意只想愚弄他，以偶然获得的特征让他作为先天的特征来判断；可是，他的眼睛却够精明，不为他们所骗。我这回也像从前那样给人断断地追究维特的烦恼是不是事实，绿蒂住在那儿。我不大客气地摆脱这种无理的要求，倒聚集了一班小孩子，跟他们讲述很珍奇的童话。这些童话是从一些谁也知道的故事采集来，因此，听我讲的人中没有一个会断断地寻根究底，问我是真事还是虚构，这样子，我讲时便很方便了。

巴西多夫提出一件他认为最要紧的唯一的事，就是青年教育法的改善。因此，他请求上流人士和富裕的人踊跃解囊相助。可是，他才借着他的论据和热烈的雄辩使他们的心纵然不动也准备对他表示好意的时候，他即为那恶劣的“反三位一体”的精神所袭，全然忘记自己是在什么地方讲话，迸出极奇怪的议论出来。照他自己看来，所讲的是非常宗教的，照听众的所信，那是渎神的话。拉发忒试尽委婉的忠言，我乱以笑谑，妇人们离席散步，均是设法来挽救这个僵局，可是恶印象仍不能抹去。人们预期从拉发忒领略的关于宗教的谈话，从巴西多夫聆听的教育的新说，以及我打算要讲的文艺方面的话，都突然间给搅乱了，打断了。在归途中，拉发忒责他不对，我却以一种奇怪有趣的方法惩罚他。那天天气很热，烟草的气使巴西多夫的口越发干起来，渴望喝一杯啤酒。他在大路上远远已看见一家酒铺子，极急切地命令马车夫在酒铺子前面停车。恰当马车要在酒店前停车的时节，我即严命马车夫继续前进。出乎意外的巴西多夫以嗄声下反对的命令，我更使劲地逼令马夫前行，马夫便听从我的话了。巴西多夫骂我，差不多要向我挥拳，我却泰然答他道："老先生，安静一点吧！您应当大大的多谢我。幸亏您没有看见那啤酒的招牌！那招牌是由两个三角形的板组合而成的。您平素因为一个三角形（即三位一体之意）已要发疯了，倘若那招牌的两个三角形也给您看见，您一定会发疯到要给人捆了才成呢！"他听了这一个滑稽的说明，不禁纵声大笑，一边笑一边咒我骂我，而拉发忒在一老一少的狂人之前仍神色自若地忍耐着。

到了七月中旬的时候，拉发忒准备动身他去，巴西多夫也趁这机会与他联袂起程。我跟他们两人已厮混惯了，总舍不得离开他们。我又陪同他们一道乘船沿拉因河而下，这次舟行非常愉快，心为之旷，神为之怡。当我眺望到一个著名的城廓的废址时，我在立普斯（见前）所携的画册之中写了一首唤做《高高地站在古塔之上》（*Hoch auf dem alten Turme Steht*）的诗。因为这诗大得他们的激赏，我的坏习惯又发作了，在画册的另页中写了不少的打油诗，再打坏了他们的好印象。我重睹美丽的莱茵河而神飞色舞，看见他们破题儿第一遭赏览这景色的惊异的神态，而觉得有趣。后来，我们在科不林士上岸。我们所行经的地方，人很拥挤，我们三人各自有各自的特色，引起市民的好感和好奇心。巴西多夫和我像是要比赛谁淘气一点那样子；拉发忒的举止却谨慎明达，不过也不能守着沉默，而将他心中所想的吐露出来，他的话具有极纯洁的意思，使凡庸的听众听了觉得非常惊异。

我们在科不林士一个酒店里吃饭时的异样的事，我曾写成打油诗，留为纪念，这诗跟别的同类的诗一道将收录于我的新全集中。当时，我坐在拉发忒和巴西多夫之间；前者对一个乡村牧师讲授约翰默示录的秘义，后者向一个顽固跳舞教师证明洗礼仪式的陈腐和不合现代之用，像是自费他的唇舌那样。当我们再向科伦出发时，我在某一个人的画册中写有这样的几句：

Und, wie nach Emmaus werter ging's,
Mit Sturm-und Fener schritten :
Prophete rechts, Prophete links,
Das Weltkind in der Mitten.

于是，我们像往恩美阿斯[1]那样继续赶路，
迈着暴风烈火似的脚步：
右也是先知，左也是先知，
中间却是俗界之子。

幸亏这个俗界之子也有向着天上的一面，不消多久这一面便很特异地接触到了。事情是这样的，我在爱姆士时已听见说在科伦将可会见雅各比两兄弟［兄名约

[1] 恩美阿斯（Emmaus），是耶路撒冷附近一个镇，相传复活的耶稣与两个旅客在那儿歇宿过。

翰·乔治·雅各比（Johann Georg Jacobi），流丽派的诗人，一七四〇——一八一四；弟名腓德里希·海因里希（Friedrich Heinrich），哲学者，小说家，主张信仰哲学，一七四三——一八一九]，而很高兴。他们两兄弟偕同其他的笃学优秀的人为欢迎拉发忒和巴西多夫这两个有名的游客而到科伦来。在我方面，因为我们从前对他们的恶作剧——特别是因赫德尔的辛辣谐谑而起的恶作剧——我希望得他的宽恕。格莱姆因乔治·雅各比，公开地互相标榜互相称赞的信和诗，常给我们拿来做戏谑的资料。我们却不想到，予那些自觉得舒适的人以难堪正像是捧高自己或自己的朋友一样，是沾沾自喜的举动。因为这事，上莱茵和下莱茵的文艺家间便发生不睦，不过这只是小嫌，无关重要，很容易调停和解，而妇女们特别适宜于做这种居间者。苏菲·拉·洛赫（即拉·洛赫夫人的长女，出嫁于佛郎克福城），已对我们盛称雅各比两兄弟，使我们对他们有极好的印象，继之，与雅各比等一班人有密切的交谊，从杜塞尔多夫移住佛郎克福城的法尔麦（Fahlmer）女士，以其温柔的性情，非常的优美的精神，证出她生长熏陶所在的社会和朋侣是怎样有可敬重的价值。她对于我们的上部德国式粗野的言动的忍耐，使我渐渐感到羞耻。她劝导我们以恕道，而我们也因之觉得我们确需要这个。其次，来过佛城的雅各比兄弟的妹子的恳挚，腓德里希·雅各比夫人的豪爽之气，使我们的精神情意日益憧憬下莱茵河的人物。雅各比夫人特别使我敬慕，她没有露出一点善感的心情，神思谈吐端庄而活泼。她是一个美丽的荷兰女子，不显出官能的美，一种端庄精明之处使人记起鲁本兹（Rubens，荷兰派的画家，一五七七——一六四〇）所画的妇人来。这两位闺秀到佛城来或小住或久滞，跟我的妹妹来往得极密，使妹妹的过于认真、干燥、有点缺乏情爱的心开畅起来。因此，从精神和心情上说我们在佛城也分得一点杜塞尔多夫（雅各比兄弟一家所住地）和盆柏尔福特（Pempelfort，杜塞尔多夫的市街区域）的风光了。

因为这个缘故，我们在科伦城与雅各比兄弟的初次会面便马上会很坦白和诚挚。上述的女人们回到家里也将她们对于我们的好感说得动听。这时雅各比兄弟和同来的人们不像我一向在旅行中所经验的那样只把我当作是那两大彗星的尾巴，倒也特别接待我，表示种种好意，并且像是想从我那儿受到影响那样。我一路来所做的痴狂淘气的举动，这时也厌倦了，其实我这种举动是因为这次旅行一路来，我在心情和性气上都不大为人理会而感到气愤的缘故。这时自己既受到热烈的欢迎，我的内心便猛然迸出来，我关于当时的事不能一一记清楚，也许就因为我喜悦太厉害的缘故。我们所想的事，所见的形象，可以在理智中或想象力中再现出来；但是我们的心却不是那样听使唤，美的感情很不容易再唤起，重忆起兴奋热烈时的事更是戛戛乎其难。在那瞬间，我们是出其不意地被掩袭，无意识地委身任由这种事情的摆弄。在这时候，真是当局者迷，旁观者清。

我一路来都闪避宗教上的谈话，答一切正经的质问也很少以谦逊的态度出之，因为在我看来这些问题比起我寻求的来，都似乎太幼稚浅薄。当有人要强我听他讲他对于我的作品的感想和意见的时候——特别是当他以平凡的常识的立场来困我，像煞有介事地来忠告我那儿应补充那儿应删去的时候，我的性儿便忍不住了，会谈便寸断瓦解。因此，跟我谈话的人不能有一个抱有特别的好感回去的。本来，殷勤地温文地应对人在我恐怕是较自然的事，但是我的心情不愿受人板着面孔的教诲，而只能为自由大方的好意所启发，以及为真实的同情所激发而委心听从。而且，还有一种强烈地支配我，以怎样奇拔的话也不能表白的感情，那就是“过去”与“现在”合而为一之感：这样一种的观感使“现在”中也带有一种幽灵般的气味。在我许多的大小作品里头，都表现出来，在诗的场合虽常会提高诗的效果，但是当诗是直接地讲及关于实际生活的事或表现于实际生活之中的时节，在别人看来，一定会觉得异样，难解，甚或感到不快。

在科伦这个地方，古代的建筑艺术等等给我以难名的影响和印象。大寺［壮大无伦的哥特式建筑物，一二四八年动工建造，迄于十五世纪仍未见全部的竣工，后工事中止，任其颓废，到十九世纪（一八二三——一八八〇），然后依照十四世纪的构图完成它的建筑］的废址——我所以称为废址，是因为未完成的建筑与崩坏者无异——引起我从斯特拉斯堡以来惯抱的感情。欲试作艺术的观察却有所不能，给予我观察的对象我感到太多而同时又太少了。关于大寺的已完成的部分，欲完成的部分，实物与设计，建筑出来的东西，和它所暗示者等等的迷宫似的关系的指点和说明，没有人能像我们的笃学不倦的朋友们做得那么好了。跟别人一道游览的时候，我神迷目夺于殿堂柱桶的鬼斧神工，但是，一个人独游的时候，我对着这个正在建筑的半途远未完成而工事即已停顿的世界大建筑物而常黯然魂销。这儿又是一个伟大的构想不达于实现的实例了，我觉得这个大建筑物矗立在那儿仿佛只为的是使我们确信许多的人费了迢迢的岁月到底也成就不出什么东西来，在艺术在实行的范围内，恰像密涅发（Minerva，希腊神话中的智的女神）那样，只有从创造者的头脑中生长和准备出来的东西才能存在。

在瞻礼大寺的时候，我的心不见奋扬，而倒感抑郁不欢，却绝不料到在那时节极柔美之感已临到眼前了。人们领我到雅巴赫（Jabach）的旧宅去，在那儿，我平素只凭想象向自己描摹的，现在却实实在在地现于面前了。雅巴赫这一族恐怕早已死绝，但是我们看见那通往花园的地下室却没有什么变改地保存着。用褐红色的菱形炼瓦整齐地铺装成的地，带有刺绣的垫子和背靠的雕花高椅子，镶工精巧的桌面承以沉重的台脚，金属制的吊烛台，一个巨大的暖炉，以及与之相亲的火具——一切全都与那时代的情形相合致，在整个宽敞的屋子中，除了我们以外没有什么新的、现代的东西。可是有一物更使我们由此激起的异样的感兴大大的增加补充者，就是挂在暖炉上头的大幅的“家庭行乐图”。在画中，当日这个邸宅的富豪的主人与他的夫人一块坐着，儿女们围绕着他们。画中所表现的一切都像是现实的、新鲜的、活生生的，看来仿佛他们是昨日的人，甚至今日的人，然而他们实早已逝去了。即是那些两颊丰圆的鲜嫩的孩子们也已变成老人了，如果没有这幅画，恐怕谁也记忆追想不起他们。我既为这种印象所感动，当时我的言动怎样，我自己也说不上了。我的人类的禀赋和诗人的才能的最深邃的门，却为无尽的心的震动所叩开，藏在我心中的一切的善良和可爱的倾向都流露出来：即是，从那时候起，我不细加审察就接受那些优秀的人们的爱好和信赖，一辈子倾心了。

在科伦所经验的这种的灵与精神的契合中，各人都把自己的怀抱披沥，结果，我也自告奋勇在众人之前朗诵我的最近作最得意的两首短诗，*Der Konig von Thule* 和 *Es war ein Bube frech genug* 给人很好的印象，加以这两首诗仍萦系在我的心里，极少挂在口唇边，所以我朗诵时更感快适。固然，在朗诵时，有些不以我的过于敏锐温柔的情感为然的人容易会搅乱我的调子，因此许多时我在朗诵的半途中心乱起来，不能再好好的念。为着这个缘故，我便屡屡招人非难，说我任性妄为，痴狂不羁了。

这时，诗的吟咏虽是我的致力的地方，而对于我的天性本也适宜，但同时对于一切种类的问题的考究也不忽略，而雅各比关于不可探究的问题的独创的和与他的天性相宜的说明的方法，我也极表欢迎。关于这个问题，我与他之间不会发生争论，像我与拉发忒在讨论基督教时，与巴西多夫在讨论教育学问题时所发生的那样。雅各比向我披沥的思想是直接地源于他的感情，当他以无条件的信赖把他对于人类的灵性所抱的最深的要求和盘向我倾吐时，我怎样奇特地受到激动呢！他的所说是灵的要求，情热与观念的奇异的结合，我听起来在我的心中只起一种莫名的预感，所预感的是什么，恐怕到将来才会较明了吧。幸亏我以前在这方面也有留心，虽没有受其陶冶，然也用过一些工夫，并且曾将一个卓拔的人物的生涯和思想纳入我的精神生活之中，纵使不完不备，生吞活剥，但我从此已受很有力的感染。这个给我以决然的影响，对于我的整个思想有那么大的作用的伟人，就是斯宾诺莎（荷兰大哲学家，一六三二——一六七七）。我找遍天下，想找寻一种足以教养陶冶自己的特异的性状的资料，而仍是找寻不到之后，我终于得到他的《伦理学》了。我从这本书中"读出"什么出来，在它里头又"读入"什么东西，我实在详细说不上来；总而言之，我从这书感到我的热情的宁服，我觉得一个感觉的世界和道德的世界的广大无碍的光景豁然现在我的面前。不过，特别使我醉心的就是从每句命题中都辉射出来的无际限的无我主义。那句可惊叹的话"真正爱神的人不要希望神也爱自己"，以及它所根据的一切的前提，和从它而出的一切的结论，萦回于我的脑海中，使我作深切的省察。对于什么事都不自私，而在爱方面，友谊方面特别极不自私，是我的最大的喜悦，我的格言，我的"弦韦"。所以在日后我大胆地写的那句话“我纵然是爱你，这对你有什么相干？”实是从衷心呼出来的。此外，说到这儿，还要特别留意一点，即是，最亲密的结合本是对立物的结果。斯宾诺莎的平等齐观的宁静的意境，与我的激动一切的努力相对比，他的数学的方法是我的诗的思考和表现法的对照，他的整然有序的论法，虽有人认为施于道德上的问题的论究便不适宜，而我却正以此而成为他的热心的门徒和决定的崇拜者。精神与心，知性与感觉，以必然的亲和力来相求，借此，极相异的性质的契合无间，也可以实现了。

但是，上述的一切还是在最初的作用、反应、发酵和沸腾的状态中。最先听我沥陈这种混沌的状态者就是雅各比。他既也是潜心于最深刻的问题，恳挚地倾听我的剖白，答复我，和详细地吐露他自己的意趣。他也感到有种莫名的精神的欲求，也不欲靠他人之助来镇慰它，而靠自己的努力来陶冶自己，启发自己。他对我说的关于他自己的心情意趣的话，我殊不了了，何况连我自己的心境怎样自己还没有明白的概念呢。不过，他在哲学的思维上——就使在斯宾诺莎的研究上——的造诣既比我深得多，他设法做我的暗中摸索的向导，指点我以光明之路。这样一种的精神的契合，是我所未曾经验的事，使我热烈地希求再与他深谈，晚上我们分手各自就寝之后我还再度到他那里去。月光在广阔的莱茵河面颤漾着，我们站在窗前，沉醉于精神的此来彼往的交流之中，在当时彼此都披肝沥胆，这种交流真是滔滔不绝。

可是，到了现在，我已无法细述当时这种难以名状的精神的经验，我比较还记得清楚的，就是坐船往访宾斯堡（Bensberg，科伦的村名）的猎舍一事。猎舍位于莱茵河的右岸，所凭临的风景绝佳。在这猎舍中使我感到无限的欢喜的，就是出自维匿克斯（Weenix，荷兰派的静物画家，长于鸟类与死的猎兽的描写，一六四〇——一七一九）之手的壁画。在画中，凡是可以猎得的一切牲口，像是在列着柱的大堂的柱台上那样整然有序地列着，在它们的上方，画有远景。这个非凡的名匠使尽他的手腕来把这些射死的动物画得有生气，在动物的千态万状的外皮——毛呀，硬毛呀，羽呀，角呀，爪呀等等——的描写上足与自然匹敌，而在效果一层且凌驾自然。我们把这个艺术品的全体鉴赏够之后，就必须进而考察那能够把这些物象那样精妙地而又机械地描出来的技巧。我们不明白它们怎样出自人类之手，和以什么的工具绘成。单有画笔还是不够，一定要有一种很特殊的工具的设备装置，才能绘出这样的繁异多趣光怪陆离的画。无论近看也好，远看也好，都感到一样的惊服：效果和原因都一样的值得人的赏叹。

我们沿着莱茵河继续作舟行，很感到愉快欢畅。河的扩展也使人心旷神怡，而悠然作远方之想。我们到达杜塞尔多夫，由那儿再到盆柏尔福特（见前）。那是一个极畅适明朗的居地，一个宏壮的住宅与一所宽敞而收拾得精致的花园相连，是一群优雅有德的人的围聚之所。雅各比氏的家族大而人多，好在这个丰厚舒适的家庭作客的外地人也终年不绝。

在杜塞尔多夫的画廊中，我可以找到我对于荷兰派的爱好心的充分的食粮。有好几个屋子满悬着坚实、精致、辉耀着丰满的自然之美的绘画，我对于美术的鉴识力纵不曾因此而进步，我的美术上的知识确因而增加了，我对于荷兰派的偏好加强了。

美的静穆，畅适和坚毅，是雅各比这一家的特色，在我这个新来的客人的眼前，马上就栩栩地映现。同时，我也看出，从这一家起，感化及于远处，这一家的感化范围实扩张到别处去。附近的城市乡镇的繁荣富裕，也是使到这儿的人感到内面的满足的一个重要的原因。我们往游厄尔比非尔镇（Elberfeld，以机械业著名），看见那么些设备良好的工厂的活动忙碌而感到愉快。在这个镇里，我们又再会见那位笔名斯提灵格（Stilling）的荣格（Jung，见前），这位旧朋友当我们到科不林士时已来迎接我们，到现在他仍以对神的信仰，对人的忠实，为他的无上的伴侣。在这儿，我们在他所交往的人们中碰见他，看见镇中人对他的信赖尊敬而感到很高兴。镇中人虽以俗世的营利为事，但仍不忽略于天上的幸福的寻求。这个繁盛热闹的地方倒使观光客的我们有闲静的观感，因为这儿的有用的物品是从整齐的秩序和清洁的设备中造出来。因此我们参观游览的几天过得很愉快。

我再回到我的朋友雅各比的家里时，我们的内心的契合更加亲密，我感到无量的欢欣。我们俩预期以后彼此互相切磋，抱有极活泼的希望。我又激励他将萦回激动于他心中的一切，以一种形式强烈地表现出来。这是我摆脱那么些精神的困惑烦恼的方法，我希望这种方法，他也用得着。他毫不踌躇地要毅然实行我的劝告，结果，他成就了多少善良，美好，快人意的事啊！这样子，我们俩感到永久的结合，无限的幸福，终于互相作别了，完全不预想到我们的努力将会取一种相反对的方向，这到了日后便渐渐非常明显地现出来了。

在莱茵河归途上所遭遇的事情，已完全从我的记忆中消失了，这一部分因为事物情景第二回看见的时候，它们的印象常与第一回的打成一片，一部分也因为这回我心不外务，而致力将我所见闻的许多的事物加以整理，将所领略的种种印象加以消化。这种沉思与反省产生一个重要的结果，它既要我发表为作品，所以有一个时候费我不少的工夫。现在我想把这结果讲一下。

我的思想意趣，虽然过于自由不羁，我的生活和行为虽全然没有目的和计划，但有一事实总难瞒过我的，就是，拉发忒和巴西多夫用精神的甚至宗教上的手段来达到地上的（物质的）目的。把自己的才能和光阴没目的地浪费着的我，很快不由得不看出，这两个人各以其特有的方法，努力教导人，启迪人和说服人，而在其背后仍隐有某种的目的，这种目的的达到对于他们却是很重要的事。拉发忒和蔼地伶俐地进行，巴西多夫却以急激，放纵甚至粗笨的手段出之；但是两人对于自己的癖好、事业和所作所为的优越卓拔之处有那么大的确信，所以世人不得不认他们为诚实的人，致其爱敬。以拉发忒论，更不能不举他的美点：即是，他确有高尚的目的，纵然他的行为有很深的世故，但我们可以相信，他的目的使他的手段神圣化的。当我观察这两个人，并把关于上述之点的意见对他们直陈和听了他们的意见后，结果发生这样一种的思想：即是，优越的人物定然会将他心中所有的神的原素向外传布。然而一当他与粗俗的世界接触，为着在这世上起作用起见，便不得不把自己放在与它同等的水准上，可是，这样子一来，他们的高贵的特性便须作很大的让步，随俗浮沉，而终于全然失去自己的地盘。天上的东西，永生的东西埋没于尘俗的意图之中，与尘世其他的事物一同听无常的运命的摆布。现在我从这样的见地来观察这两个人的生涯，觉得他们的生涯又可尊敬，又可痛惜。因为我敢预料他们俩结局都会为卑下的事物而牺牲高尚的事物。可是，我既把这一类的观察引伸至极端，越过我自己的狭隘的经验范围而在历史中找寻类似的事件，由是便发生把谟罕默德的传记演成戏曲的志望。我从没有把谟罕默德看作一个欺骗者，在这戏曲中我想将我在实际世界中看得那样了然的途径——即伟大的人为高尚的目的而选择的途径不会致福而反导于沉沦一事——加以描写。我刚在不久以前，兴致盎然地浏览研究东方先知者的传记，故这个愿望发生时，我已有了准备。戏曲的全体较近于正常的形式，我纵然也稍稍应用那随意地处理“时”和“地”的新获得的剧作上的自由，但那时已复倾向于正规的剧作的形式。这戏曲以一颂歌开场，谟罕默德独自一人在明朗的夜空之下唱着它。他初时赞颂无数的星辰，当作是无数之神那样；继而柔和的“加德”星（Gad，即我们的木星）升起了，于是他把它当作是众星之王，特别崇拜。不消多久，月也上升了，博得膜拜者的眼和心的专注，最后太阳的雄姿的出现，使膜拜者更加欢忭兴奋而作新的赞颂。但是这种推移虽然很可喜，但仍引起不安，心中感觉到一定会再有更伟大者出现。于是他便抬出上帝，唯一的，永远的，无限的神明出来，认为一切这些有限的天体都由这绝对者获得它们的存在。我很得意地写这首颂歌，今已散佚无存。如果用来作为教会声乐，它恐怕可以再整理出来，它的词句繁异多趣也值得推荐给音乐家。可是，我们必须想及当时的场合是游牧队的领队者与其家族及全族的情形（我当初作诗时也是这个意思），故声是变化多端的，只有合唱的威力才能把问题解决。

这样子，谟罕默德自己改宗之后，把这个信念和思想传给他的家人，他的妻和阿里［Ali，谟罕默德的从兄弟，幼女法提马（Fatima）之夫，回教最初的信奉者，从事宣教，自六五六——六六一年为教主］绝对信服他。在第二幕中，谟罕默德拿这个信仰向族中广为宣传，阿里的传教更为热烈。同族中人随着各人性格的不同而有信服，有反抗的。不睦开始发生了，斗争暴烈起来，谟罕默德不得不逃亡。在第三幕中，他征服他的反对者，立自己的宗教为国教，荡除“加巴”（Kaaba，麦加的大祈祷场中的四方形的建筑物，为古代阿拉伯人的神庙）的偶像。但是，不是一切的事情都可以凭仗武力的，他必然也乞灵于机谋。这样子，尘世的方面逐渐发展伸张，神的方面渐渐后退晦隐。在第四幕中，谟罕默德继续作武力的征服，他的教不大像是他的目的，而倒成为他的口实，一切想得到的手段都不惜应用，甚至不免于残暴之行。他曾下令处死一个人，这个人的妻用毒药谋害他。在第五幕中，他已知中毒。他的泰然自若的心境，自身大彻大悟的复归，又使他确值得人的敬仰。他净化自己的教义巩固他自己的邦家，便溘逝了。

这就是我的作品的大概，费我构思的时间很久。因为我在执笔之先，常要在脑中萦回寻味。天才的人怎样能借着性格和精神之助来支配世人，和为得为失的消息都在这戏曲中表现出来。有好些插入其中的歌词是以前准备的，其中只有题名《谟罕默德的礼赞歌》（*Mahomets Gesang*）一诗仍留存在我的已刊的诗集中。在戏曲中，阿里为礼赞他的教主，在新宗门达到成功的极点，毒杀的大转变快就发生之前，把这歌唱出来的。我还记得几个场面的构思，不过在这儿把这事再说下去，便会离题太远了。

第十五卷

这样子，我为种种的人和事物而分神散心，——固然，大多时会促起我作郑重的甚至宗教的考察——但仍常复回到我的可贵的女友克勒敦堡女士那儿去。我一与她会面，至少在那瞬间，我的向四方八面突进努力，暴风似的冲动和情热便镇静起来。我心中所计划企图的事，除了妹妹之外，我好最先向她披沥。我本可以看得出她的健康已一天比一天衰颓，但是我故意瞒着自己，何况她的愉快的心情又随病势的增加而增加呢。她通常穿着整洁的服装，坐在窗前的大椅子上，欣然倾听我讲述我的游览的经过，以及我所朗诵的诗文。许多时，我画一些图，来说明我自己所游赏过的地方。有一天傍晚，我的脑海中正浮出种种的形象，恰在落日的余晖中她和她的周遭却像神光离合那样现出来。我不禁竭尽我的生硬的手腕画出她的小影和她的屋子的陈设来。如果我是刻斯丁（Kersting，擅长室内画的德国画家，一七八五——一八四七），这幅画恐怕极美妙可观了。我把这画寄给一个在外地的女朋友，并系以一短诗，作为注释和补充。诗如下：

Silh in diesem Zauberspiegel
Einen Traum，wie lieb und gut
Unter ihres Gottes Flügel
Unsre Freundin Ieidend ruht.
Schane，Wie sie sich hinüber
Aus des Lebens Woge stritt；
Sich dein Bild ihr gegenüber
Und den Gott，der für euch litt.
Fühle，was ich in dem Weben
Dieser Himmelluft gefühlt，
Als mit ungeduld'gem Streben
Ich die Zeichnung hingewühlt.
看啊，在这魔镜之中的一梦，

我们的女友愀然歇着不动，
多么圣慈可爱呀，
为她的神底翼包容。
看啊，她拨开现世的波涛，
怎样向着彼岸奋身，
比照她和你自己的容颜，
看看为你们而受苦的神。
我以难抑的心的冲动，
苦心涂成这幅图画，
在神国的灵气的吹拂中，
我所感受到的你也感受吧。

我在这些诗句中——也像在其他许多诗作那样——虽取旁观者、局外人甚至异教徒的态度，但克勒敦堡女士不以为忤，倒对我力言，我这样子比从前应用基督教的术语，而从不会善用的场合好一点。当我把“传道报告”读给她听时，她总觉得很畅快，因为我已惯于站在异教民的方面，与传道师相对立，和盛称他们从前的生活状态，而贬黜我们的近代生活。她每一回见我总对我很亲切和蔼，像是为着我和使我得救起见绝不露出一点悬惴不安之态。

然而我渐渐与她的信仰疏远了，这是因为我以太过认真的态度来致力于信仰，和在这方面太过于热情之故。自从我接近她的信仰团体以来，我对于这个集合于基督的胜利的旗之下的团体的亲爱日增。凡是积极的宗教，在它的“生成”中接近它时，就有极大的魔力。因此，在基督教的历史上，想起使徒时代来最是愉快，那时一切的事物还是新鲜的，直接带着灵的色彩。克勒敦堡女士们的宗教团体像是继承这种原始的状态，甚至欲使之永久化，在这一点上是有一种魔力的。他们把自己的宗教团体的渊源与基督教的最初期相接，认为到现在还从没有达到完成的状态，只在粗俗的世界中若隐若现地延布它的蔓藤而已，但现在却在一个卓越的敬虔之士的庇护之下（指亲层多夫伯爵，见前），一个幼芽也长起根来，要从看来像是偶然的和觉不到的发轫，再蔓延于全世界去。他们的新活动的最重要之点，就是宗教制度与公民生活之不可分离，合为一体，宣教者同时又是发施号令者，教父同时又任裁判者甚，至他们认为对于主宰的神，不独在宗教上的事情要致无条件的信仰，而且还要奉为世俗的事务的指导者，从一般的大事到一桩一桩的小事的处置，也要借阄占的启示，虔敬地听神的裁复。这派的信徒的酣美的宁静——至少在他们的外貌上现出如此——是极可使人景慕的，而在他方面，他们为着传道的圣业，尽人类能够尽的极大限度的努力。我曾给伊逊堡（Isenburg）伯爵的事务代办人，公使馆的参事官摩列兹（Moritz）带领参观马利安波尔因（Marienborn）的宗教会议，认识了不少的优秀的人，他们博得我高度的尊敬。因此，只要他们对我稍加劝诱，我恐怕即会加入他们的中间，从事同样的宗教生活了。我致力于他们所奉的教派的历史、教义、由来和发展的研究，结果我觉得我可以作报告的演说和与同志共同谈论。可是，我对后来不能不觉得，同派的教友以至克勒敦堡女士都不肯把我看作基督的信仰者，这事初时使我感到不安，不久使我的热心景慕有点冷下去了。我与这些教友们究竟有什么差异之点，虽然颇为明了，但很久我还不能找出它的真正的根据来。后来我矍然悟得，倒不是研究的结果，而是偶然的事。即是说，使我与这些教友和其他可敬重的基督教信徒离隔者恰就是已使教会一再陷于分裂的状态的原因。教会的一部分人主张人性因“原罪”而堕落恶化，以至其最深的核心也充满着罪孽，没有一点的善良，因而人类凭自力得救是绝对无望，一切都要倚仗神的慈悲和神的施恩。另一部分人虽也容认人类有遗传的罪障，但同时却认人性中也有一种胚芽，借着神的恩宠的吹拂，培养，可以开枝发叶起来，蔚成灵的至福的欢喜之树。我自己为后一说所浸淫，确信出自衷心，而不明白自觉，因此有时我嘴里笔下倒发表出相反的议论。但是，我在这方面继续作暗中的摸索，自己从不了彻自己实际陷在进退维谷的状态之中。可是，出其不意地我有一回竟打破这个迷梦了。那就是当我与他人作宗教上的谈话，把自己的宗教观——自以为极天真纯洁的宗教观——和盘倾吐，因而受他们的大大的说教惩戒时的事。人们向我说：“您所说的恰就是真正的皮雷吉阿斯主义［Pelagianismus，五世纪间，英国僧侣皮雷吉阿斯（Pelagius）等创唱的神学说，否认原罪，主张人类靠自己的自然的能力得救，四三一年受异端的宣告］，这种有害的神学说在近代的复活流行，正是想造成近代的不幸。”我听了不独惊异，而且吓了一跳，试回溯教会的历史，把皮雷吉阿斯的教理与生涯作精密的考察，我就清楚地看见，这两种互相冰炭的见解，历千百年来，怎样像波涛那样互为起伏，互相追逐，随着世人的活动性与受动性的多少不同，而分别为人所接纳信奉。

以我自己而论，在过去的岁月中，必须不绝地发挥锻炼自己的能力，在我的身上有一种不断的活动，诚心诚意地致力于我的道德的修养。外界环境要求把这种活动条理化，和为他人的利用而使用，而我便顺着这种要求，在我自己身上做去。无论在那一方面我都忘不了与自然的接触，自然以善美的状态现于我之前。此外，我又认识了那么些的善良的人，他们在尽义务的时候，和为着义务起见，虽受任何苦难也在所不辞。抛弃他们，以至抛弃自己那样的事，我觉得是不可能的。使我与那种教义分隔的鸿沟，我既了然，我就不得不与那个信仰团体脱离。可是，我对于《圣经》的爱好，基督与初代的圣徒的爱慕既不能因此夺去，我便为自己作成供自己用的基督教，谋以历史的热心研究，及关于与自己抱同一样见解的人的精细的考察，来建设我自己的基督教和予以论证的根据。

然而，凡属我心里喜欢接纳的事，我总马上以诗的形式表出，我因发生一奇想，即是把俗本久已流传对我有很深的印象的《永远的犹太人》的故事，描成史事诗，借这线索，俾能照着自己的信念自由地把宗教史和教会史中的重要之点加以表明。但是，我怎样把这故事改作，和附加什么意义进去，我想在这儿讲一下。

据传说，耶路撒冷有一个名唤阿哈随鲁（Ahasverus，象征流浪的犹太民族的基督教传说的人物。基督背着十字架，被押赴刑场的途中，在他的店里歇息，阿哈随鲁却恶狠狠地赶他走。因此，在基督再临之日以前，罚他在世界中彷徨流浪。歌德这一诗剧只有草案，没有完成）的鞋匠。我在德勒斯登认识的鞋匠供给我以他的主要的特征，我又替他造出一个伙伴，把他描写成有汉斯·萨克森（Hans Sachsen）那样的才气，同时又对基督敬爱，使他的人格更加高尚。但是他的作坊是露天的，他喜欢与过路的人交谈，跟他们开玩笑，像苏格拉底那样，随着过往的人的不同，而逞其舌锋。因此，邻近的人及他处的人好在他那儿流连，连走过的法利赛人和撒都该人也跟他搭讪，甚至救世主的耶稣大概也有时与他的弟子们一道在他的作场里逗留过。这个鞋匠的心目中虽只顾着俗世的事，但对于基督也抱特别的爱慕。不过，他既不懂得这个伟大的人物的教义，便想说服他，使他改宗自己的思想和处世方法，他对基督的爱慕，主要地从这儿表现出来。他因此很恳切地敦劝忠告基督，从这种空谈冥想的教化运动脱出，不要带着那些游手好闲的弟子在国内跋涉，不要引诱国民忘了他们的生业而到荒野祈祷去，麇聚在一起的民众，总会骚然易动，只会引起不祥的事。

听了他的话，主耶稣极力把他的更高尚的见地和目的向他譬解，但以他那样的粗朴的头脑，这些话格格不相入。因此，当基督的名气日大，成为一个国内的人物的时候，这个对基督有好意的手工业者便日益激烈地对基督忠告，谓这样的事态必然会引起骚乱和暴动，基督纵然不是出自本心，也必须自居于一个党派的首领。可是，事情是像历史所传的那样发生了，基督被捕和受磔刑的消息宣告了。当那表面上像是卖了主的犹大抱着绝望走到他的作坊来，对他凄然诉说自己的计划的失败时，鞋匠益加奋激。即是，犹大也像其他最聪明的弟子那样，确信应推戴基督为执政者和国民的元首，拟以武力强迫至今仍冷静地不肯听从他们的基督当机立断，而至今仍不敢公然用暴力的僧侣，也受激动而采用这种手段了。当时的弟子们大概也有武器的准备，如果基督不自挺身受缚，使弟子们陷于无可挽救的穷境，也许事情也会成功呢。阿哈随鲁听了犹大这一番话，毫不容情的斥责他，倒使这个可怜的旧使徒更加难受，思量无路，只有仓皇缢死。

可是，当耶稣被押赴刑场，道经阿哈随鲁的作坊之前时，那传说上著名的事件便发生了。即是，背着十字架的基督不胜其重而倒地，施勒尼（Cyrene）人的西门（Simon）必须替他负着走。这时，阿哈随鲁便出现了，像一切偏执不通情理的人那样，看见别人因自己的过失而遭祸不感到什么同情，而反不合时宜地逞其正直，以叱责非难增加那人的痛苦，于是阿哈随鲁站在基督的面前，复述从前他一切的警告，更由警告而进于痛骂，自以为他对于受难者的爱慕之念予他以这样子非难他的权利。基督一言也不答，那时，可爱的女信徒味纶尼卡（Veronica）恰拿一块布遮着主的脸庞。可是当她把这块布除去，高高举起时，主的容颜映在阿哈随鲁的眼中，但绝不是押赴刑场的受难者的容颜，而是神光辉耀，天上的生命灿然照射的容颜。他为这种异象所迷眩，回转头去，他便听见主的严命："你一直在世界上流浪直至再见我现在这样的容颜为止。"愕然惊骇的阿哈随鲁经过了一些时候才回复过来，看见一切人都挤到刑场去，耶路撒冷的街市有如荒野，他为不安和憧憬所驱使便离去耶路撒冷，开始流浪的生涯了。

关于他的流浪以及这诗以之终止而不以之收束的事件，也许待第二回再讲。诗的起头，散见于中间的一些部分及最后的部分已经写下来，但是我不能聚精会神和没有充分的时间，使我能够作必须的研究，俾这诗的内容如我所期。加以那时我的作品正向另一个局面发展——当我写《维特》的时候以及后来看见它的反响，必然会酿成这个倾向——我写下来的几页原稿纸，更不得不就这样子束诸高阁了。

我们无论何人都要共负人类的共通的运命，但是最痛感到这种运命的重压者，是精神能比常人发展较早和较广的人。我们虽可以靠两亲和亲戚的庇荫而立身，倚仗兄弟和好友，借交游的扶助，因爱人而得到幸福，但是无论怎样，结局人类还须倚赖自己。并且，连神也罢，也不是常能有求必应，报答人类的尊崇、信赖和爱，至少在紧急的场合不是如此。我从幼小的时候起很常常地听到，在最需要他人帮助的瞬间，有这样的警告："医者呵，自己救你自己吧！"我不得不握腕叹息，呼着"我自己独自榨着葡萄呵！"的时候是多么常惯的事呢。当我寻求自己的独立的保证时，我觉得我的创作的才能是自立的最稳固的基础。自这数年以来，这才能没有给我以一瞬间的休息。在白昼醒着所遭遇经验的事，甚至在夜里形于梦寝，当我把眼睛张开时，在眼前映现着的不是一个新的奇异的现象的全体，便是往事的一部分。我通常在清晨把这一切写下来，但是到了晚上，甚至夜深，酒和社交使我精神的活动异常奋昂时，别人想要我作什么应酬的文章，我也能挥笔立就；只要是一件具有多少特征的偶然发生的事件，我就可以拿它来写成文章了。我既把自己这样的天分加以省察，觉得它是我全然独具之物，而不能为外力所助长或妨碍，于是我便欲把自己的一生建筑在这种才能之上。这个念头化成一种诗的构想，古代神话中的人物伯罗米修士（Prometheus）便惹起我的注目。据传伯罗米修士与众神绝缘，从他自己的作坊，造出人类。我也很感到，一种显著重大的东西只在孤独之中作成。我一向所作博得那样大的赞赏的作品也都是“孤寂”的产儿。自从我在世间交游渐广，关系渐繁杂之后，我虽仍有充分的创作的才力和兴味，但是创作却停滞了，因为我在散文方面也好，诗的方面也好，本没有自成一家的文体，每有新的创作，视乎题材如何，必须从新着手尝试。然我在这一点既不烦他人的助力，甚至完全谢绝，所以我也弄到像伯罗米修士那样与众神隔绝了。加以依我的性格和思想的方法，一有一个思想，便沉湎其中，其他的思想都为所埋没排拒了，所以，这种孤独的倾向更是自然的事。

在我的想象中，伯罗米修士的神话是饶有生气的。我照着自己的身材来裁剪这个古代的巨人之天衣，不假思索就写出一篇戏曲来。在这戏曲中，伯罗米修士与主神嶕斯（Zeus）及其他新生诸神所生的龃龉表现出来。

即是，他以自己的手造成人类，借女神密涅发之助，使人类得有生命，创出第三统治阶级。那时统治着世界的神感到棘手，的确是有充分的理由的，因为他们可视他们为巨人与人类间的一种不当的插入之物。我所发表的《伯罗米修士的独白诗》是属于这奇态的构想的一部，在德国文学上起显著的影响，勒辛乘着评论这诗的机会与雅各比论战，阐明关于思考和感情的重要之点。而且，揭破当时的名作家们的最隐微的相互关系的爆发，是以这诗为导火线。这种关系，连他们自身也茫然不知，在一个本来极开明的社交关系中潜伏着。那次的爆裂非常的猛烈，益以偶然发生的其他细故，我们便因而失掉最可敬佩的一个朋友——孟特尔逊（见前）了。

关于这篇《伯罗米修士的独白诗》虽也可像一些人所为的那样作哲学的观察，以至宗教的观察，但它的题材究竟完全属于诗的方面。巨人之为多神教的衬托，正如我们之可以把魔鬼视为一神教的衬托那样。可是魔鬼和与他对立的唯一的神决不是诗的人物。密尔顿的《失乐园》中的撒但，虽描写得极好，但因为他力谋破坏较高级的存在者的美丽的创造物，而总要屈居于隶从的位置。反之，伯罗米修士与神那样的高级的存在者对抗，能够自己创造建设，便立于有利的地位。其次，人类不由宇宙的最高的主宰者造出来，而出自位于他们与人类之间者之手，而这中间者也是最古的神之裔也够尊严，所以这种创造故事也是美丽的，宜于诗的情节。总而言之，在希腊的神话中，关于神与人类的象征的解释，有无尽之藏。

然而，巨人伯罗米修士扰乱天庭的反抗精神对于我的诗的性质并没有供给什么材料。我觉得适宜于我的描写者，是巨人一方面承认比自己更高的威力的存在，但同时思与之比肩，以平和的、忍耐的努力挣扎，造成人类一事。不过，巨人族中的三个勇士坦塔拉斯（Tantalus）、易克赛温（Ixion）和息息法斯（Sisyphus）也是我的圣者。他们在诸神中间，不甘屈居于末席，为从属的存在者，自视如傲慢不逊的来客，撄他们的真实的庇护者的主神之怒，而受可悲的迁谪的惩罚。我对他们抱有同情，而古代的诗人也早已把他们的情况当作是悲剧那样描出。后来我在我的 *Iphigenie* 一诗中拿他们当作是神们的勇敢伟大的对抗者，作为这诗的背景，这诗之幸而收良好的效果，一部分是受他们之赐。

可是，在那时候，我作诗和绘画的兴致同时勃发，不能自已。我在灰色的纸上，以黑和白的粉笔绘画我的朋友们的侧面像。当我口授别人书写，或听人朗诵的时候，我把那在写着字或念着的人和他们的周围的景物摹写出来。画得极肖其人，故这种画很受人的欢迎。因为业余画家白替人家绘画，不取报酬，他自然常得人这种称赏。不过，我自己仍觉得这种人物画要不得，还是再向我可以较自由挥使的诗文方面致力。我执笔时怎样奋兴，欢喜和神迷，有许多诗可以为证。这些诗把艺术的本性和自然本位的艺术热烈地加以鼓吹，在这些诗作出的时候，总给予我自己和我的朋友们以新的勇气。

在这个时期中，我忙着这样的事情，坐在一个密闭的屋子中，至少从那屋子的外观看来像是艺术家的工作室那样，此外，周围的墙壁上又贴着挂着半完成的画，看来像是产出什么大杰作的气势。有一天，一个瘦长的男子走进我这个屋子来，在黄昏光中，我认不清楚，以为是腓德里希·雅各比，但是一会儿我就知错认了，向我招呼的是一个陌生的客人。从他的阔达庄重的态度看来，可以认出他是具有军人的特征。他自道他的名字唤做丰·克纳贝尔（von Knebel），略告诉他的来意。由此我知道他是普鲁士的军人，服务于柏林和波次但（勃兰登堡州之省会）颇久，与当地的文学结亲密的关系，对于德国文学也消息灵通。他特别爱读蓝勒（见前）的作品，并且学会了蓝勒朗诵诗的方法。他又熟知格兹（Götz，阿那克里温派的诗人，一七三一——一七八一）一切的著作，那时格兹还没有什么藉藉之名呢。借他的斡旋，格兹的《少女岛》（*Madcheninsel*）得在波次但出版，并且达于国王之手，得其恩语称赏。

我们才把德国文坛的一般情形纵谈一番，他即告诉我，他现在威玛任职，随侍君士但丁小公爵。我听了非常高兴，关于威玛的许多好处，我早已有所闻：因为有许多从那儿到佛郎克福城来的人证明大公爵夫人阿马利亚怎样礼聘卓越的人物来教育小公爵，耶拿大学怎么派遣名教授，来助成她的优美的目的，夫人怎样不独掖护艺术而且自己也热心地彻底地精研艺术。我又听见薇兰特别受她的优渥的待遇，许多外地学者协力编辑的文学杂志《德意志麦库尔》（主任编辑是薇兰）既以威玛为出版地，对于该城的光荣也有不少贡献。而且，德国最完善的剧场之一是设于威玛，在那儿工作的俳优和剧作家都蜚声全国。不幸那年五月从威玛城起的可怕的火灾，却把这个剧场和其他的善美的建筑物破损了，剧场有长久停顿之虞。但是，人民对于储君的信赖那么的大，各人均确信，这种损失不独不日可以恢复，而且其他一切的希望也可以圆满地实现。当我听了这些话之后，恰如威玛城的故人那样，向他打听那里的种种人物和事情，并说出欲更详细地知道那儿的情形的愿望时，那新来访问的客人便亲切地答道，那是最容易不过的事了，因为今回储君和他的兄弟君士但丁殿下恰一块儿到佛郎克福来，想认识我和跟我谈话。我马上表示以得谒见储君兄弟为无上的光荣，我的新朋友接着便说，那就事不宜迟，因为他们在此不会有多日的逗留的。为准备这事情起见，我领着他到我的父母那儿去。他们听见他的来访和用意，非常惊诧，很畅快地跟他交谈。其后我连忙跟着他到小公爵那儿去，他们以亲切和爽快的态度接待我，即是那任储君的向导的格尔兹（Görtz）伯爵，也像对我表好感。他们虽不乏文学上的话题，但是一桩偶然的事的出现，使我们得有极好的话柄，谈话即渐渐有意思和有效果起来。

事情是这样的，恰恰在桌子上放有一本麦塞尔（见前）所著的《爱国者的空想》的上卷，刚装订起来，书边还没有切齐。我既充分地知道这书的内容，而储君们所知极少，因此我占得便宜，可以作关于它的详细解说。而且储君抱有最善的意志和最良的企望，利用自己的地位，决定地来行仁政，与储君论及这书正是最适当的话题。麦塞尔的书，以其内容论也好，以其意义论也好，一定会引起一切德国国人的感兴。世人对于德国的分裂，无政府状态和政府的软弱无能，虽向加非议，但依照麦塞尔的见地，许多小国之并立，正可随着源于各邦的非常相异的地理的位置、人文的特色而起的不同的需要而设施，极便于各地文化的发展。麦塞尔又识得以奥斯拿布律克一城做出发点，推而论及威斯特发楞，然后详说其与全德意志帝国的关系，在批评其情况形势时，把过去的历史和现况合并而观之，从前者溯寻后者的递嬗，由此等实际的论证，变革之是是非非，可行与否，便明白如绘，因此，各个执政者只要依他的立场，采取同样的方针，就可得到关于本国的情势，以及与邻国和全帝国的关系的最精到的知识，以至能把现在和将来加以正确的判断了。

从这个话题我们便引到许多问题去：例如上萨克森与下萨克森诸国的国势有什么相异的地方，礼教、法律、习惯以至天然物产怎样从以往的时代到而今变成别的样子，以及怎样随着政体和宗教之异，而受随时不同的方法的指导支配，都为我们论及。座中有人想把两方相异之点更精确地指摘出来，这时，眼前有一个好模范（指麦塞尔之书）之怎样有益，更明显地现出来。如果我们不管这书的缕细而观察它所用的方法，这书可以应用于各种各样的场合，借此正可作极有效验的判断。

在席上，我们继续作这种的谈话，储君们因这一席话对于我起一个很好的印象——恐怕我自己值不了的好印象。因为，我不把我自己所著的作品拿出来做谈话的对象，不求他们对于自己的剧曲小说起同感，我倒将麦塞尔那样的作家特别推称，这种作家的才能是源于实际的活动生活，而又复归于这种生活中，直接生出有益的效果，在他方面，真正诗的作品飘浮于道德的世界和感觉的世界之上，要绕一个弯，差不多偶然的，才发生有益的作用。我们这回的谈话仿佛《天方夜谭》那样的情形！由一个重要的话题扯到别个去，有许多题目只是开了端绪，不能继续发挥下去。两位殿下在佛郎克福只能作很短促的逗留，因约我随往梅恩兹多谈几天，我便欣然承诺，连忙把这个可喜的消息带回家里去，禀告两亲知道。

可是我的父亲听了这话倒绝不喜欢；因为他自负为帝国直属的市民，向来总与领主公侯疏远，他纵然与附近的公侯大贵族的事务代办人有关系，但跟他们却绝没有私人的接触。甚至所谓宫廷一物成为他的谐谑的好资料之一，他人对宫廷加以攻击，他也觉得高兴，不过，在这场合，一定要以适他之意的机智隽妙的话出之才行。当他引用“离开朱匹忒（主神）远也就是离开电击远”（Procul a Jove procul a fulmine）一句谚语对我们说时，我们虽承认为真理，但又补充一点，即是，关于电击一事，到何处去一层比从何处来一层更成问题。于是他又把“与大人物共食樱桃，也是不佳”一句古格言引用出来。我们便答道：“跟馋嘴的贱民从一个篮子取来吃更糟。”他虽也承认这话，但他又马上拿出另一个使我们不知所对的格言出来。谚语和格言诗是从庶民方面出发的东西，庶民虽必要服从，但是至少嘴可以说他所欲说的话，但是为民长上者，却能以行为来弥补这个缺憾。此外，十六世纪的诗差不多全是教训的，修养的，所以在我们的日常的话中，从下而上所应用的语句中，庄重的和戏弄的成分决不少。而我们青年既自期为大人物，也好站在那大人物那一边，使用从上而下的警句。现在让我在这儿插入几句这些一正一反的话做例子吧。

A

Lang'bei Hofe，lang'bei Höll！

久居宫廷，久禁地狱！

B

Dort wärmt sich mancher gute Gesell！

地狱的火煖着不少的好男儿！

A

So wie ich bin，bin ich mein eigen；

Mir soll niemand eine Gunst erzeigen.

我的身体是我自己的；

不要邀任何人的宠赐。

B

Was willst du dich der Gunst denn schämen?

Willst du sie geben，musst du nehmen.

为什么你以恩宠为耻?

你想予人恩惠，就要先受人的宠赐。

A

Willst du die Not des Hofes schauen！

Da，wo dich's juckt，dafst du nicht Krauen！

如果你想瞧瞧宫廷的苦恼！

那就是，有痒也不许你搔！

B

Wenn der Redner zum Volke spricht，

Da，wo er kraut，da juckt's ihn nicht.

当演说家对民众的时候，

就是没有痒也要搔。

A

Hat einer Knechtschaft sich erKoren，

Ist gleich die Hälfte des Lebens verloren;

Ergeb'sich, was da will, so deuk'er,

Die andere Hälft'geht auch zum Henker.

如果一个人甘为人下，

他的生涯就有一半失掉；

若更俯仰随人，

剩下的一半也糟蹋了。

B

Wer sich in Fürsten weiss zu schicken,

Dem wird's heut order morgen glücken;

Wer sich in den Pöbel zu schickein sucht,

Der hat sein ganzes Jahr verflucht.

谁识得迎合王侯的意思，

今明天就会腾达飞黄；

谁要买得贱民的欢心，

他的一辈子都会遭殃。

A

Wenn dir der Weizen bei Hofe blüht,

So denke nur, dass nichts geschiht;

Und wenn du denkst，du ättest's in der Sche uer，

Da eben ist es nicht gehener.

就使麦子在宫廷中开着花，

你要知，那也终成虚话；

如果你以为已储在谷仓，

那儿也不是车载斗量。

B

Und blüht der Weizen，so reift er auch，

Das ist immer so ein alter Brauch；

Und schlägt der Hagel die Ernte nieder，

's andre Jahr tragt der Boden wieder.

麦子开花自也会结实累累，

那是从古以来的老规矩；

如果收成给雹子打坏，

明年大地又会长出来。

A

Wer ganz will sein eigen sein，

Schliesse sich in Hänschein ein，

Geselle sich zu Frau und Kindern，

Geniesse leichten Rebenmost.
Und überdies frugale Kost,
Und nichts wird ihn am Leben hindern.
谁愿意完全自由自在,
还是蛰居小屋之内,
妻子共同度日,
喝轻清的葡萄汁。
添上粗茶淡饭,
一生中没有什么麻烦。

B

Du willst dem Herrscher dich entzichen
So sag', wohin will du denn flichen ?
O nimm es mur nicht sogenan !
Denn es beherrscht dich deine Fran
Und die beherrscht ihr dummer Bube
So bist du Knecht in deiner Stube.
你是不是要避去王侯?
试问你往那儿逃跑?
看世事不要那么认真!

因为黄脸婆就是君临你的主人，
她还统治着你的呆儿子，
到头你也是家中的奴隶。

恰当我从旧的备忘录中拣出上录的诗句的时候，我又在其中找到与这个类似的有趣的杂作。这些诗是我们把过去时代德国的警句敷陈扩大一下，作成一种在经验上有同等的实现性而采谚语的形式的反句。从这些诗里头挑选一些好的出来，可以作为傀儡戏的收场诗，可以使观剧者的心神为之一爽。

可是，我的父亲却不因为我这种种的答辩而改变他的意见。他惯常把自己最有力的论据留到谈话的末了才拿出来，于是他详细地讲述福禄特尔失宠于腓得烈二世的始末，怎样那过度的宠遇亲狎，相互的殷勤亲切，一旦消失，我们还听到他历历如绘地描写这个非凡的诗人兼著作家怎样因驻扎官佛莱他格（Freitag）的请求、部长菲莎德（Fischard）的命令而被捕，在闹市的“蔷薇”旅馆中拘留颇久。对于这个话，我们虽拿出许多的反驳的议论，然以小孩尊重父亲之故，结局总为他所折服。

现在这件事情发生，他也举出这个和别的相似的例子来警戒我，所以我差不多不知怎样做才好。因为他直白地警告我，并且说，他们的招请只是一种圈套，来替他们的宠幸者薇兰报我的戏弄侮辱的前仇（见后），纵然我的确信恰与父亲的相反，而且看得很清楚，父亲的疑虑不过是他的先入之见为一种忧郁病的妄想所煽动之故，但我仍不肯断然逆他的确信而作梅恩兹之行，又找不到一个借口来取消我对储君的前约，而不致有辜恩失仪之诮。在这样的场合，我惯常跟克勒敦堡女士商量，可惜她又卧病。她和母亲本是我两个卓越的女伴，我常只称她们两人为“忠言”和“实行”，因为克勒敦堡女士对于尘世的事情，从高处投以明朗吉祥的光辉，所以我们尘世的人觉得迷惑的事，拿到她的面前去便很易解决。加以她又常能指出正当的途径，这正因为她从高处下眺人生的迷宫，而自己不陷身其中之故。可是，事情一决定之后，就可以仗赖母亲的敏活的实行的才力了。前者借静观之助，后者则借信仰之助，而且母亲在什么场合都保持明朗爽快的心情，故从不至想不出方法来实现所企望所希求的事。这回，梅恩兹之行的问题发生，我请母亲替我去访卧病的克勒敦堡女士，请教她的高见，女士既表示赞成我的梅恩兹之游，母亲便极力求父亲的允许。父亲虽还狐疑不高兴，但也让步了。

于是，我在很冷的季节，约定的时日到了梅恩兹，两殿下和他们的随员当我真是所招请的客人那样很殷勤地接待我。那在佛朗克福城提过的谈话，我们再记起来，以前开头讲的事继续讲下去，及至谈到最近德国的文学及其大胆的倾向时，极其自然地说起我所作的《神·英雄和薇兰》（*Götter, Helden und Wieland*）这一篇有趣的诗曲了，一开头，我就觉得，他们磊落明快地看这事情，而很宽慰。但是，这个轰动读书界的开玩笑的小著作，究竟为什么会发生，却要我讲个明白。于是我不能不先承认，我们道地的上莱茵河的住民有一种通癖，就是，无论爱也好，憎也好，都易过度。我们对莎士比亚的尊重，弄到像膜拜那样。反之，薇兰在他的莎翁译本的注释中，说了许多非难原作者的话，而且他的攻击，引起我们极度的愤慨，在我们的眼中，简直是把这译作的劳绩都消灭了。总之，薇兰是为他自己的决定的偏癖所误，败坏了自己和读者对于原作的兴趣和热爱。以诗作而论，薇兰是我们所推崇的诗人，以翻译而论，从他的翻译我们得益不少，但现在我们觉得他做起批评来，便任性随意，褊狭不当。此外，他对于我们所膜拜的古代希腊也有贬辞，更加强我们的反感。希腊的神和英雄不是以道德的优越为特性，而是以璀璨的肉体上的卓绝为特征，是我们充分地知道的事，因此，他们对美术家也提供很丰富的题材和模型。然而薇兰在他的歌剧 *Alceste* 之中，把英雄和半神写成近代的东西那样。这诚然是不能加以非难，因为一个人有一个人的自由，把古来的诗的传说依照自己的目的和思想的方法来改作。但是，从他在《德意志麦库尔》杂志中所写关于这一歌剧的书简体的论说看来，他太过不公平地以这种改作的方法自骄，不负责任地冒渎那些卓越的古代希腊人，和他们的崇高的样式；同时又不肯承认这些神话传说所根据的简素健全的自然底价值。我们的青年诗人团体才把薇兰这种可疵议的地方热烈地讨论过，我的好把一切事物戏曲化的癖性又拿出来了。有一个星期日的午后，跟他们一道儿喝了一瓶勃艮地的酒，乘着酒兴，即席把那剧曲一口气写出来，不加润饰。我把它读给同座的人听，他们大为赞赏，我便即寄给斯特拉斯堡的楞次。楞次也像是很感兴趣，劝我马上付印发表。经过几次的书信的商量之后，我答应他了，他于是赶紧拿它在斯特拉斯堡付印。到后来很久我才知道，这种劝告是楞次故意要损我和使我不理于人口的阴谋的第一步。但是在当时我却茫然绝不料到会有这样的事。

这样子，我在我的新的爱护者之前，极坦白地，尽我所知，把那无恶意的剧曲的缘起源源本本讲出来，使他们完全相信我在这篇作品中绝没含有对个人攻击及其他的目的，我还告诉他们知道我们青年诗人之间怎样谑而虐地互相戏弄嘲笑，习以为常。我作这种辩明之后，我觉得小公爵们的颜色为之畅悦，差不多使我们惊讶的，就是他们还这样说：我们大概很担心文坛中有任一个先辈戴着他的月桂冠睡懵懂了，所以有这样的事。他们还把我们的小团体来跟 Flibustiero（十八世纪时候袭击南美的海贼）相比，他们无时无刻不担心因为安逸无事之故而弄到柔懦了，因此他们的首领在没有什么敌人袭击或没有什么好劫掠的时候，也从宴饮的桌子底下，开短枪乱射，俾在无事之时也不免有创伤和痛苦。关于这问题，他们与我交换过几回意见之后，我终于答应他们的劝告写一封恳切的信给薇兰。我很高兴获有这样的机会，因为薇兰在《德意志麦库尔》杂志中对于我的稚气的恶作剧已作很宽大的论评，并像他平时在文学的论争中所为的那样，以机智巧妙的笔法来付讨论以终结。

我在梅恩兹的滞留虽只几天，但过得很舒适。当我的新爱护者因拜客或赴宴而外出时，我便跟他们的随员一块留在旅馆里，替他们画肖像，那时城寨的外濠恰已结冰，我又正好往那儿作滑冰的游戏。我满带着这次在梅恩兹所遭遇的好印象回到佛郎克福去，正想一踏进家门就倾箱倒箧地讲给家人听使我的心一松。但是家人却以黯淡的面容迎我，不消一会儿我就听见我们的女友克勒敦堡逝世的噩耗。我听了很受打击，因为，正在这个场合，我需要她比任何时为多。家人为安慰我而向我讲述她死时的情形，她的笃信虔诚的生涯以静穆的至福的死而终，她的信仰的证明到弥留时还保持纯净无疵。更有一件事情阻碍我，使我不能尽情详述梅恩兹之游的经过。即是父亲不独不以我这次小冒险的好结果为喜，而且坚持他自己的见解，认为这一切都是他们的做作的圈套，以后恐怕对我还要施出更坏的手段来。因此，这必得将我要说的话对青年的朋友讲述，当然我不能很详细地说。可是，我这番话也很失策，就从他们对我的友爱和好意之中，生出一个极不愉快的结果来。因为不久，一本也用戏曲体写的小册子《伯罗米修士与其批评家们》（*Prometheus und seine Rezensenten*）出现了。在那里头，作者恶作剧到妙想天开，对话的起首不附人名，而用种种的小的木版画来代替，把那些对于我的作品或与之有关的东西发表过意见的批评家，用讥刺之笔描画出来。有一个地方画着一个没有头的阿尔多纳（Altona）的驾御马车的御者（象征在阿尔多纳市发行的评论杂志）吹着角，有一个地方一个熊喃喃念着，另一个地方一个鹅咯咯叫着，麦库尔（Merkur，即神使）也没有被忘记，不画进去，还有许多的野兽和家畜像是要在画师的画室中搅乱他，但是画师却满不在心，热心地继续他的工作，恰显出他自己也不知他应为何事那样。我见了这个出人意外的戏弄的作品，非常惊讶。因为这个恶谑在文体和笔调上都像是一定出于我们中人之手，甚至人们可以把它当作是我自己的手笔。但是，我最感到不快的就是在伯罗米修士所讲的事中还有涉及我在梅恩兹的居留，在那儿所讲的话，以及本当只有我才知道的事情。由此我却可以推断，作者定是与我很接近的少数人中之一个，曾经听我详细地讲及梅恩兹的遭遇和情形的人。我的朋友们彼此互以猜疑之眼相看，但那个匿名的作者很知道装假。我把这个作者骂得很厉害，因为我才在梅恩兹受了那样优渥的待遇，作过那样有意思的谈话，以及给薇兰写过那样恳挚的信之后，今又有会引起别人对我抱新的怀疑和不快的导因，我因极度气忿。可是这闷葫芦不久就打破了。即是，有一天，当我在屋子里往来蹀躞着，朗诵那本书的时候，我很清楚地听得出那书的思想和语法是瓦格涅（见前）的声口，而实际上写这书的也是他。我马上下楼飞跑到母亲那儿去，告诉她我的推测，她却说明白，她早已知道是他了。作者瓦格涅自信是以可称道的良善的用意来写这书，不料却有那样不良的结果，害怕起来，因来见我的母亲，自认是该书的作者，因为我曾声言与那个滥用我的信赖的作者绝交，他便向我的母亲求情，使我不为已甚。有一事恰巧帮了他的忙的，就是我自己看破了他是作者一事，一个人如果能够察知一件秘密就感到洋洋得意，这种喜悦便使我有饶过他的意思了。瓦格涅的过失既足以证明我的侦察的能力，我终于宽恕他。但是读者大众却不会那样容易确信瓦格涅是真正的作者，我自己没有插手其中。人们不相信他有这样的多才多艺，因为人们以为他非具有盘盘的大才不能理解我们一伙诗人许久以来所作的种种谐谑谈论，志之于心，和以这样的方法表现出来。这样子，我不单因为自己的愚戆，而且还因为朋友们的轻躁性急而受过，这个场合是如此，以后还屡有发生。

随着种种的联想，我还忆起几个名人，而想在这儿叙述一下。他们在不同的时期道经佛郎克福，或下榻于我们的家里，或受我们的亲切款待。在这些人中，克洛卜斯托克再度是应大书特书的人物。我与他早已通过好几回的书简，有一回他通知我，受了加尔斯卢合（Karlsruhe）城某家的招请，不日就道，并将在那儿滞留，某日某时便会抵腓烈德堡（Friedberg）盼望我在那儿接他。我届时果然到了那个地方，可是他在途中给偶然的事情耽误，不能依时来。我白等了好几天，便回到家里去。过了一些时候他才到我的家里来，请我原宥他的爽约之罪，和郑重感谢我的迎接他的好意。他的身材短小，但长得很好，举止谨严而不板执，谈话明确悦耳。以全体论，他的风采有点像外交官的样子。外交官那样的人挺身担当艰巨的事业，同时发扬他自己的威严和他所要卫护的更高的人物的威严，增加自己的利益，而同时又促进王侯以至全国的更重要的利益，他站在这种极关重要的地位，故先要博得世人的好感。从克洛卜斯托克的举止看来，他也像是自居于有价值的人和具更高的意义的事物——宗教、伦理和自由——的代表者，他还具有深于世故的人的一种特性，即是，他不轻于谈论别人正等着要听他的意见的事情。他很少谈及诗和文学。但他既知道我和我的朋友热烈地爱好滑冰，便跟我们详细地谈这种优美的游戏，说明自己关于这种技术怎样细加思索，有什么应该努力什么应该避免。可是，我们在拜聆他的亲切的讲解之先，不能不让他把我们所用的名词订正。即是，我们使用南部德意志语“Schlittschuh”（滑靴）一字，他认为我们的语源的解释全然不当。这字不是从 Schlitten（橇）来，如果是这样，那就是以橇的小承轴 Kufe 来滑行了，实际它是源于 Schreiten（阔步）一字，滑冰的人像荷马诗中的神那样穿上这双翼一般的靴，在化为大地的海上迈足阔步。其次，说到工具问题，照他的意见，高跟中间凹的滑靴没有什么好处，他倒抬举矮跟，宽身，平底和流行于佛里斯兰（Friesland）的钢铁制的靴，认为最宜于快速的滑走。人们在滑冰时惯作的花样，他也不赞成。我照他的吩咐做了一双平底而尖端长的靴，滑起来虽不很舒适，但使用了好几年。关于马术和调马法他也能讲得头头是道，并且喜欢讲。他像是故意避开关于自己本行的谈话，俾能更自由无碍地谈论他当作业余的嗜好那样从事的别的专门技术。关于这个非凡的人物的种种奇癖，如果不是跟他相处久一点的人已有充分的报告的话，我还可以举出许多来。但是有一个感想我不由得不说出来，即是，某些有非凡的天资而用之于狭小的范围内或至少用之于不相称的范围内的人，往往流于狂狷怪僻，他们既不会直接地利用其天分，便想拿来在异样奇态的途径中施展。

亲麦曼（见前，瑞士的医师，著述家，一七二八——一七九五，汉诺威王国的御医，腓得烈大王病笃时也聘他诊视）有一个时候也在我们家里作客。他的体格魁梧坚实，在天性上是急激爽直的人，但他却能完全节制自己的外表和举止，所以在交友间他被目为深于世故的熟练的医师，他的激烈的内面的性格只在著作之中和在极亲密的朋友之间才会不加抑制地爆发出来。他的谈话涉及多方面的，极饶启发的价值。如果我们可以宽恕他对于自己的人格和功绩的非常的自负，那么，与他交往是最好不过的事了。可是我对于世人称为虚荣心之一物总不曾一度起反感，而且还容许自己也有虚荣之念——这即是说，自己觉得是可喜的事，就坦然表露出来的癖性——所以我跟他意气很相投。我们相互地自己标榜，自己夸负，因为他对我表示极坦白和同感的态度，所以在短短的时间内，从他学得许多东西了。

但是，如果我对于这个非凡的人物，感激地、好意地而又彻底地加以批评，我绝不能说，他是个虚荣的人。我们德国人太惯常滥用“虚荣的”（eitel）这个字了；本来这个字带有“空虚”（leerheit）的概念，所以正常地使用这个字，就只应该用来指那些以自己的空无一物为喜，或以自己的空疏的生存为满足而不能自隐其喜悦之情的人。然而亲麦曼的场合恰相反，他是有伟大的劳绩而没有内心的满足的人。但是，如果有一个人能够对自己的天分沾沾自喜，在发挥其天分时又不自己收它的报酬，而等待着希望着别人会承认他的成就和加以适当的尊重，这样的人便会陷入很苦的境界中。因为我们谁都知道，世人吝予人以赏赞，即有称道，也加以折扣，而且只要有一点可能，便转作非难之词。昧于这个事实而出来处世的人只能有不快和失望的预期吧。因为他对于自己所作所为纵不作过大的评价，然也无条件地自认为有价值，而世人所予的一切的承认都是附有条件的。其次，对于赞赏和喝彩，也像对于一切快乐那样，需要有某种的感受性。如果我们把这种考察应用到亲麦曼的身上，我们在这儿也不得不自认：一个人除自己已经带来的东西以外，别的都不能收得。

我替亲麦曼作这样的辩明，如果读者之中有人不以为然的话，则这个名人更有一种失行，足以阻碍以至毁坏别人的幸福，更难为之护短。那就是他对于自己儿女的态度。他有一个女儿跟他一道旅行，当他在附近的地方游览时，把她留在我们家里。她大约有十六岁大了，身材瘦而高大，没有什么打扮；她的端正的面孔，如果有一点温柔的表情便很能动人。但是，她老是像画像那样冷静，很少言笑，在她的父亲的面前，更没有一回说过话。可是，她跟我的母亲两个人住了没有几天，熏受了这个深于同情的母亲的明朗的慈爱，她便投身母亲的脚下把自己的心事尽情披沥出来，并且不断地流着泪哀求母亲收留她在我们那儿。她以极热烈悲痛的话诉说道："无论是使女也好，女奴也好，我愿意一辈子留在您们家里，只要不回到父亲那儿去，父亲的严酷暴虐真是谁也不能想象出来。"据说她的兄弟就因为亲麦曼的虐待而发了疯，她含辛茹苦地忍耐了那么久，因为她相信无论在那一家里，父亲都是这样严酷，不会好多少；但是现在她既尝过我家里那样慈爱、舒适、自由的待遇，她自己的境地便变成地狱了。我的母亲听了大为感动，当她向我讲述那女孩的悲痛的剖陈时，对她的同情更深，以致对我明白地示意，如果我决定娶这个女孩做媳妇，把她留在家里，她就快慰。我听了答道："假如她是一个没父母的孤儿，这事情还可以考虑商量，但是，岳父是一个这样做父亲的人，那太糟了！"我的母亲还为这女孩子尽了许多力，她倒因此更为不幸。到后来靠着母亲等的帮忙，她找到一条生路，那就是，进了一个寄宿学校。不过，她还是享年不永，不久就殇逝了。

像亲麦曼那样的劳绩昭著的人却有这样的可非难的变态的失行，如果这事不早已人言啧啧，并且，在他的死后，他临终时的狂暴性的忧郁病使自己和在身边的别人都受磨折一事不为人所知，我恐怕不会把它说出来。因为他对待儿女们的残酷也是由于忧郁病之故，这种病是一种部分的精神错乱，慢性的精神杀人，因为它，他先把儿女们牺牲了，最后便回头杀害自己。可是，我们试想一想，这个外表像是强壮的人在壮年时代便为这种病所苦，自身是一个优良的医师，曾治愈了和治疗着无数的病人，而自己偏罹了这种不治之症。的确，这个笃实的名人在外表上是享受着尊荣、名誉和富贵，而实际上度极悲惨的生涯，如我们再从他所印行的数种著作中更详加考察，我们不会责他而倒会怜惜他呢。

可是，如果读者期望我更详细地讲出这个显著的人物对于我的影响，那么，我就必要把当时的时代加以一般的说明。我们生当的时期可以称为“要求的时期”，即是，当时的人，对自己和对他人都提出一些从前还没有人实现过的要求。卓越的有思想有情感的人悟到，人类最可盼愿的事就是关于自然的直接独创的见解和基于这种见解而生的实践的行动，而达到这种境地，绝不是难事。于是，经验再成为一般的口号，一切人都尽量的扩拓自己的见闻。但是，最有理由和机会向这种新倾向迈进的本是医师。从古代以来便有一颗大文星投射他们以璀璨的光芒，可以奉为一切有价值的东西的榜样。据说是希波革拉第（Hippokrates，纪元前四世纪希腊的名医，有“医圣”之称）传下来的著作，可以作为模范，显示人类应怎样观察世界，和把他所见的，不掺杂主观的见解，传给别人。可是当时的人都相信，我们学不到古希腊人那样观察事物，也总不能像他们那样创作诗和美术以及治疗。而且，纵然承认我们可以学他们，但我们的经验比他们的多不知多少，又总不能那样纯粹，并且常为独断的见解所左右。正确地知道这一点，加以鉴别选择，也是必要的。这又是一个重大的要求了。其次，我们为个人的审察和行动起见，自己还应熟知健全的自然，一若自然是破题儿第一遭被观察应接那样，在其间只有纯正和正当的事发生。不过，言学识而没有渊博和炫学的倾向，言实务而没有实验和江湖郎中似的夸示，是难以想象的，因此要分别误用和利用，取核仁而弃外壳的时候，在人类间便发生一种激烈的冲突了。可是，在这场合，一进于实行，我们便觉得借助于天才者是最后脱退难局的捷径，天才者借其魔术般的才能调停争论，而一切的要求也由之实现。在这场合，理智也出而参与其间，一切都应付以明确的概念，和以论理的形式表现出来，俾一切的先入的偏见都能摒除，一切迷信都能推翻。实际上既确有像部尔哈味（Boerhave，荷兰的医生，一六六八——一七三八）和哈勒尔（Haller，诗人，博学多才，著有小说，诗集，及关于解剖学，植物学等书，一七〇八——一七七七）那样的几个非凡的人，成就难以置信的大业，世人便以为有理由要求他们的门徒和追随者作更大的事业。世人认为一条进路已开辟出来了，可不知道，在一切尘世的事物中，这样的进路常不得而言。因为正像为船所挤开的水，船一过，水马上便再合了那样，人类的迷惑错误虽一度为卓越的人所拨开和廓除，但在他之后便马上极自然地再现了。

但是，伟大的亲麦曼却总想不到这一层，他不肯承认这个世界本为不合理所充满。自己觉得和认为不正常的事他就不能忍耐，极力加以攻击，甚至有类于狂暴。无论与他吵闹的对手是来看病的人也好，是巴拉塞尔士（Paracelsus，医师，博物学者，在制药界中教人应用化学，主张医师应重视外界的观察，一四九三——一五四一）也好，是幻术师也好，是化学者也好，他都视同一律。他每一次都大刀阔斧的砍下去，当他弄到力竭气喘的时候，他以为可以用脚践踏的九头蛇［Hydra，希腊神话中赫邱利（Hercules）所斩的怪物］的一切的头依然活生生的，从无数头中张着利齿向着他，他就极为骇异了。

凡是读过他的著作，特别是《论经验》一名著的人，就会更明确地知道这个优秀的人物与我所讨论的事了。他的年纪比我长二十年，所以，他的谈话更予我以强烈的影响。他既是一个名医，求他诊治的主要地是上流社会中人，每次与我会面，他总谈到当时的上流社会因过度的享乐和懦弱的生活而堕落的情形。他谈到医术上的事情时，也像哲学者和我的诗人的朋友那样，引我再回到自然去。对于他的热狂似的改革癖，我不能完全赞同。我跟他分手之后，我即回到我自己固有的专门范围，谋以相当的努力来应用自然所赋与的才分，一方面磊落地反对我认为不对的事情，而同时为自己开拓一些境地，不管我的影响及到多远，和把我引到那儿去。

在马尔希林斯（Marschlins）建立大寄宿学校的丰·萨里斯（von salis，军人，政治家，诗人，一七六二——一八三四）也是在旅行中道经佛城而客于我们家里。他是一个笃实明达的人，对于我们青年诗人小团体的天才而兼狂人的生活，暗地里首作可惊异的批评。在往法国南部旅行的途中来访我们的苏尔最（Sulzer，美学者，柏林大学教授，著有《美术的理论》，《自叙传》等书，一七二〇——一七九九）恐怕也有同样的奇异之感。至少在他的游记中，记述与我会见的地方，含有这样的意思。

可是，这些有益而愉快的过访中也掺杂有我们宁愿避面的怪客。真正身无一文和厚脸皮的撞骗者每向容易相信他人的年轻的我求助，借着种种的真正的或伪造的因缘或事件做口实，来达到他们的迫切的要求。他们从我借了钱，使我不得不向有钱的和好意的朋友转借，由是我跟他们的友谊常弄到极不痛快。因此，我视这些求助的客人像蛇蝎一样，而父亲也像童话中的魔术师的弟子那样的情形，虽然喜欢自己的房子洗得干净，但看见水滚滚而来，汹涌流进门槛和楼梯时便害怕起来。即是，因为许多好的遭遇，我的父亲为我预筹的相当的生活计划，一步一步的被妨害了，延宕了，一天一天的被变更了。累根斯堡和维也纳的居留的计划已不啻抛弃，但是将来在意大利旅行的时候仍应在那儿通过，俾至少能作大概的游览。可是，有些朋友却不赞成这个计划，认为绕一大弯才走到活动的实际生活去，不是办法。他们的意见以为我应该利用眼前那么有利的机会，而留居家乡为永久的福利之计。虽然，那时因为外祖父任市长，其后舅父又任市会议长而杜绝了出仕于市侩之路，不过还有其他许多的市府官职，可以求谋，先打下了脚跟，然后徐图将来的发展。市中有许多代办人的位置，大可有用武之地，而驻外使员之职更是很荣誉的。亲友们这样的鼓吹，我觉得颇入耳，自己也相信适宜于做这样的事，却不省察一下，代办人和驻外使员的实际生活和事务生活是要忙于社交，最好以应酬游乐来做办事的手段，这种职位是否真个与我的性情相宜。同时这种建议和期望之外还添有爱情的事，这像是使我不得不作成家立室之想，而促进那种决定。

从前讲及的佛城的青年男女的游乐会，虽不是由我的妹妹发起，但它的持续却仗妹妹之力，自从她出嫁和离开佛城以后，仍然存在。因为会中人彼此已厮混惯了，一星期一晚，一块儿玩，总是最有意思的。前在第六卷叙述过的那位异样的雄辩家，历经种种的变故之后，又更伶俐地更别扭地回到我们那伙人中来，再任这小国家的立法者。他承着以前的滑稽公案而想出类似的办法来。即是每周拈阄一次，但是这回拈阄不是决定那一对应做爱侣，而是那一对应做假夫妇。对爱人怎样应付，我们知之已熟了，但是，夫和妻在社交场上的举止应该怎样，我们却是不了了，年纪既已一天比一天长大，那就是最先应该学的事。于是他便发出一些一般的规律来，这些规律就是普通人知道的，例如在他人之前夫妻彼此间要装作不像是夫妻那样，不应同坐在一块，彼此谈话不要很多，更不可多作亲爱温存的举动；但是，在其间，不独是要避免一切可以惹起互相猜疑互感不快的事，反之，一个人如能以一种丝毫不勉强的方法来博得他的太太的恩情，便是最值得称扬的。

决定假夫妻的阄便实行拈了，结果有几对奇怪不相配的夫妇撮合出来，大众都笑他们，戏弄他们。这样子，这个大结婚的喜剧谐笑百出地开始了，每隔一周便重新拈阄。

真是怪凑巧的，我在第二回拈得的假妻也是第一回拈得的那个女人。她是一个可称为理想的妻子的性质贤良的女子。她的体貌美丽而端正，眉目可人，她的一切的举动都带娴静，显见她的身体和精神的健全。无论何日，无论何时，她的举止都不变。她的持家的才干，已极得人的称赞。她虽少说话，但从她的谈吐中可以看出她是具有正常的理解力和自然的教养。以友爱和尊敬待这样的人，自是意中的事，我在拈阄以前，由于一般的感情，已对她作这样的表示，现在既成了假夫妇，依照社交的义务，更对她表示一种传统的爱敬。可是到了第三回拈阄，恰巧又是抽着她，于是那个滑稽的立法者庄严地宣布道："天意已定了，您们今后不能再拆散了。"

我们双方听了都情愿，彼此在公众中尽夫妇的责任非常得当，实际上可以有模范夫妇之称。照一般的规矩，在晚的聚会里，假作夫妇的男女在那几个钟头，彼此要以“你”（Du，即第二身的亲称）相称呼，我们既有好几个星期用这样的亲密的称谓，就使在我们相遇的时候，这个“你”字也从口边轻松地滑出来。但是，这种习惯是很奇妙的，我们双方渐渐都觉得，这样的关系是最自然不过的，我日益敬爱她，而她对我的情形也显出是一种美好稳静的信赖。到了这样的地步，如果我们一伙人中有一个僧侣的话，我们恐怕真会毫不踌躇就让他即席替我们举行婚礼吧。

在我们每周会集的时候，必须有一些新的、未知的诗文当众朗诵出来。有一晚我带了一篇极新颖的东西——波马社（Beaumarchais，法国文学家，一七三二——一七九九）的《诉讼私录》（*Menaire*）中的控告克拉维哥（Clavigo，西班牙的官吏）的这一部分的原文到会来朗读。大家大为喝彩，各人纷纷吐露他的意见，彼此谈论了一番之后，我的假夫人这样子说道：“如果我不是你的妻而是你的爱人的话，我就请你替我把这

《诉讼私录》改作戏曲了，我觉得它是一个恰好的题材呢。”我听了便答道：“我爱，你知道，妻和爱人也可合为一人呢，那么，我答应你，下一个星期的这一天，我把这本书的情节，编成戏曲在你们的面前一样的朗读。”座中的人听了我这样的大胆的承诺，觉得诧异，而我却毫不踌躇地来谋它的实现。因为，在这种场合，世人所谓“构思”一事，在我是即兴的，当我伴送我的假夫人回家的时候，我便沉默不作声。“你怎么一回事呢？”她问道。“我已在想那篇戏曲怎样做，”我答道，“现在正在构思的当中呢；我希望你知道我是要做一些事情博你的欢心呵！”她便握着我的手，当我热烈地吻她时，她说道：“你不要忘记了你扮的是丈夫的角色呵！人们说，这样的温存不宜于夫妇间做的呢。”“随得他们说去，”我答道，“我们有我们的做法呢。”

其后，我绕了一个大弯才回到家里，在入门以前，那戏曲的构思已有头绪了。但是为使人不说我太过吹牛起见，我要承认，在第一次第二次读这《私录》的时候，其中的情节已经像戏曲似的活剧似的现在我的心目之中。不过，如果没有这样的刺激劝诱，这篇戏曲也像其他许多的尝试那样，单成为一种可能的腹稿而埋没了。至于我改编为戏曲的方法，已尽人都知了（见歌德的戏曲 *Clavigo*）。我既厌倦那种出于复仇、憎恨或其他卑劣的用意而与高洁的人为敌，把他害死的歹角，我便构成卡罗斯（Carlos）那样一个角色，表出健全的常识和真实的友谊对于情热、爱好和外界的压迫发生什么的作用，并想以这种方法来作悲剧的骨子，看看成不成。有我们的大宗师莎士比亚做前例，我毫不迟疑地，把《私录》中的主要场面及本来已有戏剧性的描写的部分逐字翻译过来。在结束的地方，我借用某一首英国的故事诗（*Ballad*）的尾声，在会期的星期五日那天，全篇早已脱稿了。我朗读它时所博得的好印象，自己很容易察知。命令我做这篇戏曲的假太太，也很喜欢，我们两人的关系恍惚是为这作品，为这种精神的产物，而更接近巩固起来。

但是，对于这篇戏曲，那个麦菲斯陀斐尔似的麦尔克第一次给我难堪。当我把这篇东西寄给他看时，他复道："这样的不成东西的作品，请你以后不要再写了，谁也会写呢。"其实，他的话是不对的。不是一切的东西都要独出心裁，机杼一新的，有许多作品仍不脱旧套，也是不俗的。如果我当时编著有一打这样的戏曲——这种戏曲只要有多少兴奋刺激就容易写成——就恐怕有三本或四本在剧场上演了。知道脚本创作的劳苦的剧场当事者才会说，这种戏曲有什么好处呢。

我们的小团体的这种奇趣的结婚游戏，因为上述的和其他的巧妙的谐谑笑乐，纵不喧传市内，也已成家家户户的话柄，我们的女伴们的母亲听了倒不觉得不愉快。我的母亲也不反对这种偶一为之的事。她在以前已经喜欢那个与我发生那样巧的关系的女子，像是相信她是一个贤妻同时也可做孝顺的媳妇。她看见我从许久以来，闹的无目的的奔扑忙乱，觉得不安，而事实上也有许多令她极麻烦之处。即是，我有许多文友源源不绝到我家里来，她必须殷勤款待，飨以盛馔，而所得的报酬，只是客人们对于儿子的文才的推重。而且，她看得很清楚，这许多青年大概都是赤贫，不单是为学问文艺而聚头，而且还为着游乐的目的，故结果必然会互相牵累损害，而对于轻于信用别人和隐庇他人的我，终归更会有这样的恶结果。

因此，当父亲再度提出那久已计划的意大利旅行一事时，母亲便认为这是一举断绝我与这些青年人的关系的最切实的手段。但是，为要使我在旅中的广大的世界里不陷于新的危险，她便想在动身之前把我跟那位女友的结婚关系确定了，然后我将来回到家乡来才会更得人望，我的一生的计划才可决定。母亲这种计划，是否只出自我的推测，抑或她明白地——也许跟她的信仰上的女友商量之后——盘算过，我不能确言。总而言之，她的言动，像是基于一个想好了的方针那样。即是，我屡听见说，自从妹妹出嫁以后，我们的家庭像是太寂寞了，我们觉得，我少了一个妹妹，母亲少了一个家政的帮手，父亲少了一个学生。而且我听见了的还不止这个话。由于一个偶然的机会，我的父母在散步的途中碰见了那个女子，请她到附近的花园去，跟她作颇久的谈话。两亲归来，在晚餐的席上便戏谈起这件事情来。他们得意洋洋地说，那个女子很合父亲的意，因为自负能鉴识人的父亲对妇女所要求的德性，她恰具备呢。

这事发生以后，我们的家突然间像是要接待许多客人那样忙乱起来，第一层楼处处作新的设备，帘幕等物新翻花样，一向忽略的其他几种家具也成为问题。有一回，母亲在房顶的贮物室内检视旧摇篮时，我突然掩至，这些摇篮中有一个格外大的，用胡桃木制成，镶着象牙和黑檀，特别惹人注目，那就是摇过在婴孩时代的我的故物。我在旁边对她说，这样的摇篮，现在已完全不时髦了，现在的婴孩是四肢舒畅地放在齐整的小篮子里，用绳子跨过肩膊把篮子吊起来，像是别的用器吊起来给客人看那样。

总而言之，暗示家中将有新变化的这样的预征频频现出来。我对于这事既完全默认，因此，对于我的终身大事的预想，使全家和家中各人都浸淫于久矣乎不领略的平和的热闹的氛围之中。

第四部

Nemo contra deum misj deus lpse

（除了神自己以外谁也不能抗神）

序　言

现在我担任写的是一部头绪纷繁的生活的故事，在执笔时，为使某种故事了然易解起见我就要这样子叙述，即是同时并起，在时间上搅作一团的事情必须分开来讲；更有一些只靠后来的结果才明白的事，必须凑合在一块儿，这样子，全体便分为各个的部分，读者对之可以一目了然，而加以判断，并可以从中得到许多益处。

我们以这样的观察来做第四部的开卷辞，俾读者能谅解我们的题材的处理方法。更有一事要请读者注意的，就是下头继续的叙述不是直与前一部的末尾相接，而是企图将全编的主要线索逐渐再贯串起来，把一切的人物，及所思想所作为的事，在严密的系统之下描写出来。

第十六卷

正如世人惯说的那样，“祸不单行”，同时，我们也可以说，幸福或是在我们身边谐和地出现的情况也是这样。这或许是运命给我们这样子安排，或许是人类有把互相联属的事物都拉到自己身边来的力量。

至少，在这回，我经验到一切的事情都谐和一致来构成外面和内面的平和。外面的平和因为我静心等待着他人替我计议试行的事的归趋而获得；内面的平和的获得则有待于自己在学问上的新的奋发。

我久已不想起斯宾诺莎了，这时却因看到反对他的文章而再研究起他来。在我们家里的藏书中，我找到一本小册子，著者对这个特异的思想家猛加抨击。为要使他的攻击更有力起见，在书名的签题之下登载有斯宾诺莎的肖像，并题有这样的字：Signum reprobations in vultu gerens（连面貌也印着咒骂的标识）。诚然，看见这个肖像题字的意味是不能否认的，因为铜版的雕刻坏到不堪，简直是一幅漫画。由是，我不能不想起种种的论争家来，他们，先把他们所反对的论敌歪曲丑化了，然后当作是丑类怪物那样来攻击。

不过，这本小册子没有给我什么印象，因为我本来就不喜欢论争的东西，我老爱听见人家说他自己怎样的思想，而不愿意听见他说别人应该怎样思想。但是，我为好奇心所驱使，仍翻阅了一下贝尔（Bayle，法国著作家，一六四七——一七〇六）的辞书所载“斯宾诺莎”一条，这本书，一方面以博识锐眼之故而可称为贵重有益之作，但同时从它的怀疑的诽谤和江湖的自称自赞的口吻看来又很可笑而有害。

读了这篇论斯宾诺莎的文章，我心中感到不快和疑惑。在开头贝尔称斯宾诺莎为无神论者，认为他的学说极可非难，但是，其后却承认他是一个深思笃学的学者，善良的市民，好启导别人的人，以及静居潜修之士。这样看起来，著者像是忘记了《圣经》中“从果实而认知树木！”那句话了。因为一个为人和神所喜欢的生涯怎样可以从一个腐恶的原则生出来呢？

我还记得很清楚，自己翻阅这个非凡的思想家的遗著时，我的精神感到怎样一种的明澄和宁静。它的影响，我虽不能一一详细记得，但仍很清楚。我连忙把他的书再拿起来读。从前我已很受它之赐，现在开卷，我感到有平和的微风再向我漾来。我倾全神来把这书读一下，同时以内观之眼反省，我觉得世界了然于我的胸中，为从前所未有。

关于斯宾诺莎的这种著作，到今日仍有许多争论，所以我不愿给他人误会了自己的立场，而不由得不在这儿插入我关于这个为世人所惊怖憎恶的思想体系的意见。

我们的肉体的生活，社交的生活，风俗，习惯，世故人情，哲学，宗教，以至许多偶然发生的事，一切都是叫我们**克己**的。有许多我们内部固有的东西，我们也不应向外部实现；我们从外部取来以补足自己的本性的东西又为人所取消，而我们觉得是陌生和烦累的事物却纷纷袭来。我们辛苦得来的东西，天惠的好处，为人所剥夺，在我们还没有对之了然以前，我们就通须——

初时部分地，后来全般地——摒弃自己的个性。可是，因为这样做而作苦脸的人，通常为人所蔑视，运命的杯越苦涩，我们倒应越张着笑脸向人，俾那些泰然旁观的人不致因我们的苦脸而感到不快。

这个道德的课题诚然很难，但自然已赋予人类以丰富的力量，活动性和柔韧性来解决它了。我们生而具有的不可消除的轻率性特别是为此事之助。靠着这种天性，一个人可以在任一个瞬间舍弃一桩事，只要他在别时有新的事物可以移情就成了。因此，我们无意识地不断地更新和恢复自己整个的生涯。我们以一种热情来替代别种热情；事业，爱情，嗜好，玩艺，我们都一一试过，尝过，为的是到头要喊出“**一切都是空虚**”的叹声。这句话虽是错误的，甚至渎神的，但没有人觉得它可怕。甚至人们还相信这句话还含有智慧和不容否认的真理呢。可是这种难堪的绝望之感只有少数人预想到，他们为避免零碎地逐渐地断念，便索性一时间看破一切了。

这种人确信事物的永远性、必然性和合法则性，而在心中养成一种不能磨灭的观念——不因无常的事物的观察而扬弃，反因之加强的观念。但是，这样的确信实含有一种超人的努力，所以这种人便常被目为非人，不认神与世界的怪物，世人甚至还替他添角添爪，视为与妖怪无异。

我对于斯宾诺莎的信赖，是基于他给我的宁静的影响，当我听见我的可敬的神秘的道友们被讥为斯宾诺莎主义的信徒，连莱布尼兹（Leibnitz，哲学家，数学家和政治家，一六四六——一七一六）也不免受这样的攻击，部尔哈味（见前）因为被疑抱有同样的思想，而不得不由神学转到医学去，我对斯宾诺莎的信赖只增强起来。

可是，读者不要以为我承认斯宾诺莎，逐字都认为金科玉律。因为我早已了然明白，一个人总不能完全领略别人的思想，一样的文字，一个人从其中所理解的跟别人不同，一种谈话、一篇文章所引起的思想视人而异。而且读者可以相信，写过《维特》和《浮士德》的我，是深知人类彼此总有隔膜而铭刻于心的，更不敢抱完全理解斯宾诺莎的妄想。斯宾诺莎本宗法笛卡儿，借着数学和犹太神学的教养，而登思想的最高峰，到了今日，这个峰顶像是仍有为一切思辩的努力的目标的价值。

至于我从斯宾诺莎所摄取的是什么，如果我在《永远的犹太人》一曲中把主人公访问斯宾诺莎一节——我当作是全曲中的重要部分而细加思索的一节——写下来，就会很明白表现。可惜我太喜欢自己的构思，只在心里老咀嚼寻味它，以致不遑把它写出，因此，这个腹稿——如果当作是偶起的妙想看，不无价值——渐渐扩大起来，以致失去它的隽永之味，我终于视同赘疣而不再加以思索。可是，我的思想的主要点，与斯宾诺莎的关系，仍不能磨灭地存续着，给予我以后的生活有很大的影响，至于我的思想与斯宾诺莎的关系到什么程度，我想极简明地加以说明。

自然循着永远的必然的法则而运行，而起作用，这种法则是那样神怪的，以至连神也不得怎样变更它。关于这一点，一切人都无意识地一致承认。人类想到自然的现象怎么暗示它的背后有知性理性甚至只自发的意志的潜在，使我们起惊异以至畏惧之心。

当我们看见动物也显示一种理性的行动时，我们为之舌挢不能下，因为动物虽与我们人类接近，但它们与我们间像是仍隔有一条无边的鸿沟，它们仍是局处于必然的领域内。所以，有一种思想家认动物的行动虽有时极其巧妙，而仍严密地被规定，是完全机械的，我们对于这种学说不能加以诽议。

再进而把植物加以观察，我们的主张便更明显地证实。当我们以手触到含羞草时，它那羽毛一般的叶子便一对一对地合起来，终于那叶柄也像是听了吩咐那样卸垂下来。我们见了这样的现象而起的莫名其妙之感，有人加以记述。更或把 *Hedysarum gyran*（一种半灌木，叶能舞动的植物）来观察，我们这种感觉更见加甚。即是，这种植物的叶，没有可以见得到的外来的诱因，就上下扇动，像是自己玩自己似的，同时又向我们的理解开玩笑那样。试想象一下，如果芭蕉也具有这样的本事，它把那庞大的罗伞似的叶子独自上下舞动起来，第一回看见的人恐怕总会骤吃一惊而倒退几步吧。我们自信人类特有优越性的意识既深植于我们的脑海之中，所以我们绝不肯承认人类以外的万物具有同样的优越性，甚至连极相类我们的生物，只要有类似的表现我们也要尽可能地抹杀它。

可是，当我们看见别人的行为不合理地违反一般承认的道德法，愚昧地违反自己和他人的利益，我们也为同样的惊异之感所袭。为了摆脱在这种场合所感到的惊骇，我们就把它化成非难憎恶，我们想实际上或想象上与这样的人断绝关系。

这种对照，斯宾诺莎很使劲地表白出来，我则很巧妙地把这种对照论应用到我自己的身上。不过上头所讲的本来只是用来使下述的事较容易明白一点。

即是，我可以把自己所具有的诗人的才能完全当作是自然来看。加以我习于把外部的自然视为它的对象，我更作如是观了。这种诗才的挥使，虽可为外部的诱因所引起和规定；但是，最欢畅地最丰富地表现出来，却是它不由自己的意思甚至反乎自己的意思而流露的时候。

Durch Feld und Wald zu schweifen
Mein Liedchen wegznpfeifen,
So ging's den ganzen Tag.
漫步于田野森林之中，
信口吟出我的短歌。
这样子一天又过了。

这样的即兴的诗作，即在晚上醒来时，也会在脑海中涌起，因此我学某一个先辈那样常好叫人替我做一件软皮的短衣，练惯在黑暗中摸索，起来把我的蓦然涌起的诗意写下。我常惯冲口吟出一小诗，而马上就不能把它照原来的样子记起来，因此有几回我一径跑到一张斜面的书桌上，连斜置之纸也无暇放好，身体动也不动地，打斜把诗从头到尾写下来。正因为同一的缘故，我觉得铅笔远比鹅毛笔为便利，用铅笔写字较听使唤，有几回，鹅毛笔的嘶嘶作声和溅墨水，使我从作诗的梦游状态中醒过来，分了我的心，那小小的作品便流产了。我对于这样子写成的诗特别尊重，因为我对于这种诗的态度，恰像母鸡之孵出雏鸡来听它的啾啾的鸣声那样，我从前以朗吟这种诗来与他人共赏之癖，今又复活。但是以这些诗来换钱，我却觉得是可耻的事情。

说到这儿，我想提起一件后来才发生的事情。即是，我的著作日益为人所搜求，甚至有人求我的诗集的出版，但是刚才说过的心理阻止我自作这样的尝试。于是柏林希姆堡（Himburg）书店便利用我的踌躇，随便替我编成一本诗集出版。我意外地从他那里收到几册。这个恣意妄为的出版家还在一封给我的信上，称赞自己这种举动是为公众的便利起见，一若我应该感谢他那样，并自愿给我添寄一些柏林的瓷器来，假如我要的话。我读了这信，不由得不想起柏林犹太人的事，即是法律规定他们结婚必须买入几套瓷器，俾王室经营的瓷器工场有确实的销路。我对于这个厚颜无耻的书贾的鄙视，使我转不对于这种掠夺生气，我连信也不答复他，当他安然据有我的所有物时，我暗地里以这样的咒骂的诗来复仇。

Holde Zengen süss vorträumter Johre
Falbe Blumen，ahgeweihte Haare
Schleier，leicht geknickt，verblichne Bander，
Abgeklungener Liebe Tranerpfönder，
Schon gewidmet meines Hardes Flammen，
Rafft der freche Sosias zusammen，
Eben alswenn Dichterwerk und Ehre
lhm durch Erbschaft zugefallen wäre
Und mir Lebendem soll sein Betragen

Wohl am Teeund Kaffectish behagen ?
Wen das Porzellan, das Zuckerbrot !
Für die Himburgs bin ich tot.
梦一般逝去的甜蜜的年华的可爱的标记,
萎残的花，女人的一撮青丝
微破的面帕，还有褪色的带儿,
都是消去的欢爱拿哀愁换来的东西,
已付灶中的火，好化成灰,
却给那个无耻的苏西亚[1]搜集起来,
一若诗人的著作和名誉
他有权利来承袭,
有血有肉的我，怎能忍得他这样的丑态,
还啜着茶或咖啡而愉快?
茶碗也好，点心也好，给我滚开,
在希姆堡辈的眼中我已是一具尸骸。

可是，常引起我自发地写出这样的大小作品的自然，有时很长久不给我灵感，我便在这时间内，就是有

[1] 苏西亚是纪元前一世纪罗马的书籍商，指希姆堡。

意创作也不能作出什么来，因此常感到无聊。于是上头说过的对照之感，使我发生一种思想，即是，看我应否从他方面，把自己所具有的人性的、理性的和知性的东西为自己和他人的利益而应用，把我的作诗的余暇拿来致力于世俗的事——我本来已这样做过，而别人更日益热烈地劝促我这样子做——俾我的能力不至投闲置散。我觉得从这样一般的考察而生的决心与我的天性和境地又很相谐洽，我便决定这样子干，以这样的方法来解决我从前的踌躇迟疑。当我想起，今后我一方面可以实务上的劳绩来向世人要求物质上的报酬，他方面，我的诗才仍可继续地当作是神圣的东西不为自私的目的而使用，我便感到很愉快。我这样子对于前途的瞻望又使我能免除一种痛苦的思想，即是，当我看到这种值得敬慕和赞叹的才能在德国恰是置于法律之外，不受法律的保护时，我便不禁悲愤填胸。因为随便翻印之为人所默许甚至被目为可喜之事，不独在柏林为然，而且那位以善政见称的可敬的巴登方伯也庇护马克罗特（Macklot，巴登的书贾）的不道德的行为；事事满足世人的期望的约瑟夫大帝也偏袒丰·脱拉特纳（von Trattner，维也纳的书贾）。因此，天才的权利和所有物之无条件地任由书店和印刷店的随便处置，便成为这时代的昭著的事了。

当我们有一回对着一个从巴登来访的人诉说这种不平的事的时候，他告诉我们这样一个故事。即是，方伯的夫人是一个好活动的女性，也出资设立一个纸工场，它的出品很粗恶，以致找不到销路。于是书贾马克罗特便向她建议，用这种纸来翻印德国的诗人和散文家的著作，俾略增高这种纸的价值。这个建议便被她欣然采用了。

我们虽把这种背后闲话当作无稽之谈，但听了觉得很有意思。同时马克罗特这名字却被当作是一个丑名，有坏的事体发生时，便屡用这个名字来骂人。这样子，鄙劣的书商借着我的天才来发财，而时常逼要借钱的轻躁年轻的我，却靠着一两首嘲骂的诗来得到充分的报偿了。

幸福的儿童和青年在一种沉醉的状态中向前漫步，这种状态有一个特别可注目之点，就是这些善良纯洁的人忽略了当时的外界的关系和情况，更说不上认知。在他们的眼中，外部的世界是他们的制作品的素材，他们应领有享受的贮藏品。一切的东西都属于他们，对于他们的意志，一切都像是可以自由支配的。因此他们常陷于一种野蛮狂肆的生活状态。但是，少数优秀的青年的场合，这种倾向便发展为一种道德的狂热，机会来时，每由于自身的冲动，向着真实的善或外观上的善前进，但也往往受别人的领导指挥，或错误的劝诱。

现在我们所谈论的青年（指歌德自己）就是这样子的，在一般人的眼中，他虽像是奇态异样，但仍为许多人所欢迎。凡是初次跟我会面的人，在谈话中便马上觉得我的无条件的自由思想和明爽坦白态度的横溢，以及不假思索随机立即行动的特性。现在让我把后者的事例举几个出来吧。

有一天，铺户极密挤的犹太街忽发生大火。我的博爱之心和由此而起的好帮助人的特性驱使我就穿着外出时的齐整的衣服飞跑去。人们已从至圣街那儿开出一条路来。我就从这个入口走去。那儿已聚着许多人在运着水来施救，有些提着满桶的水挤上前，有些拿着空桶返转来。我马上想出一个方法，即是，如果救火的人一行一行的列在街上，把水桶传递，便事半而功倍，于是我自己装满了两桶的水，站着不动，叫从后边运水来的人站在我的后头，叫前边的人接转水桶，一路传递下去，那把水倒了回前的人便排站在街的另一边。这种办法博得人们的喝彩，我想出的方法和亲身参与救火工作也得人的称赞。由取水处直至火场，马上排成一行列传递水桶的队伍。可是，当这样的事情的得意之处，才在这个合理地运行的活机械中引起一种欢悦，甚至可以说乐趣的时候，恶作剧就出来，幸灾乐祸之心就引起了。狼狈的逃难者，皆负着他们的仅能保存的袱包，一跑到这个人丛列成的街来，左挤右突也不能通过。恶作剧的学徒、小伙子，还用水泼溅他们，这些避难的犹太人既遭了火灾又要忍受别人的欺负作践。但是，我一作温和的劝告和诚恳的叱责，这种淘气的举动马上停止，也许是他们看见我身上穿的整齐的衣服——我看作等闲的衣服——恐怕给水溅污了的缘故吧。

我的朋友中的好看热闹的也走来看火，见到他们的同侣的我穿着短靴和丝袜子——当时外出一定作这样的装束——在这儿做这样湿水淋漓的工作，吓了一跳。

我叫他们帮忙，但答应的极少，更有一些人只笑一笑，摇摇头。我们站在那儿很久，有许多拿水的人累了退出去，但又有许多新手补充进来，看热闹的人，也此往彼来。这样子，我的纯洁的见义勇为之心倾动全城，而我所发明的传桶救火的妙法也成为当日城中的佳话。

我这种轻举妄动是基于一种善意的爽朗的奇想，也是源于一种容易被人讥为虚荣心的沾沾自喜之感，因为这种轻躁的性情，我还演出种种的奇行，动人的视听。

有一个冬天，非常寒冷，梅茵河满为冰所盖，而且化成坚硬的地了。在冰上熙来攘往着车马行人和为游乐而来的人。无尽的大滑冰场，滑滑的冰冻的广阔的水面，有无数的群众蠢动着。我清早便跑到那儿去，后来我的母亲坐着马车来看热闹，我穿的衣服既单薄，浑身都要冻僵了。母亲坐在马车上，披着紫红色天鹅绒面的裘，裘在前胸上系着灿然的金丝的带和缨，穿起来很是华贵庄严。“娘，把您的皮衣服给我穿！”我不假思索，即顺口喊出来，“我冷的很厉害呢！”她也毫不踌躇，即把皮衣脱了给我穿。这件镶着黑貂皮，饰以黄金线的紫红色长过膝的上衣，与我原来戴的褐色的皮帽，不见得不相配。我穿着它坦然在冰上滑来滑去。那天的行人游人也很拥挤，没有特别留意我的异样的服装，不过其中也有人注意到了，因为日后别人亦庄亦谐地再数说我的狂行时，也把这桩事算作一件呢。

我把这种天真烂漫无思虑的行动再提起之后，今回言归正传吧。

有一个意趣隽妙的法国人曾说："如果一个有才的人曾以一种卓越的著作惹起公众的注意，人们便尽力妨害他，不让他第二回有这样的作品出现。"

这是实际的情形。一个孤独静居的青年产出一些优美天才的作品，虽博得人们的称赏，但失去他的独立性了，人们为从他的人格中吸收摄取一些东西，便企图把这青年引到自己的伙中来，分散扰乱他的集中于创作的才能。

我便是这样子受人的招请款待，其实还不能说是招请，一个朋友或认识的人约我，或不如说拉我，到这儿或那儿去。

有一个像是从别个世界来的怪客，初时自称为"熊"，因常吃闭门羹之故，再自称为福禄特尔著作中的

“嚣洛奈土人”（Hurone），昆布兰（Cumberland，英国的诗人，戏曲家，一七三二——一八一一）的著作中的“西印度人”，多才多艺的“自然儿”，惹起许多人的好奇心，种种的人家要设法子跟他会面，这个人就是当时的我了。

这样子拉我去跟别人晤面的事情很多了，有一个晚上，一个朋友来约我去参加一个小音乐会，会是在一个改建的有名的商馆内开的。时间已经晚了，但我既好不假思索，乘兴立断，我便穿着平常外出的衣服，跟他一道去。我们踏进商馆的地下一个宽敞的住室去。来听的客人很不少，在正中放着一个大钢琴，这商馆主人的独女儿正坐在那儿很熟练灵妙地弹奏着。我站到钢琴的下手去，俾更真切地瞧她的容貌和举动。她的容态带有一点孩子气，她弹奏时的动作，轻快而自然。

奏鸣乐弹完了之后，她站到琴边来，正对着我，我们只互相点首招呼而不发一言，因为那时四部合奏已开始了。到了奏完之后，我已近她一点，向她这样称赞：“我第一次跟您会面，便即又认知您的音乐的天才，我深感荣幸。”她识得很有礼貌地答我，她就站在那儿不动，我也没有他去。我可以看出，她很留心打量我，我自己简直给她看过饱了，但是我随得它去，因为我也可以饱餐秀色呢。我们的视线交射，我当时感到某种极温柔的引力，实不容否认。但是听众们的挤来挤去，和当时的弹奏，使我们在那晚无从作进一步的接近。到了散会告别的时候，她的母亲特别向我表示，希望我不久再来访，而那女子也以一种殷勤亲切的口气帮她母亲的口。我听了心中的愉快，实不容讳。过了相当的日子，我再到那家访问，当日我们所谈的是一种爽朗正经的话，像是没有预示我们将来会有热情的关系。

可是，同时，我们家里的已经开了头的喜客之风，使两亲和我尝到种种不快的结果。我本不断地努力认知更高尚的东西，理解它促进它，和尽可能地作成与这样的类似的东西，但是我这种志望因来客的不绝而无所成了。来访的如是善良的人，那就是虔诚者，如是活动的人，那便是欠聪明甚至拙劣的人。前者对于我毫无补助，后者倒会引起我的迷惑。关于这种情形，有一桩很值得注目的事，我曾详细地记下来。

在一七七五年的春初，荣格——后来以斯提灵格知名（见前）——从下莱茵州写信通知我们，说应佛城某大户的招请，要到这儿来治眼疾。我和两亲听了都很高兴，复信请他住到我们家里来。

请荣格治疗的人就是丰·勒尔斯纳（von Lersner）。他是一个上了年纪的知名之士，以曾为公侯子弟的师保及任职宫廷和游历四方时的方正贤明的言行，到处受人尊敬。他患了失明之疾已久，但他仍不抛弃求医的希望。这几年以来，荣格靠着善意的勇气和从信仰得来的果敢，在下莱茵州以手术医好了许多眼珠生膜的患者。眼科名医的名声远近都知。他的心地的正直，性格的和蔼可亲，和对神的至纯的信仰，使世人对他更为信赖。由是，他的名声溯莱茵河而上，借着商业上的种种的来往做媒介，便传到这里来。丰·勒尔斯纳和他的家人们听了一个有见识的医生之劝，决心请这个走红运的医生来医治。虽有一个佛城的商人曾受荣格的治疗而不见效，郑重地劝止他，他也不听。治好的实例既不可胜数，一个例外自然不算什么一回事呀！荣格终于来了。一向他治病都只得很少的谢金，这回却给人以重礼请来了。他以为此行名声会更高一点，意气洋洋地到了佛城，我们也祝这个善良畅悦的曾共食桌的故人幸福。

荣格施过几回预备的诊治以后，便终于要向两眼施行割开翳膜的手术了。我们在旁边都极度紧张，因为施了手术，患者就希望可以马上看见东西，只在捆上绷带时才再不见天日。可是我们觉得荣格的面色有点惨淡，像是心中有事忐忑不宁那样。我后来再向他寻究时，他便承认他是担心这回治疗的效果。眼疾的治疗通常像是最容易不过的，我在斯特拉斯堡也好几回亲眼看见过，而实际上荣格也有好几十回这样奏功的。把那没感觉的角膜毫无痛苦地切开之后，只轻轻一压，那溷浊的水晶体便实现出来，患者马上看见眼前的东西，然后不得不忍受几天绷带的障蔽，到了完全痊治之后才能随意地舒适地使用这个重要珍贵的器官。好些受荣格之赐而得见天日的贫人，恐怕会为他们的大恩人祝神的赐福，这种祈求应会借着这个富有的患者的厚谢而实现吧。

荣格对我们自认这回的手术不会那样容易顺利，眼珠不会自己跑出来，他要把它取出，而且它已长到跟膜连在一块，必要把它与膜的联系割断才行，这就要费点手脚了。他又自责同时治疗两只眼为失策。但是事前既已决定两眼同时受手术，因为他不曾想到会有这样的意外。意外既然发生了，他也不会马上搁起而不割下去。总而言之，第二只眼睛的水晶体不是自己跑出来，也要很麻烦才能挖出。

像荣格这样一个善良慈祥敬神的人，陷于这样的难局，他的苦恼真非叙述和描写所能形容。也许关于他的这样的心情作一般的说明，在这儿是适当的吧。

为自己的道德的教养而努力，是人类可能从事的最简单而又最易实行的事。他生来本已具有这种的冲动，及至置身于公民生活之中，常识和爱又引他，甚至强他致力于此。

斯提灵格（即荣格）生活于一种道德的宗教的爱感之中，没有他人的同感好意，他就不能生存。他要相互的爱。在不知自己的人的面前，他默不作声，在自己不爱自己的人的面前，他愀然不乐。因此，他最亲爱的人，就是安于一种小范围的稳静的职业，以一种愉悦的心情来努力于自己的完成的善良的人。

这种人自能摆脱虚荣的引诱，不作外部的荣誉的营求，慎言寡语，对于同事和邻人采取不变的亲爱的态度。

这样的人在根本上又常具一种朦胧的特殊的精神状态，随各人的个性之异而略有参差。这种人偶然受了刺激打击，就很重视他们自己的经验的生涯的价值，他们认为一切都有超自然的决定，深信神直接地干预人间的事。

此外，人类中又有一种惰性倾向，要停留于自己的现状之中，而同时又让自己为他人推进和领导，却踌躇不肯自己去实行。这种倾向，因为自己充分考虑过的计划的失败，或因偶然凑合的好情形，收意外的成功而更增强。

这样一种生活方法，既可妨害热心勇敢的行为，所以陷于这种情形的人的性质也是成问题的，值得观察的。

抱这样的性情的人们，彼此间最好谈的就是所谓“发心”（Erweckung）和“转心”（Sinnesveränderung），它们的心理的价值，我们不能否认。这实即是我们在科学和诗作上称为“省悟”（Apercu）的东西，——对于某一真理、原理的省识，常是一种天才的精神的作用。在这场合，只有直观可以奏效，思索、学说、传习都无所施其技。在这场合，是一种道德力的发见，这种力在信仰中抛下锚，在现世生活的惊涛巨浪里也可昂然有稳如泰山之感。

这种的Apercu给予发见者以无上的欢喜，这因为它以独创的方式暗示“无限”，它不要时间的过程就达到确信，一刹那间便出现和完成了。所以法国旧时的韵语说得好：

En pen d'heure

Dieu labeure.

神明的照临

只是一念之间。

从外部来的激动，时常惹起这种心的转变的剧烈的爆发，这种人相信会看到灵兆和奇迹。

信赖和爱使我与斯提灵格结成极心腹的朋友；我对于他的生涯也给予很好的很有利的影响，而他对于人们为他做的事，感恩地细心地领略，也是他的天性使然。但是，在那个时期的我，觉得与他交际晤谈既不可喜，也无所得。无论什么人都好，他喜欢怎样解释说明他自己的生活之谜，我随他的便。但是，度一种冒险的生涯，把一切借理性而成就的善事委诸神的直接干预，我觉得确太过僭越了。更或因为我们轻浮骄慢之故而致过急或怠忽，逼至须受难堪的恶结果，而也认为这是神的教诲之道，这种思想的方法，我也不以为然。所以，我的善良的朋友（斯提灵格）对我讲他的意见时，我只能听，而不高兴答他。但是，我对他也像对其他许多的人那样，随他喜欢怎样讲就讲出来，如果思想太过庸俗的人不惜以毒语中伤他的优良的人格，我无时不尽力为之辩护。因此，有一回，一个谑而虐的人很郑重的呼道："不！真的，如果我对神的关系有荣格君那样的亲密，那么我就不祈求最高的存在者赐给我金钱，而祈求他赐我以智慧和忠言，俾我不做那么些傻事，以致花钱而债台高筑。"我听了这个俏皮话，即觉不能入耳。

况且，当时确不是开玩笑说俏皮话的时候。好几天是在恐惧和希望之间过了。恐惧渐渐增长，希望减少，终于完全消失了。这个善良而能忍耐的患者的眼发起炎来，治疗的失败像是无可疑的了。

我们的朋友当时的处境的苦，真非笔所能尽述。他要抵受潜在于心底的极深的绝望的苦闷。因为这回失败，他所受的损失会多大呵！第一，重见天日的患者的极大的感谢——医生乐受的最美好的报酬；第二，许多别的同病者的信赖；如果他的手术有了毛病，他的一个家庭就陷于绝望无助的状态了。总而言之，我们从头到尾是演着那约伯（见《圣经旧约·约伯记》）的悲剧，而荣格这个诚实的人却自己担当那骂约伯的朋友们的角色。他认为这次的失败是以前几次过失的天罚，他随便以为他自己偶然想出的治疗法就是神唤他做眼科医的召命。他自责不曾彻底地研究这种重要的专门学问，而只轻率地靠着运气来治疗人。一时间，恶意的人在他背后说的闲话也突现在他的心中，他怀疑这种诽议，不知是否真实的话。加之，对于笃信的人最危险的轻浮，甚至自负和虚荣心等毛病，在他的生涯中也免不了犯着，所以他的懊恼更深。在这个苦闷的时节，他完全呆然自失了，我们纵彼此互相开解，但是到末了只能达到这样的理性的必然的结论，即是“神的裁断，非人智所能忖测”罢了。

那时的我，正是抱了着畅快前进的心，如果我不把荣格所影响到我的苦闷，以认真的态度，从友情方面视察，以自己独特的方法来解释，则我更会痛苦，可是，我的仁慈的母亲比平时加倍的担心和为家务烦劳，而所得却是这样坏的结果，我心里很是难过。幸而我的母亲无时不平心静气，不感到自己是白劳苦一场。我最可怜的就是父亲，为着我的缘故，他殷勤地开放了他一向严格闭锁的家庭。因为有外地人来下榻的缘故，本地的朋友和旅行中经过的友人也常闻风而来，我们在食饭时便很热闹。席上的谈话兴高采烈，奇奇怪怪，父亲听了特别高兴。我又拿出一切的正辩诡辩来，使父亲乐趣横生，笑声不绝。因为我有好辩之癖，无论什么都要拗一下，但是只当对手方有正当的理由，而故意跟他争辩便会变成滑稽可笑时，我才执拗。可是到了荣格医眼失败那周间，这样的欢乐是抛向九霄云外了。荣格在医治勒尔斯纳时也替另外几个人治眼而见效，但是最重要的治疗失败了，小的奏功也无济于事，更不能使我们的烦闷的心情有好转之望了。

有一事使我们乐的，就是一个年老失明的犹太乞丐的疗治。他是从易森堡（Isenburg，侯国）到佛郎克福城来，贫苦无堪，差不多连恶劣的食宿之所也找不到。但是，东方民族的坚强耐苦的特性为他帮助，因此他受治疗时，竟不感到手术的痛苦，便霍然痊愈，喜见天日。有人问他："受手术时痛不痛？"他便以一种夸张的口吻答道："如果我有百万只的眼睛，我便愿意每回花十个铜钱，一只一只的把全数都受手术呢。"在他离开佛城时，他在大街上也作同样的离奇的行动。他像《旧约》时代的善良的人那样感谢上帝，称赞荣格先生为上帝派来的奇迹的名医。他这样子穿过繁华的长街踅到桥边，伙计和客人从商店奔出来，看见他这样奇特而虔诚，激昂地向全世界声言他的热心而大为惊异。一切人都动起同情之心，以致他不须开口求乞，人们即纷纷解囊相助，作为他的路费。

可是，在我们所交与的人们之间，这样的称心的事却不能说得出口。因为当那个赤贫的叫化子，过了梅茵河回到沙漠的故乡，纵然短于衣食而双目已明，自喜幸福无上的时候，在梅茵河的北岸，那个富裕的名士，却失去他的初时还存希望的无价之欢悦了。

当初，慷慨的勒尔斯纳曾约过不管治疗见功与否，以一千金厚礼为酬，所以当荣格受了这酬金时，他的心非常难过。这笔现金他要在归途中还清一部分的旧债，为着负债的缘故，他实陷于悲惨的状态呢。

这样子，他怏怏然跟我们分别。他预想到归来的时候，妻子会以焦灼的脸孔迎接他，亲切的岳父母会改变待遇他的态度。他的岳父母认他是个极可信赖的人而做他的债务的担保者，今听了他这回的失败，恐怕会说替他们的女儿错选了终身的伴侣了。在他运气好的时候还对他抱恶意的人们的冷嘲热讽，恐怕现在家家户户都可以听见了。他在斯特拉斯堡的医业因这次外出而失去许多生意，替勒尔斯纳治疗的失败，当会使他受致命的打击，他预想及此，更为非常忧虑。

但是，我们离开了他，在我们看来，觉得他仍不是完全没有希望，因为他的能干有为的天性，辅之以对于超自然的信仰，必然会使他的朋友们暗默里对他信赖。

第十七卷

当我要在这卷再述到我与丽梨（Lili，即弹琴之女）的关系时，我不禁记起我那时过的极快乐的时间，有一部分跟她的母亲三个人一块儿过的，有一部分是单跟她两个人过的。她们从我的著作中知道我是一个“通达人情”（这是当时的用语）的人而信赖我，因为她们这样的想，所以我们的谈话总是从道德上的观点看来是有意思的。

可是，人们怎能彼此互话关于人情的事，而不互相披沥胸襟呢？所以，不消多久，丽梨在宁静相对的时候，便向我讲述她少年时的故事。她是在社交上的一切游乐与世俗上的享乐之中长成人的。她对我细说她的兄弟、亲戚和其他身边的事情，只有她的母亲没有在她的口里提过，依然是在朦胧中让人瞻仰。

她也谈到自己的细微的弱点，她不能否认自己天生有一种动人之力，很明显地给人看见，而同时又与一种随便任性的特性相结合。我们于是彼此互相倾谈，而终于触到一个重要之点。即是，她要施展她的魔力来吸引我，而她像是受罚那样，也为我所吸引。

这种自白，是从那样一个纯洁天真的天性吐露出来，所以她使我听了深深铭刻于心，不能磨灭。

我们间的晤谈，已成为双方的需求，成为一种习惯。可是如果不能决心在有许多人聚于她的身旁的时候也去访她，我恐怕有许多天许多晚寂寞得很难受了。因此我的心里便长出许多烦恼来。

我跟她的关系是个人对个人的关系，对于一个美丽、可爱、有教养的闺女的关系，虽与我从前跟别的异性的关系相似，但带有更高的性质。至于个人以外的关系，混入和错综于她的社交生活的关系，我从没有考虑到。一种很自然的热望支配着我们，我少了她不行，她少了我也不行。但是她的周遭，和与她来往的人们的言动常阻碍着我们，因此我纵然特别去访她，也往往没有机会作亲切的谈话而别。

例如我们约过作郊外的游乐，而结果却不欢而散。她有一个兄弟迟迟不动身，而我又不能不等他一块走，他却极泰然地慢吞吞地——我不知道他是否故意跟我为难——完成他的事，因此定得很好的郊游计划便给他败坏了。此外我与她之间还有其他的巧合的事，错过的事，熬不住性儿的事，故意扎制着自己的事，这一切的苦恼如果在一节小说中详细描写出来，定然会获得同感的读者的心，在这书里却不得不割爱了。可是，为着使刚才所讲的我与丽梨的关系添点栩栩欲活的光景，和引起读者的青年气的同感起见，我想在这儿附录一两首短诗。这些诗虽已发表，为读者所知，但插在这儿恐怕意味更深吧。

（一）

Herz, mein Herz, was soll das geben?
Was bedränget dich so sehr?
Welch ein fremdes nenes Leben!
Ich erkenne dich nicht mehr.
Weg ist alles, was du liebtest,

Weg, warunn du dich betrubtest,
Weg dein Fleiss und deine Puh
Ach, wie kamst du nur dazu ?

Feselt dich die Jugendblüte
Diese liebliche Gestalt,
Diese Blick voll Tren und Gute
Mit unendlicher Gewalt .
will ich rasch mich ihr entziehen,
Mich ermannen, ihr entfliehen.
Führet mich im Augenblick,
Ach, mein Weg zu ihr zurück.

Un am diesem Zanberfädchen,
Das sich nicht zerreissen lässt,
Halt das liebe, lose Madchen
Mich so wider Willen fest :
Muss in ihrem Zauberkreise
Leben nun auf ihre Weise .

Die Verändrung，ach，wie gross！

Liebe！ Liebe！ Jass mich los！

心呵，我的心呵，这是怎么一回事？

你受什么强烈的压制？

这是多么陌生的新的生涯！

我已不再认得你。

你所爱的一切都已消除，

你所悲的一切也都逝去，

你的精进，你的安宁都已不再——

呵，你怎样会弄成这个样子？

缚你的是不是这青春之花，

这可爱的美丽的容颜，

这双满着真心和善心的眼，

个中的魔力无限。

我才欲迅速地摆脱她

鼓起勇气从她身边逃亡，

呀！只在一刹那之间，

你又牵我回到她的身旁。

这个魔术的地网天罗
怎样也不能碎破，
这个美好媚人的少女
牢牢地强把我缚锁：
在她的魔力的范围内，
一举一动都要听她的话。
呵，这是多大的变化！
爱呵，爱呵，饶过我吧！

（二）

Warum ziehst du inich unwiderstehlich,
Ach, in jene Pracht?
War ich guter Junge nicht so selig.
In der öden Nacht?

Heimlich in mein Zimmerchen versehlossen,
Lag im Mondenschein,
Ganz von seinem Schaverlich umflossen
Und ich dammert'ein.

Traümte da von vollen goldnen Stunden

Ungemischter Lust,

Hatte schon dein liebes Bild empfunden

Tief in meiner Brust.

Bin ich's noch, den du bei soviel Lichtern

An dem Spieltisch ällst ?

Oft so unertraglichen Gesichtern

Gegenüber stellst .

Reizender ist mir des Frühlings Blüte

Nun micht auf der Flur :

Wo du. Engel, bist, ist Lieb'und Güte.

Wo du bist, Natur.

呵,

为什么你牵着我毫无抵抗,

到那繁华之场?

是不是善良青年的我没有欢娱。

在这孤独的晚上?

怡然蛰居斗室之中，
正是月光满地，
卧在这凄清的光辉的怀中，
我便颓然睡去。

我梦见那黄金的良宵，
尝到那烂漫的欢娱。
我已感到你的艳姿的慰抚
在我的心胸的深处。

我还是在高烧的银烛之下
跟你斗牌赌胜的我吗？
生憎有种种的外客插进来，
常使人不耐。

春天的媚人的野花，
在我的眼中今已鲜妍不再：
安琪儿呵，只有你在的时候，
才有自然，才有善和爱。

如果读者留心朗诵这些短诗，更或设身处地那样来朗吟它们，我相信我所经验的极乐的良宵的微风会向他们吹拂呢。

但是，我还不欲匆匆就撇开我跟丽梨的关系及在她那里的繁华的社交生活而不谈，我想先补足几桩事体，对于第二首诗的末端特别想加以说明。

我跟丽梨会面时，她惯穿着简素的衣服，很少替换，有时她或作时髦的华丽的装束，容光四射地站在我的面前，不过她还完全跟从前一个人。她的娴雅温柔比前不少变，只她的动人之处更显露出来就是了。因为她这时要款接许多的客人，要逐个逐个的应酬，所以她的谈笑应对比平时更加灵活，更是仪态万方。总而言之，我不能否认，这些客人一方面虽使我起不快之感，但是同时，我之得享有许多欢乐也是受他们之赐。即是，有他们在，我才识得丽梨是交际的能手，在广大的社交界中也不让人。

她的胸现在虽已装饰上，但还不是向我披沥过，使我了然洞见像是自己的胸那样的胸么？她的嘴唇还不是从前向我鞭然微启，细述她的身世和闺中的往事的嘴唇吗？每一回相互的眼波，每一次伴着的嫣然微笑，都透露出我们俩的高尚的秘密的交情，即在稠人广众之中，我想起我们那样天真纯洁地暗通情愫，那样的极近人情极自然的友谊，也惊叹起来。

可是，到了春天来临的时候，郊游时的适度的行动自由，使我们的交谊更为亲密一点。梅茵河畔的欧芬巴哈（Offenbach，大公爵领黑森的首府，离佛郎克福城不远），在那时已俨然有开始成为都市的气象。在当时很夺人目的美丽的房子已现头角。伯尔拿舅父（Onkel Bernard，丽梨的舅父，我也这样称呼他）住的是那里最大的房子，宽敞的工场与它相连，对面住的是一个唤做多维尔（d'Orville）的人，年纪较舅父为小，气象活泼，性情可爱。贴近的园圃平场，绵亘至梅茵河岸，到处都可通至美丽的郊外，凡是踏进来的人或在这儿流连的人都觉得心旷神怡。对于在恋爱中的我，这儿更是最可容我的感情驰骋的地方了。

我是租在约翰·安德里（Johann André）的家里。这个人在日后相当地出名；我在这儿既要提起，我不得不插入一段题外的话，让读者略明白当时的歌剧的情形。

那时，佛郎克福城的剧场是由马尔向（Marchand）主办，他想靠自己在舞台上出演尽量使剧场发展。他是一个面貌漂亮，身材高大，体格良好，正在盛年的人。快适的女性的角色，他像是最合宜演扮，所以他出台很得观众的欢迎。他又具有当时乐剧出演上所需要的嗓子，因此他努力要把法国的大小种种歌剧采取过来出演。

在演格累特里（Grétry，法国作曲家，一七四一——一八一三）的《美女与怪物》（*Die Schöne bei dem Ungeheur*）一歌剧时，他扮演父亲一角色，特别拿手，他在纱帷的后面看见幻影那一场的表情很是动人。

这一歌剧在同类的歌剧中算是成功之作，与高超的风格还接近，也适宜于引起极纤微美妙的感情。在他方面，写实主义的恶魔在那时也上了歌剧之身，凡俗的生活状态和职工生活也编入歌剧而出演。猎人，箍物匠，以及其他一切人物都出现于舞台之上：安德里挑陶器匠做他的角色。他自己把脚本写出来，倾注他的音乐的天才于他的自作的曲本之上。

我是住在他的家里，在这儿，关于这个随时随地都可以取材著作的诗人兼作曲家，我只想拣必要的才说。

他是一个天生就活泼的才能的人，本来是以技术家和制造家为业，住在欧芬巴哈。他时而想充当弦乐队的指挥，时而想做业余的艺人，他希望做一个良好的乐队的指挥，认真地努力，在音乐上打下深固的基础。他把自己当作业余者时，他好将自己的作曲不断地翻来覆去。

在当时我们交往那伙人中，有些人尽力添我们的热闹，增我们的紧张，教区长厄瓦尔德（Ewald）就是这样的一个人。当他与我们为伍时，他是一个才气横溢的豪爽的人，他方面又能静中致力于他的义务和职务的研究，因此在日后也著名于神学界。在当时我们一班人中，他也富于理解力，善于应对之故，总算是不可缺的人物。

丽梨的钢琴的弹奏倾动了安德里而加入我们的队中来。他有时指导人，有时教人，有时自己弹奏，白天也好，晚上也好，他跟我们厮混像家人一样，社交上的日常生活少不了他。

步耳革（Bürger，格丁根的诗人，一七四七——一七九四）的 *Lenore*（一篇抒情诗，一七七四年）那时刚新鲜热辣地出现，受德国人的热烈的欢迎，替这诗作曲的人就是安德里，他自己很喜欢将它三番四次地唱出来。

我常在席中兴高采烈地朗吟，也准备朗吟这诗。当时的人还不以反复地吟唱同一样的东西为无聊。如果我们两人让大家挑选，看要谁来朗吟，挑选我的时候倒多。

可是，这一切的雅集宴游，无论是怎样的，只令到两个恋人更想借此延长聚首的时间，我和她都不欲这种会集的散场，我们俩更番劝诱安德里帮忙，不费多大的唇舌，他就不断地忙着奏这个，唱那个，直至夜深，他还反复地奏他的音乐。我们俩借此便稳得到珍贵的不可缺的聚首之欢了。

当我们绝早起来，步出户外，我们置身于空气清新的空旷的地方，但实际还不是乡村的情形。壮丽的房屋，在那时足以使一个城市引以自豪，家家的庭园从楼下可以展望砌平的花坛和其他装饰用的坛，梅茵河横在眼前，远眺一直达到对岸；在清早的时候，已常有木筏、小舟和市场船往来上下；河上的世界是一个湿柔地荡漾的活动的世界，与恋人的似水的柔情正相谐洽。即使河上有时有一点的微浪，岸边的芦苇簌簌地响战起来，倒使那轻柔地流动着的川流添点情致，不免使那些漫步前来的人，受一种恬静的麻醉。在晴和的季节，明澄的天空俯临着这一切，一对爱侣，在这样的风光的怀中，晨间又一同散步，是多么愉快的事呵！

可是，如果严正的读者觉得这样一种的生活是太过轻浮放纵的话，读者却要知道，这儿所记的游乐等事，只在从叙述的联络上记叙出来，其实在一次游乐与下一次游乐之间却隔有几日几星期，插有别的性质的活动，甚至难堪的干燥无味的事。

男人们和女人们各自热心地做他们职务上的事。我为现在和将来起见，也决不忽略了做我所应做的工作。此外仍有余暇来成就我的才能和热情不可抗地驱使我致力的事情。

每天清早的时间，我花在诗的研究上头；稍晏我就致力于世俗的事务——以自己特有的方法处理的事务。我的父亲本是一个造诣极深的典雅的法律学者，为着自己的财产的管理，以及名门大家的朋友的委托，而办理法律上的事。因为他有帝室顾问官的头衔，不能公然执行律师的业务，但是有许多亲友仍请他做法律顾问，他所作成的法律文书交由一个普通的律师署名，而给予后者以相当的酬金。

他这种事务上的活动，因为我参加进去帮忙而更添活气。可是，我觉得父亲认为我的诗才胜于我的作实务的能力，所以他自己办一切的事情，俾我能有充分的时间来作诗的研究和创作。他像是一个候补司法官那样，彻底地精到地考究种种法律上的文书，但构想下笔却较迟缓。当我们会面时，他便把案件的内容告诉我，我便一挥而就，他见我有那样的捷才，亲心为之大悦，有一回他禁不住对我那样说道：“如果你不是我的儿子的话，我恐怕要妒忌你了。”

为帮忙我们办这种事务，父亲还雇了一名书记。这个书记的性格、为人，若好好地描写出来，可容易构成一篇小说。在学校的时候，他很用功，对于拉丁语造诣很深，对于其他学科也有充分的知识。毕业后的生活，以游荡无度之故，为之蹉跎，郁郁地虚度了几年贫病交迫的日子，到后来才借他的一手好字和会计之才而获得较好的境遇。他受过几名律师的雇用熏陶之后，他便很熟识法律上的程序程式，借着正直和守信，博得雇用他的一切人的爱护。我们家里也请他帮忙，凡是法律上计算上的事他都帮同办理。

实际上，我们的事务渐见繁剧，不单是纯粹法律的事务，而且一切种类的委托、订定、运送等代理行为，我们也要兼顾，所以这个书记的助力很大。他精通市政府的一切实情和内幕，谒见新城和旧城两区的区长，也能博得他们的好感，加以新选出的市议员中有许多个在他初做书记——甚至游荡无业——时他就很熟识，其中有几个不久就要由普通议员而升为陪审官，所以他在市厅内获得人们的信用，甚至可以说是势力了。他懂得利用他这种地位来为他的雇主谋利益。因为他的健康逼使他不能作过度的活动，所以委记他的事务，他总很小心地办理完成。

他的风貌不致招人不快之感，身体瘦长，五官端正，他的举止不见得有僭越之处，然他自以为是的确信，却形诸颜色。在扫除阻碍的场合，他又神色自若，手腕熟落。他大概有四十多岁的年纪了，但是我还后悔（让我重述上次那一句话）不曾把他当作一个主要的角色插入我的小说情节之中。

上头所讲的，为的是想使谨严的读者得到一点满意，现在让我掉笔续讲那友情与恋爱交辉着的美景良辰吧。

在我们所交往的一班人中，各人诞生日的如意地热烈地庆祝，意趣层出不穷，是这种交际的本性上很自然的事。祝贺牧师厄瓦尔德的寿辰，我有这样一首短诗：

In allen guten Stunden
Erhöht von Lieb'und Wein,
Soll dieses Lied verbunden
Von uns gesungen sein！
Uns hält der Gott zusammen,
Der uns hierher gebracht,
Erneuert unsre Flammen,
Er bat sie augefacht.
在一切欢乐的辰光
爱和酒使我们意气扬扬，
让我们齐声合口，

把这个寿歌高唱！
我们是神所结合，
他领我们到这儿来，
他重拨起我们的火焰，
那本是他点起来。

这个短歌到现在还留存着，每当宴会的席上，来客意兴渐豪时，大家便喜气洋洋地合唱这诗。我们也想把这诗推荐给我们的后辈，并愿唱这歌的一切人都像我们当时那样，从内心里笑乐起来，而不想到外头有更广的世界，只闭居在自己的狭小团体中，觉得自成一个天地。

不久，一七七五年六月二十三日丽梨的第十七回诞辰也快来临，我们预期特别地庆祝一番。她答应在那天的正午到欧芬巴哈来。关于这事，我不得不申明一下，即是，我们大家商量的结果，一致主张废除陈旧的祝贺俗套，只准备以适宜于祝贺她的真心厚意来款待她，娱乐她。

我忙着尽这样的畅快的义务，抬头看见赤红的太阳落下去了，心想这是明日天气晴和，我们的祝贺会有畅快辉耀的日光临照的预报。恰在那时候，丽梨的兄弟乔治走来了。他是不识得装假的，一进屋子来便露出冒失卤莽的神态，不客气地对我报讯，明天的祝贺会有点糟糕了。他不知道是什么缘故，但他的姊姊嘱他传言，她在明天正午绝对不能到欧芬巴哈来参加我们的祝贺会，希望最早也要傍晚才能到场。她自己也很感到，很明白，这消息一定会使到我和其他的朋友很不高兴，所以她万分恳切地求我想出一个妙策，来使到她叫我传知的消息的不快之感纾缓一点，甚至完全解消。如果我这样子做，她就感激无量了。

我默然一会儿，马上聚精会神的想了一下，像是天启那样即想出一个应急的手段了。“乔治，”我说道，“赶快回去吧，教丽梨安心，尽可能地在傍晚来；我敢誓言，她迟来一点，正可做祝贺会的一个节目呢。”他的小兄弟听见我的话，好奇心起，想知道是怎样一个妙法，纵然他出尽了爱人的弟弟敢施展的种种手段以至用强，我也绝不肯说出来。

他才回去，我即带着特殊的洋洋自喜之感，在屋子里走来走去，想到这回是自己效忠于她的绝好机会，而喜悦不胜。我随用十几张纸缀做一小册，而以美丽的缎子做封面，装成送礼诗的稿本那样，连忙在上头题上这样的标题：

> 她不来！
>
> 一幕家庭的悲剧——也许是天道不仁罢——将于一七七五年六月二十三日在梅茵河畔的欧芬巴哈极自然地出演，由早上起至傍晚为止。

这一篇开玩笑的作品，既没留有草稿，也没有复写本，我虽屡次搜寻，但连它的断片也找不到。所以我只有重新再做过，这在大体上不是怎样难的事。

演这戏曲的场所是欧芬巴哈的家和庭园。开场时，婢仆们出来，各自小心地尽其职责，而寿辰庆祝的准备便很清楚地表露出来。孩子们也掺杂在里头，照实际的生活那样的表演。然后主人与夫人出场，表现出特异的举动和作用。当一切人都在匆匆忙忙地做事时，那个孜孜不倦的邻舍的作曲家安德里便进来了。他坐在大钢琴的前面，叫大众聚在那儿试听他才作成的祝寿之歌。一屋子的人都给他叫来了，但是没有多久他们又走开继续做刚才做开的急切的事。一个人给别一个人叫走了，一个人需要别个人的帮忙，园丁的出现使人注意到花木和喷水的装饰，花环，绣着美丽的文字的长旗，应有尽有。

当大家正在聚在这些美丽可喜的东西的周围一块儿笑乐的时候，一个送信的进来了。这一类的人大概是一个好玩的人物，也可以扮演做一个表现特别性格的角色。他看见自己这回得到意外多的酒钱，也猜到主人家是有什么喜事了。他便像煞有介事地捧着他的邮包，像是里头有什么很重要的东西带来那样，希望主人会赏给他一杯酒，一些小麦的面包，故意开玩笑地延宕了一下之后，那急报的信便递给主人家了。主人看了一遍之后，手垂下来，信落在地上，他喊道："让我到食桌去，让我到放衣裳的屋子去，待我好 streichen 一下。"

本来，愉快的人的风流洒落的会合常有一个特有的现象，就是喜用一种寓意的用语或手势。于是在同伴间发生一种黑话，个中人听了觉得极为有趣，但局外人或觉得到，或觉得到而生不快之感。

由所谓“streichen”这种言语和举动表现出的特性是丽梨的最可爱的性癖之一，当有人在她的面前说出或讲不雅的话时——尤其是就食时，或在平面的东西的附近时——她这种癖性就发作了。

她这种癖性的起源是极为有趣的，当她的家里请吃饭时，如果她身旁的生客说一些不雅的话，她就作这种极可爱的淘气。那时，她听了颜色一点不变，只用右手在桌布上很妙巧地一扫，便把她这种轻轻的动作所能及的一切扫落地上了。刀呵，叉呵，面包呵，盐瓶呵，以致他邻座所用的东西都落在地上，座上的人都吓了一跳，把佣人叫来，大部分的人都不知道她的这种举动是什么意思，只有在她旁边听懂那生客的粗鄙的话的人知道，并觉得她以这样的美妙的方法来报复打消他的非礼，是很可赞赏的。

我们这一伙人也仿效她的“一扫”的玩意儿，见有什么不快的事要摒斥的，便常作这种象征的手势，因为我们所在的社交团体虽是由优良可敬可爱的人物构成，而仍不是温文娴雅无可訾议，这种刺耳碍睛的事总不免有发生的。用右手横扫以表示拒绝的姿势，我们都敢随意学做了，但是，实际上把傢伙从桌上扫落，连丽梨自己在后来也不敢为之，只有时很谨慎地、毫不粗暴地重演出来。

这篇滑稽戏曲的作者既让主人作“一扫”那样的打诨，而“一扫”已成为我们的第二天性似的习惯，所以一演出来，大家都感到很有意思，很为激动。一切桌上、几上的东西都有为他扫光之虞，因此，大家都阻挡着他设法使他安静，到后来他才筋疲力倦倒身椅子上。

“怎么一回事呢？”有些人问道。“是不是她病呢？是不是有人病故呢？”“你们读信呀！你们读呀！”多维尔叫道，“那信就在地上呢。”大家捡起那快信来念，一齐喊道：“丽梨不来了！”

多维尔氏所引起大家的惊骇因大家读了这信而更加甚。——但是她的身体是没有什么病的呀！——她的身边没有什么事故发生呀！她的家中也没有什么人遭意外之变；大家还希望到傍晚时她可以来。

安德里在当时只老顾着弹奏他的音乐，到末之了也走过来了，设法安慰别人和自己。厄瓦尔德牧师和他的夫人恰也走进来，时而表示不快，时而故作冷静，时而感到丽梨不来为苦，时而自慰自解，各自显出特别的个性来。但是大家还是议论纷纷失望安慰并起交集的时候，模范的冷静家伯尔拿舅父来了。他本是为等着吃一顿好的早餐、丰盛的午饭来的，但只有他才能从正确的观点考察丽梨爽约迟来的原因，说出有道理的安慰的话，使大家都安静如前，正像是在希腊的悲剧中，稀世的英雄们在困惑的当中得神的片言譬解便涣然冰解那样。

以上的所讲的即兴剧的情节是我在夜里花一部分时间走笔写下来的，并交给一个送信的，叫他在明朝准十点钟送快信到欧芬巴哈去。

我早上醒来一看，正是风和日丽的天气，准备好准十二时自己也到欧芬巴哈。

一到了那儿，大家骚然纷纷跟我打招呼说话，贺寿的被耽误，大家差不多不觉得；他们带笑地骂我，说我在小戏曲中把他们描写得那样形容尽致。佣人们看见自己也跟主人们同登舞台，做舞台上的角色，而洋洋自得。只有那些最决定的，最纯正的实在主义者的孩子们顽固地提出抗议，说他们没有说过这样的话，戏曲中所描写的简直不是他们的本来面目。我答应分给他们一点饭后的点心来哄他们，他们才像一向那样又跟我很要好了。午宴很为欢乐，祝贺虽没有预定那样豪华，但我们却因之意兴遄发，不以繁缛的俗套而更以真情来迎接丽梨。到了傍晚，她来了，大众都以怡然的欢颜迎她，她看见自己的爽约迟来倒会有那样的欢乐，而不胜诧异。后来人们把这事情的始末告诉她知，和把那戏曲念给她听，她拿出平时的可爱的甜蜜的态度向我道谢。

我们为她特别预备祝寿会而她迟到，这事的理由在不是特别具有洞察力的人也容易猜出来。那是，这不是因为什么偶然的事故，而是由于我与她的关系已成为人们闲话的问题之故。可是，这事对于我们当时的感情和态度绝没有一点影响。

在那个季节，从佛城到这儿来游览访问的人很不少，我通常是在日暮很晚的时候才来，看见丽梨只是表面上参加在客人之中。我既不能在那儿有很久的逗留，所以我总想对她献一点殷勤，替她效劳。这种服役是人生最可乐的事，古代的骑士小说虽把这事朦胧地写出，但能很有影响地传给我们。她之支配我是不容为讳的，她很可以此自豪，但是，在这场会，征服者和被征服者都同得到胜利，彼此都以同样的骄傲自得。

这样的会晤虽为时很短促，但次数倒不少，它对于我的影响因益加强。约翰·安德里有无尽藏的乐曲，我也献出一些自己和别人的新作来。诗和音乐之花片，像雨那样散下来。那时正是一个黄金的时代，我们一班人中都喜气横溢，会面时从没有枯燥无聊的事。无疑的，我们这种愉快的意趣渐渐熏染到他人去。因为，当爱好和热情以其本来的大胆的性质流露出来的场合，羞怯的人也因而心胆一壮，他们才知道自己也有同样的用情的权利无隐藏之必要。由是，从前多少也避人耳目的种种恋爱关系今却显露出来，并毫不差怯地发展下去，有些还怕人知的恋爱关系也暗地里自得其乐。

我因为事务繁冗的缘故虽不能在白天到欧芬巴哈那儿与她一道的过，但晴和的晚上也给我们以在户外久聚的机会，下述一事，有恋爱经验的读者读起来大概会很高兴吧。

我与她的交情，正所谓“我虽睡着，但是我的心醒呢”那样的情形。明亮的时节和幽暗的时节对于我们都是一样；白天的日光不能盖过恋爱的光辉，夜里却因相思的心的光华而灿同白昼。

我们在灿然的星空之下，在野外往来漫步直至夜深。我把同行的人一个一个的伴送到家里，最后才送她到门口，与她作别，我那时绝无睡意，重新开始独自散步。我循着大道，向佛郎克福城的方向走去，一路走，一路耽溺于种种的沉思和希望之中。然后我倒身坐在道旁一张椅子上，在极寥廓澄澈的深夜的静寂之中，闪灿眩目的星空之下，冥想着自己和丽梨的事。

我觉得可注意的，就是听到起在身旁的一样难名其妙的声音，那不是木叶的扑簌摇曳，也不是小溪的潺潜，我留心听了一会儿，才发觉那是从地中出来的，大概是地底的小动物的劳动的声音。也许是刺猬或鼬鼠或其他的在这样深夜活动的小动物。

我站起来继续向佛郎克福城前行，到了勒德尔堡，拾级而登，走到葡萄园去，认得它的灰白色的外观。我走上去，倒地就睡着了。

当我再醒来时，熹微的晨光已满布了，我看见自己的面前有高墙矗立，这堵墙是在古时建筑来对着向此方迫来的群山而作为护墙用的。撒克森豪逊横在我的面前，薄雾起处，指出梅茵河的所在清晨的鲜爽的景色正迎着我呢。

我留坐在那儿，直到太阳渐渐从背后的天空升高，把对面都照得通亮了。这一带地方恰就是我约过与我的爱人再见的地方，她这时正为这个乐园似的地方所围抱着，还睡着吧。我一边这样想，一边循着归道缓步回去。

我为着爱她的一念，努力把法律的事务推广和弄好，因此我就余暇很少，到欧芬巴哈去的时候渐稀疏了，由是我不由得不发生一种苦恼不安之感。这样子，我觉得人类本来是为着将来的缘故而忽略和丧失了现在。

我的前途的希望既渐渐改善，在我的想象中我认为它比实在的情形更好，我越觉得尽早正式订婚的必要，因为我们的关系已尽人皆知，如就这样继续下去，总会有不快的事情发生，正如在这种场合的少年男女所惯为的那样，我们彼此不明白地谈及这事，但是双方的绝对的欢乐之感，分离全不可能的确信，彼此同样的相互的信赖，——这一切使我们不得不把事情认真起来。我从前虽已立下决心不再与异性作引续的关系，我与她的恋爱将来的结果的幸福与否，虽不能确知，但我再陷入情网之中，我的确是为自己的愚笨所累，现在挽救之法就是日益致力于与此事全无关系的世俗之事，我也可希望由事务生活得到利益和满足而与爱人共享。

这种真态的情况和心境的苦味，恐怕读者中也有许多人尝过，幸而有一个女友出现，把我救出来。她是一个很洞明人情世故的人，人们称她做德尔佛（Delph）小姐。她在海德尔堡跟她的姊姊一块经营一个小商馆，以前有好几回经济上的变动，常得佛郎克福城的大银业店的援助，很为感激。她从小时就认识丽梨和爱她。她是一个很特别的女子，面貌端严而带有男性特点，走起路来，步武稳重而急，她之特别出到社会来营生是有相当的理由的，在某种意味上她洞明人世的真相，她决不是好弄权谋之辈，通常她惯把事物的关系作长久的观察，静中进行她的目的；但是她有见机立断的才能，当她看见别人的思想正在怀疑与决断之间动摇，一切都系于能决断与否的时候，她就能以断然的态度临事，因此她常能达到她的目的而不易失败。实际上，她没有什么自私自利的目的，做一件事，成就一件事，特别是撮合一件婚事，本身对于她就是一种报酬。我跟丽梨的情形，她已看透很久了，因屡来佛城之故，又有很透切的观察，到后来她终于决心助成我们的好事，认为我们两人的用意虽是真诚，但没有充分地贯彻，她决心助我们一臂之力，使这一个小罗曼斯尽早完场。

她从许多年以前已博得丽梨的母亲的信赖，由我的介绍，她到我们的家里，又得我的父母的好感。因为在这个皇帝直属的自由市中，像她那样的粗豪的女人不会为人所厌，而且因为她具有理智之故而更加欢迎。她很知道我们的志愿，我们的希望，好替人做事的她觉得应以这事自任了。结果，她跟我的父母商量，她怎样开口，怎样扫除她会碰到的困难，我不很清楚，总而言之，有一晚上她走来会见我和丽梨，把两亲同意我们的婚约的好消息带来。“你们握手吧！”她热烈地用命令的口吻对我们喊道；我站在丽梨的前面，伸出手来，她虽不踌躇但慢慢地把她的手放在我的手中。我们深深地呼吸一下之后，便猛然相拥抱了。

这样子，在我的奇态的一生涯之中，竟也尝到世间的未婚夫所尝到的滋味，这确是高高在上支配我们的神明的不可思议的意旨吧。

我敢说，这种滋味是重道守礼的人一切记忆中最愉快的。这种感觉真是难以用话来表出和说明，回想起来总是可乐。婚约成立以后，以前的一切情形都完全改变了，最严酷的对立消散了，最强顽的不和也调整了，突进前逼的人性的自然，永久警告牵掣着的理性，逞暴虐的种种的冲动，明达的法律——这一切从前不绝与我们自身为敌，与我们龃龉，现在这一切都对我们融洽无间，只等待庄严虔诚的婚礼在大众之前举行，从前的要制止的事反应促进，从前要严禁的事便成为不可忽的义务了。

可是，从婚约缔结的瞬间起，我的心情便起一种变化，读者听了也许会致道德的赞美吧。即是，以前我把丽梨当作爱人看时，我觉得她是美丽，娴雅，动人，现在我却又觉得她是一个有品格有价值的雍容华贵的女人。对于我，她是有两重人格的；她的娴雅可爱之处是我的所有物，我像从前一样的觉得到；但是，她的性格的价值，她的沉静自持和对一切的自信，仍是她自己所有。我把她的所有物静观透视，觉得她像是一种资本那样，我可以一辈子跟她一块来享受它所生的利息，我想到这儿便高兴得很。

古谚有说“盛极必衰”，这话是有很深的根据和意义的。本来只借德尔佛小姐斡旋而获得的双方父母的同意已为人所承认，但只是默认，而没有其他的形式，可是，一当一种理想的事情——我们确可以此称这种婚约——进于现实的时候，当我们相信这事已完全告一段落的时候，便发生一个危机了。外部的世界总是冷酷无情的，如果它是有理的话，它便坚持不肯放松一步。爱情的信赖心是很大的，但是它碰着它的对头的现实的礁石而搁浅，是屡见不鲜的事。青年的未婚夫妇如没有充分的资财，而作新婚之梦，恐怕连蜜月的滋味也不能尝吧。这种情形在近世更是常见。一个他们预期不到的世界直接向他们提出难堪的要求，来威胁他们，如果这些要求不能满足的话，青年的新夫妇生活便弄到可怜又可笑了。

我为结婚而认真地准备的物资之不足，到了某一点才能够用，初时我还不大清楚。可是，目的之实现已渐逼了，这儿那儿都有点棘手。

恋爱着的人随意作成的乐观的推论，今已日益显出它与现实不一致的地方来。我的家和家境，这时要冷静地加以致密的考察。我们的全家人的心中虽已准备媳妇的入门，但是像丽梨那样的女子是不是合父亲的心的女性呢？

在第三卷之末，我已把那个贤淑、端庄而有才，美丽、可爱、深情而有分寸的女子介绍出来。她之于我们的家庭，正像一块枢石之于已经砌叠好的穹隆那样。但是，在我与丽梨结婚的场合，如加以冷静的考察，我们不能不承认，为要使这个新嫁娘也有同样的作用，我们就需要再建一个新的穹隆。

不过，在这时候，我不明白这点，她也茫然。可是，如果把我在家中的地位观察一下，和想想娶她进门的情形，我就觉得她与我不相配。我记起我在她的家出入的时候，为要使自己也与她所往来的时髦的朋友随和一下，我迫须时时更换我的服装，甚至换过又换。但是，一个家和家风却与衣物服装不同，不能随便的更改，我们的家是一个新筑的堂皇的市民之家，却把古代的豪华的装饰保存着，一切都像是带有复古的意味那样。

因此，即在我们的两亲已同意这婚约以后，他们彼此还没有来往过，没有发生什么亲家的关系。家教的习惯不同，家教家规也相异，如果可爱的丽梨要稍为继续她在家时的生活，她便会在我们的颇宽敞的家里感到局踏不安，无从施展。

我一向所以不考察到这一切之点，是因为自以为有大好的前程横在前头，可以有贵显的官职的希望。一个活动的人到处都可以立足，有为有才易博人的信赖，只要时机一转，就水到渠成，谁都作此想。只要能获到一个确实的位置，奋发有为的青年必得人的好感，天才必为一切人所信任。

当时德国的学术界和文学界的地面真可以视为新打开那样。在实业家中有些聪明的人期望在这幅新开辟的地面上有能干的实技的人和精明的事务的人材。即使那为世人所尊重，基础很好的秘密共济组合（Freimanerloge）也想以巧妙的手段引我加入。我因为与丽梨的亲交得认识它的重要的社员，但以我当时的独立不羁的精神——后来觉得而实是一种傻气——我拒绝与他们发生较密切的关系，却不想到他们既以高尚的精神互相结合，若加入他们里头，他们对于我的目的——

与他们的也很接近的目的——一定会有很大的帮助呢。

让我现在掉笔再回到最关系于我个人的事去。

在像佛郎克福城那样的城市中，有一种统理许多种事务的官职，即是驻扎公使、代办官之类，视任职者的活动能力怎样，职权可以无际限地扩大。我有任这种官职的机会，骤看起来像是俸禄厚而又名誉好。亲友们预料我一定胜任愉快，实际上，如果以上述的三人（歌德、他的父亲和书记）协力办事为条件，也许会有相当的成功。人们把疑惑之点瞒着不说，而把有利之点说出来，以为只要奋力活动就可以把狐疑不安扫除。因此我的生活情形弄到有点渺茫的因素在其中，而我的热情却不因而稍冷。

在平和的时代，一般民众最欢喜读的就是官报新闻纸之类，有它们，我们可以很神速地知道世界最近的事情。过着安逸富裕的生活的市民在读新闻时也无邪地露出他们的党派心来，其实，我们的眼光有限，这种党派心是无法摆脱，也不必避免的。快活地度日的人，像是打赌投注的那样，各自随意地站在某一党派的立场，把本事对于自己没有实际影响的得失利害算作自己的事，像是看戏的那样，对于外人的幸与不幸，寄予虽是想象的而很热烈的同感。这种态度，常像是任意乱择的，但也有道德上的根据。即是，我们有时对于可称道的意图表示相当的赞美，但是，有时又为某人的赫赫的成功所动，他的意图本可非难，我们也转而讴歌他了。当时的德国和国外有许多这样的事件，可供我们做党同伐异的材料。

腓得烈二世以他的强大的武力做基础，像是老握着欧洲和世界各国的运命。俄罗斯女王喀德邻是一个伟大的女性，在位以贤明著称而又广招贤才英俊，使他们有充分的用武之地，替女主日益扩充她的威权。这种扩张运动正向土耳其人着手，向来给土耳其人蔑视的我们，以对他们大施报复为痛快，已成了我们的习惯，所以听见这些非基督教徒的国民死伤盈千，也觉得不是牺牲什么人命。拆斯麦（Tschesme，亚洲土耳其）军港土耳其舰队爆炸（一七七〇年七月六日）的消息传来，欧洲的文明国都大喜若狂，为使这个大的战绩永远留下活生生的印象，便在里窝那（Livomo）的军舰停泊所，特地把一艘军舰爆炸，好使画家照着实景来绘图，当这时候，一切人都醉心于战胜者的骄意之中。这事发生后没有多久，北国（斯干的诺维亚）的一个青年君主靠着自己的威力从贵族的手上夺回军队的统率权。贵族之被他压迫，没有人觉得可憾，因为一般民众对于贵族绝无好感，贵族阶级在性质上是秘密行动的，它的行动越秘密，他的权力便越巩固。加以这个青年的君主为要与贵族对抗，庇护较下级的民众，引为己助，所以他更得大众的同情。

但是，使世界更为轰动的，还是国民全体作解放运动一消息之传来。固然，在许久以前，这种运动已以小规模发生，惹人的视听。科西嘉（Corsica）的解放运动久已为全世界注目的焦点。那儿的志士帕奥利（Paoli，一七二五——一八〇七）既不能贯彻自己的爱国的志望，取道德国赴英，沿途大受人的衷心欢迎。他是一个身材瘦长白晰英俊的人，举止娴雅温文而和蔼可爱。我曾在柏特曼（Bethmann）的家里会过，他在这儿他只作短促的逗留，以豪爽殷勤的态度接见那些为好奇心所驱而来的访客。但是，这回在地球上的僻远的部分又重见同样的运动的发生了。人们祝阿美利加人完全胜利，佛兰克林和华盛顿的名字开始在政治界和军界放射灿然的光芒，许多有助于人类的解放和改善的事件连续发生，最近，法国的新王又显出极善的意图，自动地废弃向来许多的王权的滥用作为，以最高贵的目的之达成自励，实施整然有序出入相符的财政制度，抛弃一切专欲的行动，只按照着法律和秩序来治理国政。这个消息传出后欧洲全境却弥漫着极明快的希望，轻信的青年便相信自己和他的时代都可以有美好灿烂的前途了。

我对于这种种事件，只当它们对于一般社会有巨大的影响时，我才注意和感到兴味。我自己和我的常与来往的朋友对于新闻、新事件殊不关心，我们所关心的是人的内部认识，至于一般人类的行动，我们听其自便，不闻不问。

我们的祖国德国（我们的故乡佛郎克福城成为它的一部分也已有百余年）虽历经许多次的战争和动乱，但仍屹然不动，保持它的原来的形体。从最高位的人到最下级的人，从皇帝到犹太人，等级身份虽极其繁杂参差，但这像是不使国民分裂，而使之团结，这种阶级制度的存在倒是一种可喜的事。诸侯虽隶属于皇帝，但皇帝却予他们以皇帝的选出权，以及由此取得和维持的种种特权，使皇帝与诸侯间维持均势。可是，高级的贵族既自以为侪于第一流的王家之列，以他们的特权而论，且可自视为与皇帝比肩，而有世袭大僧正的位阶的选帝侯，既高出其他选帝侯之上，又是罗马的僧政制度的演派，保有谁也不能否认的名誉的特权，所以在某种意味上且有高出皇帝之上之概。

如果我们想起这些根深蒂固的旧贵族不止在世袭的封地上享有绝对的特权，而且领罗马教会的赐予，受骑士的爵位，就国政的要职，有自行协约联盟之权，我们就容易想象得到，这一大群的贵族，自觉同时是居下位而又同等的人，在极大的满足和正常的世俗事务的活动中过了他们的一生，不必有怎样特别的劳苦费神，就把自己这样的享乐传给后裔。这一阶级也不是没有精神的教养，因为百数十年来，在他们间有杰出的军事和实务的人才的出现，他们在军事和外交方面都盘踞着。同时，他们又能以文学和哲学的研究，来修养精神，攀登一种对于现状无不大适宜而很高超的立场。

在德国差不多还没有一个人作艳羡这个巨大的特权的贵族阶级之想，也没有人妒忌他们的丰厚的世俗的优先权。中层阶级专心从事商业和学术，他们借此和与之有密接关系的技术，确得到与贵族颉颃的势力。完全自由或半自由的城市掖助中层阶级这种活动，那儿的市民在一种安居乐业的状态中。凡是积有巨资的人，或在精神的活动上——特别是在法律界和政界——声誉鹊起的人，到处都能受人的特别的尊敬，以有势力自豪。在最高等的帝国法院中及其他法院中，贵族的陪审席之旁还设有学者的陪审席，前者自由发挥的概观的见解，为后者的深锐的洞察力所补充，互相谐洽。在实际生活上，两者绝没有露出阶级敌对的痕迹。贵族安然拥有他们的久经岁月而神圣化的稳如泰山的特权，而市民阶级以为在自己的名字之前加上一个丰（“von”贵族的名字之前通常是这样）力谋在表面上侪于贵族之列，是他们所不屑为的事情。工商业家和技术家为要与骎骎进步的外国的实业家竞争，不愁不忙。如果我们把时起的弛缓反动的现象置而不论，我们真可以说，那时大体上是纯粹认真的努力奋发的时代，为从前所未有，其后随着外部和内部的发展，这种状态也不能持久。

在这个时候的我，对于上层阶级保持很良好的关系。在《维特》中，我纵曾将存于上中层阶级之间的不快的事情激昂地说出来，但是，谁都觉得这不是以获得直接的影响为目的，从该书的其他的热情的描写看来，读者当不会把这种说法视为阶级反抗的呼声吧。

可是，后来出版的《格兹·丰·伯里生根》使我与上层阶级的关系非常良好；它纵然不守向来的文学所奉的绳尺，但是它借着丰富的历史上的知识，优秀的技巧，把古代德国的国情描出来，神圣不可侵犯的皇帝立于绝顶，以下在种种品级的人中点出一个骑士格兹，他鉴见当时的纲纪废弛、法律荡然的国情，决心以一个私人的资格，纵不依照法律的手续，但也依正理来打不平，结果他自己就陷于困苦的境地。这种复杂的内容绝不是向壁虚构，而是把史实化为栩栩欲活的描写，因此，从这点看来，它是带有近代的作风的，但是同时力求不失这个善良的英杰自己执笔以相当的文学伎俩写下来的自传的精神。

现在，格兹的子孙，还没有息微，他的一家还保留佛郎克骑士的爵位，但是这种爵位也跟中世纪的其他位阶那样，今已名存实亡了。

我这个戏曲出版以后，雅克斯特（Jaxt）小河（尼加尔河之右方支流）、雅克斯特豪逊（Jaxthausen，符腾堡王国的村落，格兹的生地）便骤然获得诗的意义，有好些人特地到来游览凭吊，海尔布琅（Heilbroan）的市公所（十六世纪建造的建筑物，格兹曾被幽闭于那儿的一个塔中，该塔今称为“格兹塔”而保存着）也有游人的足迹。

世人又知道我有意欲就当时的历史的其他之点着笔，有许多从那时到现在还繁衍的名门贵族，盼望自己的祖先也靠着我的一枝笔而得到表扬。

本来，以优美的天才的手腕把史实文艺化，使国民对于本国的历史有新的联想，是引起他们的特别的感兴的快事。他们看见祖先的种种的长处而自鸣得意，看见祖先的缺点，则自以为自己早已免除而不禁微笑。所以这样的描写总会博得人的同情和赞赏，而我在这种意味上，从《格兹》得到许多可喜的效果。

可是，说到这儿，有一事很可注意的，即是，在为此著作所动而与我接近的人中，附随我的青年之群中，却没有一个贵族。在他方面，三十岁过外的人来探访我的倒不少，他们立志和努力认真地教养自己，使成祖国有用的一员和有用的人，跟他们接触使人充满愉快的希望。

在那个时候，一般地关于十五世纪和十六世纪之间的时期的研究正在开始且甚热烈。乌尔立喜 · 丰 · 胡特敦（Ulrich von Hutten，符腾堡的公爵，一四八八——一五二三）的著作给我搜罗到了，从那儿我看见在那时代昭著的事在近代也同样的再演出来，而觉得非常奇怪。

乌尔立喜 · 丰 · 胡特敦致卑里巴尔德 · 皮尔克海姆尔（Billibald Pirkheimer）的信的一节，在下头录出来，大概还恰好吧。

> 幸福给予我们的东西，大抵它再取回，不单是如此，而且我们常见来自外部而成为人类所有的其他一切东西，也受偶然的支配。可是，现在我为名誉而努力，盼望不为人所嫉妒，不问手段怎样而得到。因为我抱有力求贵显的强烈的渴望，愿尽可能地达到高位。亲爱的卑里

巴尔德，纵然我是出自这种家门，生我的父母是贵族，如果我不借着自己的功业致身贵显，而自以为今已是一个贵族，我觉得是可耻的，我是心心念着伟大的功勋，想着更高的事！我绝不是想进于爵禄更高，更显赫的地位，而是想不借先人之荫，独力从他处寻求阶梯，进身成为一个特别的贵族，不与寻常的贵族为伍，以先人之荫为满足，我还想在祖先的遗产之外由自己更添上一些东西，俾可由我直接传给我的子孙。

因此，我向着这个目的而从事学问的钻研和奋发努力，与那些以一切现状为满足的人的意见相反。因为，正如我曾对你说过我是有这种名誉欲的，我绝不会以现状为满足，我不瞒你，我对于那些出身最下层阶级，而致身贵显在我们之上的人，不加羡妒；我在这一点与我的同身份的人的思想相反。他们常诋毁那些出身寒微而借实际的功绩荣达的人。因为这些人把我们所忽略的名声的实体以自己的力量获得，纵使他们是晒布匠或染皮匠的儿子，他们当然比我们强；他们是历经远比我们所遭的为大的困难，而竟能获到这样的地位。那些妒忌他人以才学致身通显的无学之徒，不独是愚人，而且算是可怜的人，甚至最可怜的人中之一。这种愚行是我们贵族的通弊，他们对于这种彰身之具加以嫉妒的横眼。其实，我们妒忌那些获有我们自己所忽略的事物，是什么道理呢？为什么我们自己不用功研究法律呢？为什么不自己去精究学问和艺术呢？当我们疏懒不上进时，晒布匠、鞋匠、车匠等等便着先鞭了，为什么我们放弃我们的机缘，为什么我们将最自由的学问研究委诸我们的仆役——多可耻呵！——他们的卑污之手呢？我们付诸等闲的承袭的特权给那些有手腕而勤勉的占有，以活动来利用它，是很正当的。我们可怜的贵族，忽略了那足以使下层的人高出我们之上的学问技术。因此，我们不要再妒忌他们，而也努力获得他人以之自负的东西（说来这真是我们的耻辱呵）。

求名的欲望总是可尊重的，好胜争强总是值得称赏的。怎能每一个阀阅阶级都保留着它的特有的名誉，而又添上一种固有的美呢！我对于先祖的遗像，和高贵相承的谱系都不是藐视；但是，如果它们的价值，如果我们不以自己的功绩化为已有，它的价值纵怎样高，也不是我们所得而有之。如果我们过的道德生活不是贵族所应为者，这种价值也不能永久存在，贵族社会的肠肥肚满的家长指其先祖的遗像向人夸耀，而自己过饱食暖衣的怠逸的生活，与其说他们是功业彪炳的列祖的后裔，不如说他们是一个木偶似的蠢物，他们的自骄也是枉然的。

以上的就是我想关于我的名誉欲和它的性质向你详细地而又坦白地直陈的话。

我从我所知的贵族社会的朋友间也听见过与此相似的精到有力的思想——纵然不是说得那样的贯串圆

满——他们的这种思想的结果在他们的诚实的活动中显现出来。“人一定要以自力成为贵族！”一语已成为他们的信条。在那时的升平的时代，他们间已有一种竞争的活动，以及由上而下，贵族与庶民互争雄长的努力。

然而，在贵族社会以外的我们却能得到我们所欲求者：我们的天赋的才能，只要是在我们的公民身份所许可的范围之内，便能自由无碍地挥使。

尤其是我的故乡佛郎克福城在这点有一种全然特殊的情形——不很充分地为人注意的情形。即是，北方的帝国直属自由市是以日益扩展的贸易为基础，而南方诸市以商业衰退之故，以美术和工艺为活动的地盘，至于梅茵河畔的佛郎克福城则显出一种混合的状态，一方面见商业，资本，土地房屋所有的发展，他方面见知识欲与搜集欲等精神活动之盛行，彼此互相错综。

在这个城中，路德派的新教握信仰上的牛耳，继承所谓“根”世袭领（Gan-Erbschaft）的林普格（Limpurg）家，本以“俱乐部”起家的佛娄因斯泰因（Frauenstein）家，在下层市民起暴动的时候，曾极力庇护有识者。法律家，以及其他的殷富优秀的人都得有参与市府的机会，即使那些在乱时尽力维持秩序的职工阶级也可以任市会议员，所异者，就是他们的升擢不易就是了。此外，市政上所必需的种种均衡的势力，正式的制度，以及其他自由市的政制所需要的机关官职，给予许多人以充分活动的地盘，他方面，以佛城地位握交通的要冲之故工商业也日益发展，毫无障碍。

上层的贵族的所作所为，不见为旁人所羡妒，甚至几不为人所注意；次于他们的阶级已不能不努力上进，以先世的丰厚的家业为基础，力谋在法律学及政治学方面扬名显声。

所谓宗教革新派（Reformierte，加尔文派的基督教徒）及在其他各地的宗教亡命者（南特敕令撤回后，亡命于德国的法国新教徒）自成一个惹人注目的阶级。即当星期日他们在博根海姆举行礼拜，各自驱华丽的车马经行街上时，也像是对其他的市民夸示其胜利那样。后者无论在天气好的时候也好，坏的时候也好，依照教规，只能徒步到教会去。

天主教徒差不多不为一般市民所注目，但是其他两派所占的权利，他们也得拥有的。

第十八卷

在这卷中，我将回头讲文学上的事情，这就先要提起那对当时的德国诗界有很大的影响的一种情形。这种情形的影响支配我们的诗的艺术的整个的进程，直至今日，在将来也不会失坠它的威力，故特别值得注意和观察。

德国人从古时起已惯于用韵，因为它有一种好处，即是可以很素朴地来使，差不多只需数音节，照着格式配列就行了，可是，随着文学的教养的进展，人们多少本能地注意到节奏的意味意义，有许多诗人精于此道，便获得世人的赏赞。韵是表示诗的句的终结，句较短时，还显出是与以下之句隔断，自然地陶冶惯的耳朵还听出变化和韵味出来。可是，在我们那时代有些诗人一举把韵废去，而不想一想，关于音节的价值仍没有决定，而且很难决定。克洛卜斯托克是这种新运动的前锋。他怎样努力，和他有什么成就，已为世人共知的事实。谁都觉得无韵的诗有点不妥，人们不敢冒昧猛进，而随着自然的倾向，从事散文诗的尝试。革斯涅的极为人爱诵的牧歌已为散文诗辟一无尽的前途。克洛卜斯托克写的散文诗有《赫尔曼之役》的对话和《阿当之死》。在戏剧一方面，借着所谓市民悲剧和新剧（drama），一种富于感伤的高尚的风格流行起来，反之，因为英国诗人的影响而流布于我国的五脚韵的抑扬格（jambus）使诗散文化。不过，一般的诗人还不能完全摈绝韵与音律的要求。蓝勒虽奉不正确的诗律，但对于自己的作品甚为苛求，对于别人的诗作，也不能不作同样峻严的批判。他把散文改变成诗，把别人的诗加以修改润饰，因此，他不独不获得人的感谢，而且使问题更加混乱了。诗人中最有成就者是那些略承认音节之价值而利用传袭的押韵法，为自然的诗人的趣味所导，遵守不成文不确定的原则的人，例如薇兰就是这样。薇兰的天才虽非他人所能模仿，但他的作品可供中才以下的诗人的模范。

　　但是，创作的尝试，无论如何总是拿不稳的，无论何人总有一个时候迷误起来，即第一流的诗人亦所不免。所以，那时德国的诗坛虽说是真正的天才辈出的时期，但可认为正格的完成的诗作极少产出。因为当时在诗坛上的时代精神也是动摇的、多所要求的和活跃的，而没有静观的余裕，和满足自己的要求。

当时的人为要找出可容诗立足的地盘，为要发现可供诗人自由呼吸的氛围，就回到前几个世纪去。在那个时期，许多的郑重作成的业绩从一种混沌状态之中放出光彩，故人们采用当时的作诗法。可是中世纪的 Minnesanger（十二三世纪的抒情诗人，大部分为当时的骑士）离我们太远了，如要师法他们一定要研究语言，这种事却不是我们的目的；我们所欲的是过活而不是学习。

跟我们最接近的是那真正的大师汉斯·沙哈斯（Hans Sachs，在纽伦堡城生卒的诗人，业靴匠，一四九四——一五七六）。他是一个真正的天才，与骑士、宫廷中人的 Minnesanger 有异，而是像我们那样可以自豪的单纯的市民。他的教训的现实主义，很合我们的脾胃，我们在许多场合利用他所用那样的轻快的节奏和很听人挥使的韵律。他的诗那样的风格像是很与日常生活的诗相宜，我们随时都需要它。

可是，如果本来需要一年间甚至一辈子的注意集中和劳苦的重要的著作却那样卤莽地从事，因为一些轻浮的机缘，多少有所成就，那么，我们就可以想见其他的即兴急就的作品是怎样随意乱作的了。例如我们以之向自己内部挑战，和向外部寻衅的一切形式的书翰诗，寓言诗，讽喻诗，就是如此。

当时这些作品，除了已被翻印的之外，只有很少存留着，纵然它们是保存起来。这些作品如加以简短的解说，对于深思的读者或颇明确地露出它的起源和用意来。在将来，卓识锐眼的人见了这些诗，将会看出这些奇态的作品也潜含有正直的努力做它们的基础。即是在这些诗中诚实的意欲与骄慢战，自然与传统战，才能与俗套战，天才与它自己战，力与女性的软弱战，未发育的卓越与既成的凡庸战，因此，我们可以把这一切的尝试看作一种前哨冲突，它是正式宣战的先声，和大决战的前驱。因为，如精确地加以观察，这种战争在这五十年来还没有终结，它还是一路继续下去，所不同的，就是进于较高的阶段吧。

我曾就古代德国的傀儡戏和杂耍戏的情节构思，编成一本滑稽剧，它的名字唤做《汉斯乌尔斯特的结婚》（*Hanswurts Hochzeit*），剧的情节是这样的：汉斯乌尔斯特是一个父母双亡的有钱的农家子，正在成年的时候，他想跟一个名唤乌塞尔·伯兰丁纳（Ursel Blandine）的富家女结婚。他的监护人启里安·布鲁士特佛力克（Kilian Brustfleck）和她的母亲乌塞尔都很同意这个婚事。他们的多年的计划，他们的最大的愿望由是终于成就了。这事情没有一点障碍，一切只集中于一点，即是，这一对青年男女的结合因婚礼的准备及其他种种的不可缺的仪式惯例而延宕了。在序曲开场时，婚礼招待人出现，讲他的熟套的平凡的吉利的演词，最后以韵语结束。

Bei dem Wirt zur goldnen Laus,
Da wird sem der Hochzeitschmans.
“金虱酒馆”设席开筵，
举行婚礼的大宴。

为使这剧的场所的统一性不致有被破坏的非难，金虱酒馆在舞台的背景中飘现它华丽的酒帘，但是，这酒馆却弄成可以旋转的那样东西南北向都可，不过，舞台前方的配景，却须加以适宜的变更。

在第一幕，前景是向着街，现出金色的、给太阳显微镜放大的酒帘；第二幕的前景是庭园；在第三幕，面着小森林的部分；在第四幕，附近的一个湖的景现出来。当然，由此预言，对于后世的舞台装置者，在整个舞台上配置波面的景，直至后台助言人的窟窿之前，也不是困难的。

但是，该剧的本来的趣味还不是由这一切的舞台上的装置表现出来，因为根本的滑稽味是达到疯憨的田地，一切登场的人物都是用德国人向来听惯了的骂人讥诮人的字眼做名字。因此，各个人物的性格和彼此间的关系，一听见名字就可马上明了。

我们既希望现写的自传成为下等的人的读物，也为温良有礼的家庭所爱诵，所以，我们绝不用照着剧场的广告所揭示的那样，在这儿将登场的人物顺序举出来，也不必在这儿把他们最明白地最触目地表演自己的地方再叙出来。不过，以极简单之笔表出他们的滑稽的、俏皮的、无邪气的关系和玲珑巧妙的诙谐，是必要的。兹附上一纸这样的试作的说明书，至于插入本书与否，听凭出版者的酌夺。

老表苏夫特（Schuft，字义为卑劣的人），以亲戚的关系，有被请参加婚礼的资格，没有人对此提出异议。因为，他在人世上纵然总是一个无用的人，但是他确是人世中的人物，他既在那儿，就没有妥当的方法拒绝他。而且在这样大喜的日子，也不好提起从前曾有过不满意于他的事情。

苏尔克（Schurke，字义为无赖汉）老爷的赴席却是一个难题。当新郎新妇的家正用得着他时，他就利用这个关系，从中取利。可是他又给予新郎们的家以损害，这或是为他自己的利益，或是也因为他觉得这样子是他合式的事情。有些多少有点聪明的人赞成接待他，倡议拒绝他的人占少数而不得通过。

可是，还有第三个宾客，他的接待与否比苏尔克更难决定。在众人之间，他是一个平常的人物，与别人无异，他知道迎合人的意思，原谅人的过失，和有种种的用场，但是，他有一个毛病，就是他不能听见人家说出他的名字，他一听见它，就霎时间动起像斯干的诺维亚的英雄故事所说的那样三尺无名火来，把左右的一切都要打个落花流水，在这样的暴怒中，他把他人打伤，自己也被打伤，本剧第二幕就因为他的狂暴而在很纷乱狼狈之中落幕。

在这剧中，我不能放过绝好的机会，来惩戒那盗印我的诗集的马克罗特（见前）。他带着印马克罗特书店盗版的书沿门求售，当他看见婚礼的铺陈时，他遏不住他的劣根性，来打秋风，骗他人的钱来饱他的拐腹。他投刺请谒，启里安·布鲁士特佛力克便出来问他的来意，但是把他拒绝了，因为今日一切的来客都是在社会上知名之士，而马克罗特却没有这样的资格。马克罗特再鼓其如簧之舌，证明他自己也像别的客人那样声名藉藉。但是启里安·布鲁士特佛力克是一个峻严的婚礼招待员，不为他所动，这时，那个名字说不出的先生出来了，他在第二幕末所发作的暴怒已平服，看见这位偷版的马克罗特是自己的同类，极力替他关说，终于他被列为宾客之一而受主人家的招待了。

恰在那个时候，斯托尔堡伯爵兄弟（见前）在瑞士旅行的途中，顺道来访。我在以前很早寄稿给格丁根的《文艺年刊》，露出我的诗才的时候，就与他们兄弟以及气味相同的青年诗人们结了很密切的友谊，他们的人品和著作，我知道的甚深。当时的人关于友谊和爱情抱有颇奇怪的观念。即是在两者的场合，人们以一种青年活泼的意气互相结合，双方倾露出彼此的天才的而粗杂的内部的光辉来。这样的相互的关系，在外观上确是一种相互的信赖，世人便称为爱，看作真实的爱好。我也像别人那样对此抱有幻想，这种幻想多年来使我尝过种种的苦的经验。步耳革（见前）当时写给我的信，今还留存，由这信可以看见当时的文人的朋侣间绝没有道德美那一回事。各人都觉热情沸腾，自信可乘势随便的行动，随便的作诗。

斯托尔堡兄弟跟豪格维次伯爵（Craf Haugwitz）一道来了。我打开胸襟殷勤地欢待他们。他们安顿在旅馆内，吃饭却大多时在我们家里吃。最初的晤谈是很明快可喜的，不过，不消多久，清狂不羁的谈吐便涌出来了。

这三个宾客的来临，使我的母亲处于一种特殊的情境中。她的精明爽直的待人接物的态度，使她上侪于中世纪的贤母，可比于伦巴底或拜赞廷宫中的王妃的女傅阿雅夫人（Aja，出于意大利小说《亨孟的孩子们》的母亲）。他们三人也只以“阿雅夫人”称她，她也喜欢这样的戏呼，自己也跟着青年的人们作这样的空幻之想。其实，她看见我的《格兹·丰·伯里生根》中所写的主妇已相信是自己的影子了。

可是，这样的文静的谈谑不能继续多久，只一同吃过二三回饭之后，当酒已喝干了一两瓶的时节，诗人的使酒醉骂的脾气便闹出来，滔滔喋喋的把暴君攻击，甚至慷慨激昂到要喝饮暴君之血。我的父亲看见，摇头微笑。我的母亲一辈子差不多还没有听见过暴君那一回事，只记得在哥特夫里的《编年史》中看见过这种可怕的人物的铜版照片：在这铜版画中，波斯的加姆比塞斯王（Kambyses）当着一个幼儿的父亲之前，用弓射中幼儿之胸，而自鸣得意。这种可怖的印象现在还留在母亲的记忆里。我们这种和与这种相似的谈辩，愈谈愈激昂，我的母亲为使这种满着杀气的话转成愉快，便跑到酒窖去。在窖里头藏有几大坛的远年陈酒，在那里头还有她自己手制的一七〇六年，一七一九年，一七二六年，一七四八年的旧酿，极少打开，只在特别的喜庆日子才拿出来。

当她把那醇酒装在磨光玻璃的瓶里放在桌子上时，她喊道：“这就是真正的暴君之血了！你们喝这个来解闷泄愤吧，但是喝了它，就不许再谈杀人那样的事了！”

“对了，这是暴君的血呵！”我高喊道，“没有再像这个暴君那样可怕的，现在把他的肝脏的血滴出来陈在你们之前了。你们开怀饮啜吧，但是，不要过度！为什么呢？美味和芳烈之气使你们都陷入暴君桎梏之中是不能不提防的呀。葡萄实是世界的暴君，非斩除根株不可；因此，我们应该推戴色雷斯（Thrace）的圣王来喀古斯（Lykurgus，传说是纪元前九世纪的斯巴达的立法者），他热心地从事禁酒的可敬的事业，但是后来为骗人的酒鬼巴克古斯（Baechus）所魅惑，而颓废下去，不过，在历来的殉难者中，他是值得首先提及的人物呵。

“葡萄这个家伙，真是最坏的暴君，同时又是伪善者、阿谀者和暴力汉。先须喝他的血一两杯使你都痛快起来，但是一滴引起第二滴，使你欲罢不能。它们正像是人们恐怕会碎裂的的一串的珍珠那样。”

如果我在这儿所说，是像古今的优秀的历史家那样，不插入本来的话，而有虚构一演说词的嫌疑，那么，我就只得愿望当时的我是一个速记者，把我的演词的片段记下，保留到现在来。如果真是这样，读者恐怕会发见那速记录与现在所引的文句在用意上虽全相同，但词采当较精美动人吧。总而言之，现在所引用的文句是缺乏一个青年——自己感觉到自己而不知道怎样发挥他的磅礴的精力的青年——所有的滔滔的词源和丰富性呢。

在一个像佛郎克福那样的城，情景是很特别的：常有种种色色的旅客从世界各地踏入佛城来，从他们那儿听到关于世界各地的话，而引起人的旅行癖。我在从前因为许多的机缘已是好动不好静的了，这时候我正要试行一下看能否离开丽梨，加以一种痛苦的不安之感使我无法做预定的事务，所以斯托尔堡兄弟邀我作伴旅行瑞士，我便欣然有行意。我的父亲赞成我这个旅行，并劝我如机缘凑合便不好错过顺道转往意大利旅行。因此，我很快就下了决心，即把行装打叠妥当。我见了丽梨，没有正式辞行只隐言有远行之意，便离开了她。她在我的心中长得那样根深蒂固，我以为是真个与她分别呢。

不消几个钟头，我便偕同三个愉快的旅伴到了丹姆斯达城。到那儿的宫廷谒见时，我们还要彬彬有礼的。在这城的游览，是靠豪格维次伯爵做主要的向导。他是我们中最年轻的一个，体格良好，仪容温良高贵，面目和蔼可亲，举止时时一样，待人接物抱有同情，但不见热烈，故我们觉得他是一个冷静的人。因此，他必须忍受斯托尔堡兄弟们的种种的戏谑和替他起的绰号。当他们以为可以学"自然儿"那样无拘无束的言行时，豪格维次伯爵不以这种笑谑为意，可是当着要举动规规矩矩的场合，那就迫着——纵然不是不喜欢——再装作伯爵那样，他自己先能以身作则，一变为庄重雍容的态度，所以在这种场合，纵不能文质彬彬礼仪周到，然也差可无大过了。

在丹姆斯达逗留的时候，我还往访麦尔克，与他倾谈。他以麦菲斯陀斐尔那样的斜眼来睨视我今次的长途旅行，对于曾一度过访的我的旅伴作不留情的批评。从他自己的见地看来，他是了解我很透彻的，我的牢不可破的天真坦白的好心肠，他极不以为然，我的永行不断的恕道和利己利人的主张，他觉得是一种可怕的事。“你跟这样乳臭未脱的人们混在一起，真是傻瓜！”他对我喊道。他对于他们三人的批评刻画虽有说中的地方，但不是完全对。总而言之，他的论人，是缺乏好意的，所以我相信可以漠视他的意见，其实也不是完全漠视，我只重视他的视线看不到的部面吧。

“你不会长久跟他们一道的！”这是他跟我谈话的结论。说到这儿，我记起他曾对我说过一句很值得注意的话，他后年屡对我重复地说，我自己也屡提起，觉得这话在实际生活上很饶意味。“你的努力，”他说，“你的不肯稍变的方向，就是想给予现实的事物以诗的形象；而别人却想把所谓诗的，想象的事物现实化，结果只是一个傻瓜。”如果我们能理解这两种行为的方式的大大不同之处，牢记于心，拿来应用，我们便能对于无数事物得到许多的启示了。

不幸，在我们一行还没有离开丹姆斯达城以前，便发生一些事情证明麦尔克的批评的确凿不可驳。

“人类必须复归于自然”那样的一般的标语，使我们青年在那时作种种狂放不羁的行为，在露天的河川洗澡也是其中的一种。我的旅伴扮过一些时的正经规矩之后，在这儿也禁不住作这种的撒野的行为了。丹姆斯达城位于砂地的平野，没有河流，在附近却有一个大池塘（我这回才听见有这个池）。热烈的自然主义者，日益兴奋的斯托尔堡兄弟想在这个池塘里洗一个澡来舒散一下。可是在光天化日之下，看见青年的男子赤条条一丝不挂，在这个地方算是罕见的事情。不管怎样，市民把这事当作丑闻传开来，麦尔克更以辛辣的话复述他的结论。我不加反驳，催促那三人匆匆离开丹姆斯达城。

即在向曼海姆前进的途上，纵然我们都抱有共通的善良高尚的意想，思想和行动上的若干的差异已现出来。利欧破尔德·斯托尔堡热烈地谈起他怎样与一个美丽的英国女子陷于深挚的恋爱，而被迫与她决绝因此要作这样的长途旅行。当我们向他表示同情，说谁也有过这样的经验和心情，他的青年的汪洋无尽的情感便突然沸腾起来。他说他的热情，他的痛苦，以至他的爱人的美丽可爱之处，可以说是世界无比。我们像一般的有教养的朋友所应做的那样，以委婉的话来使他冷静一点，他的感情更加兴奋。我与豪格维次伯爵到后来不得不噤口不谈这个问题。到了曼海姆，我们安顿在一家上流的旅馆的精美的房间里，在第一次吃午饭上点心的时候，我们免不了又喝酒，利欧破尔德便提议为祝他的美人健康各干一杯。大家轰动了一下便把酒呷了。干杯之后，利欧破尔德又喊道："以后不许再用这个神圣的杯喝酒了，第二次用这杯来祝别人健康，便是污渎，因此，让我们把这个杯摔坏吧！"他说完便马上把自己用的脚杯掷向背后的墙上去。我们跟着他照样的做，在这刹那，我恍惚觉得麦尔克在牵扯着我的领带那样。

但是青年人从幼小的时候起，便抱有这样的心理，即是无论怎样也不要使好朋友衔恨，一种天真烂漫的友情纵然有时会逢着不快之感，但决不应败坏。

我们喝过这样为英国小姐的健康而喝的酒，我们的账单的数字也增大起来。我们带着满怀的喜慰匆匆赶到加尔斯卢合（巴登大公爵领的首都），好在那儿无挂无碍地进入新的交际范围。我们发见克洛卜斯托克也在那儿作客，在这儿他的往日的道德的支配力对于那些非常崇拜他的人有很大的影响，我也愿意亲得他的训诲，因此，当我跟其他三人被招到宫廷去时，我不难把自己装作是一个新进之士，以谦恭自处。不过在他的周围，动作自然而又不自卑，也是洽他之意的。

当时执政之方伯是诸侯中的老辈之一，特别因为他力谋善政的设施，得德国各君侯的崇敬。我们晋谒他时，他喜欢谈及本国的财政。方伯夫人从事美术及种种的学艺，有精通之称，也想以风雅的话来跟我们略事应酬！我们对于她的这种态度虽表感谢，但回到旅馆里，却不禁又将她的贩卖劣纸、庇护盗版的书贾马克罗特的行为嘲笑一顿。

在加尔斯卢合逗留的时候，对于我最关重要的一事，就是萨克森·威玛的小公爵偕同他的未婚妻黑山·丹姆斯达的路意斯公主为缔结正式的婚约而到加尔斯卢合来。为着这事，威玛的总理大臣丰·摩些尔已先行到此，准备郑重地宣布这种重大的婚姻关系，和内大臣格尔兹（Görtz）伯爵仔细地商量。我谒见小公爵和公主时与他们的谈话最感愉快，当我向他们辞行时，他们三番四次的说，如果不久能在威玛再会见我，他们俩都觉得荣幸。

我跟克洛卜斯托克作过几次特别的谈话，当时为他的亲切的友情所动。不禁对他表示公开和信赖的态度。我告诉他我在《浮士德》中最近构想的一出，他像是对它很有好感。后来我也听见，不轻于褒奖人的他对着他人也这样子称赞，并希望全曲的完成。

我们的狂放不羁，当时称为才子风流的举动，到了加尔斯卢合，便稍敛迹。这是因为那儿的人士都是端正有礼，使人肃然起神圣之感之故。随后我与我的旅伴作别，而取别道往访我的妹夫任知事所在的恩门丁根（Emmendingen）城。我顺道探访我的妹妹，为的是要知道妹妹婚后生活的真相，我知道她所过的日子不幸福，但不晓得这究竟是她自己之过，妹夫之过，还是与环境有关系。她的品性本是奇特的，很难加以说明，我们想在这儿把可以告诉读者的事情约略说出来。

她的体格在天赋上是很好的，但面貌却不是这样。她的容颜虽然充分地明白地表现出她的善良的气质、理智和同情心，不过还缺乏一种端正和秀丽之美。

加之，她的前额高凸像一个圆拱那样，依照着当时的流行的打扮，把头发梳拢到后方去，因此，她的道德和精神的优越性纵然很显露，她的容貌也使人起一种不快之感。到现在我还这样子想，如果她照着最近的时髦的样子，以挛发覆着她的脸的上部，太阳穴和两颊都用同样的发环掩饰着，对镜自照，恐怕会觉得自己悦目一点，不必愁到自己和别人都嫌自己的貌丑吧。况且她还有一种不幸，就是她幼时起便患皮肤病，通常在有喜庆的日子，音乐会跳舞会和其他的宴会中就发起来，这真是她的命宫的魔蝎呢。

可是，她一方面逐渐战胜这种恶劣难堪的情况，同时她日益把其余的美好的特性培养发展起来，坚强不易挠屈的性格，对他人同情而求他人同情的心灵，优秀的精神的教养，丰富的知识和卓越的才能，二三国语言的精通，书写的擅长，都是她的过人之处，如果她的外貌也得天惠，那么，她真可称为当时的妇人中最可赞叹的一个了。

除了上述之外，还有一种奇态的现象要揭露出来，就是，她绝没有一点肉感。她跟我一道儿长大，希望一辈子继续在这样的姊妹的友爱中度过。自从我从大学毕业回家以后，我们俩仍是难解难分。我们从衷心上互相信赖，心中有什么思想、情感、幻想和一切的偶然的印象，都互相披沥。当我客居威兹勒尔时，她感到难耐的孤寂，我的朋友斯罗塞尔以前既为妹所熟识，又不为她所厌，这时乘虚而入，代替了我的位置。不幸，斯罗塞尔从同胞的友爱再进一步而发生决定的爱情，以他那样的谨严诚笃，这还恐怕是最初的爱情呢。他们的结合正世人所谓很相对的配偶，曾有许多名门大族向她求婚，她总以对方是她所鄙视的男子而断然谢绝，终于给斯罗塞尔劝动——我可以这样的说——而同意这个婚事。

说起她来，我不得不直白地承认，当我有时关于她的命运作种种的遐想时，我不爱把她想象作为一家的主妇，而常设想她是一个女修道院的住持，或其他的女道侣的清净团体的主事人。她具有这种高尚的地位所必需的资质，而缺乏世俗生活所不可少的要件。她对于同性的人们，具有一种不可抗的魔力，青年的女子给她所吸引而恋慕着她，她凭着内心的优美之力支配着她们。她跟我同样对于周围的人们抱宽大的态度，对于善良和合于人性的事固不吹毛求疵，即一切变态的行动，只要不流于邪僻，她也加以宽恕，所以任何非凡的人，在她之前用不着隐瞒那成为他的外面的特征的畸行变态，或引以为耻。因此，我们兄妹间的情谊——像以前我说过的那样——常是变化多趣，自由无碍，天真烂漫，有时甚至流于大胆放纵。我与年轻的女人交际，总是规规矩矩，殷勤有礼，而不立即发生决定的恋爱关系，即是完全拜她之赐。从以上所述，那些能够从字里行间读知不明言而暗示的消息的明眼的读者，当会察知我当日踏入恩门丁根时我的痛切之感吧。

可是，经过几天的耽搁，跟她作别时，她极恳挚地，甚至以命令的声口劝我与丽梨断绝关系，我心里更觉难受。她自也因婚期的延宕而尝到很痛苦的经验，禀性正直的斯罗塞尔要在任职于巴登大公爵领一事确定，甚至可以说就任以后，才举行订婚典礼。但是，实际的任命意外地延迟，照我的揣测，原因恐怕是这样的，即是，善良的斯罗塞尔君虽有精明的才干，但以太过率直之故，大公爵不肯任他为身边的近臣，大臣们更不愿意他厕身于他们的左右。他所预期和急切地企望着在加尔斯卢合任官一事，不能实现。当恩门丁根有空缺出，他很快就任那儿的知事，我就明白他出任延迟的原因了。知事本是一个名誉也好、俸禄也厚的职位，以他的才能，是胜任愉快的。他的见识，他的行动的方法，很宜于独当一面，凭着自己的信念来处理事情，不问他人的毁誉如何，对一切的事情负责。

他出任这个职务是没有什么可非议之处的。我的妹妹当然要随他赴任，可是任所不是她所希望的大都会，而是在她看来不能不说是荒野似的孤寂的小城镇。他们所住的官舍虽是宽敞堂皇有官衙的威势，但没有什么社交上的欢娱。有几个以前与她亲交的青年女子，跟着她搬到这里来，格洛克（Gerock）一家有许多女儿，她们轮流地来游，因此，她纵然十分岑寂，但也还享受旧雨时相晤对之乐。

她既有这种境遇和经验，所以她自以为应该极认真地劝诫我与丽梨断绝关系。照她的见解，让一个她非常爱重的青年女子，从一种虽不璀璨而饶有活气的社交生活脱离，而嫁到我们的家里来，是一件残酷的事情。我们的家纵是有可称道的地方，但还不是一个适宜于上流的社会交际的场所。加之，父亲虽是一个慈祥的人，却寡言笑，好教训人，母亲是主母中的极善于操持家务的，每日家务做妥了之后，一边做着女红，一边好与她亲昵的选拔的青年人作娓娓的谈话，不愿为别事所分心。

她又在反面把丽梨的家庭和环境很生动地对我描画出来。她知得那样的详细，是因为我在信上和在热烈而直白的闲谈中，把丽梨的事情，无论怎样微细，也说过给她听。

可惜，她关于丽梨的这种描写，只像是一个好谈人长短的人暗地里说一个朋友的坏话，而说得较详细而怀好意那个朋友却渐渐失去信用了。

我虽然承认是给妹妹说服了，但我不肯答应遵从她的话。别时，我感到心里头有谜一样的块垒不能解消，我对丽梨的热情以这块垒为饵食。这原怪不得的纵然希望的女神已迈着大步急急的离开，爱神的丘匹德（Cupid）童子还紧牵着她的衣裙不肯放呢。

从那儿到沮利克，我清楚地记得的只有沙佛豪森（Schaffhansen，瑞士北部地方）的莱茵河的瀑布。这个雄壮的激湍显示出上登云梯似的山地的行程的第一步，从此以往，山道越来越险阻崎岖，一步一步高峻了。

我到了沮利克，从“宝剑”旅馆的门前眺望沮利克湖，当时入望的景色，到现在还像是在眼前。我说从旅馆的门前眺望，因为我没有进旅馆，而先赶往拉发忒的家去。他很高兴亲切地接待我，而且，我不能不说，他的殷勤周到，真是无比。与他晤对只觉得他的恳挚，宽大，慈祥，高尚。他的夫人虽有点异样，而流露着平它敬虔的神态，跟他身边的一切一样，与他的性情和生活习惯完全融洽无间。

我们最先谈起而且几乎不断地谈及的话，就是关于他的著作《人相学》。那时候——如果我的记忆不错的话——这书的第一卷已完全印刷，至少也离杀青不远。他这种新著可以称为是有独创的兼经验的，系统的兼综合的性质。我自己与它的完成有极特别的关系。本来，拉发忒希望全世界的人都与他合作参与这书的编成。在旅行莱茵河沿岸的时候，他已叫人替许多知名的人画肖像，想以它们做实例的插画，来引起他们对这书的个人的兴味。他对于画家，也作同样的企图，他敦请各国画家送给他画像，来达到他的目的。结果，种种的肖像画从各地送来了，但不适合他所定的要件。他把这些画制成铜版，满堆在他的左右，但也很少能特别作他的学说之证明。他为准备这本重要的著作，曾费了许多心血，牺牲无限的财力，赌他的一切的名誉，现在人相学既要编纂成书，便须以学理为根据，以实例为证明，以求获得科学的威严，可是它的插图却从没有一幅是能够说明他应该说明的事。对于一切插图都不得不加以指摘，附加条件，绝不称许，而只认其可作实例甚至有许多例为那说明所取消了。我自己做一件事情，通常在前进之前，便先谋踏硬地步，故他托我为这著作帮忙一事，实是我所担任的任务中最困难的一件。关于这一点，读者可以自己推测吧。他的原稿和插入本文的铜版画，寄到佛郎克福城给我。他任由我自由地删削我所不喜欢的，以及随我的意思加以修改添附。当然，我不肯滥用他所特许给我的这种权利，只有一回，他插入一篇东西，与一个不当地非难他的人作激烈的论争，我把这篇拿掉，而补上一首明快的歌咏自然之诗。因此，他骂我不对，可是后来他心平气和之后，又赞同我的举动。

凡是从头浏览过那四册的《人相学》并且从头读到尾（这决不会使他后悔吃亏的）的人，也许会猜想到我们两人的协力是为什么目的？那时候书里头的插图的大部分已画好，一部分已上铜版，拉发忒和我把它们陈列在眼前，加以检视，想一种巧妙的方法，使那些不适当的实例也像是与本文照应因而变为适当。

现在从头把拉发忒的这本著作再读过一遍，我不觉哑然失笑；仿佛看见一个以前熟识的人的亡灵，这个人我已厌恶，现在已不喜欢再见他的影子那样。

但是，书中那么些的不适切的插画，而仍颇能与本文契合一致，实应归功于立普斯（见前）的画才和铜版雕刻的技能。实际上，他生而善于实物的、自由的、散文般的写生，这正与拉发忒的条件相适应。他在这个要求得很特别的骨相学者之下工作，因此必须小心加意，俾能适合他的恩主的要求。这个多才的农家出身的画家，得有机缘为那来自名都大邑的学者兼高僧的主人服务，非常感激，而极用心来尽他的责任，做他的工作。

我到了沮利克来与先到的斯托尔堡兄弟们别宿，所以我与他们日渐疏远起来，不过我们间绝没有发生一点恶感。我们不再一道用作市外的游览，但在城内，我们仍有时来往。他们经我的介绍，也往访拉发忒，青年豪放的贵公子气也露出来。在熟练的观相学者之前，他们的容仪，当然显得有点与众人所见有不同之处。他对于这两人的骨相学的判断与我的意见相违。我还清楚地记得他批评利欧破尔德的话："我不明白你怎样会这样批评他，"他喊道，"他诚然是一个高尚优秀多才的青年，但是，人们对我说起他来，把他描摹到像是一个英雄，一个赫邱利（Hercules）那样的人，照我看来，他实是我一辈子所见的青年中最温柔，最易为人所动的青年吧。固然，我的相人之术还没有升堂入室，但是，你和世人所见却确坠入五里雾中呢。"

自从拉发忒旅行下莱茵以来，他的名声渐高起来，世人对于他的人相学上的新说有很大的反响。各地曾受他访问的名士接踵而至，纷纷回拜，在当地的僧俗界的杰出的人物中有第一人之目，且被视为能吸引外国人士的唯一的人物，他因此感到有点不安。为预防一切的嫉妒和反感起见，凡有来访的人，他必对他们谦逊地提及当地其他的名流，加以推奖，而希望他们也去访谒。

在这些人中，他特别提起老年硕学之波德麦（Bodmer，瑞士的著述家，诗人，与克洛卜斯托克友善，对于青年时代之薇兰也有影响。一六九八——一七八三），我们为他的话所动，不能不往访他，致后进文学者的敬意。他的住宅坐落在那位于沮利克湖水所注出的林马特（Limmat）河的右岸的大城或旧城的小山之上。我们横穿过这城的街市，沿着逐渐险峻的小路步登高墙后的小山上。在山上，有乡村风味似的平地，人家或群居或散处，介居于堡垒和旧城寨之间，是很佳的一个近郊的住区。波德麦一辈子栖留所在的住宅就是在这儿，四周旷朗无比，在和风丽日之中，我们在未进门以前已觉得周围的风景至为可人。

我们上一楼梯，被领到一个四周镶着壁板的屋子里，一个中等身材的和颜悦色的老人已站在我们之前，他以通常招呼青年来客的话跟我们招呼，他的辞令大概是这样的意思的，即是，他到了这样高年，还残存于世，为的是能够仍亲切地受我们青年的访问，多理解我们，亲接我们的才能而引以为喜，以及为我们无限的前途祝福吧。

我们觉得这位属于家长时代的世界的诗人，在文教最发达的都市的附近，筑一真正牧歌似的住宅，悠然自适地度过一生，在空气旷朗清澄的环境之中，高瞻远瞩，游目骋怀，而享遐龄，极为仰慕，因致我们的赞颂之辞。

当我们请求他许我们从他的屋子的窗前向四方眺览时，他欣然答应。那时恰在一年中最好的季节，在耀丽的阳光之下，风景确美妙无伦。从大城至湖际一带的倾斜地，在林马特河对岸的小城，以至西方的丰沃的西尔农园，种种景物，历历在目，在背后的左边，沮利克湖的一部分闪烁着荡漾着镜样的波光，水际丘陵起伏，间以山谷，千变万化，使视线应接不暇。我们目眩神迷，在远远的天际更横有蔚蓝的高山数叠，可以称为山的绝顶，我们更流连瞻望不忍舍去。

青年的访问客对此绝佳的风景的惊叹，已是多年来司空见惯的事，他顾而乐之，我们还可以说他带着讽刺的神态参加我们的叹赏。我们欣然珍重道别，那时，对于青山的憧憬已深入我们的脑际，不能拂拭去了。

现在，我正想收笔不谈这位可尊敬的家长似的诗人时，我才记得还没有讲到他的体貌、容仪、动作和态度。

但是，我总觉得在旅行的途中访问名流，而把这个人刻画尽致，像失踪人的访帖里头所写的那样，是不大妥的事。看到这个的人却没有想到，这只是在数分钟的会见之内，好奇心与偏颇的观察的结果。因此在访问记所描写的名士，时或傲慢，时或谦让，时或沉默寡言，时或谈笑风生，时或愉快，时或郁郁，有时写成真个如此，有时只像是如此。可是，在访问波德麦的场合，我可以说这个可敬重的大老的风貌，如用语言传达，恐怕不能形容尽致，这是要请读者原谅的。幸而现存有丰·包塞伯（von Bause，德国的铜版画家，一七三八——一八一四）所绘的肖像画，跃跃如生，与我们眼中的波德麦氏亦无二致，而他的观察和静思时的眼光更画得传神。

在沮利克，我邂逅着少年时代的朋友巴沙汪特（Passavant），我虽不感到出乎意外的喜悦，但也是特别的无上的快慰。他是我们故乡一个宗奉迦尔文派新教的大家子弟，继居这教派的发源地的瑞士，欲成为该派的宣教师。他的躯体不高大而敏捷，他的容貌与全身显出他是富有优美的果敢性。头发和胡子都是黑色，双目炯炯有光。从他的整个人物看来，他是一个有热情而颇活动的人。

我们才互相拥抱，寒暄数语，他即劝我往各小县区（Kantone）游览。他自己曾遍游各地，觉得非常赏心悦目，也想我能饱览那些地方的风景。

当我与拉发忒谈论紧急重要的事情把我们两人共通的事务差不多弄妥的时候，我的快活的旅伴已作种种的探胜之举，照着他们自己的方法遍历各地。巴沙汪特既满注我以真挚的友情，以为总可以独占着我，作我一人的导游者。我的三个旅伴已不在我的身边，本容易为他所动而作山游，何况我自己又热望以较静的心，随着自己的意思，完成这个久已憧憬的瑞士的漫游呢。我们买舟动程，在一个日光灿然的早晨，溯着秀丽的沮利克湖而上。

下录的一首诗，也许可以把当时的佳兴写出几分吧。

Und frische Nahrung，neues Blut

Sang'ich aus freier Welt：

Wie ist Nature so hold und gut，

Die mich am Rusen hält！

Die Welle wieget unsern Kalm

Im Rudertakt hinanf

Und Berge，wolkig himmelan，

Begegnen unserm Lauf.

Aug’, mem Aug’, was sinkst du meder ?
Goldne Träume, kommt ihr wieder ?
Weg, du Tranm！ so gold du bist ：
Hier auch Lieb und Leben ist.

In der Welle blinken
Tausend schwebende Sterne,
Weiche Nebel trinken
Rings die türmende Ferne ；
Morgenwind umflügelt
Die beschattete Bucht,
Und im See bespiegelt
Sich die reifende Frucht.

清新的食粮，鲜红的血，
我从空旷的世界吸收：
怀中所抱的自然

是多么恩爱，多么温柔！
绿波摇送着我们的轻舸
双桨有节奏地拨水作声，
高耸云表的一叠远山，
迎着我们的水程。

眼睛呵，我的眼睛呵，你为甚低垂？
金色的梦呵，你还再来。
纵然是怎样璀璨，梦呵，给我走开！
这儿也尽有生命和爱。

在软波上闪烁着
万千的浮动的星辰，
高峰耸立的远处
浥着轻烂软雾的缊缊；
清晨的风吹拂着
林木成荫的河浦，
镜似的湖面映出
熟的果实无数。

我们在利希脱斯威尔（Richtesswyl）上岸，往访拉发忒所介绍之霍慈（Hotze）博士。他是一个医生，而又明达慈祥，在当地和这一带地方都受人的尊敬，纪念这回访问他的印象的最好的方法，我想就是请参照拉发忒的骨相学中论及他那一个地方吧。

我们在他家里受到极丰厚的款待，关于以后的游览的路程，他也指导得非常周到，我们别了他，开始上登村后的山岭。当我们要再向新德里基（Schindeleggi）山谷下降时，我们再一度四首眺望沮利克湖的美观，俾它的印象长留在我们的脑际。

当时我的心情怎样，看下录的几行诗，就可以窥见，诗是在那时写的，仍在一束备忘录中保存着：

Wenn ich，liebe Lili，dich nicht liebte，
Welche Wonne gäb'mir dieser Blick'
Und doch，wenn ich，Lili，dich nicht liebte，
War'，was wär'mein Glück？

可爱的丽梨，如果我不爱你，

这种眺览有什么欢喜。
丽梨，如果我不爱你的话，
究竟什么才是我的福气？

这几行的咏叹本也收入我的诗集之中，但插在这儿，我觉得更为动人。

从此地到玛利亚·爱因斯德尔因［Maria Einsiedeln，在爱因斯德尔因山村的本尼狄克派（Benediktiner）的大僧院，建筑于十八世纪初年，每年来参拜该寺的玛利亚圣像者达十数万人］的路，虽非常崎岖，我们的登山的壮怀却不因之而沮丧，一队参神的香客，我们在山下湖上时已经看见，这时一路登山，一路祈祷和唱着赞美歌，已赶及我们。我们与他们招呼，让他们先行。他们邀我们参加他们的虔诚的礼赞，幽寂的山中一时间为之鼓舞，热闹起来。我们看见他们一队人的影子在羊肠似的山径上蜿蜒着，我们也要沿着这山径走的，而且觉得更高兴地跟踪前进。我因想起，罗马教的种种的习惯，从新教徒看来，是饶有意味，且起人严肃之感。而后者只认知这些习惯所由生的第一次的，内面的东西，他们借以一代传一代的人性的东西，故他所深求的是核仁，而不同时注意到果实的皮壳，以至果树、枝叶、树皮和根须。

没有多久，我们望见一所宏丽的寺院矗立在没有树木的荒凉的山间。僧院房舍宽敞，规模宏大，位在清净的新开山的中间，因此，可以容纳种种色色许多的香客，而没有局促褊狭之感。

寺院中更有一小寺，是往日本尼狄克派的圣者潜修之所，今用大理石镶嵌，尽可能地改建做庄严的礼拜堂。这个覆着圆穹隆，用圆柱支撑着的纪念室，是很新奇的，真为我从来所未见。为使往昔的圣者的笃信和净德的圣火长留，今在这儿不断地燃着熊熊的火焰，虔诚的香客成群结队，不辞跋涉之苦到这儿来参拜，为的是借这圣火也把他们的小蜡烛点着，我们看了，不禁肃然沉思。无论怎样解释，我总觉得这个事实是显出人类企望与先驱者在止观的心境和不动的确信中所抱的、所领略的同样的光明和温热的无限的要求。寺僧领我到宝库去，其中的贮藏丰富，令人起敬，而最使人惊叹的就是圣者和开山祖们的实物一般大的，甚至可以说巨大的胸像。

其后，寺僧打开一个柜橱给我们看，引起我们全然异样的兴味。那儿藏有奉献布施于该寺的种种的贵重的古物，式样不同的精美的金细工制成的王冠惹我的注视，其中更有一顶最使我赏玩不置。那就是一顶尖顶形的古式的王冠，像是古代后妃的图像中所见的那样，但是花样极饶美术的趣致，雕镂精细，具见不倦的名匠的苦心，即使那些镶嵌的宝石，也配置很有分寸，十分精巧，——总而言之，它确是一种尽美尽善的艺术品，纵然不能把印象以艺术的眼光说明，然一入眼就可感到了。

在这样的场合——即是美术品的真价不是认知而是直感得到的场合——也是观者的精神和心易起作用，观者欲化该珍品为己有，俾能尽情地把玩自娱。我请求寺僧许我拿起这顶小王冠来把玩，当我得了允许，恭谨地把它托在手上举高的时候，我心里所想的，不外是把它覆在丽梨的金发之上，领她到明镜之前，使她目击自己顾盼生姿的欢悦，和周围的人看见她的雍容华贵的仪态时的赞赏。后来，我常常想起，如果她这样的姿容是给名手的画家描出来，一定会成为一幅极赏心悦目的画图。我又幻想自己如能为青年的国王，获有这样的一个王妃，和一个新的王国，那是多么值得企求和努力的事呵！

寺僧为饱我们的眼福，遍观寺内的藏品，又领我们到美术品、古玩和自然标本的收藏室去。那时的我对于这些东西的价值还是茫然不知。而且我不喜欢地球构造学和地质学那样的学问，前者虽是极可称道的科学，但把关地球表面的美丽的印象，在眼前弄到支离破碎，后者更满着不确实的空想，使我堕入五里雾中。可是寺僧偏拿出一个用青色板泥珍藏着的小野猪的头的化石要我谛视，据他说，精于此道的鉴定家非常重视这化石，它虽然已变做黑色了，但后来常遗留在我的记忆中。它是在拉柏尔斯威尔（Rapperswyl）的附近发见的，这一带地方从太古时代起就多沼泽，所以很能够替后世收容和保存这一类的木乃伊。

但是，用玻璃镜架装着马尔丁·孙（Martin Schön）所绘的玛利亚升天的铜版画，对我的吸引力，又完全不同。诚然，只有完全的印本才能使我们领略这位名匠的杰作的妙处，但是，即在这个场合，像见了任何种类的尽善尽美的东西那样，我们玩赏之余，不禁存有欲化为已物，俾能不时的把玩的欲望，纵然过很久的时日，我们还不肯放弃这个念头。我后来真个到获得了这幅铜版画的一张精美的印本，才得心安，我不妨在这儿就预先说出来。

一七七五年六月十六日（我的备忘录到这天才记日子），我们走上崎岖难行的险路；嶙峋奇拔的石山必须越过，四周孤寂荒凉，到了傍晚七时三刻，许卫遮尔·哈根（Schwyzer Hacken 山，许卫兹县所在阿尔卑斯山脉的支脉）已现在我们面前。双峰相并，屹然高插云霄。在路上我们破题儿第一遭看见雪。在那严巉的高峰上，雪自去冬以来便积着不消。太古的松柏的森林箐密地填着那样不见底的山谷，俯瞰下去的我们凛然起一种严肃畏惧之感。我们是要下山到这谷去，略事休息，精神勃发，便大胆地敏活地循着那峭险的小径，从一个崖到一个崖，从一个岩到一个岩，跳跃似的下山，到了晚上十时，我们便抵许卫兹县。我们又疲乏又精神焕发，又颓然欲倒，又兴奋异常。我们急忙找水喝来润我们的难耐的干喉，饮罢，精神更觉酣畅。读者试将当时的我和我的朋友想象一下吧，我是约略两年前写过《少年维特的烦恼》的青年，而巴沙汪特君比我还年轻，曾读过我这篇异样的作品的原稿而起热烈的共鸣。这两人在不知不觉，意外地置身于某程度的自然生活中，栩栩欲活地回忆热烈的旧情，凝念着现在的热情，随便构想未来的计划，凭着自己的优裕的力，而纵横驰骋于空想的世界中。读者如设想及此，就可以推测得我们当时的情景的几分了。关于它，我的日记曾写有这样的一句："纵笑欢呼直至夜半才止。"如果日记上没有这句话，我恐怕还不知怎样形容当日的情景呢。

十七日早晨，我们看见许卫遮尔·哈根的峻岭矗立在我们的客舍的窗前。在这个巨大不整的自然的"金字塔"之巅，白云相继生起，浮动来去。到了下午一时，我们离开许卫兹而向里基（Rigi，离海面一八〇〇米）进发。二时我们已泛舟于阳光灿然的劳耳遮尔（Lauerger）湖上。我们为美感所醉，目眩神迷，差不多什么都看不见了。操舟的是两个精壮的山家女，这是写意的事情，我们没有感到一点不安。到了湖中的小岛，我们舍舟上陆，船娘告诉我们，从前的领主曾在这岛上筑有城堡，究竟领主曾否居此，不得而知，但是现在废墟之间却添了隐遁者的茅舍。

我们登里基山，七时半，我们已站在雪封着的玛丹那（Madonna）峰之前，然后走经礼拜堂和尼院，在奥克逊旅馆歇宿。

十八日星期日，早晨从奥克逊眺望把礼拜堂画出来。十二时，往“冷浴场”或称为“三姊妹泉”的泉场去。二时一刻，已登里基山的绝顶，我们身在云中，这回感到有两重的不愉快：望眼既为所障，降下来的雾又沾湿衣裳。可是，有时这儿那儿云破雾消，让我们看见一个为离合变化的轮廓所包围，庄严辉耀的浮着太阳的光彩的世界，我们便不再以这个偶然的不幸为可惜了。因为这样的景致实是从前没有见过，一生也难再见的绝景。所以我们宁愿留在这个有点不快的境界中，徘徊不忍去，俾从那些飘忽浮动的云海的罅隙之间，领略那浴着日光的一隅的大地，一线的湖岸，一角的湖面的景致。

晚上八时，我们再回到奥克逊旅馆去，啖了烧鱼鸡蛋，喝了充分的葡萄酒后，我们的疲倦的身体又复原了。

那时暮色已深，夜也渐渐来了，几种意味深远的谐和之音不断地在我们的耳边缭绕。礼拜堂的钟声，山泉的潺潺潺潺之声，变化不穷的微风的瑟瑟飕飕之声，远处传来的猎角之声——倾听着这些声音的时候，心安神宁，不觉颓然欲睡。

十九日晨六时半从旅馆动身，先上坡后下山，沿着瓦尔德斯忒特湖（Waldstätter）到菲兹瑙（Fitznau），然后由那儿泛舟到革尔骚（Gersau，有名的疗养地）。中午在“湖滨旅馆”用饭。二时左右，我们到了格律特力（Grütli，在瓦尔德斯忒特湖的西部的山林牧场，传说一三〇七年乌里、许卫兹和温忒发尔登三县图谋独立，最初在这个地方缔结联盟，其后席勒把这传说采入戏曲《威廉 · 退尔》之中）。相传这儿，三个“退尔”（县代表者）会合盟誓之所。继而我们的船经过一个砂洲，据说，退尔曾从小艇纵身一跃上到这儿来，为纪念他起见，还把这英雄的故事在这儿绘成画图。三时，我们到了夫卢厄棱（Früelen，在湖的南岸，有退尔礼拜堂），传说是退尔乘船的所在。四时左右，我们抵阿尔多夫城（乌里县的一城，有专为演席勒的威廉 · 退尔一剧而设的剧场），据说退尔射苹果就是在此地。[1]

游客沿着这样的诗的联想之丝，悠然绕行穿过湖边的迷宫似的崖岩之间。这些峭拔的绝壁终古沉默无言，不坏不动，像是舞台上的侧面背影那样，幸与不幸，欢乐或悲愁，只是今日登场的人类的事，与舞台的侧面背景却一点没有关系。

但是这样的感想，却完全不会在当日的我们的脑际发生，我们对于最近过去的事已不遑回忆，而未来又像是我们将要跋涉的山岭那样，藏有不可思议的秘密，不能预见。

二十日，我们向阿姆斯忒（Amsteg，乌里县的村落）出发，在这儿尝到很鲜美的烧鱼。这一带山峦奇绝，垒斯（Reuss）河从巉岩的山罅间迸流而出，清凉的雪水飞溅于洁白的岩石的床上，我到此不禁利用我多年渴望的机会，飞身走下激湍的泉中，一尝涧浴的滋味。

三时左右，我们从那儿再前行；一队驮马在我们的

[1] 威廉·退尔为瑞士传说中之人物，一三〇七年，治理瑞士之官革斯拉非常苛酷，立柱于小山上，而覆以一帽，令领内的人民拜它。退尔独不拜，官大怒，因命退尔射他的儿子的头上的苹果，苹果落地，而儿子没有受伤，后来退尔卒将暴官射死。——译者注

马前走过，我们跟他们一道儿踏过广大的雪块之上，到后来才知道，雪块的下面是空的。而这儿冬天的雪积在峡谷之间，在别的季节，行客必须绕过这谷，现在却堆成一条捷径，人马可以一直走过了。在谷底穿流着的溪水，渐渐使它凹下去，夏季的温风使这雪的穹隆日益消融，现在却像一个巨大的桥拱那样，把两边自然地联结起来。当我们大胆地在上方一站，试降下峡谷一看时，我们便目击这种不可思议的自然现象而深信不疑。

我们渐走渐高，下望只见深谷间的枞林，从林隙间时一见那激溅于峭岩绝壁间的垒斯河的片影。

七时半，我们到了瓦逊（Wasen）。在这儿我们尝到红色浓烈而带酸的轮巴底的葡萄酒的滋味，不能不掺入水和加许多的砂糖来补充这地的风土所不曾赋予葡萄实中的成分。旅馆主人拿出美丽的结晶石给我们看，他的价钱虽很贱，但那时我对于这些东西还没有研究的兴味，不肯买这种累赘难带的山中土产。

二十一日六时半我们又登山；沿路的岩石越来越巨大，越巉严可怕。到恶魔岩去的路一步比一步险恶难走，一直到望见了恶魔桥还是如此。我的旅伴喜欢在这儿歇息一下，他鼓励我把这儿的奇影写入画图。把它的轮廓描出来，我还可以，但却不能画得玲珑浮凸。对于这样的景物，我实想不出有什么表现法。我们迈着倦腿再前进，广大的荒山愈见幽寂，平的地面变成山狱，峡谷变成绝壁悬崖。我的导游者巴沙汪特君领我到乌尔塞纳洞（Urserner Loch）去，我带着有点不快的情绪穿游其中，以前所见的一切都起人崇高之感，这个漆黑的洞却把这等印象都打消了。

但是，这位恶作剧的导游者，当然预先猜想到出洞一望的时候一定会惊喜欲狂吧。那有点激湍的河流到这儿便缓徐地蜿蜒于群山四合而相当地宽广开明、宜于居住的平坦的河谷间。恰在那平地上对着我们的清净的小村乌塞伦（Urseren）和它的教堂的背后，有一片枞林矗立，村人视同神圣，因为它保障那些在山麓居住的乡民，使免于从高处落下而雪崩之灾呢。这谷中的青绿的草场在近河之处还有矮矮的垂杨点缀着，在这儿我们看见久已不见的植物，而心神一快。闲静之趣悠然而生，在平坦的小路上，我们觉得元气已恢复过来，而我的导游者以出我的不意领我到这样的可惊叹的佳境，不禁自鸣得意。

这个牧场产出有名的“乌尔塞纳干酪”，当时得意洋洋的我们，更在旅馆里叫一些酒来饮，酒味颇佳，我的愉快的心情因此更加增进，我们的探胜的计划又带上一种飘飘欲仙的情调了。

二十二日三时半，我们离开旅店，从平坦的乌尔塞纳谷而入岩石历乱的里维纳谷（Liviner Tal）。在这儿也不见有草木的踪迹，光秃或长着苔藓的岩石给雪遮盖着，山风时时卷起，白云攸悠自来自去，在极度的荒凉寥寂中的瀑布的鸣声和驮马的铃声随风送来，而又不见行客的来去的影子。这儿的岩窟是蛟龙的巢穴，不难想象出来。但是，一条经过无数的曲折段落泻下来的壮丽的瀑布，使我们的心情顿觉爽快明朗。这条瀑布可谓瀑布中的最壮观者，最宜于入画。这时恰值雪融的季节，水势大增。我们伫立它的前头，看见白云往来其间，时隐时现，心旷神怡，历久也不忍去。

到后来，我们来到一个小的雾湖（Nebelsee）的前头，这个名字是我给它起的，因为它与空际的雾混成白濛濛一片，烟水难分呢。我们前行不远，便有一所房舍从雾中浮出来，那是一间供旅客止宿的僧院（Hospiz），我们想起快就在它的栋下受到和气的接待而感到很大的欢慰。

第十九卷

到了门口，一个摇尾迎着我们的小犬低声轻吠，报客人来到，一位年老而尚壮健的女人出来亲切地迎接我们进去。她说住持刚到米兰去，但今晚便回来，请我们原谅接待不周之处。其后，她不再说什么，只替我们摒挡张罗。她安顿我们在一个暖和宽广的屋子内，端进面包、干酪和可饮的酒来，且答应替我们预备丰盛的晚饭。于是我们再把出黑洞时于惊喜情形再谈起来，巴沙汪特君以这回的胜游自负，并说今天过得非常有趣，它的印象非诗或散文所能再产生出来。

黄昏很晚才来临，到了那时，那位道貌岸然的住持终于回来了，他以和蔼可亲而庄严的态度跟我们招呼，吩咐女厨子几句，叫她尽好的替我们预备晚饭。我们觉得他在这样荒凉的空山居住，与人世完全隔绝，度过一生，是不可思议的事情，不禁对他表出我们的惊异。他却回答我们说，这儿还是与人世时常往来的，像我们这回的来宿，就够使山门热闹了。德国和意大利间的货物贸迁是很繁密的，此地既为阿尔卑斯山路的必经之点，故不断的货物运输使他与两地的第一流的商店有关系，他常常下山到米兰去，有时也到吕森（Luzern）去。吕森的大运送业者派年轻的店员到他这儿来，在这个山上交通的辐辏点，学习关于德意间运送事业的一切实际情形，故他在僧院中殊不感到孤寂无聊。

当我们这样子拉杂交谈着的时候，夜色渐深了，我们便归房酣然睡去，所睡的床是颇短的，紧附在墙上，与其说是一张床，还不如说是一个橱吧。

清早起来，在僧院附近散步，虽在露天之中，但高山四合，地面狭小得很。我坐在那往意大利去的山路之旁，以业余画家的手法写生，所取的景本不是应写的东西，更不能入画。即是说我写的是近处的群峰，它们的侧面，以雪融之故，露出白色的皱痕和黑色的脊筋来。这幅速写虽徒劳而无功，但我因此却把那时的光景铭刻在记忆中不能磨灭。

我的旅伴意态洋洋地跑到我身边来，说道："嗯，你听了昨晚那位方丈的话觉得怎样呢？你是不是也像我那样动了兴致，想从这个蛟龙的窟穴的空山下去，飞到那秀丽的意大利去呢？取道这个峡谷下山而往意大利，一定多奇趣，而且不崎岖难行，如果一下山，伯林索那（Bellinzona，瑞士的南部忒辛县的都会）就豁然现在眼前，那是多么愉快的事呵！听了住持的话，大湖的岛屿的风景再活现在我的眼前。自从开斯勒（Keyssler）的游记以来，那儿已印上无数游人的足迹，和写入许多的游记中，我真不能遏住到那儿探胜的跃跃的兴致呢。"

"你不是也感到这样么？"他继续说下去，"你坐的地方恰是到意大利去的路上，从前我也有一回在这儿坐过，却没有勇气迈步下山。你就这样子下去吧，在爱劳罗村等我，我跟那位住持作别，把一切事收拾妥当之后，便跟同脚夫一块随后追上。"

但是我不该在咄嗟之间就决定动程前往，我这样子答他，他喊道："这还有什么好踌躇呢！到米兰去的路费，我们是够的，在那儿我们还可筹备，自前次岁市以来，我认识的米兰商人不止一个。"他的话渐逼渐紧，到后来我说道：“先回去吧！把出发的一切准备都弄好，然后我们再决定。”

在这种场合，人类觉得自己没有决心，像是为以前的印象所支配决定那样，我当时的心境就恍惚如此。在我的心目中，伦巴底和意大利像是一个完全陌生的地方，而德国却是一个熟识，可爱，满着亲切之情使人怀念的乡土；而且，老实说，在那儿有多年包围着我，支持着我的生命的一切，今已成为我不能缺少的氛围，踏出一步，实是我不能堪的事情。一个黄金的心脏形的纪念品，是在与丽梨恋爱最热烈的时候她送给我的，到今仍用她所手打的小带子拴着，挂在我的脖子上，我们的热情使它常温。我从怀中拿它出来，搁在唇间不断的吻。为这事，我曾题一首诗，让我在这儿也把这诗插入吧。

Angedenken du verklungner Frende,
Das ich immer noch am Halse trage,
Hältst du länger als das Seelenband uns beide？
Verlängerst du der Liebe Kurze Tage？

Flieh'ich, Lili, vor dir ! Muss noch au demem Bande

Durch fremde Lande

Durch ferne Täler und Wälder wallen !

Ach, Lilis Herz konnte so bald nicht

Von meinem Herzen fallen.

Wie ein Vogel, der den Faden bricht

Und zum Walde Kehrt,

Er schleppt des Gefäugisaes Schmach,

Noch ein Stückchen des Fadens nach :

Er ist der alte freigeborne Vogel nicht,

Er hat schon jemand angehört.

你是消逝去的欢娱的纪念,

我还老系在我的颈上,

是否你联结我们俩比心灵的纽带还久?

是否你要将短促的恋爱延长?

丽梨哟，我为避你而远去呢！
我走遍了外国，迢迢的山谷和森林，
你为我结的丝带还是不离我身！
呵，丽梨的心怎能那样容易
从我的心里消殒。

恰像一头啄断了绳的小鸟
飘然飞回高林，
脚上还系着赤绳一段，
留着笼中生活的残印：
它已不是生下来时那样自由的鸟，
它已有过主人。

我连忙站起来，俾离开那往意大利去的崄峻的路，免至那个带了掮行李的脚夫赶着跑来的朋友把我拉下坡去。我也回到僧院里跟住持道别，不说一句话，就循来时的原道出发。我的朋友略一踌躇也跟着我走，纵然他对我那样的爱慕，走了一程，他还是不跟我一道走，故意落在我后几十步，直至后来到了前述的大瀑布附近，我们再合在一道，原定的循旧路回去的计划终于也被认为安全妥善了。

关于归途，没有什么特别的事可记，只有一桩事，就是，几日前与负重的驮马队一道儿泰然踏过的雪桥，今已完全融崩了。我们既要沿着那深陷的广阔的溪谷绕一大弯，更不能不对着那自然的大建筑的残址而惊叹不已。

我的朋友仍然不能消去游意大利的念头；也许他在最初就有这个打算，想故作狡狯，临时才用出乎我的不意的手段，征求我的同意。因此，在归途上，他没有来时那样的高兴地做向导；可是我更得默然循着山坡走，作很留神的观察，把那稀有的伟大的自然——通常在漫然眺览之后，随着时日的流徙而在我们的记忆中平凡化和缩小——的容易理解的特征逐一铭刻于心中。

我们带着许多新的，和重新寻味的感兴，经过环着费尔瓦尔德斯忒特湖（Vierwaldstätter See）的峰峦，而到达启斯纳特（Küssnacht，许卫兹县的村落，在湖的北岸）。在那儿，我们舍舟登陆，继续前行，参拜那矗立在路旁的退尔礼拜堂，追想那被全世界称为名誉的英雄的爱国行为之刺杀贪官污吏的故事。我们以同样的兴致渡过沮格湖（Zuger See，介于许卫兹与沮格县间，在里基山麓），我们前次远远从里基山上望下时已看见这湖了。在沮格，我只记得在旅馆的屋子内的窗翼上镶嵌着的彩画玻璃，玻璃片虽不是大型，但在花样上非常精美。我们从沮格再走，经过阿尔比斯（Albis，沮利克湖西方的山峰）而到西尔谷（也在沮利克湖西端的山间低地）。在那儿，我们往访一个生于汉诺威，名唤丰·林道（von Lindau）的青年。他喜欢在这儿过孤寂的生活，在沮利克时我跟他结识，曾自请陪我一道作登山的旅行，我却断然拒绝，在友谊上和礼貌上实有点过分。有他做伴侣诚然增人愉快！但以巴沙汪特君对我的友情已到嫉妒第三者的程度，有他在倒会惹起不快，所以我谢绝他的好意。现在因到他的寓所，求释前嫌。

可是在我们离开这些秀丽的峰峦，再下降到湖上和蔼然迎接我们的沮利克之前，我还要说说我以图绘速写摄取这次旅行所经的风景的尝试。本来，从小的时候，我就有把风景看作是画那样的习惯，因此，无论什么时候，一看见自然中有画一般的景色，便不禁马上把它绘成画图，使刹那间的印象明确地留在记忆中。但是一向所绘的对象大都是小景，现在与瑞士那样伟大超绝的风景相接，真感到我的画笔无所施其技了。

在这场合，既要在短时间内急急画就，我逼着想出一个特异的补救方法来：即是，我一看到一处美丽的风景，即取纸粗疏地画上大概，然后在旁边把我用画笔不能描绘刻画出来的地方，用文字详细记叙。靠着这个方法，这些风景便铭刻于我的心中，在后来在诗或小说里需要用到它们的时候，它们便马上浮现出来，听我的挥使。

当我回到沮利克的时候，斯托尔堡兄弟已不在那儿，他们本定在这城有较久的逗留，大概因为一些特异的事情提前返国了。

一般来说，我们都承认，旅行者既离开他的家庭的狭小天地，不独以为是到了陌生的地方，而且是置身于完全自由无碍，可任意作为的地方来，加以当时旅行不像今日那样要给警察检查护照，要纳关税通行税及有其他种种的障碍——有这种麻烦，在外头还比在家不自由不舒服呢——故对于旅行更可存这种幻想。

如果读者会想到当时一部分的青年抱着无限的热情，来谋自然的自由之实现，那么，血气方刚的他们把瑞士恰恰当作是发挥他们的青年的蓬蓬勃勃的天性的，牧歌似的地方，是无足怪的了。而且，革斯涅（瑞士的诗人兼铜版画家，一七三〇——一七八八）的幽婉的诗歌和非常动人的铜版画，对于青年们这种心理更予以极有力的口实。

在实际上，要试行这种牧歌似的自然生活，在空无遮蔽的河中洗澡，像是最好不过的方式。不过在到沮利克的途中，当地的人们已觉得这样的自然行动与近世的善良风俗相违，斯托尔堡兄弟也不得不稍为谨慎。可是，到了瑞士看见种种的河流，时而缓流，时而急走，时而激湍倾泻，时而在平野合流逐渐水势浩瀚灌注成大湖。在水光泉声之中，谁也不能抵住水的诱惑，而跃跃欲动。我自己也不能否认，我也曾跟我的旅伴一块在澄澈的湖水中洗澡，虽然下水的地方像是非一切人类的视线所及，但是裸赤的身体在远远也发亮的，谁看见我们这种举动，当会加讥弹吧。

善良、天真的我们青年，像牧歌中的牧夫那样半裸体，更或像异教的神那样赤条条一丝不挂，都不以为有什么不雅观之处，但沮利克的朋友却忠告我们，不好作这种举动。他们说，我们来的不是原始时代的地方而是一个以遵守从中世纪传上来的旧制度风习为善良有利的国度。斯托尔堡兄弟也欣然容纳这个忠告，尤其是因为说起中世纪来，在他们的心目中，中世纪像是第二自然状态那样可尊敬。因此，他们离开那众目睽睽的湖边，不作裸浴，可是在山中散步的时候，看见清澈潺潺沁凉的溪水，而正值七月之半，实禁不住不作水戏了。于是他们更远远的走了一段路程，到了一个幽寂的山谷里。那儿是西尔河从阿尔比斯山的背后在沮利克的下方突然泻下与林马特河合流的所在，渺无人烟，甚至没有一条路可通。他们觉得这儿是水戏很安全的地方，便把衣服脱下，耸身跳入那潺潺溅激着的波中。在水里洗澡时，他们自不免纵声高呼，一方面由于水的冰凉之感，他方面由于畅适之感所刺激，不禁欢声雷动。这样子，他们可以把这个寂寞的树木扶疏的岩壑化为牧歌似的场面了。

可是，不知道是否从前跟他们有恶感的人跟踪而至，抑或他们的诗意的喧闹在这荒凉之处也惹出敌对者来，总而言之，他们在水里没有多久，便有人从上头不作一声地密密掷下石头。是一个人投的，还是几个人，是偶然的，还是故意，难以断定，他们还是觉得离开这清凉的溪流，飞身上岸穿回衣服是三十六着中的上着。

幸而没有一块石头掷中，吃惊和不快，是精神上所受的损失，他们既是生性快活的青年，这种不如意事很容易就忘记干净了。

不过，他们这种放纵不羁的声闻，给予拉发忒以极不好的影响，沮利克的人们认拉发忒竟与这样撒野无赖的青年亲交，陪他们一道游览和对他们种种礼待，而这些青年居然在这个良风美俗的地方，施展他们的野蛮的，无法无天的，非基督教的异教的劣根性来，弄至丑声四播，因对拉发忒大为不满。

但是，这位有道行有修养的人，很识得怎样镇静这一类的流言，这事情也给他无形中解消了。当我与巴沙汪特君回到沮利克的时候，那两位流星似的游客早已离开，这种飞短流长的话已完全止息了。

在我的全集第十六卷新录入的《维特的旅行的片

段》中，我企图把这次瑞士之游所经验的矛盾——即是瑞士的可称道的社会秩序，法律上的限制与意兴蓬勃的青年所求的自然生活间的矛盾——加以描写。但是一般人通常以诗人直白地描写的事，认为他的断然的意见，含有训戒的非难，因此瑞士人见此颇为不满，而我也搁笔不继续写下去。本来，我想以旅行通讯的形式把维特的旅行写到他渐陷于悲哀绝望的时候，如果我这样子执笔，对于人性研究有兴味的人们恐怕很高兴读吧。

回到沮利克，我的身又为拉发忒所有，再受他的款待，每日大部分的时间只与他两人度过。人相学的种种奇奇怪怪的插图急待整理，他应该做的事情日益繁重。我们斟酌一切情形，彻底地商量讨论，我还答应回到佛郎克福城后也给他帮忙。

我所以这样子答应他，实由于我中年气盛对于自己的敏活的理解力有充分的自信，尤其是由于自己喜欢顺从别人帮他的忙的性情。其实，拉发忒的人相分析法还不是我赞成的事。我最初碰见一个人时给予我的印象，颇能左右我对他的关系。当然，我心中所抱的一般的好意，与青年人的轻率大意的性情凑合起来，常支配着我的一切行动，使我眼里的事物像是雾里看花那样，有点朦胧。

拉发忒的精神、人格，是非常有感动人之力的；在他的左右，无论何人不能不受到他一种决定的感化，因此我也不禁常学他的榜样，观察人的额、鼻、眼、口，以及考究它们彼此间的关系联络。拉发忒的看相是出自必要的，好从学理上充分说明他在直观上很了然的事情，我却不是这样，当我把坐在前面的人的相貌加以分析，借此来推测他的人品时，我只以为我所做的是一种恶作剧，是一种侦探似的行为。我倒觉得听一个人随便吐露出来的话，比看他的相还较可以做判断的标准。其次，我不欲否认，在拉发忒的身边，是有点惴惴不安的：因为他借着相术可以看破我们的品性，故在与他交谈的时候，他也了然于我们的思想，他只需跟我们问答几句，少加留神也就猜中几分。

凡是在经验中贮有丰富的综合判断的人，才真会有作分析判断的资格，因为他以外部的单个的事象来检验，实证他的内部的全体。拉发忒就是这样一个的人，关于他的做法，下次单举一例就可明白了。

拉发忒既任牧师之职，在星期日说教已毕的时候，他也像其他的牧师那样拿一个短筒的天鹅绒口袋，站在门口，受那些走出去的教徒的施舍，而一边为他们祝福。于是，他在某一个礼拜日，自定不看那些走出去的人的脸孔，而只留心他们的手，和判断他们的躯体。但是，他的锐眼不独注意到手指之形，而且投钱入袋时手的姿势也难逃他的观察，他其后把这种观察的结果对我说过不少。我既有志于人类种种形象的描写，他这种谈话当然给予我以很大的启迪和刺激了。

拉发忒是我有亲密的交谊的朋友中的最卓越的一个，因此，在我以后的生涯中的许多时期，常会想起他来。下录的几段关于拉发忒的话就是我在不同的时期写的。我与他彼此所致力的人生的鹄的既相异，我们必然会渐渐疏远起来，但是我对于这个伟大人物仍不减我的敬慕之思。他的风貌言行时常浮现在我的脑际，因此，下录的几段是完全不相联属，而记叙出来的，其中或会有重复之处，但希望不至有矛盾吧。

拉发忒的思想本来是很现实的，只带着道德的形象的事物，他才认为是理想的。如果我们记得这一点，我们对于这个罕见奇特的人物，就极易理解了。

他所写的《对永生的展望》（*Aussichten in die Ewigkeit*，从神秘的基督教的立场，主张与基督合一，论述来世，一七六八——一七七八年出版，共四卷）其实只是现世的继续，那儿的条件比起我们现在所要挨受的较为平易。他的骨相学实基于这种确信，即是官能的现存的形态与精神的现存的形态完全合致，前者足为后者的证明，甚至为它的表现。

对于艺术上的理想，他不大抱好感。在他的锐利的眼光看来，他很了然，艺术所描写的理想的人物，总不能栩栩如生，因此它们便流为童话的世界中的人物甚或妖怪似的人物。可是，他欲把理想现实化的孜孜不倦的倾向，使他有空想性的狂热者之称，纵然他自己确信没有别人比他更力求实际。因此，他从不能发见他自己的思想和行为有谬误之处。

像他那样热烈地力求为世人所称道的人，也是少见的。从这一点看来，他是宜于做教师的。但是他也为别人的精神和道德的改善而努力，所以名誉一事还不是他致力的最终的目的。

他平生最关切的一事，就是基督的人格的实现，他叫人替他图绘，摹写，复制无数基督的像，差不多可以说是无意义的举动，也源于这种的企图，可是这些画当然没有一幅能满他之意。

他的著作，即到现在还是难懂的，因为真正能洞明他的本意，是不容易的事。像他那样从时代取材和为时代著作那么些东西的人，还没有一个。他的著作，是真正的“时论”，需要从当时的史实寻求适当的注释。他的文章用一种当时流行的暗语，读者必须懂得它才能正常地理解他的著作，否则在有识者看来，他的书中有好些地方像是愚笨无味的了。在他的生时和他的身后，这样的非难已听见不少了。

例如我们非常醉心于事物之戏曲化，一切情节均以这个形式表现，以为非此不可，他也受了这种刺激，在他的 *Pontius Pilatus* 一书中（别名《人类的诸相》，一七八二——一七八五年出版，共四卷）极力指出，《圣经》是最富于戏曲意味的作品，而基督受难史更是戏曲中的戏曲。

在该书的这一章，甚至从全书看来，拉发忒与圣大克拉剌（Santo Clara）的长老阿伯拉罕（奥古斯丁派的说教僧，奇警的著述家，生于巴登，一六四四——一七〇九）酷肖。即是，凡是天才的著述志在眼前发生影响，见功效，往往不免会这样做法。他不得不利用时流的好尚、俗语、专用语来说教，来达到他的目的，以及接近他所欲拉到自己身边的民众。

他所了解的基督，是《圣经》中和种种的注释书在字面所讲的那样，这种观念既成为补充他自己的性格所不可缺的要素，他又长年累月在理想中把基督的神身合入他的个体的人性之中，以致后来他妄想自己真个与基督融合，同体，甚至化为基督。

他这种拘泥《圣经》的字面的断然的信仰，进一步自然会使他深信我们在今日也像基督在世的时代那样定能演出奇迹，而且，实际上，他在较年轻的时候，有什么重大迫切的事，他屡能以热烈强行的祈祷，使那濒于危殆的难关好转。因此纵有冷静的理智的人持反对之论，也不能动他的奇迹的信仰。此外，他还确信为基督所拯救而可登于至福的永生的人类有很大的价值，但同时又熟知人类的精神和心情有种种色色的需要，以及无涯的求知欲，甚至有延长自己至于无尽的世界的欲望，——星辰无数的天空甚至在官能上引起我们这种欲望——因此，他写成《对永生的展望》一书，这书在当时大部分的读者看来当然会觉得很奇异吧。

不过，这一切的努力、企求、事业，比起他的天赋的观相的才能来，还是相形见绌。正如试金石之借着它的黑色和表面的特殊粗滑，而最确当地指出所试的金属的异同那样，拉发忒仗着他所抱的关于人类的纯净的观念，以及敏锐的观相之才（他初时观相只出自一种自然的冲动，作表面的偶然的观察，其后却加以深思熟虑，在一定的法度之下有自觉地为人观相，遂精于此道）而认识辨别，以至说出各个人的特殊的品性。

凡是基于纯粹的天赋的才能，无论是属于那一种类，在他人的眼中，总像是神秘的那样，因为我们对于这才能的本身和它的作用都不能附以一个概念。实际上，拉发忒对于个人的洞察，超绝一切概念。当人们听见他关于某人某人的品性生平说得如数家珍时，人们为之咋舌惊异，甚至我们还可以说，自然限制我们各个人的隔膜，他也了然于胸，在他的左右，真使人感到可怕呢。

我们谁都相信自己所有之物可以传给他人，故拉发忒不以自己利用这种惊人的看相之技为满足，而且想在别人之中，甚至一般世人中发见和唤起这种才能。他把这种可注目的人相学的学说发表之后，一部分读者怎样加以幽晦和恶意的曲解，笨拙的嘲笑和卑鄙的漫骂，至今想还在一些人的记忆中。但是，说到这件事，他自己也不能辞其咎。即是，他的内面的个性的统一，虽以一种高尚的道德的性格为基础，而他以向种种方面努力之故究竟不能获得外面的统一，这因为他生来既没有哲学家的头脑，也缺乏艺术家的才能。

他既不是诗人，也不是思想家，甚至也不是真正的雄辩家。他总不能有系统地把握事物，只把单个的事物当作单个的事物那样明确地把握而大胆地把它们并列起来。他的大著《人相学》也是这种处理方法的最显的例证。在他自身之中，道德的人格与官能的人格的概念也许构成一个整体，但是在他本身以外，他就不能把这概念表现，只有把他在实行上所经验的各个场合，各个事实，以及在他一生中所把握的各个事物说明出来。

他那本大著恰也显出有遗憾的地方，即是，一个像他那样精明的人做极寻常的事也要暗中摸索，花了无数的金钱，无论那一个活着的画家画工都请他绘画不能表现性格的拙劣的肖像画和铜版画，而结果插入书中之后，却得到这样的评语：“这一幅，那一幅，都多少有点画不好，没意思，没用场。”固然，因此他使自己的批判力更加精锐，使读者的批判力也犀利起来，但同时也证明他为自己的精神上的爱好所驱使，徒然把经验集积起来，而不知怎样利用它们。正因为这个缘故，我纵然时常很恳切地劝他，他从不能获得什么结论。他日后在与友人亲切的谈话之中说出来，当作是结论的东西，在我却不觉得是一种结论。因为这只是外貌的特征，甚至痣墨、斑点等等的列举，他借着这些，来观测一定的道德的特性和非道德的特性。固然，这里头也含有惊人的卓见，但是没有什么论理的系统，一切都是偶然地互相组合错综，总不看见有像引言或照应前文那样的东西。在他的其他的著作内，也同样找不到著述上的条理，或艺术家的手腕。他的一切著作包含的倒常是他的思想和意欲的热烈和激越的论述，对他的全著作所不能成就的，他却以一种极热心的和富有机智的细端的叙述来补足。

下述的一节，与拉发忒的学说有关系，在这儿插入，恐怕是很适当的吧。

无论谁也好，他承认别人的特长，只在他绝不能否认它的时候。人类特长之中，一切种类的先天的特长最难否认，然而照当时一般的说法，只诗人才许有天才之称。可是，蓦地里现出新的形势，世人在医生、将军、政治家中甚至在学术或实行上出人头地的一切人中要求天才。亲麦曼（见前）特别提出这个要求。拉发忒在他的骨相学中必然指出种种的天才的较普遍的分配；天才一名词成为一般的套语，人们听这名词已听得太惯熟了，便以为这名词的内涵也通常存在。可是，一切人既可向他人要求天才，终于他相信连自己也一定有天才。后来有一个时期，把天才当作是人类的一种力量，这种力量借着行动作为而作成法则与规律。但是这里所述的，当时还离这时期很远。据当时的解释，天才之表现，在于现存的法则的逾越，现行的规律的抛弃，以及自己有无限自由的声明。因此，要成为天才的，便很容易了，放言妄行既认为天才者的真面目，所以当时的循规蹈矩的人士对于这种放纵的狂行痛加攻击，是最自然不过的事了。

比方说，有一个人徒步在世界上乱跑，连为什么这样，到什么地方去也不知道，而称为天才的旅行；又比方说有一个人没有目的，没打算有什么用处，胡乱做了一件事，而称为天才的行动。这样子，青年活泼，常常实际上有天分的人便流于放纵无度；在他方面，年长，有理智，也许是没有真正的才能和天分的先生们看了感到无上的痛快，存幸灾乐祸之心，把他们的种种的堕落行为对着公众加以嘲笑。

说到这儿，我觉我之为教养自己和抒写自己的情绪而发表作品，为志趣相反的人的阻挠所妨碍，倒没有自称与我意趣相同的人的似是而非的帮忙臂助所妨碍那样的大。冒渎天才这种最高的精神的才能的词句成语，在那些拾人余唾的愚钝的大多数人之间，非常迅速地广播起来，以至到现在，在俗世中，从无教育的俗物的口里，也时常听见这一类的名词，甚至这类的词句羼入字典辞书之中，天才这一个字蒙了那样的误解，使有识者归结到有完全摒弃这个字于德语之外的需要。

本来，在德国人中，通俗的事比起在别国来较容易传播。如果不是幸而有一种较深远的哲学上的新解说为根据，把天才这个字的最高最善的意味重新恢复过来，恐怕德国人会失去语言中这个最美丽之花了（天才 Genie 这个字固然在外形上虽像是外来语，但是一切国民的共有语）。

后头所述是关于两个人物的青年时代的，这两人的功绩在德国的文学史和思想史上永远不会湮没（译者按：这两人即指斯托尔堡伯爵兄弟）。但是在那个时代，我们只从他们的谬误的著作认知他们，他们之所以入此迷途，是因为与当时年龄相若的青年文人狎习，共为当时流行的谬想所惑之故。现在我们最应以适当的敬重和尊崇来表彰他们的独自的个性和天然的形象，而锐眼的拉发忒在当时与他们近在咫尺，对于他们的品性早已了如指掌。可是，拉发忒的大著《人相学》既卷帙浩繁，价钱昂贵，恐怕只有极少数读者才会买来读，因此，我毫不踌躇从该书中，把关于这两人的地方——即是二四四页第二卷的本文与它的第三十断篇——在下头抄录出来：

这儿附其肖像和影像的两位青年，恰像请人替自己画像坐在画家之前那样，坐立在我的面前，是请我看相的最初的两个人。

这两个贵族子弟……我以前也认识，这回破题儿第一遭试替他们看相，按着自然的暗示，以及自己所有的其他知识观察和记述他们的性格。

关于他们的整个的人品的叙述如下。

先就弟论：

看看这位正当开花时候的二十五岁的青年呵！富于弹性，飘荡浮游似的好男子！他不躺，不站，不靠凭，不飞跑；只飘荡或浮游。为要静止而过度活泼，为要牢牢地站立而过度疏松，为要飞腾而过度凝重和软弱。

那么，是一位飘荡的人了，不触实地的人了！在他的整个轮廓中，没有一条完全弛缓的线，但也找不到笔直的、紧张的、很弯的穹隆形的或险曲的线；——没有棱角的痕，额角不见岩石似的崚嶒，没有板硬，愤激似的粗暴，威胁人似的严厉，也没有铁石似的意力，——富于弹性容易受刺激的意力是有的，但没有屹然不动的意力。没有坚固深沉的探究心；不会作徐徐的考虑或慎重的怀疑。绝不是左手坚执着天秤，右手握着剑的理智家，可是他的眼光也好，判断也好，没有一点的呆板呀！而且他的理解是完全光明正大，——或不如说他有完全不为外物所惑的真理的直觉力呀！他老是一个内心易感的人，而不是一个深思熟虑者。他虽那样迅速地发见、认识、爱重和把握真理，但决不是把这种真理考究和批判地加以阐明的人。……永远的飘荡者！明眼的人！理想化的人！美化的人！——赋予自己的一切理想以形象的人！常是半醉的诗人，常是见到自己所欲的；——而不是因悲哀而憔悴——也不是斩钉截铁的人；——而是高贵雄伟的人！稳重地抱着“到太阳去的渴望”，而翱翔于太空的世界，奋身高举，而再——决不是堕下——下降于地上，浴身于激走岩石间的溪水之中，簸摇于岩谷雷鸣的奔流激湍之内，——他的眼光不是鹰的火般的眼！他的额和鼻不是表出狮子那样的勇猛！他的心胸——不是血战前长嘶的战马那样的坚定！但是在全体上看来，却很有象一般的柔挠的快捷性。……

鼻子突出，而没有棱角之痕，凸出的上唇稍向鼻卷，而口紧闭，表出他的趣味的丰富和感受性的敏锐。总而言之，脸的下部表现实感性、惰性和疏忽的性情。从侧脸的轮廓的全体，看出他是坦白、诚实和近人情的人，同时又容易受人诱惑，和有一种出自善心的极度轻忽，而结果损害只及自己而不及别人。口的中间线在不动时，显出他是率直、无计划和软弱的善良人物；在动时，又显出他是深情敏感，极易受刺激的高洁仁慈的人。从眼的弧形和眼光看来，征见他不是荷马的本身，而是最深切地，最敏速地感知和理解荷马的人；不是史诗的作家而是抒情诗的作家；他是流溢着，改造着，予事物以高贵之美和新的形体的天才，飘荡的天才，化一切事物为英雄的形象，把一切神明化的天才。——眼皮弯弯的作弧形，若隐若现，显出他不是照着预定的计划来创作，或穷年累月劳作的艺术家，而老是敏感的诗人，与其说是严格的人，不如说是深情拳拳的人。——这个青年的脸庞从全面来看，比起有点过于松弛，过于延长的侧脸，较为动人，较为有魔力。脸的前部，如略一动，便显出他的多感的、细心的、有机智的和不待教而能的内部的善，以及温柔地颤动，嫉恶如仇，渴望自由的蓬勃之气。这青年有时或不绝感受的印象，就是一点，也形于脸的前部。不能瞒过人。一切与他有密切关系的事物，一提起来，便使他的两颊和鼻子都涨着红潮，在与他的名誉攸关的场合，处女似的羞，像电光那样泛过他的柔嫩易颤的脸皮。——

以脸色而论，不是创造一切消尽一切的天才者的青白色，不是骄傲的蹂躏者的炽红之色，不是鲁钝者的乳白色，不是刚性者或韧性者的黄色，不是慢慢用功的劳动者的褐色，而是红白色与紫色微妙地交融，像他的性格的全体的强与弱之混和那样得当。——他的脸庞的全体与各部分的精髓，是自由，是有弹力的活动性，这种活动性容易发动又容易被压回。从脸的前部全体和头的位置，现出阔达大度和磊落豪爽的光辉。——感性的纯洁，趣味的优雅，精神的纯良，心灵的善美和高贵，勤勉的能力，自己的强点与弱点的自觉，这一切在整个脸庞中极明白地透露出来，以至本来的活泼的自负心溶解而化为高贵的谦让，先天的自尊心和青年的虚荣心，不需强制和机巧，而美妙地隐晦于这个优美的全人格之中。——带白的头发，修长和不落着的体格，温柔而轻快的姿势，飘忽的步武，平的胸，白而没有皱纹的额头，以及其他种种的特征，使这个人的全体带有一种女性！因此，他的内部的急激的活动力为之缓和，内心永久不能作故意的侮辱行为或做卑劣的事，而同时，这个勇敢热诚的诗人纵对于自由和解放有极纯挚的渴望，也因此显然不能成为一个有决心，以坚强的意志贯彻自己的计划的实业家，或成为在血腥的战场立下不朽的英名的人。可是到了最后，我承认我还没有把他的最可惊异的特长讲出来，即是，没有讲到他的不知有矫扭做作的高贵的纯朴！没有讲到他的赤子似的天真之心！没有讲到他对于自己高尚的外貌之美的完全不自觉！没有讲到他的非语言所能形容的好性情——任人们怎样警诫、非难，以致斥责、毁谤他，他也承受忍耐的好性情。——

不过，关于这个善良的人物，具有那样丰富的人性美的人物，要把我们在他身上所认知的所感到的一切说出来，真是说之不尽呢！

兄的相：

我关于他的令弟所说的话，也有许多可以

移来赠他。我能够记录的主要之点如下：

这个人的体格和性格，比前者较为密实，没有那样大的扩展性。在弟的方面，一切都较长较平，在兄的方面，一切都较短较宽，呈多少曲线和弧形。在前者，一切都较松散；在后者，一切较有棱角。额也好，鼻也好，胸也好都是这样。他的力和活气比较上紧密一点，蓬勃一点，较为集中，而没有那样扩散。除了这点以外，是一样可爱的人格，一样的好人！没有那样显著的率直性，而较为机巧，然而在根本上看来，从实际上看来，他是同一样的诚实的。对于不正和邪恶的难已的憎恶心，对于一切可称为狡猾和诡计的行为的敌忾心，对于暴虐专横的不稍宽恕之心。对于一切高贵的、善的、伟大的东西的纯真的同感，对于友谊和自由的欲求，精敏的感受性，高尚的名誉心，对于一切的善良的人、贤明的人、纯朴的人、有能力的人（不管是有名与否，被人知或被误解与否）的宽宏的包容心，以至轻率的无思虑之处都是跟前者同一样的。可是，不是完全一样！他的脸孔较多棱角，较为缩敛，坚紧；对于事务和实际上的商议，较富于容易养成的内部的机巧，较富于实行的勇气，这一点在他的显然突起的扁而短厚的眼窝骨上特别表现出来。没有丰富的清纯滔滔涌出的高度的诗才，没有前者那样的神速的创作力。但是在较平凡的境界中，他也是活泼的，正确的，诚实的。不是在朝霞的天空之中飘荡着，作出巨大的形象的光的天才。——较富于内力，而也许较少表现！较威猛，较可怖，——而没有那样的华丽，圆熟；纵然他的画笔不是缺乏色彩和魔力。——较饶机智和狂躁的气氛；能作诙谐的讽刺，额、鼻、眼光——全是那样下垂，前垂，显出他是具有独创的添人热闹的机智，这种机智不是从外部搜集来，而是从内部迸出的。概括地说来，这性格所具的一切都是比较上突进的，棱角的，袭击的，暴风似的！——总没有平坦弛缓的地方，有一例外就是他的深凹的眼窝，在这眼中，像在鼻和额上那样，对于快乐的耽溺性反映出来。除了这点，就是全神所聚的额也好，眼光也好，都非常明确地表出他的不习而得的伟大，坚强，热烈的人性坚毅的意志，素朴和明确性。

我在归途中，顺道往丹姆斯达城再访麦尔克，他听见我说与快活的旅伴斯托尔堡兄弟同行不久便即分道，自夸他的预言的灵验，我亦不得不服他的知人之明。由丹姆斯达回到佛郎克福，一切人以至父亲都欣然迎我，不过父亲有点不满意于我的地方，就是我不听友人之劝，下山往游爱洛罗，给他一封安抵米兰之信。可是，父亲的不满，不是明白说出口，而只是暗中示意。特别是当我谈到嶙峋的石岩、云雾的海和蛟龙的窟穴时，他绝不表示一点叹赏之意。他虽不责我，但有时讲起这事来，他便这样说：“山中所见的种种景致没有什么生奇的，谁没有游过拿不勒斯才是虚生一世呢。”

我会见丽梨了，这是我不欲避免的事，也是不能避免的事。我们俩间的情形很可珍惜，很为微妙。我听见人告诉我，在我外游的时候，有人向她进言，使她也深信她须与我断绝关系，这是必要的，而且也易实行的事情，因为我独自作长途的旅行，而且不告而别，我自己也显然有解约之意了。但是，在市内也好，在乡间也好，我们所往的地方都相同，所交往的人也相同，而他们也知道我们从前的事，所以，虽奇怪地被拆散而仍常相爱着的我们俩欲完全不接触，差不多是不可能的事。我们俩的情形是可咒诅的，恍惚希腊神话中的“冥土”（Hades），不幸地死亡的人们又幸而聚首一处那样。

有时，逝去的往日像是重来，但是，又恍惚鬼火似亡灵那样马上消灭了。

怀好意的人曾暗地里对我说，不管人们怎样对她陈说我们结合的种种障碍，她为着与我相爱之故，决心抛弃当时一切的境遇，跟我一道到美洲去。那时的美洲，在那些被迫离弃故国的人们看来，比现在的美洲更是一个“黄金乡”（Eldorado）呢。

但是，我认为足以激发我的希望的事情，倒使丽梨灰心了。我现在的家——离她的家才是百步右左——

比起那远隔重洋渺茫不确的环境来，确是过得去而且有利的居地。但是，我不能否认，如能与丽梨在一块儿，一切的希望愿望都复苏了，新的动摇不安之波又在我的心中汹涌起来。

诚然，妹之反对是很斩钉截铁的；她不独竭尽她的明达的心思，使我了然于我们的现况，而且她的真正有力而沉痛的信雪片的飞到，向我谏阻，一回比一回说得激烈。“好，”她说道，“如果你们不能避免这样的结局，那么，你们就应要忍耐。这样的事，我们只有挨受而不应选择。”这样子，我与丽梨间的情形，弄到极为可悲，经了两三个月还是如此。到后来，一切的情形都只有妨害我们的结合。我相信而且知道，能够克服这一切的障碍的力，只有我的妹妹才有。

我们两个恋人，自觉到彼此间的关系的变化，因避免单独两个人会面；但是，照着交际的习惯，我们俩不能在交际场中或别的朋友家里避面不见。那时我挨受到最艰苦的试炼，如果我把当时的事详细地说出来，凡是有高尚的情绪的人都会察谅吧。

我们一般地可以承认，如果新得到一个可亲的人，形成一种新的爱好，恋人也喜欢把往事隐去。这种新生的爱好是不为过去的事所烦扰的，它以电光石火那样的速度，天才般迸出，不知道有过去，也不知道有未来的。固然，我跟丽梨进于更亲密的关系恰是由她关于童年往事的缕述所促成。她细话她从小时候起怎样为许多人所疼爱，怎样特别引起那些来访她的热闹的家庭的陌生的客人的钟爱，她自己怎样也以此为乐。不过这些人与她没有进于特别的关系和交情。

真正恋爱着的人把他一向所感尝的一切都只当作是为目前幸福而设的准备，为建筑爱的殿堂而打下的基础。过去对种种人所抱的爱好，像是在幽暗的午夜里出现的幽灵，到了真实的爱出现时，便像晨光放时，马上消灭了。

但是，实际上发生的情形怎样呵！年会来了，于是那些幽灵之群便真个蜂涌而至。丽梨的家既是有名的商馆，各地的豪商巨贾陆续过访，很快我就了然明白，这些人中没有一个人想和能够完全忘去他与这个可爱的女郎的旧谊。其中，年轻的人虽不对丽梨有什么强求，然也像是很熟络的朋友；中年的人在她之前取一种博人欢心的恳切有礼的态度，但总想拿出他们的某种特权来。他们中有些是容貌英俊而拥有丰厚的财产的人。

可是，上了年纪的人摆起老叔父的样子来，真是不堪，他们的手禁不住触到她的身上，作讨厌的抚摩，甚至要求接吻，而脸颊的接吻便不容拒绝。丽梨应接他们的态度都中规中矩，没有不自然的地方。不过，他们间的谈话揭发出过去种种可疑的事情来。什么郊游泛舟的盛会呵，怎样碰着危险而卒安然渡过呵，跳舞会和晚上的散步呵，对可笑的求婚者的嘲弄呵，一切的话，惹起那寂寞寡欢的恋人的心中的妒火，我觉得像是多年的辛苦得来的结果却为人暂时所霸占了。不过在那么些客人的纷乱扰攘之中，她没有待慢我，当她向我周旋时，她能够用一两句话说出在我们现在的情境中极适当的温馨的话来。

但是，让我们现在掉笔从这个忆起来还有不能堪的余痛而转到当时所作的诗上去吧。当时我的诗才情绪借这些诗而发泄，自己的苦恼也为之轻减。

《丽梨之园》(*Lilis Park*)大抵是在那时候作的，我不想把这诗插入这儿来，因为它不能表现出当时的缠绵悱恻的心境，而只是极力以天才的激越之调，夸张我当时的不快，并以近于滑稽的苦闷的描写，把我的断念化成绝望。

下录一诗较能把当时我的苦恼的优美的心情表现出来，故在这儿插入。

Ihr verblühet，süsse Rosen，
Meine Liebe trug ench nicht，
Blühtet，ach，dem Hoffnungslosen
Dem der Gram die Seele bricht！

Jener Tage denk，ich Tranernd，
Alsich，Engel，an dir hing，
Auf das erste Knospchen lauernd
Früh zu meinerh Garten ging.

Alle Blüten，alle Früchte
Noch zu deinen Füssen trug，
Und vor deinem Angesichte

Hoffnung in dem Herzen schlug .

Ihr verblühet，süsse Rosen，
Meine Liebe trug euch nicht ；
Blühtet，ach，dem Hoffnungslosen，
Dem der Gram die Seele bricht！

可爱的蔷薇花哟，你们凋谢了吧，
我的爱维系不住你们的温馨，
对着失去希望的人徒然盛放，
悲恨已破碎他的心灵！

我凄然惘然思着往日，
天使呵，那时我对你无限缠绵，
为要觇视你的最初的蓓蕾，
清早就步出我的庭园。

一切的花，一切的果
都捧到你的膝下，

在你的艳姿之前，
希望在我的心头敲打。

可爱的蔷薇花哟，你们凋谢了吧，
我的爱维系不住你们的温馨；
对着失去希望的人徒然盛放，
悲恨已破碎他的心灵！

我的歌剧《厄尔文和厄尔弥勒》（*Erwin und Elmira*）是得了那出自哥尔斯密的《威克斐尔牧师传》的可爱的恋歌的暗示而作的，在我与丽梨正极亲热的时候，我们俩以诵这歌为乐。那时却绝料不到我们也有相似的运命临在前头。

我在前头已插入一些那时期所作的诗歌，并只希望它们还完全保存着。在恋爱正浓的时候的不断的兴奋，因悲愁的羼入而更增进，引起我的诗兴，这些诗绝不是过于紧张的感情的流露，而老是歌咏那时刹那间的柔情。从社交宴游的诗，到赠呈给她的小诗，一切都历历如在目前，有教养的朋友们都对它们抱有同感。这些诗的情调初时是愉快的，继而是悲痛的，到最末了，幸福的绝顶，忧愁的深渊，都有诗致其咏叹。

我的父亲既日益不能希望那个初时称他的心的媳妇娶到家里来，我这时与丽梨间所发生的事情和我的心境，自然会令到他的心中不快；母亲却能极聪明地极干练把这些事瞒着他。但是像丽梨那样的“女中丈夫”（Staatsdame）——这是他暗地里跟母亲密语时给丽梨的称呼——绝不会洽他的意的。

可是，他对于一切事都任其自然，孜孜汲汲地专心办他的法律事务。前所述的青年法律家和那个熟练的书记，在他的事务所中逐渐扩张他们的地盘。正如俗谚所谓“远出者不会迷途”，他们便让我自己走自己的路，而在我不会有成就的法律方面日益打下基础。

幸而我所取的方向与父亲的意趣和希望一致。他那时对于我的诗才抱有很大的期望，对于我初时发表的著作所博得的声誉又非常自鸣得意，所以他常常跟我谈到我的新作和新的创作的企图。可是这些出于友朋的游戏的诗和歌咏热情之作，我绝不敢让他看见。

我自从在《格兹·丰·伯里生根》以自己的手法把

历史上的一个重要的时期象征地描写出来之后，我想在政治历史中细心找寻类似的转机点，作为戏曲的材料。结果，荷兰的叛乱（荷兰人脱离西班牙独立的革命战争）便赢得我的注意。在《格兹》中的主人公是一个英杰，因安信在无政府的纷乱时代，善良而具有武力的人是有相当的意义，遂致覆灭。在《埃格蒙特》（*Egmont*，五幕的散文剧，一七八七年出版，主人公的埃格蒙特为佛兰德斯的政治家，崇尚良心的自由，赞美新教的尊严，因反对西班牙王腓立普二世的虐政及对于新教的压迫，为西班牙的将军阿尔巴公爵等所谋，蒙叛逆的罪名，而处死刑。一五二二——一五六八）中的主题，是说纵使立场是理直气壮，也难与严峻的有充分的打算的暴君抗争。我曾对我的父亲讲及我的构思，讲得极为起劲，因此父亲不禁希望我的已完成的腹稿早日写下，付印，和博得世人的赞赏。

在前一些日子，我还希望可得丽梨为偶，故殚精竭虑来谋精通世间的实务生活，可是现在我幡然不同了，我要以精神和心灵的工作来填补我与丽梨间的可怕的空隙，因此，我着实开手写《埃格蒙特》一剧，而且我这回与写《格兹·丰·伯里生根》时不同，不采顺序写下去的方法，而一做好楔子便马上着笔写主要的场面，不管到前后种种应有的联络的线索。我这样子写了不少，因为我虽疏懒成性，我的父亲却相信容易构思的也容易脱稿，日夜的激励我（这不是夸张的话），不肯放松呢。

第二十卷

这样子我继续为《埃格蒙特》的完成而努力写下去，借此我略能排遣去我的失恋的悲哀，加以那时恰有一个英气蓬勃的美术家与我结交，与他会面的时候，他也帮助我忘去悲痛的回忆。我这时——像从前也惯常试过那样——仗着一种为实际上的陶养而作的结果渺茫的努力，而在没有别的救急策之望的时期，获得灵魂的宁静的平和。

这个美术家名唤乔治·麦尔希奥尔·克劳斯（Georg Melchior Krans），生于佛郎克福城，而在巴黎受教育。那时恰从德国北部的小旅行回来，到我家访问我，我即感到有与这个人结交的冲动和欲求。他是一个乐天派的潇洒风流的人物，他的洒落轻快的才能在巴黎恰好找到适合不过的陶冶的地方。

那时的巴黎，在德国人的眼中，是非常舒适的栖留地。腓立普·哈克尔特（Philipp Hackerlt，一七三七——一八〇七，德国风景画家，生活的大半在意大利过去，曾以画仕于拿不勒斯王）也客居巴黎，得人的敬重，过着富裕的生活。他以真正的德国的画风，写生的笔风，巧妙地画水彩和油绘的风景画，与当时法人所崇奉的实际主义的画法正相反对，非常得人欢迎。其次，铜版画雕刻师之威尔（Wille）有大家之称，努力发扬德国风的艺术！格林姆（Grimm）本已声名藉藉，更为他的国人多方尽力。在巴黎学画的德国学生常作愉快的徒步旅行，俾得与自然亲接，作实物的写生，因此获有不少的成就，为后来的收获播下不少的种子。

部社（Boucher，法国画家，一七〇三——一七七〇）和发托（Watteau，法国画家，一六八四——一七二一）是两个真正天才的画家，他们的作品虽有不合时宜之称，但仍极为世人所推重，而且这时也迎合新的倾向，甚至执笔——纵然只是戏作和试作——作这样的画格。勒兹（Greuze，法国画家，一七二五——一八〇五）隐居家中以画自娱，好描写私人的平和生活，家居的生活，以优雅轻妙的笔触擅长。

克劳斯很能撷采上述各流派的特长，他以社交生活培养他的画才，并以社交生活的画题，能够将家庭的和友谊的集会像肖像画般致密地绘出来。在风景画方面，他的艺术手腕也不坏。他的风景画仗着整洁的轮廓，浓厚的笔触，鲜丽的色彩，很悦人目，而意匠之中有一种素朴的真实味，又予观者以内心的满足，在方家看来特别可称赏的地方，就是他能够把从自然摹写下来的东西即巧妙地取入画面，加以适当的配置。

他自身是一个极可人意的交际家：无论何时，他都意态洋洋，乐于为人效劳，而不卑躬屈节，谨严而不骄慢。因此，无论到什么地方去，他都随遇而安，为人所爱，一方面生气蓬勃有作有为，同时又悠悠然自适，无人可与为比。具有这样的才能和品性的他，不久便受上流社会的激赏，而斯泰因男爵（Freiherr von Stein，一七五七——一八三一）特别赏识他，聘请他到拉因河畔拿骚的居城来，使辅导他的才色绝伦的女儿的绘画的修业，同时使城中的社交界更添种种的韵事。

这个优秀的青年妇人与伯爵丰·维特恩（von

Werthern）结婚后，新夫妇延请克劳斯到他们的吐灵根的广大的领地去，因此，他也曾作威玛之游。在那儿他亦露头角，得人的赏识，当地的名流学者更欢迎他在那儿作长久的居留。

这回他回到故乡佛郎克福来了，到处都好帮助人的他，也激励我——一向只从事美术品的搜集的我——作绘画的实际练习。本来，对于业余的美术爱好者，与真正的美术家的亲炙，是不可少的，因为前者在后者中得到自身所需要的补充，爱好家的愿望借有实技之人然后实现呢。

我本来有多少的画才，稍加练习，已颇能绘出轮廓，在自然中所见之物也容易摹写入画；不过我缺乏真正的造型的手腕，以及没有借着浓淡得宜的光线和阴影来使轮廓有骨有肉那样的能干。我的写生是实物在远距离内的近似形，我写的人物仿佛是但丁的《炼狱》中的缥渺的人物，自己没有影跟着，看见实物的影而惊恐那样。

我听了拉发忒的人相学的教唆——因为拉发忒不独逢人就极力劝他看相，而且还强他绘艺术的或非艺术的画像，所以可以称这种强烈的劝促做教唆——也习会了用黑粉笔白粉笔在灰纸上写朋友们的小照。我所描的肖像虽与实物相似，但要使克劳斯君的点窜渲染然后肖像才从灰色的纸面玲珑地浮出来。

克劳斯君在旅行中绘有许多画，带了来，当翻阅他的丰富的画册时，他把风景或人物的图绘指点给我看，而威玛城的人物及其风景便成为我们最爱好的谈话资料。而且我对着这些画，也流连不忍释手，因为这些尽可看作一篇详细地反反复复的乐词，表白那儿的人希望我去的意思，作此想的青年的我，自会觉得无限得意。克劳斯君很能够以优美之笔来描绘那些跟招呼和款待他的人物，使他的游宴添生气。其中有一幅写得很好的油画，音乐指挥坐在大钢琴之前，他的夫人站在他的背后准备引吭高歌。看这画时，克劳斯君还恳切地说，这对可尊敬的夫妇也会很欢迎我去呢。在他的风景画中，有好几幅是描写步格尔（Bürgel）附近的林地和山地的。在森林中，有一个森林经营家——与其说是为自己，不如说是为得他的可爱的女儿的欢心的缘故——住着，在嶙峋的岩石堆中和菁密的林薮中架设桥梁，装置栏杆，辟有可供游人并行共语的小径。画面中绘着两个白衣的女郎在幽邃的小径上漫步，有两个青年男子为伴。其中一个青年，分明认出是伯尔土哈（Bertuch，威玛的出版业者，著述家，从一七八六年至一八二七年与克劳斯协力出版《流行》美术杂志。一七四七——一八二二）。他热心地怀慕那大女儿一事，不容为讳；第二个青年似是克劳斯自己，我们说他对那妹妹也有情愫，他也不以为忤。

伯尔土哈是薇兰的弟子，据克劳斯说，他的知识和实际的阅历都卓绝一时，今已任公爵的秘书，前途未可限量。谈到同在威玛客居的薇兰时，我们不断以他的人品的诚实、明快、善良为言，至于他在文学和诗的所抱的可钦佩的革新计划，我们已有详细论及，他主编的《德意志麦库尔》杂志及于全德国的影响也是我们的话题。我们还举出在文学、政治和社交方面许多杰出的人的名字，例如穆舍乌斯（Musäus，文学者，威玛的高等学校教授，薇兰的弟子，所著以童话著名。一七三五——一七八七）、给尔姆斯（Kirms）、伯伦第斯（Berendis）、鲁德库斯（Ludecus）等就是我们所提及的。在许多著名的妇人中，我们特别举出乌尔夫夫人（Fran

Wolf）和已故的科策部（Kotzebue）的夫人（科策部为德国的戏曲家，生于威玛，曾数度往游俄罗斯，后归德国，以其持专制的反动的态度之故，在曼海姆为一学生所暗杀。一七六一——一八一九）。对她们的特长，甚表赞美。科策部夫人自夫被暗杀以来，与她的一个可爱的女儿和一个活泼的儿子共居。这一切人都隐示文学和美术界的一种新鲜蓬勃的气象。

自从青年的公爵回去后，威玛的空气渐渐一新；而这种新形势的酿成，母后摄政之力为多（这里所讲的青年公爵指加尔·奥古斯特大公爵，一七五七——一八二八。一七五八年父王爱伦斯特·奥古斯特·君士但丁公爵薨逝后，母后摄政，至一七七五年以后始独立临朝，极力奖励文学美术，在位时，威玛成为德国的精神文化的中心地。一七七五年以后，与歌德交际，并招聘赫德尔、席勒等）。但是重大国政的实施，却听未来的国君的裁断，这是临时的执政者的当然的义务。因王城的火灾而留下的荒凉的废址，人们看了，已预测为新的活动的诱因。久已停顿的伊尔曼脑（Ilmenau）的矿山，今已投下很大的费用，把深深坑道修复，不日再行开工采掘，自在意中。耶拿的专门大学在时代精神上略为落伍，且失去几个很能干的教授，有识之士已奋起谋这大学和其他种种文物制度的改革。这个奋发为雄的国家因此极力搜求可以有种种贡献的人才，所以对于有作有为意气蓬勃的青年，新的飞黄腾达的机会出现了。当新的公爵夫人迎娶过来的时候，没有准备到王宫似的壮丽的建筑物，而迎入一个为其他目的建筑的朴素的殿宇内，这事诚然是很遗憾的，但是，厄特斯堡（Ettersburg）的别墅，各处的离宫，和其他的亭苑都是名胜之地，设备完整，足供新君夫妇的现在的欢乐，而且这样子既可与大自然接触，又可希望作有益的愉快的活动。

读者一路读这个自叙传式的故事，已详细地看见由幼年到童年，到青年时代的我，怎样循种种不同的途径，不断地谋与形而上接近。我初时憧憬一种自然的宗教，继而热心信奉一种实证宗教，继而又以自己为中心，试炼自己的能力，最后欣然倾心于一般通则的信仰。当我在这些信仰的领域之间彷徨不定，回顾搜求的时候，我碰见许多都不属于这些信仰的领域的事象，因相信渐渐明白，不把那些无穷大的和不可解的事物加以思索，倒还好点。

我相信在自然里头——不管自然是有生命的还是没有生命的，是有灵魂的还是没有灵魂的——发见有一种只在矛盾中显现，因此不能以概念，更不能以言辞表之的东西之存在。这东西不是出于神，因为它像是没有睿智；也不是属于人性，因为它没有理性；也不是具有恶魔性，因为它是善意的；又不是具有天使的性质，因为它往往使人觉得它幸灾乐祸。它与偶然相似，因为它显不出有什么联系；它又与天道神意相似，因为它暗示有统一性。这个东西可以突破那些限制我们的一切境界；它像是按照着我们的存在的必然的条件恣意处理，它把时间综合而把空间展开。它像是只喜欢“不可能”，而抛弃“可能”，不屑一顾。

这个东西像是羼入一切其他的东西之间，把它们分开，又把它们结合，我仿效古代的人和有着相似的感觉的人，称它做妖魔之力。照着我通常的做法，我躲到具体的想象之后来逃避这个可怕的东西的威胁。

荷兰的革命战争一事使后来联合成功的荷兰放一

异彩，这事也是我在世界历史中特别注意研究的事件之一。我孜孜不倦地考究当时的史料，尽可能的设法找寻直接的事实，和把一切构成历历如绘的想象。我觉得这事件的情节极富于戏剧性，而埃格蒙特伯爵可充当中心的角色，以其他一切的人物配置于他的周围极为适当。伯爵的切近人情的武士道的伟大之处，又最称我的心。

但是，为适合我的使用，我必须把实际的埃格蒙特伯爵化做戏剧的角色，把他的年龄境遇改变。即是，使本来是中年人的他变做青年，有妻子的家长变做未婚的武士，一方面抱着自由思想而仍为地位身份等所限制的人，变成没有什么牵系的独立的伟丈夫，俾与戏剧的性质相适应。

我既这样子在想象中把埃格蒙特青年化，并使他从外部一切的拘束解放出来，更进一步授予他以无限的乐生之心，无限的自信，吸引一切人的魔力（attrattiva），借此他博得国民全体的信望，一个公主的暗地里的眷爱，一个天真烂漫的平民女子的明白的恋爱，一个精明的政治家的协助，甚至他的最大敌人的儿子的仰慕。

为这英雄的特征的刚勇之气，是他的整个性格的基础和萌生的根源。他不知有什么危险，即自己最大的危险临头也茫然不知。从四面八方包围我们的敌人，究竟还可以突破，但政治阴谋的罗网之冲出却很困难，在这场合，那个妖魔的东西便在双方发挥它的作用了，两方面发生冲突的结果，值得敬爱的人败亡，被憎恶的人获得胜利。于是，从这个冲突，有发生第三者的形势，因为这第三者的作用，一切人的愿望都会得到满足。我这一篇戏曲之所以经过相当的时日——诚然不是在发表的当时——博得世人的称赏，至今仍享盛名，正是靠这一点。为许多亲爱的读者的缘故，我想在这儿也把一些事情提前先讲一下，因为我不知道不久有没有执笔的机会，所以将很后才深信的事情在这里先说出来。

这一个妖魔的东西虽然能够凭着一切有形和无形的东西而显现出来，并且在动物身上起极显著的作用，但在人类身上起作用时，特别极纡余曲折之致，它形成一种势力，纵然不是与世界的道德秩序正反对，也把它横切过，所以我们可以把世界的道德秩序称为经，而把这种妖魔的力称为纬。

由这种力而起的现象有无数的名称：一切的哲学和

宗教曾谋以散文般和诗一般的手法解释这个大谜，和作最后的断案，但是这些企图无论怎样继续下去，也不能损这种力的毫末。

可是，这种妖魔的力最可怖的就是它在某一个人之中支配着而显现的时候。在我的一生涯之中，我就有几回一见它在我的身边，时近时远。这样的人不一定是精神才能卓绝的人，更少是以德行著称的人；但是一种绝大的威力从他们中发出，及于一切人，一切生物，甚至自然力也为所影响，他的威力伸张到多远，谁能够断言呢？一切道德力结合起来，对它也无所施其技，世人的明眼者虽斥他们为“欺骗者”或“被欺骗者”，但民众却为他们所吸引。在同时代的人中，能与他们为敌者很少，甚至绝无。除了他们与之竞争的宙宇之外，无物可以克服他们，“除了神自己以外，谁也不能抗神”（Nemo contra deum nisi deus ipse），这句特别而含有广大的秘义的箴言之所以发生，大概就是基于这种观察吧。

现在让我掉笔从高远之谈而回到我自己的渺小的生涯去。不过在我那时的生涯中，至少也像是为一种妖魔之力所凭，而发生意想外的奇怪的事。我从瑞士的哥特哈德（Gotthard）的绝顶，背着意大利，回到家里来，那时因为我不能抛弃丽梨的缘故。男女的恋爱，既基于双方的互相占有，和长久的双宿双栖的希望，自不能一时消断。而且，它还为我们对于所抱的种种正当的愿欲和诚实的希望之吟味所培养助长。

在这种场合，女的方面比男的方面较为谨慎，是自然之理。为判多拉（Pandora，希腊神话中所传最初的女性）的苗裔的女性，天赋以媚人动人的可爱的能力，与其说她们出自真实的爱情，招引许多男子在她们的身边，不如说是为朦胧的意图和不能自已的本性所推动，漫然随意作这种举动，而结果她们自身常陷于困境，正如童话中所述的魔术师的弟子，学弄玄虚，招出掀天的大水来那样，她们看见求爱者之泛滥而来，亦为之手足无措。结局，在这场合，便不能不加选择，男子中有一个人被挑中了，便成为那女的丈夫。

可是，在我们的场合，与这选择以指南和决定选择者的倾向的，却多是偶然的事。我深思的结果已决定抛弃丽梨，但是我的爱丽梨之心使这种理性的裁断动摇。丽梨也抱有同样的意思与我作别，我便试作散心的胜游，但是结果却正与预期相反。

在我外游的期间，我以为我只离开丽梨，而不是与她断绝。一切的怀想、希望和欲求自由地涌起心头。现在，我回来了，如果自由地欢畅地恋爱着的人的再会是天国那样的喜悦，那么，单因为理性上的根据而分离的恋人们的再会便是一种难堪的炼狱之火，地狱的前廊。当我再见着丽梨，回到她的环境中去，我感到那阻扰我们的故障更两重地可诅咒，当我再站在她一个人的面前，我想起我已失掉她了，便心如刀割。

因此，我决心再逃到远方，恰巧那时威玛的青年公爵与他的新婚夫人从加尔斯卢合到佛郎克福来，将从前邀请我的事再提起，要我随他们之后到威玛去，我觉得那是求之不得的事了。这两位殿下方面老是表示出对我不变的恩宠甚至信赖的态度，而我方面则以热诚的感激来酬答。我在最初谒见公爵之时已心悦诚服，至于他的夫人，虽只闻名，但景仰已久。其次，从前我一半因为好恶作剧，一半因为偶然的事情对薇兰作不逊的攻击，而他却以那样的宽大的态度待我，这回欲与他晤面，亲自对他表示亲切的友情，和稍补从前的过失的愿望，也已足以激发我，推动我——纵然我是平心静气，感情不冲动的话——作威玛之游了。何况现在还有与丽梨这一层关系，无论我走那一条路，我总不能不避开丽梨，或者南下，或者北上，南方那一条路，则有父亲每日的讲谈使我憧憬那美丽的艺术和自然之乡，北方那一条路则有济济的名流学者引手相招。

青年的公爵夫妇在他们的归途中，路过佛郎克福城。那时买宁根（Meiningen）的公爵偕同他的廷臣也在这儿居留，我谒见他和随从公爵夫妇的枢密顾问官丰·杜尔克海姆（von Dürkheim）也受极亲切的接待。但是青年的遭遇，总少不了一些意想外的奇特的事情，因此，在访谒威玛和买宁根的领主的时候，也发生一桩误会，惹出纵然颇有趣而非常大的狼狈。

事情是这样的：威玛和买宁根的领主同住在一个旅馆。某日我被招到那儿赴宴。我既老把威玛公爵夫妇放在心里，总不想起向使者详细打听一下，更从不会想象到买宁根公爵也会有眷顾及我的事。我穿好齐整的服装到“罗马凯撒”旅馆去，可是威玛公爵所住的屋子却空无一人，打听一下，知道他们都在买宁根公爵的屋子里。

我便到那儿去，他们都殷勤地欢迎我。我心中以为这是宴会前的拜访，或者与买宁根公爵等一道食饭，亦未可定，正等待着看个究竟，可是忽然间，威玛公爵家的人们告辞出去，我于是也跟着走，但是他们不是到他们的餐室去，而下楼梯出门外坐车走，剩下我一个人在街上。

我本来应该回到旅馆去把赐宴的事打听清楚才是精细聪明的办法，我却不会想到这一层，按照着我平日的任性的办法，马上转回家里去。两亲恰在吃着饭后的茶果，我把这事略述一遍，父亲听了摇摇头，母亲尽力来安慰我。到晚上，她暗地里对我讲，我走了后，父亲会这样的说："我很奇怪，这个孩子怎样会聪明一世，懵懂一时，还不明白所谓赐餐等等，只是存心愚弄他，羞辱他呢！"但是我不会为这话所动。因为我已在街上碰见丰·杜尔克海姆，他以他一向的和蔼的态度把这事讲出来，用婉曲而诙谐的声口指斥我的不当。我这时如梦方觉，请求他代向公爵郑重致谢他的出乎我的希望和期待以外的宠遇，和请求他的宽宥。

这样子，我因上述的种种的理由，答应了威玛公爵的恳挚的招请，其后便作这样的约定。即是，那时，公爵还有一个侍从的武官留在加尔斯卢合，等待在斯特拉斯堡制造的“兰道型”的马车造好，就于某日到佛郎克福城，我方面要把一切摒挡好，即时跟他坐该马车一道到威玛去。我与青年公爵夫妇作别时，他们的和悦优渥，廷臣们的亲切的态度使我觉得威玛之行是至可乐的事情，预料此行一路会非常的舒适平坦。

可是，这样的简单的事情，也因为偶然的事故而发生岔子，因为我的性情的偏急而弄出麻烦，甚至完全被打消。即是，我预期某日武官抵步，事前先向各亲友辞别，通知我动身的日期，然后匆匆把行装打叠好，连未刊行的文稿也装进去，等待着预定的时间来临，随同那武官坐着新马车到新的地方新的环境去。可是，那时间到了，还不见武官的来临，那一天也空过了。我既不想作再度的话别，也不胜朋友的纷至沓来之烦，所以告诉人知道那天早上便不在家。现在武官未来，我不能动程，只得蛰居家中，甚至蛰居自己的卧室之内，情形便弄到很奇特了。

可是，这种孤寂局促的情境一向对我是有利的，我在这种场合逼着要把时间好好的利用，因此，我便继续把《埃格蒙特》写下去，差不多把它完成了。我读给父亲听时，博得他特别的称赏，他只愿能早日目击这篇戏曲的完成和付印，因为他预期他的儿子的声誉将会因这新作而更增高。对于我的父亲，这样一种的安慰和新的满足是必要的；因为，他把武官和马车不来的事加以极怀疑的解释。照他的推测，这回的事又只是空中楼阁，不相信有什么新的兰道型马车，认那留下的武官是子虚乌有之流；他虽然只间接地把这个见解告诉我，但已对母亲明言，因此自己添了许多烦恼，也替母亲添了许多烦恼。他把这整件事情都看作是威玛宫廷要的手段，用来报复我的恶作剧，作践我和羞辱我。结果，我不独得不到那预期的荣幸，而且要丢脸蛰居在家中了。

初时，我自己还坚信武官会来，反以没有朋友访问的烦扰，其他社交的分心，静居一家的时间为乐，继续奋笔把《埃格蒙特》写下去，不过心中已有点踌躇不宁。可是这种心境恐怕有裨于那篇戏曲的撰作，因为那篇作品中既汹涌着种种的热烈的情感，如果我是寂然无所动于中，也不会写得成功吧。

这样子，过了一周，又过了好几天，杜门独居的境界开始使我感到难受。许多年来，我已惯于在旷朗的天空之下过活，与朋友们往来，彼此诚实相处，有事彼此通力合作，此外还在一个爱人的左右，我虽然已立下决心离开她，但是，一有机会，我便不由自主地为她的吸引所摄引，——这一切的事情开始使我感到那样的不安，我写悲剧的兴致有消灭之势，诗的创作力因我的焦灼而将停滞。已经有好几晚，我不能再安心留在家里。我披着一件宽大的外套在城中周围潜行，经过我的朋友和相识者的门口，甚至还在丽梨的屋子的窗下站过。她住在街角的房子的楼下一间屋子内，绿色的窗帘垂下来；但是我还看得清楚，灯仍放在往常的地方。一会儿，我听见她弹钢琴唱歌之声。她唱的就是以“Warum ziehst du inich un widerstehlich”（为什么你牵着我毫无抵抗！）为主句的歌，我赠给她这首诗还不及一年呢。在那天晚上，我总觉得她唱得比平时还动人，我一字一字都听得清楚：我把耳朵尽可能地贴着那向外弯的窗格子倾听着。她唱完之后，我看见她的印在帘上的影子，知道她站起来了。她在屋里走来走去，我虽欲清楚地窥见她的可爱的姿容，但为厚的布帷所阻，不能如愿。这时幸亏我还有坚决的心要离开这处，不欲使她因我还同居一城而感到痛苦，真个抛弃了她，以及想象到我之再现会引起她怎样的惊异，我才决定离开那近在咫尺的可爱的她。

这样子又过了几天，我的父亲的臆测渐渐增加它的盖然性，因为那么久还没有接到一封从加尔斯卢合来的信，说明马车久不至的原因。我的诗思已停滞了，笔也不动了。我为着焦灼不安的缘故，心乱如麻，而父亲却乘机来说我道："这事情已不会再有变动了。你的行李已经收拾好，我给你钱和支票到意大利去吧？但是，你必须马上决定，立刻动身。"对于这样重大的事情我犹豫踌躇一下，终于这样子答应他，即是，再等到某一天，如果仍没有马车到，又没有消息来，我便动身，不过先到海德尔堡去，然后从那儿——这回不取道瑞士——径由格劳倍敦（Graubünden，在奥瑞意国境）或提罗尔，越过阿尔卑斯山地而到意大利去。

如果一个容易误入迷途的没有主意的青年，更因为长辈的带有感情的谬见而被领到错误的路上去，那就当然会发生奇奇怪怪的事情。所谓战略一事通常是在战役完毕之后才能了解，不过这样子做才是青春，才是人生。在单纯事务上的问题的场合，这种偶然的事情也许容易说明，但是人类偏好与错误结纳而否认自然的真实，正如我们在分派扑克牌之前把牌混匀，而结果，偶然在人为上的作用依然不减那样。这样子便产生一种氛围，那种妖魔之力正好在这氛围中，对于这种氛围施展它的神通，并且我们越预感到它的近在，它便越发猖狂。

最后的一天也过了，第二天早上我就应该动程。那时，我的朋友巴沙汪特君恰由瑞士回来，我觉得不再见他一面才动身，便非常不安。因为，以我们那样的亲密的交情，我却完全瞒过他就走，他确有对我生气的理由。因此我托一个不认识的人约他晚上到某一个地方来，届时我披着大的外套先到，他不久也来了。他本来已以晚上有人唤他来为怪，看见是我，更大吃一惊。他的喜悦的程度，也不减惊讶，不过我们已无细谈和商量的余暇了。他祝我此行一路平安，我们分手了。到了第二天，我准时到了宫堡街。

我之所以先到海德尔堡去，是有种种理由的：有一个理由是以理性为根据的。即是，我会听见说，那位武官是由加尔斯卢合经过海德尔堡来；所以我一到驿场，即留下一封信托驿中人交给乘如此如此的马车道经此驿的武官；第二个理由是基于情感，跟我从前与丽梨的关系有关。即是，那位熟知我们俩的情谊，和替我们俩做冰人取得两亲的同意的德尔佛女士是住在海德尔堡。我觉得在离开德国以前，还得与这个宽仁深思可敬的女朋友畅话过去与丽梨共处的乐事，是一种最大的幸福。

德尔佛女士很殷勤地接待我，并介绍我与城中好几家人认识。其中特别使我感到愉快的，是森林局长丰·W氏的家庭。主人夫妇是娴雅可亲的人物，他们有一个女儿很像菲烈德力加。那时恰是葡萄收割的季节，日丽风和，在这美丽的莱茵河和涅卡河流域游览之际，从前在斯特拉斯堡游学时所感到的阿尔萨斯的情调复苏起来。当时的我，在自己和在他人的身上得到种种特异的经验，但是这些经验仍是在“生成”之中，关于人生还没有得到什么结论，而我所接触的所谓“超自然”、“无限”等，倒使我更加迷惑。不过，与友朋交际的时候，那时的我与从前没有什么分别，或更为可亲更为多趣。现在，在这个晴和旷朗的天空之下，新的快活的朋侣之中，我再寻求那老是使青年感到新鲜有趣的旧梦。在心中，我与丽梨的旧情，还是藕断丝连，我纵然没有把这事在人面前说出来，想博他们的同情，但他们却已知道了，都安慰我。这样子，我不消几天，便成为这里的人的熟络的朋友，他们甚至依依不欲离开我，我自己却忘记了再谈笑几晚之后，便依着原来的计划继续我的征途了。

世间有一种人虽不是好弄策略，但常是忙着一些事情，使他人也参加进去，一时想实行这个目的，一时又想实施另一个计划。德尔佛女士就是这样一个人。她与我的交情既拉得很紧，加以我住在她的家里，她对我陈说留居在海德尔堡城的种种好处，和设种种方法阻碍我的出发，所以她更容易引我入歧途，和使我久滞该地。当我谈及丽梨时，她却出乎我的意料之外，不大愿意听，和不大对于我的失恋同情。她倒说我们俩在这样情形之下决心分离，是妥善的办法，并主张人类总要忍从那不可避免的运命，在心中抛掉那不可能的事情，而另寻一种新的生活兴趣。她既然是满腹计划的人，她不欲袖手旁观任这事情听偶然的摆弄，而早已替我的未来的立身处世，想就一个计划。由此我才明白，她最近劝我到海德尔堡来，决不是像我所想象的那样没有目的。

即是，选帝侯加尔·狄奥多（Karl Theodor，一七二四——一七九九）素以提倡学术，奖励文艺著称，当时仍驻驿于曼海姆，正以宫廷信奉天主教，而国民遵奉新教之故，国民痛切地感到招纳卓拔有为的人才谋势力扩张之必要。现在我预定先到意大利去，在那儿陶养我的美术的知识，在这期间，德尔佛女士等便替我设法。到我从意大利回来，W女士对我才萌芽的爱苗是生长起来还是萎谢，跟一个有势力的家庭结婚姻的关系，在新的祖国里开展我的鹏程是否可行，待我从意大利归来就可明白了。

我听了这一切的话，虽没有拒绝，但是像我那样没有计划的人不能够完全赞同我的有打算的女友的策划。我以她的目前的好意为快，丽梨的影子，无论醒也好，梦也好，都浮现在我的眼前，与那些会使我快慰的事情交杂。但是，我记起我这回的壮游的郑重的计划，决心以委婉的方法脱身，在几天之内赓续我的旅程。

德尔佛女士把她的计划，怎样愿意替我设法等等详细对我讲，直至夜深。我纵然多少也明白该城有一部分人士有心想利用我和将来在宫廷或会得到的宠遇，来增加自己一党的势力，但我只有对他们的亲切之意表示敬意和感谢。我们谈话一直谈到半夜一点钟才各自归房就寝。不消一会儿，在我已睡熟的时候，驿马车的喇叭声把我惊醒了。一刹那间，德尔佛女士拿着蜡烛和一封信站在我的床前，喊道：“这是您的信呵！请您读吧，告诉我是什么事情，那一定是威玛方面的来信吧。如果是请您去的话，请您不要去，记着我跟您说的一番话。”我请她把蜡烛借给我，和离开我十五分钟。她带着不高兴的颜色走开了。我不打开信，先思索一下。这快信是从佛郎克福城来的，从印和笔迹就可认出来。那么，那位武官是到了那儿了；他真个来接我，而我们的怀疑不定使我们作这样轻率的行为。他既已确定到佛城来，而途中又会因种种的故障而阻滞，为什么我不在这样太平安宁的城中耐心等他呢？我的眼睛像是蓦地里光明起来。从前威玛公爵对我的亲切、宠遇、信赖再活现在我的眼前，我想我像野马似那样奔向岔道的行为，差不多羞惭不能自容。然后我把信拆开，知道事情弄到这样田地都是很自然的。那位留在加尔斯卢合的武官等待那辆在斯特拉斯堡定制的马车，正像我们等待他那样，过了一天又一天，望眼欲穿还是不到，后来马车到了，因为有点事的缘故，他绕道曼海姆到佛城来，听见我已外出而吃了一惊。现在他星夜派人送这封快信来，预期我明白这事情耽误的原因后即回佛郎克福，一道同往威玛以免使他无以报命，而抱疚于心。

纵然我的理智和心情都倾向于威玛之行，但现在所取的新的方向，我觉得也有与前者颉颃的重要价值。我的父亲已替我定好一个很不俗的旅行计划，并给我装备一个小文库，带在身边，有了它，无论到意大利那儿去观光我都可以得有指南。闲居无聊的时候，我只有以这些书籍自娱，即在这次到海德尔堡的小旅行中，在马车里头，我也拿这些书来看不忍释手。而且意大利的美丽的景物，我从小时候起已在种种的记述图绘上头亲炙过，常涌现我的脑际。现在我既已决心为离开丽梨而远游，那么往意大利去亲接这些实物一事当是我最希望不过的事了。

我一边在盘算，一边已把衣服穿好，在室内走来走去。德尔佛女士带着紧张的颜容走进来了。“您怎样打算呢？”她喊道。“姑母，”我答道，“请您不要劝我了，我已决定回去；它的理由我已充分考虑过了，再述出来也是没有用处。决心到头总要下的，而除了有切身关系的本人之外，谁下这个决心呢？”

我这时很兴奋，德尔佛女士也是这样，我们弄到作剧烈的争论。结果，我咐吩我的佣人去叫马车来，把这场争论结果了。我请求德尔佛女士镇静，让我把昨晚戏与来客作别的玩笑化为真实，请她想想我这回威玛之行只是访问的性质，短期的滞留访谒，意大利之游仍不放弃，回来的时候一定到这儿来。可是任由我百般譬解，也是徒然。她堵耳不愿听我的话，本已镇静的我又渐焦急起来。马车已停在门口了，行装却已打叠好，马车夫已显出急不及待的样子，老捏着喇叭相催。我飞身走出，但她仍不让我走，巧妙地举出目前应有尽有的理由来留我，于是，到末了，我热烈地兴奋地喊出《埃格蒙特》的道白来：

孩子，孩子，不要说下去了！光阴的白驹
像是被不可见的幽灵鞭策那样曳着我们的运命

的轻车走了，我们已没有别的办法，只有勇敢地镇定着紧握着马缰，驶转车轮，时而左，时而右来闪避石头，躲开悬崖吧。到那儿去，谁知道呢？从那儿来，差不多也记不清了！

（完）

三联经典文库第二辑简目

《游击战教程》　明凡 / 著

《游击战术纲要》　陶剑青 / 编著

《汪精卫卖国的理论与实践》　钱俊瑞 / 著

《抗战以来》　韬奋 / 著

《陕行纪实》　楚云 / 著

《随军散记》　沙汀 / 著

《被日寇囚系半载记》　王研石 / 著

《倭营历险记》　房沧浪 / 著

《活跃的新西北》　田影 / 编著

《保卫华北的游击战》　刘清扬　陈北鸥等 / 著

《徐州突围》　《徐州突围》编委会 / 编

《沦亡的平津》　长江　小方等 / 著

《淞沪火线上》　胡兰畦等 / 著

《瞻回东战场》　长江　罗平 / 著

《东线的撤退》　胡兰畦等 / 著

《抗战中的西北》　徐盈 / 著

《鲁闽风云》　徐盈等 / 著

《西线生活》　西北战地服务团集体创作

《中国解放区见闻》　［美］福尔曼著 / 朱进译

《全面抗战论》　潘汉年 / 著

《日本的间谍》　范士白自述 / 尊闻译

《日本大陆政策的真面目》　国难资料编辑社 / 编

《民众动员论》　李公朴 / 著

《中国外交史》　钱亦石 / 编著

《太平洋军事地理》　蒋震华 / 著

《世界经济地理讲话》　思慕 / 著

《列强军力论》　［德］马克斯 · 威纳尔著 / 宾符　仲持　梅益等译

《近代国际关系史》　张铁生 / 著

《太平洋现势手册》　沈志远　石啸冲 / 编著

《近代世界政治史》　钱亦石 / 著

《从战争到和平——一九四五年的世界政治》　乔木 / 著

《战后日本问题》　思慕 / 著

《最近一年间的国际动态（1946.7–1947.6）》　《东北日报》社 / 编

《论政党》　翟放 / 著

《法与宪法》　韩幽桐 / 编著

《中华民国宪法刍议》　罗家衡 / 著

《民主 · 宪法 · 人权——作之民》　费孝通 / 著

《宪法论初步》　潘念之 / 著

《对反民主的抗争》　韬奋 / 著

《农村改进的理论与实际》　江恒源 / 著

《上海产业与上海职工》（上下）　　朱邦兴　胡林阁　徐声 / 合编

《陶行知教育论文选辑》　　陶行知著 / 方与严编

《中国通货膨胀论》　　杨培新 / 著

《中国及其未完成的革命》　　H·普拉特著 / 蒋天佐译

《中国的建设问题与人的训练》　　卢作孚 / 著

《论中国特殊性及其他》　　艾思奇 / 著

《中国经济问题讲话》　　钱俊瑞　徐雪寒　王渔邨　姜君辰　骆耕漠 / 合著

《中国经济的道路》　　许涤新 / 著

《中国财政之病态及其批判》　　孙怀仁 / 著

《官僚资本论》　　许涤新 / 著

《五四运动之史的评价》　　陈端志 / 著

《中国通史简编》（上下）　　中国历史研究会　范文澜 / 主编

《论文学的工农兵方向——读〈在延安文艺座谈会上的讲话〉》　雪苇 / 著

《中国近代史（上编　第一分册）》　　武波 / 编著

《文学百题》　　傅东华 / 编

《中国史学之进化》　　周谷城 / 著

《论民族形式问题》　　胡风 / 著

《论批评》　　荃麟等 / 著

《中国史纲》（第一卷上下、第二卷上下）　　翦伯赞 / 著

《近代中国思想学说史》（1–4）　　侯外庐 / 著

《中国政治思想史》（上下）　吕振羽 / 著

《中国哲学史纲要》　向林冰 / 著

《中国政治史讲话》　钱亦石 / 著

《中国社会经济史纲》　王渔邨 / 著

《新财政学大纲》　千家驹 / 著

《太平天国革命运动论文集——金田起义百周年纪念》

华北大学历史研究室 / 编

《理性与自由——文化思想批评论文集》　胡绳 / 著

《战斗者的诗人》　黄药眠 / 著

《国语文法》　曹朴 / 著

《教育哲学》　张栗原 / 著

《妇女问题讲话》　杜君慧 / 著

《婚姻 · 子女 · 继承》　沙千里 / 著

《性教育新论》　布士克　雅各生合著 / 董秋斯译

《狱中杂感》　杜重远 / 著

《七人之狱》　沙千里 / 著

《爱迪生传》　伍况甫 / 译

《歌德自传》（上下）　歌德著 / 思慕译

《尼赫鲁自传》　［印度］尼赫鲁著 / 毕来译

《列宁传》　［苏］凯尔任采夫著 / 企程　朔望译

《罗斯福总统传》　C．Mackenzie 著 / 张尚之译

《托尔斯泰传》（1–3）　［英］阿尔麦 · 莫德著 / 徐迟译

《革命文豪高尔基》　［美］亚历山大·康恩著 / 韬奋编译

《鲁迅纪念特辑》　新中国文艺社 / 编

《回忆鲁迅先生》　萧红 / 著

《人民文豪鲁迅》　平心 / 著

《亡友鲁迅印象记》　许寿裳 / 著

《鲁迅思想研究》　何干之 / 著

《鲁迅研究》　夏征农 / 编

《过来的时代：鲁迅论及其他》　雪峰 / 著

《电影戏剧表演术》　洪深 / 著

《日常心理漫谈》　［美］约瑟夫·查斯特罗著 / 曾宝施译

《心理常识漫话》　朱智贤　杨云美 / 著

《读书的方法与经验》　王任叔 / 著

《美国黑人生活纪实》　［美］加德维尔　斯坦倍克著 / 董秋斯译

《初访美国》　费孝通 / 著

《事业与成功》　［美］马尔腾著 / 汪原放译

《萍踪寄语（初集）》　韬奋 / 著

《一生的幸福前途——〈生活周刊〉信箱选集》　生活书店 / 编选

《深刻的印象》　生活周刊社 / 编

《海外的感受》　生活书店编译所 / 编